資格試験研究会編

実務教育出版

過去問集の決定版！

先輩合格者も使った信頼のシリーズ！

2026年度版

公務員試験

合格の500シリーズ

- ●試験別の構成で、まるごと１冊すべて受験先の問題。500問収録の圧倒的ボリューム（一部350問）
- ●地方上級、市役所、警察官などの非公開問題も、受験者情報から復元して、詳しい解説とともに掲載
- ●時間を計って取り組めば、模擬試験代わりにも使える！　わかりやすい解説で徹底的に実力強化！
- ●公務員試験では、過去問の類似問題が頻出！　なるべく早く取り掛かり、何周も回して合格をつかめ！

合格の500/350シリーズは、全14冊のラインナップで、主要な公務員試験を網羅しています。受験先によって対応する書籍が異なります。職種・勤務先と受験先・対応する書籍については、下表を参考にしてください（刊行スケジュール、価格等は小社ホームページをご参照ください）。

第一志望だけでなく、併願先の過去問も解いておこう！

	なりたい職種・やりたい仕事		対応する書籍
大卒程度 上級	国家公務員（中央官庁）	➡	国家総合職　教養試験　**過去問500**
		➡	国家総合職　専門試験　**過去問500**
	国家公務員（中央官庁、地方機関）	➡	国家一般職［大卒］教養試験　**過去問500**
		➡	国家一般職［大卒］専門試験　**過去問500**
	国税専門官	➡	国税専門官　教養・専門試験　**過去問500**
	道府県、政令指定都市の職員	➡	地方上級　教養試験　**過去問500**
		➡	地方上級　専門試験　**過去問500**
	東京都、特別区の職員	➡	東京都・特別区［Ⅰ類］教養・専門　**過去問500**
	市役所の職員（政令指定都市を除く）	➡	市役所上・中級 教養・専門試験　**過去問500**
	警察官（大卒程度）	➡	大卒警察官　教養試験　**過去問350**
	消防官	➡	大卒・高卒消防官　教養試験　**過去問350**
高卒程度 初級	国家公務員（中央官庁、税務職員、地方機関）	➡	国家一般職［高卒・社会人］教養試験　**過去問350**
	地方公務員（高卒程度）	➡	地方初級　教養試験　**過去問350**
	警察官（高卒程度）	➡	高卒警察官　教養試験　**過去問350**

財務専門官、労働基準監督官など、国家専門職の基礎能力試験は共通

消防官は大卒・高卒が一冊に

本書について

本書には、令和元年度から令和６年度に行われた国家公務員採用一般職試験（大卒程度試験）行政区分で課される専門試験および一般論文試験の問題を収録しています。

・本書に掲載されている問題は、人事院が公開したものです。
・各年度の問題をNo.順に掲載しています。
・問題文は、出題当時のまま掲載しています。
・法改正や制度変更などがあり、現在では成立しなくなった問題は掲載していません。なお、データが古くなった事情問題については、参考までに出題当時のまま掲載しているものがあります。

目　次

本書について……………………………………3
試験の方法………………………………………4
令和６年度試験　出題例　………………………5
令和５年度試験　出題例　…………………… 187
令和４年度試験　出題例　…………………… 373
令和３年度試験　出題例　…………………… 545
令和２年度試験　出題例　…………………… 711
令和元年度試験　出題例　…………………… 877

◆本書では、人事院が作成・公開した試験問題文に合わせて、令和５年度の問題・解説から、読点については「、」を使用しています。それ以前の問題・解説等では、公開当時の人事院の問題文に合わせて「,」を使用しているため、両者が混在しています。ご了承ください。

試験の方法

■１次試験の種目・方法

①**基礎能力試験**（多肢選択式、１時間50分）

公務員として必要な基礎的な能力（知能および知識（自然・人文・社会に関する時事、情報））についての筆記試験で、全区分共通の問題が出題される。

②**専門試験**（多肢選択式、建築以外の区分は３時間、建築は２時間）

各試験の区分に応じて必要な専門的知識などについての筆記試験。

③**専門試験**（記述式、行政・建築以外の区分は１時間、建築は２時間）

各試験の区分に応じて必要な専門的知識などについての筆記試験。それぞれの関連する領域における一般的な課題について論述する。

④**一般論文試験**（１時間）

行政区分でのみ行われる。一般的な行政に携わる者として必要な文章による表現力、課題に関する理解力などについての短い論文による筆記試験。

※一般論文試験および専門試験（記述式）は、１次試験合格者を対象に評定したうえで、最終合格者決定の際に他の試験種目の成績と総合される。

■２次試験の種目・方法

人物試験

人柄、対人的能力などについての個別面接が行われる。受験者の情報によれば、試験時間は15分程度、試験官は３人である。

■最終合格から採用まで

最終合格者は、試験の区分ごとに作成する採用候補者名簿（５年間有効）に記載される。各府省等では、採用候補者名簿に記載された候補者の中から、面接などを行って採用者を決定する。

志望する府省等に関する知識を深めるとともに、各府省等が行うこの採用面接に自分を呼んでもらうための自己PRの重要な機会が「官庁訪問」である。採用機関は、官庁訪問を通じて訪問者が適した人材であるかどうかなどをチェックする。志望する府省・採用機関のホームページ等から、業務説明、官庁訪問等の日時・場所・参加方法・予約の受付等の採用関係情報を得たうえで、積極的に官庁訪問を行い、自分をアピールすることが大切である。地方機関への採用の場合、地域によっては、官庁訪問のルールに一部変更を加える場合があるので注意してほしい。

■合格者の決定方法

人事院では、情報公開の一環として、「国家公務員採用一般職試験（大卒程度試験）合格者の決定方法」を公開している。

①筆記試験の得点は、各試験種目の素点ではなく、試験種目ごとに平均点、標準偏差を用いて算出した「標準点」を用いている。

②人物試験は、各受験者についてＡ～Ｅの５段階で評価し、各段階の標準点を算出している。

③各試験種目の配点比率（カッコ内は建築区分のもの）は以下のとおり（専門試験〔記述式〕と一般論文試験はどちらか一方のみ）。

試験種目	基礎能力試験	専門試験（多肢選択式）	専門試験（記述式）	一般論文試験	人物試験
配点比率	$\frac{2}{9}\left(\frac{2}{9}\right)$	$\frac{4}{9}\left(\frac{2.5}{9}\right)$	$\frac{1}{9}\left(\frac{2.5}{9}\right)$	$\frac{1}{9}$	$\frac{2}{9}\left(\frac{2}{9}\right)$

④筆記試験の各試験種目の「基準点」は、多肢選択式試験では原則として満点の30％とし、記述式試験では個別に定めている。基準点に達しない試験種目が１つでもある受験者は、他の試験種目の成績にかかわらず不合格となる。

⑤１次試験合格者は、基礎能力試験と専門試験（多肢選択式）が基準点以上である者について、両試験種目の標準点を合計した得点で決定される。

⑥最終合格者は、１次試験合格者のうち、一般論文試験または専門試験（記述式）が基準点以上であり、かつ、人物試験がＡ～Ｄの評価である者について、１次試験を含むすべての試験種目の標準点を合計した得点で決定される。

令和6年度試験出題例

試験の概要

■試験日程・実施結果

令和６年度試験の日程，受験資格，採用予定数，試験区分別実施結果などは下表のとおりである。

■専門試験（択一式）の出題内訳

令和６年度試験の行政区分で実施された専門試験（択一式）の出題内訳表は次ページのとおりである。

16科目80問中８科目40問に解答するが，出題科目のうち「財政学・経済事情」は合わせて５問であり，その内訳数は発表されていない。次ページの出題内訳表では，問題の内容から判断して財政学と経済事情に分類している。

出題内訳表の次のページから，No.の順に問題文と解説を掲載している。

専門試験の後に一般論文試験を掲載している。

令和６年度国家一般職大卒程度試験の概要

受付期間	インターネット２月22日～３月25日
受験資格	1　平成６年４月２日～平成15年４月１日生まれの者 2　平成15年４月２日以降生まれの者で次に掲げるもの (1)　大学を卒業した者および令和７年３月までに大学を卒業する見込みの者ならびに人事院がこれらの者と同等の資格があると認める者 (2)　短大または高専を卒業した者および令和７年３月までに短大または高専を卒業する見込みの者ならびに人事院がこれらの者と同等の資格があると認める者
採用予定数	4,140名
勤務地	(行政区分) 全国を９つに分けた地域ごとの採用で勤務地はおおむねその地域内。 ※ただし，本府省への採用については，関東甲信越地域以外の地域からも採用が可能である。 (技術系区分) 勤務地は全国各地。

		試験日	試験種目	解答時間
試験日 試験種目	第1次	６月２日(日)	基礎能力試験(多肢選択式)	1時間50分
			一般論文試験	行政…1時間
			専門試験(記述式)	行政・建築以外 1時間 (建築は2時間)
			専門試験(多肢選択式)	3時間 (建築は2時間)
	第2次	7月10日～7月26日のうちの指定日	人物試験(個別面接)	

合格者発表日	第１次合格者	６月26日
	最終合格者	８月13日

令和６年度試験区分別実施結果

※競争率＝１次受験者数÷最終合格者数

	試験区分	申込者数(人)	１次受験者数(人)	１次合格者数(人)	最終合格者数(人)	競争率(倍)
行政	北海道地域	981	769	683	527	1.5
	東北地域	1,394	1,103	807	550	2.0
	関東甲信越地域	7,915	5,484	2,729	1,942	2.8
	東海北陸地域	2,191	1,595	924	653	2.4
	近畿地域	3,036	2,221	1,173	816	2.7
	中国地域	1,416	1,083	780	523	2.1
	四国地域	986	713	450	299	2.4
	九州地域	2,300	1,791	995	631	2.8
	沖縄地域	501	364	167	134	2.7
	行政小計	20,720	15,123	8,708	6,075	2.5
デジタル・電気・電子		455	258	232	164	1.6
機械		199	132	115	83	1.6
土木		819	543	483	312	1.7
建築		136	82	75	52	1.6
物理		285	190	182	155	1.2
化学		443	270	233	172	1.6
農学		661	460	415	285	1.6
農業農村工学		149	111	99	57	1.9
林学		373	294	281	202	1.5
小計		3,520	2,340	2,115	1,482	1.6
合計		24,240	17,463	10,823	7,557	2.3

出題内訳表

令和6年度　専門試験〈行政〉

択一式（16科目80題中８科目40題選択解答）							
No.	科目	出題内容	難易度	No.	科目	出題内容	難易度
1		自由主義（ラギー、ミル、バーリン、ノージック、第二臨調）	B	41		リンダール均衡における消費者の公共財の負担割合（計算）	A
2		議会（ポルスビー、ドイツ、ヴィスコシティ、英国、衆議院の優越）	B	42	財政学	日本の国債（財投債、保有者別内訳、建設国債、日銀引受け等）	B
3	政治学	各国の政党（アメリカ、イギリス、ドイツ、フランス、日本）	B	43		日本の財政事情（歳出規模、国債残高、一般会計当初歳入予算等）	B
4		市民の意識・価値観（投票行動、フロム、アーモンドとヴァーバ等）	B	44	経済事情	日本の経済状況（実質GDP成長率、企業物価、消費者物価等）	B
5		メディアの影響力（クラッパー、議題設定機能、記者クラブ等）	B	45		海外の経済状況（ロシア、米国、ユーロ圏、中国、インド）	B
6		行政学の学説（アップルビー、ウェーバー、ダンリーヴィー等）	B	46		企業の戦略（資源ベース論、事業定義の軸、PIMS研究、価値連鎖等）	A
7		日本の国家行政組織（内閣官房、８条委員会、地方支分部局等）	A	47		経営組織（ファヨール、制度的同型化、シャイン、バーンズとストーカー等）	B
8	行政学	行政管理の理論と実際（日本の会計検査、大臣官房、シーリング等）	A	48	経営学	リーダーシップ論（オハイオ研究、ミシガン研究、PM理論、フィードラー等）	B
9		市民と行政（認定NPO法人制度、監査請求、住民投票条例等）	A	49		技術経営（ヒッペル、ゴシャール、製品アーキテクチャ、設計品質等）	A
10		日本の地方自治の沿革（長の選出、機関委任事務、自治体警察等）	B	50		国際経営（EPRGプロファイル、多国籍企業の組織形態等）	A
11		職業の自由（公衆浴場の適正配置規制、薬局等の適正配置規制等）	A	51		国際政治の理論と概念（安全保障のディレンマ、国際レジーム論等）	B
12		労働基本権（社会権・自由権と私人間の関係、労働組合の統制権等）	A	52		冷戦後の国際情勢と国際社会の対応（新しい戦争、人道的介入等）	B
13	憲法	人身の自由（刑事責任追及の手続における強制、憲法35条の保障対象等）	B	53	国際関係	国連（日本の国連加盟、国連総会、安全保障理事会、専門機関等）	C
14		内閣総理大臣（内閣の統率と行政各部の統轄調整、法律・政令の執行責任等）	C	54		軍縮（CTBT、NPT、START、CWC、核兵器禁止条約等）	B
15		憲法の改正や最高法規性（憲法の改正手続、尊重擁護の義務等）	B	55		国際政治の見方に関する英文（現実主義と国際協調主義）（空欄補充）	B
16		行政行為（公立学校の学校施設の目的外使用の許可等）	A	56		デュルケムの理論（宗教、自殺、社会類型、方法論的集合主義等）	B
17		行政手続法（目的、聴聞と弁明の機会、意見の提出、理由明示等）	B	57		知識についての学説（バーガーとルックマン、マンハイム等）	B
18	行政法	原告適格（定期航空運送事業免許の取消、都市計画事業認可の取消等）	A	58	社会学	文化（タテ社会、恥の文化・罪の文化、核家族、儀礼的贈与交換等）	B
19		不作為の違法確認の訴え（被告行政庁の対応等）	A	59		現代社会についての学説（感情労働、リオタール、ベック等）	A
20		損失補償（文化財的価値、消防対象物・土地、堤とうの使用制限等）	B	60		ジェンダーに関する法制度・取組（男女雇用機会均等法、GGI等）	C
21		意思表示（仮装譲渡、錯誤、強迫等）	A	61		奥行きの知覚（輻輳、両眼視差、線遠近法、ベクション）	A
22		時効（債務の履行の催告、法定代理人のいない未成年者の時効の完成等）	B	62		学習や条件づけ（自動反応形成、自発的回復、ガルシア効果等）	B
23	民法(総則および物権)	動産物権変動（動産に関する物権の譲渡、即時取得等）	B	63	心理学	情動（感情）に関する学説（ジェームズ、シャクター、ザイアンス）	C
24		留置権（留置物の占有、留置権の消滅、留置物の必要費の償還等）	C	64		ストレンジ・シチュエーション法に基づく分類（空欄補充）	B
25		先取特権（不動産の賃貸、不動産の保存、差押え等）	B	65		傍観者効果（沈黙の螺旋、責任の分散、集団思考、多元的無知）	C
26		債務不履行（遅滞の責任、代位、利益の支払い請求、債務の存続等）	B	66		日本の教育の歴史（藩校、学制、国民学校令、教育基本法等）	B
27		相殺（禁止・制限、意思表示の効力、時効で消滅した債権の相殺等）	B	67		日本の子ども・若者を巡る現状や動向（不登校児童生徒数の増加等）	B
28	民法(債権,親族および相続)	売買契約における契約不適合責任（履行の追完、代金減額請求等）	B	68	教育学	日本における生涯学習・社会教育（教育基本法、社会教育法等）（空欄補充）	C
29		不法行為（損害賠償の範囲、損害賠償請求権の消滅時効の起算点等）	A	69		日本の教職員の現状等（教員業務支援員、研修、懲戒処分等）	B
30		養子縁組（尊属または年長者の縁組、配偶者がある者の縁組、死後離縁等）	C	70		カリキュラム（デューイ、アトキン、ジャクソン、モンテッソーリ）	C
31		レオンチェフ型効用関数における需要関数（計算）	A	71		内容把握（SDGsの進捗状況）	A
32		顕示選好の弱公理（グラフ）	B	72		内容把握（心臓病に対する笑い療法の効果）	B
33	ミクロ経済学	長期総費用関数（計算）	B	73	英語(基礎)	内容把握（ドローイング（デッサン）の効用）	B
34		市場価格を150以下にする財１単位当たり補助金の額（計算）	C	74		空欄補充（インスタントラーメンの世界的需要）	C
35		情報の非対称性（モラルハザード、逆選択、シグナリング等）	B	75		文法（接続詞、倍数表現、過去分詞、疑問詞の慣用表現）	A
36		政府支出乗数（計算）	B	76		内容把握（オーバーツーリズムに悩むイタリア）	C
37		総需要曲線（計算）	C	77		内容把握（訪日観光客と日本経済）	C
38	マクロ経済学	コンソル債の価格（計算）	B	78	英語(一般)	内容把握（山火事によって表面化したマウイ島の水資源）	B
39		貨幣乗数（マネーサプライを600増やすハイパワードマネー）（計算）	B	79		内容把握（女子サッカー選手のキャリアと出産）	B
40		フィリップス曲線（損失関数を最小化するインフレ率）（計算）	A	80		内容把握（人工知能をどう語るか）	A

※難易度：Ｓ＝特に難しい，Ａ＝難しい，Ｂ＝普通，Ｃ＝易しい。

国家一般職［大卒］ No. 1 専門試験

政治学　自由主義　令和6年度

自由主義に関する次の記述のうち、最も妥当なのはどれか。

1　J. ラギーは、第一次世界大戦後における先進民主主義国の自由主義経済体制を「埋め込まれた自由主義」と特徴付けた。この体制の下で、各国は、国内的には規制緩和や福祉削減を進めるなど経済的自由主義を徹底させた一方、国際的には保護貿易体制を志向し、国内産業の保護に努めた。

2　J. S. ミルは、『自由論』において、他者に関わる行為はもちろん、自分自身にのみ関わる行為であっても、過度な飲酒といった自傷行為が行われている場合には、政府はその個人に対し積極的に干渉すべきだと主張した。また、彼は、選挙権の拡大には強い警戒感を示し、男女普通選挙の導入に反対した。

3　I. バーリンは、自由という概念に干渉の不在と自己支配という二つの意味が含まれるとし、それぞれ消極的自由、積極的自由と呼んだ。その上で彼は、積極的自由の追求は、フランス革命時に見られたような個人的自由への厳しい制限に結び付きかねないとし、消極的自由を擁護した。

4　R. ノージックは、『アナーキー・国家・ユートピア』において無政府主義思想を展開した。彼によれば、個々人は自身の身体や財産について自由に扱う権利を持っており、国家による徴税はその侵害に当たる。したがって、彼は、J. ロールズの擁護した福祉国家はもちろん、夜警国家的な最小国家の存在も批判した。

5　我が国では、1980年代に第二次臨時行政調査会が設置され、自由主義的改革が推進された。その成果として、大平正芳内閣の時、日本電信電話公社の民営化が実施された。その後、中曽根康弘内閣の時、日本国有鉄道が民営化され、国立大学法人法が成立するなどエージェンシー制度の導入が進んだ。

1．ラギーのいう「埋め込まれた自由主義」とは、第二次世界大戦後における先進民主主義国の自由主義経済体制の特徴をとらえた用語である。この体制の下で、各国は、国内的には福祉国家化を推し進めて社会的弱者の保護に努める一方、国際的には自由貿易体制を志向し、経済的自由主義を徹底させた。

2．ミルは、『自由論』において他者危害原則を主張し、「文明社会のどの成員に対してであれ、本人の意向に反して権力を行使しても正当でありうるのは、他の人々への危害を防止するという目的の場合だけである」とした。したがって、自分自身にのみかかわる個人の行為については、たとえそれが自傷行為であったとしても、政府は積極的に干渉するべきではないとされる。また、ミルは選挙の教育機能を重視したため、選挙権を労働者や女性にも拡大するべきであるとして、男女普通選挙の導入を主張した。

3．妥当である。バーリンは、消極的自由（「～からの自由」）と積極的自由（「～への自由」）を区別した。そのうえで、積極的自由の下では全体主義が選択肢を人々にあてがい、自由へと強制する事態が起こりかねないとして、消極的自由の重要性を指摘した。

4．ノージックは、無政府主義の立場に立ったわけではなく、夜警国家的な最小国家の重要性を指摘した。ノージックによれば、個々人は自身の身体や財産について自由に扱う権利を持っていることから、国家は暴力・盗み・詐欺からの保護、契約の執行などに限定される役割を果たすべきである。したがって、最小国家を支える限りにおいて、国家による徴税は正当化されるが、ロールズの擁護した福祉国家は、人々の権利を侵害する不当な拡張国家として否定される。

5．1980年代に自由主義的改革を実施し、日本電信電話公社や日本国有鉄道、日本専売公社という三公社の民営化を実現したのは、中曽根康弘内閣である。また、エージェンシー制度はイギリスで発達した制度であり、我が国ではこれに類似のものとして、1990年代に橋本龍太郎内閣が独立行政法人制度の導入を進めた。なお、国立大学法人も広義には独立行政法人に含まれるが、学問の自由を尊重する観点から一定の自主性・自律性が認められており、独立行政法人通則法の規定を準用（35条）しつつも独立行政法人とは異なった制度を導入している。

正答　3

国家一般職［大卒］ 専門試験

No. 2 政治学 議 会 令和6年度

議会に関する次の記述のうち、最も妥当なのはどれか。

1 N. ポルスビーは、各国の議会を「変換型議会」「アリーナ型議会」という類型を用いて分類した。変換型議会は、社会の様々な要求を法律という形にする機能を果たし、アリーナ型議会は、与野党が次の選挙を意識しつつ、争点を明確にして政策を競う場として機能するとされる。

2 ドイツ議会は二院制を採っており、全ての法案について、その成立のためには連邦参議院と連邦議会の両者の同意が必要となる。連邦参議院の議員は、州代表、学識経験者、職能代表によって構成される一方、連邦議会の議員は、小選挙区比例代表並立制の選挙により国民が直接選出している。

3 J. ブロンデルは、議会の能力を測る基準として、議員立法がどれだけ活発に行われているかに着目し、その能力を「粘着性」(ヴィスコシティ)と呼んだ。M. モチヅキによると、日本では、議員立法が少なく、多くの内閣提出法案が無修正で成立することから、国会の粘着性はほとんどないとみなせる。

4 二読会制を採る英国議会では、法案審議は、第一読会、第二読会、本会議採決という順に行われる。第一読会は形式的なもので、実質的な審議が行われる第二読会では、「フロントベンチャー」と呼ばれる与党議員と「バックベンチャー」と呼ばれる野党議員が法案の逐条について討論を行う。

5 我が国においては、憲法の規定によれば、衆議院で可決された法律案が参議院で否決されても、衆議院で総議員の3分の2以上の賛成で再可決された場合には法律となる。また、憲法の規定上、内閣総理大臣の指名について両議院の議決が異なる場合は、両院協議会を開催し、そこで意見が一致するまで審議を行うこととされている。

政治学
行政学
憲法
行政法
民法
経済理論
財政学

解説

1．妥当である。ポルズビーは、各国の議会を「変換型議会」と「アリーナ型議会」という2つに類型化し、前者の代表例としてアメリカ連邦議会、後者の代表例としてイギリス議会を挙げた。

2．ドイツ議会は二院制を採っているが、州の組織や財政等に関係する法案を除けば、法案の成立に上院の同意は必要とされない。また、連邦参議院（上院）の議員は、州代表によって構成される一方、連邦議会（下院）の議員は、小選挙区比例代表「併用制」の選挙により国民が直接選出している。なお、小選挙区比例代表並立制では、小選挙区選挙と比例代表選挙の当選者がともに議員とされるが、小選挙区比例代表併用制では、比例代表選挙の結果をもとに各政党へ議席が配分され、各政党の当選者は小選挙区選挙での当選者を優先させたうえで、候補者名簿の上位者から順に確定される。

3．ブロンデルは、議会の能力を図る基準として、政府立法をどれだけ妨げることができるかに注目し、その能力を「粘着性」（ヴィスコシティ）と呼んだ。M. モチヅキによると、日本の国会は、短い会期と会期不継続の原則、議院運営に関する全会一致の慣行などを特徴としていることから、政府法案に対する野党の抵抗が有効に働きやすく、国会の粘着性は高い。

4．英国議会は三読会制を採用し、本会議を3回に分けて開催している。第一読会では法案の趣旨説明、第二読会では実質的な審議、第三読会では採決が行われる。また、フロントベンチャーとは与野党の幹部議員、バックベンチャーとはその他の一般議員（いわゆる陣笠議員）のことである。第二読会ではフロントベンチャーとバックベンチャーがともに出席し、法案の逐条について討論を行っている。

5．衆議院で可決された法律案が参議院で否決されても、衆議院で「出席議員」の3分の2以上の賛成で再可決された場合には法律となる（憲法59条2項）。また、内閣総理大臣の指名について両議院の議決が異なる場合は、両院協議会を開催し、両院協議会でも意見が一致しないときは、衆議院の議決を国会の議決とする（同67条2項）。

正答　1

政治学
行政学
憲法
行政法
民法
経済理論
財政学

国家一般職［大卒］

専門試験

No. 3 政治学　各国の政党　令和6年度

各国の政党に関する次の記述のうち、最も妥当なのはどれか。

1　アメリカでは、政府の積極的役割を重視する共和党と、それと比べて「小さな政府」の実現を目指す民主党の二大政党制となっており、一部の選挙を除き小選挙区制が採用されていることなどから、その中間に位置する第三党が台頭することが難しく、1900年以降、第三党の候補者が大統領に就任したのは3例にとどまる。

2　イギリスの二大政党である保守党はホイッグ党、労働党はトーリー党を起源とする。両党はいずれも、各選挙区の利益代表者を議会に送り込むことを目的とした地方分権的な政治集団として発達してきたことから、各選挙区の支部の自律性が高く、議会での採決の際に党議拘束を掛ける仕組みは存在しない。

3　ドイツでは、キリスト教民主同盟・社会同盟と社会民主党の二つの大政党に加えて複数の政党が並立している。2013年以来この二大政党による大連立政権を組んでいたメルケル政権に続き、2021年、社会民主党、同盟90・緑の党、自由民主党の三党連立によるショルツ政権が発足した。

4　フランスでは、第五共和政が成立した1958年以来、一貫して社会党が第一党として多数の議席を確保するとともに、大統領を輩出してきたが、黄色いベスト運動を契機に、2017年には移民の排斥や反 EU を理念に掲げる極右政党である国民戦線が躍進して第一党となり、その党首が大統領に就任した。

5　日本では、自由党と民主社会党が合同して自由民主党が成立した1955年以来、同党が政権与党を担い続けた。しかし、1993年に政治改革の問題をめぐって同党からの離脱者が相次ぎ、同年の衆議院選挙では単独過半数を割り込んだため、自由民主党、日本社会党、新党さきがけの三党の連立による細川護熙内閣が成立した。

政治学
行政学
憲法
行政法
民法
経済理論
財政学

解説

1．アメリカの二大政党のうち、政府の積極的役割を重視しているのは民主党、「小さな政府」の実現をめざしているのは共和党である。また、アメリカで第三党の台頭が難しいのは事実であり、1900年以降、第三党の候補者が大統領に就任したことは一度もない。

2．イギリスの諸政党のうち、ホイッグ党を起源とするのは自由民主党、トーリー党を起源とするのは保守党である。トーリー党やホイッグ党は、17世紀の王位継承権を巡る争いに際して形成された党派であり、1900年に結成された労働党（当初の党名は労働代表委員会）とは無関係である。また、イギリスの二大政党である保守党と労働党は、いずれも中央集権的な政治集団として発達してきたことから、党本部の権力が強く、議会での採決の際には党議拘束を掛けるのが一般的である。

3．妥当である。ドイツでは比例代表制中心の選挙制度が採用されているため、過半数の議席を獲得する政党は出現しにくい。しかし、そうした状況下でも、キリスト教民主同盟・社会同盟と社会民主党はそれぞれ保守と革新の大政党としての地位を確立している。2021年の総選挙では、社会民主党が第１位、キリスト教民主同盟・社会同盟が第２位となり、連立交渉の結果、社会民主党、同盟90・緑の党（第３位）、自由民主党（第４位）の三党連立によるショルツ政権が誕生した。

4．フランスでは、下院議員選挙とは別に大統領選挙が行われており、下院議員選挙で第一党になったからといって、当該政党が大統領を輩出できるわけではない。大統領選挙についてみると、第５共和政が成立した1958年以降、保守・中道勢力が勝利を収めることが多く、社会党の大統領はミッテラン（在任1981～1995年）とオランド（同2012～2017年）の２人に限られる。また、2017年の大統領選挙では、中道のマクロン候補と極右・国民戦線（現在の国民連合）のルペン党首が第２回投票（決選投票）で激突したが、マクロンが当選を果たした。なお、黄色いベスト運動とは、燃料税引き上げへの反対運動をきっかけとして、2018年以降、フランス全土に広がった反政府デモのことであり、2017年の大統領選挙とは無関係である。

5．1993年の衆議院選挙で自由民主党の議席が過半数を割り込んだことから、非自民・非共産の７党１会派が結集して細川護熙内閣を誕生させ、いわゆる55年体制を崩壊させた。細川内閣には、日本社会党、新生党、公明党、日本新党、民社党、新党さきがけなどが連立与党として参加したが、このなかに自由民主党は含まれていない。自由民主党、日本社会党、新党さきがけの三党連立によって誕生したのは、1994年以降に成立した村山富市内閣および橋本龍太郎内閣（後に自民党単独内閣へ）である。

正答　3

国家一般職［大卒］ No. 4 専門試験

政治学　市民の意識・価値観　令和6年度

市民の意識・価値観に関する次の記述のうち、最も妥当なのはどれか。

1 P.ラザースフェルドらコロンビア大学の研究者は、1950年代の米国大統領選挙時の調査に基づき、政党帰属意識が有権者の投票行動を強く規定していると論じた。その後、ミシガン大学の研究者により、政党帰属意識は成人後の経験によって短期的に大きく変化する不安定な政治意識であることが実証された。

2 E.フロムは『自由からの逃走』において、20世紀前半にスターリニズムを支持したロシア人特有の社会的性格を「権威主義的性格」と呼んだ。T.アドルノは権威主義的性格の度合いを「F尺度」という指標を用いて測定し、学校や家庭における甘やかしが権威主義的性格の形成につながっていると論じた。

3 G.アーモンドとS.ヴァーバは『現代市民の政治文化』において、「未分化型」「臣民型」「参加型」という三つの政治文化の類型を示し、5か国の政治文化を調査に基づき分析した。彼らは、米国や英国のような、3類型の政治文化が混在した「市民文化」の存在する国で民主主義は安定しやすいと主張した。

4 R.イングルハートは、国内秩序の維持や政治参加を重視する価値観を「物質主義的価値観」、言論の自由や環境保護を重視する価値観を「脱物質主義的価値観」と呼んだ。彼によると、1970年代の欧米では、高齢世代ほど戦争や公害の被害を受けた経験を持つため、若者世代と比べ、脱物質主義的価値観を持つ者の比率が高かった。

5 R.パットナムは、イタリアにおける州政府のパフォーマンスの違いを「社会関係資本」、すなわち道路や上下水道といった公共施設の充実度によって説明した。彼によれば、社会関係資本の豊かな地域では経済発展が進む一方、伝統社会が崩壊する結果、住民間の信頼関係が損なわれてしまう。

1. 1950年代の米国大統領選挙時の調査に基づいて、政党帰属意識が有権者の投票行動を強く規定していると論じたのは、A. キャンベルらミシガン大学の研究者であった。政党帰属意識は、幼少時から長期にわたって形成される安定的な政治意識であり、このことは現在も否定されていない。なお、ラザースフェルドらコロンビア大学の研究者は、1940年代の米国大統領選挙時の調査（エリー調査）に基づき、有権者の社会的属性（社会経済的地位、宗教、居住地など）が有権者の投票行動を強く規定していると論じた。

2. フロムの「権威主義的性格」論は、20世紀にファシズムを支持したドイツ人の社会的性格を分析するなかで展開された。また、アドルノが権威主義的性格の度合いを「F尺度」という指標を用いて測定したのは事実であるが、権威主義的性格の形成につながっているとされたのは、学校や家庭における甘やかしではなく、かたくななしつけなどである。

3. 妥当である。アーモンドとヴァーバは『現代市民の政治文化』において、5か国の政治文化を比較世論調査に基づき3つに分類した。未分化型とは、政治全般に対して関心を持たない文化であり、メキシコが該当する。臣民型とは、権力機構や政策執行などには関心を持つが、自らを政治参加の主体とは考えない文化であり、西ドイツ（当時）やイタリアが該当する。参加型とは、政治全般に対して関心を抱きつつ、自らを政治参加の主体と考えている文化であり、アメリカやイギリスが該当する。彼らは、この3類型の政治文化が混在した政治文化を「市民文化」と呼び、市民文化の存在が民主主義を安定させると主張した。

4. イングルハートのいう「物質主義的価値観」とは、物質的な豊かさに価値を認め、それを追求しようとする価値観をさし、「脱物質主義的価値観」とは、豊かな社会において現れてきた言論の自由や環境保護を重視する価値観をさす。イングルハートによると、1970年代の欧米では、豊かな社会に生まれ育った若者を中心に脱物質主義的価値観を持つ者の比率が高まっており、彼はこれを「静かなる革命」と呼んだ。

5. パットナムのいう「社会関係資本（社会資本）」とは、「社会的つながり（ネットワーク）とそこから生まれる規範・信頼」を意味する用語である。これに対して、道路や上下水道などのインフラ設備も「社会資本」と呼ばれることがあるが、これは主に経済学の用語法である。また、パットナムによれば、社会関係資本の豊かな地域では、住民間の信頼関係を基盤として経済発展が導かれ、その後も住民間の信頼関係は維持される。具体的には北部イタリアは社会関係資本が豊かであるとし、反対に南部イタリアは乏しいと検証した。

正答　3

No. 5 専門試験 政治学 メディアの影響力 令和6年度

メディアの影響力に関するア～エの記述のうち、妥当なもののみを全て挙げているのはどれか。

ア．J. クラッパーは、ナチス・ドイツがラジオを用いたプロパガンダによって国民に対して強い影響力を与えたという事例の分析を踏まえ、マスメディアが持つ効果は既存の態度を強化する「補強」にとどまるという限定効果説を批判し、人々の既存の意見や態度を変更させる「改変」の効果を持つことも多いという強力効果説を唱えた。

イ．M. マコームズとD. ショーは、1968年の米国大統領選挙の分析によって、マスメディアが強調する争点と有権者が重要と考える争点に関連があることを見いだし、このように現在の争点が何であるかという有権者の認知レベルに影響を与えるマスメディアの機能を議題設定機能と呼んだ。

ウ．S. アイエンガーによると、マスメディアが特定の問題を取り上げる頻度が高くなることによって、それが人々の政治判断の基準となるというフレーミング効果や、マスメディアが報道を行う角度や文脈によって伝えられるイメージが変化するという第三者効果によって、マスメディアは人々の認知に一定の影響を与えている。

エ．日本では、政府が報道機関に対して正しい情報を適時かつ継続的に提供できるようにするため、情報公開法の規定に基づき、各省庁に、新聞社やテレビ局の記者で構成される記者クラブが設けられていたが、加盟しない報道機関が情報を得られないのは不公平であるなどの批判があり、2013年に廃止された。

1 ア
2 イ
3 ア、ウ
4 イ、エ
5 ウ、エ

ア：クラッパーは、さまざまな実証研究を通じて、マスメディアが持つ効果は既存の態度を強化する「補強」に留まるという限定効果説を主張した。マスメディア研究では、1920年から1930年代にかけて、ナチス・ドイツのプロパガンダが広まったこともあり、マスメディアが持つ効果は絶大であるとする「弾丸理論（皮下注射モデル）」が主流となっていたが、1960年に主張されたクラッパーの限定効果説は、これを批判するものであった。なお、強力効果説とは、マスメディアは一定の強力な効果を持つとする学説のことであり、一般に1960年代後半以降に台頭したとされている。

イ：妥当である。マコームズとショーは、マスメディアは有権者の既存の意見や態度を改変するほどの強い影響力は持たないが、争点が何であるかという認知レベルには影響を与えていると主張し、これを議題設定（アジェンダ・セッティング）機能と呼んだ。

ウ：アイエンガーは、「マスメディアが特定の問題を取り上げる頻度が高くなることによって、それが人々の政治判断の基準となる」という効果をプライミング効果、「マスメディアが報道を行う角度や文脈によって伝えられるイメージが変化する」という効果をフレーミング効果と呼んだ。なお、第三者効果とは、「マスメディアの影響力は自分よりも他の人々により強く及ぼされている」と考える一般的傾向のことである。

エ：記者クラブの歴史は明治中期にまでさかのぼり、それ以降、記者クラブは記者たちの取材の足場として用いられてきた。したがって、記者クラブは情報公開法（2001年施行）の規定に基づいて設けられたものではなく、政府の情報提供のための手段として設けられたものでもない。また、加盟しない報道機関が情報を得られないのは不公平であるとの批判があるのは事実だが、2013年に廃止されたという事実はなく、現在も活動を続けている。

以上より、妥当なものはイのみであるので、正答は**2**である。

正答　2

政治学 行政学 憲法 行政法 民法 経済理論 財政学

行政学　行政学の学説　令和6年度

行政学の学説に関する次の記述のうち、最も妥当なのはどれか。

1　P.アップルビーは、第一次世界大戦中に出版された『政策と行政』において、行政と政治過程の関係について論じた。彼は、議会が政策を決定し、行政はその政策を実施することに特化した組織であるため、政治過程から切り離し、実施機能に特化して分析する必要性を指摘した。

2　M.ウェーバーは、1911年に出版された『政党社会学』において、支配を正当化する根拠は何かという命題に基づき、支配の三つの類型を示した。その一つである「カリスマ的支配」とは、正当性は家系といった歴史的に形成される神聖さに基づくものであり、いわゆる威信によって支配が行われるとした。

3　P.ダンリーヴィーは、官僚の行動原理について、従来の予算極大化モデルとは大きく異なる「組織形整モデル」(bureau-shaping) を提示した。このモデルではエリート官僚は予算が減少することとなっても、魅力的な仕事という目的に適合するような組織形態を追求するとされ、イギリスのサッチャー政権下ではエージェンシー制度が導入された。

4　C.フリードリッヒは、行政官の責任について、機能的責任と政治的責任という二つを指摘した。機能的責任とは技術的・科学的知識に基づいた行動を取ることであり、主に行政官自身の自負心によって統制されるものであるとした。一方、政治的責任とは市民感情に基づいた行動を取ることであり、市民の代表である議会が直接統制するものであるとした。

5　E.メイヨーらの研究チームは、ホーソン工場での実験によってインフォーマル組織という組織形態を発見した。インフォーマル組織は職場と無関係の人間によって形成され、職場の生産性に悪影響を及ぼすため、メイヨーらはインフォーマル組織を排除することの必要性を指摘した。

1．アップルビーは、議会（政治家）が政策を決定し、行政（行政官）が政策を実施するという政治行政二分論を批判した。行政はその政策を実施することに特化しておらず、行政過程では政策の決定も行われており、政治過程と切り離すことができないとする政治行政融合論の立場に立つ。また、『政策と行政』は、自らがニューディール政策に携わった経験を踏まえて、第二次世界大戦後の1949年に執筆された。

2．家系といった歴史的に形成される神聖さに基づく支配の形態を、「伝統的支配」という。それに対して、「カリスマ的支配」は、個人の英雄性や宗教的な信仰、啓示力、才能といった資質に基づく支配の形態をさす。また、『政党社会学』（1911年）はR. ミヘルスによるものであり、ウェーバーの支配の三類型に関する記載は、『経済と社会』（1922年）による。

3．妥当である。

4．機能的責任は、技術的・科学的知識に基づいた行動を取ることだが、それを統制するのは、行政官自身以上に、これらの専門知識を共有する専門家である。もう一方の政治的責任は、市民感情に基づいた行動を取ることだが、それを統制するのは行政官自身の良心である。フリードリッヒによる責任論は、議会が統制主体として機能していないという問題意識から生み出された。

5．インフォーマル組織は、職場の上下関係をはじめとする人間関係とは別に、職場で自然発生的に形成された人間関係によるものである。職場の生産性に悪影響を及ぼすとは限らず、生産性を上げる要因にもなる。メイヨーらは、フォーマル組織以上に、インフォーマル組織が士気や生産性に影響を与えているとした。

正答　3

国家一般職［大卒］ No. 7 専門試験

行政学　日本の国家行政組織　令和6年度

我が国の国家行政組織に関する次の記述のうち、最も妥当なのはどれか。

1　内閣官房の所掌事務の一つに内閣の重要政策に関する情報の収集調査があり、1957年の内部組織の改組では内閣調査室が設置され、1986年に同室は内閣情報調査室へと改組された。さらに、いわゆる橋本行革での議論を経て、内閣機能強化を目的として内閣官房の組織と機能が拡充され、内閣情報官が新設された。

2　府省の外局として設置される委員会は、内閣法又は国家行政組織法に基づく行政機関であり、審議会等が３条委員会と称されるのに対し、８条委員会と称される。専門性の観点から委員会には規則制定権が認められているものの、政治的中立性の観点から規制等の権限の行使には府省の長である大臣の許可が必要とされている。

3　国家行政組織法は省の組織と定員について定める法律であり、1948年の制定当初は戦後の復興政策課題に迅速に対応するために、省の官房、局、部の設置と所掌事務は政令事項として定めていた。しかし、民主的統制の強化の観点から、1983年の改正では法律事項として定めることとなった。

4　行政サービスを全国的に展開することを目的として、国家行政組織法は各省に対して地方支分部局の設置を義務付けている。この法律において、各省の地方支分部局は都道府県ごとに、支局はこれを分割した単位に置くこととされており、行政サービスを機能的に実施するための地域ネットワークが形成されている。

5　府省とその外局である委員会・庁には多様な機関があり、施設等機関は内部部局に置かれている。そのほかに審議会等、特別の機関という二つの機関があり、特別の機関は政令に基づき設置され、試験研究機関などから構成される。

1．妥当である。

2．府省の外局として設置される委員会は、３条委員会である。審議会等は８条委員会である。３条委員会は、規則制定権を有しており、規則等の権限の行使も自ら行うことができる。

3．国家行政組織法は省の組織を定めており、定員は別に総定員法（行政機関の職員の定員に関する法律）で定められる。1948年の国家行政組織法の制定当時は、戦後、議会の民主的統制を強化するために、省の官房、局、部の設置と所掌事務は法律事項として定められた。しかし、次第に行政組織が対応すべき政策が複雑化し、組織編制の柔軟性を高めるために、1983年に政令事項に改められた。

4．国家行政組織法は、地方支分部局を設置することができるとしており、設置を義務づけてはいない（同法９条）。地方支分部局をどの地域を単位として置くのかも、国家行政組織法上の定めはない。府省庁ごとの判断だが、地方支分部局はブロック単位で、支局はそれを分割した都道府県単位で設置する例が見られる。

5．施設等機関は、官房、局、部といった内部部局に置かれるわけではなく、府省庁に置かれる。また、施設等機関は外局とは呼ばれない。施設等機関には、試験研究機関や検査検定機関、文教研修施設などがある。特別の機関は、法律により設置され、検察庁、在外公館、国土地理院等、多様性がある。

正答　1

国家一般職［大卒］ No. 8 専門試験

行政学 行政管理の理論と実際 令和6年度

行政管理の理論と実際に関する次の記述のうち、最も妥当なのはどれか。

1 M. ディモックは、J. H. ファヨールらとともに、投入・産出比率をもって能率とすることを過度に機械的で客観的な能率概念として批判した。そして、ディモックは社会的能率の概念を提示し、教育行政や福祉行政といったように個人の主観に依存する場合には、特定のサービス受給者の満足度といった規範的側面から能率を測定する必要性を指摘した。

2 我が国の会計検査は、正確性、合規性、経済性、効率性、有効性等の観点から検査を行う旨を会計検査院法において規定している。そのうち、経済性とは、事務・事業の遂行及び予算の執行がより少ない費用で実施できないかという観点であり、効率性とは、業務の実施に際し、同じ費用でより大きな成果が得られないか、あるいは費用との対比で最大限の成果を得ているかという観点である。

3 各府省に置かれる大臣官房は組織全体の資源管理を担当する組織であり、大臣官房には人事課・秘書課・会計課といういわゆる官房三課が置かれている。各局にはスタッフ機能を担う組織が置かれないため、大臣官房は各局の各課を直接に指揮するといったように、集権的に資源管理を行っている。

4 我が国では各府省の定員に関して厳格な管理が行われ、財政赤字が顕著となった1980年代から各府省は定員削減（合理化）計画を策定することが求められ、そこでは明確な削減目標が設定されてきた。また、各府省の増員要求については2014年から総務省行政管理局が機構・定員等審査を行い、定員増加の抑制を図っている。

5 我が国では、財政赤字の縮小の観点から、歳出総額の抑制を目的として、1980年代に各府省からの予算要求額に上限を求めるシーリングが導入された。シーリングの基準については、導入当初は前年度と同額にするゼロ・シーリングであったが、次第に前年度よりも減額するマイナス・シーリングが設定されることとなった。

1. ファヨールは、F.W.テイラーが提唱した科学的管理法に基づいた経営管理論を提唱した。それに対して、ディモックは科学的管理法の影響を受けた能率概念を、機械的な能率概念として批判した。ディモックによる社会的能率は、教育行政や福祉行政といった個人の主観に依存する政策分野に限定されておらず、広く能率をとらえるときには、職員や利用者の満足度等から測定される必要があるとした。

2. 妥当である。

3. 各局でも、総務課とされることの多い、スタッフ機能を担う官房系統組織が置かれている。大臣官房は、各局の総務課に対して指揮を行い、スタッフ組織の縦の関係が生じている。

4. 1969年に現在の総定員法（行政機関の職員の定員に関する法律）が制定され、合わせて定員削減計画が策定されたことから、高度経済成長期に行政需要が増大しても大幅な人員の増員にはつながらなかった。各府省の増員要求に対して、2014年までは総務省行政管理局が機構・定員等審査を担っていたが、2014年より内閣人事局が行っている。

5. 予算編成時に概算要求枠が導入されたのは1961年であり、当初は増加を許容した緩やかな枠であったが、次第に、増加枠が減少し、その厳しさから「シーリング」と呼ばれるようになった。財政赤字が顕在化した1982年には上限を前年度並みとするゼロ・シーリング、すぐさまその翌年には前年度比で５％を削減するマイナス・シーリングが導入され、1980年代には継続された。

正答　2

国家一般職［大卒］ 専門試験

No. 9 行政学 市民と行政 令和6年度

市民と行政に関する次の記述のうち、最も妥当なのはどれか。

1 我が国では、市民活動の重要性と法人格制度の必要性が認知され、1980年に特定非営利活動法人（NPO 法人）制度が創設された。さらに、2001年には認定 NPO 法人制度が導入され、一定の要件を満たしていることが認定された NPO 法人が税制上の優遇を受けられることとなった。制度導入当初は総務大臣が認定を行い、認定を受ける NPO 法人は限られていたため、所轄庁の長が認定する新たな認定制度を開始したものの、認定数に大きな変化は見られなかった。

2 我が国においても政策形成への市民参加の重要性が認識され、欧米での「ミニ・パブリックス」の取組を参照し、アメリカで始まった「計画細胞」を発展させた市民討議会が実施されている。そこでは、特定の政策問題に関する議論の場が設定され、その場は参加を希望する市民全員によって構成される。そして、その議論の場には地方公共団体の長や議員が参加し、市民との意見の交換によって政策案が形成される。

3 普通地方公共団体の長による違法又は不当な公金の支出があると認める場合、住民は、地方自治法に基づき、監査委員に対し監査を求めることができる。そして、監査請求があった場合、監査委員は、直ちに当該団体の議会及び長に当該請求の要旨を通知しなければならない。

4 我が国では地方公共団体の重要政策に関する住民の意思を問う必要性が高まり、1980年代から住民投票条例の制定による住民投票が実施されることになった。住民投票条例制定の直接請求には有権者の50分の１以上の署名かつ議会による議決が必要になるが、投票結果は全て法的拘束力を有しているため、多くの地方公共団体で検討・実施されている。

5 市民の参加の在り方に関しては、西尾勝によって「参加の梯子（はしご）」モデルが提唱された。西尾は、市民参加について大きく「非参加」「形ばかりの参加」「市民の権力」という三つに区分した上で、具体的な参加の形態について八つの個別の段階を示し、目指すべき最上位の段階として「市民とのパートナーシップ」を示した。

解説

1．NPO 法人制度は、1995年の阪神淡路大震災を受けてボランティア活動が活発化したことから、制度創設に向けた要望が高まり、1998年に創設された。制度導入当初は所轄庁である内閣総理大臣（経済企画庁）（２以上の都道府県にまたがる場合）または都道府県知事が認定を行い、法定直後は法人数が伸び悩んだが、３～４年目から増加を続けた。2012年には、地方分権が行われ、所轄庁は都道府県または政令指定都市の長となっている。

2．市民討議会を推進している団体である「市民討議会推進ネットワーク」によれば、「市民討議会」はドイツから始まりヨーロッパに広がった市民参加の手法である「プラーヌンクスツェレ」（計画細胞）を日本に導入したものであるとのことである。同ネットワークによれば、「市民討議会」の明確な定義は確立されていないが、市民に無作為で参加要請すること、討議前に必要な情報を提供すること、少人数でのグループ討議を行うこと等が基本的な考え方として示されている。したがって、参加を希望する市民全員というわけではなく、地方公共団体の長や議員が参加するという趣旨のものではないようである。

3．妥当である（地方自治法242条１項・３項）。

4．地方自治体で住民投票条例の制定による住民投票が見られるようになったのは、市町村合併や施設設立の是非が問われた2000年代以降である。事案ごとに個別に条例を制定して住民投票を行う個別型住民投票条例と、住民投票を行う手続等を常時定め、住民の発議により住民投票を実施する常設型住民投票条例に分かれる。個別型住民投票条例の制定では、地方自治法に基づく直接請求制度により有権者の50分の１以上の署名かつ議会による議決が必要になる。常設型では、住民投票条例で発議できる住民の署名数が定められており、自治体により多様である。いずれの場合も、投票結果は「尊重する」という扱いで、法的拘束力は有しない。

5．「参加の梯子」は、S. R. アーンスタインにより提唱された。市民参加を、「非参加」「形式的参加」「実質的参加」に区分したうえで、８段階によって構成されており、最も下の「世論操作」から、「不満をそらす操作」「一方的な情報提供」「形式的な意見聴取」「形式的な参加機会拡大」「官民の共同作業（パートナーシップ）」「部分的な権限委任」を経て「住民主導」に至るプロセスを解説したものである。

正答　3

No. 10 専門試験 行政学 日本における地方自治の沿革 令和6年度

我が国における地方自治の沿革に関するア～エの記述のうち、妥当なもののみを全て挙げているのはどれか。

ア．大日本帝国憲法の発布に先駆けて、府県・市町村の構成・組織・権限などを定めた地方自治法が制定され、第二次世界大戦前はこの法律に基づいて地方自治が行われていた。戦後、日本国憲法に地方自治に関する規定が置かれるとともに、1947年には地方自治法が全部改正され、「地方公共団体の組織及び運営に関する事項は、地方自治の本旨に基いて、条例でこれを定める。」と規定された。

イ．明治政府は、府県知事について、内務大臣が任命する国の官吏とする官選制とし、市長について、国政上重要な都市とされた東京市・大阪市・京都市の三市を官選制としたほかは、町村長と同様に公選制として、地方団体の長の選任に関する制度を整備し、運用を開始した。戦後、地方自治制度の改革により、都道府県知事、市町村長のいずれも、住民による直接選挙で選出されることとなった。

ウ．戦前は市町村を対象としていた機関委任事務制度が、戦後、都道府県にも適用されることとなった。その後、1999年に制定された地方分権一括法によって機関委任事務が廃止され、従来の機関委任事務は、廃止した事務や国の直接執行事務に変更した一部を除いて、自治事務と法定受託事務に分類された。法定受託事務については、それまで機関委任事務には認められていなかった条例制定権が認められることとなった。

エ．戦後、行政分権化が行われる中で、教育分野においては任命制の委員で構成された市町村教育委員会が置かれ、警察分野においては市町村所管の自治体警察が置かれることとなった。しかし、占領改革の見直しにより、市町村教育委員会については廃止され、新たに都道府県教育委員会が置かれることとなり、また、自治体警察についてはその上級機関として都道府県警察が新たに置かれることとなった。

1 ウ
2 エ
3 ア、ウ
4 イ、エ
5 ウ、エ

解説

ア：地方自治法は、現在の日本国憲法に基づいて戦後改革で制定された。戦前、現在の地方自治に相当する事項を定めていたのは、府県制、郡制、市制・町村制といった勅令である。市制・町村制は、大日本国帝国憲法発布の前年に制定されたが、府県制、郡制はその翌年に制定された。

イ：東京市・大阪市・京都市には、設立当初、市長が置かれず、府知事がその職務を担当していた。府知事は国の内務省から派遣される官吏であった。ただし、1898年には、東京市・大阪市・京都市にも市長が置かれた。それら以外の市は、市会（市議会）が市長を推薦する仕組みをとっていた。

ウ：妥当である。

エ：戦後、教育委員会は市町村と都道府県に設置され、公選制の委員で構成された。しかし、占領改革の見直しにより1956年には任命制に改められた。市町村所管の自治体警察については、当初設置されたものの、1954年に、自治体警察は廃止され、現在の都道府県警察に移行した。

よって、正答は**1**である。

正答　1

国家一般職［大卒］ No. 11 専門試験

憲法　職業の自由　令和6年度

職業の自由に関する次の記述のうち、判例に照らし、最も妥当なのはどれか。

1　公衆浴場法による公衆浴場の適正配置規制について、公衆浴場の偏在により、多数の国民が日常容易に公衆浴場を利用しようとする場合に不便を来し、また、その濫立により、浴場経営に無用の競争を生じ、浴場の衛生設備の低下等好ましくない影響を来すというのは、単なる観念上の想定にすぎず、確実な根拠に基づく合理的な判断とは認めがたいため、当該規制は、その必要性と合理性を肯定するに足りず、憲法第22条第１項に違反する。

2　一般に、国民生活上不可欠な役務の提供の中には、当該役務のもつ高度の公共性に鑑み、その適正な提供の確保のために、法令によって、提供すべき役務の内容及び対価等を厳格に規制するとともに、更に役務の提供自体を提供者に義務付ける等の強い規制を施す反面、これとの均衡上、役務提供者に対してある種の独占的地位を与え、その経営の安定を図る措置がとられる場合がある。薬局等の適正配置規制は、医薬品の供給の適正化措置として強力な規制を施す代わりに、既存の薬局等にある程度の独占的地位を与えるのが主たる趣旨、立法目的である。

3　薬局等の適正配置規制について、予防的措置として職業の自由に対する大きな制約である薬局の開設等の地域的制限が憲法上是認されるためには、国民の保健上の必要性がないとはいえないというだけでは足りず、このような制限を施さなければ当該措置による職業の自由の制約と均衡を失しない程度において国民の保健に対する危険を生じさせるおそれのあることが、合理的に認められることを必要とする。

4　租税の適正かつ確実な賦課徴収を図るという国家の財政目的のための職業の許可制による規制は、単なる職業活動の内容及び態様に対する規制を超えて、狭義における職業選択の自由そのものに制約を課するものであり、職業の自由に対する強力な制限であるから、より制限的でない他の選び得る規制手段が存在するかを具体的・実質的に審査し、それがあり得ると解される場合には違憲となる。

5　酒税の確実な賦課徴収のための酒類販売業免許制度について、制度採用当初は、その必要性と合理性があったというべきであるが、その後の社会状況の変化と租税法体系の変遷に伴い、酒税の国税全体に占める割合等が相対的に低下するに至った時点においては、同制度を存置しておくことの必要性と合理性は失われたため、当該時点以降、同制度を定める規定は憲法第22条第１項に違反する。

1. 判例は、公衆浴場の設置場所が配置の適正を欠き、その偏在ないし濫立を来たすことは、公共の福祉に反するものであって、この理由により公衆浴場の経営の許可を与えないことができる旨の規定を設けることは、憲法22条に違反するものとは認められないとする（最大判昭30・1・26）。

2. 判例は、薬事法その他の関係法令は、医薬品の供給の適正化措置として強力な規制を施してはおらず、したがって、その反面において既存の薬局等にある程度の独占的地位を与える必要も理由もなく、適正配置規制にはこのような趣旨、目的はなんら含まれていないと考えられるとする（最大判昭50・4・30）。

3. 妥当である（最大判昭50・4・30）。

4. 判例は、租税の適正かつ確実な賦課徴収を図るという国家の財政目的のための職業の許可制による規制について、より制限的でない他の選び得る規制手段が存在するかを具体的・実質的に審査し、それがあり得ると解される場合には違憲となるとはしていない。その必要性と合理性についての立法府の判断が、その政策的、技術的な裁量を逸脱し、著しく不合理である場合に違憲となる（最判平4・12・15）

5. 判例は、酒税法が酒類販売業免許制度を採用した当初は、酒税の適正かつ確実な賦課徴収を図るという重要な公共の利益のためにとられた必要かつ合理的な措置であったということができ、また、その後の社会状況の変化と租税法体系の変遷に伴い、酒税の国税全体に占める割合等が相対的に低下するに至った時点においても、なお酒類販売業免許制度を存置すべきものとした立法府の判断が著しく不合理であるとまではいえず、憲法22条1項に違反しないとする（最判平4・12・15）。

正答 3

政治学 行政学 憲法 行政法 民法 経済理論 財政学

国家一般職［大卒］ 専門試験

No. 12 憲法 労働基本権 令和6年度

労働基本権に関する次の記述のうち、最も妥当なのはどれか。ただし、争いのあるものは判例の見解による。

1 労働基本権は、国に対して労働者の労働基本権を保障する立法その他の措置を要求する権利という社会権としての性質と、労働者の団結や争議行為を制限する立法その他の措置を国に対して禁止するという自由権としての性質を有している。また、労働基本権は、国との関係だけでなく、私人間の関係においても直接適用される。

2 労働組合が地方議会議員選挙の際にいわゆる統一候補を決定し、組合を挙げてその選挙運動を推進している場合には、組合が、統一候補以外の組合員で立候補しようとする者に対し、立候補を思いとどまるよう勧告し又は説得することはもちろん、立候補を取りやめることを要求し、これに従わないことを理由に同人を統制違反者として処分することも、組合の統制権の範囲内のものとして認められる。

3 いわゆる安保反対闘争のような活動は、直接的には国の安全や外交等の国民的関心事に関する政策上の問題を対象とする活動であるが、究極的には労働者の生活利益の維持向上と無縁ではないのであるから、労働組合がその活動を実施するために臨時組合費を徴収することを多数決によって決定した場合には、組合員はこれを納付する義務を負う。

4 憲法第28条は労働者がストライキなどの争議行為を行う権利を保障しているところ、労働組合が同条によって保障される正当な争議行為を行った場合、刑事責任は免責されるが、民事上の債務不履行責任や不法行為責任は免責されない。

5 国家公務員についての人事院勧告制度は、国家公務員の労働基本権の制約が違憲とされないための重要な条件であって、その実施の凍結は極めて異例な事態といわざるを得ないから、国家公務員が凍結された人事院勧告の完全実施を求めて争議行為を行った場合、その者に対する懲戒処分は、懲戒権者の裁量権を濫用したものとして、原則として違法となる。

1．妥当である。労働基本権は、社会権と自由権の性質を有している。また、私人間の関係にも直接適用される。

2．判例は、労働組合が、統一候補以外の組合員で立候補しようとする者に対し、立候補を思いとどまるよう勧告し又は説得する域を超えて、立候補を取りやめることを要求し、これに従わないことを理由に同人を統制違反者として処分することは、組合の統制権の限界を超えるものであって違法であるとする（最大判昭43・12・4）。

3．判例は、労働組合が安保反対闘争のような活動を実施するために臨時組合費を徴収することを多数決によって決定した場合でも、組合員はこれを納付する義務を負わないとする（最判昭50・11・28）。

4．労働組合が憲法28条によって保障される正当な争議行為を行った場合、刑事責任が免責される（労働組合法1条2項参照）。また、民事上の債務不履行責任や不法行為責任も免責される（同法8条参照）。

5．判例は、国家公務員が凍結された人事院勧告の完全実施を求めて争議行為を行った場合において、当該争議行為が当局の警告を無視して大規模に行われたものであり、また、当該職員らがその実施に指導的な役割を果たしており、過去に停職、減給等の懲戒処分を受けた経歴があるなどの事情のもとでは、その者に対する懲戒処分は著しく妥当性を欠くものとはいえず、懲戒権者の裁量権の範囲を逸脱したものとはいえないとする（最判平12・3・17）。

正答　1

国家一般職［大卒］ No. 13 専門試験

憲法　人身の自由　令和6年度

人身の自由に関するア～オの記述のうち、判例に照らし、妥当なもののみを挙げているのはどれか。

ア．憲法第35条第１項の規定は、本来、主として刑事責任追及の手続における強制について、司法権による事前の抑制の下におかれるべきことを保障した趣旨であるが、対象となる手続が刑事責任を追及することを目的とするものでないとの理由のみで、その手続における一切の強制が当然にこの規定による保障の枠外にあると判断することは相当ではない。

イ．いわゆる黙秘権を規定した憲法第38条第１項の法意は、何人も自己が刑事上の責任を問われるおそれのある事項について供述を強要されないことを保障したものと解されるところ、自動車運転者に法令で義務付けられている事故の報告には、その報告すべき「事故の内容」に刑事責任を問われるおそれのある事故の原因その他の事項が含まれるから、同人に当該報告を命ずることは同項に違反する。

ウ．憲法第31条は、直接には刑事手続についての規定であるが、行政手続についても、行政処分により制限される権利利益の内容や制限の程度にかかわらず、同条の趣旨を類推して、行政処分の相手方に事前の告知、弁解、防御の機会を与えることを必要とする。

エ．憲法第38条第１項による保障は、純然たる刑事手続においてばかりではなく、それ以外の手続においても、実質上、刑事責任追及のための資料の取得収集に直接結び付く作用を一般的に有する手続には等しく及ぶところ、旧所得税法に規定する質問及び検査は、所得税の公平確実な賦課徴収を目的とする手続であるとともに、刑事責任追及のための資料の取得収集に直接結び付く作用を一般的に有するものであるから、同項の保障が及ぶ。

オ．憲法第35条の保障対象には、住居、書類及び所持品に限らずこれらに準ずる私的領域に侵入されることのない権利が含まれ、合理的に推認される個人の意思に反してその私的領域に侵入する捜査手法であるGPS捜査は、個人の意思を制圧して憲法の保障する重要な法的利益を侵害するものとして、刑事訴訟法上、特別の根拠規定がなければ許容されない強制の処分に当たり、令状がなければ行うことができない。

1　ア、エ
2　ア、オ
3　イ、ウ
4　イ、エ
5　ウ、オ

ア：妥当である（最大判昭47・11・22）。

イ：判例は、自動車運転者に法令で義務づけられている事故の報告には、その報告すべき「事故の内容」に刑事責任を問われるおそれのある事故の原因その他の事項が含まれないから、同人に当該報告を命ずることは憲法38条１項に違反しないとする（最大判昭37・５・２）。

ウ：判例は、憲法31条の定める法定手続の保障は、直接には刑事手続に関するものであるが、行政手続については、それが刑事手続ではないとの理由のみで、そのすべてが当然に同条による保障の枠外にあると判断することは相当ではないが、同条による保障が及ぶと解すべき場合であっても、一般に、行政手続は、刑事手続とその性質においておのずから差異があり、また、行政目的に応じて多種多様であるから、行政処分の相手方に事前の告知、弁解、防御の機会を与えるかどうかは、行政処分により制限を受ける権利利益の内容、性質、制限の程度、行政処分により達成しようとする公益の内容、程度、緊急性等を総合較量して決定されるべきものであって、常に必ずそのような機会を与えることを必要とするものではないとする（最大判平４・７・１）。

エ：判例は、憲法38条１項による保障は、純然たる刑事手続においてばかりではなく、それ以外の手続においても、実質上、刑事責任追及のための資料の取得収集に直接結びつく作用を一般的に有する手続には、等しく及ぶが、旧所得税法に規定する検査、質問は、もっぱら所得税の公平確実な賦課徴収を目的とする手続であって、刑事責任の追及を目的とする手続ではなく、また、そのための資料の取得収集に直接結び付く作用を一般的に有するものでもないことから、当該検査、質問そのものが憲法38条１項にいう自己に不利益な供述を強要するものとすることはできないとする（最大判昭47・11・22）。

オ：妥当である（最大判平29・３・15）。

以上から、妥当なものはアとオであるので、正答は**2**である。

正答　2

専門試験

No.14 憲法 内閣総理大臣 令和6年度

政治学
行政学
憲法
行政法
民法
経済理論
財政学

内閣総理大臣に関するア～オの記述のうち、妥当なもののみを挙げているのはどれか。

ア．内閣総理大臣は、内閣という合議体の首長であり、国務大臣の罷免権を有しているが、国務大臣を罷免する場合には、閣議における決定が必要である。

イ．衆議院において内閣不信任決議案が可決された場合、内閣は衆議院の解散又は総辞職をしなければならず、参議院において内閣総理大臣問責決議案が可決された場合も、その決議は同様の法的効果を伴う。

ウ．予算に計上された予備費は、内閣総理大臣の責任でこれを支出することができるが、その支出については、事後に国会の承諾を得なければならない。

エ．内閣総理大臣は、内閣を統率し、行政各部を統轄調整する地位にあって、閣議にかけて決定した方針が存在しない場合においても、少なくとも、内閣の明示の意思に反しない限り、行政各部に対し、随時、その所掌事務について一定の方向で処理するよう指導、助言等の指示を与える権限を有するとするのが判例である。

オ．法律及び政令には、全て主任の国務大臣が署名し、内閣総理大臣が連署することが必要とされているが、これはその執行責任を明確にする趣旨に出たものであり、署名又は連署を欠く法律又は政令がそのことのみをもって無効とされるものではない。

1 ア、イ
2 ア、ウ
3 イ、オ
4 ウ、エ
5 エ、オ

ア：内閣総理大臣は、内閣という合議体の首長であり（憲法66条１項）、国務大臣の罷免権を有している（68条２項）。罷免権は内閣総理大臣の専権に属するから、国務大臣を罷免する場合に、閣議における決定は不要である。

イ：衆議院において内閣不信任決議案が可決された場合、内閣は衆議院の解散又は総辞職をしなければならない（憲法69条）。しかし、参議院において内閣総理大臣問責決議案が可決された場合でも、その決議は同様の法的効果を伴わない。

ウ：予算に計上された予備費は、内閣総理大臣ではなく「内閣」の責任でこれを支出することができる（憲法87条１項）が、その支出については、内閣は、事後に国会の承諾を得なければならない（同条２項）。

エ：妥当である（最大判平７・２・22）。

オ：妥当である。前半については、憲法74条のとおりである。後半については、署名・連署は、法律・政令の効力要件ではないことから、署名・連署を欠く法律・政令が無効とされるわけではない。

以上から、妥当なものはエとオであるので、正答は**5**である。

正答　5

政治学 行政学 憲法 行政法 民法 経済理論 財政学

国家一般職
[大卒]
No.
15
専門試験

憲法　憲法の改正や最高法規性　令和6年度

憲法の改正や最高法規性に関する次の記述のうち、最も妥当なのはどれか。

1　憲法の改正は、各議院の出席議員の3分の2以上の賛成で国会が発議し、国民に提案してその承認を経なければならない。

2　憲法の改正における国民の承認は特別の国民投票によって行われる必要があり、この投票を衆議院議員の総選挙又は参議院議員の通常選挙と同一の期日に行うことはできない。

3　憲法の改正の発議に係る手続及び憲法改正の国民の承認に係る投票に関する手続は、いずれも公職選挙法で規定されている。

4　憲法第98条第1項は、「この憲法は、国の最高法規であつて、その条規に反する法律、命令、詔勅及び国務に関するその他の行為の全部又は一部は、その効力を有しない。」と規定するが、同項にいう「国務に関するその他の行為」とは、国が行う全ての行為を意味し、国が私人と対等の立場で締結した売買契約もこれに該当するとするのが判例である。

5　憲法は、最高法規の章において、天皇又は摂政及び国務大臣、国会議員、裁判官その他の公務員は、憲法を尊重し擁護する義務を負うことを明文で規定している。

解説

1．憲法の改正は、各議院の出席議員ではなく「総議員」の３分の２以上の賛成で国会が発議し、国民に提案してその承認を経なければならない（憲法96条１項前段）。

2．憲法の改正における国民の承認には、特別の国民投票又は国会の定める選挙の際行われる投票において、その過半数の賛成を必要とする（憲法96条１項後段）。したがって、この投票を衆議院議員の総選挙または参議院議員の通常選挙と同一の期日に行うことができる。

3．憲法の改正の発議に係る手続は国会法で規定されており（国会法68条の２～68条の６）、憲法改正の国民の承認に係る投票に関する手続は「日本国憲法の改正手続に関する法律」で規定されている。

4．憲法98条１項は、「この憲法は、国の最高法規であつて、その条規に反する法律、命令、詔勅及び国務に関するその他の行為の全部又は一部は、その効力を有しない。」と規定するが、同項にいう「国務に関するその他の行為」とは、行政処分、裁判など、個別的・具体的に公権力を行使して法規範を定立する行為を意味し、国が私人と対等の立場で締結した売買契約はこれに該当しないとするのが判例である（最判平元・６・20）。

5．妥当である（憲法第10章、99条）。

正答　5

国家一般職［大卒］ No. 16 専門試験

行政法　行政行為　令和6年度

行政行為に関する次の記述のうち、判例に照らし、最も妥当なのはどれか。

1　宅地建物取引業法に基づき知事等が宅建業者に対して行う不利益処分について、その要件の認定及び処分の選択には裁量の余地があり、知事等の専門的判断に基づく合理的裁量に委ねられるが、その権限行使の時期については知事等に裁量は認められない。

2　裁判所が、懲戒権者の裁量権の行使としてされた公務員に対する懲戒処分の適否を審査するに当たっては、懲戒権者と同一の立場に立って懲戒処分をすべきであったかどうか又はいかなる処分を選択すべきであったかについて判断し、その結果と懲戒処分とを比較してその違法性を判断すべきである。

3　地方公務員法所定の分限制度は、公務の能率の維持及びその適正な運営の確保の目的から降任等の処分権限を任命権者に認めるものであるから、懲戒処分とは異なり、分限処分は任命権者の純然たる自由裁量に委ねられる。

4　公立学校の学校施設の目的外使用を許可するか否かにかかる管理者の判断に関する司法審査においては、その判断が裁量権の行使としてされたことを前提とした上で、その判断要素の選択や判断過程に合理性を欠くところがないかを検討し、その判断が、重要な事実の基礎を欠くか、又は社会通念に照らし著しく妥当性を欠くものと認められる場合に限って、裁量権の逸脱又は濫用として違法となる。

5　外務大臣が旅券法の規定を根拠に一般旅券の発給を拒否する処分を行う場合には、申請者に対する通知書に根拠条文を付記するだけでなく、いかなる事実関係を認定して申請者が当該条文に該当すると判断したかを具体的に記載するよう努める必要があるが、提示した理由が単に旅券法の特定の規定に該当すると付記するのみで不十分であったとしても、このことのみを理由として当該処分が違法とされることはない。

解説

1．判例は、「業務の停止事由に該当し情状が特に重いときを免許の取消事由と定めている宅地建物取引業法66条９号にあっては、その要件の認定に裁量の余地があるのであって、これらの処分の選択、その権限行使の時期等は、知事等の専門的判断に基づく合理的裁量に委ねられている」とする（最判平元・11・24）。

2．判例は、裁判所が、公務員に対する懲戒権者の懲戒処分の「適否を審査するにあたっては、懲戒権者と同一の立場に立って懲戒処分をすべきであったかどうか又はいかなる処分を選択すべきであったかについて判断し、その結果と懲戒処分とを比較してその軽重を論ずべきものではなく、懲戒権者の裁量権の行使に基づく処分が社会観念上著しく妥当を欠き、裁量権を濫用したと認められる場合に限り違法であると判断すべきものである」とする（最判昭52・12・20）。

3．判例は、「分限処分については、任命権者にある程度の裁量権は認められるけれども、もとよりその純然たる自由裁量に委ねられているものではない」とする（最判昭48・９・14）。

4．妥当である（最判平18・２・７）。

5．判例は、「外務大臣において旅券法の特定の規定を根拠に一般旅券の発給を拒否する場合には、申請者に対する通知書に同規定に該当すると付記するのみでは足りず、いかなる事実関係を認定して申請者が同規定に該当すると判断したかを具体的に記載することを要する」として、本肢の場合、旅券発給拒否処分は違法であるとする（最判昭60・１・22）。

正答　4

国家一般職［大卒］

No. 17　専門試験　**行政法**

行政手続法

令和6年度

行政手続法に関するア～オの記述のうち、妥当なもののみを挙げているのはどれか。

ア．行政手続法は、行政手続に関する一般法であり、行政運営における公正の確保と透明性の向上を図り、もって国民の権利利益の保護に資することを目的とするものである。

イ．行政手続法は、同法第3条により同法の規定の適用が除外される場合を除いて、全ての処分、行政指導及び届出に関する手続並びに命令等を定める手続に適用され、他の法律に特別の定めを置いて行政手続法の適用を除外することはできない。

ウ．行政手続法は、行政庁が不利益処分をしようとする場合における処分の名宛人の意見陳述のための手続として、聴聞と弁明の機会の付与の二つを規定しており、許認可等を取り消す不利益処分をしようとするときは、原則としていずれも行わなければならない旨を規定している。

エ．行政手続法は、行政機関が命令等を定めようとする場合には、命令等で定めようとする内容を示す案及びこれに関連する資料をあらかじめ公示し、意見の提出先及び意見の提出のための期間を定めて広く一般の意見を求めるよう努める旨を規定している。

オ．行政庁は、不利益処分をする場合には、その名宛人に対し、同時に、当該不利益処分の理由を示さなければならない。ただし、当該理由を示さないで処分をすべき差し迫った必要がある場合は、この限りでない。

1　ア、イ
2　ア、オ
3　イ、ウ
4　ウ、エ
5　エ、オ

解説

ア：妥当である。行政手続法が行政手続に関する一般法であることについては、行政手続法1条2項がこれを示している。また、本肢の後半については行政手続法1条1項がこれを規定する。

イ：適用除外は行政手続法3条に加えて、4条もこれを規定する。また、同法は、行政手続法に規定する事項について、他の法律に特別の定めがある場合は、その定めるところによるとして（行政手続法1条2項）、他の法律に特別の定めを置いて行政手続法の適用を除外することを認めている。

ウ：行政庁が不利益処分をしようとする場合には、当該不利益処分の名宛人となるべき者について、聴聞手続か弁明手続のいずれかの手続を取らなければならない（行政手続法13条1項）。このうち、許認可等を取消す不利益処分をしようとするときは、原則として聴聞を行わなければならない旨が規定されている（1号イ）。聴聞が行われる場合は、弁明の機会の付与は行われない（2号）。

エ：いわゆる意見公募手続であるが、これは法的な義務であって、単なる努力義務ではない（行政手続法39条1項）。

オ：妥当である（行政手続法14条1項）。

以上から、妥当なものはアとオであるので、正答は**2**である。

正答　2

国家一般職［大卒］ No. 18 専門試験

行政法　原告適格　令和6年度

原告適格に関するア〜エの記述のうち、判例に照らし、妥当なもののみを全て挙げているのはどれか。

ア．航空法は、単に飛行場周辺の環境上の利益を一般的公益として保護しようとするにとどまらず、飛行場周辺に居住する者が航空機の騒音によって著しい障害を受けないという利益を個々人の個別的利益としても保護すべきものとする趣旨を含むと解されるから、同法に基づく定期航空運送事業免許に係る路線を航行する航空機の騒音によって社会通念上著しい障害を受けることとなる飛行場周辺住民は、当該免許の取消訴訟の原告適格を有する。

イ．都市計画法は、騒音、振動等によって健康又は生活環境に係る著しい被害を直接的に受けるおそれのある個々の住民に対して、そのような被害を受けないという利益を個々人の個別的利益としても保護すべきものとする趣旨を含むと解されるから、都市計画事業の事業地の周辺に居住する住民のうち当該事業が実施されることにより騒音、振動等による健康又は生活環境に係る著しい被害を直接的に受けるおそれのある者は、同法に基づいてされた当該事業の認可の取消訴訟の原告適格を有する。

ウ．風俗営業等の規制及び業務の適正化等に関する法律は、善良の風俗と清浄な風俗環境を保持し、少年の健全な育成に障害を及ぼす行為を防止することを目的としており、風俗営業の許可に関する規定は一般的公益の保護に加えて良好な風俗環境を享受するという個々人の個別的利益をも保護すべきものとする趣旨を含むと解されるから、同法施行令の定める基準に従って規定された都道府県の条例所定の風俗営業制限地域に居住する者は、同地域内における風俗営業許可の取消訴訟の原告適格を有する。

エ．公衆浴場法が公衆浴場の経営につき許可制を採用し、その設置の基準として距離制限規定を設けたのは、主として国民保健及び環境衛生という公共の福祉の見地から出たものであって、適正な許可制度の運用によって保護されるべき業者の営業上の利益は、同法によって保護される法的利益と解することはできず、単なる事実上の反射的利益にすぎないから、既存の公衆浴場営業者は、第三者に対する公衆浴場営業許可の無効確認訴訟の原告適格を有しない。

1　ア、イ
2　ア、ウ
3　ウ、エ
4　ア、イ、エ
5　イ、ウ、エ

解説

ア：妥当である。判例は、本肢の前半のように判示したうえで、「新たに付与された定期航空運送事業免許に係る路線の使用飛行場の周辺に居住していて、当該免許に係る事業が行われる結果、当該飛行場を使用する各種航空機の騒音の程度、当該飛行場の一日の離着陸回数、離着陸の時間帯等からして、当該免許に係る路線を航行する航空機の騒音によって社会通念上著しい障害を受けることとなる者は、当該免許の取消しを求めるにつき法律上の利益を有する者として、その取消訴訟における原告適格を有する」とする（最判平元・2・17）。

イ：妥当である（最大判平17・12・7）。

ウ：判例は、風俗営業の許可に関する規定は「専ら公益保護の観点から基準を定めていると解するのが相当である」として、風俗営業等の規制及び業務の適正化等に関する法律の施行令の定める基準に規定された都道府県の条例所定の風俗営業制限地域に居住する者は、風俗営業の許可の取消しを求める原告適格を有するとはいえないとする（最判平10・12・17）。

エ：判例は、「適正な許可制度の運用によって保護せらるべき業者の営業上の利益は、単なる事実上の反射的利益というにとどまらず公衆浴場法によって保護せられる法的利益と解するを相当とする」として、既存の公衆浴場営業者は、第三者に対する公衆浴場営業許可処分の無効確認を求める訴えの利益を有しないとはいえないとする（最判昭37・1・19）。

以上から、妥当なものはアとイであるので、正答は**1**である。

正答 1

国家一般職［大卒］ 専門試験

No. 19 行政法 不作為の違法確認の訴え 令和6年度

不作為の違法確認の訴えに関する次の記述のうち、最も妥当なのはどれか。

1 不作為の違法確認訴訟は、相当の期間内に行政庁が何らかの処分又は裁決をすべきであるのに、これをしないことについての違法の確認を求める訴訟をいい、必ずしも原告が現実に法令に基づく申請をしたことを要せず、職権による措置の不作為についても訴えを提起することができる。

2 不作為の違法確認訴訟については、取消訴訟の出訴期間の規定の準用はないが、相当の期間を経過した後は、行政行為の不可争力により、処分又は裁決の不作為が継続していても、不作為の違法確認訴訟を提起することはできなくなる。

3 不作為の違法確認訴訟については、取消判決の拘束力の規定が準用されるため、原告である申請者が不作為の違法確認訴訟で勝訴した場合、申請を受けた被告行政庁は、当該申請に応答する義務を負うが、当該申請を拒否する応答をすることもできる。

4 不作為の違法確認訴訟については、義務付け訴訟を併合提起することなく仮の救済として仮の義務付けを申し立てることができ、償うことのできない損害を避けるために緊急の必要があり、かつ、本案について理由があるとみえるときは、裁判所は仮の義務付けができる。

5 法令に基づいて申請を行った後に、行政庁が申請処理に通常必要な期間を経過しても応答しない場合、審査請求をすることは直接的かつ適切な方法ではないため、申請者は、審査請求をすることはできず、不作為の違法確認訴訟を提起しなければならない。

解説

1. 不作為の違法確認訴訟とは、行政庁が法令に基づく申請に対し、相当の期間内になんらかの処分または裁決をすべきであるにかかわらず、これをしないことについての違法の確認を求める訴訟をいう（行政事件訴訟法３条５項)。不作為の違法確認訴訟は、処分または裁決についての申請をした者に限り、提起することができるとされており（同37条)、原告が現実に法令に基づく申請をしたことが訴訟提起の要件である。

2. 前半は正しい（行政事件訴訟法38条１項、取消訴訟の出訴期間に関する行政事件訴訟法14条の規定は不作為の違法確認訴訟には準用されていない)。しかし、不作為の違法確認訴訟は、不作為状態が続いている限り何時でも提起することができるので、本肢は後半が誤り。

3. 妥当である。取消判決の拘束力については、行政事件訴訟法38条１項が33条１項を準用している。また、原告である申請者が不作為の違法確認訴訟で勝訴した場合、当該勝訴判決の拘束力は、不作為が違法で、行政庁は当該申請に応答する義務を負うというものであるから、申請を受けた被告行政庁は、判決に従って当該申請に応答すればよく、当該申請を拒否する応答をすることもできる。

4. 仮の救済としての仮の義務付けの申立ては、義務付けの訴えを提起した場合に認められるものである（行政事件訴訟法37条の５第１項)。そして、不作為の違法確認訴訟については、義務付け訴訟を併合提起することが認められているので（行政事件訴訟法37条の３第３項柱書前段１号)、併合提起によって仮の義務付けの申立てが可能となる。すなわち、義務付け訴訟を併合提起することなく仮の救済として仮の義務付けを申し立てることはできない。

5. 法令に基づき行政庁に対して処分についての申請をした者は、当該申請から相当の期間が経過したにもかかわらず、行政庁の不作為がある場合には、当該不作為についての審査請求をすることができる（行政不服審査法３条)。したがって、「申請者は、審査請求をすることはできず、不作為の違法確認訴訟を提起しなければならない」わけではない。なお、申請者は、不作為についての審査請求をすることができる場合であっても、審査請求をすることなく、不作為の違法確認訴訟を提起することができる（自由選択主義、行政事件訴訟法38条４項、８条１項)。

正答　3

国家一般職［大卒］ 専門試験

No. 20 行政法 損失補償 令和6年度

損失補償に関するア～オの記述のうち、判例に照らし、妥当なもののみを挙げているのはどれか。

ア．主としてそれによって国の歴史を理解し、往時の生活・文化等を知り得るという意味での文化財的価値は、経済的評価にはなじまないところ、土地収用法上、損失補償の対象となる「通常受ける損害」は、経済的・財産的な損害に限られないため、このような意味での文化財的価値は損失補償の対象となる。

イ．火災が発生しようとし、又は発生した消防対象物及びこれらのもののある土地について、消防吏員又は消防団員が、消火若しくは延焼の防止又は人命の救助のために必要がある場合に、これを使用し、処分し又はその使用を制限したことにより損害を受けた者があっても、当該者は消防法上その損失の補償を請求することができない。

ウ．火災が発生しようとし、若しくは発生し、又は延焼のおそれがある消防対象物及びこれらのもののある土地以外の消防対象物及び土地について、消防長若しくは消防署長又は消防団の長が、消火若しくは延焼の防止又は人命の救助のために緊急の必要がある場合に、これを使用し、処分し又はその使用を制限したことにより損害を受けた者があっても、当該者は消防法上その損失の補償を請求することができない。

エ．公共のために必要な制限により、財産上特別の犠牲が課された場合、法令上、当該制限について損失補償に関する規定がないときは、当該制限については補償を要しないとする趣旨であることが明らかであるから、直接憲法第29条第３項を根拠にして補償請求をすることはできない。

オ．ため池の堤とうの使用に関して制限を加える条例は、財産上の権利の行使を著しく制限するものではあるが、災害を防止し公共の福祉を保持するためのものであり、このような制約は、当該財産権を有する者が当然受忍しなければならない責務というべきものであって、損失補償を必要としない。

1 ア、ウ
2 ア、エ
3 イ、エ
4 イ、オ
5 ウ、オ

ア：判例は、「主としてそれによって国の歴史を理解し往時の生活・文化等を知り得るという意味での歴史的・学術的な価値は、特段の事情のない限り、当該土地の不動産としての経済的・財産的価値を何ら高めるものではなく、その市場価格の形成に影響を与えることはないというべきであって、このような意味での文化財的価値なるものは、それ自体経済的評価になじまないものとして、土地収用法上損失補償の対象とはなり得ない」とする（最判昭63・1・21）。

イ：妥当である（最判昭47・5・30）。

ウ：判例は、火災が発生しようとし、または発生した消防対象物およびこれらのもののある土地以外の消防対象物および土地について、「消火もしくは延焼の防止または人命の救助のために緊急の必要があるときに、これを使用し、処分しまたはその使用を制限した場合には、そのために損害を受けた者からその損失の補償の要求があれば、その損失を補償しなければならないことが明らかである」とする（前掲最判昭47・5・30）。

エ：判例は、単に一般的に当然に受忍すべきものとされる制限の範囲をこえ、特別の犠牲を課したものとみる余地がある場合には、その被った現実の損失について、補償を請求することができるとして、その場合に、法律に損失補償に関する規定がない場合でも、「損失を具体的に主張立証して、別途、直接憲法29条3項を根拠にして、補償請求をする余地が全くないわけではない」として、補償請求の余地を認めている（最大判昭43・11・27）。

オ：妥当である（最大判昭38・6・26）。

以上から、妥当なものはイとオであるので、正答は**4**である。

正答　4

国家一般職［大卒］ 専門試験

No. 21 民法（総則及び物権） 意思表示 令和6年度

意思表示に関するア～オの記述のうち、妥当なもののみを挙げているのはどれか。ただし、争いのあるものは判例の見解による。

ア．Aは、自己が所有する甲土地を、Bと通じて、Bに仮装譲渡し、所有権移転登記を経由した。その後、Bは、甲土地上にB所有の乙建物を建築してCに賃貸した。この場合、Cは、AB間の甲土地の仮装譲渡について法律上の利害関係を有するため、民法第94条第2項の第三者に当たる。

イ．Aは、自己が所有する甲土地を、Bと通じて、Bに仮装譲渡し、所有権移転登記を経由した。その後、Bは、甲土地を当該仮装譲渡について善意のCに売却し、他方、Aは、甲土地を当該仮装譲渡について善意のDに売却した。この場合、Cは、所有権移転登記を備えない限り、Dに甲土地の所有権を対抗することはできない。

ウ．Aは、自己が所有する甲土地を、その真意ではないことを知りながらBに売却する意思表示をし、Bは、そのことを知りながら承諾の意思表示をした。その後、Bは、甲土地を、Aの意思表示が真意ではないことについて善意のCに売却した。この場合、Cは、甲土地の所有権を取得することができない。

エ．Aは、自己が所有する甲土地をBに売却し、さらにBが甲土地をCに売却した後に、錯誤を理由として、Bに甲土地を売却する旨の意思表示を取り消した。この場合、Cは、Aの錯誤による意思表示について善意かつ無過失でなければ、民法第95条第4項の第三者として保護されない。

オ．Aは、自己が所有する甲土地を第三者Cの強迫によりBに売却した。Bがその強迫の事実を知らず、かつ、知らないことに過失がなかった場合には、Aは、Bに対する甲土地の売却の意思表示を取り消すことはできない。

1 ア、イ
2 ア、オ
3 イ、エ
4 ウ、エ
5 ウ、オ

ア：判例は、土地の仮装譲受人から同人が土地上に建築した建物を賃借した者は、土地の仮装譲渡について法律上の利害関係を有しないため、民法94条２項の第三者に当たらないとする（最判昭57・６・８）。したがって、Ｃは第三者に当たらない。

イ：妥当である（最判昭42・10・31）。

ウ：意思表示は、表意者がその真意ではないことを知ってしたときであっても、そのためにその効力を妨げられないが、相手方がその意思表示が表意者の真意ではないことを知り、または知ることができたときは、その意思表示は、無効とする（民法93条１項）。ただし、この意思表示の無効は、善意の第三者に対抗することができない（同条２項）。したがって、善意のＣは、甲土地の所有権を取得することができる。

エ：妥当である（民法95条４項）。

オ：相手方に対する意思表示について第三者が「詐欺」を行った場合においては、相手方がその事実を知り、または知ることができたときに限り、その意思表示を取り消すことができる（民法96条２項）。この点、強迫については規定がないので、同条項の反対解釈により、第三者による強迫の場合には、相手方がその事実を知らず、かつ、知らないことに過失がなかった場合でも、取り消すことができる。したがって、Ａは取り消すことができる。

以上から、妥当なものはイとエであるので、正答は**3**である。

正答　3

政治学　行政学　憲法　行政法　民法　経済理論　財政学

No. 22 民法(総則及び物権) 時効 令和6年度

時効に関するア～オの記述のうち、妥当なもののみを挙げているのはどれか。ただし、争いのあるものは判例の見解による。

ア．後順位抵当権者は、先順位抵当権の被担保債権の消滅時効を援用することができる。

イ．債務者は、時効完成の有無にかかわらず、時効の利益を放棄することができない。

ウ．債権者が債務者に対して債務の履行の催告をしたときは、その時から６か月を経過するまでの間時効は完成しないが、その間に再度催告をしても、同様の効力は生じない。

エ．債務者が債権者の権利を承認したときは、その時から時効は新たに進行を始めるが、債務者が被保佐人である場合、その承認には保佐人の同意が必要である。

オ．時効の期間の満了前６か月以内の間に未成年者に法定代理人がないときは、その未成年者が行為能力者となった時又は法定代理人が就職した時から６か月を経過するまでの間は、その未成年者に対して、時効は完成しない。

1 ア、イ
2 ア、エ
3 イ、ウ
4 ウ、オ
5 エ、オ

ア：判例は、後順位抵当権者は、先順位抵当権の被担保債権の消滅時効を援用することができないとする（最判平11・10・21）。

イ：時効の利益は、あらかじめ放棄することができない（民法146条）。債務者は、時効完成の前には、時効の利益を放棄することができないが、時効完成後には、時効の利益を放棄することができる。

ウ：妥当である（民法150条１項・２項）。

エ：時効は、権利の承認があったときは、その時から新たにその進行を始める（民法152条１項）。この承認をするには、相手方の権利についての処分につき行為能力の制限を受けていないことまたは権限があることを要しない（同条２項）。したがって、債務者が被保佐人である場合、その承認には保佐人の同意は不要である。

オ：妥当である（民法158条１項）。

以上から、妥当なものはウとオであるので、正答は**4**である。

正答　4

国家一般職［大卒］ 専門試験

No. 23 民法（総則及び物権）

動産物権変動

令和6年度

動産物権変動に関するア～オの記述のうち、妥当なもののみを挙げているのはどれか。ただし、争いのあるものは判例の見解による。

ア．動産に関する物権の譲渡は、その動産の引渡しがなければ、第三者に対抗することができない。

イ．債務者が占有の改定によって動産を債権者のために占有している場合には、債権者は、当該動産の引渡しを受けていないので、その所有権を第三者に対抗することができない。

ウ．取引行為によって、平穏に、かつ、公然と動産の占有を始めた者は、善意であり、かつ、過失がないときは、即時にその動産について行使する権利を取得する。

エ．道路運送車両法による登録を受けていない又は登録を抹消された自動車については、即時取得は成立しない。

オ．占有物が盗品又は遺失物であるときは、原所有者は、盗難又は遺失の時から2年間、占有者に対してその動産の回復を請求することができるが、原所有者からその動産を賃借している者は、回復を請求することができない。

1 ア、イ
2 ア、ウ
3 イ、オ
4 ウ、エ
5 エ、オ

解説

ア：妥当である（民法178条）。

イ：民法178条の「引渡し」には占有改定も含まれる（最判昭30・6・2）。したがって、債務者が占有の改定によって動産を債権者のために占有している場合には、債権者は、当該動産の引渡しを受けているので、その所有権を第三者に対抗することができる。

ウ：妥当である（民法192条）。

エ：判例は、道路運送車両法による登録を受けていないまたは登録を抹消された自動車については、即時取得が成立するとする（最判昭45・12・4、同昭62・4・24）。

オ：占有物が盗品または遺失物であるときは、「被害者又は遺失者」は、盗難または遺失の時から2年間、占有者に対してその物の回復を請求することができる（民法193条）。「被害者又は遺失者」とは、動産の占有を奪われた者や、占有を失った者をいい、所有者だけでなく、所有者から動産を借りたり預かったりしている者も含まれる（大判大10・7・8、大判昭4・12・11）。したがって、原所有者からその動産を賃借している者も、回復を請求することができる。

以上から、妥当なものはアとウであるので、正答は**2**である。

正答 2

国家一般職［大卒］

No. 24 専門試験 民法（総則及び物権）

留置権

令和6年度

留置権に関する次の記述のうち、最も妥当なのはどれか。

1　他人の物の占有者は、その物に関して生じた債権を有するときは、その債権が弁済期になくても、その債権の弁済を受けるまで、その物を留置することができる。

2　留置権者は、債権の一部の弁済を受けたときは、留置物の全部について権利を行使することができない。

3　留置権者は、自己の財産に対するのと同一の注意をもって、留置物を占有しなければならない。

4　留置権者が債務者の承諾を得ないで留置物を賃貸し、又は担保に供したときは、留置権は、債務者が留置権の消滅を請求しなくても消滅する。

5　留置権者は、留置物について必要費を支出したときは、所有者にその償還をさせることができる。

解説

1．他人の物の占有者は、その物に関して生じた債権を有するときは、その債権の弁済を受けるまで、その物を留置することができるが、その債権が弁済期にないときは、この限りでない（民法295条１項）。

2．留置権者は、債権の全部の弁済を受けるまでは、留置物の全部についてその権利を行使することができる（民法296条）。不可分性である。

3．留置権者は、善良な管理者の注意をもって、留置物を占有しなければならない（民法298条１項）。

4．留置権者が債務者の承諾を得ないで留置物を賃貸し、または担保に供したときは、留置権は、債務者が留置権の消滅を請求すれば消滅する（民法298条２項本文・３項）。

5．妥当である（民法299条１項）。

正答　5

国家一般職［大卒］ No. 25 専門試験 民法（総則及び物権）

先取特権

令和6年度

先取特権に関するア～オの記述のうち、妥当なもののみを挙げているのはどれか。

ア．雇用関係、共益の費用、葬式の費用又は日用品の供給によって生じた債権を有する者は、債務者の総財産について一般の先取特権を有するが、これらが互いに競合する場合には、雇用関係によって生じた先取特権が最も優先する。

イ．不動産の賃貸の先取特権は、その不動産の賃料その他の賃貸借関係から生じた賃借人の債務に関し、賃借人の動産について存在する。

ウ．不動産の保存、工事又は売買によって生じた債権を有する者は、債務者の特定の不動産について先取特権を有するが、同一の不動産についてこれらが互いに競合する場合には、不動産の保存によって生じた先取特権が最も優先する。

エ．先取特権は、その目的物の売却、賃貸、滅失又は損傷によって債務者が受けるべき金銭その他の物に対して行使することができるが、そのために当該金銭その他の物の差押えを行う必要はない。

オ．動産の先取特権は、債務者がその目的である動産をその第三取得者に引き渡した後であっても、その動産について行使することができる。

1 ア、エ
2 ア、オ
3 イ、ウ
4 イ、オ
5 ウ、エ

解説

ア：雇用関係、共益の費用、葬式の費用または日用品の供給によって生じた債権を有する者は、債務者の総財産について一般の先取特権を有する（民法306条）が、これらが互いに競合する場合には、共益の費用によって生じた先取特権が最も優先する（329条１項）。

イ：妥当である（民法312条）。

ウ：妥当である（民法325条、331条１項）。

エ：先取特権は、その目的物の売却、賃貸、滅失または損傷によって債務者が受けるべき金銭その他の物に対して行使することができる（民法304条１項本文）が、そのために当該金銭その他の物の差押えを行う必要がある（同項ただし書）。

オ：動産の先取特権は、債務者がその目的である動産をその第三取得者に引き渡した後は、その動産について行使することができない（民法333条）。

以上から、妥当なものはイとウであるので、正答は**3**である。

正答 3

専門試験

No.26 民法（債権、親族及び相続） 債務不履行 令和6年度

債務不履行に関する次の記述のうち、最も妥当なのはどれか。

1　債務の履行について不確定期限がある場合に、債務者がその期限の到来したことを知った後に履行の請求を受けたときは、その請求を受けた時から遅滞の責任を負う。

2　当事者が民法の規定により損害賠償額を予定した場合には、債務不履行に関し債権者に過失があったとしても、特段の事情のない限り、裁判所は、損害賠償の責任及びその金額を定めるにつき、これを考慮することができないとするのが判例である。

3　債権者が、損害賠償として、その債権の目的である物又は権利の価額の全部の支払を受けたときは、債務者は、その物又は権利について当然に債権者に代位する。

4　債務者が、その債務の履行が不能となったのと同一の原因により債務の目的物の代償である利益を取得したときは、債権者は、その受けた損害の額にかかわらず、債務者が受けた利益の全てについて、債務者に対し、その相当額の支払を請求することができる。

5　債務者は、債権者が弁済を受領することができない場合には、債権者のために弁済の目的物を供託することができる。この場合には、債務者は、供託をした時から債務不履行責任を免れるが、債務は消滅することなく存続する。

解説

1．債務の履行について不確定期限があるときは、債務者は、その期限の到来した後に履行の請求を受けた時またはその期限の到来したことを知った時のいずれか早い時から遅滞の責任を負う（民法412条２項）。したがって、債務の履行について不確定期限がある場合に、債務者がその期限の到来したことを知った後に履行の請求を受けたときは、債務者がその期限の到来したことを知った時から遅滞の責任を負う。

2．当事者が民法の規定により損害賠償額を予定した場合であっても、債務不履行に関し債権者に過失があったときには、特段の事情のない限り、裁判所は、損害賠償の責任及びその金額を定めるにつき、これを考慮すべきであるとするのが判例である（最判平６・４・21）。

3．妥当である（民法422条）。

4．債務者が、その債務の履行が不能となったのと同一の原因により債務の目的物の代償である権利または利益を取得したときは、債権者は、その受けた損害の額の限度において、債務者に対し、その権利の移転またはその利益の償還を請求することができる（民法422条の２）。したがって、債権者は、その受けた損害の額の限度において、債務者に対し、その相当額の支払を請求することができる。

5．債務者は、債権者が弁済を受領することができない場合には、債権者のために弁済の目的物を供託することができる。この場合には、弁済者が供託をした時に、その債権は消滅する（民法494条１項柱書２号）。

正答　3

国家一般職［大卒］ No. 27 専門試験 民法（債権、親族及び相続） 相　殺 令和6年度

相殺に関するア～オの記述のうち、妥当なもののみを挙げているのはどれか。

ア．当事者が相殺を禁止し、又は制限する旨の意思表示をした場合、その意思表示は、第三者がこれを知っているときに限り、その第三者に対抗することができる。

イ．相殺は、当事者の一方から相手方に対する意思表示によってするが、その意思表示には、条件を付すことができる。

ウ．相殺の意思表示は、双方の債務が互いに相殺に適するようになった時にさかのぼってその効力を生ずる。

エ．時効によって消滅した債権がその消滅以前に相殺に適するようになっていた場合には、その債権者は、相殺をすることができる。

オ．債権が差押えを禁じたものであっても、その債務者は、相殺をもって債権者に対抗することができる。

1　ア、イ
2　ア、オ
3　イ、エ
4　ウ、エ
5　ウ、オ

政治学 行政学 憲法 行政法 民法 経済理論 財政学

解説

ア：当事者が相殺を禁止し、または制限する旨の意思表示をした場合、その意思表示は、第三者がこれを知り、または重大な過失によって知らなかったときに限り、その第三者に対抗することができる（民法505条２項）。

イ：相殺は、当事者の一方から相手方に対する意思表示によってする（民法506条１項前段）が、その意思表示には、条件を付すことができない（同項後段）。

ウ：妥当である（民法506条２項）。

エ：妥当である（民法508条）。

オ：債権が差押えを禁じたものであるときは、その債務者は、相殺をもって債権者に対抗することができない（民法510条）。

以上から、妥当なものはウとエであるので、正答は**4**である。

正答　4

国家一般職［大卒］ No. 28 専門試験

民法（債権、親族及び相続） 売買契約における契約不適合責任 令和6年度

売買契約における契約不適合責任に関するア～オの記述のうち、妥当なもののみを挙げているのはどれか。

ア．売買契約に基づき引き渡された目的物が種類、品質又は数量に関して当該契約の内容に適合しないものである場合、買主は、売主に対し、履行の追完を請求することができるが、売主は、買主に不相当な負担を課するものでないときは、買主が請求した方法と異なる方法による履行の追完をすることができる。

イ．売買契約に基づき引き渡された目的物が種類、品質又は数量に関して当該契約の内容に適合しないものである場合、売主が履行の追完を拒絶する意思を明確に表示しても、買主は、相当の期間を定めて履行の追完を催告しなければ、代金の減額を請求することができない。

ウ．売買契約に基づき引き渡された目的物が種類、品質又は数量に関して当該契約の内容に適合しないものである場合において、その不適合が買主の帰責事由によるものであったときは、買主は、履行の追完又は代金の減額を請求することができない。

エ．売主が数量に関して契約の内容に適合しない目的物を買主に引き渡した場合において、買主がその引渡しの時から１年以内にその旨を売主に通知しないときは、買主は、その不適合を理由として履行の追完を請求することができない。

オ．売主が買主に特定された目的物を引き渡した場合において、その引渡しがあった時以後にその目的物が当事者双方の責めに帰することができない事由によって滅失したときは、買主は、代金の支払を拒むことができる。

1 ア、ウ
2 ア、オ
3 イ、エ
4 イ、オ
5 ウ、エ

ア：妥当である（民法562条１項）。

イ：売買契約に基づき引き渡された目的物が種類、品質または数量に関して当該契約の内容に適合しないものである場合、売主が履行の追完を拒絶する意思を明確に表示したときは、買主は、相当の期間を定めた履行の追完の催告をすることなく、直ちに代金の減額を請求することができる（民法563条１項・２項２号）。

ウ：妥当である（民法562条２項、563条３項）。

エ：売主が数量に関して契約の内容に適合しない目的物を買主に引き渡した場合において、買主は、その不適合を理由として履行の追完を請求することができる（562条１項本文）。この権利は、買主が、「権利を行使することができることを知った時から５年」（数量の不適合を知った時から５年）、または、「権利を行使することができる時から10年」（目的物の引渡しを受けた時から10年）で、時効により消滅する（166条１項１号・２号）。なお、売主が「種類または品質」に関して契約の内容に適合しない目的物を買主に引き渡した場合において、買主が「その不適合を知った時」から１年以内にその旨を売主に通知しないときは、買主は、その不適合を理由として、履行の追完の請求、代金の減額の請求、損害賠償の請求及び契約の解除をすることができないとされている（566条本文）。

オ：売主が買主に特定された目的物を引き渡した場合において、その引渡しがあった時以後にその目的物が当事者双方の責めに帰することができない事由によって滅失したときは、買主は、代金の支払を拒むことができない（民法567条１項）。

以上から、妥当なものはアとウであるので、正答は**1**である。

正答　1

国家一般職［大卒］
No. 29 専門試験 民法（債権、親族及び相続） 不法行為 令和6年度

不法行為に関する次の記述のうち、判例に照らし、最も妥当なのはどれか。

1　化学工業に従事する会社が、その目的である事業によって他人に損害を与えた場合には、当該損害の発生防止のため事業の性質に従って相当な設備を施していたとしても、当該損害が生じた以上は過失が認められ、損害賠償義務を免れない。

2　訴訟上の因果関係を立証するためには、特定の事実が特定の結果発生を招いた関係を是認し得る高度の蓋然性を証明することでは足りず、一点の疑義も許されない自然科学的証明を要する。

3　不法行為による損害賠償については、民法第416条に規定する債務不履行の場合と異なり、その生じた損害につき予見可能性は考慮されず、同条の類推適用はない。

4　不法行為による生命侵害があった場合、被害者の父母、配偶者及び子に限り、その財産権が侵害されなかったときでも、加害者に対し、直接に固有の慰謝料を請求することができる。

5　不法行為による損害賠償請求権の消滅時効の起算点について、民法第724条第1号にいう「加害者を知った時」とは、加害者に対する賠償請求が事実上可能な状況の下に、その可能な程度にこれを知った時を意味する。

（参考）　民法

（損害賠償の範囲）

第416条　債務の不履行に対する損害賠償の請求は、これによって通常生ずべき損害の賠償をさせることをその目的とする。

2　特別の事情によって生じた損害であっても、当事者がその事情を予見すべきであったときは、債権者は、その賠償を請求することができる。

（不法行為による損害賠償請求権の消滅時効）

第724条　不法行為による損害賠償の請求権は、次に掲げる場合には、時効によって消滅する。

一　被害者又はその法定代理人が損害及び加害者を知った時から三年間行使しないとき。

〔第二号略〕

1．判例は、化学工業に従事する会社が、その目的である事業によって他人に損害を与えた場合であっても、当該損害の発生防止のため事業の性質に従って相当な設備を施した以上は、過失は認められず、損害賠償義務を免れるとする（大判大５・12・22）。

2．判例は、訴訟上の因果関係を立証するためには、特定の事実が特定の結果発生を招いた関係を是認し得る高度の蓋然性を証明することで足り、一点の疑義も許されない自然科学的証明は要しないとする（最判昭50・10・24）。

3．判例は、不法行為による損害賠償についても、民法416条に規定する債務不履行の場合と同様に、その生じた損害につき予見可能性も考慮され、同条が類推適用されるとする（大連判大15・５・22）。

4．他人の生命を侵害した者は、被害者の父母、配偶者及び子に対しては、その財産権が侵害されなかった場合においても、損害の賠償をしなければならない（民法711条）。判例は、本条に該当しない者であっても、被害者との間に本条所定の者と実質的に同視できる身分関係が存在し、被害者の死亡により甚大な精神的苦痛を受けた者には、本条が類推適用されるとする（最判昭49・12・17）。

5．妥当である（最判昭48・11・16）。

正答　5

国家一般職［大卒］

No. 30 専門試験 民法（債権、親族及び相続）

養子縁組

令和6年度

養子縁組（特別養子縁組を除く。）に関するア～オの記述のうち、妥当なもののみを挙げているのはどれか。

ア．縁組の養親は、20歳に達した者でなければならない。また、卑属が尊属を養子にすることはできないが、年少者が年長者を養子にすることはできる。

イ．配偶者のある者が未成年者を養子とするには、原則として、配偶者とともにしなければならないが、配偶者のある者が成年者を養子とするには、原則として、配偶者の同意を得れば単独ですることができる。

ウ．養子となる者が15歳未満であるときは、その法定代理人が、これに代わって、縁組の承諾をするが、家庭裁判所の許可を得れば、この法定代理人の承諾は不要である。

エ．縁組により、養子と養親及びその血族との間に親族関係が発生し、他方、養子と実親及びその血族との親族関係は全て終了する。

オ．縁組の当事者の一方が死亡した後に生存当事者が離縁をしようとするときは、家庭裁判所の許可を得て、これをすることができる。

1 ア、ウ
2 ア、オ
3 イ、エ
4 イ、オ
5 ウ、エ

解説

ア：縁組の養親は、20歳に達した者でなければならない（民法792条）。また、卑属が尊属を養子にすることはできず、年少者が年長者を養子にすることもできない（同793条）。

イ：妥当である（民法795条、796条）。

ウ：養子となる者が15歳未満であるときは、その法定代理人が、これに代わって、縁組の承諾をする（民法797条1項）が、家庭裁判所の許可を得ても（同798条本文）、この法定代理人の承諾は必要である。

エ：縁組により、養子と養親およびその血族との間に親族関係が発生する（民法727条）が、養子と実親およびその血族との親族関係は終了しない（同817条の2第1項対比）。

オ：妥当である（民法811条6項）。

以上から、妥当なものはイとオであるので、正答は**4**である。

正答　4

政治学 行政学 憲法 行政法 民法 経済理論 財政学

国家一般職［大卒］ No. 31 専門試験

ミクロ経済学　レオンチェフ型効用関数における需要関数　令和6年度

効用を最大化するある消費者を考える。この消費者は、所得の全てをX財とY財の購入に充てており、効用関数は以下のように与えられる。

$$u = \min\{3x,\ 2y\}$$

（u：効用水準、x：X財の消費量、y：Y財の消費量）

X財の価格をP、Y財の価格をQ、所得をMとするとき、この消費者のX財の需要関数として最も妥当なのはどれか。

1　$x=\dfrac{2M}{5P}$

2　$x=\dfrac{3M}{5P}$

3　$x=\dfrac{3M}{5Q}$

4　$x=\dfrac{3M}{3P+2Q}$

5　$x=\dfrac{2M}{2P+3Q}$

政治学 行政学 憲法 行政法 民法 経済理論 財政学

解説

本問の予算制約式は、下記のように表される。

$$Px+Qy=M \quad \cdots\cdots(1)$$

また、本問のようなレオンチェフ型効用関数において効用最大化が実現する場合、効用関数の式より、

$$3x=2y \Leftrightarrow y=\frac{3}{2}x$$

の関係が成立することから、これを(1)に代入すると、

$$Px+Q\left(\frac{3}{2}x\right)=M$$

$$x(2P+3Q)=2M$$

$$\therefore x=\frac{2M}{2P+3Q}$$

よって、正答は**5**である。

正答　**5**

政治学
行政学
憲法
行政法
民法
経済理論
財政学

顕示選好の弱公理 令和6年度

効用が最大になるようにX財とY財の二つの財の消費の組合せを決定するある消費者を考える。この消費者は、図の予算制約(1)と予算制約(2)において、点A～Eの五つの中からそれぞれ一つずつの点を選ぶものとする。

この消費者の効用に関する次の記述のうち、最も妥当なのはどれか。ただし、顕示選好の弱公理が成立しているとする。

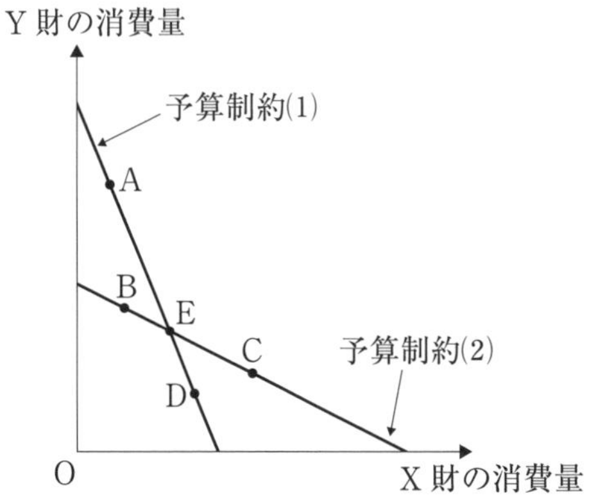

1　予算制約(1)のときに点Aが、予算制約(2)のときに点Bが選ばれた。このとき、点Aにおける効用は点Bにおける効用より必ず高いといえる。

2　予算制約(1)のときに点Aが、予算制約(2)のときに点Cが選ばれた。このとき、点Aにおける効用は点Cにおける効用より必ず高いといえる。

3　予算制約(1)のときに点Aが、予算制約(2)のときに点Eが選ばれた。このとき、点Eにおける効用は点Aにおける効用より必ず高いといえる。

4　予算制約(1)のときに点Dが、予算制約(2)のときに点Cが選ばれた。このとき、点Dにおける効用は点Cにおける効用より必ず高いといえる。

5　予算制約(1)のときに点Eが、予算制約(2)のときに点Cが選ばれた。このとき、点Eにおける効用は点Cにおける効用より必ず高いといえる。

解説

ある合理的な消費者は、毎期、すべての所得を用いて2財X、Yを購入し、t期（t=0, 1）における2財の価格はそれぞれP_x^t、P_y^tであり、そのとき2財の購入量はそれぞれx^t、y^t、効用水準はU^tであるとする。このとき、**顕示選好の弱公理**とは、「$P_x^0 \cdot x^0 + P_y^0 \cdot y^0 \geqq P_x^0 \cdot x^1 + P_y^0 \cdot y^1$ならば、$P_x^1 \cdot x^0 + P_y^1 \cdot y^0 > P_x^1 \cdot x^1 + P_y^1 \cdot y^1$でなければならない」というものである。この意味は下記のとおりである。

「$P_x^0 \cdot x^0 + P_y^0 \cdot y^0 \geqq P_x^0 \cdot x^1 + P_y^0 \cdot y^1$」が成立することは、0期において（$x^1$, y^1）を購入するだけの予算はあったが、実際にはそのような消費を行わなかったことを意味している。よって、この消費者にとって（x^0, y^0）という消費は、（x^1, y^1）という消費よりも効用が高いことがわかる。一方、1期における消費量が（x^1, y^1）となっているのは、本当は（x^0, y^0）という消費のほうが望ましいが、価格体系が変化したことで、（x^0, y^0）の消費ができず、しかたなく（x^1, y^1）という消費で我慢したのだと考えられる。よって、「$P_x^0 \cdot x^0 + P_y^0 \cdot y^0 \geqq P_x^0 \cdot x^1 + P_y^0 \cdot y^1$」ならば、「$P_x^1 \cdot x^0 + P_y^1 \cdot y^0 > P_x^1 \cdot x^1 + P_y^1 \cdot y^1$」が成立しなければならない。

　すなわち、顕示選好の弱公理とは、市場価格と需要の観察から消費者の選好関係を導くものである。

1．妥当である。下図のように、予算制約線(1)のときには点Bの消費が可能であったにもかかわらず、点Aが選ばれた。一方、予算制約線(2)のときに点Bが選ばれたのは点Aが予算オーバーだったためである。それゆえ、点Aにおける効用は点Bより必ず高いといえる。

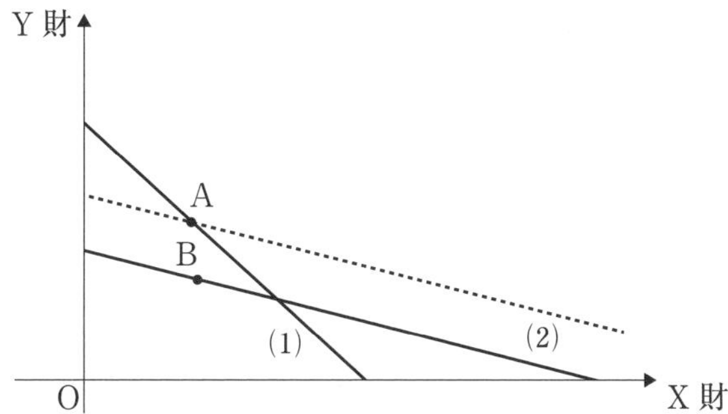

2．下図のように、予算制約線(1)のときには点Cが予算オーバーだったために点Aが選ばれた。一方、予算制約線(2)のときには点Aが予算オーバーだったために点Cが選ばれた。それゆえ、点Aにおける効用は点Cより必ず高いとはいえない。

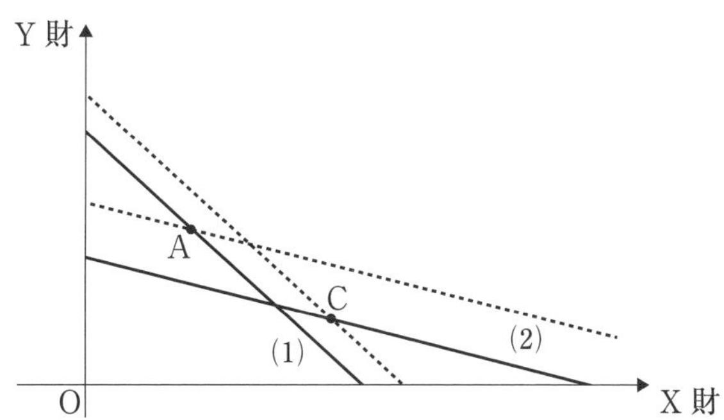

3．下図のように、予算制約線(1)のときには点Eの消費が可能であったにもかかわらず、点Aが選ばれた。一方、予算制約線(2)のときに点Eが選ばれたのは点Aが予算オーバーだったためである。それゆえ、点Aにおける効用は点Eより必ず高いといえる。

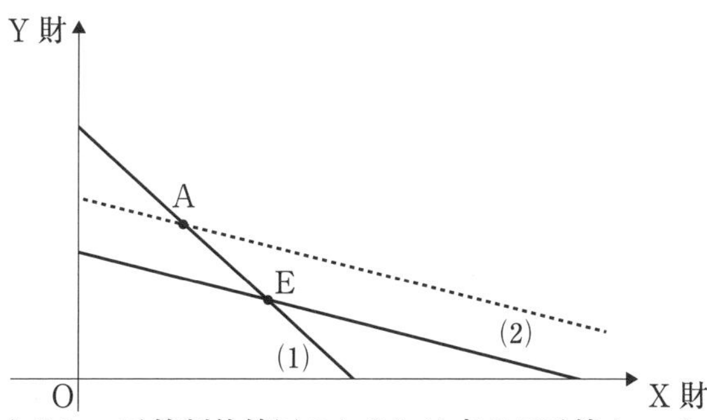

4．下図のように、予算制約線(1)のときには点Cが予算オーバーだったために点Dが選ばれた。一方、予算制約線(2)のときには点Dの消費が可能であったにもかかわらず、点Cが選ばれた。

それゆえ、点Cにおける効用は点Dより必ず高いといえる。

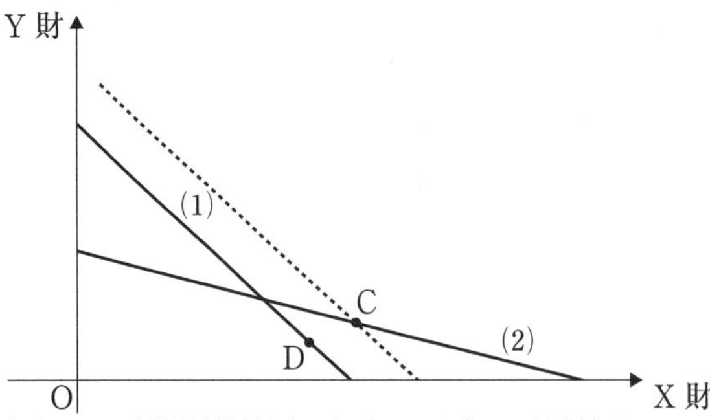

5．下図のように、予算制約線(1)のときには点Cが予算オーバーだったために点Eが選ばれた。一方、予算制約線(2)のときには点Eの消費が可能であったにもかかわらず、点Cが選ばれた。それゆえ、点Cにおける効用は点Eより必ず高いといえる。

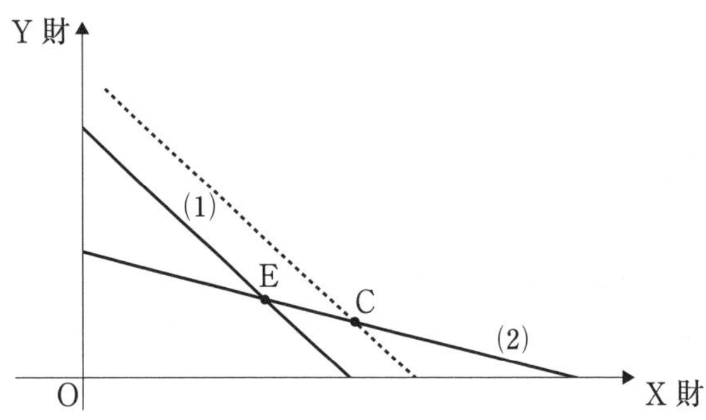

正答　1

No. 33 専門試験 ミクロ経済学

長期総費用関数

令和 6年度

ある企業は労働と資本からある財を生産しており、その生産関数は以下のように与えられる。

$Y=8\sqrt{LK}\quad(L>0,\ K>0)$

（Y：生産量、L：労働投入量、K：資本投入量）

賃金率が4、資本のレンタル率が12であるとき、完全競争下で生産した場合の、この企業の長期の総費用関数 TC として最も妥当なのはどれか。

1 $TC=\dfrac{\sqrt{3}}{3}Y$

2 $TC=\sqrt{3}Y$

3 $TC=3\sqrt{3}Y$

4 $TC=\dfrac{\sqrt{3}}{3}Y^2+\dfrac{\sqrt{3}}{3}Y$

5 $TC=3Y^2+3\sqrt{3}Y$

解説

本問のような、生産関数から総費用を求めさせる問題の場合、下記のような手順で解いていけばよい。

総費用 TC は下記の式で表される。

$TC=wL+rK\cdots\cdots(1)$

（w：労働の要素価格、r：資本の要素価格）

また、本問の生産関数の形状より、各生産要素費用の比が生産関数の指数の比に等しいことから、

$wL:rK=4L:12K=1:1$

$\therefore 4L=12K$

の関係が成立することから、これを(1)に代入し、K および L それぞれについて解くと、

$TC=8L\ \Leftrightarrow L=\dfrac{TC}{8}$

$TC=24K \Leftrightarrow K=\dfrac{TC}{24}$

これらを生産関数に代入すると、

$Y=8\sqrt{LK}=8\sqrt{\dfrac{TC}{8}\times\dfrac{TC}{24}}=\dfrac{TC}{\sqrt{3}}$

$\therefore TC=\sqrt{3}Y$

よって、正答は**2**である。

正答 2

補助金

ある財の市場の需要関数と供給関数は以下のように与えられる。

$D=450-P$

$S=2P-100$

（D：需要、S：供給、P：価格）

いま、この財の市場価格が150以下になるように、政府が企業の供給に対して1単位当たりTの補助金を与えるとする。このとき、Tの最小値として最も妥当なのはどれか。

1 0
2 20
3 50
4 75
5 100

解説

当初の均衡点Eにおける価格Pを求めると、

$$450-P=2P-100$$

$$\therefore P=\frac{550}{3}\left(=183\frac{1}{3}\right)$$

これは150より大きいので、市場価格が150となる1単位当たり補助金Tが求めるべき値である。

需要関数により、市場価格が150であるときの需要量は450－150＝300である。また、補助金給付後の供給曲線は、

$$P=\frac{1}{2}S+(50-T)$$

であるので、これに$P=150$と$S=300$を代入すると、

$$150=\frac{1}{2}\times300+(50-T)$$

$$\therefore T=50$$

よって、正答は**3**である。

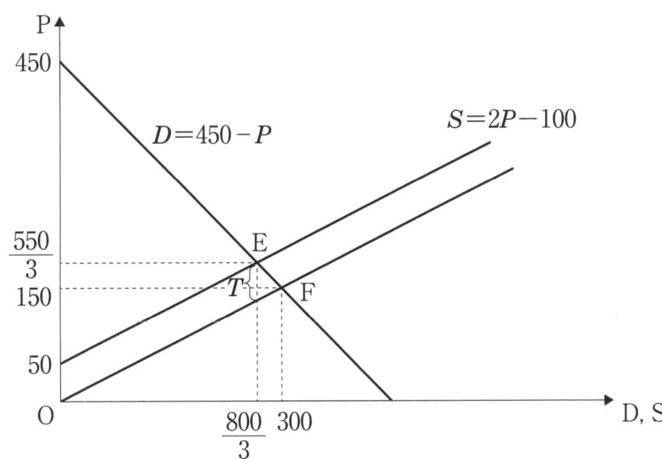

正答　3

国家一般職［大卒］

No. 35 専門試験 ミクロ経済学

情報の非対称性

令和6年度

情報の非対称性に関するA～Dの記述のうち、妥当なもののみを挙げているのはどれか。

A．モラル・ハザードは、その名のとおり、個人の道徳心の変化による非合理的な経済行動の結果、生じる問題である。例えば、労働市場において、企業が労働者の努力水準を観察できる場合であっても、労働者が怠けるおそれがあるため、モラル・ハザードが生じる。

B．契約理論においては、株主がプリンシパル（依頼人）、経営者がエージェント（代理人）に位置付けられている。両者が持つ情報に関して非対称性が存在する場合、株主が努力し、自ら率先して仕事をする方が得であるような仕組みにすることで、パレート効率的な均衡を達成することができる。

C．中古車市場において、買い手が中古車の品質を判定できないため、品質の良い車が市場から排除され、品質の悪い車のみが市場に残ることは、逆選択（逆淘汰）の例であり、逆選択によって最終的に市場が成立しなくなることもある。

D．私的情報を持つ者が、情報を持たない者に対してその情報を明らかにするために、外部から観察できる行動をとることをシグナリングという。例えば、ある労働者が、能力を企業に認めてもらうことによって高い賃金を得るために、努力コストを支払って高い学歴を得ることは、シグナリングの例である。

1 A、B
2 A、C
3 B、C
4 B、D
5 C、D

A：モラル・ハザードとは、契約や取引開始前後における情報の非対称性により発生するものであり、「非合理的な経済活動の結果、生じる問題」ではない。また、企業が労働者の努力水準を観察できる場合、情報の非対称性は生じないことから、モラル・ハザードは発生しない。

B：後半の記述が誤り。エージェント（代理人）である経営者が努力し、自ら率先して仕事をするほうが得であるようなインセンティブを導入することで、パレート効率的な均衡を達成することができる。

C：妥当である。アカロフによって提唱されたレモンの原理の内容である。

D：妥当である。なお、情報を持たない者が複数の契約条件を提示し、その中から相手に選択させることにより相手の属性を顕示させる方法を自己選択といい、たとえば、「複数の契約形態を用意した保険契約」などが挙げられる。

よって、妥当なものはC、Dであるので、正答は**5**である。

正答　5

国家一般職［大卒］ 専門試験

No. 36 マクロ経済学

政府支出乗数

令和6年度

閉鎖経済のマクロ経済モデルを考える。消費関数は以下のように与えられる。

$$C=20+0.8(Y-T)$$

(C：消費、Y：国民所得、T：租税)

いま、租税Tは消費税であり、政府は消費の25％を徴収しているとする。このとき、この経済の政府支出乗数として最も妥当なのはどれか。ただし、投資は一定とし、政府支出は租税と独立しているとする。

1 0.2
2 0.8
3 1
4 3
5 5

解説

一般職レベルにおける乗数理論の計算問題で登場する租税は、定額税もしくは（比例）所得税のケースが定番であるが、本問では消費税となっている点に注意してほしい。

まずは、消費関数に問題の条件を代入すると、

$$C=20+0.8(Y-T)=20+0.8(Y-0.25C)=20+0.8Y-0.2C$$

$$\therefore C=\frac{2}{3}Y+\frac{50}{3} \quad \cdots\cdots(1)$$

次に、本問のマクロ経済モデル式に(1)を代入すると、

$$Y=C+I+G=\frac{2}{3}Y+\frac{50}{3}+I+G$$

$$\therefore Y=3(I+G+50)$$

最後に、上式を変化分の式に変形したうえで、投資は一定であることから$\Delta I=0$を代入すると、

$$\therefore \Delta Y=3\Delta G$$

よって、正答は**4**である。

正答 4

政治学 行政学 憲法 行政法 民法 経済理論 財政学

国家一般職［大卒］ No. 37 専門試験 マクロ経済学

総需要曲線

令和6年度

閉鎖経済のマクロ経済モデルを考える。消費関数、投資関数及び実質貨幣需要関数は、それぞれ以下のように与えられる。

$$C=100+0.8(Y-T)$$
$$I=30-r$$
$$L=1800+8Y-10r$$

（C：消費、Y：国民所得、T：租税、I：投資、r：利子率、L：実質貨幣需要）

また、政府支出は100で政府の予算が均衡しており、名目貨幣供給は600である。

この経済における総需要曲線として最も妥当なのはどれか。ただし、Pは物価水準とする。

1 $P=\dfrac{60}{Y+30}$

2 $P=\dfrac{60}{Y+120}$

3 $P=\dfrac{100}{3Y+50}$

4 $P=\dfrac{4}{156-r}$

5 $P=\dfrac{12}{84-r}$

解説

まずは、財市場の均衡式を求める。財市場の式を一本化すると、

$$Y=C+I+G$$

上式に消費関数および投資関数、さらに$G=T=100$を代入して整理すると、

$$Y=100+0.8(Y-100)+30-r+100=0.8Y-r+150$$

$$\therefore r=150-0.2Y \quad \cdots\cdots(1)$$

次に、貨幣市場の均衡式を求める。名目貨幣供給をMとすると、

$$\frac{M}{P}=L$$

$$\frac{600}{P}=1800+8Y-10r \quad \cdots\cdots(2)$$

最後に総需要曲線を求める。(2)に(1)を代入して、$P=$～の形に整理すると、

$$\frac{600}{P}=1800+8Y-10(150-0.2Y)=300+10Y$$

$$\therefore P=\frac{60}{Y+30}$$

よって、正答は**1**である。

正答 1

No. 38

専門試験

マクロ経済学　コンソル債　令和6年度

毎期13,852円の利子収益を永久に保証するコンソル債（永久債券）を考える。市場利子率は8％で将来にわたって一定である。

現在を0期としたとき、0期におけるコンソル債の価格として最も妥当なのはどれか。なお、利払いは1期から永久に行われるものとする。

1　110,816円
2　159,298円
3　173,150円
4　187,002円
5　246,750円

解説

コンソル債とは、償還期限がなく、毎期の利息収入が確実に得られる確定利付債券のことである。市場利子率を r、毎期の利子収益を R とすると、コンソル債の価格（P_B）は毎期の利子収益の割引現在価値の合計に等しくなることから、

$$P_B=\frac{R}{(1+r)}+\frac{R}{(1+r)^2}+\frac{R}{(1+r)^3}\quad\cdots\cdots$$

すなわち、初項が$\frac{R}{1+r}$、公比が$\frac{1}{1+r}$の無限等比級数となる。よって、

$$P_B=\frac{\frac{R}{1+r}}{1-\frac{1}{1+r}}=\frac{R}{r}\quad\cdots\cdots(1)$$

と表される。(1)の R に13,852円、r に0.08を代入すると、

$$P_B=\frac{R}{r}=\frac{13852}{0.08}=173150$$

よって、正答は**3**である。

正答 **3**

政治学 行政学 憲法 行政法 民法 経済理論 財政学

国家一般職［大卒］ No. 39 専門試験

マクロ経済学　貨幣乗数　令和6年度

市中銀行は家計から受け入れた預金残高の3分の1を準備預金として保有し、残りを全て貸し出すとする。また、家計は、保有している現金の1.5倍を預金として保有しているとする。

マネーサプライを600増加させるために、中央銀行が増加させる必要があるハイパワードマネーの大きさとして最も妥当なのはどれか。ただし、市中銀行及び家計の行動は一定とする。

1　200
2　360
3　400
4　600
5　900

政治学 行政学 憲法 行政法 民法 経済理論 財政学

解説

貨幣乗数とは、ハイパワードマネー（マネタリーベース）１単位に対し、何単位のマネーサプライ（マネーストック）が創造されるのかを表すものであり、信用乗数とも呼ばれる。マネーサプライをM、ハイパワードマネーをHとすると、貨幣乗数mは、

$$m=\frac{M}{H}=\frac{C+D}{C+R}=\frac{\frac{C}{D}+\frac{D}{D}}{\frac{C}{D}+\frac{R}{D}} \quad \cdots\cdots(1)$$

（C：現金、D：預金、R：準備預金）

本問の条件を(1)に代入すると、

$$m=\frac{\frac{C}{D}+\frac{D}{D}}{\frac{C}{D}+\frac{R}{D}}=\frac{\frac{2}{3}+1}{\frac{2}{3}+\frac{1}{3}}=\frac{5}{3}$$

また、(1)より、ハイパワードマネー、マネーサプライおよび貨幣乗数の関係は、次の式で表される。

$$M=mH$$

上式を変化分の式に変形したうえで、マネーサプライを600増加させるために、中央銀行が増加させるハイパワードマネーの大きさを求めると、

$$\Delta M=m\Delta H=\frac{5}{3}\Delta H=600$$

$$\therefore \Delta H=360$$

よって、正答は**2**である。

正答　**2**

政治学
行政学
憲法
行政法
民法
経済理論
財政学

国家一般職［大卒］

専門試験

No.40 マクロ経済学 フィリップス曲線 令和6年度

インフレ率 π と失業率 u の関係を示す短期のフィリップス曲線は以下のように与えられる。

$$\pi=\pi^e-2(u-u^*)$$

(π^e：予想インフレ率、u^*：自然失業率)

また、中央銀行は、フィリップス曲線、予想インフレ率、自然失業率が与えられた下で、裁量的にインフレ率を設定し、以下の損失関数を最小化することを目指している。

$$L=5\pi^2+u$$

このとき、中央銀行が設定するインフレ率 π として最も妥当なのはどれか。

1 0
2 0.02
3 0.05
4 0.2
5 0.5

解説

中央銀行は短期フィリップス曲線上の点から、損失関数を最小にするインフレ率を決定する。それゆえ、中央銀行の損失関数に制約条件としてのフィリップス曲線を代入すると、

$$L=5\pi^2+u=5\pi^2+\left(\frac{\pi^e-\pi}{2}+u^*\right) \quad \cdots(1)$$

(1)をインフレ率 π で微分してゼロと置くと、

$$\frac{\Delta L}{\Delta \pi}=10\pi-\frac{1}{2}=0$$

$$\therefore \pi=0.05$$

これが、中央銀行の損失関数を最小にするインフレ率である。

よって、正答は**3**である。

〔参考〕

本問は、金融政策の時間的非整合性についての問題であり、総合職経済区分では頻繁に出題されているものの、一般職レベルでは出題がほぼ皆無である。時間的非整合性（time inconsistency）とは、各時点において政策当局は最適化行動をとっているものの、長期的、動学的に見れば非効率的な結果がもたらされることをいう。すなわち、政府が過去に決定した政策が、事後的な新たな環境下ではもはや最適なものではなくなり、政策に一貫性がなくなってしまう事態となることをいう。これは、ケインズ派による裁量政策に対する批判であり、F. キドランドとE. プレスコットによって主張された。

時間的非整合性の問題について、彼らの論文に従い、毎年氾濫する川の近くに人が住むケースで説明する。毎年氾濫するため、河川周辺の地価は安価である。今、ある住民が、「もし自分がその安い土地を買って住み始めたら、政府は人命尊重の観点から堤防を造るに違いない」と考え、実際に住みつき、その数も次第に増加していったとする。住民のことを放っておくことのできない政府は、多額の費用を費やし堤防を建設することとなり、結局、住民の人命は守られる。政府の行動を熟知しているという点で、この住民は合理的であり、実際に住民の「合理的な期待」は実現されている。

一方、政府の対応について見ると、住民が川沿いに住まなければおそらく何もしなかったであろうし、住み始めれば堤防を造るというように、住民の行動に応じて「裁量的に行動」していたことがわかる。では、このケースにおけるルールに基づいた政策とはどのようなものだったのだろうか？　それは、「川の近くの居住を禁じる」というルールを設け、住民がルールを犯さないよう強い姿勢で臨むことであろう。なぜなら、住民もルールを犯してまで川沿いに住むことはしないだろうし、結果、政府も堤防建設という費用を負担する必要が生じないからである。これはまさに、政策における「裁量よりルール」が望ましい事例であるといえる。

本問では、中央銀行以外の経済主体については何も言及されていないので、計算自体は平易であるが、今後、より応用的な問題が出題されることに備えておくとよい。

正答　3

国家一般職［大卒］

専門試験

No. 41 財政学 リンダール均衡 令和6年度

消費者Aと消費者Bの2人の消費者が、私的財と公共財の二つの財を消費する経済を考える。消費者Aの効用関数 u_A と消費者Bの効用関数 u_B は、それぞれ以下のように与えられる。

$$u_A=x_Ay$$
$$u_B=x_B^{\frac{1}{2}}y^{\frac{1}{2}}$$

（x_A：消費者Aの私的財の消費量、x_B：消費者Bの私的財の消費量、y：公共財の消費量）

また、消費者Aの公共財の負担割合を h_A、消費者Bの公共財の負担割合を h_B（$h_A+h_B=1$、$h_A>0$、$h_B>0$）とし、1単位の公共財を生産するのに1単位の私的財が必要であるとする。いま、消費者A、Bの予算制約式は、それぞれ以下のように与えられる。

$$x_A+h_Ay=120$$
$$x_B+h_By=60$$

この経済のリンダール均衡における消費者A、Bの公共財の負担割合の組合せ（h_A、h_B）として最も妥当なのはどれか。

1 $(h_A,\ h_B)=\left(\frac{5}{6},\ \frac{1}{6}\right)$　**2** $(h_A,\ h_B)=\left(\frac{3}{4},\ \frac{1}{4}\right)$　**3** $(h_A,\ h_B)=\left(\frac{2}{3},\ \frac{1}{3}\right)$

4 $(h_A,\ h_B)=\left(\frac{1}{2},\ \frac{1}{2}\right)$　**5** $(h_A,\ h_B)=\left(\frac{1}{4},\ \frac{3}{4}\right)$

解説

リンダール均衡における公共財の負担割合を求める計算問題である。各個人の公共財の需要関数を導出し、全員の公共財の需要量が等しくなる公共財の負担割合を計算すればよい。

はじめに、個人Aの公共財の需要関数を考える。個人Aの予算制約式を $x_A=\sim$ の形に変形すると、$x_A=120-h_Ay$ である。これを個人Aの効用関数に代入すると、次式を得る。

$$u_A=(120-h_Ay)y$$

個人Aの公共財需要量 y は、この効用関数を y について微分した値がゼロとなる値である。

$$120-2h_Ay=0$$

$$\therefore y=\frac{60}{h_A}\quad \cdots\cdots①$$

次に、個人Bの公共財の需要関数を考える。2人からなる経済を想定しているので、個人Aの公共財の負担割合が h_A であるとき、個人Bの公共財の負担割合 h_B は $1-h_A$ である。よって、個人Bの予算制約式を $x_B=\sim$ の形に変形すると、$x_B=60-(1-h_A)y$ である。

これを個人Bの効用関数に代入すると、次式を得る。

$$u_B=\{60-(1-h_A)y\}^{\frac{1}{2}}y^{\frac{1}{2}}$$

個人Bの公共財需要量 y は、この効用関数を y について微分した値がゼロとなる値である。

$$-\frac{1}{2}\{60-(1-h_A)y\}^{-\frac{1}{2}}(1-h_A)y^{\frac{1}{2}}+\frac{1}{2}\{60-(1-h_A)y\}^{\frac{1}{2}}y^{-\frac{1}{2}}=0$$

$$2(1-h_A)y=60$$

政治学　行政学　憲法　行政法　民法　経済理論　財政学

$$\therefore y=\frac{30}{1-h_A} \quad \cdots\cdots②$$

最後に、リンダール均衡における公共財の負担割合を求める。リンダール均衡では、個人Aの公共財の需要量（①式の右辺）と個人Bの公共財の需要量（②式の右辺）が等しい。このことより、リンダール均衡における個人Aの公共財の負担割合 h_A は、次のようになる。

$$\frac{60}{h_A}=\frac{30}{1-h_A}$$

$$60(1-h_A)=30h_A$$

$$\therefore h_A=\frac{2}{3}$$

個人Bの公共財の負担割合 h_B は $1-h_A$ であるので $1-\frac{2}{3}=\frac{1}{3}$ である。

よって、$(h_A,\ h_B)=\left(\frac{2}{3},\ \frac{1}{3}\right)$ であるので、正答は**3**である。

〔別解〕

リンダール均衡が実現したとき各個人の効用最大化が実現すること、および各消費者の効用関数がコブ＝ダグラス型であることから、各財の支出額の比が効用関数の指数の比に等しいとする支出割合法を活用する。

まず、消費者Aについて、本問の効用関数は一次同次のコブ＝ダグラス型効用関数であり、1単位の公共財を生産するのに1単位の私的財が必要で、かつ予算制約式より初期賦存量が120であることから、支出割合法より、$x_A=60$となる。すなわち、消費者Aは私的財を60単位消費し、残り60単位の私的財を公共財生産のために負担する。

同様に、消費者Bについても、予算制約式より初期賦存量が60であることから、支出割合法より、$x_B=30$となる。すなわち、消費者Bは私的財を30単位消費し、残り30単位の私的財を公共財生産のために負担する。

ゆえに、リンダール均衡における公共財生産のための両消費者の私的財負担量は合計90単位となり、そのうちの60単位すなわち3分の2は消費者A、残り30単位すなわち3分の1は消費者Bが負担する。

よって、正答は**3**である。

正答　3

国家一般職［大卒］

専門試験

No.42 財政学 日本の国債 令和6年度

我が国の国債に関する次の記述のうち、最も妥当なのはどれか。

1 財政投融資は、郵便貯金や年金積立金から義務預託された資金のほか、国債の一つである財投債の発行によって調達された資金を財源としている。財投債は、その償還財源が普通国債とは異なるため、普通国債とは別の金融商品として発行されている。

2 国債及び国庫短期証券の保有者別内訳についてみると、令和5年6月末では、近年、国債を大量に購入している「日本銀行」が50％程度と最も多くを占めており、次いで「銀行等」が25％程度を占めている。また、「海外」については、5％未満となっている。

3 建設国債は、財政法第4条第1項ただし書において、国会の議決を経ることなく内閣の判断で発行額を決めることができるとされている。一方、これまでに発行した国債の償還額の一部を借り換えるために発行される借換債は、特別会計に関する法律第46条第1項において、国会の議決を経た金額を限度として発行できるとされている。

4 建設国債及び復興債の償還については、借換債を含め、全体として60年で償還し終えるという60年償還ルールが採用されている。一方、特例国債の償還については、その発行根拠法において、「速やかな減債に努めるものとする」とされており、60年償還ルールの対象となっていない。

5 日本銀行引受けによる公債発行は、財政法第5条において、原則として禁じられている。一方、同条ただし書においては、特別の事由がある場合において、国会の議決を経た金額の範囲内で日本銀行引受けによる公債発行が認められており、いわゆる日銀乗換はこの規定に基づいて行われている。

解説

1．郵便貯金や年金積立金からの義務預託は、平成13年に廃止された。また、財政投融資の財源には、財投債のほか、政府保証債、NTT 株の配当金などがある。財投債は国がその信用に基づいて発行するもので、普通国債と一体として発行されており、金融商品としては同じものである。

2．令和５年６月末における国債及び国庫短期証券の保有者の割合を見ると、日本銀行の割合は47.1％で最も大きいものの、次いで「保険・年金基金」(19.5％)、「預金取扱機関」(10.7％)の順に大きい。さらに、「海外」は14.3％であり、５％を上回っている。

3．建設国債の発行は、国会の議決を経る必要がある。特別会計に関する法律第46条第１項は、国会の議決を経た金額ではなく、各年度における国債の整理または償還のために必要な金額を限度と定めている。

4．建設国債と特例国債については、その借換債を含めて、全体として60年で償還し終える(60年償還ルール) に基づいている。復興債については、60年償還ルールが適用されず、復興財源とされている復興特別税の税収や株式の売却収入の金額に応じて借換債が発行されており、令和19年度までに全体として償還し終えるとしている。

5．妥当である。

参考資料：「資金循環統計」日本銀行

正答　5

国家一般職［大卒］ No. 43 専門試験

財政学　日本の財政事情　令和6年度

我が国の財政事情に関する次の記述のうち、最も妥当なのはどれか。

1　一般会計歳出の規模についてみると、平成２年度では決算ベースで約40兆円であったが、令和５年度では当初予算ベースで110兆円を上回っている。また、平成２年度から令和５年度にかけての増加額について主要経費別でみると、国債費の増加額が社会保障関係費の増加額を上回っている。

2　一般会計歳入の租税及び印紙収入について決算ベースでみると、平成２年度では約25兆円であった。その後、増加傾向で推移した後、平成22年度頃から減少傾向に転じた結果、令和２年度では約82兆円となっている。

3　普通国債残高についてみると、平成２年度末では約450兆円であったが、その後、ほぼ一貫して増加した結果、令和３年度末では1200兆円を上回っている。また、同年度末の公債残高についてみると、建設公債残高が特例公債残高を大きく上回っている。

4　一般会計予算についてみると、一般会計歳出から国債費を除いたものは一般歳出と呼ばれ、地方交付税交付金等、社会保障関係費、防衛関係費などで構成されている。令和５年度の一般会計当初予算における歳出総額に占める一般歳出の割合は55％を下回っている。

5　令和５年度の一般会計当初予算の歳入についてみると、歳入総額は110兆円を上回っており、そのうち約３割を公債金に依存している。また、同予算の租税及び印紙収入のうち、消費税、所得税は、それぞれ20兆円を超える規模となっている。

1. 平成２年度の一般会計歳出（決算）の規模は69兆2,687億円である。また、令和５年度当初予算を平成２年度決算と比較すると、国債費は10兆8,010億円増であり、社会保障関係費の25兆2,920億円増を下回っている。

2. 平成２年度の一般会計歳入（決算）における租税及び印紙収入は60兆1,059億円である。その後、減少傾向で推移したが、平成22年度頃から増加傾向に転じ、令和２年度は60兆8,316億円となっている。

3. 平成２年度末の普通国債残高は約166兆円、令和３年度末は約991兆円であった。また、令和３年度末の建設公債残高は約287兆円であり、特例公債残高の約699兆円を大きく下回っている。

4. 一般歳出は一般会計歳出から、国債費と地方交付税交付金等を除いたものである。また、令和５年度の一般会計当初予算における一般歳出の割合は63.6％である。ちなみに、歳出総額から国債費の一部を除いた経費のことを「基礎的財政収支対象経費」といい、令和５年度一般会計当初予算における基礎的財政収支対象経費の割合は78.3％である。

5. 妥当である。

参考資料：「平成２年度一般会計歳入歳出決算」『図説　日本の財政　令和５年度版』

正答　5

国家一般職［大卒］ 専門試験 No.44 経済事情 日本の経済状況 令和6年度

我が国の最近の経済の状況に関する次の記述のうち、最も妥当なのはどれか。

1 実質GDP成長率（前年度比）についてみると、2020年度及び2021年度は２年連続でマイナスとなったが、2022年度は消費の全体的な回復を受け、３％を上回っている。また、名目GDPの実額についてみると、同年度は650兆円を上回り、過去最大となっている。

2 日本銀行「企業物価指数」により国内企業物価指数の上昇率（前年同月比）についてみると、2021年後半は０～２％程度で推移していたが、2022年２月のロシアのウクライナ侵攻により、原油等のエネルギー価格が年末までほぼ一貫して上昇した影響を受け、同年12月には４％程度となり、2023年６月には15％を上回っている。

3 総務省「消費者物価指数」により2022年１月以降の消費者物価指数（生鮮食品を除く総合）の上昇率（前年同月比）についてみると、2022年１月は０％台であったが、その後、上昇率を高め、2023年１月時点では４％を上回っている。また、消費者物価指数（生鮮食品を除く総合）の上昇の内訳についてみると、2022年はエネルギーと食料の寄与が中心となっている。

4 有効求人倍率（季節調整値）についてみると、新型コロナウイルス感染症の感染が拡大していた2021年後半は1.0を下回っていたが、その後、上昇傾向で推移し、2023年半ばには1.5を上回っている。また、労働環境が改善する中、2023年春闘における定期昇給相当込み賃上げ計（連合による集計）は約2.1％となっている。

5 東京商工リサーチ「全国企業倒産状況」により全国の月次の倒産件数についてみると、新型コロナウイルス感染症の感染が拡大する直前の2020年１月は500件程度であったが、その後、急速に増加し、同年12月には1500件を上回った。しかし、2023年５月に当該感染症の位置付けが変更されたことに伴い、倒産件数は、同年８月まで急速に減少している。

1．2020年度の実質 GDP 成長率（前年度比）はマイナスであったが、2021年度はプラスとなり、2022年度は2021年度より低下して1.4％となった。また、2022年度の名目 GDP は561兆8,835億円であった。

2．2022年12月の企業物価指数の上昇率（前年同月比）は、1980年12月以来42年ぶりの上昇となる10.6％であった。また、2023年に入ると低下し始め、2023年６月には4.1％となった。

3．妥当である。

4．有効求人倍率（季節調整値）は、2021年を通じて1.0を超えている。また、その後上昇傾向で推移したものの、1.5を超えていない。さらに2023年春闘における定期昇給相当込み賃上げ計は30年ぶりの伸びである3.58％となった。

5．東京商工リサーチによると2020年１月の倒産件数は773件であり、その後減少して、同年12月には558件になった。また倒産件数は、2022年半ばから増加し、2023年８月には760件まで増加している。

参考資料：『令和５年版　経済財政白書』『令和５年版　労働経済の分析』「全国企業倒産状況」（東京商工リサーチ）

正答　3

国家一般職［大卒］ No. 45 専門試験

経済事情　海外の経済状況　令和6年度

海外の経済の状況に関する次の記述のうち、最も妥当なのはどれか。

1　ロシアの天然ガス生産について2021年時点でみると、世界生産の40％以上を占め、世界第一位の生産国となっている。EU では、同年のパイプライン経由による天然ガス輸入の70％以上をロシアに依存していたが、ウクライナ侵攻に対する制裁の一環として、2022年前半にロシア産天然ガスの輸入を全面的に禁止する措置を講じた。

2　米国の失業率（U-3）についてみると、2020年４月は５％未満であったが、その後、上昇傾向で推移し、2023年３月には10％を上回っている。また、実質賃金上昇率（前年同月比）についてみると、労働条件の見直しなどが賃金上昇圧力となっている影響により、2021年11月から2023年３月にかけてプラスで推移している。

3　ユーロ圏の実質 GDP 成長率（前年比）についてみると、新型コロナウイルス感染症関連の規制措置やウクライナ侵攻の影響により、2022年の成長率はマイナスとなっている。また、英国の実質 GDP 成長率（前年比）についてみると、2022年の成長率は2021年と比較して上昇し、５％を超えるプラスとなっている。

4　中国の人口についてみると、2022年の総人口は14億人を上回っている。また、2010年代半ばに、全ての夫婦に第２子を認める「二人っ子政策」が導入され、2021年には第３子まで認められるようになったものの、出生率（出生数／人口）は2017年から2022年についてみると、低下傾向で推移している。

5　インドの経常収支についてみると、2020年から2022年にかけて、サービス収支が赤字で推移している一方で、米国や中国への輸出が増加した影響により貿易収支は黒字で推移している。また、同期間の経常収支全体についてみると、黒字幅が前年比で増加傾向で推移しており、貿易収支の黒字により経常収支の黒字を維持している中国と同様の傾向が見られる。

1. ロシアの天然ガス生産は、2021年時点で世界生産の17.4％を占め、アメリカに次いで世界第２位である。2021年における EU のパイプライン経由による天然ガス輸入におけるロシアのシェアは49.0％である。さらに、EU は2022年前半にロシア産天然ガスについて段階的に輸入を禁止する措置を講じた。

2. 米国の失業率（U-3）は、2020年４月には14.7％に達していた。その後、低下傾向で推移し、2023年３月には3.5％とコロナ禍前の水準にまで改善した。また、2021年11月から2023年３月までの実質賃金上昇率（前年同月比）は、賃金上昇がインフレの高進に追いつかず、マイナスで推移している。

3. 2022年のユーロ圏の実質 GDP 成長率（前年比）は、前年の5.4％から3.5％へと低下した。また、2022年の英国の実質 GDP 成長率（前年比）は、前年の7.6％から4.1％に低下した。

4. 妥当である。

5. インドの経常収支を見ると、サービス収支が黒字で推移する一方で、貿易収支は慢性的な赤字となっている。また、当該期間の経常収支全体では、2020年は黒字となったが、2021年、2022年は赤字を拡大しており、中国とは異なる傾向が見られる。

参考資料：『通商白書2023』『世界経済の潮流2023年Ⅰ』

正答　4

国家一般職［大卒］ 専門試験

No. 46 経営学 企業の戦略 令和6年度

企業の戦略に関する次の記述のうち、最も妥当なのはどれか。

1 資源ベース論（RBV）によると、過去の特殊な出来事などにより経路依存的に獲得された資源や、因果関係が曖昧で観測しにくい資源は、競合他社による模倣が困難であるため、これらの資源に基づく競争優位は維持される。

2 1960年代においてD. エーベルは、事業定義の軸として、「競合関係」、「顧客層」、「代替技術」の三つの次元を提唱した。また、「競合関係」にある企業の「顧客層」を分析して、いまだ満たされていない「顧客機能」を見付ける方法は、「競合関係」にある企業が有する技術にとって代わる「代替技術」を開発する方法と比べて、常にコストが低くなり、高業績を得ることができるとした。

3 PIMS研究では、市場シェアと絶対的品質の両方が高い事業は、市場シェアのみが高い事業と比べて、他社の追随を許さない絶対的品質の水準を向上するために投下した資源が多いため、投資収益率（ROI）が低いことが示された。そのため、収益率を改善するためには、品質を高める戦略は必ずしも必要ではなく、低価格による市場シェアの増大を優先させるべきであるとした。

4 1970年代においてD. ティースらは、想定外の環境の変化が起きたとしても、それに影響を受けることなく、長期にわたって既存の資源を変えずに使い続けられる企業の能力を、ダイナミック・ケイパビリティと呼んだ。

5 1980年代にM. ポーターが提唱した価値連鎖（バリューチェーン）は、大別して、「ヒト・モノ・カネ」を管理する人的資源管理や部材調達などの「主活動」、実際にモノやサービスを作り出す生産などの「価値創出活動」、これに続く販売やアフターサービスなどの「支援活動」の三つから構成される。

解説

1. 妥当である。経営戦略論における資源ベース論（RBV：Resource-based View）は、企業が保有する経営資源や組織能力が競争優位の源泉であるとする考え方である。J. B. バーニーは、競合他社による模倣が困難な経営資源の特徴として、①歴史的要因、②因果関係の曖昧性、③社会的複雑性、④制度的条件を挙げている。①は時間をかけて経営資源を蓄積した場合や、特殊な経緯で（経路依存的に）経営資源を取得した場合、②は個々の経営資源と競争優位の関係が不明である場合、③は当該企業の人間関係や組織文化によって経営資源が成立している場合、④は特許権や著作権などの法規制によって経営資源の模倣が制限されている場合である。

2. 「1960年代」と「競合関係」が誤り。エーベルは『事業の定義－戦略計画策定の出発点』(1980年) において、顧客層（対象とする顧客グループ）、顧客機能（顧客のニーズ）、代替技術（顧客のニーズを満たすための方法）という3次元の軸に基づいて、「どのような顧客に、どのような価値を、どのように提供するか」を決定することが事業の定義であるとした。その際、各次元のどの範囲までを事業の対象とするか、各次元をどの程度まで特化あるいは差別化するか、を具体的に規定する必要があるとした。

3．「絶対的品質」が誤り。PIMS（Profit Impact of Market Strategy）研究は、企業の収益性に影響を与えるさまざまな要因を調査した実証分析であり、1960年代にゼネラル・エレクトリック社のプロジェクトとして発足し、1970年代にハーバード大学に研究母体が移された。調査の結果、市場シェアと相対的品質（他社と比較した際の製品やサービスの品質）の両方が高い事業は、いずれか一方のみが高い事業に比べて、投資収益率（ROI：Return on Investment）が高いことが示された。

4．「1970年代」および「想定外の環境の変化が起きたとしても」以降の記述が誤り。1990年代にティースらが示したダイナミック・ケイパビリティとは、長期的な競争優位を獲得・維持するために、市場環境の変化に適応して企業が自社を変革し、経営資源を新たに編成する組織能力のことである。

5．1980年代にポーターが唱えた価値連鎖（バリューチェーン）は、企業のさまざまな機能が価値を創り出す過程を「付加価値の連鎖」と考える分析枠組みであり、その内容は、製品・サービスの供給に直接かかわる「主活動」と、主活動を運営するために不可欠な機能である「支援活動」で構成される。「主活動」は購買物流、製造、出荷物流、販売・マーケティング、サービスからなり、「支援活動」には全般管理、人事・労務管理、技術開発、調達が含まれる。

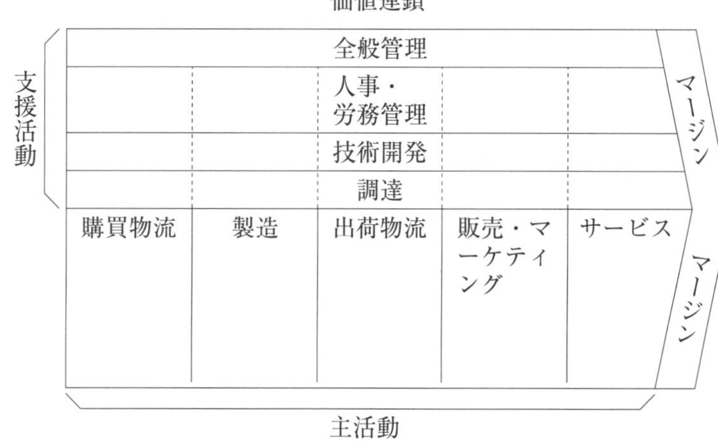

正答 1

No.47 経営学 経営組織 令和6年度

経営組織に関する次の記述のうち、最も妥当なのはどれか。

1 1970年代においてH. ファヨールは、管理的職能の要素は、予測、判断、組織、命令、調整、統制、賞罰の七つで構成されるとした。さらに、そうした管理から優れた職能を引き出すために管理の諸原則を示し、命令を統一的に行うべきでないことや、分業を最小限にしてなるべく多くの仕事を一人に任せるべきであることなどを主張した。

2 1980年代においてJ. ガルブレイスは、制度的同型化について、環境の不確実性が高く事前に有効な戦略の見極めが難しい場合には、他社の戦略を見習う規範的同型化よりも、独自の戦略を構想し、組織メンバーを強力に方向付けることで一体感を醸成する強制的同型化の方が高業績につながると主張した。

3 E. H. シャインは、多国籍企業における調査に基づき、国民文化は、「地域特性」、「権力格差」、「個人主義」、「資本主義」、「男性らしさ」、「不確実性の回避」の六つの次元で構成されることを示した。この調査によると、日本は、「男性らしさ」が比較的低く、「不確実性の回避」が比較的高い。

4 T. バーンズとG. M. ストーカーは、英国企業の調査に基づき、環境が安定している場合には、個々の職務が明確であり、専門化が進んでいる機械的管理システムが適しており、環境が不安定な場合には、個々の職務内容が柔軟性を持ち、水平的でインフォーマルなコミュニケーションが重視される有機的管理システムが適しているとした。

5 J. M. ストップフォードとL. T. ヴェルズは、海外進出企業の組織形態の発展について、製品別の収益に責任を持つ製品事業部が設置されるフェーズ1、組織の統合が始まり、国際事業部が設置されるフェーズ2、海外子会社が本国から自立するフェーズ3の三つのフェーズで構成されることを明らかにした。

解説

1.「1970年代」、管理的職能の「判断」と「賞罰」、および「命令を統一的に行うべきでない」以降の記述が誤り。ファヨールは『産業ならびに一般の管理』(1916年) で、管理的職能を予測 (計画)、組織 (組織化)、命令、調整、統制の5要素からなる過程とした。さらに、ファヨールは経営者としての経験に基づいて、分業、命令の統一、権限と責任、規律、個人利益の全体利益への従属など14項目の管理の一般原則を示している。

2. 制度的同型化を唱えたのはP.J.ディマジオとW.W.パウエルであり、「規範的同型化」と「強制的同型化」の内容も誤り。1980年代にディマジオらは、もともと組織は多様であるはずなのに「何が組織を同じような形態にするのか」という問題提起を行い、組織の同型化を競争的同型化 (競争による淘汰の圧力によって組織構造が似ること) と制度的同型化 (制度的な圧力によって組織構造が似ること) に大別した。さらに制度的同型化は、①強制的同型化、②規範的同型化、③模倣的同型化に分類される。①は法律や政府の規制に応じて、類似の制度や部署が企業に導入される例、②は研究機関や大学における専門職の構成、教育制度などが一定の規範に従う例、③は環境の不確実性が高く、事前に有効な戦略の見極めが難しい場合に、成功を収めた先発企業の組織を後発企業が模倣する例である。なお、ガルブレイスは、組織を情報処理のネットワークであるとしたうえで、組織設計は環境の不確実性の大小に対応して、情報所要量の削減または情報処理能力の拡充のいずれかを行うものと主張した。

3. 本肢は、G.H.ホフステッドがIBM社の従業員を対象に行った多国籍企業における文化の国際比較の説明であり、その中に「地域特性」と「資本主義」は含まれない。ホフステッドは、国民文化 (国民性) を比較する際に①権力格差 (上下関係の強さ)、②不確実性の回避 (曖昧な状況を避けるために規律や制度をつくる度合い)、③個人主義と集団主義、④男性らしさと女性らしさ、という4次元の測定尺度を導入し、後に⑤長期志向と短期志向、⑥放縦と抑制 (欲求に対して開放的か自制的か) の2次元が加えられた。また、「この調査によると」以降の記述も誤り。この調査では、日本の「男性らしさ」と「不確実性の回避」の度合いは、他国に比べて高いことが示された。なお、シャインは『組織文化とリーダーシップ』(1985年) において、多国籍企業はそれ自身の文化を持っており、その文化は各国のローカルな文化を乗り越えるか、修正してしまうほど強いと主張した。

4. 妥当である。バーンズとストーカーは、エレクトロニクス事業に進出した英国企業20社の事例研究から、環境条件の変化と組織構造の適合関係を分析した。調査の結果、安定した環境下では、職能別の専門化が徹底され、責任・権限の所在が明確である官僚制組織に似た機械的管理システムが適しており、不安的な環境下では、分権的で柔軟性に富むネットワーク型の伝達構造を持つ有機的管理システムが適していることが示された。

5. 各フェーズの内容が誤り。ストップフォードとヴェルズ (ウェルズ) は、海外進出に伴って企業が組織構造をどのように変革したかを調査した。その結果、フェーズ1:比較的少数の海外子会社の設置、フェーズ2:国際事業部の設置による海外子会社の調整、フェーズ3:製品別事業部制あるいは地域別事業部制の採用、フェーズ4:グローバル・マトリックス制 (製品事業部制と地域別事業部制を組み合わせたグリッド構造を持つマトリックス組織) への移行、という組織の発展過程を示した。

正答 4

国家一般職［大卒］ No. 48 専門試験

経営学 リーダーシップ論 令和6年度

リーダーシップ論に関する次の記述のうち、最も妥当なのはどれか。

1 1930年代にK.レヴィンらによって行われたオハイオ研究では、リーダーシップ・スタイルを「構造づくり」と「配慮」の2次元で類型化できることを明らかにした。この研究では、有効なリーダーシップについて、リーダーの置かれた状況にかかわらず、「構造づくり」を「配慮」よりも重視すべきであるとした。

2 ミシガン研究では、優れたリーダーに共通する個人的特性を特定するために、歴史上の英雄やリーダーの年齢、外見、知性、決断力などを詳細に分析した結果、リーダーの個人的特性と有効なリーダーシップの間に有意な関係を発見した。

3 三隅二不二は、リーダーシップのPM理論を提唱し、目標達成機能を重視するリーダーは集団維持機能を軽視しがちであり、集団維持機能を重視するリーダーは目標達成機能を軽視しがちであるとした。この理論によると、リーダーにとって目標達成機能と集団維持機能の両立は極めて困難であるため、いずれか一方を重視するリーダーシップ・スタイルが有効である。

4 P.ハーシーらによって提唱されたSL理論は、人間中心軸と仕事中心軸に時間軸としての部下の成熟度を組み合わせたモデルである。この理論によると、部下が新採用職員などで成熟度が非常に低い場合は説得型リーダーシップが望ましく、これとは逆に、部下の成熟度が十分に高い場合は指示型リーダーシップが望ましい。

5 F.E.フィードラーは、状況好意性（リーダーにとっての状況の好ましさ）によって効果的なリーダーシップ・スタイルは異なると主張し、状況好意性が高いときと低いときはタスク志向のリーダーの成果が高く、状況好意性が中程度のときは人間関係志向のリーダーの成果が高いとした。

1. アイオワ研究とオハイオ研究を混在させた内容である。レヴィンらは、1930年代にアイオワ大学で集団におけるメンバー間の相互作用に関する実験（アイオワ研究）を実施した。彼らは専制型、民主型、自由放任型の3種のリーダーシップに関する実験を行い、民主型のリーダーシップが集団凝集性（集団のまとまり）やメンバーの満足度、集団の生産性の点で最も高いことを明らかにした。また、1940年代後半にオハイオ州立大学で実施されたオハイオ研究では、リーダーシップ・スタイルを「構造づくり」と「配慮」という2次元で類型化した。ここでの「構造づくり」とは、目標を達成するために仕事の手順を示し、メンバーを奨励する仕事中心のリーダー行動であり、「配慮」とは、部下と信頼関係を築き、メンバーの満足度を高めようとするリーダー行動である。調査の結果、部下の役割と職務の割り当てを明確にし、上司と部下の信頼関係をつくる「高配慮・高構造づくり」のリーダーシップが、部下の満足度と集団の業績の両方で優れていることが示された。

2. 本肢の内容は、リーダーシップの特性理論（資質論、偉人理論）に関する説明だが、特性理論では「リーダーの個人的特性と有効なリーダーシップの間に有意な関係」を発見できなかった。ミシガン研究は、1940～50年代にミシガン大学・社会調査研究所でR.リッカートが主導した組織の生産性とリーダーシップに関する研究である。初期の研究において、リッカートらはリーダーシップを従業員中心型（人間的な配慮に富み、部下に権限委譲を行うリーダー）と職務中心型（仕事の作業能率を重視し、細かく部下に指示を与えるリーダー）に分類し、職場集団における両者の生産性を比較したところ、従業員中心型のリーダーシップが高い生産性を示した。

3. 「この理論によると」以降の記述が誤り。三隅二不二が示したPM理論では、目標達成機能（Performance）と集団維持機能（Maintenance）という2つの因子の強弱によって、リーダーシップをpm型、Pm型、pM型、PM型の4つの類型に分類した。多様な業種の組織を対象に調査した結果、目標達成機能と集団維持機能の両方に優れたPM型のリーダーシップ・スタイルが、組織業績の点で高いことが明らかにされた。

4. 「この理論によると」以降の記述が誤り。ハーシーらが唱えたSL（Situational Leadership）理論は、メンバーの成熟度（高い目標を達成する意欲、責任を負う意思と能力、仕事に不可欠な知識と経験の度合い）とリーダーシップの関係について分析した。その結果、メンバーの成熟度が高まるにつれて、適切なリーダーシップは指示型（教示型）→説得型→参加型→委任型（委譲型）の順序で移行することを示した。

5. 妥当である。フィードラーは、リーダーの行動と組織状況との関係を分析し、リーダーシップのコンティンジェンシー理論を唱えた。ここでの状況好意性とは、組織状況がリーダーにとって好意的か否かを表し、リーダーとメンバーの関係、タスク構造（職務が構造化されている度合い）、リーダーの地位パワーによって構成される。調査の結果、状況好意性が高いときと低いとき（組織状況がリーダーに好意的または非好意的である場合）はタスク（職務）志向型リーダーが有効であり、状況好意性が中程度（組織状況がリーダーに好意的でも非好意的でもない場合）は人間関係志向型リーダーが有効であることが明らかにされた。

正答 5

No. 49 専門試験 経営学 技術経営 令和6年度

技術経営に関する次の記述のうち、最も妥当なのはどれか。

1 E. V. ヒッペルは、企業がユーザーのニーズを詳細に調査することにより、新製品のアイデアを生み出すことをユーザーイノベーションと呼び、新製品のアイデア情報を収集して企業に伝えるユーザーのことをゲートキーパーと呼んだ。

2 S. ゴシャールらは、トランスナショナル型の多国籍企業において取られるグローバル・イノベーションのパターンとして、多くの海外子会社がグローバルに貢献するイノベーションを生み出し、本社と多くの海外子会社が互いにイノベーションを共有している「グローバル・フォー・グローバル型イノベーション」を想定した。

3 モジュラー型アーキテクチャの製品は、構成部品間の相互依存性が高く、製品モデル間のインターフェースが標準化されていないため、プラットフォームと呼ばれる製品モデルごとに専用設計される部品の開発が必要になる。M. クスマノらは、この部品の開発を個々の企業において効率的に進めるマネジャーをプラットフォーム・リーダーと呼んだ。

4 R. フォスターは、ある技術に対する資源投入量とそこから得られる技術的成果の関係を調査し、両者の間に、資源投入量が少なすぎても多すぎても技術的な成果が低くなるという逆U字曲線（カーブ）の関係を見いだした。また、既存の曲線から新たな曲線へと非連続的に転換するような技術革新をインクリメンタル・イノベーションと呼んだ。

5 設計品質を高めるためには、製品の設計段階で意図された品質基準と実際の製品の出来栄えとの差である公差を小さくすることが必要とされる。この公差をできる限り厳しく設定することにより、内部不良を減らすことができるとともに、品質の向上及びコストの削減につながる。

1. ユーザー・イノベーションとゲートキーパーの説明が誤り。ヒッペルは、製品のニーズを識別し、そのための技術的な改良案を示し、試作品を制作・テストするというイノベーションの過程を製品のユーザーが担うことを、ユーザー・イノベーションと呼んだ。その担い手は、新製品をいち早く購入し、高い要求水準の下で企業に使用感などを伝える顧客（リード・ユーザー）であることが多い。また、T. J. アレンは、有能な技術者であると同時に第一線の管理者であり、社外から最新の技術情報を収集し、組織の境界を超えて内部と外部を情報面からつなぎ合わせる人物をゲートキーパーと呼んだ。

2. 妥当である。ゴシャールらは、イノベーションの主体が本社か海外子会社か、イノベーションの成果を組織間で共有するか否かという 2 つの基準によって、多国籍企業のグローバル・イノベーションのパターンを①センター・フォー・グローバル型、②ローカル・フォー・ローカル型、③ローカル・フォー・グローバル型、④グローバル・フォー・グローバル型の 4 種類に類型化した。①は本社がイノベーションの主体で、その成果を海外子会社に適用する。②は各国の海外子会社がイノベーションの主体で、その成果も個々の海外子会社の内部で活用される。③は各国の海外子会社がイノベーションの主体で、その成果は他の海外子会社でも共有される。④は本社や海外子会社を問わずイノベーションが展開され、そのための経営資源やイノベーションの成果もネットワーク状に共有される。

3. 「構成部品間の相互依存性が高く、製品モデル間のインターフェースが標準化されていない」のは、インテグラル型アーキテクチャの製品である。モジュラー型アーキテクチャの製品は構成部品間の独立性が高く、製品モデル間のインターフェース（接合規格）が事前に標準化されているタイプである。また、ここでのプラットフォームとは、モジュラー型アーキテクチャの製品を構成する共通の中核的な部品であり、クスマノらは、それらを供給する企業をプラットフォーム・リーダーと呼んだ。

4. フォスターは、ある技術に対する資源の累積投入量と技術的成果（製品の処理スピード、信頼性、耐久性など）の関係を調査し、ある製品の技術進歩の過程は、当初は緩やかに進むが、ある時点から急速に加速し、やがて限界に達した後、徐々に鈍化する右肩上がりのＳ字カーブを描くことを示した。また、「既存の曲線から新たな曲線へと非連続的に転換するような技術革新」をラディカル・イノベーションと呼ぶ。インクリメンタル・イノベーションは、革新性の度合いが相対的に小さく、連続的・累積的に進展する技術革新をさす。

5. 本肢の内容は、適合品質（製造品質）に関する説明である。設計品質とは、製品の設計段階で意図された品質であり、設計図面に記載された材質、機能、特性などの要件をさす。これに対して、適合品質は、設計図面で定められている要件の通りに製品が作られているかを示す品質であり、製品の仕上がりや信頼性、耐久性などが検査の対象となる。なお、製品の出荷までに工程内で発見される不良品を内部不良、市場に出荷した後で発見された不良品を外部不良と呼ぶ。

正答　2

国家一般職［大卒］ No. 50 専門試験

経営学　国際経営　令和6年度

国際経営に関するア～エの記述のうち、妥当なもののみを挙げているのはどれか。

ア．海外直接投資とは、海外の企業の株券や社債を買って、そこから配当や利子を得ることを目的とした投資である。R.バーノンが提唱したプロダクト・サイクル仮説によると、米国企業は、まずは発展途上国へ、次は先進国へと、プロダクト・サイクルの変化に合わせて直接投資を行うとされる。

イ．H.V.パールミュッターが提唱したEPRGプロファイルによると、本国志向型（Ethnocentric）とは、本社主導により主要な意思決定が行われ、海外子会社に重要な役割が与えられない経営志向であり、現地志向型（Polycentric）とは、現地のマネジメントは現地スタッフに任せる経営志向であるとされる。

ウ．C.A.バートレットとS.ゴシャールは海外子会社を類型化し、企業にとって戦略的に重要な位置にあり、その上で高い資源や能力を持っている海外子会社を「実行者」、企業にとって戦略的に重要ではない位置にあるが、高い資源や能力を持っている海外子会社を「ブラックホール」と表現した。

エ．G.ヘッドランドは、多国籍企業の組織形態について、伝統的な組織形態であるハイアラーキーと乖離している部分があると主張し、このような新型組織を概念化した理念型モデルをヘテラーキーと呼んだ。ヘテラーキーの特徴としては、組織の中心が一つではなく複数存在すること、海外子会社のマネジャーにも戦略的役割が与えられることなどが挙げられる。

1　ア、イ
2　ア、ウ
3　イ、ウ
4　イ、エ
5　ウ、エ

ア：「海外の企業の株券や社債を買って、そこから配当や利子を得ることを目的とした投資」は、海外間接投資である。海外直接投資は、海外子会社を通じて投資対象の企業を経営し、利益を得ることを目的とした投資である。また、バーノンが唱えたプロダクト・サイクル仮説は、他国との技術格差や製品ライフサイクルの変化に応じて、米国企業の海外進出が本国→先進国→発展途上国へと移行する過程を示した多国籍企業のモデルである。

イ：妥当である。パールミュッターが示したEPRGプロファイルでは、経営者の基本姿勢（経営上の志向や行動）に基づいて、多国籍企業の類型を①本国志向型（Ethnocentric：本社を中心とした集権型であり、海外子会社に裁量権はない）、②現地志向型（Polycentric：現地の事業経営に関する権限を、海外子会社に委譲する）、③地域志向型（Regiocentric：生産、販売、人事、広告などの決定を北米や欧州など地域市場ごとに行う）、④世界志向型（Geocentric：本社と海外子会社が有機的なネットワークを形成し、世界規模で事業活動を展開する）に分類した。

ウ：「実行者」と「ブラックホール」の説明が誤り。バートレットとゴシャールは、多国籍企業における海外子会社の役割を、現地環境の戦略的重要性の高低と、保有する能力や経営資源の高低の2軸によって、①戦略的に重要な場所に位置し、高い能力や資源を持つ「戦略的リーダー」、②戦略的に重要な場所に位置しているが、能力や資源が低い「ブラックホール」、③戦略的に重要でない場所に位置し、能力や資源も低い「実行者」、④戦略的に重要でない場所に位置しているが、高い能力や資源を持つ「貢献者」の4種類に類型化した。

エ：妥当である。ヘッドランドによれば、多国籍企業の伝統的な組織形態は、明確な命令系統や分業、階層構造を前提としていた「ハイアラーキー」型だったが、1980年代以降、より分権的でネットワーク状の組織形態を持つ「ヘテラーキー」型が登場した。その特徴として、組織の中心が複数存在する、海外子会社のマネジャーに戦略的な役割が与えられる、各国の子会社が研究開発や製品統括、マーケティングなどそれぞれ異なる役割を担う、他企業や各国政府との合弁や提携が行われる、上下関係や厳格なルールではなく企業文化や経営スタイルに基づいた管理が行われる、などの点が挙げられる。

よって、妥当なものはイとエであるので、正答は**4**である。

正答　4

国家一般職［大卒］ 専門試験

No. 51 国際関係 国際政治の理論と概念 令和6年度

国際政治の理論と概念に関する次の記述のうち、最も妥当なのはどれか。

1 勢力均衡とは、国家間のパワーの均衡を図ることで国際関係が安定するという理論であり、冷戦期のアメリカで初めて考案され、米ソ間の核軍縮に貢献した。これは、国家による国益追求を自制させることで国家間協力を促す、相互依存論の代表的な理論である。

2 集団安全保障は、軍事侵略を違法化し、軍事制裁は用いずに平和的解決を行う多国間の仕組みであり、国際連盟で初めて制度化された。しかし、第二次世界大戦の勃発を食い止めることができなかったため、その後に設立された国際連合では、集団安全保障の仕組みは放棄された。

3 安全保障のディレンマとは、自らの安全保障を向上させようとする一国の軍備増強がどんなに防御的であったとしても、他国にとっては無視できない脅威となり、その脅威に対処するための軍備増強を誘発し、逆に安全を脅かす結果をもたらしかねないというパラドックスを説明する概念である。

4 R.コヘインの提唱した国際レジーム論とは、国際システムにおいては、国際政治は異なる政治体制を持つ国家間の権力闘争に発展するという理論である。1980年代に登場したこの理論は、問題領域ごとに「国際人権レジーム」「地球温暖化防止レジーム」といった形で用いられ、それぞれの問題領域において国家間の協調はあり得ないとした上で、どのような国家間の対立構造があるのかを把握するための枠組みとして適用されている。

5 人間の安全保障は、甚大な人的被害が生じた第二次世界大戦末期に、アメリカのF.ローズヴェルト大統領夫人であるエレノア・ローズヴェルトが提唱した概念である。彼女は、伝統的な安全保障が、国家による安全保障を問題としてきたのに対し、人間の安全保障は、一般市民がそれぞれ居住する地域で安全保障の担い手になることを主張した。

1. 勢力均衡とは国家間の力（パワー）がつり合っている状態（バランス・オブ・パワー）であり、そのような状況を作ることで国際関係の安定を実現させる政策が勢力均衡の理論である。勢力均衡論は古代の中国やギリシャ、インドなどのものが古くから知られており、特に19世紀以降の欧州の国際秩序に関するものが有名である。冷戦期アメリカで考案されたものではない。また国益追及の自制を求めるものではなく、相手国に対抗して等しい力を持つことで力をつり合わせる政策であり、相互依存論に属す理論ではない。

2. 集団安全保障政策は、武力の行使や威嚇をした国に対し、経済的、軍事的な制裁を加えることでその行動を抑制させるもので、「軍事制裁は用いず」が誤り。国際連盟においてはじめて集団安全保障のシステムが採り入れられたが、第二次世界大戦を防ぐことができなかった。そのため国際連合では、軍事制裁措置を中心に集団安全保障が強化されており、その仕組みが放棄されてはいない。

3. 妥当である。安全保障のディレンマとは、自国の安全を高めようとして行った軍備増強などが他国に類似の行動を促し、結果的に誰も欲していないにもかかわらず緊張の増加を生み出す状況を意味する。

4. 国際レジーム論を提唱したのはR. コヘインではなく、S. クラズナーである。「国際政治は異なる政治体制を持つ国家間の権力闘争に発展する」という理論はモーゲンソーらの現実主義の理論であり、国際レジーム論とは関係ない。国際レジームとは、「特定の問題領域において、主要な主体が、その原則、規範、規則、政策決定手続などを受け入れ、主体の期待を収斂させたもの」で、その形成・安定・変化に焦点をあわせたものが国際レジーム論である。レジームは問題領域ごとに国家間の協調の中で形成される。「問題領域において国家間の協調はあり得ない」は誤り。また国際レジーム論は「国家間の対立構造を把握するための枠組み」ではない。

5. 人間の安全保障の概念は、ノーベル経済学賞を受賞したアマルティア・センの影響を受けた国連開発計画（UNDP）の1994年の「人間開発報告書」で最初に提唱されたものである。その後、国連、EU やカナダ、日本などの政府によっても主張されるようになった。エレノア・ローズヴェルトの提唱ではない。人間の安全保障は、軍事的な脅威を対象とする伝統的な国家安全保障の概念に対して提起されたもので、貧困や人権抑圧など人々の安全を脅かすさまざまな障害について包括的に理解しこれに対処していこうというもので、一般市民がそれぞれ居住する地域で安全保障の担い手になるということを主張してはいない。

正答 3

国家一般職［大卒］ 専門試験

No. 52 国際関係 冷戦期の国際情勢と国際社会の対応 令和6年度

冷戦後の国際情勢と国際社会の対応に関する次の記述のうち、最も妥当なのはどれか。

1 「新しい戦争」は、武力紛争が、主体、目的、形態などの面で、伝統的な国家間戦争から大きく変容していることを捉えて生み出された概念である。9・11テロ事件後、国境を越えたテロリストのネットワークに対してアメリカが主導する有志連合が行った「テロとの戦い」は、従来の国家間戦争とは異なる「新しい戦争」としても注目された。

2 人道的介入とは、貧困削減を主な目的として途上国政府に対して行われる国際社会の支援を指す。支援は融資、技術協力、政策的提言を柱とし、内政干渉となるような、当該政府の同意を得ない武力行使は含まない。

3 平和構築は、紛争を終結させるために紛争当事者の間で合意を取り付けるべく行われる国連の仲介活動のことである。平和構築の活動は停戦合意までで、紛争後の復興支援や政府機構の改革といった長期的な関与は含まない。

4 冷戦後には、戦争犯罪等を処罰するために国際刑事裁判が行われるようになった。2003年に国際刑事裁判所（ICC）が設立されてからは、ICC が管轄する犯罪を国家が単独で裁くことは禁止されている。ICC は国連の主要機関であり、全ての国連加盟国が加盟している。

5 2003年3月にアメリカを中心とする多国籍軍が行ったイラクに対する武力行使は、国連安保理決議に基づくものであり、この決議はイラクが保有する大量破壊兵器の廃棄を目的とした武力行使を事実上容認するものだった。日本は憲法第9条の規定を踏まえて、多国籍軍への参加はもとより、イラクの戦後復興のための自衛隊派遣も行わなかった。

1. 妥当である。従来の国際紛争は、主として強力な武器や軍隊を有する主権国家相互の戦いを意味していた。国際テロ組織などが国家に企てるのはテロや暗殺などの犯罪行為であり、刑事事件として処理されてきた。しかし冷戦後、国家に相当するほどの強力な武器を手にした国際テロ組織が主権国家に対し武力攻撃に出る事件が起きた。2001年に米国で起きた同時多発テロ事件がその代表であり、戦争に匹敵するほどの犠牲者や破壊力の行使が行われた。国家間の戦争に加え、国家対非国家の非対称的な戦争類型が出現するなど新たな紛争類型の出現を受けて「新しい戦争」の時代と呼ばれるようになった。

2. 人道的介入とは、戦争や内戦などで深刻な人権侵害などが起きている国に対して、人権擁護の観点から、外交的圧力、経済制裁、軍事力の行使などの手段によって介入することをいう。内政干渉に当たるとの批判もあるが、政府が有効に機能していない場合には国際社会が国家の人権保護義務を代行してもよいとする肯定論が強い。本肢は、人道的介入に関する定義や支援内容が誤り。人道的加入は、当該政府の同意が得られぬ場合の武力行使もあるので、「同意を得ない武力行使は含まない」の記述も誤り。

3. 平和構築とは、内戦などの紛争終了後に、その地域の経済的復興、開発、法制度の構築、敵対勢力間の和解などを通じて、紛争の再発などを防止する国連などによる試みをいう。紛争終結のため当事者間の合意取り付けをめざして行われる仲介活動ではない。平和構築の活動は停戦合意の成立後である。紛争後の復興支援や政府機構改革などの長期的な関与がまさに平和構築活動であり、本肢の記述は誤り。

4. 冷戦後、ルワンダやカンボジアにおける戦争犯罪などの国際犯罪を裁くための国際刑事法廷が個別に設置された。その後、常設の裁判所として2003年に国際刑事裁判所（ICC）がオランダのハーグに設立された。国際刑事裁判所が取り扱うのは、個人の国際犯罪で、集団殺害、人道に対する罪、戦争犯罪、侵略に対する罪の4種類。国際刑事裁判所は、各国の国内刑事裁判権を補完するものであり、当時国による捜査や訴追、裁判を禁止してはいない。国家間の法的紛争の解決を役割とする国際司法裁判所（ICJ）は国連の主要機関だが、国際刑事裁判所は国連から独立した機関である。また、すべての国連加盟国が加盟してはいない。日本は2007年に加盟したが、米中露はいずれも加盟していない。

5. 1990年に起きた湾岸危機の際には、米ソ協調が実現した結果、多国籍軍にクウェートを侵略したイラクに対する武力行使を容認する国連安保理決議（安保理決議678）が成立した。しかし2003年のイラクに対する多国籍軍の武力行使に当たっては、イラクが大量破壊兵器を保有しているとの米国の主張に疑念を持つ国が多く、安保理決議は成立しなかった。日本は多国籍軍には参加しなかったが、イラクの戦後復興に協力するため、イラク復興特別措置法を制定し、2004年に自衛隊をイラクに派遣している。

正答　1

国家一般職
[大卒]
No.
53
専門試験
国際関係 国　連 令和6年度

国連に関する次の記述のうち、最も妥当なのはどれか。

1　全ての主権国家は、国連への加盟が義務付けられており、国連創設後に独立した国家は、国連憲章の義務を受託し、国連に加盟を申請しなければならない。日本は、サンフランシスコ平和条約の発効により独立を回復し、1952年に国連に加盟した。

2　国連は、国連憲章において世界の中央政府としての役割を果たすことが規定されており、世界平和の実現や国家間の友好関係の促進、経済的・社会的・文化的・人道的問題の解決という目的を達成するために、加盟国に課税する権利と常設の軍隊を持っている。

3　国連総会は全ての国連加盟国が参加し、国際社会の共通の関心事項について討議する場である。総会の表決は１国１票制ではなく、財政的貢献に応じて１国の持つ票数が異なる加重表決制である。また、総会で採択された全ての決議は法的拘束力を持ち、全ての加盟国がこれを遵守する義務を負う。

4　安全保障理事会は、国際の平和及び安全の維持に関する主要な責任を負う。安保理が決定する制裁は軍事制裁に限定され、経済制裁を課す権限は与えられていない。また平和と安全に対する脅威とは、国連創設以来、国家間の侵略戦争のことを意味し、内戦やテロリズムを脅威と認定した安保理決議は、2022年末までの間、出されていない。

5　世界銀行と世界保健機関（WHO）は、ともに国連の専門機関である。専門機関は、国連との間で連携協定を結んでいるが、それぞれが独立した国際機関であり、独自の予算と加盟国を持ち、国連本体からは独立した運営を行っている。

1. すべての主権国家に国連加盟の義務が課されている事実はない。国連創設後に独立した国家は国連憲章を受託し、国連加盟を申請しなければいけないという義務も規定もない。サンフランシスコ平和条約で独立を回復した日本が1952年に国連加盟を果たしたとの記述は妥当である。

2. 国連が世界の中央政府の役割を果たすという規定は国連憲章にはない。国連憲章は、国際の平和の安全を国連の主目的とし、それとともに経済的、社会的、文化的、人道的諸問題の解決や人権、基本的自由促進のための国際協力、諸国家間の友好協力発展も国連の目的とする（憲章１条）が、その目的達成のために加盟国に課税する権利や常設の軍隊を保持するという定めはない。

3. 国連総会の表決は１国１票制による単純多数決である。ただし、平和と安全、新規加盟国の承認、予算など重要事項については３分の２以上の多数が必要とされる。加重表決制は採っていない。総会で採択された決議に法的拘束力は無く、勧告に留まる。

4. 国連憲章第７章は、国際の平和と安全を危うくする場合は、集団安全保障システムに基づく強制措置として、安全保障理事会に経済制裁と軍事制裁の両方の強制措置の発動を認めている。国連安全保障理事会は、テロや内戦を国際平和と安全に対する脅威と認定する決議を採択している。代表的なものとして、2001年９月に米国で同時多発テロ事件が起きた際、安全保障理事会は、ニューヨーク、ワシントンおよびペンシルベニアで発生した恐ろしいテロ攻撃を断固として非難するとともに、あらゆる国際テロ行為と同様、かかる行為を国際の平和と安全に対する脅威と認定する決議を出している（安保理決議1368）。

5. 妥当である。国連の専門機関は、経済・社会・文化・教育・保健その他の分野で国際協力を推進するために設立された国際機関で、国連憲章第57条、第63条に基づき国連との間に連携協定を有し、国連と緊密な連携を保っている。現在、世界銀行や世界保健機関（WHO）をはじめ、国際通貨基金（IMF）、国際労働機関（ILO）など15の専門機関が存在する。専門機関は、国際連合と密接な連携関係にあるが、それぞれが自律した独立的な国際機関であって国際連合と従属関係にある組織ではない。

正答　5

国家一般職［大卒］ No. 54 専門試験

国際関係　軍　縮　令和6年度

軍縮に関する次の記述のうち、最も妥当なのはどれか。

1　キューバ危機を契機とし、宇宙空間及び地下における核実験を禁止する部分的核実験禁止条約（PTBT）が米英ソ間で1963年に発効した。その後、1996年にあらゆる空間での核実験を禁止する包括的核実験禁止条約（CTBT）が国連総会にて採択され、米国、中国、インドを含む発効要件国として特定された44か国が批准した結果、同年に発効し、軍縮が大きく進展した。

2　核兵器不拡散条約（NPT）は、「核兵器国」を米、ソ、英、仏、中の5か国に限定し、核兵器国以外への核兵器の不拡散を目的とし、1970年に発効した。核兵器国は、NPTによる不拡散義務を果たすため、国際原子力機関（IAEA）の査察を受け入れる義務を有している。条約の規定の遵守を確保するため5年に1度NPT運用検討会議を開催することとされており、2022年にはNPT体制の強化について、ロシアを含む全加盟国において合意文書が採択された。

3　第一次戦略兵器制限条約（SALT Ⅰ）は、1972年に発効し、米中ソ間での核兵器の削減・廃止を内容とする初の軍縮条約であった。その後、更なる核兵器の削減を図るため、1991年と1993年に戦略核兵器削減条約（START Ⅰ、Ⅱ）が発効し、実戦装備される核弾頭数を10年間で3分の1に削減することとなり、2003年に目標を達成した。

4　生物・化学兵器については、使用国の断定が困難であるため、それらの使用を禁止する条約は第二次世界大戦前には存在しなかったが、第二次世界大戦時に生物・化学兵器が大量に使用された反省を踏まえ、1945年に化学兵器禁止条約（CWC）が締結された。化学兵器禁止機関（OPCW）が、CWCに基づいて条約違反の可能性のある締約国を査察する場合、必ずその国の同意が必要である。2022年末現在、米国、ロシア、シリア等がCWCを批准していない。

5　核兵器禁止条約は、核兵器の開発、生産、保有、使用、使用の威嚇等を禁止するものであり、核兵器の非人道性に関する議論を主導してきた国家や市民社会の取組を踏まえ、2017年、国連において賛成多数で採択され、この条約を推進した国際NGOの核兵器廃絶国際キャンペーン（ICAN）にノーベル平和賞が授与された。他方、この条約については、2022年末現在、核兵器国のほか、日韓豪などは署名・批准していない。

1. 米英ソ間で締結された部分的核実験禁止条約（PTBT）は、大気圏内、宇宙空間および水中での核実験を禁止する条約で、地下核実験の禁止は含まれていない。あらゆる空間での核実験を禁止する包括的核実験禁止条約（CTBT）は1996年の国連特別総会で採択された（日本は、1996年に署名、1997年に批准している）が、発効要件国として特定されている44か国のうち米国、中国、インド、パキスタンなど９か国が批准しておらず、未だに発効していない。

2. 核兵器不拡散条約（NPT）は、核兵器の保有を米国、ロシア、英国、フランス、中国の５か国に限定し、保有国がこれ以上増えないよう核物質の兵器転用防止を目的とした条約。核保有国が非保有国に核兵器を渡したり、非保有国が核兵器を製造したりするのを禁止している。核保有国だけでなくすべての加盟国に国際原子力機関（IAEA）の査察受入れが義務づけられている。５年に一度同条約の運用状況を検討する会議が開催されることになっているが、2022年の再検討会議はロシアのウクライナ侵略の事態を受け、各国のコンセンサスが得られず、最終合意文書を採択することができなかった。

3. 1972年に成立した第一次戦略兵器制限条約（SALT Ⅰ）は米ソ両国の保有する戦略核兵器の数量を制限する条約であり、削減には至っていない。また中国は加わっていない。第一次戦略兵器削減条約（START Ⅰ）は1991年に調印された。発効したのは1991年ではなく1994年である。START Ⅰで米ソは７年間で、保有する戦略核弾頭数の上限を6,000発、ICBM、SLBMや爆撃機など戦略核兵器の運搬手段の総計を1,600機に削減することになった。削減率は米国が約27％、ソ連が36％であった。START Ⅰに続き、米露間で戦略兵器削減に関する新たな交渉が1991年から始まり、第二次戦略兵器削減条約（START Ⅱ）が1993年に署名された。だが米国がABM制限条約から脱退したため、START Ⅱは発効に至らなかった。そのためSTART Ⅱに代わる暫定的な条約として2002年に米露間でモスクワ条約が調印され、2003年に発効した。モスクワ条約では、実戦配備される戦略核弾頭の数を2012年までに３分の１にまで削減することが定められた。2010年には、米露間で新戦略兵器削減条約（新START）が締結され、2011年に発効している。

4. 化学兵器禁止条約（CWC）は冷戦後の1993年に締結され、97年に発効した。同条約は化学兵器の開発や製造、貯蔵を禁止するだけでなく既存の化学兵器と製造施設の廃棄、原材料となる物質の軍事転用の禁止、生産・貯蔵施設への抜き打ち査察などの検証制度を詳細に規定している。化学兵器禁止機関（OPCW）は、締約国が条約上の義務を履行していることを確認する場合や条約違反の可能性についての疑義または懸念がある場合、さらに化学兵器の使用の疑いのある場合に査察を行うが、被査察国の同意は必要ない。米国、ロシア、シリアはいずれもCWCを批准している。

5. 妥当である。核兵器禁止条約は、核兵器を非合法化し、廃絶することをめざす条約で、核兵器の非人道性を訴える国が推進し、2017年７月に国連で賛成多数によって採択された。核兵器禁止条約では、核兵器を「非人道的な兵器」とし、開発や保有、実験、製造、使用、核兵器を用いた威嚇を禁止する。2020年10月に50か国批准の要件を満たし、21年１月に発効した。核保有国や日本、韓国など「核の傘」に入っている国は批准していない。

正答　5

国家一般職 [大卒] 専門試験

No. 55 国際関係 国際政治の見方 令和6年度

次の英文は、国際政治の見方に関する記述の一部である（一部省略又は変更している箇所がある。）。A～Dに当てはまるものの組合せとして最も妥当なのはどれか。

International politics is [A] in the sense that there is no government above sovereign states, but political philosophy offers different views of how harsh a state of nature need be. Hobbes, who wrote in a seventeenth-century England wracked by civil war, emphasized insecurity, force, and survival. He described humanity as being in a constant state of war. A half century later, John Locke (1632-1704), writing in a more stable England, argued that although a state of nature lacked a common sovereign, people could develop ties and make contracts. Those two visions of a state of nature are the philosophical precursors of two of the most influential views of international politics, one more pessimistic and one more optimistic: [B] and [C].

[B] has been the dominant tradition in thinking about international politics for centuries. According to [B], the central problem of international politics is war and the use of force, and the central actors are states. Among modern Americans, [B] is exemplified by the writings and policies of President Richard Nixon and his secretary of state, Henry Kissinger.

The other tradition, [C], can be traced back in Western political philosophy to Baron de Montesquieu and Immanuel Kant in eighteenth-century France and Germany, respectively. The best modern American examples can be found in the writings and policies of the political scientist and president Woodrow Wilson.

According to [C], a global society functions alongside states and sets an important part of the context for state action. Trade crosses borders, people have contacts with one another (such as students studying in foreign countries), and international institutions such as the United Nations mitigate some of the harsher aspects of [D].

	A	B	C	D
1	centralized	realism	liberalism	centralized control
2	centralized	liberalism	realism	centralized control
3	centralized	liberalism	constructivism	centralized control
4	anarchic	realism	liberalism	anarchy
5	anarchic	liberalism	realism	anarchy

解説

英文の日本語訳は以下のとおりである。

国際政治は、主権国家の上に政府が存在しないという意味で[A]であるが、政治哲学は、自然状態がどれほど過酷なものであるべきかについて、さまざまな見解を示している。内戦に明け暮れていた17世紀のイギリスで執筆したホッブズは、不安、力、生存を強調した。彼は人類を絶え間ない戦争状態にあると表現した。その半世紀後、より安定したイギリスで執筆したジョン・ロック（1632－1704）は、自然状態には共通の主権者がいないものの、人々は絆を育み、契約を結ぶことができると主張した。自然状態に関するこの２つのビジョンは、国際政治に関する最も影響力のある２つの見解、より悲観的な見解とより楽観的な見解[B]と[C]の哲学的前身である。

[B]は、国際政治を考えるうえで何世紀にもわたって支配的な伝統であった。[B]によれば、国際政治の中心問題は戦争と武力行使であり、その中心的主体は国家である。現代アメリカ人の中では、リチャード・ニクソン大統領とその国務長官ヘンリー・キッシンジャーの著作と政策がその典型である。

もう一つの伝統である[C]は、西洋の政治哲学において、18世紀フランスとドイツにおけるモンテスキュー男爵とイマヌエル・カントまでさかのぼることができる。現代アメリカ人の中で最も優れた例は、政治学者であり大統領であったウッドロー・ウィルソンの著作と政策に見いだすことができる。

[C]によれば、グローバル社会は国家とともに機能し、国家の行動の重要な背景をなしている。貿易は国境を越え、人々は（外国に留学している学生など）互いに接触し、国連のような国際機関は、[D]の厳しい側面のいくつかを緩和している。

	A	B	C	D
1	集権化した	現実主義	自由主義	集権的管理
2	集権化した	自由主義	現実主義	集権的管理
3	集権化した	自由主義	構成主義	集権的管理
4	無秩序的な	現実主義	自由主義	無秩序
5	無秩序的な	自由主義	現実主義	無秩序

＊　＊　＊

A：各主権国家の上にそれらを統治する政府が無い状態にある国際社会は無秩序的である。

B・C：無秩序的な国際社会に対する捉え方は、Bのリアリズム（現実主義）とCのリベラリズム（自由主義）に大別できるが、前者の思想的な先駆者はホッブズであり、後者の先駆者はロックである。

D：リベラリズムの考えは、相互依存や国際交流を重ねたり、共通の規範を作るなど国家間の協調を高めることによって、国際社会の無秩序的な側面は緩和されると説く。

よって、正答は**4**である。

正答　4

国家一般職［大卒］ No. 56 専門試験

社会学　デュルケムの理論　令和6年度

É. デュルケムの理論に関する次の記述のうち、最も妥当なのはどれか。

1　『宗教社会学論集』において、近代人の合理的な生活態度の起源を、プロテスタンティズムの倫理（エートス）に見いだした。世俗内禁欲といったプロテスタンティズムの倫理が節約や勤勉などの「資本主義の精神」を正当化し、近代資本主義を成立・発展させたとした。

2　『自殺論』において、革命や戦争のような政治的危機の前後には自殺数が増加するという統計データに着目した。ここから、革命や戦争などで混乱した社会環境で、社会から隔絶された個人の孤独や虚無感から生じる自殺をアノミー的自殺とした。

3　『社会分業論』において、分業による連帯を機械的連帯、類似による連帯を有機的連帯とした。そして、社会は機械的連帯から有機的連帯へと進化していくとし、進化した環節社会では、人々は共同意識と集合感情によって強く結び付くと考えた。

4　社会は諸個人の単なる総和ではないとし、法律や道徳、世論や流行などの社会的事実は、個々人の性質には還元できない実在であり、個人に外在し、個人を拘束するとした。そして、この社会的事実を物のように考察することを社会学の課題とした。

5　近代化に伴う競争的な社会環境で、個々人の人格を守るのは社会的相互場面における儀礼的秩序であるとした。そして、相互行為場面における「印象操作」や「自己呈示」に着目し、価値観が多様化する社会で人々がどのように人格の尊厳を維持しているかを考察した。

1．本肢の内容はM. ウェーバー著『宗教社会学論集』に所載の「プロテスタンティズムの倫理と資本主義の精神」に関するものである。

2．デュルケム著『自殺論』では、革命や戦争のような危機の際には自殺数が下がり、逆に平時には上がることが指摘されている。また、混乱した社会環境下で感じる虚無感などから生じる自殺はアノミー的自殺だが、記述にある「社会から隔絶された個人の孤独」から生じる自殺は自己本位的自殺である。

3．連帯の分類が逆である。『社会分業論』を著したのはデュルケムだが、そこでは、類似による連帯が機械的連帯、分業による連帯が有機的連帯とされている。また環節社会とは社会が進化する以前の、機械的連帯によって構成される、分業が未発達な社会のことである。

4．妥当である。

5．「印象操作」や「自己呈示」の概念を駆使して、社会的相互場面における儀礼的秩序を考察したのは、E. ゴフマンである。またゴフマンが、これらの概念を用いて追究したのは、価値観が多様化した社会の中での人格の尊厳の維持ではなく、特定の相互作用場面における自己像の維持である。

正答　4

国家一般職［大卒］

専門試験

No.57 社会学 知識についての社会学説 令和6年度

知識についての社会学説に関する次の記述のうち、最も妥当なのはどれか。

1 P. L. バーガーと T. ルックマンは、『現実の社会的構成』において、人々が「現実」だと考えているものは、人々がそれについてもっている常識的な知識と、この知識に基づいて営んでいる相互作用を通して「現実」として構成され、維持されているとした。

2 K. マンハイムは、知識社会学の観点から犯罪などの逸脱行動研究を展開し、ラベリング理論を発表した。他者が特定の人に逸脱のラベルを付与することで逸脱が生じるとし、その際、犯罪者が自らの犯罪の動機をいかに説明するかという動機の語彙に着目した。

3 M. フーコーは、『科学革命の構造』において、共有するパラダイムに従う集団が行う科学を通常科学と呼び、その特徴はパズル解きであるとした。変則性が目立ってくるとそのパラダイムの変更が求められるようになり、パラダイムシフトを伴う科学革命が起きると述べた。

4 K. マルクスは、人は自分の社会的地位に基づいた観念をもっており、資本家と労働者の間にはイデオロギーの対立が生じているとした。そして、著書『イデオロギーとユートピア』において、階級闘争の解決を特定の社会的地位に規定されることが少ないパワー・エリートに求めた。

5 H. ガーフィンケルは、人々が共同して行う意味付与活動を通じて、友人関係、家族関係、市場、国家等は想像の共同体としてイメージされていくとした。そして、それらのイメージの創出過程を考察する方法としてエスノメソドロジーを提唱した。

1．妥当である。

2．マンハイムが知識社会学者であることは確かだが、ラベリング理論を展開したのは、H. ベッカーらである。なお、このラベリング理論は知識社会学ではなく、シンボリック相互作用論などを起源としている。また「動機の語彙」は W. ミルズの提起した概念である。

3．『科学革命の構造』において記述にあるようなパラダイム論を展開したのは T. クーンである。フーコーは『監獄の誕生』などで有名なフランスの哲学者。

4．マルクスがイデオロギー論を展開するのは『ドイツ・イデオロギー』以降の一連の著作においてである。『イデオロギーとユートピア』はマルクスのイデオロギー論を批判する立場から書かれた K. マンハイムの書である。また、「パワー・エリート」は、1950年代のアメリカ社会を分析した W. ミルズの書『パワーエリート』の中で、アメリカ社会の支配的地位を占める経済的・政治的・軍事的エリートをさして用いられた概念である。

5．ガーフィンケルがエスノメソドロジーを提唱し、それが、「人々が共同で行う意味付与活動」に注目するという点は正しい。しかし、エスノメソドロジーが関心を向けるのは、相互作用の中で人々がどのように社会的現実を生み出していくのかという点である。「国家等は想像の共同体としてイメージされていく」といった議論を行ったのは、B. アンダーソンである。

正答　1

国家一般職［大卒］ No. 58 専門試験

社会学　文　化　令和6年度

文化に関する次の記述のうち、最も妥当なのはどれか。

1　R. ベネディクトは、高度経済成長期に日本文化の調査を行い、日本は「資格」よりも「場」の共有が重視される社会、例えば、職種よりも同じ職場に属していることが意識される「タテ社会」であるとした。ここから孝行、忠誠心、恩などの日本人の道徳意識を読み解いた。

2　M. ミードは、日本と欧米の文化の型を比較し、絶体的存在である神に対する恥という基準から自らの行為を律する欧米社会の「恥の文化」に対して、他者から罰せられることへの恐れから自らの行為を律する「罪の文化」を日本文化の特徴とした。

3　C. レヴィ＝ストロースは、夫婦と未婚の子供のみからなる家族形態である核家族はどの社会にも普遍的に存在しているとし核家族普遍説を唱えた。そして、核家族の基本的な機能を子供の社会化と成人のパーソナリティの安定化とした。

4　G. ベイトソンは、組織の規則を遵守する同調過剰と都市化に伴う主体性の喪失が個人の中で重なり合い、彼らが集合化したことがナチスの台頭につながったとし、社会的性格の観点からドイツを分析した。

5　B. マリノフスキーは、トロブリアンド諸島で長期にわたり現地で生活しながら参与観察を行った。そして、島から島へと貝の腕輪や首飾りが贈与されていくクラと呼ばれる儀礼的贈与交換について報告した。

1. 「資格」「場」「タテ社会」などの概念によって日本社会を分析したのは中根千枝である。ベネディクトは太平洋戦争時に日本文化の研究を行い、日本を「恥の文化」、欧米を「罪の文化」と特徴づけた。

2. 「罪の文化」、「恥の文化」によって日本と欧米の文化の型を比較したのはベネディクトである。なお、ベネディクトは、体面や面目が行動基準となる日本の文化を「恥の文化」、キリスト教的な罪の意識が行動基準となる欧米の文化を「罪の文化」と特徴づけた。M. ミードは、アメリカの文化人類学者で、オセアニア地域の先住民族の研究をした。

3. 核家族普遍説を唱えたのはG. P. マードックである。また、マードックは家族の機能として性、生殖、教育、経済の4つを指摘した。記述にある「子どもの社会化」と「成人のパーソナリティ安定化」を指摘したのは、T. パーソンズ等である。C. レヴィ＝ストロースはフランスの人類学者で、構造人類学を創造した。主著に『悲しき熱帯』『野生の思考』がある。

4. 社会的性格の観点からドイツ社会を分析し、ナチス台頭を説明したのはE. フロムである。フロムは、近代化の過程で人々のうちに宿った孤独感や無力感が、権威へすすんで服従する社会的性格を生み、これがナチスの台頭へとつながったと論じた。ベイトソンはダブルバインドの概念を提唱したことで有名。

5. 妥当である。

正答　5

国家一般職［大卒］ No. 59 専門試験

社会学　現代社会についての社会学説　令和6年度

現代社会についての社会学説に関する次の記述のうち、最も妥当なのはどれか。

1　A.R.ホックシールドは、19世紀の工場労働者は精神的な労働の代価として賃金を得ていたとし、製造業における働き方と疎外の源泉を「感情労働」とした。そして、現代の製造業就業者への質的調査を通して、感情労働において自己感情が疎外されている様子を描き出した。

2　J.F.リオタールは、選択意志により結合した大都市や国家といったゲゼルシャフトが失墜し、家族や村落、小都市といったゲマインシャフトが優勢になる20世紀半ば以降の事態を「大きな物語の終焉」と表し、この時代を「ポスト・モダン」と呼ぶよう提案した。

3　D.ライアンは、J.ベンサムの考案した一望監視装置（パノプティコン）において、監視されている者が監視者を意識して自らの一挙手一投足を統制するようになることを「規律化」と表し、このような監視と規律化の進展する社会は「監視社会」であるとした。

4　U.ベックは、産業社会の成功によって生み出された新たなリスクの特徴の一つとして、原発事故による放射能汚染のように、被害の影響は一地域の一定期間に限定できず、空間や時間を超える可能性を有することを挙げた。

5　Z.バウマンは、マクドナルド・ハンバーガー店に象徴されるファストフード・レストランの原理としての効率性等が、学校や病院のような組織においても支配的になり、生活の諸領域へ、さらに世界の諸地域へと広がっていく現象を「グローバル・ヴィレッジ（地球村）」と呼んだ。

1. ホックシールドは19世紀の工場労働者ではなく、現代のサービス業従事者に注目し、彼らの顧客に対する感情表現が、もはや業務の一環として徹底的に管理されていることを指摘して、これを「感情労働」と呼んだ。

2. ゲマインシャフトとゲゼルシャフトは、F.テンニースのキーワード。彼は近代化を、本質意思に基づく前近代的なゲマインシャフトから、選択意志に基づくゲゼルシャフトへのシフトとして論じた。リオタールは、誰もが信じることのできる精神的支柱が失われた20世紀中盤以降の社会を「大きな物語の終焉」と表現し、それ以降の社会を「ポストモダン」と呼ぶことを提案した。

3. ベンサムの一望監視施設（パノプティコン）に着想を得て「規律化」の議論を展開したのはフーコーである。ライアンは、監視カメラなどに代表される監視装置の爆発的普及により監視が強化されていく現代社会のありようを『監視社会』などの著書において主題化している。

4. 妥当である。

5. ファストフード店で実践される効率性、合理性の原理が現代社会の諸領域に拡大していく現象、いわゆる「マクドナルド化」の現象に関心を向けたのは、G.リッツァである。「グローバル・ヴィレッジ」はマクルーハンの概念。バウマンは、現代社会を「リキッド・モダニティ」（液状化した近代社会）という概念で特徴づけた。

正答　4

経済事情
経営学
国際関係
社会学
心理学
教育学
英語(基礎)
英語(一般)

国家一般職［大卒］ 専門試験

No.60 社会学 ジェンダーに関する法制度および取組 令和6年度

ジェンダーに関する法制度及び取組についての次の記述のうち、最も妥当なのはどれか。

1 1985年に成立した男女雇用機会均等法では、事業主に対し、女子労働者の教育訓練、福利厚生、定年、退職、解雇について男子との差別的取扱いを禁止した。他方、募集、採用、配置、昇進については均等な機会の付与や均等な取扱いをするよう努めなければならないとしたが、1997年改正で義務規定に改められた。

2 1995年、第4回世界女性会議（北京会議）において、ジェンダー・バイアスの推進が打ち出された。ジェンダー・バイアスの推進とは、ジェンダー平等社会を作るため、国際機関、国、地方公共団体など全ての領域における法制度や施策等にジェンダー視点を入れ込むことである。

3 DV防止法*1の対象は「配偶者からの暴力」である。法の実効性を担保するため、ここでいう配偶者とは被害者と婚姻の届出をしている男性とし、暴力とは「身体に対する不法な攻撃であって生命又は身体に危害を及ぼすもの」として身体的暴力のみとするなど限定的に規定している。

4 我が国は、2022年に国連が発表したジェンダー開発指数（GDI）*2では最高位グループに属し、2023年に非営利団体世界経済フォーラムが発表したジェンダー・ギャップ指数（GGI）*3では146か国中19位だった。

5 第5次男女共同参画基本計画（令和2年閣議決定）では、働き方・暮らし方の変革のために、「夫は外で働き、妻は家庭を守るべきである」といった固定的な性別役割分担意識を男女共に強化し、家族を高度経済成長期の姿に戻すことが求められるとしている。

＊1　配偶者からの暴力の防止及び被害者の保護等に関する法律
＊2　健康、知識、生活水準という人間開発の三つの基本的次元での成果について、ジェンダー格差を測る指標
＊3　経済、教育、保健、政治の分野ごとに各使用データをウェイト付けして算出したジェンダー格差の指数

1. 妥当である。

2. ジェンダーバイアスとは、性別にかかわる思込みや偏見のことであり、第４回世界女性会議（北京会議）では、ジェンダーバイアスを排し、ジェンダー平等の社会の実現をめざすべく、「北京宣言」と「行動綱領」が採択された。

3. 同法における「配偶者」には、婚姻の届出をしていないが事実上婚姻関係と同様の事情にある者も含まれる。また男性に限定されてもいない。「配偶者からの暴力」には、身体に対する暴力のほか、これに準ずる心身に有害な影響を及ぼす言動も含まれる。

4. 2022年に発表されたGDI（ジェンダー開発指数）では、日本は191か国中76位にとどまっており、最高位グループには属していない。2023年に発表されたGGI（ジェンダー・ギャップ指数）は、日本は146か国中125位であった。ちなみに19位はモルドバであった。

5. 第５次男女共同参画基本計画では、あらゆる分野に男女共同参画・女性活躍の視点を取込むことが謳われており、また昭和時代に典型とされた「男性中心型労働慣行」からの脱却が、わざわざ記して指摘されている。したがって、性別役割分担意識を強化し、「家族を高度経済成長期の姿に戻す」ことを求めるとする本肢の記述は誤りである。

正答　1

国家一般職［大卒］ 専門試験

No.61 心理学 奥行きの知覚 令和6年度

奥行きの知覚に関するＡ～Ｄの記述のうち、妥当なもののみを挙げているのはどれか。

Ａ．人間の眼の水晶体は、対象が網膜上に明瞭な像を結ぶように、近くの対象を見る場合には毛様体筋の収縮によって薄くなり、遠くの対象を見る場合には毛様体筋の弛緩によって厚くなる。水晶体の厚みを変化させ、対象に焦点を合わせる働きは輻輳と呼ばれる。

Ｂ．左右の眼を交互に閉じ、異なる距離にある二つの対象を片方の眼だけで見るとき、右眼のみで見た場合と左眼のみで見た場合では二つの対象の位置関係が異なって見える。このような、左右の眼の像に生じる対象の位置のずれは両眼視差と呼ばれる。

Ｃ．道路や線路のように、同じ幅が遠方に向かって続く場合、幅が次第に狭まっていき、一点に向かって収束していくように見える。このような奥行き構造をキャンバスなどの二次元平面上に表現するための描画手法は、線遠近法と呼ばれる。

Ｄ．動いている列車の窓から静止した対象を見るとき、その対象よりも遠くにある対象は列車の進行方向とは逆方向に、近くにある対象は進行方向に動いているように見える。このような、観察者の移動に伴って生じる動きの見え方の相違はベクションと呼ばれる。

1 Ａ、Ｂ
2 Ａ、Ｃ
3 Ａ、Ｄ
4 Ｂ、Ｃ
5 Ｃ、Ｄ

A：水晶体は、近くを見る場合は毛様体筋の収縮によって厚くなり、遠くを見る場合は毛様体筋の弛緩によって薄くなる。このようにして対象に焦点を合わせる働きは遠近調節と呼ばれる。輻輳は、注視している対象が遠くから近くに移動した時に、両眼が同時に内側に水平移動する（寄り目になる）ことである。

B：妥当である。両眼視差によって、対象の奥行が知覚される。

C：妥当である。線遠近法は、一点透視図法ともいう。

D：移動している観察者が静止した対象を見るとき、その対象よりも遠くにある対象は進行方向に、近くにある対象は逆方向に動いているように見える。こうした見え方の相違は、運動視差と呼ばれる。ベクションとは、視覚誘導性自己運動感覚ともいい、自分が静止しているにもかかわらず、動いているように感じることをいう。たとえば、停車中の列車の中から、動き出した別の列車を見ると、自分が乗った列車が動き出したかのような錯覚が生じる。

よって、正答は**4**である。

正答　4

国家一般職
[大卒]

No.
62

専門試験

心理学　学習や条件づけ　令和6年度

学習や条件づけに関する次の記述のうち、最も妥当なのはどれか。

1　アヒルやカモなどの離巣性鳥類のヒナは、孵化の直後に見た動くものに対して後を追う行動を示す。N.ティンバーゲンによって詳しく報告されたこの現象は、自動反応形成（オートシェーピング）と呼ばれており、孵化後の一定の時期のみに成立する特殊な学習である。

2　古典的条件づけを行った後、条件刺激だけを繰り返し提示する部分強化の手続を行うと、やがて条件反応は生じなくなる。しかし、その後にしばらく休憩時間をおくと、条件刺激の提示がない状況でも条件反応のみが出現する現象が見られ、このような現象は自発的回復と呼ばれている。

3　特定の味が付けられた水を摂取した後、胃に不快感を与えられたネズミは、その味に対する嫌悪を学習し、以後はその味を避けるようになる。このような現象はガルシア効果と呼ばれ、味覚と内臓の不快感との間に連合学習が生じやすいことを示している。

4　オペラント条件づけにおいて、反応・行動の増大又は減少を目的として、何らかの刺激を与える手続のことを強化と呼ぶ。特に、反応・行動を減少させるため、苦痛や不快をもたらす刺激を与える手続は負の強化と呼ばれている。

5　避けることも対処することも不可能な苦痛を繰り返し与えられたイヌは、諦めることを学習し、状況を打開するための行動を全く示さなくなる。このような現象は、I.P.パブロフの実験において見いだされ、実験神経症と呼ばれている。

解説

1. 自動反応形成ではなく、刷り込み（インプリンティング）である。この現象は、K. ローレンツによって詳しく報告された。自動反応形成は、刺激の対提示によって反応が自動的に形成されることで、P. L. ブラウンとH. M. ジェンキンスの実験で明らかにされた。空腹のハトにキーの点灯と餌を対提示することで、ハトがキーをつつく反応が自動的に形成されたという。N. ティンバーゲンは、生物の行動に関する「4つの疑問（なぜ）」を提起したことで知られる。

2. 部分強化ではなく、消去である。イヌに条件刺激（ベルの音）と無条件刺激（肉粉）の対提示を繰り返すと、条件刺激だけで唾液が分泌する条件反応が形成されるが、条件刺激だけを提示し続けると条件反応は消去される。部分強化は、ある反応に対し報酬を常にではなく不規則に与えることで、当該の反応が起きやすくすることをいう。部分強化によって生じた反応は消去されにくい。自発的回復は、消去が進んでから時間をおくと条件刺激を提示すると条件反応が若干回復することである。

3. 妥当である。J. ガルシアらの実験によって明らかにされた。

4. 反応・行動を減少させるためになんらかの刺激を与えることは、強化ではなく罰である。反応・行動を減少させるため、苦痛や不快をもたらす刺激を与える手続きは、正の罰である。負の強化は、反応・行動を増加させるために、嫌悪刺激を与えるのを止めることである。

5. 実験神経症ではなく、学習性無力感である。M. E. P. セリグマンの実験で示された。実験神経症は、実験の課題が難しく嫌悪刺激を受ける可能性が高まることで、落ち着きのない異常状態が持続的に起きることをいう。パブロフが発見した。

正答　3

国家一般職［大卒］ 専門試験

No.63 心理学 情動(感情)に関する学説 令和6年度

次のA、B、Cは、情動（感情）に関する学説についての記述であるが、それぞれの学説を主張した研究者の組合せとして最も妥当なのはどれか。

A．この学説によれば、情動体験は生理的・身体的反応の結果であり、「泣くから悲しいのであり、なぐるから腹が立つのであり、震えるから恐ろしいのである」ということになる。すなわち、まず環境からの刺激が末梢において生理的・身体的反応を引き起こし、それが中枢に伝達されることにより情動体験が生じると考えたことから、末梢起源説と呼ばれる。

B．この学説は情動の二要因説と呼ばれ、生理的・身体的反応の要因に加えて、それに対する認知的評価の要因によって情動体験の質が決まるという立場をとる。この考え方に基づくと、同じ生理的・身体的反応が生じた場合でも、状況に応じて、その反応にどのような認知的評価を行うかによって異なる情動体験が生じることになる。

C．この学説は、情動体験が認知過程とは独立に生じるとする立場をとり、情動体験の生起にはそれに先行する認知的評価が必要であるという考え方に反論した。その根拠として、繰り返し接触した刺激に対して好意を抱くようになる単純接触効果が、その刺激を見たという正確な記憶がない場合にも生じるという実験結果が報告された。

	A	B	C
1	W. ジェームズ	S. シャクター	R. S. ラザラス
2	W. ジェームズ	S. シャクター	R. B. ザイアンス
3	W. ジェームズ	P. バード	R. S. ラザラス
4	W. B. キャノン	S. シャクター	R. B. ザイアンス
5	W. B. キャノン	P. バード	R. S. ラザラス

A：W. ジェームズの説である。刺激による身体反応が意識化されることで、情動が生じると考えた（泣くから悲しい）。W. B. キャノンは中枢起源説を主張し、刺激により脳で情動が生じ、さらに視床下部が活性化することで身体反応が起きると考えた。この説では、情動が身体反応より先に起こるとみなされる（悲しいから泣く）。

B：S. シャクターの説である。同一の身体反応から異なる情動（感情）が生じる理由を説明するもので、情動体験の質は、生理的・身体的反応とそれへの認知的評価という 2 要因で決まると考える。P. バードは、W. B. キャノンとともに中枢起源説を主張した人物である。

C：R. B. ザイアンスの説である。情動生起には先行する認知的評価が必要という、R. S. ラザラスの主張と対峙する。

よって、正答は**2**である。

正答 2

国家一般職［大卒］ No. 64 専門試験

心理学 ストレンジ・シチュエーション法に基づく分類 令和6年度

ストレンジ・シチュエーション法とは、子どものアタッチメント（愛着）の個人差を測定する実験室用の手続である。次は、ストレンジ・シチュエーション法に基づいて分類された各アタッチメントタイプにおける子どもの行動特徴の一例と、養育者の日常の関わり方の一例を示した表であるが、A～Dのいずれか一つに対応する㋐～㋓の組合せとして最も妥当なのはどれか。

	子どもの行動特徴の一例	養育者の日常の関わり方の一例
Aタイプ (回避型)	養育者との分離時に泣いたり混乱したりしない。再会時には養育者から目をそらしたり、養育者を避けようとしたりする。	A
Bタイプ (安定型)	養育者との分離時に多少の泣きや混乱を示すが、再会時には養育者に積極的に身体接触を求め、容易に静穏化する。	B
Cタイプ (アンビヴァレント型)	養育者との分離時に非常に強い不安や混乱を示す。再会時には養育者に身体接触を求めていくが、その一方で怒りながら養育者を激しくたたくといった行動を示す。	C
Dタイプ (無秩序・無方向型)	不自然でぎこちない行動や、養育者に顔を背けながら近付くなどの矛盾した行動をとり、全体的に統一感のない行動を示す。	D

A～Dの候補

㋐：子どもが送出してくる各種アタッチメントのシグナルに対する敏感さが相対的に低く、子どもの行動や感情状態を適切に調整することがやや不得手である。

㋑：子どもの欲求や状態の変化などに敏感であり、子どもに対して過剰なあるいは無理な働き掛けをすることが少ない。

㋒：全般的に子どもの働き掛けに拒否的に振る舞うことが多く、他のタイプの養育者と比較して、子どもと対面しても微笑むことや身体接触することが少ない。

㋓：精神的に不安定なところがあり、突発的に表情や声あるいは言動一般に変調を来し、パニックに陥るようなことがある。

	A	B	C	D
1	㋐	㋑	㋒	㋓
2	㋐	㋒	㋓	㋑
3	㋑	㋐	㋒	㋓
4	㋒	㋐	㋓	㋑
5	㋒	㋑	㋐	㋓

解説

A：㋒が当てはまる。回避型の養育者は、子どもからのシグナルを無視したり拒否したりし、微笑んだり抱きしめたりすることが少ないため、子どもは養育者を求めず回避する。

B：㋑が当てはまる。安定型の養育者は、子どもの欲求に敏感でありつつも、過剰ないしは無理な働きかけはせず適切な応答をする。子どもにとっての安全基地にもなっている。

C：㋐が当てはまる。アンビヴァレント型の養育者は、子どもの欲求に鈍感で、子どもの行動や感情の状態（変化）を適切に捉え、調整することが不得手である。そのため子どもはどのように愛着を求めたらいいかわからず、不安定な行動を取りがちになる。

D：㋓が当てはまる。無秩序・無方向型の養育者は、精神的に不安定で言動に一貫性がなく、突発的にパニックを起こしたりする。

よって、正答は**5**である。

正答 5

No. 65 心理学 傍観者効果 令和6年度

援助が必要とされる状況において、傍観者の存在によって援助行動が抑制される現象のことを傍観者効果という。傍観者効果が生じる理由に関するA～Dの記述のうち、妥当なもののみを挙げているのはどれか。

A．人は社会的孤立を恐れるがゆえに、自分の考えが多数派であると認識していても、表明に対して消極的になり、沈黙を余儀なくされるというプロセスである沈黙の螺旋（spiral of silence）が理由の一つとして挙げられる。

B．他者が居合わせることによって、自分が対応しなければならないという各個人の責任感が低下してしまうという責任の分散（diffusion of responsibility）が理由の一つとして挙げられる。

C．集団凝集性が低く、強固な方針をもつリーダーが不在である場合に特に生じやすいとされる、集団内の意思決定が個人で行うときよりも不適切で愚かなものになるという集団思考（groupthink）が理由の一つとして挙げられる。

D．集団の多くの成員が、他者の公的行為はその人の心理の反映であると解釈してしまうことにより、自身が支持していない集団規範を他者は支持していると誤解してしまう現象である多元的無知（pluralistic ignorance）が理由の一つとして挙げられる。

1 A、B
2 A、C
3 B、C
4 B、D
5 C、D

A：自分の考えが少数派であると認識している人は、社会的孤立を恐れて表明に対して消極的になり沈黙する。その結果、少数意見が減少していくことを沈黙の螺旋という。自分の考えが多数派であると認識している人は、表明に対して積極的になる。

B：妥当である。自分がしなくても誰かがしてくれるだろうと、一人で状況に直面している場合よりも、介入が抑制されがちになる。こうした責任の分散は、傍観者効果の理由とされる。

C：集団思考（集団浅慮）は、集団凝集性が高く、強固な方針を持つリーダーが存在する場合に生じやすい。集団の中で孤立したくない、嫌われたくないと、個人が（反対）意見を表明することが抑制されるためである。

D：妥当である。他人が援助行動をとらないのは、援助行動が必要な状況ではないからだと解釈してしまう。こうした多元的無知は、傍観者効果の理由とされる。

よって、正答は**4**である。

正答　4

国家一般職［大卒］

No. 66 専門試験

教育学　日本の教育の歴史　令和6年度

我が国の教育の歴史に関する次の記述のうち、最も妥当なのはどれか。

1　藩校は、江戸時代から明治時代初頭にかけて、寺院を拠点に各地の僧侶が檀家の子弟に対する教育を行うために設けられた。藩校では仏教の教義の伝達が主な目的とされ、その代表例として松下村塾が挙げられる。

2　明治5（1872）年に公布された「学制」は、我が国最初の近代公教育制度として構想され、その理念として国民皆学が掲げられた。また、学区制を採用して全国を大学区・中学区・小学区に区分し、「学制」の実施に当たっては、特に小学校の普及整備に重点が置かれた。

3　明治23（1890）年に発表された『臣民の道』は、儒教的な道徳に基づく忠孝を批判し、キリスト教の精神に立った自立・自治の人間形成を目指すものであった。これは、昭和23（1948）年の教育勅語の発布に伴い失効するまで、国家の教育の基本理念と位置付けられた。

4　昭和16（1941）年に制定された国民学校令は、戦争の激化に伴い児童の地方への疎開を推し進めるため、初等教育機関の授業を原則として一時停止することとした。また、同令において、その間は食糧難の解消を図るため疎開先で児童に農作業等に従事させることとされた。

5　昭和22（1947）年に制定された教育基本法は、教育の機会均等として、能力の有無にかかわらず全ての児童生徒に同一の教育を与えなければならない旨を定めた。その一方で、同法においては、人種、信条、性別、社会的身分、経済的地位又は門地など、能力以外の事由によっては、合理的配慮に基づき教育上異なる取扱いをすることが認められる旨も定められた。

1. 藩校は、藩士の教育のために藩が設立した学校である。藩士の子弟を強制的に入学させ、儒学を中心とした学問や武芸などを教授した。檀家の子弟に、仏教の教義を伝達していたのではない。松下村塾は、幕末期の私塾である（指導者は吉田松陰）。

2. 妥当である。この法令により、わが国に近代学校制度が生まれることとなった。小学校の普及に力が入れられたものの、多額の学費を徴収していたこと、教育内容が庶民生活と乖離していたことから、小学校の就学率は上がらず、1879年の教育令制定に伴い廃止された。

3. 明治23年に発表されたのは、『臣民の道』ではなく、『教育勅語』である。『教育勅語』は、儒教道徳に基づく忠孝を重視し、天皇制を支える臣民の徳性として15の徳目を明示していた。1948年６月の「教育勅語等の失効確認に関する決議」により、『教育勅語』は失効が確認された。『臣民の道』は、1941年７月に刊行された国体論である。

4. 国民学校令は、戦時体制に対応するため、尋常小学校と高等小学校を統合して国民学校とした勅令である。初等科６年、高等科２年の計８年が修業年限とされた。1945年５月制定の戦時教育令では、国民学校初等科を除くすべての学校を停止し、生徒や学生を防衛・増産に当たらせることとされた。

5. 1947年制定の教育基本法第３条では、「すべて国民は、ひとしく、その能力に応ずる教育を受ける機会を与えられなければならない」とされ、「人種、信条、性別、社会的身分、経済的地位又は門地によって、教育上差別されない」と定められた。本条文は、2006年改正の教育基本法にも受け継がれている。

正答　2

国家一般職［大卒］ No. 67 専門試験

教育学 日本の子ども・若者を巡る現状や動向 令和6年度

我が国の子供・若者をめぐる現状や動向に関する次の記述のうち、最も妥当なのはどれか。なお、データは『令和4年版　子供・若者白書』による。

1　令和元年に子ども・子育て支援法の一部を改正する法律が成立したことを受け、同年10月から、0歳から5歳までの子供について、幼稚園、保育所及び認定こども園の利用料は、世帯の所得にかかわらず全て無償化されている。

2　平成15年に少子化社会対策基本法が成立し、総合的な少子化対策を推進することとされたが、待機児童数についてみると、同年以降も減少傾向はみられず、令和3年には約5万人となっている。

3　令和3年度における青少年（満10～17歳）のインターネット利用率についてみると、中学生と高校生では90％を超えている一方で、小学生では50％程度にとどまっている。総務省は、小学生のインターネット利用率の向上を目的としたGIGAスクール構想を立ち上げ、その実現を図っている。

4　SNSに関連した犯罪被害防止のため、デジタル庁は、不適切な書き込みをサイバーパトロールにより発見し、注意喚起を行う取組を推進している。SNSに起因する事犯の18歳未満の被害児童数についてみると、平成29年から令和3年まで一貫して減少し続けている。

5　小・中学校における不登校児童生徒数は、平成25年度から令和2年度にかけて、一貫して増加し続けている。文部科学省は、スクールカウンセラー等の配置の充実をはじめ、学校における教育相談体制の充実を図っている。

1. 世帯の所得にかかわらず無償になっているのは、３～５歳の子どもの利用料である。０～２歳の子どもの保育所、認定子ども園の利用料については、住民税非課税世帯のみ無償となっている。

2. 平成15年以降、保育所等の待機児童数は増減しながら推移しているが、平成30年以降は減少の傾向にあり、令和３年では5,634人となっている（こども家庭庁「保育所等関連状況取りまとめ」）。

3. 令和３年度のインターネット利用率は、小学生が96.0％、中学生が98.2％、高校生が99.2％となっている（内閣府「青少年のインターネット利用環境実態調査」）。GIGA スクール構想のねらいは、「１人１台端末と、高速大容量の通信ネットワークを一体的に整備することで、特別な支援を必要とする子供を含め、多様な子供たちを誰一人取り残すことなく、公正に個別最適化され、資質・能力が一層確実に育成できる教育 ICT 環境を実現する」ことである（文部科学省「リーフレット：GIGA スクール構想の実現へ」）。児童生徒のインターネット利用率の向上を意図しているのではない。GIGA スクール構想は、総務省ではなく文部科学省の取組みである。

4. SNS に起因する事犯の被害児童数は、平成29年から令和元年にかけて増加し、翌年以降は減少を続けている（警察庁「令和５年の犯罪情勢」）。減少傾向にあるものの、年間1,500人を超える事態が続いている。

5. 妥当である。小・中学校の不登校児童生徒数は、平成25年度は11万9,617人だったが、令和３年度では24万4,940人にまで増えている（文部科学省「児童生徒の問題行動・不登校等生徒指導上の諸課題に関する調査」）。

正答　5

国家一般職［大卒］

No. 68 専門試験

教育学　日本における生涯学習および社会教育　令和6年度

次は、我が国における生涯学習及び社会教育に関する記述であるが、A～Eに当てはまるものの組合せとして最も妥当なのはどれか。

生涯学習の理念について、［　A　］において「国民一人一人が、自己の人格を磨き、豊かな人生を送ることができるよう、その生涯にわたって、あらゆる機会に、あらゆる場所において学習することができ、その成果を適切に生かすことのできる社会の実現が図られなければならない。」と規定されている。

また、社会教育については、①学校の教育課程として行われる教育活動を［　B　］こと、②主として青少年及び成人が対象であること、③体育及びレクリエーションの活動を［　C　］組織的な教育活動であることが［　D　］において規定されており、図書館及び博物館はそのための機関と同法で位置付けられている。

中でも図書館には、専門的職員として［　E　］が置かれ、都道府県や市町村の公共図書館等で図書館資料の選択、発注及び受入れから、分類、目録作成、貸出業務、読書案内などを行う。

	A	B	C	D	E
1	教育基本法	含む	含む	社会教育法	学芸員
2	教育基本法	含む	除く	文化芸術基本法	司書
3	教育基本法	除く	含む	社会教育法	司書
4	生涯学習振興法*	含む	除く	社会教育法	司書
5	生涯学習振興法	除く	除く	文化芸術基本法	学芸員

＊　生涯学習の振興のための施策の推進体制等の整備に関する法律

経済事情 / 経営学 / 国際関係 / 社会学 / 心理学 / 教育学 / 英語(基礎) / 英語(一般)

A：「教育基本法」が入る。2006年に改正された教育基本法では、第3条「生涯学習の理念」が新設された。少子高齢化により、生涯学習の重要性が増してきたためである。

B：「除く」が入る。社会教育と学校教育の線引きがされている。

C：「含む」が入る。社会教育には、体育やレクレーションといった活動も含まれるが、組織的な教育活動という点がポイントである。個人が偶発的に趣味でするようなものは含まれない。

D：「社会教育法」が入る。1949年に制定された基本法規である。その第2条において、社会教育の定義がなされている。

E：「司書」が入る。図書館には司書、博物館には学芸員という専門職員が置かれる。

よって、正答は**3**である。

正答 **3**

国家一般職［大卒］ 専門試験

No.69 教育学 日本の教職員の現状等 令和6年度

我が国の教職員の現状等に関する次の記述のうち、最も妥当なのはどれか。

1 学校における働き方改革の一環として、教師が担ってきた業務の役割分担・適正化を図るため、スクール・サポート・スタッフの配置の必要性が指摘された。これを受け、令和3年、教員の業務の円滑な実施に必要な支援に従事する「教員業務支援員」を法令上に位置付け、文部科学省はその配置の促進を図っている。

2 学校教育法は、教員について、自己の使命を深く自覚し、絶えず研修に励むものと定めている。教育公務員特例法は、各学校長が新任教員に対して、採用の日から1か月間の初任者研修を実施しなければならないと定めているが、近年の教員の多忙化を踏まえ、その他の研修の実施については全て各学校長の裁量に委ねている。

3 教育基本法は、教育職員は原則として各相当の免許状を有する者でなければならないと定めているが、地域や学校の実情に応じて幅広い人材を学校経営に参画させる観点から、管理職に免許状のない民間人等を登用できる制度が設けられている。ただし、校長は学校の最高責任者であることを踏まえ、本制度の対象外とされている。

4 文部科学省の「公立学校教職員の人事行政状況調査」によると、教育職員の精神疾患による病気休職者数は増加傾向にあり、令和4年度には全教育職員数の1割を超えている。学校教育法は、職員の心身の健康の保持増進を図るため、職員の健康診断の立案・実施を職務として担うスクールソーシャルワーカーを小・中・高等学校及び特別支援学校に置かなければならないと定めている。

5 教育職員に対する処分には、公務能率の維持などの観点から身分上の変化として行われる懲戒処分と、一定の義務違反や違法行為に対して道義的責任を問う制裁として行われる分限処分がある。このうち、懲戒処分には免職・休職・降任・降給の4種類があり、文部科学省の「公立学校教職員の人事行政状況調査」によると、令和4年度に懲戒処分を受けた教育職員は全体の約2割に上った。

1．妥当である。学校教育法施行規則第65条の７による。教員業務支援員は「教員の業務の円滑な実施に必要な支援に従事する」とある。

2．学校教育法ではなく教育基本法である。なお、「絶えず研修」ではなく「絶えず研究と修養」に励むものと定められている（第９条第１項）。教育公務員特例法では、研修実施者は新任教員に対し、採用の日から１年間の初任者研修を実施しなければならないと定めている（第23条第１項）。初任者研修を実施するのは研修実施者（当該教員の任命権者、中核市等の教育委員会）で、その期間は１年間である。その他の研修の実施を、校長の裁量に委ねるという規定はない。

3．相当免許状主義について定めているのは、教育基本法ではなく教育職員免許法である（第３条第１項）。管理職については、免許状のない民間人等を登用できることになっており、校長も対象に含まれる（学校教育法施行規則第22条）。

4．教育職員の精神疾患による病気休職者数は増加傾向にあり、令和４年度では6,539人となっているが、全教育職員数に占める割合は0.71％である。スクールソーシャルワーカーを、小・中・高等学校及び特別支援学校に置かなければならないという規定はない。スクールソーシャルワーカーの職務は、職員の健康診断の立案・実施ではなく、児童生徒の福祉に関する支援である（学校教育法施行規則第65条の４）。

5．懲戒処分と分限処分が逆である。職務の効率維持のために行われるのが分限処分で、義務違反などへの制裁として行われるのが懲戒処分である。前者には免職・休職・降任・降給の４種類があり、後者には免職・停職・減給・戒告の４種類がある。令和４年度に懲戒処分を受けた教育職員は4,572人で、全体の0.49％となっている。

正答　1

No.70 教育学 カリキュラム 令和6年度

カリキュラムに関するア～エの記述のうち、妥当なもののみを挙げているのはどれか。

ア．J. デューイは、カリキュラムの編成において、教育目標、教育方法及び評価を一貫したものとして把握することを求め、カリキュラムの編成の基本原理を「スモールステップの原理」、「積極的反応の原理」、「即時確認の原理」、「学習者自己ペースの原理」として整理し、その実践のため、プロジェクト・メソッドを開発した。

イ．J. M. アトキンは、カリキュラムの開発様式のうち、具体的な行動目標を設定し、それに応じた教材を計画的に配置して既定の道筋に沿った教授・学習過程を展開し、目標に準拠した量的な評価を行うものを「工学的アプローチ」、一般的な目標の下に創造的な教授・学習過程を展開し、目標にとらわれない評価を行うものを「羅生門的アプローチ」とした。

ウ．P. W. ジャクソンは、学校の授業への参与観察を行い、教師によって与えられる意図的・計画的な教育内容のほかに、学校生活の中で子供たちがはっきりとは示されることなく潜在的に学び取っている価値や規範などについて、「隠れたカリキュラム（ヒドゥン・カリキュラム）」と呼んだ。

エ．M. モンテッソーリは、『教育の過程』を著し、発達のどの段階の子供に効果的に教授できるかはそれぞれの教科の知的性格に規定されるとして、教科と子供の発達段階とを対応させた「相関カリキュラム」を開発し、その実践のため、教科別の「実験室」で教科担任の指導を受けながら学習させるドルトン・プランを創始した。

1 ア、イ
2 ア、ウ
3 ア、エ
4 イ、ウ
5 イ、エ

ア：J. デューイではなくスキナー、カリキュラムの編成原理ではなくプログラム学習の原理、プロジェクト・メソッドではなくプログラム学習が正しい。本記述は、スキナーが開発したプログラム学習に関するものである。プロジェクト・メソッドは、キルパトリックが提唱した単元学習の方法である。

イ：妥当である。工学的アプローチでは、一般的な目標を設定し、教材や教具を計画的に配置し、心理測定的な評価を行う。対して羅生門的アプローチでは、教師の創造的教授活動の中で最適な教材・教具を見いだし、評価に際しては厳密な測定ではなく、多様な視点からの記述がなされる。

ウ：妥当である。潜在的カリキュラムともいう。学校生活という状況の中で自ずと体得される、見えざる教育内容をさす。学校で生徒たちが学んでいるのは、時間割などの顕在的カリキュラムに示された教科の内容だけではない。学校生活を営む中で自然に、他のさまざまな資質や能力を学んでいる。目上の者（教師）に対する接し方、長時間の退屈に耐える耐性、同輩集団での立ち振る舞い方、などである。こうした潜在的カリキュラムは、顕在的カリキュラムに劣らず重要である。

エ：『教育の過程』を著したのはブルーナーであり、「どの教科でも、知的性格をそのままに保って、発達のどの段階のどの子どもにも効果的に教えることができる」という仮説の下、学習者の発達段階に応じて、同じ内容を繰り返し学習させる「螺旋形カリキュラム」を開発した。実験室で学習させるドルトン・プランを創始したのは、パーカーストである。相関カリキュラムは、教材や科目の枠は保ちつつ、内容が類似したものどうしを関連づけて生徒に学習させるカリキュラムである。

よって、正答は**4**である。

正答　4

Select the statement which best corresponds to the content of the following passage.

The United Nations Sustainable Development Goals (SDGs) are 17 targets for global development adopted in September 2015, set to be achieved by 2030. All countries in the world have agreed to work towards achieving these goals aimed at an environmentally, socially and economically sustainable global development.

During the 2023 SDG Summit, heads of state and government will carry out a review of the state of the SDGs, responding to the impact of multiple and interlocking crises facing the world, and providing high-level political guidance on transformative and accelerated efforts leading up to the target year of 2030 for achieving the SDGs.

The SDG Progress Chart 2022 shows regional progress against the indicators of each goal. The latest chart clearly demonstrates the deterioration of progress towards many targets, along with some positive outlooks.

Recent cascading crises have magnified the challenges of achieving SDGs such as poverty, food security, ending the epidemic of malaria, immunisation coverage and employment. In particular, efforts to address poverty and hunger have experienced a setback caused by several armed conflicts (e.g. the Russian invasion of Ukraine). At the same time, progress on health and education, as well as efforts to improve the provision of basic services, have been negatively impacted by the covid-19 pandemic and a global failure to adequately address climate change.

However, progress against some goals (such as SDG10, which focuses on reducing inequality within and among countries) has not deteriorated, and it is not far from the target in most regions of the world. The same is true for progress on ensuring healthy lives and promoting well-being for all at all ages (SDG3), sustainable cities and communities (SDG11) and digital transformation (included in SDG9).

To monitor progress on the SDGs, data to be measured by the indicators must be available and regularly reported. According to the World Bank, there have been serious data gaps in assessing country-level progress towards the goals. A 2020 study found that on average, countries reported one or more data points on just over half of the SDG indicators for the previous four years.

More recently, only 47% of data required to track progress on SDG5 (gender equality) are currently available, rendering women and girls effectively invisible, as well as slowing down the pace of progress, according to UN Women.

A report by The Economist Intelligence Unit previously explored SDG progress, calling for an integrated approach that marshals the resources of all sectors. This kind of approach is enabled by partnership and multi-stakeholder collaboration that overcomes silo-thinking. During this year's summit, political and thought leaders from governments, international organisations, the private sector, civil society, women and youth and other stakeholders will gather in a series of high-level discussions, encouraging collaboration and integration.

Urgent, scaled-up and co-ordinated actions by all countries are needed to accelerate SDG implementation and avert the devastating impacts of current and future challenges, in order to get on track and chart a course for better recovery.

1. The goal of the United Nations was to implement the 17 SDG targets by the year 2015.
2. The covid-19 pandemic has positively affected progress in health and education.
3. Progress on ensuring healthy lives and promoting well-being has not deteriorated.
4. The World Bank has intentionally failed to assess data on the SDGs.
5. Government leaders gathered to encourage collaboration and integration at the SDG Summit in 2022.

解説

〈全訳〉次の文の内容に最も合致する記述を選びなさい。

国連の持続可能な開発目標（SDGs）は、2015年９月に採択され、2030年までの達成が設定されている世界開発に関する17の目標である。世界中のすべての国が、環境的、社会的、そして、経済的に持続可能な世界開発をめざしたこれらの目標の達成に向けて取り組むことに合意している。

2023年のSDGサミットでは、各国首脳がSDGsの現状を検証し、世界が直面している多様で相互に連動する危機の影響に対処するとともに、SDGs達成目標の年である2030年へとつながる斬新で加速した取組みについてハイレベルの政治的指針を示すことになっている。

SDG進捗レポート2022は、各目標の指標に対する地域の進捗状況を示している。最新のレポートは、いくつかの明るい見通しとともに、多くの目標に対しては進捗状況の悪化を明確に示している。

近年の連鎖的な危機により、貧困、食糧安全保障、マラリア流行の終息、予防接種率、雇用といったSDGsの達成はさらに困難になった。特に、貧困と飢餓に対する取組みは、いくつかの武力紛争（例：ロシアのウクライナ侵攻）により後退に直面している。同時に、健康と教育の進歩、および基本的サービスの提供を改善するための取組みは、新型コロナウイルス感染症のパンデミック、および気候変動への適切な対応について世界的に失敗したことにより悪影響を受けている。

しかし、いくつかの目標（人や国の不平等をなくすことに焦点を当てたSDG10など）に対する進捗状況は悪化しておらず、世界のほとんどの地域で目標からそれほど遠くないところにきている。あらゆる年齢のすべての人々の健康的な生活の確保と福祉の促進（SDG3）、持続可能な都市とコミュニティ（SDG11）、デジタル変革（SDG9に含まれる）に関する進捗状況も同様である。

SDGsの進捗状況をモニタリングするには、指標によって測定すべきデータが利用可能で、定期的に報告される必要がある。世界銀行によると、目標に向けた国レベルの進捗状況を評価するうえで、深刻なデータギャップが存在している。2020年の調査によると、平均して、各国が過去４年間について１つ以上のデータポイントを報告しているのはSDG指標のうち半分強にすぎない。

さらに最近では、国連女性機関によると、SDG5（ジェンダー平等）の進捗状況を追跡するために必要なデータのうち、現在入手可能なのはわずか47％であり、女性と女児（の問題）は事実上見えなくなり、進捗のペースも鈍化しているという。

「エコノミスト」の企業間事業部門の報告書は以前にSDGの進捗状況を調査し、すべてのセクターのリソースを結集する統合的アプローチの必要を訴えた。この種のアプローチは、パートナーシップと複数の利害関係者の共同作業によって利己的思考を打破することで可能になるのである。今年のサミットでは、政府、国際機関、民間セクター、市民社会、女性、若者、その他の利害関係者の政治および思想においてのリーダーが集まり、協働と統合を促進する、一連のハイレベルな議論を行うだろう。

SDGの実施を加速し、現在および将来の課題の壊滅的な影響を回避するために、また正しい方向に戻り、より良い回復に向けての道筋を描くためには、すべての国による緊急かつ大規模な協調的な行動が必要である。

＊　＊　＊

以下の〈　〉内は、選択肢の日本語訳である。

1．〈国連の目標は2015年までに17の SDG 目標を実行することであった。〉第 1 段落にあるように、国連の目標は「2015年 9 月に採択され、2030年までの達成が設定されている」のであり、2015年までに実行するものではない。

2．〈新型コロナウイルスのパンデミックは健康と教育における進捗に対して良い方向に影響した。〉第 4 段落にあるように、「悪影響を（negatively）受けている」のであり、「positively」ではない。

3．妥当である。〈健康的な生活の確保と福祉の増進における進捗は悪化してはいない。〉第 5 段落の内容である。

4．〈世界銀行は意図的に SDGs のデータを評価していない。〉第 6 段落にあるように世界銀行は評価におけるデータのギャップを指摘しているだけで、「意図的に評価していない」という記述はない。

5．〈各政府のリーダーは、2022年の SDG サミットにおいて協働と統合を促進するために集まった。〉第 8 段落の「this year」は、第 2 段落の「2023年」のことである。

正答　3

内容把握

Select the statement which best corresponds to the content of the following passage.

The old adage that "laughter is the best medicine" may contain an element of truth when it comes to heart health. A study has demonstrated that having a chuckle causes the tissue inside the heart to expand — and increases oxygen flow around the body. Patients with coronary artery disease who engaged in a course of laughter therapy had reduced inflammation and better health, the research found.

"Our study found that laughter therapy increased the functional capacity of the cardiovascular system," said the lead author, Prof Marco Saffi, of the Hospital de Clínicas de Porto Alegre in Brazil. The findings were presented at the annual meeting of the European Society of Cardiology in Amsterdam, the world's largest heart conference. In the trial, scientists carried out a first-of-its-kind study to examine if laughter therapy could improve symptoms of patients with heart disease. It involved 26 adults with an average age of 64, all diagnosed with coronary artery disease, caused by plaque buildup in the walls of the arteries that supply blood to the heart.

Over three months, half were asked to watch two different hour-long comedy programmes each week, including popular sitcoms. The other half watched two different serious documentaries, about topics such as politics or the Amazon rainforest. At the end of the 12-week study period, the comedy group improved by 10% in a test measuring how much oxygen their heart could pump around the body. The group also improved in a second measure that tested how well arteries can expand. They also had blood tests to measure several inflammatory biomarkers, which indicate how much plaque has built up in the blood vessels, and whether people are at risk of heart attack or stroke. The results showed that these inflammatory markers had significantly reduced compared with the control group.

"When patients with coronary artery disease arrive at hospital, they have a lot of inflammatory biomarkers," said Saffi. "Inflammation is a huge part of the process of atherosclerosis, when plaque builds up in the arteries."

"This study found that laughter therapy is a good intervention that could help reduce that inflammation and decrease the risk of heart attack and stroke. Laughter therapy could be implemented in institutions and health systems like the NHS for patients at risk of heart problems. It does not have to be TV programmes — people with heart disease could be invited to comedy evenings or encouraged to enjoy fun evenings with friends and family. People should try to do things that make them laugh at least twice a week."

In future, Saffi suggested, laughter therapy could help reduce dependence on medication. While scientists are still advancing research into why a good giggle might be good for the heart, they now have a firm understanding.

"Laughter helps the heart because it releases endorphins, which reduce inflammation and helps the heart and blood vessels relax," Saffi said. "It also reduces the levels of stress hormones, which place strain on the heart. Laughing helps people feel happier overall, and we know when people are happier they are better at adhering to medication."

Prof James Leiper, associate medical director at the British Heart Foundation, who was not involved in the research, said: "While this study reveals the interesting possibility that laughter could in fact be a therapy for coronary artery disease, this small trial will need to be replicated to get a better understanding of how laughter therapy may be helping these patients. It's encouraging to see that something so simple and widespread could benefit our health but more research is needed to determine whether laughter alone led to the improvements seen, and how long the effects could last."

1. A recent study showed that laughter leads to reduced oxygen and increased inflammation.
2. The study required half of the participants to watch three comedy programmes a week.
3. Researchers stated that laughter cannot come from fun times with friends and family.
4. The trial should be replicated in order to better understand how laughter helps patients.
5. Results showed significant reduction in inflammatory markers in the control group.

〈全訳〉次の文の内容に最も合致する記述を選びなさい。

「笑いは最良の薬」という古い格言は、心臓の健康に関しては真実の要素を含んでいるかもしれない。クスクス笑うと心臓内部の組織が拡張し、体内を巡る酸素の流れが増加することを実証する研究がある。研究によると、笑い療法のコースを受けた冠状動脈疾患の患者は炎症が軽減し、健康状態が改善したという。

「私たちの研究では、笑い療法が心血管系の機能能力を高めることがわかりました」と、ブラジルのポルトアレグレ臨床病院の筆頭筆者マルコ・サフィ教授は語った。この研究結果は、世界最大の心臓学会であるアムステルダムの欧州心臓病学会年次総会で発表された。この臨床試験で、科学者らは笑い療法が心臓病患者の症状を改善できるかどうかを調べるその種で初めての研究を実施した。この研究には、心臓に血液を供給する動脈の壁にプラークが蓄積することで起こる冠動脈疾患と診断された、平均年齢64歳の成人26人が参加した。

3か月間にわたり、被験者の半数は毎週、人気のホームコメディを含む1時間のコメディ番組を2本視聴するよう指示された。残りの半数は、政治やアマゾンの熱帯雨林などのテーマを扱ったまじめなドキュメンタリーを2本視聴した。12週間の研究期間の終わりに、コメディ視聴グループの心臓が体内に送り出す酸素の量を測定する検査では、10％向上していた。このグループは、動脈がどの程度拡張できるかを検査する2つ目の測定でも改善が見られた。また、血管内にプラークがどれだけ蓄積しているか、そして、心臓発作や脳卒中のリスクがあるかどうかを示す炎症性バイオマーカーをいくつか測定するため、血液検査を受けた。対象群と比較すると、これらの炎症性マーカーは大幅に減少しているという結果が示された。

「冠状動脈疾患の患者が病院に来ると、多くの炎症性バイオマーカーが見られます」とサフィ氏は言う。「動脈にプラークが蓄積するアテローム性動脈硬化症のプロセスでは、炎症が大きな影響を与えます。」

「この研究では、笑い療法が炎症を軽減し、心臓発作や脳卒中のリスクを減らすのに役立つ優れた介入であることがわかりました。笑い療法は、心臓疾患のリスクがある患者のために、施設やNHS（国民健康保健）のような医療システムで導入できる可能性があるでしょう。テレビ番組である必要はありません。心臓病の患者をコメディの夕べに招待したり、友人や家族と楽しい夜を過ごすよう勧めたりすることもできます。少なくとも週に2回は笑えることをしてみるべきです。」

サフィ氏は、将来的には笑い療法が投薬治療への依存を軽減するのに役立つかもしれないと示唆した。科学者たちは、クスクス笑いがなぜ心臓に良いのかという研究を今も進めているが、今ではしっかりとした理解が得られている。

「笑いはエンドルフィンを放出するので心臓に良いのです。エンドルフィンは炎症を抑え、心臓と血管をリラックスさせるのです」とサフィ氏は言う。「また、心臓に負担をかけるストレスホルモンのレベルも下げます。笑うことは、概して人々が幸せな気分になるのに役立ちます。そして、人々はより幸せなとき、薬の服用を守ることがわかっています。」

この研究にはかかわっていない、英国心臓財団の副医療ディレクターのジェームズ・ライパー教授は次のように述べた。「この研究は、笑いが実際に冠状動脈疾患の治療法になる可能性があるという興味深い可能性を明らかにしていますが、笑い療法がこれらの患者にどのような効果をもたらすのかをより深く理解するためには、この小規模な臨床試験を再現する必要があるでしょう。これほど単純で広範囲にわたるものが私たちの健康に良い影響を与えるというのは心強いことですが、笑いだけでこのような改善がもたらされたのか、またその効果がどのくらい持続するのかを判断するにはさらなる研究が必要です。」

＊　＊　＊

以下の〈　〉内は選択肢の日本語訳である。

1．〈笑いが酸素を減少させ炎症を増加させることが最近の研究で示された。〉第１段落にあるように、「酸素の流れが増加し」「炎症が軽減」したのである。

2．〈研究では、患者の半分が週にコメディ番組を３本視聴するように指示された。〉第３段落にあるように観るように指示されたコメディは「２つ」である。

3．〈研究者たちは、笑いは友人や家族との楽しい時間からは起こりえないと述べた。〉第５段落にあるように、コメディだけでなく「家族や友人との楽しい時間」も笑いの療法には有効とされているので、笑いは友人や家族との楽しい時間から「起こる」といえる。

4．妥当である。〈臨床試験は、笑いが患者にどのように改善をもたらすのかをより理解するために再現されるべきである。〉最終段落にある内容である。

5．〈炎症マーカーの大幅な減少は対象群において見られたという結果になった。〉第３段落にあるように、減少が見られたのはコメディを視聴したグループである。

正答　4

Select the statement which best corresponds to the content of the following passage.

Drawing is arguably the most ancient form of visual art — whether on the body or on stone. The earliest known drawing by a human was discovered in 2021 at the Blombos Cave, South Africa: some 73,000 years ago, a human hand took an ochre crayon and carved a cross-hatch design on a silcrete stone flake. The medium of drawing is engrained in us all. It's our first means of expression and creativity, says Julia Balchin, principal of the Royal Drawing School, London: "As a child, before you can even talk, or walk or read, you can draw. So, it's often our first way of expressing ourselves".

Drawing has always been vital to every artist's practice, dating from the Renaissance — when drawing flourished, and Leonardo da Vinci created detailed anatomical studies of the human body — to today, when artists such as William Kentridge's powerful films created with drawings to Tracey Emin's drawings expressing her personal grief and loneliness.

Though drawing's popularity has "ebbed and flowed for centuries", Balchin identifies a deep ebb in the 1970s, when the academic art world saw it as "very unfashionable" — especially life drawing — and schools such as the Slade and the Royal Academy stopped teaching it. The Royal Drawing Shool (RDS) was set up in 2000 to address this, and be "a place where artists and people who wanted to draw could come to draw."

Drawing is enjoying popularity again — appreciated for its therapeutic qualities and the sense of "flow" it engenders, especially since the lockdowns during the pandemic. Student intake (online) at the RDS, doubled in 2020 from 1,000 students a week, and has grown steadily to 3,000 today, with life drawing accounting for more than half of its four modules: "I think that showed there was a real longing for human touch and contact," say Balchin. "If people couldn't be around other humans, they were drawing them instead." Students confirmed it helped mental wellbeing. "Many came purely for that... to slow the pace of life."

Picking up a pencil or charcoal and mindfully making marks connects us to our haptic skills, or sense of touch, and offers a respite or rest from the relentless digital drain, which is important for mental health. In the UK, art therapy can even be experienced by some via the NHS.

When artist Emily Haworth-Booth became ill with ME*, she was unable to work. Trying to read or write sent her "into a spin", she relates in Ways of Drawing (a 2019 book by RDS). She found mindful drawing "became a kind of anchor I could drop to ground myself, to reassure myself... I was 'here', reality was solid". Drawing "noticeably reduced my anxiety, and slowed down my breathing". This allowed "healing to take place", she says. After a drawing session she felt "the relief and endorphin rush I've experienced after, say, a yoga class or very useful psychotherapy session".

Claire Gilman, chief curator at the Drawing Center in New York, has also seen a passion for drawing surge in lockdown, and continue growing since: "At that time artists were returning to drawing for many reasons — including being shut out of their studios", but acknowledges the “desire to pick up a pen or pencil, and immediately translate your feelings on to paper”, especially in “trying moments”, has a universal appeal.

*ME（慢性疲労症候群）

1. It is possible for humans to draw before they can talk and walk, and it is the oldest form of visual art, with paintings found in South Africa that are 73,000 years old.

2. It has always been very popular among artists, from Leonardo da Vinci to contemporary artists, and in 2000, the Royal Drawing School was founded for artists with a passion for drawing.

3. Since the lockdowns during the pandemic, the number of people who have attended the Royal Drawing School for therapeutic reasons has increased by thousands every week.

4. Emily Haworth-Booth was unable to work because of her illness, but she felt less anxious after drawing mindfully and then started participated in a yoga class.

5. Artists had a passion for drawing and found a universal appeal in it in lockdown, but this didn’t last long and they went back to their studios when the lockdown ended.

〈全訳〉次の文の内容に最も合致する記述を選びなさい。

絵を描くこと（ドローイング）は、おそらく、身体に描かれたものでも石に描かれたものでも、視覚芸術の最も古い形態であるだろう。人間が描いたものとして知られている最古の絵は、2021年に南アフリカのブロンボス洞窟で発見された。それは約73,000年前、１人の人間が黄土のクレヨンを手に取り、シルクリートの石片に網目模様を刻んだものだった。絵を描くという手段は、我々みんなに深く根づいている。それは私たちの最初の表現と創造性の手段なのだ、とロンドンの王立絵画学校の校長、ジュリア・バルチンは言う。「子どもの頃、話したり、歩いたり、読んだりするよりも前に、私たちは絵を描くことができます。ですから、絵を描くことは、多くの場合、私たちが自分を表現する最初の手段なのです。」

デッサン（ドローイング）は常にあらゆる芸術家の実践にとって不可欠なものであり、それはデッサンが盛んに行われ、レオナルド・ダ・ヴィンチが人体の詳細な解剖学的研究を行ったルネッサンス時代から、現代の、デッサンを用いて作られたウィリアム・ケントリッジの力強い映像作品や、個人的な悲しみや孤独を表現するトレイシー・エミンのデッサンに至るアーティストたちまで続いている。

デッサンの人気は「何世紀にもわたって盛衰を繰り返してきた」が、バルチン氏は1970年代に深刻な衰退期を迎えたと指摘する。当時、アカデミックな芸術界はデッサンを「非常に時代遅れ」とみなし、特に人体デッサンについては、スレイドやロイヤル・アカデミーなどの学校では教えなくなった。ロイヤル・ドローイング・スクール（RDS）は、この状況に対処し、「アーティストやデッサンを志す人々がデッサンをしに来られる場所」となるために2000年に設立された。

絵を描くことは再び人気を博している。パンデミック中のロックダウン以降特に、その治療効果とそれがもたらす「フロー」感覚が評価されている。RDSの学生受入れ数（オンライン）は、2020年に週1,000人から倍増し、現在では3,000人にまで着実に増加しており、人体デッサンの履修が４つの単位の半分以上を占めている。「これは、人間との触れ合いや接触を本当に切望していることを示していると思います」とバルチン氏は言う。「人々は他の人間と一緒にいられないなら、代わりに彼らを描いたのでした。」学生たちは、それが精神的な健康に役立つことがわかった。「多くの人が純粋にそのために来ました。生活のペースを遅くするために。」

鉛筆や木炭を手に取り、動作に集中してマークを描くことは、触覚技能、つまり触れる感覚とつながり、容赦ないデジタルによる消耗から休息や休養を与えてくれる。これは精神衛生にとって重要である。英国では、NHS（国民健康保健）を通じてアートセラピーを体験することもできる。

アーティストのエミリー・ハワース・ブースは、慢性疲労症候群に罹患したとき、仕事ができなくなった。読んだり書こうとすると「混乱状態に陥った」と、彼女は Ways of Drawing（RDS2019年刊行）で語っている。彼女は、動作に集中するデッサンが「自分を落ち着かせ、安心させるための一種の錨になった―私は「ここに」いて、現実はしっかりしている」ということに気づいた。デッサンにより「不安が著しく軽減し、呼吸が落ち着きました」。これにより「癒やしが行われました」と彼女は言う。デッサンのセッションの後、彼女は「ヨガのクラスや非常に役立つ心理療法セッションの後に経験したような安堵感とエンドルフィンのほとばしり」を感じた。

ニューヨークのドローイングセンターの主任学芸員クレア・ギルマン氏も、ロックダウン中に絵を描くことへの情熱が高まり、その後も高まり続けているのを目の当たりにしている。「当時、アーティストたちはスタジオから締め出されたことなど、さまざまな理由でデッサンに戻ってきました」とのことだが、特に「試練のとき」に「ペンや鉛筆を手に取り、自分の気持ちをすぐに紙に表現したいという欲求」には普遍的な魅力があると認めている。

＊　＊　＊

以下の〈　〉内は、選択肢の日本語訳である。

1. 妥当である。〈人間は話したり歩いたりする前に絵を描くことができ、そしてそれは、73,000年前の南アフリカで見つかった絵画に示されるように、最古の視覚芸術の形態である。〉第1段落にある内容である。

2. 〈それは常にアーティストの中で人気が高く、ダ・ヴィンチから現代のアーティストにまで至り、そして2000年、ロイヤル・ドローイング・スクールはデッサンに情熱を傾けるアーティストのために設立された。〉第3段落に「(デッサンは) 1970年に深刻な衰退期を迎え」、そのような状況に対処するためにロイヤル・ドローイング・スクールは設立されたとある。

3. 〈パンデミック中のロックダウン以降、治療目的でロイヤル・ドローイング・スクールに出席する人々の数は毎週数千人増加した。〉第4段落で「人間との触れ合いや接触を本当に切望していることを示している」とバルチン氏が指摘しており、「治療目的」ではない。

4. 〈エミリー・ハワース・ブースは病気のために働くことができなかったが、動作に集中して描くことで不安が軽減し、さらにヨガのクラスに参加を始めた。〉第6段落にあるように、「ヨガのクラスや非常に役立つ心理療法セッションの後に経験したような安堵感とエンドルフィンのほとばしりを感じた」のであり、ヨガのクラスに「参加を始めた」のではない。なお、選択肢原文では “started participated” となっているが、「参加を始めた」とするには “started participating” が適切である。

5. 〈アーティストたちはデッサンすることに情熱を持ち、ロックダウン中にその普遍的な魅力を見つけたが、それは長くは続かず、ロックダウンが終わるとスタジオに戻って行った。〉最終段落にあるように「その後も高まり続けているのを目の当たりにしている」ので、デッサンの人気が「長くは続かず」とはいえない。

正答　1

Select the appropriate combination of words to fill in the blanks of the following passage.

Global (A) for instant noodles reached 121.2 billion servings last year, industry figures show, growing for the seventh straight year to (B) an all-time high. The number of servings (C) nearly 2.6% from 2021, according to data from the World Instant Noodles Association, headquartered in greater Osaka. The (D) are based on estimated shipments in 56 economies. China, including Hong Kong, was the top instant noodle market last year. Indonesia was the runner up, followed by India, Vietnam and Japan. In 2020, when people were sheltering due to the pandemic, global (A) shot up 9.5%. The gain (E) to 1.4% in 2021, then picked up again in 2022. Last year, food prices in many countries spiked due to inflation. This prompted consumers to turn to instant noodles, an affordable option.

	A	B	C	D	E
1	desire	gain	plunged	ratings	alleviated
2	interest	drive	descended	datum	slowed
3	demand	hit	climbed	figures	eased
4	need	arrive	fluctuated	number	decreased
5	requirement	aim	raised	sums	softened

〈全訳〉次の文章中の空所に当てはまる組合せとして最も妥当なものを選べ。

業界統計によると、インスタントラーメンの世界需要は昨年1,212億食に達し、7年連続で増加し過去最高を記録した。京阪神に本部を置く世界即席麺協会のデータによると、提供数は2021年から約2.6%増加した。この数字は56の国や地域の推定出荷量に基づいている。昨年、香港を含む中国がインスタントラーメン市場のトップとなった。インドネシアが次点、インド、ベトナム、日本が続いた。パンデミックにより人々が外出自粛を余儀なくされた2020年には、世界の需要が9.5%急増した。2021年には増加率は1.4%に鈍化したが、2022年には再び増加した。昨年、多くの国でインフレにより食品価格が急騰した。そのため、消費者は手頃な選択肢であるインスタントラーメンに目を向けるようになった。

＊　＊　＊

A：カップラーメンの出荷量の伸びについて述べられる文脈にあり、「1,212億食に達した」とあるので「demand（需要）」が入る。

B：「hit an all-time high（過去最高を記録する）」という熟語表現から、「hit」が入る。hitには「達する、至る」という意味がある。

C：需要の増加という文脈なので、「climbed（上がった）」が入る。raiseは「～を上げる」という意味だが、目的語が必要な他動詞であるので不適切。plunge（飛び込む、急落する）、descend（降下する）、fluctuat（変動する）。

D：空欄以前の数字がどこから来ているのか説明しているので、「figures（数字）」が入る。datum（dataの単数形）、numberは意味としては可能だが、単数なので空欄後の動詞areと合わない。ratings（格付け）。

E：伸びが9.5%から1.4%に「緩やかになった」ので、slowed、eased、softenedが入る。decreasedだと「増加（gain）が減少した」となるので不適切。alleviate（緩和する）は他動詞で、症状などの場合に使われる。

よって、正答は**3**である。

正答　3

Select the sentence which is grammatically correct.

1 He will not cause an accident as he is a safety driver.
2 It is not nice to talk to me with your mouth full.
3 I don't think she has as twice many books as I do.
4 A dog calling Mugi is famous around this area.
5 What do you like this dress that my mother bought for me?

解説

以下の〈　〉内は、設問文および選択肢の日本語訳である。

〈文法的に正しい文を選べ。〉

1．〈彼は安全運転をするドライバーなので、事故を起こすことはないでしょう。〉「安全運転をする人」のことを日本語では「セーフティードライバー」と言うことがあるが、英語では safe driver と言うのが一般的である。名詞の safety は safety belt（安全ベルト）や safety razor（安全カミソリ）のように、形容詞的に用いる場合は「安全を確保するための」といった意味合いで使われる。

2．妥当である。〈口いっぱいにものを入れたまま、話しかけるのは良くないですよ。〉

3．〈彼女が私の2倍の本を持っているとは考えられない。〉倍数表現は as の前にくるので、「twice as many books as」が適切である。

4．〈ムギと呼ばれている犬はこの辺りでは有名である。〉犬がムギと「呼ばれている」ので、受け身の「called」が適切である。

5．〈母が私に買ってくれたこのドレスはどうですか？〉「What do you like」は「あなたは何が好きですか」という意味で、ドレスについての感想（好き嫌いの程度）を聞きたいのであれば、「How do you like」とするのが適切である。

正答　2

国家一般職［大卒］ No. 76 専門試験 英語(一般) 内容把握 令和6年度

Select the statement which best corresponds to the content of the following passage.

Last week Italy was, again, struggling with the conundrum of mass tourism. One of the country's most charming seaside towns, Portofino, has just introduced legislation to dissuade tourists lingering for selfies: there will be fines of up to €275 (£243) if they block traffic or pedestrians in two "red zones" of the beautiful bay.

It's the latest in a series of draconian measures adopted by Italian councils to deal with herds of holidaymakers: there are fines of up to €2,500 for walking the paths above the Cinque Terre (five villages in Liguria) in flip-flops or sandals; you are no longer allowed to eat snacks outside in the centre of Venice or in four central streets in Florence; you can be fined €250 just for sitting down on Rome's Spanish Steps; and one beach, in Eraclea, has even banned the building of sandcastles (maximum fine €250) because they're considered unnecessary obstructions.

Italy, of course, more or less invented the concept of tourism: as a cradle of ancient civilisation and Renaissance splendour, the peninsula became de rigueur for aesthetes and aristocrats. The famous "Grand Tour" was born in the 17th century and ever since then tourism has been vital to the Italian economy: pre-Covid, the country received 65 million visitors a year and, according to the Bank of Italy, tourism (considered in the widest sense) represented 13% of the country's GDP.

But Italy, so dependent on tourism, is also beginning to despair of it. Last week, a new display was introduced in a bookshop in Venice that reveals, painfully and in real time, the number of beds available in the city to tourists: at 48,596 (and counting), it is perilously close to overtaking the number of residents in the city: 49,365 (and falling). As recently as 2008, the respective figures were 12,000 and 60,000.

So, a city that is famously concerned about drowning in water is now more fretful about drowning in humans. In January, Venice even introduced an entrance fee (varying between €3 and €10) to access the city and its islands. The move wasn't controversial because it monetised tourism — that has always happened — but because it made the city appear precisely what it is trying to avoid becoming: a theme park, a time capsule for gawking, snap-happy visitors, more a relic than actually alive.

The problem is that mass tourism is turning destinations into the opposite of what they once were. The attraction of the Cinque Terre is their stunning simplicity: they have no great monuments as such, neither grand cathedrals nor castles, just a sense of serenity, of human ingenuity and topographical grandeur (the steep mountains, terraced and criss-crossed by paths where possible, host pastel houses perched above an azure sea).

But the serenity and simplicity can't survive millions of wham-bam visitors a year. Two weeks ago, Fabrizia Pecunia, the mayor of one of the five villages, Riomaggiore, complained: "It's no longer possible to postpone the debate about how to handle tourist flows. If we don't [find a solution], our days as a tourist destination are numbered." What tourist hot spots most yearned for a decade or two ago — high numbers, influx and flows — is precisely what is now causing them problems. During the peak season, the Balearic island of Mallorca now has more than, 1,000 flights landing every day.

The World Tourism Organization predicts that by the end of this decade the flow of international tourists will surpass 2 billion. What's called "overtourism" is already so acute that popular destinations are now doing the unthinkable, and actively trying to dissuade or block arrivals. Last month, Amsterdam launched "stay away" ads aimed at badly behaved Brits. The Greek island of Santorini, a mere 29 square miles, had to cap cruise ship passengers to 8,000 a day in 2017. Venice has blocked cruise ships and, in 2012, the anti-tourism message proved a winning formula for a mayoral candidate in Barcelona.

But if the tourism boom is often bad for locals, it's equally depressing for visitors. The fiction of tourism in the social media age is that we, as rugged adventurers, are there by ourselves. But we're only alone for that Instagram money shot. The rest is full of crowds and discomfort. When a friend of mine foolishly went to the Cinque Terre at Easter, there were long queues just to get on the footpaths or to drink a coffee. She then had to queue for three hours just to board one of the rickety trains home.

Anyone who has been to Niagara Falls, say, or Stonehenge knows that natural or human wonders have been mercilessly monetised. It now costs, for example, €34 to visit the Angkor Wat temple in Cambodia. Visitors to famous sites often come away feeling not uplifted, but fleeced by car-park charges, entry prices, food stalls and so on. We're bemused by the inauthenticity of the experience. Travel used to be about adventure and hardship, sometimes solitude, but invariably surprise and spontaneity. Now the road is so well-trodden and designated that you feel forced through a well-oiled funnel as someone picks your pockets.

But the sense of unease goes deeper. In the past we travelled to broaden and educate the mind. Travellers suffered discomfort — a mule over the Alps, a clipper across the Bay of Biscay — to absorb the wideness of the world, to feel small or vulnerable perhaps, and to allow the learning of other cultures to infiltrate their beings. Now, it seems, all that is reversed: there's minimal danger or risk to travel, and our big egos are imposed on a small world. Sites are nothing more than the backdrop for our selfies because we go places not to learn from them, but just to post and boast to others that we've been there.

1 Italy has suffered from "overtourism" ever since the birth of the "Grand Tour".
2 In 2008, the number of beds in Venice was less than a quarter of what it is now.
3 From the beginning, most citizens of Venice were in favor of introducing an entrance fee to the city.
4 An excessive number of tourists is bad for the locals, but the tourists never experience negative effects.
5 The main purpose of travel nowadays is to take risks and experience danger.

〈全訳〉次の文の内容に最も合致する記述を選びなさい。

先週、イタリアはまたしても、大量の観光客という難題と格闘することになった。国内有数の魅力ある港町であるポルトフィーノが、自撮り写真のためにたむろする観光客を思いとどまらせるための法律を導入したのだ。その美しい港に2箇所設けた「禁止区域」で、交通や歩行者を妨害した者には最高で275ユーロ（243ポンド）の罰金が課されることになる。

それは、行楽客の大群に対処するためにイタリア各地の地方議会が採択した一連の厳格な措置の最新のものだ。今では、チンクエ・テッレ（リグーリア州にある５つの村落）の路上をサンダル履きで歩けば最高2,500ユーロの罰金を課される。ヴェネツィアの中心部やフィレンツェの４つの主要通りでは、屋外でものを食べることはもはや許されない。ローマのスペイン階段に腰を下ろしただけで、250ユーロの罰金を課される可能性がある。そして、エラクレーアのあるビーチでは、砂の城を作ることさえも、不要な障害物と考えられるため罰金（最高250ユーロ）を課されるようになっているのだ。

むろん、イタリアは観光という概念の発祥国といってよい。古代文明や壮麗なルネサンスが育まれた地として、この半島は芸術の愛好家や貴族にとって欠かせない存在になった。17世紀には有名な「グランド・ツアー」が生まれ、それ以来観光はイタリアの経済にとって極めて重要なものであり続けている。イタリア銀行の統計によれば、コロナ禍以前、この国には年間6,500万人が訪れ、（最も広い意味でとらえた場合の）観光は、国家のGDPの13％を占めていた。

だが、それほど観光頼みのイタリアが、それに失望し始めてもいるのだ。先週、あるヴェネツィアの書店に新しいディスプレイが設けられたのだが、そこには市街にある観光客向けのベッド数が、痛ましくもリアルタイムで表示されている。その数は48,596室（なお増加中）で、市街の居住者の数である49,365人（減少中）を危うく上回りそうな勢いである。それほど遠くない2008年には、その数字はそれぞれ12,000室、60,000人であった。

そんなわけで、浸水の懸念があることで知られている都市が、今では人がなだれ込むことのほうにより頭を悩ませているのだ。この１月、ヴェネツィアはさらに、市街と島々への訪問に入場料（３ユーロから10ユーロの幅で変動する）を導入した。この動きが論議を生んだのは、観光を収益化したからではなく――これは常に行われていることだ――、そのことによって、この都市がなることを避けようとしているものにまさになっているように見えたからだった。それは、テーマパークとか、やたらと写真を撮りながらそぞろ歩くだけの観光客向けのタイムカプセルといった、実際に生活者のいる場所ではなく遺跡のような存在だ。

問題なのは、大量の観光客が訪問先をかつての姿とは正反対のものに変えつつあることだ。チンクエ・テッレの魅力は、息を飲むほどの素朴さだ。大きな遺跡と呼べるほどのものもなければ、立派な大聖堂やお城があるわけでもなく、ただそこにあるのは、人間の創意と雄大な地形が織り成す静けさである（急峻な山々の斜面の、限られた場所に棚田と交差する道があり、青い海を下にパステル調の家々が建ち並んでいる）。

だが、その静けさと素朴さは、年間何百万人ものがやがやした訪問客に耐えられない。２週間前、５つの村の１つであるリオマッジョーレのファブリツィア・ペクーニア村長は、次のように不満をもらした。「観光客の波にどう対処するかについての議論をこれ以上先延ばしするのは不可能です。もし［解決策を見つけることを］しなければ、観光地としての私たちの余命は限られています」。観光客の人気スポットが10年か20年前には最も切望していたもの――訪問客の来訪と移動の多さ――自体が、まさに今問題を引き起こしているのだ。バレアレス海に浮かぶマヨルカ島（訳注：地中海西部のスペイン領）では、現在ピークの時期には毎日1,000便を超える飛行機の着陸がある。

世界観光機関の予測では、2020年代の終わりには世界の観光客の移動は20億人を超えると思われる。いわゆる「オーバーツーリズム」はすでに喫緊の課題であり、今や人気の訪問先が思いがけない行動をとって、訪問を思いとどまらせたり阻止しようと躍起になっているのだ。先月、（オランダの）アムステルダムは素行の悪い英国人に照準を定めた「訪問お断り」の宣伝を開始した。ギリシャにあるわずか29平方マイルのサントリーニ島では、2017年にクルーズ船の乗客数に上限を設け、１日8,000人までとした。ヴェネツィアはすでにクルーズ船の寄港を止めており、2012年の（スペインの）バルセロナ市長選では、候補者の反観光を訴えるメッセージが勝利につながったことが示された。

だが、観光ブームがしばしば現地の人々に迷惑をかけるならば、それは同時に訪問客にとっても憂鬱なものになる。ソーシャルメディア時代における観光の虚構は、私たちが、たくましい冒険者として、そこに自分たちだけで存在しているというものだ。だが、自分たちだけでというのは、インスタグラムに載せる写真を撮る決定的瞬間だけのことにすぎない。残りの間は、ひたすら人混みと不快感である。私の友人の１人が愚かにもイースターの時期にチンクエ・テッレに行ったときには、遊歩道に足を踏み入れたり１杯のコーヒーを飲んだりするだけのために長い行列ができていた。そのあと彼女は、宿までガタガタ走る列車の便に乗車するために3時間待たなければならなかった。

たとえばナイアガラの滝やストーンヘンジに行ったことのある人なら、自然や人間による絶景が、無慈悲にも商売道具と化していることを知っている。たとえば、カンボジアのアンコール・ワット寺院を訪れるには、今では34ユーロかかる。名所を訪れた観光客はしばしば、高揚感を得るというよりむしろ駐車料金や入場料や屋台といったものにぼったくられてその場を去ることになるのだ。私たちはその体験のうさんくささに参ってしまう。かつて旅行とは、冒険や苦難、時おり孤独を感じながらも、例外なく驚きと自発性を伴うものであった。今では道は踏み慣らされて専用道路に指定され、観光地を訪れる者は、うまくできた集客のファネル（漏斗）を通される間にポケットをまさぐられているような気分になるのだ。

だが、この不自然な感覚にはもっと深いものがある。かつて私たちは、見聞を広め精神を修養するために旅をした。旅行者は不便な思いをして――ラクダに乗ってアルプス越えをしたり大型帆船でビスケー湾を渡ったりして――世界の広さを肌で知ったり、己の小ささや、ともすれば弱さを感じたり、異文化の学びを自らの心にしみ込ませたのだった。それが今では、そうしたものすべてが真逆になっているように思える。旅の危険やリスクは最小限で、私たちの肥大したエゴが小さな世界に押しつけられている。名所はもはや私たちの自撮り写真の背景でしかない。そこから何かを学ぶために出かけるのではなく、そこへ行ってきたと投稿して他人に自慢するだけのものになっているからだ。

1．イタリアは「グランド・ツアー」の誕生以来、「オーバーツーリズム」に悩まされてきた。
2．2008年、ヴェネツィアにおけるベッドの数は、現在の４分の１未満だった。
3．当初から、ヴェネツィア市民の大多数は市街への入場料の導入に賛成していた。
4．過剰な数の観光客は地元の住民にとって迷惑だが、観光客がマイナス効果を経験することはまったくない。
5．今日の旅行の主目的は、リスクを取って危険を体験することである。

＊　＊　＊

1．「グランド・ツアー」が生まれたのは17世紀のことと述べられており、その時代に「オーバーツーリズム」の問題があったことは述べられていない。
2．妥当である。記事が書かれた時点で、ヴェネツィア市街にある観光客向けのベッド数は48,596室で、2008年には12,000室だったと述べられている。
3．ヴェネツィア市街への入場料の導入について、市民の反応は述べられていない。
4．前半部分は正しいが、後半部分について、オーバーツーリズムによって長い待ち時間や無駄な出費が生じるなど、観光客も不快な思いをすることが述べられている。
5．選択肢の内容は過去のこととして述べられており、現在では自撮り写真を撮ってSNSに投稿し、人に自慢するのが旅行の目的になってしまっていると述べられている。

正答　2

英語(一般)　内容把握　令和6年度

Select the statement which best corresponds to the content of the following passage.

Foreign tourists packing flights to Japan are helping the economy climb out of a recession with spending power that is also fueling upward pressure on hospitality-sector pay and prices.

Almost two million visitors arrived from overseas in April, compared with less than 140,000 a year earlier, according to Japan's National Tourism Organization.

While that is still far from pre-pandemic levels of almost three million per month, the return of spending by foreign tourists has already accounted for 1.1 percentage points of the 1.6% annualized growth in the first three months of this year, as indicated by Bloomberg Economics.

Tourism spending in the cities and regional sight-seeing spots, combined with a chronic labor shortage, is supporting the kind of upward momentum in wages and price levels that Bank of Japan (BOJ) governor Kazuo Ueda wants to see before he can consider changing policy.

Yohei Fujiwara, the head of a Japanese-style inn in Nagano on the historic Nakasendo trail between Tokyo and Kyoto, is among the hoteliers welcoming the return of foreign travelers who appear far less price sensitive than their Japanese counterparts.

"From the perspective of foreigners, we charge just a hundred bucks a night," said Fujiwara, who bumped up his prices by 8% last year. "Only Japanese visitors who've been here before think that's expensive."

Fujiwara says his hotel is almost fully booked for the rest of the year. But fully booked does not mean full capacity.

The innkeeper said he only has enough staff for half the guests he has rooms for. Like many hotels in the area, Fujiwara may have to raise pay to attract staff as Japan's ageing and shrinking population continues to squeeze the availability of personnel.

Figures for March show that while average wages nationally rose just 1.3% from a year earlier, pay at restaurants and bars rose 13%.

A report by the Teikoku Data Bank indicated that three-quarters of hotels said they had a shortage of full-time workers in April, the highest level among surveyed sectors. Some 85% of restaurants said they did not have enough part-time workers.

"Inbound demand is a factor accelerating the momentum of service prices and wage gains," said Keiji Kanda, an economist at Daiwa Institute of Research. "This is an element supporting the path targeted by the BOJ as labor shortages push up pay with a ripple through to prices."

Leaning on tourism has been a key prop for Japan's economic growth plans for the past decade.

Visitors bring spending to regional areas struggling with a flow of young people to the big cities. Former Prime Minister Shinzo Abe set a goal of reaching 60 million foreign tourists per year by 2030, three times more than in 2015. The number hit a record high of 32 million in 2019, but even that sharp gain left Japan well below the 218 million visitors welcomed by France in the same year.

"Japan's economy would have been in big trouble without inbound spending," said Yoshiki Shinke, a senior executive economist at Dai-Ichi Life Research Institute, referring to the economy's sputtering state after it shrank for two consecutive quarters in the second half of last year. "There is room for more of a rebound. Japan is cheap for them due to a weak yen."

Japan's currency hit a six-month low last week against the US dollar. For those using the greenback, everything in Japan offers about a 30% discount compared with the end of 2019. When the yen hit 150 against the US currency last year, a slew of local media reported that people abroad were changing money into the yen to prepare for visiting Japan after the pandemic.

Online Asia-Pacific travel agent Agoda, part of Booking Holdings, has seen a surge in reservations for Japan.

"Japan is not only the No. 1 inbound destination for us, it's also the fastest growing inbound destination for us," said Agoda CEO Omri Morgenshtern at a press briefing in Tokyo last week.

1 Japan's National Tourism Organization reports that the number of foreign tourists has increased significantly since April and that it is close to what it was before the pandemic.

2 Yohei Fujiwara, one of the innkeepers in Nagano welcomes the tourists from abroad because he can charge a nighty fee of 100 dollars, which is more than Japanese tourists pay.

3 Due to a shortage of workers, which was caused by an aging and shrinking population, three quarters of hotels have raised wages to secure employees and have been making efforts to attract more foreigners.

4 A Japan's economy has been leaning on tourism, it set high goals for the number of foreign tourists until 2030 and successfully showed a greater growth rate in 2019 in Japan than in France.

5 Thanks to Japan's currency being weak against the US dollar, it is thought that its economy was able to avoid big problems because of the increase in inbound spending of people coming to Japan.

解説

〈全訳〉次の文の内容に最も合致する記述を選びなさい。

満員の飛行機で日本を訪れる外国人観光客は、日本経済を不景気から立ち直らせるのに貢献しているが、同時にその購買力によって、接客業の給与や価格にも上昇圧力がかかっている。

日本政府観光局によれば、昨年４月に海外から日本を訪れた訪問客は14万人弱だったのに対し、この４月にはほぼ200万人が日本を訪れた。

この数字は月間ほぼ300万人だったコロナ前のレベルにはまだ遠く及ばないが、ブルームバーグ・エコノミクスの示すところでは、外国人観光客の消費は今年１－３月期の（実質GDPの伸び率）年率換算1.6％増のうち1.1％分を占めるまでに回復している。

都市部や地方の観光名所における観光客の消費は、慢性的な労働力不足と相まって賃金と価格の上昇傾向を下支えするものとなっており、日本銀行の植田和男総裁が政策変更を検討するにあたって望むレベルにまで達する勢いだ。

東京と京都を結ぶ古くからの街道である中山道の途上にある長野で日本式の旅館を営む藤原洋平さんも、日本人旅行者に比べてまったく値段を気にしない傾向が強い外国人観光客の復活を歓迎するホテルマンの１人だ。

「外国人の目から見ると、私たちがつける価格は一晩たったの100ドルなのです」と、昨年宿泊料を８％引き上げた藤原さんは語った。「高いと考えるのは、ここに来たことのある日本人旅行客だけです」

藤原さんによると、旅館の予約は年末までほぼ埋まっている。だが、予約が満杯だからといってフル稼働だというわけではない。

旅館の従業員が、宿泊客数に対して半分しか足りていないというのだ。この地域の多くのホテル同様、日本の人口の高齢化と減少によってスタッフ採用の可能性が狭まり続ける中、藤原さんも募集にあたって給料を引き上げる必要があるかもしれない。

３月の数字を見ると、国内の平均賃金は前年同期比で1.3％の上昇にとどまるのに対し、飲食店の給与は13％上昇した。

帝国データバンクの報告が示すところでは、４月時点で４分の３のホテルがフルタイム従業員の数が不足していると回答しており、これは調査対象の業界の中では最も高い水準だった。また85％ほどのレストランが、パート従業員の数が足りていないと回答している。

「インバウンド需要が、サービス価格や賃金の上昇の勢いを加速する要因になっています」と、大和総研エコノミストの神田慶司氏は語った。「労働力不足が給与を引き上げ、その波が物価にまで及んでいる中、これは日銀が目標とする道筋を下支えする要因となります」

観光頼みは、ここ10年の日本の経済成長プランの大きな柱になっている。

観光客は、若者の大都市への流出問題を抱える地方での消費をもたらす。安倍晋三元首相は外国人観光客の数について、2030年までに2015年の３倍にあたる年間6,000万人という達成目標を掲げていた。その数は2019年に過去最高の3,200万人を記録したが、それほどの急増があっても、フランスが同年に迎え入れた２億1,800万人には遠く及ばないレベルだった。

「インバウンド消費がなかったら、日本経済は大きな困難に陥っていたでしょう」と、第一生命経済研究所の主席エコノミストである新家義貴氏は、日本経済が昨年下半期に２四半期連続の縮小を記録した後も振るわない状況に言及しつつ語った。「今はさらなる回復が見込める時です。円安のおかげで、彼らにとって日本は割安ですから」

日本の通貨は先週、アメリカドルに対して6か月ぶりの安値を記録した。ドルを使用する人にとっては、日本のあらゆるものが2019年末に比べておよそ3割引で購入できる。円が昨年アメリカドルに対して150円の値をつけたとき、海外の人々はパンデミック後の日本訪問に備えて円に両替していると多くの地元メディアが伝えた。

ブッキング・ホールディングスの子会社でアジア太平洋地域のオンライン旅行代理店であるアゴダには、日本旅行の予約が殺到している。

「私たちにとって日本は、地域に来られるお客様の旅行先の第1位であるばかりでなく、最も急速にお客様が増えている旅行先でもあります」と、アゴダのオムリ・モルゲンシュテルンCEOは、先週東京で行われた記者会見で語った。

1．日本政府観光局の報告によれば、外国人観光客の数は4月以降大幅に増加しており、パンデミック以前の数に近づいている。

2．長野の旅館経営者の1人である藤原洋平さんが海外からの観光客を歓迎しているのは、日本人観光客が支払う一晩の宿泊料よりも高い100ドルを請求できるからである。
※英文選択肢中のnightyは、nightlyの誤記と思われる。

3．人口の高齢化と減少により生じている労働者不足が原因で、4分の3のホテルが従業員を確保するために賃金を引き上げ、より多くの外国人を呼び込む努力を行っている。

4．日本経済がずっと観光に頼り続ける中、日本は2030年までの外国人観光客の数について高い目標を掲げ、それが功を奏して2019年にはフランスよりも高い伸び率を示した。
※英文選択肢中のA Japan’sは、As Japan’sの誤記と思われる。

5．日本の通貨がアメリカドルに対して弱いおかげで、来日する人々のインバウンド消費が増加したために日本経済は大きな困難を避けることができたと考えられている。

＊　＊　＊

1．昨年4月の14万人弱から、この4月にはほぼ200万人に増加したが、それでもコロナ前の月間ほぼ300万人には遠く及ばないと述べられている。

2．藤原さんの旅館の一晩の宿泊料が100ドルに相当すること、また昨年宿泊料を8％引き上げたことは述べられているが、日本人観光客はその金額を高いと思うと述べられているとおり、宿泊料は均一であり外国人に高い額を請求しているわけではない。

3．本文では、4分の3のホテルがフルタイム従業員の数が不足していると回答したという調査結果が述べられているが、賃金の引上げを行ったホテルの割合は述べられていない。

4．日本経済が観光頼みになっていることは、ここ10年の傾向として述べられている。また、外国人観光客数については、2019年に過去最高を記録したがフランスには遠く及ばなかったと述べられており、目標を達成したとの記述はない。

5．妥当である。

正答　5

Select the statement which best corresponds to the content of the following passage.

Hours before the wildfire became an inferno that wiped out the historic Hawaiian town of Lahaina, officials at the West Maui Land Company reached out to the state with an urgent request.

The company, a real estate developer that supplies water to areas southeast of Lahaina, took note of the dangerous combination of high winds and drought-parched grasses Maui was facing. It asked for permission to fill up one of its private reservoirs in case firefighters needed it.

But there was no active wildfire in the area at that time, and state officials, apparently concerned that the diversion could affect water allocations to a nearby farmer, took several hours to approve the request, according to the company. In the interim, a brush fire that had been contained that morning flared up once again and swept through Lahaina, burning everything in its path.

It is unlikely that filling up the private reservoir would have changed the course of the Lahaina wildfire, state officials say, and winds were so high that day that helicopter crews would have been unable to reach it. But the incident is causing a political uproar, the latest in a long-running debate over how Hawaii's water is doled out among the state's competing interests — real estate companies, large farms, tourism facilities and residents.

"We need to act faster in an emergency," the West Maui Land Company wrote to the state water regulator in the wake of the Lahaina blaze, the deadliest U.S. wildfire in more than a century.

The fire prompted a series of moves from Gov. Josh Green's administration in recent days to break what he called an "impasse" over water allocation, temporarily loosening regulations on key streams on the island of Maui and petitioning the state Supreme Court to expand access to others to raise the amount of water available to fight wildfires.

Last week, his administration said it was "redeploying" a top official at the state Commission on Water Resource Management, the agency blamed for delaying the diversion to the private West Maui reservoir.

The official, M. Kaleo Manuel, was regarded as someone responsive to environmental groups and Indigenous residents who want to preserve stream water for traditional uses and limit water diversions by private companies. The state said that the job change for Mr. Manuel, who along with state agency officials, has declined to comment on the issue, "does not suggest that First Deputy Manuel did anything wrong."

In an interview with The New York Times, Governor Green acknowledged the challenge of balancing the competing demands for water.

"But in my opinion, we tipped too far one way and people became gun-shy and they didn't want to use water for anything," he said.

Water has long been a point of tension in Hawaii, where European and American owners of sugar cane plantations altered the landscape in the 1800s to irrigate their crops. Now, with Maui's growth as one of the world's most desirable places to vacation, with landscaped resorts, pools and golf courses, water systems are strained.

In Maui, much of the fresh water comes from a series of streams that run out of the mountains and eventually into the ocean. Small traditional farmers tap these streams, as do huge commercial farms and luxury subdivisions. Water is also pumped from the ground through wells.

Advocates who want water preserved for Native Hawaiian cultural uses, such as the growing of taro, a staple of traditional meals, say the governor is using the fire to undo decades of necessary limits on water use, paving the way for more building across Hawaii.

"It is appearing to be increasing clear that the Green administration intends to remake Hawaii, stripping native Hawaiians and the public of their most basic protection against the exploitation of land and water," said Jonathan Likeke Scheuer, a water policy consultant who has served in several government roles related to land use and Native Hawaiian affairs.

1 The urgent request submitted by the West Maui Land Company in Lahaina to fill up its reservoir in preparation for a fire was denied, which ultimately resulted in the fire getting worse.

2 The deadliest wildfire in over a century caused a political uproar and the U.S. Governor, Josh Green's administration promised to supply water equally to real estate companies, large farms, tourism facilities and residents.

3 Kaleo Manuel, who had been responding to environmental groups and Indigenous residents, declined to comment on the delay of the diversion to the private West Maui reservoir.

4 Since its landscape was altered by European and American people in the 1800s, Maui has been criticized for relying only on rivers flowing from mountains to the sea for its fresh water supply.

5 Governor Green's policy on water was partially agreed after the wildfire by people who wanted to preserve water for Native Hawaiian cultural uses, such as the growing of taro.

解説

〈全訳〉次の文の内容に最も合致する記述を選びなさい。

山火事が大火となって、ハワイの歴史的な町であるラハイナを焼き尽くす数時間前、西部マウイ土地開発会社の役員たちは、（ハワイ）州に対して緊急の要請を行った。

ラハイナ南東部の地域に水を供給する不動産開発会社である同社は、マウイ島が強風に加えて、日照り続きで草が乾燥している危険な状況を危惧した。消防士が必要とする場合に備えて、同社は私有の貯水地の１つを満水にする許可を求めたのだ。

だが、同社によれば、そのとき実際に山火事は起こっておらず、州当局はおそらく水の転用が近隣の農家への分配に影響することを懸念して、要請を認めるまでに数時間かかった。その間に、朝の間はまだ抑えられていた野火が再び燃え上がり、ラハイナ一帯に猛威を振るってすべてを手あたり次第に焼き尽くしたのだった。

州当局によると、ラハイナの山火事は私有の貯水地を満水にしていたとしてもその進路を変えた可能性は低く、その日は風があまりに強かったためヘリの乗務員が近づくこともできなかっただろうとのことだ。だが、この一件は政治的論争を巻き起こしており、不動産会社、大規模農園、観光施設および住民という、州内で競合する利害関係者の間でハワイの水をどのように分配するかを巡る長年の議論の最新のものになっている。

「私たちは緊急時にはもっと迅速に行動する必要がある」と、この100年余りの間で最も多数の人命を奪うことになったラハイナの火災を受けて、西部マウイ土地開発会社は州の水資源管理局に書簡を送った。

この火事に促されて、ジョシュ・グリーン州知事と行政府はここ数日の間に一連の措置を講じ、水の分配を巡る、知事が呼ぶところの「袋小路」を打開して、マウイ島の主要河川に関する規制を一時的に緩め、また山火事の消火に使える水を増量する権限を有する対象を広げるよう州最高裁に請願を行った。

州政府は先週、私有の西部マウイ貯水池への水の転用が遅れた責任が問われる機関である州水資源管理委員会の上級役員を「再配置」しているところだと語った。

役員のM・カレオ・マニュエル氏は、河川の水の利用を伝統的なものにとどめ、民間企業による水の転用に制限を求める環境団体や土着の住民に影響を受けている人物とみなされていた。マニュエル氏と州の担当局員はともにこの問題についてのコメントを控えているが、州はマニュエル氏の配置替えについて、「マニュエル副局長が何か誤った判断をしたことを示唆するものではない」と語った。

「ニューヨーク・タイムズ」紙のインタビューで、グリーン知事は競合する水需要のバランスを取ることの困難さを認めた。

「しかし私見では、私たちは一方に偏りすぎたために人々が警戒心を抱くようになり、水を何の目的にも使いたがらなくなっていたように思います」と彼は語った。

水はハワイでは昔から対立の火種となっており、1800年代にはヨーロッパ人とアメリカ人のサトウキビ農園主が作物に水をやるために土地の景観を変えてしまった。今では、マウイは休暇の滞在先として世界で最も望ましい場所の１つとなり、プールやゴルフコースを備えた風光明媚なリゾート地ということもあって、水系は緊迫状態にある。

マウイ島では、真水の多くは山々を水源とし、最終的には海に注ぎ込む一連の川から来ている。伝統的な小規模農家はこうした川から水を汲み、商品生産農家や富裕層関連の各部門もそうしている。また、井戸を通じて地下水も汲み上げられている。

伝統的な主食であるタロイモの栽培など、ハワイ先住民文化の利用のために水を保全することを擁護する人たちは、数十年続く必要不可欠な利用制限を知事が火事を利用してほごにし、ハワイ中にさらに建造物を作ることに道を開いたと語る。

「グリーン知事と行政府はハワイを作り変えて、ハワイ先住民と一般住民から、彼らを土地と水の乱用から守る最低限の保護を奪い去るつもりだということが次第に明らかになりつつあるように思えます」と、土地利用やハワイ先住民の問題に関連して政府の役職を何度か務めた経験を持つ、水政策コンサルタントのジョナサン・リケケ・ショイアー氏は語った。

1．火事に備えて私有の貯水池を満水にするためにラハイナの西部マウイ土地開発会社が行った緊急要請は却下され、そのことが最終的には大火事となる原因になった。

2．この100年余りの間で最も多数の人命を奪うことになった山火事は政治的議論を巻き起こし、アメリカのジョシュ・グリーン知事と行政府は、不動産会社、大規模農園、観光施設および住民に平等に水を供給することを約束した。

3．カレオ・マニュエル氏は環境団体や土着の住民に好意的な反応を示していた人物で、私有の西部マウイ貯水池への水の転用の遅れについてコメントすることを控えた。

4．1800年代にヨーロッパ人とアメリカ人によって景観が変えられて以来、マウイ島は真水の供給を山々から海へと流れる川のみに依存していることを非難されてきた。

5．山火事の後、グリーン知事の水に関する政策は、タロイモの栽培など、ハワイ先住民文化の利用のために水を保全することを求める人々によって一部賛同を得た。

＊　＊　＊

1．緊急要請が却下されたとは述べられておらず、認められるまでに数時間かかったと述べられている。また、迅速に対応していたとしても大火事は防げなかっただろうという州当局の見解が述べられている。

2．列挙されている利害関係者の間で、ハワイの水をどのように分配するかを巡る長年の議論になっていると述べられており、州知事と行政府が平等な水の分配を約束したとは述べられていない。

3．妥当である。

4．マウイ島で水が対立の火種となってきたことは述べられているが、真水の供給を川のみに依存していることが非難されたとの記述はない。また、川の水のほかに地下水も利用されていることが述べられている。

5．ハワイ先住民文化の利用のために水を保全することを求める人々が、グリーン知事の水に関する政策に一部でも賛同したと読み取れる記述はなく、むしろ非難する声が上がっていることが述べられている。

正答　3

Select the statement which best corresponds to the content of the following passage.

The current generation of American women footballers have already struck one significant blow for equality. In 2022 they forced US Soccer, their governing body, to agree to pay those in the national team as much as their male peers, and to fork out $24m in back pay. At the Women's World Cup, which began in New Zealand on July 20th, several members of the team want to tackle another of the sport's shibboleths: motherhood.

Until recently a football career and motherhood were considered incompatible, by both governing bodies and the footballers themselves. In 2017 a survey of more than 3,000 female players by FIFPRO, the players' union, found that only 2% were mothers. Around 45% said that they planned to retire early in order to have a family. It is easy to understand why. Wages for everyone outside elite clubs are low. And back then there were no specific workplace protections — or even any guidelines — covering how clubs or national associations should treat women footballers who wanted to start families.

That began to change in 2019, when the female players' associations in Spain and Argentina approached FIFPRO to find out what the rules were. According to FIFPRO's senior counsel, Alexandra Gómez Bruinewoud, the union had a clear idea of what protections should exist but no documentation. A year of rapid negotiations with FIFA, the sport's governing body, produced a basic set of rules by which all national associations have to abide. These include offering a minimum of 14 weeks of maternity leave, of which at least eight must be taken after the birth. Teams must provide full pay during pregnancy (regardless of when the mother-to-be stops playing) and at least two-thirds of salary once maternity leave begins. Clubs are also banned from ending a player's registration, unless she consents to be replaced temporarily.

It did not take long for the rules to be tested. In early 2021 Sara Bjork Gunnarsdottir, an Icelandic midfielder, got pregnant. Her club, Lyon in France, was one of Europe's most successful. But it had never had a mother on its roster. Ms Bjork said she struck an agreement with the club to spend the second half of her pregnancy at home in Iceland, and resume her playing career once her baby was born. But after two months away she stopped receiving her wages. Lyon told her that under French law it was not obliged to pay her. It backed down only after FIFPRO successfully appealed to FIFA on Ms Bjork's behalf, in May 2022. That one of the world's prestigious clubs was either unaware of or dismissive of the regulations shows that football is yet to complete its reckoning with motherhood.

America's 23-woman squad contains three mums, Crystal Dunn, Julie Ertz and Alex Morgan, all of whom have spoken openly on the subject. All have brought their children to the tournament. After all, they insist, the football field is no different from any other place of work; family life often runs alongside it. Thirty years ago, two mothers in the American team had to petition US Soccer to pay for a nanny to accompany the squad. Now the federation must pay for flights, accommodation and meals for children aged up to six and their caregivers.

The American mothers, all of whom have over 100 international caps, are able to lobby on behalf of those further down the footballing pyramid. Although the FIFPRO regulations apply to all professional clubs, as Ms Bjork found out compliance can be patchy. The union wants the rules stiffened. It recommends increasing post-birth maternity leave from eight weeks to 12. It also notes that provisions do not apply to adoptive parents or those having children via a surrogate. Last, it wants protection for players whose contracts expire during the maternity period. The financial precarity of most of women's football means that multi-year contracts are much less common than in the men's game.

The pace of change may be gradual, but the work of players like Ms Morgan is beginning to normalise motherhood in the game. Few clubs have yet to figure out how best to support a star who becomes a mother — in the way they might, for example, plan for integrating a foreign player or one recovering from a long-term injury. But the visibility and on-field success of the mothers at the World Cup will force football into change, however reluctantly.

1 Female footballers used to consider that they were able to achieve a successful football career while actively engaged in raising children.

2 A comprehensive package of measures such as payment during pregnancy was created for all national associations to follow.

3 The French club, Lyon was the first one in France to pay two-thirds of salary to the female player after she gave birth to her baby although it was not obliged to pay her under the French law.

4 In the 1990s, mothers of the American team did not have to request the federation to pay for flights, accommodation and meals for their children and nannies.

5 The female players are easily able to get longer-term contracts than the male players since their contracts often expire during the maternity period.

〈全訳〉次の文の内容に最も合致する記述を選びなさい。

現世代のアメリカの女性サッカー選手たちは、平等に向けた大きな一撃をすでに加えている。2022年、彼女らは統括団体である米国サッカー連盟に対し、代表チームの選手に男子代表チームと同額の報酬を支払うとの合意を引き出し、またさかのぼって2,400万ドルを支払うことを認めさせた。7月20日にニュージーランドで始まった女子ワールドカップでは、チームメンバーの数人がこの競技のもう一つの因習に闘いを挑んでいる。それは、母親として参加することだ。

つい最近まで、サッカー選手としてのキャリアと母親であることは両立不可能なことだと、統括団体も選手たち自身も考えていた。選手の組合であるFIFPROが2017年に3,000人を超える女子選手を対象に行った調査では、母親である選手は2％しかいないことがわかった。約45%の選手は、家庭を持つために早期に引退するつもりだと答えた。その理由は容易に理解できる。エリートクラブを除けば誰もが低賃金なのだ。しかも当時は、家庭を持つことを望む女子選手をクラブや国の組織団体がどう扱うべきかを特に定めた職場の保護規定もなければ、なんらかの指針さえもなかった。

それが変わり始めたのは2019年のことで、スペインとアルゼンチンの女子選手の団体が、ルールの確認を求めてFIFPROに問い合わせた。FIFPROのアレクサンドラ・ゴメス・ブルインウッド主席弁護士によれば、組合にはどのような保護規定があるべきかについての明確な考えがあるが、文書の形では存在していないとのことだった。サッカーの統括団体であるFIFAとの1年にわたる速やかな交渉により、すべての国の組織団体が守るべき基本的なルールが作られた。これには、最低14週間の出産育児休暇を付与し、そのうち最低8週間は産後に取得されなければならないことなどが含まれている。妊娠期間中は（その選手がプレーをいつ中断するかにかかわらず）給与の全額を、また出産育児休暇が始まった後は月額給与の最低3分の2をチームが支払わなければならない。クラブはまた、本人が一時的な交代に同意する場合を除き、選手登録を抹消することも禁じられている。

ルールが実際に試されるまで長くはかからなかった。2021年の初め、アイスランドのミッドフィールダー（中央付近でプレーする選手）であるサラ・ビェルク・グンナルスドーティル選手が妊娠した。彼女が所属するクラブチームであるフランスのリヨンは、ヨーロッパで最も成功を納めているチームの1つだったが、それまで母親である選手が登録されたことはなかった。ビェルク選手は、妊娠期間の後半を故郷のアイスランドで過ごし、子どもが生まれたら選手としてのキャリアを再開させるとの協定をクラブと取り決めたと語った。しかし、それから2か月経った後彼女は給料を受け取れなくなった。リヨンは彼女に、フランスの法律の下では彼女に支払う義務はないと告げた。リヨン側が主張を取り下げたのは、2022年5月に、FIFPROがビェルク選手の代理人としてFIFAに抗議し、それが認められた後のことだった。世界一流のクラブが規定について無知であったか、あるいは軽視していたということが、サッカー界が母親という要素をまだ十分に考慮できていないことを示している。

アメリカ代表チームの23人の中には、クリスタル・ダン、ジュリー・エルツ、アレックス・モーガンという3人のママが含まれており、3人ともその話題についてオープンに語っている。全員が、自分の子どもを大会に連れてきたこともある。彼女らの主張によれば、結局のところサッカー場もほかの職場となんら変わるところはなく、家庭生活は多くの場合それと並行してあるものだ。30年前、アメリカ代表チームの2人の母親は米国サッカー連盟に対し、報酬を支払ってチームに乳母を帯同させてくれるよう嘆願しなければならなかった。今では連盟が、6歳までの子どもとその世話をする人の渡航費、宿泊費および食事代を負担しなければならない。

アメリカ代表の母親たちは、いずれもが100を超える国際試合の出場経験を持っており、サッカー界のピラミッドの底辺に至るまでの母親たちを代表してロビー活動を行える立場にある。FIFPROの規定はすべてのプロクラブに適用されるものだが、ビェルク選手が直面したように、それが完全に順守されているとはいえない。組合はルールの厳格化を求めており、また産後休暇を8週間から12週間に増やすことを推奨している。さらに、規定が養子や代理母を通じて子どもを得た親には適用されないことに言及している。そして最後に、妊娠期間に契約が切れる選手の保護をも求めている。女子サッカーの大半が金銭面で脆弱であることは、男子の試合に比べて複数年にわたる契約がはるかに少ないことを意味している。

変化のペースは緩慢かもしれないが、モーガン選手のような選手たちの功績によって、母親が試合に出ることは普通のことになりつつある。だがクラブの側では、これから母親になるスター選手をどのようにサポートするのが最善なのかについて、たとえば外国人選手や長期のけがから回復中の選手をチームに融和させる方針と同じように考え方が定まっているところはまだ少数だ。とはいえ、ワールドカップでの母親たちの注目度の高まりと試合での活躍は、必然的にサッカー界を変化の方向へと、いやおうなく導くことになるだろう。

1. 女性のサッカー選手はかつて、積極的に子育てにかかわりながらサッカー選手として成功を収めることは可能だと考えていた。

2. 妊娠期間中の給与の支払いなど、すべての国の組織団体が守るべき包括的な対策の枠組みが作られた。

3. フランスのクラブチームであるリヨンは、フランスの法律では支払う義務がないにもかかわらず、出産後の女子選手に月給の3分の2を支払ったフランス最初のチームだった。

4. 1990年代、アメリカ代表チームの母親たちは、連盟に対して自分の子どもたちとその乳母たちの渡航費、宿泊費および食事代の負担を懇願する必要はなかった。

5. 女子選手が男子選手よりも容易に長期の契約を結べるのは、しばしば妊娠期間中に契約が切れるためである。

* * *

1. 「つい最近まで、サッカー選手としてのキャリアと母親であることは両立不可能なことだと、統括団体も選手たち自身も考えていた」と述べられている。

2. 妥当である。

3. リヨンについては、フランスの法律では支払う義務がないことを理由に給与の支払いを拒んだという事例が述べられており、「出産後の女子選手に月給の3分の2を支払ったフランス最初のチームだった」との内容は述べられていない。

4. 現在では、連盟は6歳までの子どもとその世話をする人の渡航費、宿泊費および食事代を負担しなければならないことが述べられているが、1990年代にはそのような規定はなく、2人の選手が連盟に対し、報酬を支払ってチームに乳母を帯同させてくれるよう嘆願しなければならなかったことが述べられている。

5. 女子サッカーの大半は金銭面で脆弱であるため、女子選手は男子選手に比べて複数年にわたる契約がはるかに少ないと述べられている。また、妊娠期間に契約が切れることと契約の期間の長短の関係についても述べられていない。

正答　2

内容把握

Select the statement which best corresponds to the content of the following passage.

My love's like a red, red rose. It is the east, and Juliet is the sun. Life is a highway, I wanna ride it all night long. Metaphor is a powerful and wonderful tool. Explaining one thing in terms of another can be both illuminating and pleasurable, if the metaphor is apt.

But that "if" is important. Metaphors can be particularly helpful in explaining unfamiliar concepts: imagining the Einsteinian model of gravity (heavy objects distort space-time) as something like a bowling ball on a trampoline, for example. But metaphors can also be misleading: picturing the atom as a solar system helps young students of chemistry, but the more advanced learn that electrons move in clouds of probability, not in neat orbits as planets do.

What may be an even more misleading metaphor — for artificial intelligence (AI) — seems to be taking hold. AI systems can now perform staggeringly impressive tasks, and their ability to reproduce what seems like the most human function of all, namely language, has ever more observers writing about them. When they do, they are tempted by an obvious (but obviously wrong) metaphor, which portrays AI programmes as conscious and even intentional agents. After all, the only other creatures which can use language are other conscious agents — that is, humans.

Take the well-known problem of factual mistakes in potted biographies, the likes of which ChatGPT and other large language models (LLMS) churn out in seconds. Incorrect birthplaces, non-existent career moves, books never written: one journalist at *The Economist* was alarmed to learn that he had recently died. In the jargon of AI engineers, these are "hallucinations". In the parlance of critics, they are "lies".

"Hallucinations" might be thought of as a forgiving euphemism. Your friendly local AI is just having a bit of a bad trip; leave him to sleep it off and he'll be back to himself in no time. For the "lies" crowd, though, the humanising metaphor is even more profound: the AI is not only thinking, but has desires and intentions. A lie, remember, is not any old false statement. It is one made with the goal of deceiving others. ChatGPT has no such goals at all.

Humans' tendency to anthropomorphise things they don't understand is ancient, and may confer an evolutionary advantage. If, on spying a rustling in the bushes, you infer an agent (whether predator or spirit), no harm is done if you are wrong. If you assume there is nothing in the undergrowth and a leopard jumps out, you are in trouble. The all-too-human desire to smack or yell at a malfunctioning device comes from this ingrained instinct to see intentionality everywhere.

It is an instinct, however, that should be overridden when writing about AI. These systems, including those that seem to converse, merely take input and produce output. At their most basic level, they do nothing more than turn strings like 0010010101001010 into 1011100100100001 based on a set of instructions. Other parts of the software turn those 0s and 1s into words, giving a frightening — but false — sense that there is a ghost in the machine.

Whether they can be said to "think" is a matter of philosophy and cognitive science, since plenty of serious people see the brain as a kind of computer. But it is safer to call what LLMS do "pseudo-cognition". Even if it is hard on the face of it to distinguish the output from human activity, they are fundamentally different under the surface. Most importantly, cognition is not intention. Computers do not have desires.

It can be tough to write about machines without metaphors. People say a watch "tells" the time, or that a credit-card reader which is working slowly is "thinking" while they wait awkwardly at the checkout. Even when machines are said to "generate" output, that cold-seeming word comes from an ancient root meaning to give birth.

But AI is too important for loose language. If entirely avoiding human-like metaphors is all but impossible, writers should offset them, early, with some suitably bloodless phrasing. "An LLMS is designed to produce text that reflects patterns found in its vast training data," or some such explanation, will help readers take any later imagery with due scepticism. Humans have evolved to spot ghosts in machines. Writers should avoid ushering them into that trap. Better to lead them out of it.

1 To help them understand unknown concepts, metaphors are valuable neither for advanced learners, not for young students.

2 AI systems are gaining more attention from observers since they believe that AI is able to reproduce most human functions with consciousness and intention.

3 People tend to understand incomprehensible things as if they are living things, which may be an advantage in evolution.

4 AI has a human instinct and is able to perform natural conversations with humans based on a set of instructions from 0010010101001010 to 1011100100100001.

5 "Pseudo-cognition" is what LLMS do and it is easy to discern its output from human activity externally.

解説

〈全訳〉次の文の内容に最も合致する記述を選びなさい。

「私の愛する人は、赤い赤いバラのようだ」「方向は東、するとジュリエットは太陽だ」「人生はハイウェイ、夜通し乗り続けたいね」（訳注：それぞれ、ロバート・バーンズの詩「真っ赤なバラ」、シェイクスピア『ロミオとジュリエット』、1990年代のヒット曲で2006年のピクサー映画『カーズ』の挿入曲ともなった"Life Is A Highway"の歌詞からの引用)。メタファー（隠喩、暗喩）は強力で見事なツールだ。あるものごとを別のものごとを表す言葉を使って説明することは、啓蒙的であり愉快でもある。メタファーが適切であればの話だが。

だが、この「であれば」が重要なのだ。メタファーが特に有効なのは、なじみのない概念を説明する場合だ。たとえば、アインシュタインの重力モデル（重い物体は時空を歪ませる）をトランポリン上にあるボウリングのボールのようなものにたとえて説明するといった具合だ。しかし、メタファーが誤解を招くこともある。原子の世界を太陽系のように描写することは、化学の初学者には役立つ。だが、学習が進むと、電子の振る舞いは惑星のように整った軌道を描くのではなく、「確率の雲」のような状態で動いていると知る。

人工知能（AI）に関して、より誤解を招くようなメタファーが定着しつつあるようだ。AIを活用したシステムは、今ではびっくりするほど目覚ましい仕事をやってのけ、あらゆるものの中で最も人間らしいといえる働き、すなわち言語を再生産するその能力ゆえに、AIシステムについて論評する人の数も増えている。彼らが論評するとき、誰の目にも明らかな（しかし明らかに間違った）メタファーで表現したい誘惑に駆られる。それは、AIプログラムを意識のある、場合によっては意図さえも持つ主体として描写することだ。なんといっても、言語を使うことのできる他の唯一の生き物は、他の意識ある主体、すなわち人間だけだからだ。

たとえば、よく知られた問題だが、人物の経歴の要約文に含まれる事実関係の間違いを取り上げてみよう。チャットGPTや他の大規模言語モデル（LLMS）は、その類の文章を数秒のうちにひねり出す。だが、誕生地が誤っていたり、実際にはない転職をしていたり、書いてもいない著書が書かれていたりといった具合で、ある「エコノミスト」誌のジャーナリストは、自分が最近亡くなっていたことを知って驚いた。AIエンジニアの業界用語では、この種のものは「幻覚」と言われるが、批評家の用語では「うそ」となる。

「幻覚」という言葉は、大目に見るための婉曲表現として考え出されたのかもしれない。お友だちの個人用AIは、ちょっとした恐ろしい幻覚を見ているだけです。そのまま放って寝かせておけば、すぐに我に返りますよ、と。だが「うそ」と見る連中にとっては、この人間扱いするようなメタファーはなおさら意味深長だ。AIは思考するばかりでなく、欲望や意図をも持っている、となるからだ。言っておくが、うそとは、どんな虚偽の陳述をもさすのではなく、他者を欺く目的でなされるものをさす。チャットGPTにはそんな目的はさらさらない。

自分がわからないものを擬人化する人間の傾向は古来のものであり、それが進化の上で有利に働いている面はあるかもしれない。茂みの中で草が揺れているのを見て、そこになんらかの主体（捕食者あるいは精霊といった）を推定しておけば、もし違っていても害が及ぶことはない。やぶの中に何もないと想定していて、ヒョウが跳び出すならば、大変なことになる。うまく機能しない装置に向かって怒鳴り散らしたいという人間味あふれる欲望は、あらゆる場所に意図が働いていると考える、この人間に根づいた本能からくるものだ。

だがその本能は、AIについて書く場合には覆されるべきものだ。これらのシステムは、会話しているように思えるものも含め、単に情報を取り込んで出力するだけのものだ。その最下層においてそれらが行っていることは、一連の指示に基づいて、たとえば0010010101001010のような数字の連なりを1011100100100001に変換する、といったことにすぎない。ソフトウェアの他の部分がそうした0と1の連続を言葉に変換することで、機械に霊が宿っているという恐ろしい、しかし誤った感覚を与えるのだ。

そうしたことが「考えている」と言えるのかどうかは、多くの思慮深い人々が脳を一種のコンピュータと考えていることからも、哲学や認知科学の問題ということになる。しかし、LLMSが行っていることは「疑似的認知」と呼んだほうがよい。出力されたものを一見して人間の活動によるものと区別するのが困難だとしても、一皮むけばそれらは根本的に異なるものである。最も重要なのは、認知は意図ではないということだ。コンピュータは欲望を持たないのである。

機械についてメタファーを用いずに書くことはかなり骨の折れることだ。人はよく、腕時計が時を「告げる」と言い、チェックアウトの際にクレジットカードの読み取りが遅くて気まずい思いで待つ間、読み取り機が「考えている」と言う。機械が出力内容を「生成する」と言われる場合も、その冷たい響きの言葉は出産するという意味の語源に由来している。

だが、AIの重要度の高さに鑑みれば、ずさんな言葉遣いは許されない。人間になぞらえるメタファーをまったく使わないことはほぼ不可能だとしても、書き手は早い段階でそれらを減殺して適度に人間色を薄めた言い回しに変えるべきだ。「LMMSは、膨大な（機械学習の）訓練データに見られるパターンを反映した文章を生み出すよう設計されている」とか、そのような説明であれば、後に読み手が抱くイメージも適度の猜疑心を伴ったものになるだろう。人間は機械の中に霊を見いだすような進化を遂げてきた。書き手はそのわなに人を誘導するようなことは避けるべきだ。むしろそこから逃れるよう導いたほうがよい。

1. 未知の概念を理解する助けとするのに、メタファーは若い学生にとっても学習の進んだ人にとっても価値のあるものではない。
2. AIシステムが批評家から注目を浴びているのは、AIは最も人間らしいといえる働きを意識と意図を持って再生産できると彼らが考えているためである。
3. 人間には理解不能なものをあたかも生きているものであるかのように理解する傾向があり、そのことが進化の上で有利に働いているかもしれない。
4. AIには人間の本能があり、0010010101001010を10111001001000001に変換する一連の指示に基づいて人間と自然な会話をすることができる。
5. 「疑似的認知」がLLMSが行っていることの実体であり、出力されたものを人間の活動によるものと外形的に見分けることは容易である。

＊　＊　＊

1. なじみのない概念を説明する際、メタファーを使うことは初学者には役立つと述べられている。
2. 本文では、AIシステムが「最も人間らしいといえる働き」すなわち言語を再生産できる能力ゆえに批評家から注目を浴びていることは述べられているが、「意識と意図を持って」再生産できると彼らが考えているとは述べられていない。AIシステムの言語生成能力を人間になぞらえたメタファーを安易に使うことは、AIに意識や意図があるかのような誤解を人々に与えることになるので、表現に気をつけるべきというのが本文の主旨であり、これは筆者の考えである。
3. 妥当である。
4. 本文では、AIに人間の本能があるとも、人間と自然な会話ができるとも述べられていない。また、「0010010101001010を10111001001000001に変換する一連の指示」は、AIが実際に行っている作業を例示として挙げたものであり、特定の能力を付与する指示ではない。
5. 前半部分は本文中に述べられている内容だが、後半部分については、本文には「出力されたものを一見して人間の活動によるものと区別するのが困難だとしても、一皮むけばそれらは根本的に異なるものである」とあり、識別が容易だとは述べていない。

正答　3

令和６年度　一般論文試験

行政区分の一次試験で行われる。
出題数１題。
答案用紙はB4サイズで1,600字見当。
解答時間は１時間。

2018（平成30）年６月に成立した働き方改革関連法に基づき、トラックなど自動車の運転業務の時間外労働についても、2024（令和６）年４月から上限規制が適用されることとなった。その結果、2024年度の輸送力（貨物輸送量等）は、2019年度のそれと比較して、14％（トラックドライバー14万人相当）不足すると推計されている。

このような状況に関して、以下の資料①、②を参考にしながら、次の⑴、⑵の問いに答えなさい。

⑴　トラックドライバーに時間外労働の上限規制が適用されることによる影響について、その影響を受ける者ごとに整理しながら述べなさい。
⑵　⑴の影響を踏まえ、我が国が行うべき取組について、あなたの考えを具体的に述べなさい。

資料①　国内貨物のモード別輸送量

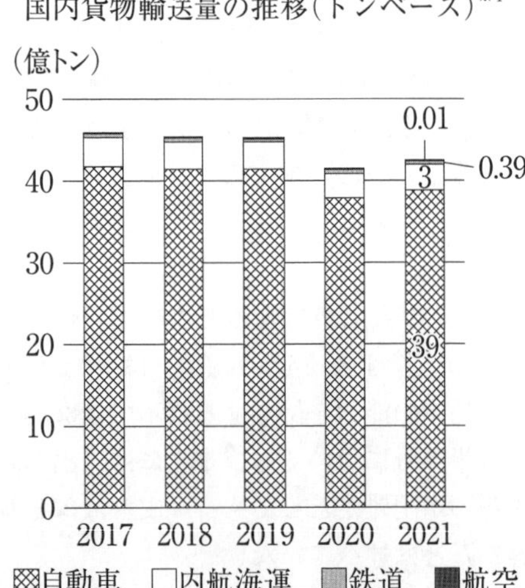

国内貨物輸送量の推移（トンキロベース）※2
（十億トンキロ）
500
400
300
200
100
00
0.53
18
162
224
2017
2018
2019
2020
2021
自動車　内航海運　鉄道　航空

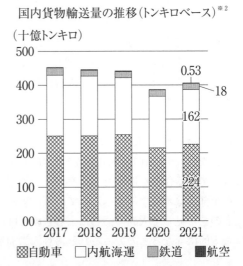

※１　輸送トン数は、輸送した貨物の重量（トン）の合計である。
※２　輸送トンキロは、輸送した貨物の重量（トン）にそれぞれの貨物の輸送距離（キロ）を乗じたものである。

（国土交通省ウェブサイトを基に作成）

資料②　物流の2024年問題に関する専門家の見方

Q．政府は、トラック運転手の不足を受けて、今後10年程度で船舶や鉄道の輸送量を2020年度の２倍に増やす目標を掲げました。この動きをどう見ますか。

これまで何日もかけてトラックで長距離運送をしていたが、その中間をフェリーや鉄道が担うためトラック運転手の労働時間が削減できる。長距離輸送で何泊もするような勤務が減れば、働き方を重視する若い世代や女性にとっても働きやすくなるだろう。さらに、フェリーや鉄道で荷物を運べば、トラックよりも二酸化炭素の排出量が削減され環境面でもメリットが大きい。

Q．国の対策では、宅配便の再配達を減らすため、いわゆる「置き配」を選んだり、ゆとりのある配送の日を指定したりした利用者にポイントを付与するサービスの実証事業を行うことも盛り込まれました。

国民の行動変容を促すという点で、ポイント付与という経済的な動機付けは効果的だ。これまでどおりの早さで配達を希望する場合と数日遅れを認める場合とでポイントを付けたり価格差をつけたりする仕組みができれば、トラック運転手の労働時間を平準化することにつながる。再配達を希望する人には追加料金を求めるなど、相応の負担がかかることを利用者も理解していくべきだ。物流の2024年問題は、物流業界だけでなく、荷主や利用者の協力も欠かせない。

(NHKニュース2023年10月10日を基に作成)

令和5年度試験出題例

出題内訳表

令和5年度　専門試験〈行政〉

択一式（16科目80題中８科目40題選択解答）

No.	科　目	出題内容	難易度
1		政治思想（アクィナス、マキアヴェリ、徳富蘇峰、ヘーゲル等）	B
2		政治体制（リンス、ハンティントン、レイプハルト、リプセット等）	B
3	政治学	選挙制度（デュヴェルジェ、中選挙区制、比例代表制、阻止条項等）	B
4		福祉国家（エスピン・アンデルセン、サッチャー、ビスマルク等）	B
5		各国の政治制度（日本、米国、英国、中国）	C
6		組織理論の学説（バーナード、西尾勝、ギューリック、フォレット等）	A
7		人的資源管理（二要因説、PSM理論、日本の公務員の再就職等）	S
8	行政学	政策過程論（政策の窓モデル、組織過程モデル、非決定権力等）	A
9		日本の中央政府と情報化（デジタル庁、公的統計、特定秘密保護法等）	B
10		日本の政策評価（政策評価法、実績評価方式、評価基準、手法等）	C
11		表現の自由（表現行為の事前抑制、取材の自由、公共の利害に関する事実等）	B
12		社会権（教育・教授の自由、投票の自由等）	A
13	憲　法	財産権（財産権保障の意味、正当な補償、財産権の制限と補償等）	A
14		国会（常会の会期、憲法改正の発議、会期不継続の原則、定足数等）	C
15		内閣の権限または事務（官吏に関する事務、予算の作成と提出、条約の締結等）	C
16		行政基準（行政立法の種類、行政規則、解釈基準、裁量基準等）	A
17		情報公開法（対象機関、不開示決定、開示の方法、審査請求）	B
18	行政法	処分性（ごみ焼却場設置行為、保育所廃止条例、労災就学援護費の支給決定等）	A
19		取消訴訟における仮の救済（弁護士の懲戒処分、内閣総理大臣の異議等）	A
20		国家賠償法２条（公の営造物の設置・管理の瑕疵、河川管理の瑕疵等）	B
21		信義則および権利濫用の禁止（国家公務員に対する安全配慮義務等）	A
22		権利能力なき社団（要件、資産、不動産登記、取引上の債務）	B
23	民法(総則および物権)	所有権（囲繞地通行権、建物所有権の帰属、区分所有権等）	A
24		質権（設定と占有、動産質権の効力、転質権の設定等）	A
25		譲渡担保（目的物の受戻権、集合動産譲渡担保等）	S
26		保証（時効の完成猶予・更新、個人根保証契約等）	A
27		弁済（第三者の弁済、受取証書の交付、代物弁済契約等）	A
28	民法(債権、親族および相続)	委任および寄託（報酬の請求、委任契約の解除、寄託物の返還請求）	B
29		不当利得（騙取金による弁済等）	A
30		相続（事例に基づく相続額の計算）	B
31		最適消費量での需要の所得弾力性（計算）	B
32		操業停止点における価格（計算）	C
33	ミクロ経済学	シュタッケルベルク均衡における利潤（計算）	B
34		期待効用仮説（職業Aと職業Bが無差別になる確率）（計算）	B
35		ゲームの理論（ナッシュ均衡と支配戦略均衡）	C
36		政府支出拡大時の消費の増加量を実現する減税額（計算）	A
37		*IS-LM*モデル（クラウディング・アウト、完全雇用、*IS*曲線等）	B
38	マクロ経済学	ライフサイクル仮説（消費額を一定にする最低資産額）（計算）	B
39		２部門からなる経済の経済成長率（計算）	A
40		マンデル＝フレミング・モデル（財政拡張政策、金融緩和政策）	B

No.	科　目	出題内容	難易度
41		所得税を課税される労働者の最適労働供給（計算）	A
42	財政学	日本の財政制度（予算の先議権・議決、暫定予算・補正予算）	B
43		日本の財政事情（科学技術振興費、社会保障関係費、基礎的財政収支等）	B
44	経済事情	日本経済事情（実質GDP、消費者物価、雇用者数、金融政策等）	C
45		世界経済事情（ロシア、ウクライナ、米国、中国等）	C
46		企業の戦略（バートレットとゴシャール、ポーター、ルメルトや吉原英樹等）	B
47		経営組織（マイヤーとローワン、ローレンスとローシュ、コーエン等）	A
48	経営学	技術経営（イノベーターのジレンマ、重量級プロダクト・マネジャー等）	B
49		日本的経営（三種の神器、JIT生産方式、セオリーZ、ドラッカー）	B
50		人的資源管理（人事考課、360度評価、異動、日本企業の昇進パターン等）	A
51		国際政治の理論（カー、相互確証破壊、民主的平和論等）	B
52		戦争と和平の歴史（ウェストファリア講和、ウィーン会議、冷戦の終結等）	C
53	国際関係	第二次世界大戦末期以降の国際関係（ヤルタ会談、マーシャル・プラン等）	C
54		国際経済（ブレトンウッズ体制、WTO、FTA、NIEs、NAFTA）	B
55		安全保障に関わる国際組織の設立に関する英文（CSCEのヘルシンキ宣言）	B
56		18～19世紀の社会理論（A.スミス、コント、スペンサー、マルクス等）	C
57		ブルデューの学説（ハビトゥス、文化資本、文化的再生産等）	B
58	社会学	マートンの逸脱行動論（アノミー、ラベリング論、文化的目標等）	B
59		自我・自己（クーリー、ミード、フロイト、エリクソン、ギデンズ）	B
60		社会調査（参与観察、生活史法、社会踏査、二次分析、ラポール）	A
61		心理学実験（文脈効果、記憶範囲、エコーイック記憶、閾下知覚、選択的注意）	A
62		創造的な思考・問題解決（ワラス、ルーチンス、オズボーン、ギルフォード）	B
63	心理学	知能（IQの実用化、スピアマンの二因子説、キャッテルの多因子説等）	B
64		ストレス（疲はい期、コーピング、抑うつ的な原因帰属スタイル等）（空欄補充）	C
65		社会的説得（精緻化見込みモデル、スリーパー効果、接種理論、ブーメラン効果）	B
66		西洋の教育思想（コメニウス、ルソー、フンボルト、フレーベル等）	C
67		教育社会学の学説（ボウルズとギンタス、ゴフマン、デュルケム、イリイチ）	C
68	教育学	社会教育・生涯学習（生涯学習振興法、教育基本法の改正、社会教育主事等）	B
69		公立学校の教員の服務（政治的行為の制限、秘密を守る義務等）	C
70		教育方法（プログラム学習、バズ学習、完全習得学習、ジグソー学習等）	B
71		内容把握（原初的世界信念が子どもの将来に及ぼす影響）	B
72		内容把握（飢餓に苦しむアフリカのサヘル地域）	A
73	英語(基礎)	内容把握（アフリカの文化資源を活用したアイスクリーム店）	C
74		空欄補充（自己愛性パーソナリティ障害）	B
75		文法（他動詞と自動詞）	C
76		内容把握（中堅国家の戦略）	B
77		内容把握（汎用技術の重要性）	B
78	英語(一般)	内容把握（深刻さを増す気候危機）	C
79		内容把握（EUの食料廃棄物問題）	C
80		内容把握（オーストラリアの通信会社オプタス社の個人情報流出）	A

※難易度：Ｓ＝特に難しい、Ａ＝難しい、Ｂ＝普通、Ｃ＝易しい。

国家一般職［大卒］ 専門試験

No. 1 政治学 政治思想 令和5年度

政治思想に関する次の記述のうち、最も妥当なのはどれか。

1 西ローマ帝国末期の教父であったトマス＝アクィナスは、『神の国』において、人間が現世において生きる国家は、「神の国」と「地の国」の混合物であり、正義と不正が混在していると主張し、権力装置としての国家は暫定的な秩序を打ち立てるものにすぎないと批判した。

2 17世紀のフランスの政治思想家であるN.マキアヴェリは、『君主論』において、君主の責任は、自国民に軍役を課すことなく国家を守ることであり、傭兵制度を活用することで強力かつ安定した軍隊を目指すべきと説いた。

3 徳富蘇峰は、『文明論之概略』において、日本が西洋諸国からの独立を維持するためには、まず一人一人が個人として独立することが重要だと主張し、日清戦争以降、自らの命を捨てて国に報いることを是とする全体主義的傾向を憂い、戦争批判を繰り返した。

4 ドイツの哲学者G.ヘーゲルは、国家こそが人倫の最高形態であると考えた。彼によれば、市民社会においては個人の欲望によって成員間の対立や貧困が引き起こされる一方で、国家においては、人々が国家の法を尊重することで、個人の自由や社会の福祉が実現される。

5 アリストテレスは、「善きこと」の真の姿が立ち現れた世界（善のイデア）を知り、それを見ることのできた哲人王が統治する国家こそが理想的な国家であると説いた。また、問答による対話を重視していたために生涯著書を残さず、弟子のプラトンの著書からその思想を知ることができる。

1. 『神の国』において神に従って生きる「神の国」と人間に従って生きる「地の国」を区別し、現世の国家は両者の混合物であると主張したのは、アウグスティヌスである。トマス＝アクィナスは、13世紀に活躍した中世ヨーロッパ最大のキリスト教神学者であり、『神学大全』を著してスコラ哲学を大成させた。

2. マキァヴェリは16世紀を中心に活躍したイタリアの政治思想家である。また、マキアヴェリは『君主論』において傭兵制度を批判し、傭兵は劣勢に立ったときに逃走する恐れがあると指摘した。そして、国を守るためには自国民に軍役を課し、国民軍を創設することが必要であると主張した。

3. 『文明論之概略』を著したのは福澤諭吉である。「一身独立して一国独立す」と主張したのも福澤であるが、この言葉は『学問のすすめ』に記されている。また、徳富蘇峰はもともと個人の権利の尊重と平等主義を説き、平民主義を標榜していたが、日清戦争の際の三国干渉をきっかけに皇室中心の国家主義へと転向し、戦争を肯定するようになった。

4. 妥当である。ヘーゲルは人倫の弁証法的発展を想定し、人倫は「家族―市民社会―国家」という３段階で展開すると主張した。なお、人倫とは人間社会や人間集団の倫理のことであり、人間を外的・客観的に拘束する法律と、個人の主観的な確信である道徳を総合したものとされている。

5. 哲人王が統治する国家を理想的な国家であると説いたのはプラトンである。また、問答による対話を重視し、弟子のプラトンの著書からその思想が知られているのはソクラテスである。アリストテレスはプラトンの弟子であり、論理学、自然学、形而上学、倫理学、政治学、制作術（弁論術・詩学）など、さまざまな分野で業績を残した。

正答　4

国家一般職［大卒］ 専門試験

No. 2 政治学 政治体制 令和5年度

政治体制に関する次の記述のうち、最も妥当なのはどれか。

1 J. リンスは、政治体制として、民主主義体制、自由主義体制、権威主義体制という3類型があることを指摘した。彼によると、権威主義体制の特徴は、一元的支配の存在、公式なイデオロギーの存在、積極的動員の存在にあり、ソ連のスターリン体制はこの類型の典型である。

2 S. ハンティントンは、政治体制の民主化に歴史上三度の「波」があったことを指摘した。彼によれば、「第1の波」は19世紀から20世紀初頭、「第2の波」は第二次世界大戦後の現象である。「第3の波」の事例には、1970年代におけるポルトガル、1980年代における韓国の民主化が挙げられる。

3 A. レイプハルトは、民主主義体制を「多数決型」と「コンセンサス型」に分類し、各国がどちらの類型に近いかを測定した。彼によれば、「コンセンサス型」は、政党間で政策的な違いが小さく、二大政党制になりやすいのが特徴である。また彼の分類によると、「多数決型」は米国のように連邦制を採る。

4 S. リプセットは、経済発展度と政治体制の関係を統計的に分析し、経済発展の遅れた国で民主化が起きやすいことを明らかにした。逆に経済発展の進んだ国では、国民の不満が抑えられるため、非民主主義的な政権でも許容されやすいとされる。彼のこの主張は、政治体制の「凍結仮説」と呼ばれる。

5 石油などの天然資源に恵まれない国では、希少な資源をめぐって内戦が起き、結果として専制的な政治体制が生まれやすいとする議論は「資源の呪い」と呼ばれる。この議論によると、天然資源の豊富な国では、国民所得が高いために社会が安定しやすく、民主主義体制が維持されやすいとされる。

1. リンスは、政治体制として、民主主義体制、権威主義体制、「全体主義体制」という3類型があることを指摘した。このうち、一元的支配の存在、公式なイデオロギーの存在、積極的動員の存在を特徴とし、ソ連のスターリン体制を典型例とするのは、全体主義体制である。これに対して、権威主義体制は、限定された多元主義、イデオロギーの弱さ、積極的動員の不在（政治的無関心の奨励）などを特徴とし、スペインのフランコ独裁を典型例とするものである。

2. 妥当である。ハンティントンは、民主化は国境を越えて雪だるま式に広がっていくと考え、民主化の3つの波を指摘した（『第3の波』）。

3. レイプハルトによれば、政党間で政策的な違いが小さく、二大政党制になりやすいのは「多数決型」の特徴である。その代表国は英国や米国とされている。これに対して、比例制原理や連邦制を通じて諸利益が政治に反映されやすいようにするのは、「コンセンサス型」の特徴である。その代表国はオランダやベルギー、スイスなどとされている。米国は連邦制を採用しているが、その他の点では多数決型の特徴を強く備えているとされる。

4. リプセットは、経済発展度と政治体制の関係を統計的に分析し、経済発展の進んだ国で民主化が起きやすいことを明らかにした。経済発展とともに民主化が進むのは、穏健な中間層が拡大し、豊かになった労働者階級が穏健化し、資本家階級も民主化を許容するようになるためだとされている。彼のこの主張は「近代化論」と呼ばれている。これに対して、「凍結仮説」とは、リプセットとロッカンによって提示された政党システムに関する学説のことである。凍結仮説によれば、西欧諸国では歴史的に形成された社会的亀裂に沿って1920年代までに政党配置が決定され、それがその後固定化されて今日に至ったとされる。

5. 「資源の呪い」の議論では、石油などの天然資源に恵まれた国において、工業化や経済成長が遅れがちである点が指摘されている。資源大国の経済成長が阻まれる理由はさまざまであるが、権益を巡って汚職や内戦が進行しやすいこと、資源輸出に伴う自国通貨高で他部門の輸出が停滞しがちになること、過度の開発によって土地が荒廃することなどが指摘されている。

正答　2

国家一般職［大卒］ 専門試験

No. 3 政治学 選挙制度 令和5年度

選挙制度に関する次の記述のうち、最も妥当なのはどれか。

1 M. デュヴェルジェは、多党制が二大政党制よりも民主政治の安定にとって望ましいという理由から、比例代表制が小選挙区制よりも優れていると主張した。彼によれば、比例代表制の下では、多くの有権者が戦略投票を行う、すなわち自身の最も選好する候補者にそのまま投票するため、多党制になりやすい。

2 我が国では、昭和21（1946）年から平成5（1993）年の衆議院議員総選挙において「中選挙区制」と呼ばれる選挙制度が採用されていた。この制度では、選挙区当たりの定数は3～10で、有権者は一人の候補者名を投票用紙に記入して投票した。この制度は「単記移譲式」とも呼ばれる。

3 比例代表制には拘束名簿式と非拘束名簿式があり、候補者名簿の順位の付け方が異なる。拘束名簿式の場合、政党が候補者の名簿順位を決める。非拘束名簿式の場合、有権者が名簿上の候補者に投票でき、各候補者が獲得した票数の多寡によって名簿順位が決まる。

4 ドイツ連邦議会の選挙制度には、一定の得票率以上を得た政党の獲得議席数を制限する「阻止条項」がある。これは、小規模政党が議席を得やすくするために、第二次世界大戦前に設けられた制度である。阻止条項を採用する国として、ドイツのほかに、イスラエルやニュージーランドが挙げられる。

5 我が国では、平成8（1996）年の衆議院議員総選挙から小選挙区比例代表並立制が採用されている。この制度では、小選挙区の立候補者は必ず比例代表にも重複立候補し、両方で当選した場合は小選挙区選出の議員となる。比例代表の投票は全国単位で集計され、ドント式で各政党に議席が配分される。

1．デュヴェルジェは、小選挙区制によってもたらされる二党制こそが、民主政治の安定にとって望ましいと評価した。また、デュヴェルジェによれば、戦略投票は小選挙区制の下で行われやすい。小選挙区制では、自分の好む候補者の当選可能性が低い場合、多くの有権者はより当選可能性の高い候補者に投票する戦略をとる。そのため、上位2名の候補者に票が集中し、二大政党制になりやすいとされる。

2．昭和21（1946）年の衆議院議員総選挙では、各選挙区の定数を2人以上とする「大選挙区制」が採用され、選挙区当たりの定数は2人以上から14人以下の範囲に設定された。その後、選挙制度は「中選挙区制」に変更され、平成5（1993）年の総選挙まで続くこととなった。中選挙区制とは、選挙区当たりの定数を3～5人とする選挙制度で、投票に際して有権者は一人の候補者名を投票用紙に記入して投票する（「単記式」）。集計に際して、票の移譲は行われないことから、中選挙区制は「単記非移譲式投票（SNTV）」とも呼ばれている。これに対して、「単記移譲式投票（STV）」では、有権者は候補者に順位を付けて投票し、集計の際に必要に応じて票の移譲を行い、当選者を決定する。

3．妥当である。わが国の場合、衆議院の比例代表選挙では拘束名簿式、参議院の比例代表選挙では非拘束名簿式が採用されている。

4．ドイツの連邦議会における「阻止条項」とは、一定の得票率未満の政党には1議席も配分しないとする仕組みのことである。これは、小規模政党が乱立して混乱を招いたワイマール時代の反省から、第二次世界大戦後に設けられた制度である。なお、イスラエルやニュージーランドでも阻止条項が設けられているというのは事実である。

5．小選挙区比例代表並立制では、小選挙区と比例代表の重複立候補が認められているが、必ず重複立候補しなければならないわけではない。また、比例代表の投票は11のブロックごとに集計され、ブロックごとにドント式で各政党に議席が配分される。

正答 3

政治学
行政学
憲法
行政法
民法
経済理論
財政学

国家一般職［大卒］ No. 4 専門試験

政治学　福祉国家　令和5年度

福祉国家に関する次の記述のうち、最も妥当なのはどれか。

1　G. エスピン＝アンデルセンは、「脱商品化の指標」と「階層化の指標」という二つの指標を用いて、福祉国家の類型化を行った。彼の議論によれば、スウェーデンは「社会民主主義レジーム」の、ドイツは「保守主義レジーム」の、米国は「自由主義レジーム」の典型である。

2　H. ウィレンスキーは、20世紀前半の欧米諸国の比較を行い、経済発展度の高い国ほど福祉政策への支出が少ない傾向があると主張した。彼の議論によれば、経済発展度が高い国では人口の高齢化が進んでいるため、福祉支出の総額を抑えようと、年金などの給付額を減らす政策が採られる傾向がある。

3　1980年代の英国では、サッチャー政権の下で、福祉政策の見直しが進められた。同政権は、基幹産業の国営化によって失業率を低く抑えつつ、福祉サービスへの支出を大胆に削減して、財政の健全化を図った。また同政権は「第3の道」のスローガンの下、教育による機会均等を重視する政策を採った。

4　19世紀後半のプロイセンでは、社会民主党政権の下で、世界で初めて工場法が制定されるとともに、疾病保険など社会保険制度が導入された。また同国の宰相ビスマルクは、共産主義運動に対抗するため、社会権を規定する新憲法を採択し、国民に最低限度の生活（ナショナル・ミニマム）を保障した。

5　我が国では、「福祉元年」と呼ばれた昭和48（1973）年に国民皆保険・国民皆年金が実現し、70歳以上の医療費が無料化されるなど、福祉サービスが大幅に拡充された。しかしその後、国家財政が悪化したため、平成元（1989）年に大平正芳内閣の下で、福祉目的税である消費税が導入されることとなった。

1. 妥当である。エスピン＝アンデルセンは、『福祉資本主義の3つの世界』を著し、福祉国家を3つに類型化した。「社会民主主義レジーム」（スウェーデンなど）では、政府が中心となって福祉サービスを供給しており、脱商品化の度合いが高く、階層化の度合いが低い。「保守主義レジーム」（ドイツなど）では、家族が中心となって福祉サービスを供給しており、脱商品化の度合いがある程度高く、階層化の度合いも高い。「自由主義レジーム」（米国など）では、市場を通じて福祉サービスが提供されており、脱商品化の度合いが低く、階層化の度合いが高い。なお、「脱商品化」とは労働しなくても一定水準の生活を維持することができる程度を意味し、「階層化」とは職種や社会階層に応じて福祉の給付やサービスに格差がある程度を意味している。

2. ウィレンスキーは、世界64か国の比較を行い、経済発展度の高い国ほど福祉政策への支出が多い傾向があると主張した。彼の議論によれば、経済発展度が高い国では人口の高齢化と核家族化が進むため、福祉サービスの提供を政府に求める圧力が強くなり、福祉支出の総額が膨張しやすい。

3. 1980年代の英国では、保守党のサッチャー政権の下で福祉政策の見直しが進められ、労働党政権下で国営化されていた基幹産業の民営化や、福祉予算の削減などによる財政の健全化が図られた（「新自由主義」）。これに対して、「第3の道」と呼ばれる政策を打ち出したのは、1990年代後半から約10年にわたって続いた労働党のブレア政権である。ブレア政権は、教育による機会均等などを通じて市場原理と社会的公正の両立をめざした。

4. 世界初の工場法は、1833年にホイッグ党政権下のイギリスで制定された。イギリスでは、産業革命をきっかけとして、工場における長時間労働や児童・女性への労働強要などが問題となり、工場法による規制が求められた。また、19世紀後半のプロイセンでは、ビスマルク宰相の下で、社会主義運動を抑えるための施策が展開された。疾病保険などの社会保険制度の導入や社会主義者鎮圧法の制定はその具体例である（「アメとムチの政策」）。なお、社会権を規定する新憲法（ワイマール憲法）を採択し、国民に最低限度の生活（ナショナル・ミニマム）を保障したのは、1919年に成立したワイマール共和国である。

5. わが国で国民皆保険・国民皆年金が実現したのは、高度経済成長期の1961年のことであった。これにより、全国民が公的医療保険や公的年金に加入できる体制が整った。また、福祉目的税である消費税は、平成元（1989年）年に竹下登内閣の下で導入された。大平正芳内閣は、昭和54（1979）年に一般消費税の導入を閣議決定したが、世論の反発にあって断念している。なお、昭和48（1973）年を「福祉元年」と位置づけ、老人医療費の無償化や年金給付水準の引上げなどの社会保障制度改革に取り組んだのは、田中角栄内閣である。

正答　1

国家一般職［大卒］

専門試験

No. 5 政治学　各国の政治制度　令和5年度

各国の政治制度に関する次の記述のうち、最も妥当なのはどれか。

1　議院内閣制の原型はドイツで形成された。議院内閣制が採用されている日本では、日本国憲法において、国会は国権の最高機関とされており、法案を提出する権限は専ら国会に属するため、内閣は法案を提出することができない。

2　米国の大統領は、議会に対する法案提出権や議会を解散する権限を持たない一方で、教書を通じて必要な立法措置の審議を議会に勧告する権限や、議会で可決された法案に対する拒否権が憲法上付与されている。

3　日本では、平成11（1999）年に政府委員制度が廃止され、国会において、官僚が国務大臣等に代わって答弁を行うことを一切認めないなど、政治主導を目指した国会改革が行われたほか、重要施策の企画・立案に関する首相のリーダーシップの発揮を目指して、平成13（2001）年の中央省庁等改革において、内閣官房の権限が各省庁間の総合調整のみに限定された。

4　英国の議会は、国民の選挙により選出された議員で構成される上院と、国王の任命により貴族や聖職者で構成される下院の二院から成る。両院は共に議員の任期が5年であり、日本と同様に内閣不信任決議権を有する。

5　中国では、国家の最高権力機関は、任期が無期限で一院制の全国人民代表大会（全人代）とされており、不測の事態に対応できるよう通年で開催される。国家主席については3選禁止規定があるため、任期は2期10年までとなっている。

解説

1．議院内閣制の原型はイギリスで形成された。イギリスでは、1742年にホイッグ党が議会で少数派となったが、その際に同党のウォルポール首相が辞任し、これが議院内閣制（責任内閣制）の形成につながった。また、日本において国会が国権の最高機関とされていることは事実である（憲法41条）が、法案提出権は国会議員のみならず内閣にも認められている（同72条）。

2．妥当である。米国では厳格な三権分立制が確立されており、大統領は議会に対する法案提出権や議会を解散する権限を持たない。ただし、大統領が教書送付権や拒否権の行使を通じて立法に関与することは認められている。

3．日本では、平成11（1999年）に政府委員制度が廃止され、同時に政府参考人制度が導入された。政府参考人制度では、国会の委員会が必要と認める場合、官僚を政府参考人として招致し、行政に関する細目的または技術的事項について答弁させることが認められている。また、平成13（2001）年の中央省庁等改革では、首相の補佐機関たる内閣官房の権限強化が図られ、各省庁間の総合調整に加えて、国政に関する基本方針の企画立案の権限も内閣官房に付与されることとなった。

4．英国の議会は、国民の選挙により選出された議員で構成される「下院」（庶民院）と、国王の任命により貴族や聖職者で構成される「上院」（貴族院）の二院からなる。このうち、任期が５年で内閣不信任決議権を有するとされているのは下院のみである。上院は終身制をとっており、内閣不信任決議権も持たない。

5．中国の最高権力機関は一院制の全国人民代表大会（全人代）であるが、その任期は５年と定められており、現在では毎年１回、数日間にわたって開催されている。通年議会の形態はとっていない。また、国家主席の３選禁止規定は2018年の憲法改正で撤廃されており、2023年には習近平国家主席が３選を果たした。

正答　2

政治学
行政学
憲法
行政法
民法
経済理論
財政学

国家一般職［大卒］

専門試験

No.6 行政学　組織理論の学説　令和5年度

組織理論の学説に関する次の記述のうち，最も妥当なのはどれか。

1 C. I. バーナードは，組織における上司と部下の命令服従関係について権威受容説を唱えた。この説では，部下は上司の職位に権威を認めることによって，上司からの命令が部下個人の利益に反するものであっても従うことから，権威が認められた上司の命令・指示は部下の無関心圏に属しているとされた。

2 西尾勝は，個人と組織とを連結する概念として，意思決定に際して組織の中の個人が組織の他の構成員から与えられる決定前提という概念を提示した。彼は，その決定前提の一つに事実前提があり，ある決定をした際にもたらされる結果の望ましさに関して判断するための基準となる前提であるとした。

3 L. ギューリックは，フランスの経営学者M. クロジェの管理論を基に，行政組織の管理原則について示した。この管理原則では，古典的組織論での能率性を中心とした管理の限界が指摘され，POSDCoRBと称される，組織の最高管理者が果たす機能が提示された。

4 M. フォレットは，組織内におけるコンフリクトを処理する方法として，抑圧，妥協，統合という三つを指摘した。そして，一方が他方に対して犠牲を強いる抑圧や，対立する双方の妥協ではなく，双方が互いに満足のいく統合という方法によってコンフリクトが解消されることが組織にとって望ましいとした。

5 P. ローレンスとJ. ローシュは，民間企業を対象とした調査研究を基に，コンティンジェンシー理論を提示した。彼らは，英国のエレクトロニクス会社15社を調査し，安定的な組織環境においては，柔軟かつ流動的な組織構築を可能とする有機的システムが適していることを指摘した。

解説

1. バーナードによる権威受容説では、上司の命令が部下に受け入れられ、部下がそれに添って行動するときに、権威が受容されていると考える。職位に権威を認めるのではない。また、上司からの命令が部下個人の利益に反している時、一時的に上司の命令に従うことはありえても、権威が受容されているわけではないと考えられる。無関心圏は、部下がこの圏内にあると認識する上司による命令を、権威の有無や疑義を感じることなく遂行する領域である。

2. H. A. サイモンによる説である。サイモンによれば、意思決定を行う際には、事実前提と価値前提がある。事実前提は、客観的に観察可能な事実であり、こうした事実に基づいて、目標や結果の望ましさを判断するために価値前提という基準が必要となる。

3. ギューリックが行政管理に関して依拠したのは、H. ファヨールである。クロジェは官僚制批判を行った論者である。古典的組織論は大規模な組織を効率的に動かすための理論を展開し、ギューリックは古典的組織論を発展させ、組織の最高管理者が果たす機能を提示した。

4. 妥当である。組織内における紛争に対して、互いの犠牲を払わずに解決する「統合」をめざすべきだと考えた人物である。

5. T. バーンズとG. M. ストーカーは、英国のエレクトロニクス会社20社を調査し、コンティンジェンシー理論を提唱した。同理論では、安定的な組織環境に対しては、ピラミッド型組織等の機械的システムが、不安定な組織環境に対しては、柔軟な形態の有機的システムが適しているとした。ローレンスとローシュは、組織が分化と統合により環境変化に適応していることを提唱した論者である。

正答　4

国家一般職［大卒］ No. 7 専門試験

行政学 人的資源管理の理論と実際 令和5年度

人的資源管理の理論と実際に関する次の記述のうち、最も妥当なのはどれか。

1 F. ハーズバーグは、モチベーションを仕事の内外に分けて検討し、二要因説を提示した。この説では、人間関係、賃金、作業条件といった衛生要因と、仕事の達成、仕事による評価、仕事の内容、昇進といった動機づけ要因とが示された。

2 R. リッカートは、公務員のモチベーションを合理性、規範、感情の三つに分類した上で、政策決定への関心、公益への関心、効率性の三つの尺度によってそれぞれのモチベーションを測定することが可能であることを示した。この理論は、パブリック・サービス・モチベーション（PSM）理論と呼ばれる。

3 第二次世界大戦中に米国で誕生した職階制は、科学的な人的資源管理を可能にするものとして、第二次世界大戦後に我が国において導入が検討された。しかし、職階制は大部屋主義や年功序列といった我が国の雇用・人事慣行にはそぐわないものとして国家公務員法に規定されなかった。

4 我が国では、各府省において人事交流が行われており、その対象は行政機関に限定されているものの、多くの職員が他の組織への出向を経験している。各府省から地方公共団体に出向する職員は出向官僚と称され、各府省の政策を現場で実施する責任者という位置付けから、出向先は都道府県の特定のポストに限定されている。

5 我が国では、国家公務員の早期退職・再就職の慣行について、官民癒着の温床になっているのではないかなど厳しい批判が寄せられる中、平成13（2001）年の中央省庁再編時に出身府省からの再就職のあっせんが禁止された。同時に人事院に官民人材交流センターが設置され、中立的な立場から再就職のあっせんが行われることとなった。

解説

1. 妥当である。ハーズバーグの提唱した「二要因説（二要因理論）」とは、仕事に対するモチベーションを衛生要因と動機づけ要因の2つに分類した理論である。衛生要因とは仕事に対して不満をもたらす要因であり、他方、動機づけ要因とは仕事に対して満足をもたらす要因のことである。

2. PSM理論は、J. L. ペリー、L. R. ワイズにより提唱された。公務員のモチベーションを合理性、規範、感情の3つに分類したうえで、政策決定への関心、公益への関心、憐みの気持ち、自己犠牲の4つの尺度によって、測定可能であるとした。リッカートは、リッカート尺度と呼ばれるアンケート調査法を開発した研究者である。

3. 米国において、職階制は第二次世界大戦以前に州・市で導入され始め、連邦レベルでは1923年の分類法で導入された。第二次世界大戦後に、米国の指導により日本の公務員制度への導入が検討され、実際に国家公務員法に規定されたものの、試行的な検討を除いて、実施には至らなかった。

4. 各府省の人事交流は行政機関だけではなく、民間企業等も含めて行われている（官民人事交流）。地方公共団体への出向は、都道府県の特定のポストであることも多いが、それに限定されておらず、市区町村、特定のポスト以外の流動的なポストなどへの出向も行われている。

5. 現職職員による再就職のあっせんの禁止は、中央省庁再編時ではなく、2007年の国家公務員法の改正により行われた。官民人材交流センターは内閣府に設置された。

正答 1

No. 8

専門試験

行政学　政策過程の理論　令和5年度

政策過程の理論に関する次の記述のうち、最も妥当なのはどれか。

1　J. キングダンは、課題設定に関して政策の窓モデルを提唱した。このモデルでは、まず、特定の問題に注目が集まるという問題の流れが生じ、その流れに影響され、次に問題への対策を検討するという政策の流れが生じるとされた。そして、この二つの流れの合流によって世論の動向が変化し、政治の流れが生じるとした。

2　G. アリソンは、1962年のキューバ・ミサイル危機における政策決定過程を三つのモデルで分析した。そのうちの一つの組織過程モデルとは、従来の外交政策決定過程分析で用いられてきた伝統的なモデルであり、政府を単一の組織体とした上で、政府は組織の標準作業手続に基づいて行動するとみなすものである。

3　J. マイヤーとB. ローワンは、非公式の制度が制度選択に及ぼす影響を分析し、制度的同型化の概念を提示した。彼らは、組織を取り巻く技術的環境に対応するために制度的同型化が生じるとし、制度的同型化の類型として、自発的同型化、模倣的同型化、規範的同型化という三つを示した。

4　P. ホールは、長期の政策過程を分析する枠組みとして唱道連携フレームワークを提唱した。このフレームワークでは、特定の政策領域において、政治家や官僚といった公的アクターが利益のみによって結び付いた唱道連携グループが形成され、政策が形成あるいは変更されるとしている。

5　P. バカラックとM. バラッツは、政策決定過程における課題設定に関して非決定権力という概念を提唱した。彼らによると、非決定権力は、争点化されると自らにとって不利な政策決定が行われるようなものについて、政府が取り組むべき課題として争点化させないようにする権力とされる。

解説

1. 政策の窓モデルでは、問題の流れ、政策の流れ、政治の流れに発生する順序があるわけではなく、政策案はあるものの、問題の流れは生じていないといったこともありうる。これらの3つの流れが順不同に発生し、相互に作用し合いながら合流したときに、政策の窓が開くとした。

2. アリソンによる組織過程モデルは、これまで伝統的に単一的にとらえられてきた政府の政策決定過程に対して、新たな視点を示した。同モデルでは、政府を単一的な組織体とはとらえず、複数の組織がゆるやかに連合したものとしてとらえ、それらの組織が自らの標準手続作業に基づいて行動した結果、組織全体として矛盾や非合理性がもたらされたとした。

3. 制度的同型化を提唱したのは、P. ディマジオと W. パウエルである。コンティンジェンシー理論が、技術革新などの技術的環境の変化に着目したのとは対象的に、制度的同型化は、社会での規則、規範、価値といった制度的環境に着目した。公式の制度のみならず非公式の制度も対象とする。類型としては、強制的同型化、模倣的同型化、規範的同型化がある。マイヤーとローワンも組織の制度的環境への適応に着目したが、同型化は示していない。

4. 唱道連携フレームワークは、P. A. サバティアにより提唱された。同理論では、政治家や官僚といった公的アクターに加えて、市民や NPO といった非公的アクターも政策過程に参画し、信念を共有するグループの相互作用により、政策が形成、変更されるとした。

5. 妥当である。なお、彼らの権力観は、ダールの「1次元的権力観」に対して、「2次元的権力観」と名づけられている。

正答 5

国家一般職［大卒］

専門試験

No. 9 行政学 日本の中央政府と情報化 令和5年度

我が国の中央政府と情報化に関する次の記述のうち、最も妥当なのはどれか。

1 社会におけるインターネットの普及を背景に、第一次安倍晋三内閣においてIT基本法が制定された。同法を基に政府機関においてもデジタル化に向けて様々な検討が行われたものの、諸外国と比較してデジタル化が進まなかったため、菅義偉内閣において総務省の外局としてデジタル庁が設置されることとなった。

2 現在及び将来の国民に説明する責務が全うされるようにすることを目的として、鳩山由紀夫内閣において公文書管理法が制定された。同法では、各府省の意思決定過程について歴史的に検証することを可能とするために、全ての行政文書について廃棄が禁止され、各府省から国立公文書館等に移管されることとなった。

3 予算・人員に制約がある中で、基幹統計を始めとした公的統計を体系的・効率的に整備するため、統計法において「公的統計の整備に関する基本的な計画」を定めなければならないとされている。そして同計画の案の作成に当たっては、総務省に置かれた統計委員会の意見を聴くこととされている。

4 行政情報の公開を進めるために、我が国では、地方公共団体に先駆けて1999（平成11）年に行政機関情報公開法が制定され、これを契機に地方公共団体においても情報公開条例が制定され始めた。同法による開示請求については、請求権者が日本国民に限定されている。

5 行政機関において個人情報の利用が拡大していることから、小泉純一郎内閣において特定秘密保護法が制定された。同法では、個人情報の漏洩を防ぐため、紙媒体に記録された個人情報も保護の対象とするなど行政機関における個人情報の取扱いに関する規律が定められた。

政治学 行政学 憲法 行政法 民法 経済理論 財政学

1．IT 基本法は2000年に森喜朗内閣の下で制定された。その後、デジタル化に向けた取組みが進められたものの、必ずしも進展しなかったため、菅義偉内閣において、内閣の下にデジタル庁が設置された。

2．公文書管理法は2009年に麻生太郎内閣の下で制定された。同法はすべての行政文書の破棄を禁止しておらず、同法の対象となる文書は、「行政文書」、「法人文書」、「特定歴史公文書等」であり、そのうち「特定歴史公文書等」は国立公文書館等に移管された。「行政文書」は、一定期間保管された後に、国立公文書館等に移管または破棄されることとなった。

3．妥当である（統計法４条１項・４項）。

4．複数の地方公共団体で、情報公開条例が制定され、これを契機に国での情報公開法が1999（平成11）年に制定された。同法の開示請求者は、「何人も」とされており、日本国民に限定されていない（同法３条参照）。

5．特定秘密保護法は、2013年に第二次安倍晋三政権の下で制定された。同法は、国の安全保障に関する情報のうち、特に、秘匿することが必要であるものに関して、その保護を定めたものである。本肢の記載は、個人情報保護法に関するものである。

正答　3

国家一般職［大卒］

No. 10 専門試験

行政学　日本の政策評価　令和5年度

我が国の政策評価に関する次の記述のうち、最も妥当なのはどれか。

1　政策評価については、財政状況が悪化する中、行政改革会議の最終報告にその導入が盛り込まれたことを受けて政策評価法（行政機関が行う政策の評価に関する法律）が制定され、財務省が各府省の政策について評価することとされた。その後、三重県などの地方公共団体にも政策評価の導入の動きが広がっていった。

2　政策評価の方式のうち、実績評価方式とは、政策効果に着目した達成目標をあらかじめ設定し、これに対する実績を定期的・継続的に測定して、目標の達成度合いを評価するものである。このほか、事業評価方式、総合評価方式や、これらの要素を組み合わせたものなど、適切な方式を用いて政策評価を行うこととされている。

3　広い意味の政策は、政策・施策・事業といった形で細分化されつつ、全体が一つの体系を成すように構成されている。政策は事業より内容が具体的であるため、地方公共団体においては、事業についての評価より政策についての評価を行うのが一般的である。

4　評価の基準のうち、有効性とは資源の投入量と産出量の比率から政策の質を評価する基準であり、効率性とは与えられた政策目標の達成度から政策を評価する基準である。このほか、必要性や公平性などの基準もあり、これらの基準を組み合わせて政策の評価を行う。

5　政策評価の手法として定量的評価と定性的評価があり、このうち定性的評価は政策効果を客観的に把握できるものである。このため、政策評価法においても、政策効果はできる限り定性的に把握することと規定されており、定量的な把握については規定されていない。

1．政策評価制度は、三重県など地方公共団体での導入の動きを受けて、国での政策評価法の制定につながった。政策評価法の下では、まずは各府省が所掌する政策について自ら政策評価を行い、その後、総務省に設置された行政評価局が、各府省が行った評価の点検や、複数府省にまたがる政策の評価を実施することとされた。

2．妥当である。政策評価の実施に関するガイドライン（総務省）参照。

3．細分化される際、包括的なものが政策、事務事業を束ねたものが施策、詳細なものが事務事業である。事務事業は政策より内容が具体的であり、地方公共団体においては、政策についての評価より事務事業についての評価を行うのが一般的である。

4．効率性は、資源の投入量と産出量の比率から、政策の質を評価する基準である。有効性は、与えられた政策目標の達成度から政策を評価する基準である。

5．定量的評価は、数値により成果や実績をとらえるのに対して、定性的評価は、数値ではとらえきれない成果などをとらえる。そのため、定性的評価よりも定量的評価のほうが、政策効果をできるだけ客観的に把握できる。政策評価法は、できるだけ政策効果を定量的に把握するよう規定している（政策評価法３条２項１号）。

正答　2

国家一般職［大卒］ No. 11 専門試験

憲法　表現の自由　令和5年度

表現の自由に関するア～オの記述のうち、判例に照らし、妥当なもののみを挙げているのはどれか。

ア．屋外の公共用物利用の規制に関し、管理上の必要から、管理者がメーデーのための皇居外苑使用許可申請を不許可とした処分は、管理権の適正な運用を誤ったものであり、憲法第21条に違反する。

イ．表現行為の事前抑制は、事後制裁の場合よりも広汎にわたりやすく、濫用のおそれがある上、実際上の抑止的効果が事後制裁の場合より大きいと考えられることから、表現の自由を保障し検閲を禁止する憲法第21条の趣旨に照らして、およそ許容されない。

ウ．報道のための取材の自由は、憲法第21条の精神に照らして十分尊重に値するものであるが、もとより何らの制約を受けないものではなく、例えば公正な裁判の実現というような憲法上の要請があるときは、ある程度の制約を受けることがある。

エ．あん摩師、はり師、きゆう師及び柔道整復師法（当時）の規定による広告制限は、虚偽、誇大にわたる広告のみならず、適応症に関する真実、正当な広告までも全面的に禁止するものであるから、国民の保健衛生上の見地から公共の福祉を維持するためのやむを得ない措置ということはできず、憲法第21条に違反する。

オ．私人の私生活上の行状であっても、私人の携わる社会的活動の性質及びこれを通じて社会に及ぼす影響力の程度などのいかんによっては、その社会的活動に対する批判ないし評価の一資料として、刑法第230条の２第１項にいう「公共の利害に関する事実」に当たる場合がある。

1　ア、イ
2　ア、オ
3　イ、エ
4　ウ、エ
5　ウ、オ

（参考）刑法
（名誉毀損）
第230条　公然と事実を摘示し、人の名誉を毀損した者は、その事実の有無にかかわらず、三年以下の懲役若しくは禁錮又は五十万円以下の罰金に処する。
〔第２項略〕
（公共の利害に関する場合の特例）
第230条の２　前条第一項の行為が公共の利害に関する事実に係り、かつ、その目的が専ら公益を図ることにあったと認める場合には、事実の真否を判断し、真実であることの証明があったときは、これを罰しない。
〔第２項以下略〕

ア：屋外の公共用物利用の規制に関し、管理上の必要から、管理者がメーデーのための皇居外苑使用許可申請を不許可とした処分は、表現の自由の制限を目的とするものではなく、公園の管理、保存の支障や公園としての本来の利用の阻害を考慮してなされたもので、憲法21条に違反するものではない（最大判昭28・12・23）。違憲としていない。

イ：表現行為の事前抑制は、事後制裁の場合よりも広汎にわたりやすく、濫用のおそれがあるうえ、実際上の抑止的効果が事後制裁の場合より大きいと考えられることから、表現の自由を保障し検閲を禁止する憲法21条の趣旨に照らして、厳格かつ明確な要件の下においてのみ許容される（最大判昭61・6・11）。

ウ：妥当である（最大決昭44・11・26）。

エ：「あん摩師、はり師、きゆう師及び柔道整復師法」（当時）の規定による広告制限は、虚偽、誇大にわたる広告のみならず、適応症に関する広告まで禁止するものであるが、適応症の広告を無制限に許容するときは、患者の吸引のため虚偽誇大に流れ、一般大衆を惑わすおそれがあり、その結果適時適切な医療を受ける機会を失わせる結果となるので、一定事項以外の広告を禁止することは、国民の保健衛生上の見地から公共の福祉を維持するためのやむをえない措置である（最大判昭36・2・15）。違憲としていない。

オ：妥当である（最判昭56・4・16）。

よって、妥当なものはウ、オであるので、正答は**5**である。

正答　5

国家一般職［大卒］ 専門試験

No.12 憲法 社会権 令和5年度

社会権に関するア～エの記述のうち、判例に照らし、妥当なもののみを挙げているのはどれか。

ア．親は、子どもの教育に対する一定の支配権、すなわち子女の教育の自由を有すると認められ、また、私学教育における自由や普通教育における教師の教授の自由も、それぞれ限られた一定の範囲において認められる。それ以外の領域においては、一般に社会公共的な問題について国民全体の意思を組織的に決定、実現すべき立場にある国は、国政の一部として広く適切な教育政策を樹立、実施すべく、また、し得る者として、憲法上は、必要かつ相当と認められる範囲において、教育内容についてもこれを決定する権能を有する。

イ．高等学校の教育は、高等普通教育及び専門教育を施すことを目的とするものであり、高等学校においても、教師は依然生徒に対し相当な影響力、支配力を有しているが、生徒の側には、教師の教育内容を批判する能力が備わっており、教師を選択する余地もあるため、国が定立する高等学校教育の内容及び方法について遵守すべき基準は必要最低限とすべきであって、高等学校の教師には、教育の具体的内容及び方法につき広い裁量が認められる。

ウ．地方議会議員の選挙に当たり、労働組合が、その組合員の居住地域の生活環境の改善その他生活向上を図る目的で、その利益代表を議会に送り込むための選挙活動をすること、そして、その一方策として、いわゆる統一候補を決定し、組合を挙げてその選挙運動を推進することは、組合の活動として許されないわけではないが、立候補の自由は、選挙権の自由な行使と表裏の関係にあり、自由かつ公正な選挙を維持する上で極めて重要であるため、労働組合が、統一候補以外の組合員で立候補しようとする者に対し、立候補を思いとどまるように勧告し又は説得することは、組合の統制権の限界を超えるものとして違法である。

エ．政党や選挙による議員の活動は、各種の政治的課題の解決のために労働者の生活利益とは関係のない広範な領域にも及ぶものであるから、選挙においてどの政党又はどの候補者を支持するかは、投票の自由と表裏をなすものとして、組合員各人が市民としての個人的な政治的思想、見解、判断ないしは感情等に基づいて自主的に決定すべき事柄であり、したがって、労働組合が、組合員に、臨時組合費として、選挙に際し特定の立候補者支援のためにその所属政党に寄付する資金の支払を強いることは許されない。

1 ア、ウ
2 ア、エ
3 イ、ウ
4 イ、エ
5 ウ、エ

解説

ア：妥当である（最大判昭51・5・21)。

イ：高等学校の教育は、高等普通教育および専門教育を施すことを目的とするものではあるが、中学校の教育の基礎の上に立って、所定の修業年限の間にその目的を達成しなければならず、また、高等学校においても、教師が依然生徒に対し相当な影響力、支配力を有しており、生徒の側には、いまだ教師の教育内容を批判する十分な能力は備わっておらず、教師を選択する余地も大きくないのである。これらの点からして、国が、教育の一定水準を維持しつつ、高等学校教育の目的達成に資するために、高等学校教育の内容及び方法について遵守すべき基準を定立する必要があり、特に法規によってそのような基準が定立されている事柄については、教育の具体的内容および方法につき高等学校の教師に認められるべき裁量にもおのずから制約が存するのである（最判平2・1・18)。すなわち、判例は高等学校の教師に、教育の具体的内容及び方法につき広い裁量が認められるとはしていない。

ウ：地方議会議員の選挙に当たり、労働組合が、その組合員の居住地域の生活環境の改善その他生活向上を図る目的で、その利益代表を議会に送り込むための選挙活動をすること、そして、その一方策として、いわゆる統一候補を決定し、組合を挙げてその選挙運動を推進することは、組合の活動として許されないわけではない。確かに立候補の自由は、選挙権の自由な行使と表裏の関係にあり、自由かつ公正な選挙を維持するうえで極めて重要であるが、労働組合が、統一候補以外の組合員で立候補しようとする者に対し、立候補を思いとどまるように勧告し又は説得することは、組合の統制権の限界を超えない（最大判昭43・12・4)。しかし、勧告または説得の域を超え、立候補を取りやめることを要求し、これに従わないことを理由に当該組合員を統制違反者として処分するのは、その統制権の限界を超えるものであって違法であるとする。

エ：妥当である（最判昭50・11・28)。

よって、妥当なものはア、エであるので、正答は**2**である。

正答　2

No.13 憲法 財産権 令和5年度

財産権に関するア〜オの記述のうち、妥当なもののみを全て挙げているのはどれか。ただし、争いのあるものは判例の見解による。

ア．憲法第29条第１項は、「財産権は、これを侵してはならない。」と規定し、私有財産制度を保障するだけではなく、社会的経済的活動の基礎をなす個人の財産権を基本的人権として保障している。

イ．憲法第29条第２項は、「財産権の内容は、公共の福祉に適合するやうに、法律でこれを定める。」と規定し、財産権が公共の福祉による制約に服することを明らかにしている。同項にいう公共の福祉は、社会国家的公共の福祉に基づく財産権に対する制約を意味しており、自由国家的公共の福祉に基づく財産権に対する制約を意味するものではない。

ウ．憲法第29条第３項は、「私有財産は、正当な補償の下に、これを公共のために用ひることができる。」と規定しているが、同項にいう補償の対象となるのは、特定の者に対してその財産権に内在する社会的・自然的制約を超えて特別の犠牲を課する場合であり、例えば、ため池の堤とうの土地利用制限は、その制限が堤とうを使用する財産上の権利を有する者の財産権の行使をほとんど全面的に禁止するものであるときは、特別の犠牲を課するものとして、当然に同項の補償を要する。

エ．憲法第29条第３項は、「私有財産は、正当な補償の下に、これを公共のために用ひることができる。」と規定しているが、同項にいう正当な補償とは、その当時の経済状態において成立すると考えられる価格に基づき合理的に算出された相当な額をいうのであって、必ずしも常にかかる価格と完全に一致することを要するものではない。

オ．公共のためにする財産権の制限が憲法第29条第３項により補償を必要とするにもかかわらず、当該財産権の制限を定めた法令に損失補償に関する規定を欠く場合、そのことをもって当該法令があらゆる場合について一切の損失補償を否定する趣旨とまでは解されず、その損失を具体的に主張立証して、直接憲法第29条第３項を根拠にして、補償請求をすることができる。

1 ア、エ
2 ア、オ
3 イ、ウ
4 ア、エ、オ
5 イ、ウ、オ

解説

ア：妥当である（最大判昭62・4・22）。

イ：前半は正しい（憲法29条2項）。しかし、後半が誤り。同項にいう公共の福祉は、各人の権利の公平な保障をねらいとする自由国家的公共の福祉のみならず、各人の人間的な生存を確保しようとする社会国家的公共の福祉を意味する。

ウ：前半は正しい（憲法29条3項）。しかし、後半が誤り。ため池の堤とうの土地利用制限は、その制限が堤とうを使用する財産上の権利を有する者の財産権の行使をほとんど全面的に禁止するものであっても、特別の犠牲を課するものではなく、同項の補償を要するものではない（最大判昭38・6・26）。ため池の決壊の原因となる使用行為は、財産権の保障のらち外にあるからである。

エ：妥当である（最大判昭28・12・23）。

オ：妥当である（最大判昭43・11・27）。法律による権利の具体化を経なくても、裁判所で権利の具体化（金額の算定）が可能なことがその理由である。

よって、妥当なものはア、エ、オであるので、正答は**4**である。

正答 4

国家一般職［大卒］
No. 14 専門試験

憲法　国　会　令和5年度

国会に関するア～エの記述のうち、妥当なもののみを挙げているのはどれか。

ア．常会の会期は150日間であるが、会期中に議員の任期が満限に達する場合には、その満限の日をもって会期は終了する。また、常会の会期の延長は認められていない。

イ．憲法改正は、各議院の総議員の３分の２以上の賛成で国会が発議することとされているが、両議院の意見が一致しないときは、衆議院の優越が認められる。

ウ．国会の会期中に議決に至らなかった案件は後の会期に引き継がれることはないとする原則を「会期不継続の原則」といい、国会法は同原則について定める条文を置いている。

エ．両議院は、各々その総議員の３分の１以上の出席がなければ、議事を開き議決することができない。

1　ア、イ
2　ア、ウ
3　ア、エ
4　イ、エ
5　ウ、エ

解説

ア：常会の会期は150日間であるが、会期中に議員の任期が満限に達する場合には、その満限の日をもって会期は終了する（国会法10条）。しかし、常会の会期の延長は、１回に限り認められている（同12条１項・２項）。

イ：憲法改正は、各議院の総議員の３分の２以上の賛成で国会が発議することとされている（憲法96条１項）。しかし、両議院の意見が一致しないときに、衆議院の優越は認められず、両議院は対等である。

ウ：妥当である（国会法68条本文）。

エ：妥当である（憲法56条１項）。いわゆる定足数である。

よって、妥当なものはウ、エであるので、正答は**5**である。

正答　5

国家一般職［大卒］
専門試験

No.15 憲法 内閣の権限・事務 令和5年度

次のア～カの記述のうち、憲法上、内閣の権限又は事務とされているもののみを全て挙げているのはどれか。

ア．大使及び公使の信任状を認証すること。
イ．国務大臣の訴追について同意すること。
ウ．官吏に関する事務を掌理すること。
エ．予算を作成して国会に提出すること。
オ．条約を締結すること。
カ．弾劾裁判所を設置すること。

1 ア、イ、カ
2 ウ、エ、オ
3 ア、イ、エ、カ
4 イ、ウ、エ、オ
5 ウ、エ、オ、カ

解説

ア：「大使及び公使の信任状を認証すること」は、天皇の国事行為である（憲法７条５号）。

イ：「国務大臣の訴追について同意すること」は、内閣総理大臣の権限である（憲法75条本文）。

ウ：内閣の権限または事務である（憲法73条４号）。

エ：内閣の権限または事務である（憲法73条５号）。

オ：内閣の権限または事務である（憲法73条３号本文）。

カ：「弾劾裁判所を設置すること」は、国会の権限である（憲法64条１項）。

よって、内閣の権限または事務とされているものはウ、エ、オであるので、正答は**2**である。

正答　2

国家一般職［大卒］

No. 16 専門試験

行政法　行政基準　令和5年度

行政基準に関する次の記述のうち、最も妥当なのはどれか。ただし、争いのあるものは判例の見解による。

1　行政機関が定立する規範を命令といい、内閣が定める政令、内閣総理大臣が定める内閣府令、主任の大臣が定める省令などがある。各大臣が公示を必要とする場合に発する告示は、行政機関の意思決定や一定の事項を国民に周知させるための形式の一つであり、法規としての性質を持つことはない。

2　法律が政令に委任しているにもかかわらず、当該政令が更に一部の事項について省令に再委任することは、法律から命令への委任が許される以上、原則として容認されていると解されるが、犯罪の構成要件を再委任することは許されない。

3　行政規則は、行政機関が策定する一般的な法規範であって、国民の権利義務に関係する法規としての性質を有しないため、法律の授権を要しない。また、命令の形式をとる必要はなく、内規、要綱などの形式で定めることができる。

4　解釈基準は、法令の解釈を統一するため、上級行政機関が下級行政機関に対して発する基準である。上級行政機関は通達という形式で解釈基準を示すことがあるが、解釈基準としての通達は、単に法令の解釈の指針を示したものにすぎず、上級行政機関による指揮監督権の行使として下級行政機関を拘束するものではない。

5　裁量基準は、行政庁の作成する内部基準であるが、行政手続法は、申請に対する処分についての裁量基準である審査基準を作成し、原則として公にすることを行政庁に義務付けている。この審査基準は恣意的な裁量行政を排除するためのものであるから、行政庁が審査基準に違背して処分を行った場合には、当該処分は当然に違法となる。

解説

1. 前半は正しい（政令について憲法73条５号本文、内閣府令について内閣府設置法７条３項、省令について国家行政組織法12条１項）。後半については、まず各大臣が公示を必要とする場合において告示を発することができる点については正しい（国家行政組織法14条１項）。しかし、告示は、その形式で一般処分としての性質を持った行為が行われることがあり、さらに、実質的に法の内容を補充する法規としての性質を持つことがあるので、後半は誤り。

2. 判例は、酒税法施行規則が、その規定にもれた事項について各地方の実状に即し、記載事項とすることを必要とするものを税務署長の指定に委せるという規定を置いていることについて、「酒税法の委任の趣旨に反しないものであり、違憲であるということはできない」として、犯罪の構成要件の再委任を認めている（最大判昭33・７・９）。

3. 妥当である。

4. 解釈基準としての通達は、上級行政機関による下級行政機関に対する指揮監督権の行使として発せられるもので、下級行政機関を拘束する。なお、前半は正しい。

5. 判例は、「行政庁がその裁量に任された事項について裁量権行使の準則を定めることがあっても、このような準則は、本来、行政庁の処分の妥当性を確保するためのものなのであるから、処分が右準則に違背して行われたとしても、原則として当不当の問題を生ずるにとどまり、当然に違法となるものではない」とする（最大判昭53・10・４）。なお、前半は正しい（行政手続法５条１項・３項）。

正答　3

国家一般職［大卒］ No. 17 専門試験

行政法　情報公開法　令和5年度

行政機関の保有する情報の公開に関する法律（情報公開法）に関するア～エの記述のうち、妥当なもののみを挙げているのはどれか。

ア．会計検査院と人事院は情報公開法の対象機関に含まれるが、国会と裁判所は同法の対象機関に含まれない。

イ．不開示決定は申請に対する拒否処分に当たるので、不開示決定に不服がある場合、請求者は、当該不開示決定の取消訴訟を提起することができる。

ウ．行政文書の開示の方法は、電磁的記録については閲覧又は印刷したものの交付に限られる。いずれの方法で行うかは、開示決定をした行政機関の長が指定する。

エ．開示決定等又は開示請求に係る不作為について審査請求があったときは、当該審査請求に対する裁決をすべき行政機関の長は、情報公開・個人情報保護審査会に諮問することができる。この場合、諮問をしたか否かを審査請求人に通知する必要はない。

1　ア、イ
2　ア、ウ
3　イ、ウ
4　イ、エ
5　ウ、エ

解説

ア：妥当である。まず、会計検査院については情報公開法２条１項柱書６号に明文がある。人事院については、同院は同項柱書１号の「内閣の所轄の下に置かれる機関」に該当するので、やはり同法の適用を受ける。しかし、国会や裁判所は「行政機関」（同項柱書）ではないので、同法の対象機関に含まれない。

イ：妥当である。不開示決定（情報公開法９条２項）は、申請に対する拒否処分（行政事件訴訟法３条２項）に当たる。

ウ：電磁的記録の開示は、「その種別、情報化の進展状況等を勘案して政令で定める方法により行う」とされ（情報公開法14条１項）、これを受けて、政令（情報公開法施行令）は、たとえば用紙に出力したものの閲覧、専用機器により再生したものの閲覧または視聴、光ディスクに複写したものの交付といった、情報の公開に適したさまざまな方法を定めている（同施行令９条３項）。また、開示の方法は、情報の種類に応じて、公開に適した方法が上記規定によって法定されており、情報機関の長が指定するわけではない。

エ：開示決定等または開示請求に係る不作為について審査請求があったときは、審査請求が不適法であり、却下する場合などを除いて、情報公開・個人情報保護審査会に諮問しなければならない（情報公開法19条１項）。これは義務であって、「諮問することができる」（しなくてもよい）わけではない。また、この諮問をした行政機関の長は、審査請求人に諮問をした旨を通知しなければならない（同条２項柱書１号）。

よって、妥当なものはアとイであるので、正答は**1**である。

正答　1

国家一般職［大卒］ 専門試験

No. 18 行政法 処分性 令和5年度

処分性に関するア～オの記述のうち、判例に照らし、妥当なもののみを全て挙げているのはどれか。

ア．行政庁の処分とは、公権力の主体たる国又は公共団体が行う行為のうち、その行為によって、直接国民の権利義務を形成し又はその範囲を確定することが法律上認められているものをいうが、東京都が私人から買収した土地の上にごみ焼却場を設置することを計画し、その計画案を都議会に提出した行為は、都の内部的手続行為にとどまり、設置行為そのものは私法上の契約によるため、いずれも行政庁の処分には当たらない。

イ．医療法に基づいて都道府県知事が行う病院開設中止の勧告は、当該勧告を受けた者が任意にこれに従うことを期待してされる行政指導であり、当該勧告に従わないことを理由に病院開設の不許可等の不利益処分がされることはないため、行政庁の処分には当たらない。

ウ．告示により一定の条件に合致する道を一括して指定する方法でされた建築基準法所定のいわゆるみなし道路の指定は、特定の土地について個別具体的にみなし道路の指定をするものではなく、これによって直ちに建築制限等の私権制限が生じるものではないから、行政庁の処分には当たらない。

エ．市が設置する特定の保育所を廃止する条例が、当該保育所の廃止のみを内容とするものであって、他に行政庁の処分を待つことなく、その施行により当該保育所廃止の効果を発生させ、当該保育所に現に入所中の児童及びその保護者という限られた特定の者らに対して、直接、当該保育所において保育を受けることを期待し得る法的地位を奪う結果を生じさせるものである場合、その制定行為は、行政庁の処分と実質的に同視し得る。

オ．労働基準監督署長が労働者災害補償保険法に基づいて行う労災就学援護費の支給又は不支給の決定は、同法を根拠とする優越的地位に基づいて一方的に行う公権力の行使であり、被災労働者又はその遺族の労災就学援護費の支給請求権に直接影響を及ぼす法的効果を有するものであるから、行政庁の処分に当たる。

1 ア、ウ
2 ア、オ
3 イ、エ
4 ア、エ、オ
5 イ、ウ、エ

ア：妥当である。判例は、ごみ焼却場の「設置行為は、都が公権力の行使により直接上告人らの権利義務を形成し、またはその範囲を確定することを法律上認められている場合に該当するものということを得ず」として、行政庁の処分には当たらないとする（最判昭39・10・29）。

イ：判例は、医療法の規定に基づく「病院開設中止の勧告は、医療法上は当該勧告を受けた者が任意にこれに従うことを期待してされる行政指導として定められているけれども、当該勧告を受けた者に対し、これに従わない場合には、相当程度の確実さをもって、病院を開設しても保険医療機関の指定を受けることができなくなるという結果をもたらすものということができる」として、「この勧告は、行政事件訴訟法3条2項にいう『行政庁の処分その他公権力の行使に当たる行為』に当たる」とする（最判平17・7・15）。

ウ：判例は、「告示によって指定の効果が生じるものと解する以上、このような指定の効果が及ぶ個々の道は、その敷地所有者は当該道路につき道路内の建築等が制限され、私道の変更又は廃止が制限される等の具体的な私権の制限を受けることになる。そうすると、それが一括指定の方法でされた場合であっても、個別の土地についてその本来的な効果として具体的な私権制限を発生させるものであり、個人の権利義務に対して直接影響を与えるものということができる」として、「本件告示のような一括指定の方法による指定も、抗告訴訟の対象となる行政処分に当たる」とする（最判平14・1・17）。

エ：妥当である。本記述のほかに、判例は、取消判決や執行停止決定に第三者効が認められている取消訴訟において当該条例の制定行為の適法性を争いうるとすることには合理性があることも理由としている（最判平21・11・26）。

オ：妥当である。判例は、「労災就学援護費に関する制度の仕組みにかんがみると、被災労働者またはその遺族は労働基準監督署長の支給決定によって初めて具体的な労災就学援護費の支給請求権を取得することから、労働基準監督署長が行う労災就学援護費の支給または不支給の決定は、労働者災害補償保険法を根拠とする優越的地位に基づいて一方的に行う公権力の行使であり、被災労働者等の権利に直接影響を及ぼす法的効果を有するものであるから、抗告訴訟の対象となる行政処分に当たる」とする（最判平15・9・4）。

よって、妥当なものはア、エ、オであるので、正答は**4**である。

正答　4

国家一般職［大卒］

No. 19 専門試験

行政法　取消訴訟における仮の救済　令和5年度

取消訴訟における仮の救済に関する次の記述のうち、最も妥当なのはどれか。

1　処分の取消しの訴えの提起があった場合において、処分等により生ずる重大な損害を避けるため緊急の必要があるときは、裁判所は、申立てにより、決定をもって、執行停止をすることができる。重大な損害を避けるため緊急の必要があることについては、申立人が証明する必要があり、執行停止の決定をするには、口頭弁論を開かなければならない。

2　執行停止の内容には、処分の効力、処分の執行又は手続の続行の全部又は一部の停止があるが、裁判所は、処分の執行又は手続の続行の停止によって仮の救済の目的を達することができる場合であっても、申立人の権利保護のために、決定をもって処分の効力の停止をすることができる。

3　弁護士が所属弁護士会から業務停止3月の懲戒処分を受け、審査請求を申し立てたが棄却となり、裁決取消訴訟を提起し、懲戒処分の執行停止の申立てを行った場合、当該弁護士が当該業務停止期間中に期日が指定されているものだけで30件を超える訴訟案件を受任していたなどの事実があるときは、当該処分によって当該弁護士に生ずる社会的信用の低下、業務上の信頼関係の毀損等の損害は、執行停止の要件である「重大な損害」に当たるとするのが判例である。

4　執行停止の申立てがあった場合には、内閣総理大臣は、裁判所に対し、異議を述べることができるが、執行停止の決定があった後においては異議を述べることができない。また、内閣総理大臣は、異議を述べたときは、次の常会において国会にこれを報告しなければならない。

5　執行停止の決定又はこれを取り消す決定は、取消判決とは異なり、第三者に対しては効力を有しない。また、執行停止の決定は、その事件について、処分又は裁決をした行政庁その他の関係行政庁を拘束するものではない。

1．重大な損害を避けるために緊急の必要があることについては、申立人が主張・疎明（行訴法25条５項）しなければならないと解されている。すなわち疎明でよいので、執行停止の決定は口頭弁論を経ないですることができる（同条６項本文）。口頭弁論を開いて審議している間に重大な損害が生じてしまいかねないからである。なお、前半は正しい（同条２項本文）。

2．前半は正しい（行訴法25条２項本文）。しかし、処分の効力の停止は、処分の執行または手続の続行の停止によって目的を達することができる場合には、することができない（同項但書）ので、後半が誤り。

3．妥当である（最決平19・12・18）。

4．執行停止の決定がなされた後であっても異議申立ては可能である（行訴法27条１項）。なお、後半は正しい（同条６項後段）。

5．前半については、執行停止の決定またはこれを取り消す決定は、取消判決の場合と同様に第三者に対しても効力を有する（行訴法32条１項・２項）。後半については、執行停止の決定は、その事件について、処分または裁決をした行政庁その他の関係行政庁を拘束する（同法33条１項・４項）。したがって、前半・後半ともに誤り。

正答　3

国家一般職 [大卒] No. 20 専門試験

行政法 国家賠償法2条 令和5年度

国家賠償法第2条に関する次の記述のうち、判例に照らし、最も妥当なのはどれか。

1 国家賠償法第2条第1項にいう公の営造物の設置又は管理の瑕疵とは、営造物が通常有すべき安全性を欠いていることをいい、これに基づく国及び公共団体の賠償責任が認められるためには、その過失により安全性を欠いていたことが必要である。

2 道路管理者は、道路を常時良好な状態に保つように維持し、修繕する義務を負うが、故障車が道路上に長時間放置されていたことにより事故が発生した場合には、放置に起因して発生した損害は専ら放置者の責任であって、道路管理者は、道路を常時巡視して応急の事態に対処し得る看視体制をとらずに何ら道路の安全性を保持する措置をとっていなかったとしても、責任を負わない。

3 未改修河川又は改修の不十分な河川の安全性としては、河川の管理に内在する諸制約の下で一般に施行されてきた治水事業による河川の改修、整備の過程に対応する過渡的な安全性をもって足り、河川管理についての瑕疵の有無は、諸制約の下での同種・同規模の河川の管理の一般水準及び社会通念に照らして是認し得る安全性を備えているかどうかを基準として判断すべきである。

4 点字ブロック等のように、新たに開発された視力障害者用の安全設備を旧国鉄の駅のホームに設置しなかったことをもって当該駅のホームが通常有すべき安全性を欠くか否かを判断するに当たっては、全国的ないし当該地域における道路及び駅のホーム等でのその安全設備の普及の程度等の事情にかかわらず、その安全設備自体の有効性・重要性を基に判断しなければならない。

5 町立中学校の校庭開放中に、幼児が、テニスの審判台に昇った後、本来の用法に反して審判台の後部から降りようとしたために審判台が倒れ、その下敷きとなって死亡した場合、当該審判台が本来の用法に従う限り危険はなかったとしても、幼児が異常な行動に出て死傷事故が発生する可能性があることは通常予測し得るところであるから、当該審判台の設置管理者は国家賠償法第2条第1項所定の損害賠償責任を負う。

1. 国家賠償法2条1項は、無過失責任である民法717条の所有者の工作物責任を充実させたものであることから、判例は、「国家賠償法2条1項の営造物の設置または管理の瑕疵とは、営造物が通常有すべき安全性を欠いていることをいい、これに基づく国および公共団体の賠償責任については、その過失の存在を必要としない」とする（最判昭45・8・20）。

2. 判例は、「道路管理者は、道路を常時良好な状態に保つように維持し、修繕し、もって一般交通に支障を及ぼさないように努める義務を負う」として、「土木出張所は、道路を常時巡視して応急の事態に対処しうる看視体制をとっていなかったために、事故が発生するまで故障車が道路上に長時間（87時間）放置されていることすら知らず、まして故障車のあることを知らせるためバリケードを設けるとか、道路の片側部分を一時通行止めにするなど、道路の安全性を保持するために必要とされる措置を全く講じていなかったことは明らかであるから、このような状況のもとにおいては、本件事故発生当時、同出張所の道路管理に瑕疵があった」として賠償責任を肯定する（最判昭50・7・25）。

3. 妥当である。判例は、「すべての河川について通常予測し、かつ、回避しうるあらゆる水害を未然に防止するに足りる治水施設を完備するには、相応の期間を必要とし、未改修河川又は改修の不十分な河川の安全性としては、諸制約のもとで一般に施行されてきた治水事業による河川の改修、整備の過程に対応するいわば過渡的な安全性をもって足りるものとせざるをえない」として、本肢のように述べている（最判昭59・1・26〈大東水害訴訟〉）。

4. 判例は、「点字ブロック等のように、新たに開発された視力障害者用の安全設備を駅のホームに設置しなかったことをもって当該駅のホームが通常有すべき安全性を欠くか否かを判断するに当たっては、その安全設備が、視力障害者の事故防止に有効なものとして、その素材、形状及び敷設方法等において相当程度標準化されて全国的ないし当該地域における道路及び駅のホーム等に普及しているかどうか、当該駅のホームにおける構造又は視力障害者の利用度との関係から予測される視力障害者の事故の発生の危険性の程度、事故を未然に防止するため安全設備を設置する必要性の程度及び安全設備の設置の困難性の有無等の諸般の事情を総合考慮することを要する」とする（最判昭61・3・25）。

5. 判例は、公の営造物の設置管理者は、「審判台が本来の用法に従って安全であるべきことについて責任を負うのは当然として、その責任は原則としてこれをもって限度とすべく、本来の用法に従えば安全である営造物について、これを設置管理者の通常予測し得ない異常な方法で使用しないという注意義務は、利用者である一般市民の側が負うのが当然であり、幼児について、異常な行動に出ることがないようにさせる注意義務は、もとより、第一次的にその保護者にある」として、本肢の場合の賠償責任を否定している（最判平5・3・30）。

正答　3

No.21 民法（総則及び物権） 信義則および権利濫用の禁止 令和5年度

信義誠実の原則（信義則）及び権利濫用の禁止に関するア～オの記述のうち、判例に照らし、妥当なもののみを挙げているのはどれか。

ア．国は、国家公務員に対し、公務遂行のための施設等の設置管理又はその遂行する公務の管理に当たり、国家公務員の生命及び健康等を危険から保護するよう配慮すべき安全配慮義務を負うが、この安全配慮義務は、ある法律関係に基づいて特別な社会的接触の関係に入った当事者間において、当該法律関係の付随義務として当事者の一方又は双方が相手方に対して信義則上負う義務として一般的に認められるべきものである。

イ．マンションの購入希望者が、売却予定者と売買交渉に入り、その交渉過程で注文を出したり、不備を指摘し、これに応じた設計変更及び施工を売却予定者がすることを容認しながら、交渉開始から半年後に購入希望者の都合により契約を締結しなかった場合であっても、購入希望者は、当該契約の準備段階における信義則上の注意義務に違反したものとはいえず、売却予定者が被った損害を賠償する責任を負わない。

ウ．AB間の契約において、Aが、当該契約の締結に先立ち、信義則上の説明義務に違反して、当該契約を締結するか否かに関する判断に影響を及ぼすべき情報をBに提供しなかった場合には、Aは、Bが当該契約を締結したことにより被った損害につき、当該契約上の債務の不履行による損害賠償責任を負う。

エ．Aが、B所有の甲土地の所有権を侵害したが、侵害による損失が僅少で、かつ、その侵害の除去が著しく困難で莫大な費用を要する場合において、第三者Cがそのことを知り不当な利得を図るために甲土地を購入した上でAに対して侵害の除去を迫り、又は甲土地を不相当に巨額な代金で買い取るように求めたときは、Cの請求は権利濫用に当たり許されない。

オ．Aが、自らの権利を行使したことによってBの権利を侵害した場合は、およそ社会的共同生活を営む者の間では、一人の行為が他人に不利益を及ぼすことは免れることができないから、Bは、Aの権利行使の範囲が適当であるか否かにかかわらず、Aに対して損害賠償を請求することができない。

1 ア、ウ
2 ア、エ
3 イ、ウ
4 イ、オ
5 ウ、エ

ア：妥当である（最判昭50・２・25）。

イ：マンションの購入希望者が、売却予定者と売買交渉に入り、その交渉過程で注文を出したり、不備を指摘し、これに応じた設計変更および施工を売却予定者がすることを容認しながら、交渉開始から半年後に購入希望者の都合により契約を締結しなかった場合、購入希望者は、当該契約の準備段階における信義則上の注意義務に違反したものであり、売却予定者が被った損害を賠償する責任を負う（最判昭59・９・18）。

ウ：AB 間の契約において、Aが、当該契約の締結に先立ち、信義則上の説明義務に違反して、当該契約を締結するか否かに関する判断に影響を及ぼすべき情報をBに提供しなかった場合には、Aは、Bが当該契約を締結したことにより被った損害につき、不法行為責任を負うことはあっても、当該契約上の債務不履行責任を負うことはない（最判平23・４・22）

エ：妥当である（大判昭10・10・５）。

オ：Aが、自らの権利を行使したことによってBの権利を侵害した場合、Bは、Aの権利行使の範囲が不適当であるときには、Aに対して損害賠償を請求することができる（大判大８・３・３参照）。

よって、妥当なものはア、エであるので、正答は**2**である。

正答　2

政治学　行政学　憲法　行政法　民法　経済理論　財政学

国家一般職［大卒］ No. 22 専門試験

民法（総則及び物権） 権利能力なき社団 令和5年度

権利能力なき社団に関するア～エの記述のうち、判例に照らし、妥当なもののみを挙げているのはどれか。

ア．権利能力なき社団といえるためには、団体としての組織を備え、多数決の原則が行われ、構成員の変更にもかかわらず団体そのものが存続し、その組織によって代表の方法、総会の運営、財産の管理その他団体としての主要な点が確定していることを要する。

イ．権利能力なき社団の有する資産は、各構成員がそれぞれの出資額に応じた持分で共有する。

ウ．権利能力なき社団は、不動産登記において名義人となり得ず、登記請求権を有しない。

エ．権利能力なき社団の取引上の債務については、社団の有する財産が責任財産となるほか、各構成員が取引の相手方に対して個人的債務ないし責任を負う。

1 ア、イ
2 ア、ウ
3 ア、エ
4 イ、エ
5 ウ、エ

ア：妥当である（最判昭39・10・15）。

イ：権利能力なき社団の有する資産は、実質的には社団を構成する総社員のいわゆる総有に属する（最判昭32・11・14等）。各構成員がそれぞれの出資額に応じた持分で共有するものではない。

ウ：妥当である（最判昭47・6・2）。結果として、権利能力なき社団の不動産は、代表者が個人名義で信託的に登記するほかはない。

エ：権利能力なき社団の取引上の債務については、その社団の構成員全員に総有的に帰属し、社団の総有財産だけがその責任財産となり、構成員各自は、個人的債務ないしは責任を負わない（最判昭48・10・9）。社団の有する財産が責任財産となるほか、各構成員が取引きの相手方に対して個人的債務ないし責任を負うものではない。

よって、妥当なものはア、ウであるので、正答は**2**である。

正答　2

国家一般職［大卒］

No. 23 専門試験 民法（総則及び物権）

所有権

令和5年度

所有権に関するア～エの記述のうち、判例に照らし、妥当なもののみを挙げているのはどれか。

ア．土地が甲土地と乙土地に分割され、甲土地が袋地となった場合の囲繞（いにょう）地通行権（隣地通行権）は、囲繞地である乙土地が甲土地のための通路を開設しないまま譲渡された場合であっても、消滅しない。

イ．建築途中の未だ独立の不動産に至らない建前に第三者が材料を供して工事を施し、独立の不動産である建物に仕上げた場合における建物所有権の帰属は、民法の加工の規定に基づき、当該第三者の工事が一応終了したと認められる時点までの間に当該第三者が加えた工事及び材料の価格と建前の価格とを比較して決定すべきである。

ウ．建物の賃借人が当該建物を増改築した場合において、増改築について賃貸人の承諾を得ていたときは、その増改築部分が取引上の独立性を有しないとしても、賃借人は、その増改築部分について区分所有権を取得する。

エ．金銭の直接占有者は、その占有を正当付ける権利を有しない場合を除き、その金銭の所有者とみるべきである。

1 ア、イ
2 ア、ウ
3 イ、ウ
4 イ、エ
5 ウ、エ

解説

ア：妥当である（最判平２・11・20）。

イ：妥当である（最判昭54・１・25）。

ウ：建物の賃借人が当該建物を増改築した場合において、増改築について賃貸人の承諾を得ていたときでも、その増改築部分が取引上の独立性を有せず、その構成部分となっていれば、その増改築部分は、当該建物の所有者の所有に帰属する（最判昭38・５・31）。賃借人が、その増改築部分について区分所有権を取得するわけではない。

エ：金銭は、特別の場合を除いては、物としての個性を有せず、単なる価値そのものと考えるべきであり、価値は金銭の所在に随伴するものであるから、金銭の所有権者は、特段の事情のない限り、その占有者と一致すると解すべきであり、また、金銭を現実に支配して占有する者は、その占有を正当づける権利を有するか否かにかかわりなく価値の帰属者すなわち金銭の所有者とみるべきものである（最判昭39・１・24）。

よって、妥当なものはア、イであり、正答は**1**である。

正答　1

国家一般職［大卒］ 専門試験

No.24 民法（総則及び物権） 質権 令和5年度

質権に関するア～オの記述のうち、妥当なもののみを挙げているのはどれか。

ア．質権の設定は、債権者にその目的物を引き渡すことによりその効力を生ずるが、質権者は、質権設定者に、自己に代わって質物の占有をさせることができる。

イ．動産質権では、主物とともに引き渡された従物にもその効力が及ぶ。

ウ．質権者は、その権利の存続期間内において、自己の責任で質物について転質をすることができる。この場合において、転質権を設定した原質権者は、原質権の設定者に対し、不可抗力によるものを除き、転質をしたことによって生じた損失の責任を負う。

エ．不動産質権の存続期間は、設定行為で定めることができるが、その期間は30年を超えることができない。また、存続期間は更新することができない。

オ．転質権の設定は、原質権の債務者（設定者）に転質権の設定を通知し、又は原質権の債務者がこれを承諾しなければ、原質権の債務者に対抗することができないと一般に解されている。

1 ア、ウ
2 ア、エ
3 イ、ウ
4 イ、オ
5 エ、オ

政治学
行政学
憲法
行政法
民法
経済理論
財政学

解説

ア：質権の設定は、債権者にその目的物を引き渡すことによりその効力を生ずる（民法344条）ので、質権者は、質権設定者に、自己に代わって質物の占有をさせることができない（同345条）。

イ：妥当である。動産質権では、主物とともに引き渡された従物にもその効力が及ぶ。従物は、主物の処分に従うからである（民法87条２項）。

ウ：質権者は、その権利の存続期間内において、自己の責任で質物について転質をすることができる（民法348条前段）。この場合において、転質権を設定した原質権者は、原質権の設定者に対し、不可抗力によるものであっても、転質をしたことによって生じた損失の責任を負う（同条後段）。転質しなければ生じなかったはずの損害だからである。

エ：不動産質権の存続期間は、設定行為で定めることができるが、その期間は10年を超えることができない（民法360条１項）。また、存続期間は更新することができる（同条２項本文）。ただし、その存続期間は、更新の時から10年を超えることができない（同条項ただし書）。

オ：妥当である（民法350条、298条２項本文参照）。

よって、妥当なものはイ、オであるので、正答は**4**である。

正答　**4**

民法（総則及び物権） 譲渡担保 令和5年度

譲渡担保に関するア～エの記述のうち、判例に照らし、妥当なもののみを挙げているのはどれか。

ア．買戻特約付売買契約は、債権担保の目的で締結され、かつ、その目的物の占有の移転を伴わない場合であっても、買戻しの形式をとる以上、譲渡担保契約と解することはできない。

イ．不動産を目的とする譲渡担保契約において、債務者が弁済期に債務の弁済をしない場合には、債権者は目的物を処分する権能を取得するから、債権者がこの権能に基づいて目的物を第三者に譲渡したときは、原則として、譲受人は目的物の所有権を確定的に取得し、債務者は債務を弁済して目的物を受け戻すことはできない。

ウ．対抗要件を備えた集合動産譲渡担保の設定者が、その目的物である動産につき通常の営業の範囲を超える売却処分をした場合、当該処分は譲渡担保設定者に付与された権限に基づかない以上、譲渡担保契約に定められた保管場所から搬出されるなどして当該譲渡担保の目的である集合物から離脱したと認められない限り、当該処分の相手方は目的物の所有権を承継取得することはできない。

エ．AのCに対する集合債権を担保とするAB間の譲渡担保契約において、Aと譲渡担保権者であるBとの間で、Bに帰属した債権の一部についてAに取立権限を付与し、取り立てた金銭のBへの引渡しを要しないとする合意が付加されているときは、AがCに対して確定日付のある証書によってAからBへの債権譲渡の通知をしたとしても、この通知は第三者対抗要件としての効果を生じない。

1 ア、イ
2 ア、ウ
3 イ、ウ
4 イ、エ
5 ウ、エ

解説

ア：買戻特約付売買契約は、債権担保の目的で締結され、かつ、その目的物の占有の移転を伴わない場合には、買戻しの形式が採られていても、特段の事情のない限り、債権担保の目的で締結されたものと推認され、その性質は譲渡担保契約と解するのが相当である（最判平18・2・7）。

イ：妥当である（最判昭57・4・23）。

ウ：妥当である（最判平18・7・20）。

エ：AのCに対する集合債権を担保とするAB間の譲渡担保契約において、Aと譲渡担保権者であるBとの間で、Bに帰属した債権の一部についてAに取立権限を付与し、取り立てた金銭のBへの引渡しを要しないとする合意が付加されているときは、AがCに対して確定日付のある証書によってAからBへの債権譲渡の通知をすれば、この通知は第三者対抗要件としての効果を生じる（最判平13・11・22）。

よって、妥当なものはイとウであるので、正答は**3**である。

正答 3

No. 26 民法(債権、親族及び相続) 保証 令和5年度

保証に関するア～エの記述のうち、妥当なもののみを挙げているのはどれか。

ア．保証契約は、主たる債務の債権者と保証人になろうとする者が、主たる債務の保証をする旨を書面によらず口頭で合意した場合にも、その効力を生ずる。

イ．保証人が主たる債務者と連帯して債務を負担した場合において、債権者が保証人に債務の履行を請求したときは、保証人は、まず主たる債務者に催告すべき旨を請求することができる。

ウ．主たる債務者に対する履行の請求その他の事由による時効の完成猶予及び更新は、保証人に対しても、その効力を生ずる。

エ．個人根保証契約は、主たる債務の元本、主たる債務に関する利息、違約金、損害賠償その他その債務に従たる全てのもの及びその保証債務について約定された違約金又は損害賠償の額について、その全部に係る極度額を定めなければ、その効力を生じない。

1 ア、イ
2 ア、ウ
3 イ、ウ
4 イ、エ
5 ウ、エ

ア：保証契約は、書面でしなければ、その効力を生じない（民法446条２項）。したがって、主たる債務の債権者と保証人になろうとする者が、主たる債務の保証をする旨を書面によらず口頭で合意した場合には、その効力を生じない。

イ：保証人は、主たる債務者と連帯して債務を負担したときは、催告の抗弁権を有しない（民法454条、452条）。したがって、保証人が主たる債務者と連帯して債務を負担した場合において、債権者が保証人に債務の履行を請求したときは、保証人は、まず主たる債務者に催告すべき旨を請求することができない。

ウ：妥当である（民法457条１項）。

エ：妥当である（民法465条の２第１項・２項）。

よって、妥当なものはウ、エであるので、正答は**5**である。

正答　**5**

政治学
行政学
憲法
行政法
民法
経済理論
財政学

専門試験 No. 27 民法（債権、親族及び相続） 弁済 令和5年度

弁済に関するア～オの記述のうち、妥当なもののみを挙げているのはどれか。

ア．債務の弁済は第三者もすることができるが、その債務の性質が第三者の弁済を許さないとき、又は当事者が第三者の弁済を禁止し、若しくは制限する旨の意思表示をしたときは、弁済をするについて正当な利益を有する第三者であっても、弁済をすることができない。

イ．債務者が債権者に対して債務の弁済として他人の物を引き渡した場合には、債権者が弁済として受領した物を善意で消費し、又は譲り渡したときであっても、その弁済は無効である。

ウ．弁済をする者は、弁済と引換えに、弁済を受領する者に対して受取証書の交付を請求することができ、弁済を受領する者に不相当な負担を課するものでなければ、受取証書の交付に代えて、その内容を記録した電磁的記録の提供を請求することもできる。

エ．借用証などの債権証書がある場合において、債務者が全部の弁済をしたときは、債務者は、債権者にその証書の返還を請求することができるが、債権証書の返還と弁済は同時履行の関係にあり、債権者は、債権証書を返還しなければ、債務者に履行を請求することができない。

オ．代物弁済契約は、債務者が、その負担した給付に代えて他の給付をすることにより債務を消滅させることを債権者との間で約する諾成契約であり、債権者と代物弁済契約を締結することができるのは、債務者に限られる。

1　ア、ウ
2　ア、オ
3　イ、ウ
4　イ、エ
5　エ、オ

ア：妥当である（民法474条１項・４項）。

イ：債務者が債権者に対して債務の弁済として他人の物を引き渡した場合に、債権者が弁済として受領した物を善意で消費し、または譲り渡したときは、その弁済は有効である（民法476条、475条）。

ウ：妥当である（民法486条１項・２項）。

エ：借用証などの債権証書がある場合において、債務者が全部の弁済をしたときは、債務者は、債権者にその証書の返還を請求することができる（民法487条）。しかし、債権証書の返還と弁済は同時履行の関係にないので（同486条１項参照）、債権者は、債権証書を返還しなくても、債務者に履行を請求することができる。

オ：代物弁済契約は、「弁済者」が、債務者の負担した給付に代えて他の給付をすることにより債務を消滅させることを債権者との間で約する諾成契約である（民法482条）。債権者と代物弁済契約を締結することができるのは、必ずしも債務者に限られず、第三者であってもよい。

よって、妥当なものはア、ウであるので、正答は**1**である。

正答　1

国家一般職［大卒］ No. 28 専門試験 民法（債権、親族及び相続） 令和5年度

委任・寄託

委任及び寄託に関するア～オの記述のうち、妥当なもののみを挙げているのはどれか。

ア．委任契約の受任者は、報酬を受けるべき場合に、委任が履行の中途で終了したときは、既にした履行の割合に応じて報酬を請求することができる。

イ．委任契約の委任者は、いつでもその契約を解除することができるが、相手方に不利な時期に委任を解除した場合には、やむを得ない事由があっても、相手方に生じた損害を賠償しなければならない。

ウ．委任契約は、委任者又は受任者が後見開始の審判、保佐開始の審判又は補助開始の審判を受けたことによって終了する。

エ．寄託契約の受寄者は、報酬の有無にかかわらず、善良な管理者の注意をもって、寄託物を保管する義務を負う。

オ．寄託契約の当事者が寄託物の返還の時期を定めた場合であっても、寄託者は、いつでもその返還を請求することができるが、受寄者は、寄託者がその時期の前に返還を請求したことによって損害を受けたときは、寄託者に対し、その賠償を請求することができる。

1　ア、ウ
2　ア、オ
3　イ、ウ
4　イ、エ
5　エ、オ

解説

ア：妥当である（民法648条３項２号）。

イ：委任契約の委任者は、いつでもその契約を解除することができる（民法651条１項）。しかし、相手方に不利な時期に委任を解除した場合には、やむをえない事由がなければ、相手方に生じた損害を賠償しなければならない（同条２項１号）。すなわち、やむをえない事由があれば賠償しなくてよい。

ウ：委任契約は、受任者が後見開始の審判を受けたことによって終了する（民法653条３号）。それ以外の記述は誤り。

エ：寄託契約の受寄者は、有報酬の場合には、善良な管理者の注意をもって、寄託物を保管する義務を負う（民法400条）。しかし、無報酬の場合には、自己の財産に対するのと同一の注意をもって、寄託物を保管する義務を負う（同659条）ので、誤り。

オ：妥当である（民法662条１項・２項）。

よって、妥当なものはア、オであるので、正答は**2**である。

正答　2

No. 29 専門試験 民法（債権、親族及び相続）

不当利益

令和5年度

不当利得に関するア～エの記述のうち、判例に照らし、妥当なもののみを全て挙げているのはどれか。

ア．不当利得された財産に受益者の行為が加わることで得られた収益については、受益者は、悪意の場合に限り、社会通念上受益者の行為の介入がなくても損失者がその財産から当然に取得したであろうと考えられる範囲において、これを返還する義務を負う。

イ．法律上の原因なく代替性のある物を利得した受益者は、その利得した物を第三者に売却処分し、その売却後にその利得した物の価格が高騰したときは、原則として、売却代金相当額ではなく、売却後に不当利得返還請求を受けた時点における時価相当額を不当利得として返還する義務を負う。

ウ．金銭を騙取した者がその金銭で自己の債務を弁済した場合において、債権者が当該金銭を受領するにつき悪意又は重大な過失があるときは、債権者は、被騙取者に対し、不当利得として当該金銭を返還する義務を負う。

エ．不法な原因に基づいて目的物を給付した者は、不当利得に基づく返還請求権を有しないが、目的物の所有権に基づく返還請求権を行使することができる。

1　ア
2　ウ
3　エ
4　ア、イ
5　イ、ウ

解説

ア：不当利得された財産に受益者の行為が加わることで得られた収益については、受益者は、善意であっても、社会通念上受益者の行為の介入がなくても損失者がその財産から当然に取得したであろうと考えられる範囲において、これを返還する義務を負う（最判昭38・12・24）。

イ：法律上の原因なく代替性のある物を利得した受益者は、その利得した物を第三者に売却処分し、その売却後にその利得した物の価格が高騰したときは、原則として、売却代金相当額の金員を不当利得として返還する義務を負う（最判平19・3・8）。

ウ：妥当である（最判昭49・9・26）。

エ：不法な原因に基づいて目的物を給付した者は、不当利得に基づく返還請求権を有しないばかりでなく、目的物の所有権に基づく返還請求権を行使することも許されない（最大判昭45・10・21）。

よって、妥当なものはウのみであるので、正答は**2**である。

正答　2

No. 30 民法（債権、親族及び相続） 相続 令和5年度

次の事例におけるAの相続に関するB、E、G、Iそれぞれの相続額として、最も妥当なのはどれか。ただし、Aの死亡から10年を経過していないものとする。

夫婦であるA及びBには、子C、D及びEがおり、Cには、婚姻したFとの間に子Gが、Dには、婚姻したHとの間に子Iがいたが、後にCは死亡し、その2年後にAが死亡した。Aは、死亡する1年前に、Eに対して生計の資本として600万円を贈与しており、死亡時の財産は4,200万円であった。また、Dは、Aの死亡後、相続放棄をした。

	B	E	G	I
1	2,100万円	450万円	1,650万円	0円
2	2,100万円	700万円	700万円	700万円
3	2,100万円	1,050万円	1,050万円	0円
4	2,400万円	200万円	800万円	800万円
5	2,400万円	600万円	1,200万円	0円

解説

まず、本件における相続財産の額を検討する。Aの死亡時の財産は4,200万円であったが、Aは、死亡する1年前に、Eに対して生計の資本として600万円を贈与していた。これにより、本件の相続財産の額は4,800万円となる（民法903条1項）。

次に、相続人を検討する。配偶者B、子Eは相続人となる（同890条、887条1項）。Dは、Aの死亡後、相続放棄をしており、相続放棄の場合、代襲相続はしないので（同887条2項参照）、Dの子Iは相続人にならない。Cの子Gは代襲相続できる。

最後に、相続人となるB、E、Gの相続分を検討する。配偶者Bは2,400万円（同900条1号）、子Eは600万円（同903条1項、900条4号）、孫Gは1,200万円（同901条1項本文）となる。

よって、正答は**5**である。

正答 **5**

国家一般職[大卒]

No. 31 専門試験 ミクロ経済学

需要の所得弾力性

令和5年度

効用を最大化するある消費者を考える。この消費者は、所得の全てをX財とY財の購入に充てており、効用関数は以下のように与えられる。

$u=xy^2$（u：効用水準、x：X財の消費量、y：Y財の消費量）

X財の価格は1、Y財の価格は3である。この消費者のX財の需要の所得弾力性として最も妥当なのはどれか。

1 0

2 $\frac{1}{3}$

3 $\frac{1}{2}$

4 $\frac{2}{3}$

5 1

解説

本問のようなコブ＝ダグラス型効用関数において、効用最大化が実現する場合、所得をM、X財の価格をP_xとすると、関数の性質より、

$$x=\frac{1}{1+2}\times\frac{M}{P_x}=\frac{1}{3}M \quad \cdots(1)$$

$$\therefore\frac{\Delta x}{\Delta M}=\frac{1}{3} \quad \cdots(2)$$

(1)および(2)をX財の需要の所得弾力性e_Mの式に代入すると、

$$e_M=\frac{\Delta x}{\Delta M}\times\frac{M}{x}=\frac{1}{3}\times\frac{M}{\frac{1}{3}M}=1$$

よって、正答は**5**である。

正答　5

国家一般職［大卒］ 専門試験

No. 32 ミクロ経済学

操業停止価格

令和5年度

あるプライステイカーの企業の短期の総費用関数が、以下のように与えられる。

$$C(x)=x^3-6x^2+10x+100 \quad (x(>0)：生産量)$$

固定費用はサンクコストとする。このとき、この企業における操業停止価格（生産中止価格）として最も妥当なのはどれか。

1 1
2 2
3 10
4 15
5 25

解説

操業停止条件は、限界費用MC＝平均可変費用AVCであることから、本問のMCおよびAVCをそれぞれ求めると、

$$MC=3x^2-12x+10$$
$$AVC=x^2-6x+10$$

よって、

$$3x^2-12x+10=x^2-6x+10$$
$$2x^2-6x=0$$
$$\therefore x=0, 3$$

本問の条件より、生産量は3となる。これをMCまたはAVCに代入すると、操業停止価格＝1が求まる。

よって、正答は**1**である。

［別解］操業停止点は平均可変費用曲線の最低点であり、この点での平均可変費用が操業停止価格である。平均可変費用AVCは、$AVC=x^2-6x+10$であるので、操業停止点における生産量はAVCを微分してゼロとおいた解である。

$$\frac{\Delta AVC}{\Delta x}=2x-6=0$$
$$\therefore x=3$$

これをAVCに代入すると、操業停止価格は1である。

よって、正答は**1**である。

正答　1

国家一般職［大卒］ No. 33 専門試験

ミクロ経済学 シュタッケルベルク均衡 令和5年度

複占市場において、企業A及び企業Bの二つの企業が同質の財を生産しており、各企業の費用関数は以下のように与えられる。

$C(x_i)=2x_i$ （x_i：各企業の生産量、i＝A，B）

また、この経済における財の需要量 Q （＝企業Aと企業Bの生産量の和）と価格 P の関係が以下のように与えられる。

$P=14-Q$

企業Aが先導者、企業Bが追随者としてそれぞれ生産量を決定するときの、シュタッケルベルク均衡における企業Aの利潤として最も妥当なのはどれか。

1 16
2 18
3 24
4 32
5 36

政治学 行政学 憲法 行政法 民法 経済理論 財政学

解説

まず、追随者である企業Bの反応曲線を求める。企業Bの残余需要曲線は、

$$P=(14-x_A)-x_B$$

なので、限界収入 MR_B は、

$$MR_B=(14-x_A)-2x_B$$

また、費用関数の式より、限界費用は2であることから、企業Bの反応曲線は、

$$(14-x_A)-2x_B=2$$

$$\therefore x_B=6-\frac{1}{2}x_A \quad \cdots(1)$$

次に、先導者である企業Aの利潤 π_A を求めると、

$$\pi_A=Px_A-C(x_A)=(14-x_A-x_B)x_A-2x_A$$

ここで、上の利潤式に(1)式を代入して整理すると、

$$\pi_A=(14-x_A-x_B)x_A-2x_A=\left\{14-x_A-\left(6-\frac{1}{2}x_A\right)\right\}x_A-2x_A=6x_A-\frac{1}{2}x_A^2$$

利潤式を企業Aの生産量で微分してゼロとおくと、

$$\frac{\Delta\pi_A}{\Delta x_A}=6-x_A=0$$

$$\therefore x_A=6$$

これを利潤式に代入すると、

$$\pi_A=6x_A-\frac{1}{2}x_A^2=6\times6-\frac{1}{2}\times6^2=18$$

よって、正答は**2**である。

正答 2

国家一般職［大卒］ 専門試験

No. 34 ミクロ経済学 **期待効用仮説** 令和5年度

ある人の職業選択について考える。職業には、職業Aと職業Bの２種類がある。職業Aは所得に不確実性があり、aの確率で所得は4900となり、$1-a$の確率で所得は900となる。一方、職業Bを選ぶと、確実に所得は2500となる。この人の効用関数は所得に依存し、以下のように与えられる。

$u=\sqrt{x}$ （u：効用水準、x：所得）

この人が、期待効用を最大化するように行動する場合、職業Aと職業Bが無差別となる確率aとして最も妥当なのはどれか。

1 0.3
2 0.4
3 0.5
4 0.6
5 0.7

解説

まず、職業Aの期待効用EU_Aを求めると、

$$EU_A = a \times \sqrt{4900} + (1-a) \times \sqrt{900} = 70a + 30(1-a)$$

一方、職業Bを選択した場合、所得は常に2,500となることから、このときの効用U_Bは、

$$u_B = \sqrt{2500} = 50$$

職業Aと職業Bが無差別となる確率aは、

$$70a + 30(1-a) = 50$$

$$\therefore a = 0.5$$

よって、正答は**3**である。

正答 **3**

国家一般職［大卒］ No. 35 専門試験 ミクロ経済学

ゲームの理論

令和5年度

次の二つの表は、プレイヤーA、Bがそれぞれ二つの戦略を持つゲーム①、②の利得表である。この表において、各プレイヤーの利得は、（Aの利得、Bの利得）と表される。また、二つのゲームは独立であり、各プレイヤーは純粋戦略を採るものとする。

このとき、ア～エの記述のうち、妥当なもののみを全て挙げているのはどれか。

【ゲーム①】

		B	
		戦略3	戦略4
A	戦略1	（5，5）	（1，6）
	戦略2	（6，1）	（3，3）

【ゲーム②】

		B	
		戦略3	戦略4
A	戦略1	（5，9）	（3，6）
	戦略2	（4，5）	（14，7）

ア．ゲーム①において、ナッシュ均衡の数は一つである。
イ．ゲーム①において、ナッシュ均衡はパレート最適である。
ウ．ゲーム②において、ナッシュ均衡の数は一つである。
エ．ゲーム②において、Aが戦略1、Bが戦略3を選択する組合せは、支配戦略均衡である。

1 ア
2 ア、イ
3 ア、エ
4 ウ
5 ウ、エ

解説

まず、ア～エの内容を確認する前に、2つのゲームにおけるナッシュ均衡を求める。「他のプレーヤーの戦略が所与の下で自身の利得を最大にする戦略を選択する」という行動様式を、最適応答原理という。最適応答原理の下で、すべてのプレーヤーが戦略を変更する動機を持たない状態における戦略の組合せをナッシュ均衡という。

【ゲーム①】

企業Bが戦略3をとるとき、企業Aは戦略2をとり、企業Bが戦略4をとるとき、企業Aは戦略2をとる。一方、企業Aが戦略1をとるとき、企業Bは戦略4をとり、企業Aが戦略2をとるとき、企業Bは戦略4をとる。したがって、(戦略2，戦略4）がナッシュ均衡となる。

【ゲーム②】

企業Bが戦略3をとるとき、企業Aは戦略1をとり、企業Bが戦略4をとるとき、企業Aは戦略2をとる。一方、企業Aが戦略1をとるとき、企業Bは戦略3をとり、企業Aが戦略2をとるとき、企業Bは戦略4をとる。したがって、(戦略1，戦略3）および（戦略2，戦略4）がナッシュ均衡となる。

ア：妥当である。

イ：すべてのプレーヤーの利得を減少させることなく、少なくとも1人のプレーヤーの利得を増加させる戦略への変更をパレート改善といい、これ以上パレート改善することができない戦略の組合せをパレート最適という。ナッシュ均衡（戦略2，戦略4）は、(戦略1，戦略3）へ変更することでパレート改善が可能であるため、パレート最適ではない。

ウ：ゲーム②において、ナッシュ均衡は2つである。

エ：支配戦略とは、他のプレーヤーのすべての戦略に対し、最適応答となる戦略のことをいう。そして、すべてのプレーヤーに支配戦略が存在するとき、その支配戦略の組を支配戦略均衡という。すでに見たように、ゲーム②におけるナッシュ均衡は（戦略1，戦略3）と（戦略2，戦略4）だが、どちらも支配戦略均衡ではない（このゲームでは支配戦略均衡は存在しない)。

よって、妥当なものは、アのみであるので、正答は**1**である。

正答 1

国家一般職［大卒］

専門試験

No. 36 マクロ経済学　海外部門を除いたマクロ経済モデル　令和5年度

海外部門を除いたマクロ経済モデルを考える。消費関数は以下のように与えられる。

$$C=100+0.75\ (Y-T)$$

（C：消費、Y：国民所得、T：租税）

いま、投資は50、政府支出は100、租税は50である。このとき、以下の（A）と（B）の二つの政策を考える。

（A）　公共事業拡大によって政府支出を30だけ増加させる。

（B）　減税によって租税をXだけ減少させる。

この二つの政策をそれぞれ実施した場合において、**消費Cの増加量**が等しくなるときのXとして最も妥当なのはどれか。

ただし、それぞれの政策で政府支出又は租税以外は一定とする。

1　20
2　30
3　40
4　50
5　80

解説

本問のマクロ経済モデルは、次のように表される。

$$Y=C+I+G=100+0.75(Y-T)+50+G$$

$$0.25Y=150-0.75T+G$$

$$\therefore Y=600-3T+4G \quad \cdots(1)$$

（A）のケース

(1)を変化分の式に変形したうえで、$\Delta G=30$、$\Delta T=0$を代入すると、

$$\Delta Y=4\Delta G=4\times 30=120$$

また、本問の消費関数を変化分の式に変形したうえで、$\Delta Y=120$、$\Delta T=0$を代入すると、

$$\Delta C=0.75(\Delta Y-\Delta T)=90$$

（B）のケース

(1)を変化分の式に変形したうえで、$\Delta G=0$、$\Delta T=-X$を代入すると、

$$\Delta Y=3X$$

また、本問の消費関数を変化分の式に変形したうえで、$\Delta Y=3X$、$\Delta T=-X$および$\Delta C=90$を代入すると、

$$\Delta C=0.75(4X)=3X=90$$

$$\therefore X=30$$

よって、正答は**2**である。

正答　2

マクロ経済学 IS-LM モデル 令和5年度

IS-LM モデルに関するA～Dの記述のうち、妥当なもののみを全て挙げているのはどれか。ただし、縦軸に利子率、横軸に国民所得をとるものとする。

A．経済が流動性のわなに陥っているとき、均衡点における投資の利子弾力性は無限大となっており、財政政策は効果がない。

B．政府支出を増加させた場合などに利子率が上昇し、それによって投資が減少することを、クラウディング・アウトという。

C．IS-LM モデルは、価格が硬直的な短期モデルのため、その均衡点となる国民所得において、必ずしも完全雇用が達成されているわけではない。

D．政府支出を増加させ、それと同額の租税（一括固定税）を徴収した場合、IS 曲線は右方にシフトする。

1　A、B
2　A、C、D
3　B、C
4　B、C、D
5　C、D

解説

A：経済が流動性のわなの状況にあるとき、均衡点における貨幣需要の利子弾力性は無限大であるため *LM* 曲線は水平となっているが、投資の利子弾力性が無限大になっているとは限らない。このとき、財政政策を行うと、クラウディング・アウトが発生しないため国民所得は増加する。ちなみに、このとき効果がないのは金融政策である。

B：妥当である。

C：妥当である。価格が硬直的な短期モデルの場合、*LM* 曲線は下図のように、右上がり部分として描かれ、このときの国民所得 Y_0 において、完全雇用は達成されていない。ちなみに、価格が伸縮的な長期モデルの場合、経済は完全雇用国民所得水準（Y_F）となることから、*LM* 曲線は Y_F 水準で垂直となる（下図の垂直部分）。

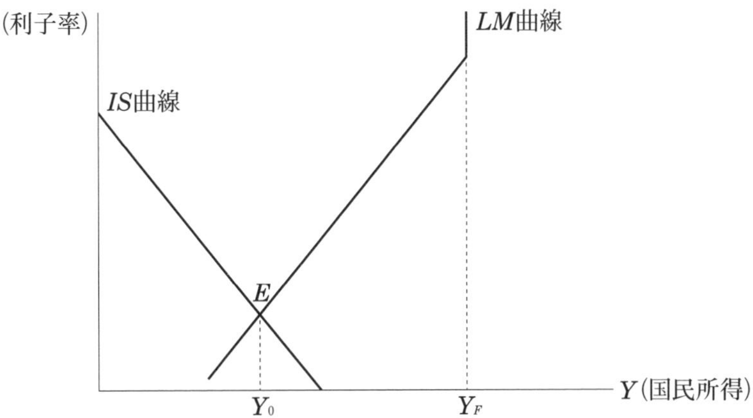

D：妥当である。本記述は、均衡予算乗数の定理から導かれる内容である。

よって、正答は**4**である。

正答　4

国家一般職［大卒］

専門試験

No. 38 マクロ経済学 ライフサイクル仮説 令和5年度

ある人が80年間生きると考える。この人の所得は、最初の20年間は0であり、その後の40年間は労働により毎年900となるが、退職後の最後の20年間は0となる。また、生まれたときにWの資産を親から受け取る。この人は、80年間における毎年の消費額を一定としたいと考えているが、流動性制約があり、借入れは全くできない。

このとき、毎年の消費額を一定とするためには、資産Wは少なくともいくら以上でなければならないか。ただし、利子率はゼロである。また、この人は、親から受け取った資産と労働により得た所得の全てを生涯の消費に充て、資産を残さないものとする。

1 12000
2 15000
3 18000
4 24000
5 36000

解説

本問は、ライフサイクル仮説の計算問題であるが、過去問と異なるのは、人生を３期に分けたことと、流動制約により毎年の消費において借入れがまったくできない点である。求めるのは初期資産 W の最小額であることから、W は最初の20年のみで使用され、残りの60年は、40年間の勤労期において稼いだ労働所得で賄うケースを考える。

まず、勤労期以降の60年における年間の平均消費額 C を求めると、

$$C=\frac{40\times900}{60}=\frac{36000}{60}=600$$

毎年の消費額を一定とするのが本問の条件であることから、最初の20年間における年間の平均消費額も600となり、これはすべて初期資産 W で賄われることとなる。すなわち、

$$W=20\times600=12000$$

よって、正答は**1**である。

正答　1

マクロ経済学　経済成長率　令和5年度

財生産部門と研究開発部門の2部門から成るマクロ経済を考える。財生産部門のマクロ生産関数は以下のように与えられる。

$$Y_t = A_t L_t$$

（Y_t：t 期の財の産出量、A_t：t 期の技術水準、L_t：t 期の財生産部門での労働投入）

研究開発部門は、技術水準 A_t を以下の式に従って向上させることができる。

$$A_{t+1} = (1 + 0.05E_t)A_t$$

（A_{t+1}：$t+1$ 期の技術水準、E_t：t 期の研究開発部門での労働投入）

ここで、t 期の労働力人口を N_t とすると、そのうち80％は財生産部門に、20％は研究開発部門に投入され、$L_t = 0.8N_t$、$E_t = 0.2N_t$ となる。

労働力人口が $N_t = 10$ で時間を通じて一定のときの、経済成長率$\left(\dfrac{Y_{t+1}}{Y_t} - 1\right)$として最も妥当なのはどれか。

1　0
2　0.05
3　0.1
4　0.2
5　0.25

解説

本問は経済成長論とはいえ、これまで国家一般職試験では見られなかった財生産部門と研究部門からなるマクロ経済となっており、戸惑った受験者がかなり多かったと思うが、問題文の条件を丁寧に読み取れば、答えは簡単に求められる。

要求されている経済成長率の式を変形すると、

$$\frac{Y_{t+1}}{Y_t}-1=\frac{A_{t+1}L_{t+1}}{A_tL_t}-1=\frac{(1+0.05E_t)A_tL_{t+1}}{A_tL_t}-1 \quad \cdots(1)$$

本問の条件より、労働力人口が$N_t=10$で時間を通じて一定であることから、$L_t=L_{t+1}=8$、および$E_t=2$となるため、(1)式は、

$$\frac{(1+0.05E_t)A_tL_{t+1}}{A_tL_t}-1=(1+0.05E_t)-1=(1+0.05\times 2)-1=0.1$$

よって、正答は**3**である。

正答 **3**

政治学 行政学 憲法 行政法 民法 経済理論 財政学

国家一般職［大卒］

No. 40 専門試験 マクロ経済学 マンデル＝フレミング・モデル 令和5年度

マンデル＝フレミング・モデルを仮定した小国開放経済に関するA～Dの記述のうち、妥当なもののみを全て挙げているのはどれか。

A．固定相場制の下では、政府支出の拡大を行うと、自国利子率に対して上昇圧力が掛かるが、為替介入によってハイパワードマネーが減少するため、産出量は変化しない。

B．固定相場制の下では、マネーサプライの増加を行うと、自国利子率に対して上昇圧力が掛かるが、資本の流出が発生するため、産出量は増加する。

C．変動相場制の下では、政府支出の拡大を行うと、自国通貨の増価を通じて純輸出が減少するため、産出量は変化しない。

D．変動相場制の下では、マネーサプライの増加を行うと、自国通貨の増価を通じて純輸出が減少するため、産出量は変化しない。

1 A、B
2 A、D
3 B
4 C
5 C、D

解説

A：後半の記述が誤り。固定相場制の下では、政府支出の拡大を行うと、*IS* 曲線が右シフトし自国利子率に対して上昇圧力がかかるため、中央銀行の為替介入によりハイパワードマネーが増加することで *LM* 曲線が右シフトし、産出量は増加する。

B：固定相場制の下では、マネーサプライの増加を行うと、自国利子率が下落する結果、海外への資本流出が生じ、為替レートに対して上昇（減価）圧力がかかる。そのため、中央銀行は自国通貨買い・外国通貨売りの為替介入を行うので、*LM* 曲線が左シフトし、産出量は元の水準のままとなる。

C：妥当である。

D：変動相場制の下では、マネーサプライの増加を行うと、*LM* 曲線が右シフトすることで自国利子率が下落する結果、海外への資本流出が生じ、自国通貨の為替レートが上昇（減価）する。その結果、純輸出が増加するため *IS* 曲線が右シフトし、産出量は増加する。

よって、正答は**4**である。

正答　4

国家一般職［大卒］ No.41 専門試験

財政学 最適労働供給 令和5年度

所得税における所得控除の影響について考える。労働所得が所得控除額D以下となる場合、所得税は賦課されないが、所得控除額Dを超える場合、超える分について税率tの所得税が賦課される。消費額をc、労働日数をL日（$L<30$）、賃金率を1としたとき、予算制約式は以下のように示される。

$$c=\begin{cases} 1\times L=L & (1\times L\leqq D) \\ 1\times L-t\times(1\times L-D)=(1-t)L+tD & (1\times L>D) \end{cases}$$

いま、自らの効用を最大化するある個人の効用関数が以下のように与えられる。

$$u=c\times(30-L)$$

税率tが0.25、所得控除額Dが6で一定であるとき、この個人の選択する労働日数として最も妥当なのはどれか。

1 6
2 8
3 10
4 12
5 14

解説

ミクロ経済学で学ぶ最適労働供給の応用問題である。本問では、労働所得（労働日数）によって予算制約線が変化するので、条件ごとに最適労働供給について考えればよい。

はじめに、最適な労働日数が6日以下であると仮定する。予算制約式よりこの仮定の下での消費cは労働日数Lと等しいので、効用関数は、

$$u=L\times(30-L)=30L-L^2$$

と書き直せる。この効用関数が極大となっているためには、効用関数の導関数$\frac{du}{dL}=30-2L$が0に等しくなっていなければならない。

$$30-2L=0$$

$$\therefore L=15$$

この最適な労働日数15日は、「最適な労働日数が6日以下である」という仮定と矛盾する。よって、最適な労働日数は6日より多い。

次に、最適な労働日数が6日より多いものと仮定する。予算制約式、$t=0.25$および$D=6$より、この仮定の下での消費cは、

$$(1-0.25)L+0.25\times6=0.75L+1.5$$

に等しいので、効用関数は、

$$u=(0.75L+1.5)\times(30-L)=45+21L-0.75L^2$$

と書き直せる。この効用関数が極大となっているためには、効用関数の導関数が$\frac{du}{dL}=21-1.5L$が0に等しくなっていなければならない。

$$21-1.5L=0$$

$$\therefore L=14$$

この最適な労働日数14日は「最適労働日数が6日より多い」という仮定と整合的である。

よって、最適な労働日数は14日であるので、正答は**5**である。

正答　5

政治学
行政学
憲法
行政法
民法
経済理論
財政学

国家一般職［大卒］ 専門試験

No. 42 財政学 日本の財政制度 令和5年度

我が国の財政制度に関するA～Dの記述のうち、妥当なもののみを挙げているのはどれか。

A．予算は、まず衆議院に提出され審議を受けなければならない。これを衆議院の予算先議権という。参議院が衆議院と異なった議決をした場合には両院協議会が開かれるが、それでも意見が一致しない場合には衆議院の議決が国会の議決となる。また、参議院が、衆議院の可決した予算案を受け取った後、国会休会中の期間を除いて30日以内に議決をしない場合も、衆議院の議決が国会の議決となる。

B．一会計年度の予算の執行の完結後、各省各庁の長は、その所掌に係る歳入歳出の決算報告書を作成し、会計検査院に送付する。会計検査院は、決算報告書の検査をした後、それに基づき作成した決算を国会に提出して審議を受ける。審議の結果、不正の事実等が明らかになった場合には、両院の議決により、予算執行が無効とされることがある。

C．予算の流用とは、経費の性質が類似又は相互に関連している項と項の間の経費の融通であり、あらかじめ予算として国会の議決を経た場合に限り、内閣総理大臣の承認を経て認められる。また、予算の移用とは、同一項内の目と目の間の経費の融通であり、財務大臣の承認を経て認められる。

D．暫定予算とは、年度開始までに本予算が成立しなかった場合に、本予算が成立するまでの必要最小限の経費が盛り込まれて、国会の議決を経て成立する予算である。また、補正予算とは、予算成立後の年度の途中に経済情勢の変化等により、当初の予算どおり執行することが不可能ないし不適当となった場合、国会の議決を経て本予算の内容を変更して組まれる予算で、一会計年度に2回以上組まれることもある。

1 A、B
2 A、D
3 B、C
4 B、D
5 C、D

A：妥当である。

B：各省各庁の長がその所掌に係る歳入歳出の決算報告書を送付する先は、会計検査院でなく、財務大臣である。また、決算を作成するのは会計検査院でなく、財務大臣であり、決算を国会に提出して審議を受けるのは会計検査院でなく、内閣である。さらに、決算は、過去に行われた収入、支出の事実の計数的記録であり、両院の議決によって予算執行の効力が左右されることはない。

C：前半の記述は予算の流用ではなく、予算の移用に関するものである。また、承認は内閣総理大臣ではなく、財務大臣である。さらに、後半の記述は予算の移用ではなく、予算の流用に関するものである。

D：妥当である。

よって、妥当なものはAとDであるので、正答は**2**である。

正答　2

国家一般職［大卒］ 専門試験

No.43 財政学 日本の財政状況 令和5年度

我が国の財政の状況に関する次の記述のうち、最も妥当なのはどれか。

1 令和4年度の一般会計当初予算における歳出のうち、科学技術振興費についてみると、デジタル・宇宙・次世代半導体等の研究開発を推進するほか、博士課程学生の処遇向上に向けた支援を充実させ、過去最高額となった。

2 令和4年度の一般会計当初予算における歳出のうち、社会保障関係費についてみると、約26兆円となった。不妊治療の保険適用の実現が見送られたこともあり、令和3年度（当初）の水準をわずかに下回っている。

3 令和4年度の一般会計当初予算における歳入のうち、租税及び印紙収入についてみると、平成30年度（決算）と比較して減少している。その内訳は、消費税が租税及び印紙収入の2割程度を占めており、平成9年度（決算）以降その割合は低下傾向で推移している。

4 基礎的財政収支（プライマリー・バランス）についてみると、平成29年度及び平成30年度には黒字化を達成していたが、令和2年度には新型コロナウイルス感染症への対応のため、対GDP比15％を超える赤字となった。

5 一般会計歳出の規模の推移について決算ベースでみると、平成17年度に初めて100兆円を超える規模となって以降、毎年度増加を続け、新型コロナウイルス感染症の感染拡大の影響を受けた令和2年度には、初めて200兆円を超える規模となった。

科学技術振興費について知らなくても、社会保障関係費、消費税、基礎的財政収支、一般会計予算総額といった毎年必ず問われる論点について整理できていれば、消去法で正答肢を選ぶことができる。

1．妥当である。ちなみに、成長と分配の好循環による「新しい資本主義」の実現の一環として編成された結果である。

2．令和４年度一般会計当初予算における社会保障関係費は、36兆2,735億円である。また、令和４年度診療報酬改定において、不妊治療の保険適用は実現されている。さらに、令和４年度一般会計当初予算における社会保障関係費は、令和３年度一般会計当初予算における社会保障関係費35兆8,343億円より1.2％増えている。

3．平成30年度（決算）における租税及び印紙収入は60兆3,564億円であり、令和４年度一般会計当初予算における租税及び印紙収入65兆2,350億円のほうが多い。令和４年度一般会計当初予算の租税及び印紙収入の内訳を見ると、消費税が約33％を占めている。さらに、平成９年度（決算）以降、消費税が租税及び収入に占める割合は上昇傾向で推移している。

4．平成29年度および平成30年度の基礎的財政収支（プライマリー・バランス）は赤字である。また、令和２年度の基礎的財政収支は9.6兆円の赤字であり、名目GDP535.5兆円の約1.8％程度の赤字である。

5．平成17年度一般会計歳出（決算）は85.5兆円であり、100兆円を超えていない。また、平成17年度以降、毎年度増加を続けていたわけではなく、減少した年度もある。さらに、令和２年度一般会計歳出（決算）は147.6兆円であり、200兆円を超えていない。

データ出所：『図説　日本の財政　令和４年度版』、「財政関係基礎データ」（財務省）、「日本の財政関係資料」（財務省）

正答　1

国家一般職[大卒] No. 44 専門試験

経済事情　日本の経済動向　令和5年度

我が国の経済の動向に関する次の記述のうち、最も妥当なのはどれか。

1　実質GDPについてみると、2021年7－9月期以降、新型コロナウイルス感染症の感染再拡大の影響により、3四半期連続で個人消費が落ち込んだ一方で、諸外国の景気回復を背景に輸出は好調となったことから、2022年1－3月期の実質GDPは、新型コロナウイルス感染症の感染拡大前（2019年10－12月期）の水準を大きく上回っている。

2　2021年後半から2022年前半までの消費者物価（総合）について前年同月比でみると、2021年7月以降に「エネルギー」がマイナス寄与となった一方で、2022年初以降は「食料」のプラス幅が拡大傾向で推移した。その結果、2022年1月以降は消費者物価上昇率が前年同月比で2％を超える状況が続き、2022年7月に内閣府はデフレを脱却したことを宣言した。

3　2020年から2021年までの期間の雇用者数を前年同期差でみると、男女共に非正規雇用労働者数は増加を続けているものの、女性の正規雇用労働者数は減少傾向にある。また、同期間の雇用者数を2019年同月差で産業別にみると、特に「宿泊業、飲食サービス業」「生活関連サービス業、娯楽業」で大きく増加している一方、「医療、福祉」「情報通信業」で減少傾向にある。

4　2020年1月から2022年4月までの期間における一般労働者の現金給与総額（労働者一人当たりの平均賃金）について前年同月比でみると、所定内給与は新型コロナウイルス感染症の感染対策等に伴う休業等の影響もあり増減を繰り返しているが、ボーナスを含む特別給与はマイナスが続いており、現金給与総額はマイナスが続いている。

5　日本銀行は、2022年4月の金融政策決定会合において、当面の金融政策運営として2％の「物価安定の目標」の実現を目指し、これを安定的に持続するために必要な時点まで、「長短金利操作付き量的・質的金融緩和」を継続することとした。また、あらかじめ決まった利回りで国債を無制限に買い入れる指値オペを原則として毎営業日実施するとし、「連続指値オペ」の運用について明確化した。

1．日本では、2021年10月以降、緊急事態宣言等が全国的に解除され、３四半期連続で個人消費が落ち込んだ事実はない。また、輸出の推移を見ると、2021年夏の東南アジアでの感染拡大に伴う部品供給不足や中国経済の回復テンポの鈍化で2021年７－９月期に減少したものの、同年10－12月以降増加傾向になった。さらに、2021年１－３月期の実質 GDP は新型コロナウイルス感染症の感染拡大前（2019年10－12月期）の水準をおおむね回復した程度である（2019年10－12月期を100とすると、99.4）。

2．消費者物価（総合・前年同月比）の推移を見ると、「エネルギー」は2021年４月以降プラスに寄与している。また、食料のプラス幅が拡大傾向で推移し始めたのは2021年秋以降である。さらに、消費者物価上昇率が前年同月比で２％を超える状況となったのは、2022年４月以降であり、内閣府はデフレ脱却を宣言していない。

3．2020年から2021年までの期間の雇用者数を前年同期差で見ると、男女ともに正規雇用労働者は増加を続けており、女性の非正規雇用労働者が増加に転じたのは2021年４－６月期と同年７－９月期の２期である。また、「宿泊業、飲食サービス業」「生活関連サービス業、娯楽業」で雇用者数の減少幅が大きい一方、「医療、福祉」「情報通信業」で増加している。

4．2020年１月から2022年４月までにおける一般労働者の現金給与総額（前年同月比）の推移を見ると、2021年に入って以降は経済社会活動の回復を反映するなどして、所定内給与はプラスを続け、2022年以降はボーナスを含む特別給与の前年比プラス幅が高まるなどしており、2021年４月以降プラスが続いている。

5．妥当である。

データ出所：『令和４年版　経済財政白書』、『令和４年版　労働経済の分析』、『日本経済2022-2023』、「当面の金融政策運営について」（日本銀行）

正答　5

No.45 専門試験 経済事情 海外の経済状況 令和5年度

海外の経済の状況に関する次の記述のうち、最も妥当なのはどれか。

1 ロシアとウクライナの名目GDPの規模（2021年時点）についてみると、ロシアは世界第15位以内、ウクライナは世界第50位以下である。一方で、両国はエネルギーや穀物等の一次産品の輸出において重要な位置を占めており、ロシアは石油、石炭等のエネルギー関連が、ウクライナはトウモロコシや小麦等の食料関連が上位の輸出品目となっている。

2 ロシアの通貨ルピーは、ウクライナ侵攻開始後（2022年２月末）から大幅な増価が始まった。一方で、ロシアの代表的な株価指数であるRTS指数は同時期に急落し、また、日本、米国及びドイツの株価指数は同時期から2022年半ばにかけて総じて上昇傾向となった。

3 ウクライナへのエネルギー依存度が高いEUにおいて、ウクライナ情勢の緊迫化を受け、原油のウクライナ依存脱却に向けた「REPowerEU」計画が公表された影響等により、2022年３月には、１バレル300米ドルを超えていたWTI原油先物価格が大幅に下落した。

4 米国の財貿易赤字についてみると、トランプ政権下においては追加関税措置等によって拡大しており、2020年における財貿易赤字の相手国としては、ロシアが最大であった。一方で、2021年には、ロシア産の天然ガスの輸入を禁止した影響により、３年ぶりに財貿易赤字が縮小した。

5 中国では、2020年に新型コロナウイルス感染症の感染が拡大して以降、2022年９月現在まで一貫して移動制限や休業措置は導入されていないものの、2022年上半期には、新規感染者数が爆発的に増加したことから、鉱工業生産（前年比）は一貫してマイナスで推移した。これは、ウクライナ情勢の緊迫化と並んで、2022年上半期の国際商品市況の暴落の原因の一つと考えられる。

1．妥当である。

2．ロシアの通貨はルピーでなく、ルーブルである。また、ロシア通貨のルーブルはウクライナ侵攻開始後、大幅に減価し、2022年３月７日には一時史上最安値となった。さらに、日本(日経平均)、米国（NYダウ）およびドイツ（ドイツDAX）の株価指数は2022年半ばにかけて総じて下落傾向となった

3．EUは、ロシアへのエネルギー依存度が高い。また、欧州委員会が2022年３月に発表した「REPowerEU」計画は、原油のロシア依存脱却でなく、天然ガスのロシア依存脱却に向けたものである。WTI原油先物価格は、ロシアのウクライナ侵攻後、原油の供給懸念から急上昇し、３月１日には2014年７月以来となる１バレル100ドルを超え、３月上旬は一時130ドル台まで上昇した。

4．米国の財貿易赤字の推移を見ると、トランプ政権下においては追加関税措置等により縮小していた。また、2020年における米国の財貿易赤字最大国はロシアでなく、中国である。さらに、2021年の米国の財貿易額を見ると、輸入額の伸びが輸出額の伸びより大きく、財貿易赤字額は３年ぶりに拡大して初めて１兆ドルを超えた。

5．中国では、新型コロナウイルス感染症対策として、移動制限や休業措置などいわゆるゼロコロナ政策をとってきた。中国の鉱工業生産（前年比）を見ると、2022年１～２月期は前年同期比7.5％増と2021年末から一転して高い伸びとなったが、同年３月からは新型コロナウイルス感染症流行による移動制限強化などが行われ、４月にはマイナスに転じた。その後、５月にはプラス圏に回復して持ち直しの動きが見られた。

データ出所：『通商白書2022』、『世界経済の潮流2022　Ⅰ』

正答　1

経済事情
経営学
国際関係
社会学
心理学
教育学
英語(基礎)
英語(一般)

国家一般職［大卒］ No. 46 専門試験

経営学　企業の戦略　令和5年度

企業の戦略に関する次の記述のうち、最も妥当なのはどれか。

1 C. A. バートレットとS. ゴシャールは、日米欧の多国籍企業の調査の結果、資源や能力の多くを本国に集中して、海外子会社は親会社の戦略を実行する「グローバル型」、資産や能力を海外子会社に分散して、各国拠点を自立させる「マルチナショナル型」、コアとなる能力は本国に集中させるが、そのほかは海外子会社に分散させる「インターナショナル型」といった組織形態を見いだした。

2 M. E. ポーターは、有効な競争戦略のタイプとして、製品の開発や生産に要するコストを詳細に計算して業界で最も安い価格で製品を提供する計画的戦略と、新たな顧客ニーズを創り出すことを事前に意図した創発的戦略の二つを提唱し、小規模企業の場合には、資金的な制約があるため、後者より前者の戦略を用いる方が、高い投資収益率を得られるとした。

3 1970年代から1980年代にかけてR. ルメルトや吉原英樹らは、最大事業の売上高が企業全体の売上高に対して占める割合である「関連比率」と、垂直的な関係をもつ最大の事業グループの売上高が企業全体の売上高に占める割合である「専門比率」という二つの尺度を用いて、多角化戦略のパターン分けを行った。その結果、専門比率が7割を超えつつ関連比率が最も低い「コングロマリット」の収益性が最も高くなることを明らかにした。

4 H. I. アンゾフは、新技術の活用やデザインの変更をした新製品を新規の市場に導入することにより需要を呼び起こすような企業成長の方向性を「製品開発」と呼んだ。これに対して、既存の製品を新たな市場に投入することで市場シェアの拡大を図る「市場浸透」の方が、技術開発を失敗するリスクが小さいため、より望ましい成長の方向であるとした。

5 ボストン・コンサルティング・グループが開発したPPM（プロダクト・ポートフォリオ・マネジメント）では、自社の市場シェアの大きさを表す絶対市場シェアが高く、市場成長率も5％を超えている事業は「花形」と呼ばれる。この事業で得られた資金を、絶対市場シェアと市場成長率のいずれも小さい「問題児」の事業に投資することで、当該事業の競争力を高めて将来の主力事業としていくことが最も効率的な資金配分であるとされる。

解説

1. 妥当である。バートレットとゴシャールは多国籍企業の海外展開の類型を、①グローバル型、②マルチナショナル型、③インターナショナル型、④トランスナショナル型に分類した。①は日本企業に多く見られる形態であり、本国の親会社が各国の子会社を中央集権的に統括する。②は欧州企業に多く見られる形態であり、経営資源や組織能力を各国の子会社に分散し、それぞれが進出先の個別のニーズに適応する。③は米国企業に多く見られる形態であり、重要な決定は親会社が行い、各国の子会社は一定の裁量権を持つ。④は上述の3類型を統合した形態であり、親会社と子会社間でネットワークを形成し、経営資源や組織能力を相互に活用する。

2. 「M. E. ポーター」および「計画的戦略」と「創発的戦略」の説明が誤り。経営戦略について、事前に設定した計画を意図どおりに実行する「計画的戦略（意図的戦略）」と、計画を実行する過程で生じる予期せぬ状況に適応し、現場での試行錯誤を取り込みつつ実施する「創発的戦略」に分類したのは、H. ミンツバーグらである。ポーターは競争戦略の基本的な類型として、①コスト・リーダーシップ戦略、②差別化戦略、③集中戦略を挙げた。①は製品コストを削減し、低価格を実現することで競争優位を獲得する戦略、②は他社の競合製品に対して品質、機能、デザイン、アフターサービスなど価格以外の属性で異なる特徴を打ち出す戦略、③は特定の市場のニーズに適した製品やサービスを集中的に供給する戦略である。

3.「関連比率」と「専門比率」の説明および「『コングロマリット』の収益性が最も高くなる」という記述が誤り。ルメルトは米国企業を対象に多角化戦略のパターンと企業業績の関係を、吉原らは日本企業を対象に同様の調査を行った。彼らの調査では、多角化の程度を判定する量的な尺度として、①専門比率、②垂直比率、③関連比率が用いられた。①は総売上高に占める「最大事業の売上高」、②は総売上高に占める「垂直的な関係を持つ最大の事業グループの売上高」、③は総売上高に占める「技術や市場でなんらかの関連性を持つ最大の事業グループの売上高」である。調査の結果、専門比率が7割以上で垂直比率が7割未満の本業集約型と、関連比率が7割以上で専門比率と垂直比率が7割未満の関連集約型といった「中程度の多角化」を展開している企業の収益性が高いことが明らかにされた。非関連型多角化の「コングロマリット」はすべての量的尺度が7割未満であり、ルメルトの調査では、他の多角化の形態に比べて成長性が最も高かった。

4.「新製品を新規の市場に導入する」成長方向は多角化であり、「既存の製品を新たな市場に投入する」成長方向は市場開発である。アンゾフは、製品の新旧と市場の新旧によって成長ベクトル（企業の成長方向）を、市場浸透（既存製品・既存市場）、市場開発または市場開拓（既存製品・新市場）、製品開発（新製品・既存市場）、多角化（新製品・新市場）に分類した。この4種類の成長ベクトル（製品・市場マトリックス）は、企業が自社の成長方向を比較・検討するための分析ツールであり、特定の成長ベクトルを「より望ましい成長の方向」とは規定していない。

製品・市場マトリックス

市場＼製品	既存	新
既存	市場浸透	製品開発
新	市場開発または市場開拓	多角化

5.「絶対市場シェア」および「花形」と「問題児」の説明が誤り。ボストン・コンサルティング・グループ（BCG）が考案したプロダクト・ポートフォリオ・マネジメント（PPM）は、自社の製品や事業に対して経営資源を効率的に配分するための分析手法である。BCGのPPMでは、市場成長率と相対的市場占有率（最大の競争相手に対する自社事業のシェア）という2つの基準によって、問題児（高成長率・低シェア）、花形（高成長率・高シェア）、金のなる木（低成長率・高シェア）、負け犬（低成長率・低シェア）と名づけられた4つのセルに製品や事業が位置づけられる。PPMの要点は、「金のなる木」で得た資金を将来性のある「問題児」と「花形」に投資し、主力事業へと育成する一方で、成長の見込みがない「問題児」と「負け犬」を適切な時期に撤退させることにある。

BCGのPPM

市場成長率＼相対的な市場占有率	高	低
高	花形	問題児
低	金のなる木	負け犬

正答 1

国家一般職［大卒］ No. 47 専門試験

経営学　経営組織　令和5年度

経営組織に関する次の記述のうち、最も妥当なのはどれか。

1 J. W. マイヤーとB. ローワンは、官僚制組織のような公式的な構造が広まり存続している理由は、社会において当然のものや正しいとされる規則や手続が採用されているという「合理化された神話」によるのではなく、調整や管理といったタスクを効率的に行えるという「組織の有効性」によるのだとした。

2 P. ローレンスとJ. ローシュは、組織における各部門の分化の程度を、目標志向と顧客志向という二つの尺度によって測定した。その結果、同じ業界における高業績企業と低業績企業を比べると、前者の方が分化の程度が低く、部門間での統合活動を高度に行う必要がないため、部門間の調整費用を最小化できていることを明らかにした。

3 M. コーエンらは、問題のある選好、不明確な技術、流動的な参加という三つの特徴を有する現実の組織の意思決定状況を、「組織化された無政府状態」と呼んだ。このような状況においては、それぞれ独立して流れている選択機会と問題、解、参加者が結び付くことで意思決定が行われるとされる。

4 J. D. トンプソンは、個体群の組織形態を、テクニカル・コアに集中することで専門知識を高度化しているスペシャリスト組織と、テクニカル・コアに加えて幅広い資源や能力を獲得しているジェネラリスト組織の二つに分類し、どのような環境変化が生じた場合であっても、多様な能力を有するジェネラリスト組織の方が、環境への適合度が高いことを明らかにした。

5 J. ウッドワードは、米国企業を対象とした調査において、単品・小バッチ生産、大バッチ・大量生産、装置生産のいずれにおいても、変化に柔軟に対応できる有機的な組織構造を採っている企業の業績が高いという発見に基づき、生産システムの違いにかかわらず最適な組織構造があることを明らかにした。

解説

1．本肢の説明は逆である。新制度派組織論を唱えたマイヤーとローワンによれば、近代社会において官僚制組織が普及した理由は、組織の調整や管理を効率的に行えるという事実よりも、「官僚制組織は効率的である」という考えを人々が当然視し、それが正当な規則や手続きに基づいて採用されているとする「合理化された神話」によるものだと主張した。

2．「顧客志向」および「前者の方が分化の程度が低く」以降の記述が誤り。ローレンスとローシュは米国企業を調査し、環境条件と組織における「分化と統合」の関係を分析した。ここでの「分化」とは、組織の各部門が、それぞれ異なる環境条件に適応した結果生じる組織構造や管理方式の違いである。「統合」とは、「分化」した各部門を組織目的の達成に向けて調整し、部門間の協力関係を創り出すことをさす。彼らは、組織における各部門の「分化」の程度を、目標志向（目標に対する考え方）、時間志向（時間に対する考え方）、対人志向（交渉のしかた）、構造の公式性（公式な規則の重要性や階層の数など）という4つの尺度で測定し、環境の不確実性が増すほど、これらの尺度の差が部門間で大きくなるとした。調査の結果、高業績企業ほど各部門が環境条件に適応し、多様な尺度で業務を遂行しており、高度な「分化と統合」を達成していることを明らかにした。

3. 妥当である。現実の組織における意思決定では、問題のある選好（代替案の選択基準があいまい）、不明確な技術（技術の有効性が不確か）、流動的な参加（意思決定の参加者が定まらない）に特徴づけられる「組織化された無政府状態」が起こりうる。この状況を前提として、J. G. マーチとJ. P. オルセン、M. D. コーエンは意思決定のゴミ箱モデルを提唱した。このモデルでは、組織の意思決定の状況は、ある選択機会にさまざまな問題、解、参加者が投げ込まれるゴミ箱にたとえられる。そして、これらの要素が偶発的に結び付いた結果、あたかも満杯になったゴミ箱を空にするように意思決定が行われるとした。

4. 本肢はトンプソンが唱えたテクニカル・コアと個体群生態学の説明を混在させた内容である。M. T. ハナンとJ. フリーマンが唱えた個体群生態学は、進化論における自然淘汰のメカニズムを組織の環境適応に応用した学派であり、個々の企業ではなく同じ構造的特徴を持つ企業の集合（個体群）を分析対象とし、それらをジェネラリスト組織とスペシャリスト組織に分類した。彼らによれば、安定した環境下では、限られた顧客層を対象とし、余分な能力を持たずに専門化しているスペシャリスト組織が適しており、不安定な環境下では、似かよった状況変化が生じる場合は、幅広い顧客層を対象とし、経営資源に余力を持つジェネラリスト組織の適合度が高いが、まったく異なる状況変化が頻繁に起こる場合はスペシャリスト組織が適しているとした。なお、テクニカル・コアとは、さまざまな経営資源を組み合わせて製品やサービスを供給する「組織の中核を担うシステム」を意味する。トンプソンは、テクニカル・コアの合理性を発揮させるためには、それを安定した組織内部に設置し、外部環境の影響から保護する必要があるとした。

5. ウッドワードはイギリスの工場に対する調査で、企業の生産システムを単品（個別受注）・小バッチ生産、大バッチ・大量生産、装置生産の3種類に分類し、生産システムが異なれば有効な組織構造は異なることを示した。具体的には、大バッチ・大量生産を導入している組織では、責任と権限が明確に規定され、職能別の専門化が実施される機械的組織が、一方、単品・小バッチ生産と装置生産を導入している組織では、環境変化に柔軟に対応できる有機的組織が有効であることを明らかにした。なお、「バッチ」とは、一度にまとめて生産する部品や製品の数量である。

正答　3

国家一般職［大卒］ No. 48 専門試験

経営学　技術経営　令和5年度

技術経営に関する次の記述のうち、最も妥当なのはどれか。

1 E. M. ロジャーズが提唱した経験曲線では、ある新製品のユーザーは、その使用頻度が高い順に、革新的採用者、初期採用者、初期多数採用者、後期多数採用者、採用遅滞者という五つのカテゴリに分けられる。これらのうち、革新的採用者が、当該新製品の全ユーザーに占める割合は約16%である。

2 C. M. クリステンセンは、製品の構成部品間のつなぎ方やまとめ方における技術の変化であるモジュラー・イノベーションと、構成部品に用いられる技術の変化であるアーキテクチャル・イノベーションの両方を実現しようとすると、当該企業の利益率が低下してしまう現象を、イノベーターのジレンマと呼んだ。

3 複数の製品開発プロジェクトを同時並行して進めるコンカレント・エンジニアリングにおいては、同じ設計図面を複数のプロジェクトにおいて同時利用できるため、製品ごとの開発コストを低く抑えられるが、設計部門の業務が完了しなければ、これに続く生産準備の業務を始められないため開発リードタイムが長期化する。

4 K. B. クラークと藤本隆宏は、自動車企業において実証研究を行い、開発パフォーマンス全体に関して高い業績を達成していた組織の特徴として、機能部門長と同等かそれより高い社内的地位にあり、製品コンセプトや製品仕様、販売目標などにも責任を有する重量級プロダクト（プロジェクト）・マネジャーを保有していることを明らかにした。

5 1920年代の米国フォード社の移動組立方式では、品種の切替えごとにベルトコンベアを柔軟に変更できたので、同時期にゼネラル・モーターズ社が発明したリーン生産方式に基づく年次モデルチェンジ戦略に対して、迅速かつ低価格で競合製品を導入し続けられたため、最大の市場シェアを失うことはなかった。

解説

1.「経験曲線」と「その使用頻度が高い順に」が誤り。ロジャーズはイノベーションの進展に伴う製品の普及過程を分析し、製品の購入時期が早い順に顧客層を、革新的採用者（Innovator、2.5%）、初期採用者または初期少数採用者（Early Adopter、13.5%）、初期多数採用者または前期多数採用者（Early Majority、34%）、後期多数採用者（Late Majority、34%）、採用遅滞者（Laggard、16%）の5つに分類した（カッコ内の数字は全体に占める各カテゴリの比率）。したがって、「これらのうち、革新的採用者が」以降の記述も誤りである。

2. クリステンセンが示したイノベーターのジレンマとは、ある業界をリードしてきた企業が、自社の主要な顧客のニーズを満たすために積極的に研究開発や生産設備などに投資した結果、分断的（破壊的）イノベーションをもたらすような新たな技術を過小評価し、その地位を新規参入企業に奪われる現象である。また、モジュラー・イノベーションとアーキテクチャル・イノベーションの説明は逆である。R. M. ヘンダーソンとK. B. クラークは、①製品を構成する部品に用いられる要素技術の変化と②構成部品間のつなぎ方の変化という基準によって、イノベーションを4つの類型に分類した。この中で、①のみが変化するタイプはモジュラー・イノベーション、②のみが変化するタイプはアーキテクチャル・イノベーションである。

イノベーションの類型

要素技術の変化＼つなぎ方の変化	有	無
有	ラディカル・イノベーション	モジュラー・イノベーション
無	アーキテクチャル・イノベーション	インクリメンタル・イノベーション

3. コンカレント・エンジニアリングは「複数の製品開発プロジェクトを同時並行して進める」のではなく、ある製品開発の過程で研究開発や生産、マーケティングなど複数部門の業務を同時並行させて進める手法である。この手法では、製品の設計図面が固まる前から、研究開発部門や生産部門などが情報を共有し、相互に意思疎通を図ることで開発リードタイム（製品開発の開始から生産あるいは発売に至るまでの経過時間）の短縮化が実現できる。

4. 妥当である。クラークと藤本は、1980年代に日米欧の自動車メーカーを調査し、その開発組織の構造と業績の関係を分析した。その結果、高い業績を達成した開発組織には、内的統合活動（部門間の調整と統合）と外的統合活動（市場ニーズへの適応）を結び付け、製品開発を強力に推進する管理者である重量級プロダクト（プロジェクト）・マネジャーが存在することを明らかにした。

5. 20世紀初頭にフォード社が導入した移動組立方式は、単一車種であるT型フォードの生産に特化したベルトコンベアによる流れ作業であり、品種の切り替えによる変更は必要なかった。また、1920年代にゼネラル・モーターズ社が、顧客の多様なニーズに対応するために価格帯別に複数車種を製造するフルライン政策や定期的なモデルチェンジ戦略を導入し、同社の売上高が増加したことにより、フォード社は市場シェア首位の座を失った。なお、リーン生産方式とは、マサチューセッツ工科大学の研究チームが、トヨタ自動車のJIT（ジャスト・イン・タイム）生産方式の効率の高さを評した名称であり、徹底して無駄を排除したJIT生産方式をLean（ぜい肉のない）と形容したことに由来する。

正答 4

国家一般職［大卒］

専門試験

No. 49 経営学 日本的経営 令和5年度

日本的経営に関するA～Dの記述のうち、妥当なもののみを挙げているのはどれか。

A．『OECD 対日労働報告書』においては、1960年代以前に日本的労使関係の「三種の神器」として肯定的に評価されてきた、終身雇用、専門化されたキャリアパス、産業別労働組合の有効性が否定された。

B．JIT 生産方式（ジャスト・イン・タイム生産方式）とは、必要な物を必要な量だけ必要なときに生産することで、過剰在庫をゼロに近づけるものであり、後工程が必要とする物を必要な分だけ前工程が供給するものである。

C．W. G. オオウチは、『セオリーZ』において、集団による意思決定を特徴とする米国（A型）の組織と、早い人事考課と昇進を特徴とする日本（J型）の組織を対比し、日本において米国的な経営手法を用いて成功している企業をZ型と呼んだ。

D．P. F. ドラッカーは、日本的経営について、合意に時間は掛かるが実行は速い効果的な意思決定、雇用保障と生産性等の調和、長期間の多面的評価で昇進させる若手管理者の育成法といった点で肯定的に評価した。

1 A、B
2 A、C
3 B、C
4 B、D
5 C、D

A：1972年にOECD（経済協力開発機構）が刊行した対日労働報告書では、終身雇用、年功賃金、企業別労働組合を日本的労使関係の「三種の神器」と指摘した。これらの特徴は、1960年代まで欧米の研究者の間では、日本企業の前近代的な特徴として否定的に評価されていたが、本報告書では、日本の経済成長に貢献したとして、肯定的に評価されている。

B：妥当である。JIT（ジャスト・イン・タイム）生産方式は、トヨタ自動車が考案・発展させた生産システムの呼称である。その中核となる仕組みはカンバン方式であり、部品の種類、数量、納期などを記した「カンバン」と呼ばれる指示伝票を、後工程（本社の最終組立工場）から前工程（下請けの部品メーカー）に送ることで、「必要な物を必要な量だけ必要なときに」調達し、中間在庫を極力圧縮することを可能にした。

C：オオウチは主著『セオリーＺ』（1981年）において、一般的な米国企業の特徴（短期的雇用、早い人事考課と昇進、専門的なキャリアパス、個人責任）を示す理念型をＡ型（タイプＡ）、当時の日本企業の特徴（終身雇用、遅い人事考課と昇進、非専門的なキャリアパス、集団責任）を示す理念型をＪ型（タイプＪ）と呼んだ。そして、米国企業の中でＪ型と似た経営手法を用いて成功している企業をＺ型（タイプＺ）とした。オオウチは、米国企業が業績の改善に向けて模範とすべき管理モデルを当時の日本企業の経営に求め、Ｚ型の経営が一般の米国企業にも可能であると主張した。

D：妥当である。記述Ａの解説で述べたとおり、1960年代まで「日本的経営」の特徴は否定的に評価されていたが、ドラッカーは1971年に発表した論文で問題文にある特徴を示し、これらが日本に経済成長をもたらした重要な要因であると指摘した。

よって、妥当なものはＢとＤであるので、正答は**4**である。

正答　4

国家一般職［大卒］ No. 50 専門試験

経営学　人的資源管理　令和5年度

人的資源管理に関する次の記述のうち、最も妥当なのはどれか。

1　人事考課は、仕事に対する取組姿勢や意欲等を評価することなく、業績評価と能力評価の二つの観点のみから、人的資源に対する評価を行うものである。業績や能力の評価に当たっては、明らかに一部の従業員に対して有利に働くような偏った基準を設けないように注意する必要があるほか、臨機応変に評価を行うためその基準は秘匿されるのが望ましい。

2　360度（多面）評価とは、上司だけでなく、部下、同僚など複数の考課者を用意することで、評価エラーを抑え、評価結果に対する従業員の納得性向上を目指す制度である。また、評価結果がフィードバックされることにより、従業員が自身の長所・短所を知ることができたり、自己と他者の認識ギャップが明らかとなったりする効果も期待できる。

3　異動は、所属する組織内での昇進や昇格、配置転換などを指す「タテの異動」と、出向や転籍、留学など所属する組織外への異動を指す「ヨコの異動」に大別される。「タテの異動」は、ジョブローテーションとも呼ばれ、様々な職能を経験させることで、特定の分野に特化せず、複数の分野で一定レベル以上の業務をこなすエキスパートの育成に役立つとされている。

4　我が国の企業における昇進パターンの特徴としては、欧米企業と比較して、入社後早くから幹部候補生を選抜するファスト・トラック型であることが挙げられる。一般的に、入社後すぐから、競争に勝ち残った者のみが昇格・昇進を果たし、一度競争に敗れた者は上位に向けた競争には参加できなくなるトーナメント方式が採用されることが多い。

5　経営者や優れて業績の高い者を中途採用する場合、公的な人材紹介機関に人材ニーズを伝えて候補者を探させ、見つかった適当な候補者が転職に関心を示せば選考に至るエグゼクティブ・サーチ（ヘッドハンティング）という方法が採られる。この人材紹介業は厚生労働省が所管しており、社長や幹部社員等の個人的な知り合いが人材紹介を行うことは法律で禁止されている。

1. 一般に人事考課は、業績評価（仕事の成果を評価する）、能力評価（職務を遂行するために必要な知識や能力を評価する）、情意評価（仕事に対する取組姿勢や意欲、規律の順守、協調性などを評価する）という3つの観点から行う。その際、一部の従業員のみを優遇するような偏った基準を設けないこと、評価基準は明確かつ従業員にオープンにすることが原則である。

2. 妥当である。360度評価は、上司だけでなく顧客や部下、同僚、関連部門などによる多面的な評価を行うことで偏りを抑え、結果に対する従業員の納得性を向上させる制度である。この制度には問題文に示されたメリットがある反面、運用方法によっては、評価された人物に対する周囲の好悪の感情が反映されてしまうことや、不本意な評価を多面的に指摘されることで人間不信に陥ってしまう、などのデメリットが生じることも指摘されている。

3. 「タテの異動」と「ヨコの異動」の説明が誤り。異動は、所属する組織内での配置転換をさす「ヨコの異動」と、組織内での昇進や昇格をさす「タテの異動」に大別される。「ヨコの異動」は、数年単位で諸部門を異動する制度であるジョブ・ローテーションとも呼ばれ、その目的は基幹業務の習得や各従業員の適性把握にある。なお、「特定の分野に特化せず、複数の分野で一定レベル以上の業務をこなす」従業員は、ゼネラリスト（ジェネラリスト）である。

4. 日本企業における昇進パターンは、欧米企業のように入社後早くから幹部候補生を選抜するファスト・トラック型ではなく、「遅い昇進」に特徴がある。一般に日本企業では、入社直後は同一年次・同時昇進で始まり、その後に各従業員の昇進スピードに差が現れ、最終的にはトーナメント方式によって選抜が行われるケースが多い。具体的には、毎回の競争（選抜の機会）に勝ち残った者が昇格・昇進を果たすが、一度競争に敗れた者も長期的なトーナメントに継続して参加することになり、その最終的な結果は到達した役職の差となって現れる。

5. 「公的な人材紹介機関」が誤り。エグゼクティブ・サーチ（ヘッドハンティング）では、企業が求める人材の要件をあらかじめ専門の人材紹介業者に伝え、候補者を募り、面談や条件交渉などの選考を経て採用が決定する。また、「この人材紹介業は」以降の記述も誤りである。所管官庁が厚生労働省であるのはそのとおりだが、この種の業務は人材紹介業者に委託する以外に、社長や幹部社員の知人、取引先の企業、金融機関などが斡旋するケースもある。

正答 2

No. 51 専門試験 国際関係 国際政治理論 令和5年度

国際政治の理論に関する次の記述のうち、最も妥当なのはどれか。

1 E. H. カーは、1939年に『歴史の終わり』を著して、「ユートピア主義」と「コンストラクティビズム」の間の考え方の違いが、第一次世界大戦からの国際社会の危機の背景にあることを分析した。カーは、その後の「コンストラクティビズム」学派の隆盛に大きな影響を与えた。

2 H. モーゲンソーは、1948年に『国際政治』を著して、国益ではなく国際法の原則に基づいて行使される国家の力が、国際政治の分析において重要であることを強調した。そして、モーゲンソーは、現実主義者と呼んだ人々を批判し、政治的理想主義の立場を唱えた。

3 核保有国が、先制攻撃を受けた場合でも報復攻撃によって相手に甚大な損害を確実に与える核兵器使用の能力を相互に持ち合う状況を「相互確証破壊」といい、これが冷戦時代の米ソ間に成立し、先制攻撃に利がない状況となった。

4 民主主義国が戦争に勝利すると安定した平和が訪れるという歴史的な観察に基づいて、「民主主義の戦争は平和をもたらす」というテーゼが提唱された。このテーゼは冷戦終焉後の世界における民主化支援の動きにも影響を与え、この理論は民主的平和論と呼ばれる。

5 武力攻撃を受けた国家は、自衛権に訴えることができるが、複数の国家が共同で行使することはできない。これは集団的自衛権の違法性と呼ばれ、北大西洋条約機構（NATO）の設立根拠であるが、冷戦終焉後にNATOが東方拡大する際にも、この考え方は承継された。

1. 「コンストラクティビズム」は「リアリズム」の誤り。E. H. カーは、1920〜30年代に広まっていた理想主義的な国際政治の見方をユートピア的と批判し、国際関係の権力的側面を重視するリアリズムの必要性を指摘した。カーは、その後のリアリズム学派の隆盛に大きな影響を与えた。『歴史の終わり』(1989年) は、フランシス・フクヤマの著書。カーが1939年に著したのは、『危機の二十年』である。また、1961年には、『歴史とは何か』の著書がある。

2. 「国際法」と「国益」、「現実主義」と「理想主義」の位置が逆である。H. モーゲンソーは、国際政治の本質は国力を巡る闘争であるとし、国際法よりも国益 (力によって定義された利益) に基づいて行使される国家の力が国際政治の分析において重要であることを強調した。そして政治的理想主義者と呼んだ人々を批判し、政治的現実主義 (リアリズム) の立場を唱えた。

3. 妥当である。敵からいかなる形の先制攻撃を受けても報復攻撃によって敵に耐え難い損害を確実に与える能力を米ソ両国が保持することによって、互いの先制攻撃を抑止する戦略を相互確証破壊戦略という。

4. 民主主義国どうしは戦争をしないという歴史的な観察に基づいて、「民主主義の国制を採る国が増えれば平和をもたらす」という民主的平和論が唱えられている。「民主主義国が戦争に勝利すると安定した平和が訪れる」「民主主義の戦争は平和をもたらす」という記述は誤り。

5. 国連憲章は、国家に対し個別的自衛権のほか、集団的自衛権の行使も認めている (51条)。北大西洋条約機構も個別的および集団的自衛権をその設立根拠としている。「欧州又は北米における一又は二以上の締約国に対する武力攻撃を全締約国に対する攻撃とみなす。締約国は、武力攻撃が行われたときは、国連憲章の認める個別的又は集団的自衛権を行使して、北大西洋地域の安全を回復し及び維持するために必要と認める行動 (兵力の使用を含む) を個別的に及び共同して直ちにとることにより、攻撃を受けた締約国を援助する」(北大西洋条約5条)。「複数の国家が共同で (自衛権を) 行使することはできない。これを集団的自衛権の違法性と呼ばれ」は誤り。

正答 3

経済事情 経営学 国際関係 社会学 心理学 教育学 英語(基礎) 英語(一般)

国家一般職［大卒］ No. 52 専門試験

国際関係 戦争と和平の歴史 令和5年度

国際政治史における戦争と和平の歴史に関する次の記述のうち、最も妥当なのはどれか。

1 欧州で長く続いたスペイン王位継承戦争を終結させた17世紀のウェストファリア講和は、紛争当事者が一堂に会して和平合意を締結したものであった。その後の欧州ではドイツ帝国の権威が低下し、大国が主導する勢力均衡の政治体制が形成されていった。

2 ナポレオン戦争が終結すると、戦争に関与した大国はウィーンに集まり、戦争違法化の原理に基づく戦後の欧州の秩序について話し合った。ウィーン会議後には、大国・小国が一堂に会する協議の定期化なども行われ、「ヨーロッパの協調」と呼ばれた。

3 第一次世界大戦後の秩序は1919年に講和条約が調印された場所から「ヴェルサイユ体制」と呼ばれる。敗戦国の帝国は再建され、欧州において新しい国家は認められなかった。翌年に集団安全保障を反映した不戦条約体制を確立し、国家の政策の手段としての戦争の放棄を進めた。

4 第二次世界大戦後には、敗戦国のドイツや日本を交えた包括的な和平合意を結ぶ会議がサンフランシスコで開催され、国際連盟に代わり国際連合が設立された。大国の離反を防ぐため、安全保障理事会を構成する常任理事国に、総会の決定に対する拒否権が与えられた。

5 1989年に東欧革命が起こり、ベルリンの壁の崩壊後、G. H. W. ブッシュとM. ゴルバチョフはマルタ島で会談し、冷戦の終結を宣言した。その後、東西ドイツの統一が果たされた一方で、ワルシャワ条約機構とソ連は解体した。

解説

1.「スペイン王位継承戦争」ではなく、ドイツ三十年戦争を終結させたのが17世紀（1648年）のウェストファリア講和条約である。その後の欧州で権威が低下したのは「ドイツ帝国」ではなく神聖ローマ帝国である。

2. ナポレオン戦争後の1814年９月から1815年６月にかけて開催されたウィーン会議での基本原則は「戦争違法化の原理」ではなく、正統主義である。これは、フランスのタレーランが提唱したもので、フランス革命以前の領土や主権を正統なものとし、それを復帰させる原則であった。正統主義とともにウィーン会議では勢力均衡の考えが採用され、五大国（英国、フランス、プロイセン、オーストリア、ロシア）間での力の均衡を図ることで国際秩序を維持し、革命や戦争の再発を防ごうとした。「ヨーロッパの協調」とは、ナポレオン戦争以降の欧州で見られた、大国間の合議と協調によって国際紛争の処理を行うシステムを意味する。常設の機構を置くことなく、問題が生起するごとに特別な国際会議がもたれ、諸国間の相互調整による解決が図られることを特徴とした。「大国・小国が一堂に会する協議の定期化」は誤り。

3. 第一次世界大戦後、パリ講和会議で1919年に成立したヴェルサイユ条約の下で成立したヴェルサイユ体制では、ロシア、オーストリア・ハンガリー、オスマントルコの各帝国が廃され、バルト地域からバルカン半島に至る中・東欧地域で８つの新興国家（フィンランド、エストニア、ラトビア、リトアニア、ポーランド、チェコスロバキア、ハンガリー、セルブ・クロアート・スロヴェーン王国（後のユーゴスラビア）が成立した。よって、ヴェルサイユ体制で「帝国は再建され、欧州において新しい国家は認められなかった」は誤り。また、翌年には史上初の集団安全保障機構である国際連盟が誕生し、戦争違法化が進められた。国際紛争の解決手段として武力を行使しないことを宣言する不戦条約の成立は1928年である。よって、「翌年に集団安全保障を反映した不戦条約体制を確立し、国家の政策の手段としての戦争放棄を進めた」は誤り。

4. 第二次世界大戦での勝利を目前にした1945年４～６月、連合国側の50か国がサンフランシスコで会議を行い、国際連合憲章が採択された。同年10月には、同憲章に基づき国際連合が発足した。「敗戦国のドイツや日本を交えた包括的な和平合意を結ぶ会議がサンフランシスコで開催され」は誤り。また、国連の安全保障理事会を構成する常任理事国に与えられた拒否権は、安全保障理事会の決定に対して認められた権能であるので、「総会の決定」は誤り。

5. 妥当である。1989年11月のベルリンの壁崩壊後、マルタ島で米国のG. H. W. ブッシュ大統領とソ連のM. ゴルバチョフ書記長が会談し、冷戦の終結を宣言した。翌1990年にはドイツの統一が実現し、1991年にワルシャワ条約機構とソ連は解体した。

正答 5

No. 53 国際関係 第二次世界大戦末期以降の国際関係 令和5年度

第二次世界大戦末期以降の国際関係に関する次の記述のうち、最も妥当なのはどれか。

1 1945年2月、F. ローズヴェルトとスターリンの米ソ2か国首脳によるヤルタ会談が開催された。この会談では、国連憲章における安全保障理事会の常任理事国の権限や、日本に対して無条件降伏を求めることなどについて討議され、合意が形成された。

2 第二次世界大戦中から戦後にかけてソ連が東欧における影響力を強めていく中、1946年3月、F. ローズヴェルトは、ミズーリ州フルトンにおいて講演し、朝鮮半島に「鉄のカーテン」が下ろされたと述べ、ソ連の脅威が拡大しつつあると強調した。

3 H. トルーマン大統領は、ソ連の影響拡大を封じ込めるため、1947年3月、ギリシャとトルコに対する経済・軍事援助のための支出の承認を議会に求めた。その後、G. マーシャル国務長官は、東欧を含むヨーロッパ全体の経済復興のために大規模な経済援助を行う計画を提示した。

4 ソ連は、ヨーロッパ諸国の共産主義政党の連携を強化するため、1947年9月、コミンフォルムに代わる組織としてコミンテルンを設立した。さらに、1949年1月には、東欧との経済関係の強化を目的としてワルシャワ条約機構を設置した。

5 1948年6月、ドイツにおいてソ連が自ら占領する区域内で通貨改革を実施すると、これに対抗するため、米国は、西ベルリンとソ連が占領する東ベルリンとの間の往来を禁止し、孤立した西ベルリンに対して輸送機による物資の空輸作戦を実施した。

1．1945年２月のヤルタ会談は、米（F. ローズベルト）、英（チャーチル）、ソ連（スターリン）の３か国首脳による会談である。「米ソ２か国首脳による会談」は誤り。ヤルタ会談では、ドイツ敗戦後の４か国管理やドイツの非武装化、戦争犯罪人の裁判実施等が決定されたほか、安全保障理事会を構成する常任理事国に拒否権が認められた。また秘密協定では、ドイツ打倒後３か月以内のソ連の対日参戦、南樺太、千島のソ連取得などが決定された。よって、「日本に対して無条件降伏を求めることが討議され、合意が形成された」は誤り。これらは、1945年７月～８月のポツダム会談で、討議・合意された。

2．1946年３月米国ミズーリ州フルトンで講演し「鉄のカーテン」が降ろされたと述べ、ソ連の脅威が拡大しつつあることを強調したのはF. ローズベルトではなく、英国の前首相W. チャーチルである。また、鉄のカーテンが降ろされたのは、「朝鮮半島」ではなく欧州（「バルト海のシュテッティンからアドリア海のトリエステまで」である。

3．妥当である。1947年３月、トルーマン大統領はソ連の影響力拡大を防ぐため、ギリシャ・トルコへの経済・軍事援助実施を表明した（トルーマンドクトリン）。次いで1947年６月にはマーシャル国務長官が欧州経済復興援助計画（マーシャルプラン）を発表した。

4．ソ連は1947年９月、マーシャルプランに対抗し各国共産党の政治的結束を絡めるため、ソ連・東欧諸国・フランス・イタリアの共産党からなるコミンフォルムを設立した。本肢の「コミンテルン」は「コミンフォルム」の誤りである。コミンテルンは1919年に世界の共産党など左翼勢力がロシア共産党の指導を受けモスクワで結成した組織で、世界革命やソ連の擁護、ファシズム勢力との闘いのためさまざまな指令を発したが、連合国との協調を優先させるため1943年に解散された。1949年１月、ソ連が東欧との経済関係強化を目的に設置したのは「ワルシャワ条約機構」ではなく、コメコン（経済相互援助会議）である。なお、ワルシャワ条約機構の結成は、1955年である。

5．1948年６月、ドイツにおいて米英仏の西側３か国が自ら占領する区域内で通貨改革を実施すると、これに対抗するためソ連は西ベルリンとソ連が占領する東ベルリンの往来を全面禁止した（ベルリン封鎖）。そこで孤立した西ベルリンを救うため、米国は物資の大空輸作戦を展開した（ベルリン空輸）。本肢の「ソ連が自ら占領する区域内で通貨改革を実施」と「米国は、西ベルリンとソ連が占領する東ベルリンとの間の往来を禁止」は誤り。

正答　3

国家一般職［大卒］ No. 54 専門試験 国際関係 国際経済 令和5年度

国際経済に関する次の記述のうち、最も妥当なのはどれか。

1 1944年、第二次世界大戦後の世界経済再建を主導した米国の呼びかけに応じて、44か国が国際通貨基金（IMF）と国際復興開発銀行（IBRD）の設立に合意し、米国ドルを基軸として変動為替相場制を採用するブレトンウッズ体制を築いた。IMF や IBRD は、意思決定の方式として、国連総会と同様に全ての加盟国に対して１票ずつ割り当てる一国一票制を採っている。

2 関税及び貿易に関する一般協定（GATT）に代わり、1995年に世界貿易機関（WTO）が設立され、WTO 協定ではサービス貿易や知的財産権といった新分野に関してもルール化が進展した。また、WTO の紛争解決手続において、議案について全加盟国が異議を唱えない限り採択されるネガティブ・コンセンサス方式を採用するなど、紛争解決手続が強化された。

3 自由貿易協定（FTA）は、一部の国や地域を対象として関税の原則撤廃などを行い財やサービスの貿易自由化を行う協定であり、経済連携協定（EPA）は、FTA に加え投資ルールの整備等を含めた包括的経済協定である。WTO 体制を重視する国や地域が多いため、2000年以降の FTA/EPA の締結数は減少傾向であり、日本も WTO 体制を重視し、2022年末現在、FTA/EPA を締結していない。

4 1960年代以降急速な経済成長を実現した中国、台湾、香港、シンガポールは、1988年のトロントでのサミットにおいてアジア新興工業経済地域（NIEs）と呼ばれた。NIEs の経済成長要因としては、輸出指向型工業から１次産品を輸出して先進諸国から工業製品を輸入する輸入代替工業への転換があったとされている。

5 北米自由貿易協定（NAFTA）は、米国主導により1994年に発効し、貿易と投資の自由化を目的として締結されたものであったが、知的財産権の保護の導入などは含まれておらず、経済統合という点で課題が残るものであった。米国は、NAFTA などの地域横断的な経済連携を重視しているため、二国間 FTA について消極的であり、2022年末現在、米国が締結したものはない。

解説

1．1944年７月、米国ニューハンプシャー州ブレトンウッズにおいて、国際金融ならびに為替相場の安定を目的として、国際連合の「金融・財政会議」が開催された。この会議において調印されたブレトンウッズ協定によって、安定した通貨制度を確保するための国際通貨基金（IMF）と国際復興開発銀行（IBRD）の設立が決定された。IMF の意思決定機関である総務会では、出資金の支払い比率に応じて投票権が付与される。また国際復興開発銀行の総務会等では、各加盟国に平等に配分される基本票数（現行各国それぞれ250票）と出資額に基づく票数の合計が各国の投票権数となる。「国連総会と同様に全ての加盟国に対して１票ずつ割り当てる一国一票制を採っている」は誤り。

2．妥当である。世界貿易機関（WTO）は、モノの貿易ルールだけでなくサービス、知的財産権といった広範な分野で国際的ルールを決めている。また紛争解決手続きにおいては、全加盟国が賛成しない限り実施できないコンセンサス方式を採用していた GATT（関税及び貿易に関する一般協定）とは異なり、紛争解決委員会の提訴に対し全加盟国による反対がなければ採択されるネガティブ・コンセンサス方式が採用され、紛争解決手続きの強化が図られた。

3．1995年に世界貿易機関（WTO）が発足したが、2001年から始まったWTOによる新ラウンド（ドーハラウンド）は加盟国の増大に加え、交渉領域が各国の主権や内政にかかわる問題にまで広がっているため利害が複雑に錯綜し、合意困難な状況が続いている。そのため近年では利害が一致した二国間または多国間で自由貿易協定（FTA）や経済連携協定（EPA）を締結する動きが世界中で加速している。日本は従来WTO体制を重視する立場からFTA/EPAの締結を控えていたが、WTOが膠着状態に陥っていること、各国でFTA/EPAの締結が増加傾向にあることから、2001年にシンガポールとの間で初のEPAを締結した。以後、メキシコ、チリ、タイなど各国とEPAを締結、2022年末現在、発効・署名済みのFTA/EPAは21に上っている。本肢の「2000年以降のFTA/EPAの締結数は減少傾向であり」、「日本も……2022年末現在、FTA/EPAを締結していない」は誤り。

4．1980年代に急速に経済を発展させた韓国、台湾、香港、シンガポールは「アジア4小竜」といわれ、世界経済に強い地位を築いた。当初はNewly Industrializing Countriesの略でNICs（ニックス）と呼ばれていたが、香港と台湾の立場を考慮し（国ではないので）1988年のトロント先進国首脳会議（サミット）で、アジア新興工業経済地域（Newly Industrializing Economies：NIEs）と呼ぶように改められた。本肢の「中国」は韓国の誤り。NIEsの成長要因としては、1次産品を輸出し先進諸国から工業製品を輸入する輸入代替工業から輸出志向型工業への転換があったとされる。本肢の記述は逆である。

5．北米自由貿易協定（NAFTA）は、米国、カナダ、メキシコの3か国間で結ばれた経済協定で、1992年12月17日に署名され、1994年1月1日に発効した。商品やサービスの貿易障壁を撤廃し、国境を越えた移動を促進することに加え、公正な競争条件を促進すること、投資の機会を拡大すること、知的財産権の保護や執行を行うことを目的とした協定である。本肢の「知的財産権の保護の導入などは含まれておらず」は誤り。米国は、米国・チリ自由貿易協定（2004年）をはじめ、ペルー、コロンビア、パナマ、イスラエル、シンガポール、韓国などと二国間の自由貿易協定を締結している。よって、「二国間FTAについて消極的であり、2022年現在、米国が締結したものはない」は誤り。なお、加盟国によるNAFTA再交渉の結果、2018年10月にNAFTAを米国・メキシコ・カナダ協定（USMCA）に置き換えることに合意し、2020年7月のUSMCA発効によりNAFTAは失効している。

正答　2

国家一般職［大卒］ No. 55 専門試験

国際関係 安全保障に関わる国際組織の設立に関する文書 令和5年度

次の英文は、それぞれ安全保障に関わる活動をしている国際（地域）組織の設立に関する文書の一部である（一部省略又は変更している箇所がある。）。次の記述のうち、冷戦時代の1975年に東西両陣営の信頼醸成を目的としてヘルシンキで採択された文書として最も妥当なのはどれか。

1 The Parties to this Treaty reaffirm their faith in the purposes and principles of the Charter of the United Nations and their desire to live in peace with all peoples and all governments. They are determined to safeguard the freedom, common heritage and civilisation of their peoples, founded on the principles of democracy, individual liberty and the rule of law. They seek to promote stability and well-being in the North Atlantic area. They are resolved to unite their efforts for collective defence and for the preservation of peace and security. They therefore agree to this North Atlantic Treaty:

2 The States participating in the Conference on Security and Co-operation in Europe, *Reaffirming* their objective of promoting better relations among themselves and ensuring conditions in which their people can live in true and lasting peace free from any threat to or attempt against their security; *Convinced* of the need to exert efforts to make détente both a continuing and an increasingly viable and comprehensive process, universal in scope, and that the implementation of the results of the Conference on Security and Cooperation in Europe will be a major contribution to this process;

3 WE THE PEOPLES OF THE UNITED NATIONS DETERMINED to save succeeding generations from the scourge of war, which twice in our lifetime has brought untold sorrow to mankind, and to reaffirm faith in fundamental human rights, in the dignity and worth of the human person, in the equal rights of men and women and of nations large and small, and to establish conditions under which justice and respect for the obligations arising from treaties and other sources of international law can be maintained, and to promote social progress and better standards of life in larger freedom,

4 THE HIGH CONTRACTING PARTIES, In order to promote international co-operation and to achieve international peace and security by the acceptance of obligations not to resort to war, by the prescription of open, just and honourable relations between nations, by the firm establishment of the understandings of international law as the actual rule of conduct among Governments, and by the maintenance of justice and a scrupulous respect for all treaty obligations in the dealings of organised peoples with one another, Agree to this Covenant of the League of Nations.

5 By this Treaty, the High Contracting Parties establish among themselves a European Union, hereinafter called ‘the Union’. This Treaty marks a new stage in the process of creating an ever closer union among the peoples of Europe, in which decisions are taken as closely as possible to the citizen. The Union shall be founded on the European Communities, supplemented by the policies and forms of cooperation established by this Treaty. Its task shall be to organize, in a manner demonstrating consistency and solidarity, relations between the Member States and between their peoples.

解説

各選択肢の日本語訳は次のとおり。

1　この条約の締約国は、国際連合憲章の目的および原則に対する信念ならびにすべての国民および政府とともに平和のうちに生きようとする願望を再確認する。締約国は、民主主義の諸原則、個人の自由および法の支配の上に築かれたその国民の自由、共同の遺産および文明を擁護する決意を有する。締約国は、北大西洋地域における安定及び福祉の助長に努力する。締約国は、集団的防衛並びに平和及び安全の維持のためにその努力を結集する決意を有する。よって締約国は、この北大西洋条約を協定する。

2　欧州安全保障・協力会議参加国は、参加国の目的が、参加国相互間の関係改善を促進し、参加国国民が自らの安全に対するいかなる脅威や企てからも守られて、真のかつ永続的な平和の中に生活できる条件を確保することにあることを再確認し、緊張緩和を持続的で益々活き活きとした、包括的な全世界に及ぶプロセスとするために努力することが必要であること、および欧州安全保障・協力会議の成果の実施がこのプロセスへの主要な貢献となることを確信する。

3　われら連合国の人民は、われらの一生のうちに二度まで言語に絶する悲哀を人類に与えた戦争の惨害から将来の世代を救い、基本的人権と人間の尊厳及び価値と男女及び大小各国の同権とに関する信念をあらためて確認し、正義と条約その他の国際法の源泉から生ずる義務の尊重とを維持することができる条件を確立し、一層大きな自由の中で社会的進歩と生活水準の向上とを促進する。

4　締約国は戦争に訴えないという義務を受諾し、各国間の開かれた公明正大な関係を定め、各国政府間の行為を律する現実の規準として国際法の原則を確立し、組織された人々の間の相互の交渉において正義を保つとともに一切の条約上の義務を尊重することにより、国際協力を促進し各国間の平和と安全を達成することを目的として、この国際連盟規約に同意する。

5　締約国は、この条約により、相互間に欧州連合（以下「連合」という）を設立する。この条約は、可能な限り市民に近いところで決定が行われる、欧州の人々の間におけるこれまで以上に緊密な連合を創設する過程における新たな段階を示すものである。連合は、欧州共同体を基盤とし、この条約が定める政策および協力の形態によって補完されるものとする。その使命は、一貫性及び連帯性を示す方法で、構成国間および諸国民の間の関係を構築することにある。

＊　＊　＊

1．北大西洋条約の前文である。

2．妥当である。1975年7～8月、フィンランドのヘルシンキにおいて開催された全欧安全保障協力会議（Conference on Security and Cooperation in Europe：CSCE）で採択された最終合意文書（ヘルシンキ宣言）の前文である。この全欧安全保障協力会議にはアルバニアを除きソ連を含めた欧州33か国、米国、カナダの計35か国の首脳が参加した。そして全参加国が調印したヘルシンキ宣言は、国家主権の尊重、武力不行使、国境の不可侵、領土保全、紛争の平和的解決、内政不干渉、人権と諸自由の尊重などの原則、信頼醸成措置の促進などの安全保障や技術協力などの推進を掲げ、冷戦時代の東西対話に大いに役割を果たした。

3．国連憲章の前文である。

4．国際連盟規約の前文である。

5．欧州連合条約（マーストリヒト条約）のA条である。

正答　2

国家一般職［大卒］ 専門試験

No. 56 社会学 18〜19世紀にかけての社会理論 令和5年度

18世紀から19世紀にかけての社会理論に関する次の記述のうち、最も妥当なのはどれか。

1 A. スミスは、『国富論』において、需要も供給も自由な市場に任せておけばバランスがとれるとする古典派経済学に対して、資本主義社会における非自発的失業の解決のためには、政府が「見えざる手」として積極的に介入して有効需要を高める必要があると述べた。

2 A. コントは、人間の思考方法が、神学的、実証的、形而上学的の順に発展するのに伴い、社会は軍事的段階、産業的段階、法律的段階へと発展していくとする「三段階の法則（三状態の法則）」を唱えた。そして、社会学を法律的段階にある社会科学の一分野として位置付けた。

3 C. H. サン＝シモンは、『イデオロギーとユートピア』において、人間が持つ知識はその人が置かれている歴史的・文化的条件に拘束されているとする存在拘束性を主張し、理解社会学の基礎を確立した。

4 H. スペンサーは、類似による連帯を機械的連帯、相互にないものを補い合う形式の連帯を有機的連帯と呼び、社会的連帯は機械的連帯から有機的連帯へと進化するとともに、進化した社会では分業が展開するという社会進化論を唱えた。

5 K. マルクスは、資本主義社会では、生産手段を所有する資本家が生産手段を所有しない労働者に生産を行わせ、その生産物を商品として売って価値を不断に増殖させようとする資本蓄積の運動が展開されているとした。

1. スミスは、『国富論』において、需要も供給も自由な市場に任せておいても、「見えざる手」が働くことによってバランスがとれるとする古典派経済学を展開した。非自発的失業の解決のために政府が積極的に介入すべきと主張したのはJ. ケインズである。

2. コントは、人間の思考方法が、神学的、形而上学（哲学）的、実証（科学）的の順に発展するのに伴い、社会は、軍事的段階、法律的段階、産業的段階へと発展しているとした。社会学は、実証的な段階にある社会科学とした。

3.『イデオロギーとユートピア』において、存在の拘束性を主張したのは、K. マンハイムである。マンハイムは、知識社会学の基礎を確立した。サン＝シモンはフランス革命後のフランス社会の再組織化を構想した思想家（サン＝シモン主義、空想的社会主義）である。

4. 分業の発達によって社会的連帯が機械的連帯から有機的連帯へと進展すると論じたのはE. デュルケムである。スペンサーは軍事型社会から産業型社会へと進化していくとする社会進化論を展開した。

5. 妥当である。

正答 5

国家一般職［大卒］ No. 57 専門試験

社会学 ブルデューの学説 令和5年度

P. ブルデューの学説に関する次の記述のうち、最も妥当なのはどれか。

1 新聞等のメディアを通して社会集団の成員に共有される、固定的で画一化したものの見方をハビトゥスと呼んだ。ハビトゥスは、ほぼ意識することなく作用するものであり、国家の公共性に対して対抗的に形成される市民的公共性の基礎になるとした。

2 経済資本が投資、蓄積、転換されることになぞらえ、文化の保有が資本として機能することに注目し、文化資本という概念を提唱した。そして、文化資本は、身体化された様態、客体化された様態、制度化された様態という三つの様態をとるとした。

3 発話パターンを限定コードと精密コードに区別し、主に限定コードを用いる労働者階級の子供が、精密コードを用いる学校において不利な状況に置かれることを明らかにした。そして、労働者階級がそうした不平等に対し暴力を用いて抗議行動をすることを象徴的暴力と呼んだ。

4 異なる文化的背景をもつ集団が接触した際に、対立、応化、同化を経て、新たな文化が生産されるプロセスを、文化的再生産と呼んだ。特に、階級間における文化的再生産は、格差縮小の可能性をもち、労働者階級にとって有利に働くとした。

5 土地利用形態に見られる格差について研究し、都市は、中心業務地区から放射状に、高所得者住宅地帯、遷移地帯、労働者居住地帯が同心円をなし、これらの地帯が互いに凝離（セグリゲーション）しているとする同心円地帯理論を提唱した。

1. メディアを通して形成される固定的、画一的なものの見方は「ステレオタイプ」であり、W. リップマンが主張した。また、国家の公共性に対抗するものとしての市民的公共性の形成過程を論じたのは、J. ハーバーマスである。ハビトゥスは、ブルデューが重用した概念である。特定の生育環境の中で身につく、ものの見方、感じ方、振る舞い方などをさし、ほぼ無意識のうちに作用するものとされる。

2. 妥当である。

3. 限定コード（主観的で、聞き手依存的な発話）を用いる労働者階級の子どもが、精密コード（聞き手に依存せずに行われる客観的、説明的発話）を用いる学校において不利な状況に置かれることを指摘したのは、B. バーンステインである。象徴的暴力は教育の現場においてなされる、特定の価値観の隠された押しつけのことで、ブルデューが用いた概念である。

4. 文化的再生産とは、「新たな文化が生産されること」ではなく、文化や文化資本を介して階級格差が再生産されることをいう。これにより階級格差は維持されるため、労働者階級にとっては不利に働く。文中の応化（accommodation）、同化（assimilation）といった概念は、R. パークの人間生態学において用いられた概念。

5. 同心円地帯理論はE. バージェスが主張した。バージェスの同心円地帯理論では、中央業務地区から放射状に、遷移地帯、労働者居住地帯、中流階級居住地帯、高所得者住宅地帯が同心円をなし、これらの地帯が互いに凝離しているとされる。

正答　2

国家一般職［大卒］ 専門試験

No. 58 社会学 マートンが論じた逸脱行動 令和5年度

R. K. マートンが論じた逸脱行動に関する次の記述のうち、最も妥当なのはどれか。

1 20世紀前半の米国で生じた急激な産業化の過程で伝統的な社会規範が崩壊した結果、アノミーが生じ、これによって逸脱行動が引き起こされたと述べた。この中範囲の理論によって、アノミー概念が社会学で初めて提唱された。

2 一定量の犯罪の存在は健全な社会にとって不可欠であり、犯罪が全くない社会は異常であるという犯罪常態説を唱えた。この際、何を犯罪とみなすかは社会が決めると述べ、E. M. レマートらとともにラベリング論を提唱した。

3 犯罪は制度的手段を通じて達成されるとし、収賄や横領などの制度的な犯罪を行うことが可能な中産階級による犯罪に着目した。この研究によって、犯罪は下層階級で生じやすいとされる通念は否定され、中産階級でホワイトカラー犯罪が多発していることが立証された。

4 逸脱行動の原因を個人の心理に求めるのではなく、社会構造に求め、その社会で望ましいとされている文化的目標と人々が置かれている現実との落差が、人を犯罪へと駆り立てるとした。

5 勤勉や節約という当時の米国社会が掲げていた文化的目標から逸脱した人々がアノミー状態に陥り、窃盗や詐欺などの逸脱行動をすると考えた。特に、社会との間の絆を失った人々にこうした傾向がみられるとし、ボンド（絆）理論を提唱した。

1．アノミー概念を社会学において初めて提唱したのはデュルケムである。『社会分業論』においてであった。また、マートンの説では、社会規範の崩壊によってではなく、文化的目標と制度的手段の不適合により、逸脱行動が引き起こされるとされている。

2．「一定量の犯罪の存在は健全な社会にとって不可欠」という見解を提示したのはデュルケムである。また、レマートらとともにラベリング理論を展開したのはH. ベッカーなどである。

3．「制度的手段」とは、「文化的目標」を達成するためにとられる制度化された手段のことをさす。犯罪はこの制度的手段を逸脱する行為である。また、ホワイトカラー犯罪に関する後半の記述はサザーランドに関するものである。

4．妥当である。

5．勤勉や節約は、ウェーバーが近代資本主義のエートスとして指摘したもの。マートンのいう文化的目標とは、社会の全成員にとって追求に値するような目標のことであり、当時の米国社会においてそれは金銭的成功であるとされる。そして窃盗や詐欺などは、逸脱した手段によって金銭を得る行為であるため、「文化的目標から逸脱した」のではなく、「制度的手段」から逸脱したことになる。ボンド理論（社会的絆理論）は、T. ハーシによる非行抑制効果論である。

正答　4

No. 59 社会学 自我や自己 令和5年度

自我や自己に関する次の記述のうち、最も妥当なのはどれか。

1 C. H. クーリーは、人が他者に対して印象操作を行うために呈示した自己を「鏡に映った自己」と呼んだ。そして、自己は社会的なものであり、学校や政党などの機能集団である第二次集団において形成されると述べた。

2 G. H. ミードは、シンボリック相互作用論を批判し、自己はそれ自身の内部に二重性をもつと指摘した。すなわち、自己は、他者との相互作用から独立して形成されるものであり、先天的な性格であるＩと、Ｉを踏まえて実際に行為をする me との相互作用からなるとした。

3 S. フロイトは、人格構造を、エス、自我、超自我の三層に分け、超自我が自我を超越すると、権威主義的パーソナリティが形成されるとした。権威主義的パーソナリティとは、民主主義を達成した国において、政治・経済・軍事という各制度を掌握する人々の特性を指す。

4 E. H. エリクソンは、自己イメージを多数の他者に広め承認を得ることをアイデンティティ拡散と呼び、これによりアイデンティティが確立されるとした。さらに、老年期を迎え、青年期に確立されたアイデンティティが崩壊し、再確立が求められる期間をモラトリアムと呼んだ。

5 A. ギデンズは、現代社会を再帰性が徹底された社会とし、制度や組織だけでなく関係や自己までもが再帰的な吟味の対象となるとした。すなわち、自己は、それを位置付ける安定した枠組みを失い、自己自身の在り方について絶えず振り返ることを求められると論じた。

1．印象操作、自己呈示は、ゴフマンのドラマトゥルギーにおいて用いられる概念。クーリーは、自己は社会的なものであり、家族や遊び仲間などの、対面的関係によって成り立つ第一次集団内での相互作用の中で、他者たちの自分に対する反応を通じて形成されるとし、これを「鏡に映った自己」と呼んだ。

2．ミードは、シンボリック相互作用論の始祖とされる。そして自己は、他者との相互作用を基調にして形成されるものであり、社会性を表象する me と、それへの反応としての I の相互作用からなるとした。

3．フロイトは人格構造を、エス、自我、超自我の三層に分けたが、そこでは、エスは衝動的本能、超自我は社会規範を指し、この両者の葛藤を調停するものが自我だとされている。権威主義的パーソナリティは、E. フロムやホルクハイマーらが研究した。政治・経済・軍事という各制度を掌握する人々に着目し、アメリカ社会の権力構造を解き明かしたのは W. ミルズである。

4．エリクソンは、アイデンティティの確立ができない青年期の人々の症状を、アイデンティティ拡散と呼んだ。モラトリアムは青年期の、アイデンティティを確立する前の猶予期間のことをいう。

5．妥当である。

正答　5

国家一般職［大卒］ 専門試験

No. 60

社会学　社会調査　令和5年度

社会調査に関する次の記述のうち、最も妥当なのはどれか。

1　参与観察とは、調査対象が所属する集団をその外側から捉える手法である。この手法は、科学的客観性を確保するために、一人の調査対象者に対して複数人でインタビューを繰り返す点に特徴がある。

2　生活史（ライフ・ヒストリー）法とは、日常会話や録音された電話の会話分析によって、人々の生活世界の意味付けを明らかにする手法である。この手法は、同一の対象者に対して一定期間をおいて複数回同様の分析を行い、時間的変化を捉えていく点に特徴がある。

3　社会調査の起源の一つとして、ヨーロッパにおける貧困調査がある。C. ブースは、19世紀後半のロンドンにおける貧困の実態を明らかにするため統計的な調査を行った。この調査は、社会問題の解決という実践的な目的をもつ調査であり、こうした調査は社会踏査とも呼ばれている。

4　二次分析とは、質的調査の際に、データ分析の誤りを確認するために行われる分析のことである。一次分析を経た後で、別の調査者が全く同じ手続により二次分析を行うことで一次分析の誤りを見つけ出し、分析の客観性と正確性を高めることが求められる。

5　質的調査におけるラポールとは、調査対象者から調査の許可を得るプロセスのことである。調査対象者に調査の目的を丁寧に説明し、調査の同意を得た上で、調査承諾書を書いてもらうことで、ラポールは完了する。

1．参与観察とは、調査対象が所属する集団に入り込み、当該集団をその内側から捉える手法である。この手法は、観察やインタビュー、その併用など、さまざまなかたちでおこなわれるが、「一人の調査対象者に対して複数人でインタビューを繰り返す」といったような方法上の決まりが特にあるわけではない。

2．生活史法とは、日記や自伝、手紙などの資料の読解を通じて調査対象者の生活の歴史を理解しようとする方法である。「日常会話や録音された電話の会話分析によって、人々の生活世界の意味付けを明らかにする」のはエスノメソドロジー、「同一の対象者に対して一定期間をおいて複数回同法の分析を行」うのは、パネル調査法と呼ばれる方法である。

3．妥当である。

4．社会調査によってデータを収集し、これをもちいて行われる分析が一次分析、すでに収集されたデータを別の方法を用いて再分析したり、またはそのデータを、一次分析の時とは別の分析を行うために利用したりするような場合、これを二次分析という。

5．ラポールとは、調査を円滑に行うために調査員と調査対象者との間に形成される友好的な信頼関係のことである。また質的調査においては、事前説明をしたり同意を取り付けたりする場合もあるが、その手続が必須というわけではない。調査承諾書を書いてもらうという手続きもまた必須ではない。

正答　**3**

心理学　心理学実験　令和5年度

次は、ある一連の心理学実験についての記述であるが、これらの実験に関する説明として最も妥当なのはどれか。

E. C. チェリー（Cherry, E. C., 1953）は、実験参加者にステレオヘッドホンを装着させ、左右の耳に異なる音声刺激を同時に流して聞かせる「両耳分離聴」と呼ばれる実験を行った。実験参加者には、片方の耳から聞こえる音声だけに集中し、聞こえた音声を復唱することを求めた。復唱が終わった後、集中していなかった側の耳から聞こえた音声の内容について質問したところ、実験参加者たちはほとんど報告することができなかった。

これに対して、N. モレイ（Moray, N., 1959）は、E. C. チェリーが行った実験に変更を加え、集中していない側の耳に実験参加者の名前を挿入して聞かせる実験を行った。その結果、一定数の実験参加者が、集中していなかった側の耳から聞こえた音声であったにもかかわらず、自分の名前が提示されていたことに気付いた。

1　文脈効果に関する実験であり、同一の刺激に対する認知や反応が、それが提示される状況や環境などの要因によって異なるかどうかを検討したものである。

2　記憶範囲に関する実験であり、短期記憶に一度に保持することのできる容量の限界を検討したものである。

3　エコーイック記憶に関する実験であり、音声刺激が言語情報としての処理を受ける前の段階で、音響情報として一時的に保持される仕組みを検討したものである。

4　閾下知覚に関する実験であり、閾下で提示され意識には上らない刺激が、認知や反応に影響を及ぼすかどうかを検討したものである。

5　選択的注意に関する実験であり、注意のフィルターが、情報処理のどの段階に位置付けられるのかを検討したものである。

1．文脈効果とは、周囲の状況（周辺的要素）によって認識が影響を受けることである。ブルーナーによる実験が著名で、「B」とも「13」とも見えるカードを提示した所、事前にアルファベットを見ていたグループでは「B」、数字を見ていたグループでは「13」と認識する割合が高かったという。本問の実験とは関連がない。

2．記憶範囲は、記銘した事項を想起してもらう実験で確かめられる。ミラーによると、短期記憶に一度に保持できるのは7チャンク（情報のかたまりのこと）前後とされる（7±2の法則）。本問の実験とは関連がない。

3．本問の実験は、多くの情報が錯綜する中でも、特定の情報のみを意識する選択的注意があることを確かめたものである。提示されたらすぐに消える音声刺激を、音響情報（エコーイック記憶）として一時的に保持する仕組みを検討したものではない。

4．閾下（いきか）知覚とは、意識に上らない「閾下」の刺激によって生体に何らかの反応が起きることである。サブリミナル効果ともいう。本問の実験は、閾下知覚の存在を調べたものではない。

5．妥当である。チェリーの実験では、集中していなかった側の耳から聞こえた音声は報告されなかったことから、当該の刺激は入力時点において失われていたことになる。すなわち注意のフィルターは、情報処理の早い段階に位置することを示唆する（早期選択説）。対してモレイの実験では、非注意刺激に含まれる名前に気づけたことから、注意のフィルターは、情報処理の後のほうの段階（意味処理の後）に位置することを示唆する。これは後期選択説の根拠とされる。

正答　5

国家一般職［大卒］ 専門試験

No. 62 心理学 創造的な思考や問題解決 令和5年度

創造的な思考や問題解決に関するア～エの記述のうち、妥当なもののみを全て挙げているのはどれか。

ア．G. ワラスは、創造的な問題解決のプロセスを孵化期（あたため期）と啓示期（ひらめき期）の2段階に分け、孵化期における試行錯誤から手詰まりに至る過程を経た後、啓示期において一瞬のひらめきが生じ、突然の問題解決へと至ることを指摘した。ここで、解決法を思い付いた時に生じる感動的な体験は、インパスと呼ばれる。

イ．A. S. ルーチンスの「水がめ（水差し）問題」は、容量の異なる三つの水がめを組み合わせて使用し、指定された量の水をくみ出す課題である。この課題に初めて取り組むとき、二つの水がめを用いるだけで解決できる問題であっても、三つの水がめの全てを使用すべきとする「構え」にとらわれ、より単純な解決法に気付きにくいことが指摘されている。

ウ．A. F. オズボーンは、創造的・独創的なアイディアを生み出すための方法として、ブレイン・ストーミングを考案した。この方法では、集団討議の形式でアイディアを提案し合い、他者のアイディアに対する批判的な検討と評価を行うことを通じて、提案されたアイディアの中で最も優れたアイディアを選び出すことを目指している。

エ．J. P. ギルフォードは、人間の思考を収束的（集中的）思考と拡散的（発散的）思考に分類した。収束的思考とは、問題解決において一つの結論や正解を論理的に導き出す思考であるのに対して、拡散的思考とは、一つに限らない様々な解決の可能性を、必ずしも論理的にではなく広げて探る思考である。

1 ア
2 エ
3 ア、イ
4 イ、ウ
5 ウ、エ

ア：ワラスによると、創造的な問題解決のプロセスは①準備期、②孵化期、③啓示期、④検証期、という4つの段階に分かれる。考えが熟成する孵化期の前に、創造への欲求が生まれ、情報収集等が行われる準備期がある。啓示期の後には、思いついた解決法を検証し実用化できるようにする検証期がある。解決法を思いついた時の感動的な体験は、カール・ビューラーによって提唱された概念で、アハ体験と呼ばれる。インパスとは、手詰まりの状態のことである。

イ：3つの水がめをすべて使うべきという「構え」が生じるのは、課題に初めて取り組むときではなく、3つのすべての水がめを組み合わせて解決できる課題を何度かさせた後である。先行経験が、課題解決を妨げる「構え」をもたらす例である。

ウ：ブレイン・ストーミングでは、他者が出したアイディアへの批判は禁じられる。自由奔放にアイディアを出し合い、「最も優れたアイディアを選び出す」のではなく、それらを結合・発展させることを原則とする。ブレイン・ストーミングという語は、騒々しい話し合いの中から奇抜なアイディアが飛び出す、という意味を持っている。

エ：妥当である。収束的思考は知能検査で測られる能力で、拡散的思考は創造性や独創性とかかわる思考様式といえる。

よって、妥当なものはエのみであるので、正答は**2**である。

正答　**2**

国家一般職[大卒] No.63 専門試験

心理学　知能　令和5年度

知能に関する次の記述のうち、最も妥当なのはどれか。

1　A. ビネーによって開発されたスタンフォード・ビネー式知能検査では、検査結果から求められる精神年齢で生活年齢を割った値に基づいて知能指数（IQ）の概念が導入され、実用化された。

2　A. ビネーの創始した知能検査が成人における知能の差異を調べることを目的として開発されたのに対して、D. ウェクスラーは、子どもの発達遅滞を診断するための検査としてウェクスラー式知能検査を考案した。

3　C. E. スピアマンは、因子分析法という統計的手法を用いた研究から、知能には全ての知的活動に共通に働く一般因子（共通因子）と、個々の知的活動のみに特有な特殊因子があるという二因子説を唱えた。

4　R. B. キャッテルは、基本的な知能因子として言語理解、語の流暢性、空間、知覚、数、記憶、推理の7因子を挙げ、これらを流動性知能と結晶性知能に分類して階層的に位置付ける多因子説を唱えた。

5　知能の鼎（てい）立理論を唱えたH. ガードナーは、知能の種類として言語的知能、論理・数学的知能、空間的知能、音楽的知能、身体・運動的知能、個人内知能、対人的知能などを挙げ、これらが相互作用しながら発達し、機能するとした。

解説

1. ビネーの知能検査を改良し、スタンフォード・ビネー式知能検査を開発したのはターマンである。知能指数の考え方を最初に提起したのはシュテルンであるが、数値として実用化されたのは本検査以降である。精神年齢を生活年齢で割って100をかけた値が知能指数だが、これが100を下回る場合、生活年齢に相応した水準よりも知能が低いことを意味する。

2. ビネーが創始した知能検査は、学業不振の子どもを判別し、支援することを目的として開発された。知能の差異を調べることを目的として開発されたのはウェクスラー式知能検査で、対象者の年齢に応じて、児童用（WISC）と成人用（WAIS）に分けられる。

3. 妥当である。スピアマンの説は知能の２因子説と呼ばれる。サーストンは、知能は７つの因子（言語理解、語の流暢性、空間、知覚、数、記憶、推理）からなると考えた。

4. 知能は７つの因子からなるとする説（多因子説）を唱えたのは、サーストンである。多因子説は「階層的に位置付け」てはいない。キャッテルが、知能を「流動性知能と結晶性知能に分類」した、という記述は正しい。前者は新しい場面に適応する際にはたらく知能で、青年期をピークとして低下する。後者は過去に学んだことを適用して問題解決する能力で、加齢とともに緩やかに上昇する。

5. ガードナーの説は、多重知能理論と呼ばれる。「相互作用しながら」ではなく、互いに独立して発達すると仮定されている。知能の鼎(てい)立理論はスタンバーグが提唱した枠組みで、コンポーネント理論、経験理論、文脈理論の３つからなる。鼎立とは、「３本の脚が支える」という意味である。

正答　3

経済事情
経営学
国際関係
社会学
心理学
教育学
英語(基礎)
英語(一般)

国家一般職［大卒］ No. 64 専門試験

心理学 ストレス 令和5年度

次は、ストレスに関する記述であるが、A～Eに当てはまるものの組合せとして妥当なのはどれか。

H. セリエは、生体に有害刺激であるストレッサーが加えられると、生体に特徴的な生理的変化が共通して引き起こされることを見いだし、この変化を汎適応症候群（general adaptation syndrome）と呼んだ。このようなストレス反応が発現する過程には三つの時期があり、抵抗力の低下した［ A ］が続くと、最終的には身体疾患へのり患の可能性が高まり死に至ると考えた。

R. S. ラザラスとS. フォルクマンが示した心理的ストレスモデルでは、ストレッサーに対処するために認知的及び行動的な努力を行うことを［ B ］と呼び、その代表的な方略として「問題焦点型」と「情動焦点型」の2種類を示した。

ストレス過程には様々な個人差があり、パーソナリティとの関連も指摘されている。L. Y. エイブラムソンらは、人は自分に起きた様々な出来事の原因を自分なりに解釈するが、その解釈の仕方にはその人なりの一貫した帰属様式があると考えた。帰属様式の個人差には、①自分の失敗の原因を自分の能力や努力の欠如、性格のような内的なもののせいにするか、環境や事故のような外的なもののせいにするか、②その原因は安定的（永続的）なものか、不安定的（一時的）なものか、③その原因はどんな課題にも当てはまる全般的なものか、この課題にのみ当てはまる特殊的なものか、がある。L. Y. エイブラムソンらによると、嫌なことを体験したとき、①［ C ］、②［ D ］、③［ E ］な原因に帰属するほど、抑うつになりやすくなり、このようなパターンは「抑うつ的な原因帰属スタイル」と呼ばれる。

	A	B	C	D	E
1	疲憊（はい）期	コーピング	内的	安定的	全般的
2	疲憊期	コーピング	外的	不安定的	特殊的
3	疲憊期	認知的評価	内的	安定的	特殊的
4	警告反応期	コーピング	内的	不安定的	全般的
5	警告反応期	認知的評価	外的	安定的	特殊的

A：「疲憊期」が入る。セリエによるとストレス反応が発現する過程は3つに分かれ、警告反応期、抵抗期、疲憊期の段階をたどる。抵抗力が衰えた疲憊期になると、身体疾患の罹患の可能性も高まる。

B：「コーピング」が入る。ストレスへの対処のことである。認知的評価とは、被った刺激がストレスフルかどうかを個人が主観的に判断することである。この段階でストレスフルと判断され、実際に身体症状等が生じた場合、ストレスへの対処（コーピング）がなされる。

C：「内的」が入る。内的な原因とは自分にかかわるもので、外的な原因とはそれ以外のものである。

D：「安定的」が入る。安定的な原因とは「ずっと続く」と考えられるもので、課題遂行失敗の内的な（自分にかかわる）原因は、素質や能力のような安定的なものと、努力や気分のような不安定的なものとに分かれる。

E：「全般的」が入る。全般的な原因とは、いついかなる時でも同じものであり、特殊的な原因とはその時にたまたま生じた偶発的なものをいう（舞台本番の当日、観客が異常に多かった等）。動かし難い、自分ではいかんともし難い原因に帰属させるほど、抑うつになりやすい。

よって、正答は**1**である。

正答　1

国家一般職［大卒］

No. 65 専門試験

心理学　社会的説得　令和5年度

社会的説得に関するＡ～Ｄの記述のうち、妥当なもののみを全て挙げているのはどれか。

Ａ．説得の受け手による情報処理過程を仮定した精緻化見込みモデルでは、情報精査への動機づけと能力のいずれか一つでも高ければ、中心的・周辺的ルートが同時に機能し、メッセージ内容が十分な説得力を持っているか入念に吟味され、精緻な情報処理が行われる。

Ｂ．説得の送り手の信ぴょう性が高い場合であっても、時間が経つことにより説得の送り手についての記憶が薄れ、説得のメッセージの内容が及ぼす効果が時間の経過に伴って低下することをスリーパー効果という。

Ｃ．接種理論によれば、先に弱い説得を受けた経験が予防接種のように働き、あたかも「免疫」ができたかのように、後から受ける強い説得に対しても動じにくい、確固とした態度が作られるとされている。

Ｄ．説得の送り手の意図に反して、説得の効果がその方向とは逆の方向に働き、受け手の態度の硬直化や反発が生じることがある。これは、説得への抵抗によって生じる現象であり、ブーメラン効果と呼ばれる。

1　Ａ
2　Ｄ
3　Ａ、Ｂ
4　Ｂ、Ｃ
5　Ｃ、Ｄ

A：精緻化見込みモデルでは、説得の受け手が、情報精査への動機づけと能力の両方を有している場合、中心的ルートが機能し、理詰めの精緻な情報精査が行われる。動機づけと能力のいずれかが欠けている、ないしは両方欠けている場合は、印象などの周辺的手掛かりに依拠する周辺的ルートが機能する。後者による態度変容は、一時的で変わりやすい。

B：スリーパー効果とは、情報源の信ぴょう性が低い場合であっても説得の効果が時間の経過に伴い増えることをいう。時間とともに、説得の送り手の信ぴょう性の低さに関する記憶が薄れるためである。説得の送り手の信ぴょう性が高い場合、時間の経過に伴い説得の効果は減少する。

C：妥当である。弱い説得をはねのけた経験が「免疫」となり、後からの強い説得にも動じにくくなる。予防接種の比喩がまさにふさわしい。

D：妥当である。受け手の考えに反対の立場のみならず、それを支持する立場からの説得であっても、意図とは逆の結果が生じ得る。ブーメラン効果が起きるかどうかは、受け手の自我の強さや、受け手と送り手の関係といった条件にも左右される。

よって、妥当なものはCとDのみであるので、正答は**5**である。

正答　5

国家一般職［大卒］ No. 66 専門試験

教育学　西洋の教育思想　令和5年度

西洋の教育思想に関する次の記述のうち、最も妥当なのはどれか。

1　J. A. コメニウスは、『学校と社会』を著し、あらゆる人にあらゆる事柄を教授する普遍的な技法の存在を否定した。彼は、一律的に知識注入を図ろうとする当時の学校の在り方を批判し、学校教育は子供の生活や経験を中心に組織すべきであると説いた。

2　J. J. ルソーは、『国家』を著し、人間は教育によってつくられると説き、人間が自然状態に置かれることを否定した。彼は、幼児期からの積極的な方向付けが必要であるとして、国家による一貫した積極教育がなされるべきだと主張した。

3　W. v. フンボルトは、『一般教育学』を著し、啓蒙主義に基づいてフランス革命後の社会を構想する中で公教育制度を具体的に位置付けようとした。彼は、公教育は国家の国民に対する義務であるとの前提に立ち、教育の機会均等や中立性の維持などに言及した。

4　F. フレーベルは、『人間の教育』を著し、教育の目的は子供の神性を発現させることにあるとした。彼は、教育は自己の内面を表現できる幼児期に始まると捉え、教育活動としての遊びや労作の原理を表す道具として「恩物」を考案した。

5　J. F. ヘルバルトは、『児童の世紀』を著し、新教育の運動が盛り上がりつつあった19世紀を児童の世紀と称した。彼は、教育学が児童中心主義的な主張の偏重に陥っていると批判的に捉え、学問的体系を改めて見直す必要があると指摘した。

解説

1. コメニウスではなく、デューイに関する記述である。デューイは、20世紀初頭のアメリカの新教育運動の主導者で、「なすことによって学ぶ」経験主義の教育を実践した。コメニウスは実物教授を提唱し、史上初の絵入り教科書の『世界図絵』や、近代教授学の金字塔の『大教授学』を著したことで知られる。

2. ルソーは自然の状態を重視し、年齢に先んじた方向づけはすべきでないと考えた。こうした消極教育の主張は、本肢で言われているような積極教育とは対峙する。『国家』は、プラトンの著作である。

3. フンボルトではなく、コンドルセに関する記述である。公教育の基本原理を提唱したことから、公教育の父と仰がれる。フンボルトはベルリン大学の設立にかかわり、大学における研究と教育の自由の理念を説いたことで知られる（フンボルト理念）。『一般教育学』は、ヘルバルトの著作である。

4. 妥当である。1837年に世界初の幼稚園（一般ドイツ幼稚園）を創設し、幼稚園の創始者と呼ばれる人物でもある。

5. 『児童の世紀』を著したのはエレン・ケイで、この人物が児童の世紀と称したのは19世紀ではなく20世紀である。児童中心主義の偏重に批判的という箇所も誤り。子どもが幸せに育つことのできる平和な社会を建設すべきと訴え、各国の児童中心主義教育運動に大きな影響を与えた。ヘルバルトは、4段階の教授段階説を唱えた人物である。

正答 4

専門試験

No. 67 教育学 教育社会学の学説 令和5年度

教育社会学の学説に関するア〜エの記述のうち、妥当なもののみを挙げているのはどれか。

ア．S. ボウルズとH. ギンタスは、学校教育は職業に役立つ知識や技術ではなく、階級的地位に応じたパーソナリティ特性を伝えているとし、産業界内部の階層構造に対応した形で出身階層別の社会化が学校教育を通じて行われるとする対応理論（原理）を提唱した。

イ．E. ゴフマンは、教師は、授業自体が成立することが困難な場合にあってもまずは授業目的の達成に資する正当な教授法を追求し、これに対応できる生徒を中心に授業秩序を作り出そうとするとし、このような教師の戦略を「サバイバル・ストラテジー」と呼んだ。

ウ．É. デュルケムは、教育について、先行世代が後続世代に対して行う組織的ないし方法的な社会化の営みであるとし、教育の目的は個人の中に社会的存在を形成するところにあり、それによって社会が不断に更新され存続されると説明した。

エ．I. イリイチは、学校は、学業成績が一定の水準に達しない生徒にそのことのみをもってアウトサイダーのラベルを貼ることにより逸脱を生み出していると指摘し、この過程を「脱学校」と呼んだ上で、この過程を通じて将来到達する社会階層が規定されるとする脱学校論を展開した。

1 ア、ウ
2 ア、エ
3 イ、ウ
4 イ、エ
5 ウ、エ

ア：妥当である。低い水準の学校では規律遵守、中級の学校では一定の自律性、上級の学校では企業価値の内面化が志向され、それぞれ底辺労働者、中間労働者、エリート労働者（上級管理職）の層へと組み込まれていく。学校は、既存の社会の階層構造を再生産する機能も持っている。

イ：ゴフマンではなく、ウッズに関する記述である。サバイバル・ストラテジーとは生存戦略で、いわゆる非進学校の教師がこの種の戦略を行使していることを、ウッズは明らかにしている。ゴフマンは、教師の行為を役割演技ととらえた（ドラマトゥルギー）人物である。

ウ：妥当である。デュルケムは教育社会学の開祖といわれ、教育をして、先行世代が後続世代を組織的・体系的に社会化することであると考えた。

エ：学校は特定の規則（校則）を作り、それに違反した者にアウトサイダーのラベルを貼り、その結果として逸脱者が（人為的に）生み出される。ベッカーは、この過程をラベリングと呼んだ。アウトサイダーというラベル貼りの対象は、学業不振の者に限られない。イリイチがいう「脱学校」とは、学校を解体し、人々の自発的な学習ネットワークを作るべきである、という主張をさす。

よって、妥当なものはアとウのみであるので、正答は**1**である。

正答　1

国家一般職［大卒］ No. 68 専門試験

教育学　社会教育・生涯学習　令和5年度

社会教育や生涯学習に関する次の記述のうち、最も妥当なのはどれか。

1 「生涯学習」(Lifelong Learning) は、P. フレイレによりUNESCO創設直後の1947年に提唱された概念である。その後、我が国においてこの概念は、既存の学校制度の変革を訴える「生涯教育」(Lifelong Education) へと発展していった。

2 1949年に制定された生涯学習振興法*は、我が国で最初の生涯学習に関する法律であった。しかし、同法は、1990年に、生涯学習事業の実施に当たり民間事業者も公の施設の指定管理者となり得るとすることなどを内容とする社会教育法が制定されたことに伴い、廃止された。

3 2006年の教育基本法改正により、生涯学習の理念について、国民一人一人がその生涯にわたって、あらゆる機会に、あらゆる場所において学習することができ、その成果を適切に生かすことのできる社会の実現が図られなければならない旨が規定された。

4 社会教育主事は、各社会教育施設に置くこととされている専門的職員であり、社会教育事業の企画・立案・実施などを担う。また、社会教育主事は、社会教育施設が主催する事業や社会教育関係団体が行う活動について、助言・指導を与えるほか、命令・監督をする権限を有する。

5 PTAとは、保護者と教師が対等な立場に立って教育活動を担うため、我が国で大正期に導入された社会教育団体である。しかし、2018年の文部科学省組織再編の際に、保護者らが学校運営に直接参加する学校運営協議会が制度化されたことに伴い、PTAを段階的に廃止する方針が示された。

* 生涯学習の振興のための施策の推進体制等の整備に関する法律

1．生涯学習は、わが国においては、生涯教育を言い換えた概念として提起されたものである。1965年のユネスコ成人教育推進委員会にて、ラングランが「生涯教育」という概念を提唱したが、教育というと強制の感が強いので、学習という能動性（自発性）を重視する言葉として「生涯学習」が使われるようになった。フレイレは、被抑圧者の教育について考察した人物である。

2．生涯学習振興法は1990年に制定された法律で、現在も廃止されてはいない。民間事業者が公の施設の指定管理者になりうることを定めた法律は、地方自治法である。社会教育法は、戦後初期の1949年に制定された。

3．妥当である。「科学技術の進歩や社会構造の変化、高齢化の進展や自由時間の増大などに伴って重要となっている生涯学習の理念について、新たに規定した」とある（文部科学省通知「教育基本法の施行について」2006年12月）。

4．社会教育主事は、各社会教育施設ではなく教育委員会の事務局に置かれ、命令・監督の権限は持たない。「社会教育主事は、社会教育を行う者に専門的技術的な助言と指導を与える。ただし、命令及び監督をしてはならない」と定められている（社会教育法第９条の３第１項）。

5．PTA が導入されたのは、第二次世界大戦が終了して間もない頃である。1946年に GHQ が設置を促し始め、翌年に当時の文部省が全国に手引書を送り、全国に普及していった。2004年に学校運営協議会が制度化されたが、PTA を段階的に廃止する方針は示されていない。

正答　3

経済事情
経営学
国際関係
社会学
心理学
教育学
英語(基礎)
英語(一般)

No.69 専門試験 教育学 日本の公立学校の教員の服務 令和5年度

我が国の公立学校の教員の服務に関するA～Dの記述のうち、妥当なもののみを全て挙げているのはどれか。

A．教員は、職務の遂行中にその職の信用を傷つけ、又は職員の職全体の不名誉となるような行為をしてはならないとされているが、勤務時間外の直接職務に関係のない行為については、この限りではない。

B．教員は、授業に支障のない限り、任命権者の許可を受けて、勤務場所を離れて研修を行うことができるとされているが、外部機関の講師など教育に関する他の職を兼ねたまま給与を受けることは認められない。

C．教員は、政治的行為について、特定の政党その他の政治的団体等を支持し又はこれに反対する目的をもって、あるいは公の選挙等において特定の人等を支持し又はこれに反対する目的をもって、その属する地方公共団体の区域内において行うものに限り、制限されている。

D．教員は、職務上知り得た秘密を漏らしてはならず、その職を退いた後も同様とされている。法令による証人、鑑定人等となり、職務上の秘密に属する事項を発表する場合には、任命権者（退職者については、その退職した職又はこれに相当する職に係る任命権者）の許可を受けなければならない。

1 C
2 D
3 A、B
4 A、C
5 B、D

A：地方公務員法第33条において、信用失墜行為の禁止が定められているが、この規定は勤務時間外にも適用される。また、直接職務に関係ない行為にも適用される。

B：「教員は、授業に支障のない限り、本属長の承認を受けて、勤務場所を離れて研修を行うことができる」（教育公務員特例法第22条第2項）。任命権者の許可を受けてではない。本属長とは、学校の場合は校長をさす。地方公務員法第38条第1項では、「職員は、任命権者の許可を受けなければ、商業、工業又は金融業その他営利を目的とする私企業を営むことを目的とする会社その他の団体の役員その他人事委員会規則で定める地位を兼ね、若しくは自ら営利企業を営み、又は報酬を得ていかなる事業若しくは事務にも従事してはならない」と定められている（営利企業等への従事制限）。任命権者の許可を得れば、外部機関の講師など他の職を兼ねることは差し支えない。

C：教育公務員特例法第18条第1項では「公立学校の教育公務員の政治的行為の制限については、当分の間、国家公務員の例による」と定められている。一般の地方公務員は、自分が勤務する自治体の外で政治的行為をすることができる（地方公務員法36条2項）が、教育公務員である公立学校教員の場合、政治的行為の制限の範囲は全国に及ぶ。

D：妥当である。地方公務員法第34条が定める守秘義務規定である。法令による証人、鑑定人等となり、職務上の秘密に属する事項を発表する許可の申請がなされた場合、任命権者は、法律に特別の定がある場合を除き、これを拒むことができない（同34条3項）。

よって、妥当なものはDのみであるので、正答は**2**である。

正答　2

教育学　教育方法　令和5年度

教育方法に関する次の記述のうち、最も妥当なのはどれか。

1　プログラム学習とは、集団主義に基づき、学習者が集団として組織され、集団への作用と個人への作用とが並行的に行われるという並行的教育作用により、集団の発展と同時に個々人の発達が図られるものである。これは、J. S. ブルーナーにより提唱された。

2　バズ学習とは、価値が葛藤する場面をテーマとして取り上げ、肯定・否定の二手に分かれて活発な論争をさせて勝敗を決める過程を通じて、コミュニケーション能力や表現力などの向上が図られるものである。これは、F. ケッペルにより提唱された。

3　完全習得学習（マスタリー・ラーニング）とは、学習者が、結果としての知識を学ぶだけではなく、その結果が導かれた過程の全てに主体的に参加し、それぞれの事項についての関係や規則性、法則、原理などを自ら見いだしていくものである。これは、J. デューイにより提唱された。

4　モニトリアル・システムとは、各教科が特性により類型化されることを前提に、それぞれの特性に合わせて教授するものであり、このうち「科学型」に分類される教科においては、探索、提示、同化、組織化、発表の五つの教授段階を経て単元の習得が図られるとされている。これは、板倉聖宣により提唱された。

5　ジグソー学習とは、学習集団を編成してメンバーで課題を分担した後、同じ課題を分担する者どうしで新たな集団を編成して課題解決に向けた調査や実験を行い、元の学習集団に戻りその活動を報告し、理解した内容を共有することにより、全体理解が促されるものである。これは、E. アロンソンにより提唱された。

1. プログラム学習ではなく、マカレンコが矯正教育の方法として実施した集団主義教育に関する記述である。プログラム学習は、学習者に学習プログラムを提示し、個別学習によって目標へと到達させる学習者主体の教育方法のことで、スキナーによって提唱された。ブルーナーは、発見学習の提唱者として知られる。

2. バズ学習ではなく、ディベートに関する記述である。バズ学習は、学習者を6人ずつのグループに分け、6分間討議させた後、各グループの討議の結果を持ちよって全体の討議を行うものである（フィリップスが考案)。ケッペルは、ティーム・ティーチングを考案した人物である。

3. 完全習得学習ではなく、ブルーナーの発見学習に関する記述である。完全習得学習は、指導の途中での形成的評価や、それに基づく指導の個別化などを駆使することで、すべての子どもに学習内容を習得させる方法である（ブルームが考案)。デューイは経験主義の立場から、問題解決学習を実践した人物である。

4. モニトリアル・システムではなく、モリソン・プランに関する記述である。モニトリアル・システムは、教師が幾人かの助教（モニター）を介して、大人数の生徒を教育するための方法である。板倉聖宣は、仮説実験授業を実践した人物である。

5. 妥当である。現行の学習指導要領が重視する「主体的・対話的で深い学び」を実現する、協同学習の方法として注目されている。

正答　5

経済事情　経営学　国際関係　社会学　心理学　教育学　英語(基礎)　英語(一般)

Select the statement which best corresponds to the content of the following passage.

If you are a parent, your greatest fear in life is likely something happening to one of your kids. According to one 2018 poll from OnePoll and the Lice Clinics of America (not my usual data source, but no one else seems to measure this), parents spend an average of 37 hours a week worrying about their children; the No. 1 back-to-school concern is about their safety. And this makes sense, if you believe that safety is a foundation that has to be established before dealing with other concerns.

You can see the effects of all this worrying in modern parenting behavior. According to a 2015 report from the Pew Research Center, on average, parents say children should be at least 10 years old to play unsupervised in their own front yard, 12 years old to stay home alone for an hour, and 14 to be unsupervised at a public park. It also shows up in what parents teach their kids about the world: Writing in *The Journal of Positive Psychology* in 2021, the psychologists Jeremy D. W. Clifton and Peter Meindl found that 53 percent of respondents preferred "dangerous world" beliefs for their children.

No doubt these beliefs come from the best of intentions. If you want children to be safe (and thus, happy), you should teach them that the world is dangerous — that way, they will be more vigilant and careful. But in fact, teaching them that the world is dangerous is bad for their health, happiness, and success.

The contention that the world is mostly safe or mostly dangerous is what some psychologists call a "primal world belief," one about life's basic essence. Specifically, it's a negative primal in which the fundamental character of the world is assumed to be threatening. Primal beliefs are different from more specific beliefs — say, about sports or politics — insofar as they color our whole worldview. If I believe that the Red Sox are a great baseball team, it generally will not affect my unrelated attitudes and decisions. But according to Clifton and Meindl, if I believe that the world is dangerous, it will affect the way I see many other parts of my life, relationships, and work. I will be more suspicious of other people's motives, for example, and less likely to do things that might put me or my loved ones in harm's way, such as going out at night.

As much as we hope the dangerous-world belief will help our kids, the evidence indicates that it does exactly the opposite. In the same paper, Clifton and Meindl show that people holding negative primals are less healthy than their peers, more often sad, more likely to be depressed, and less satisfied with their lives. They also tend to dislike their jobs and perform worse than their more positive counterparts. One explanation for this is that people under bad circumstances (poverty, illness, etc.) have both bad outcomes and a lot to fear. However, as Clifton and Meindl argue, primals can also interact with life outcomes — you likely suffer a lot more when you are always looking for danger and avoiding risk.

Teaching your kids that the world is dangerous can also make them less tolerant of others.

In one 2018 study, researchers subjected a sample of adults to a measure called the "Belief in a Dangerous World Scale," which asked them to agree or disagree with statements such as "Any day now chaos and anarchy could erupt around us" and "There are many dangerous people in our society who will attack someone out of pure meanness, for no reason at all." They found that people scoring high on this scale also showed heightened prejudice and hostility toward groups such as undocumented immigrants, whom they stereotypically considered a threat to their safety. This study was conducted among adults, but it is easy to see how these attitudes would migrate to their kids.

This is similar to the argument made by the writers Greg Lukianoff and Jonathan Haidt in *The Atlantic* in 2015, and in their subsequent book, *The Coddling of the American Mind.* Lukianoff and Haidt contend that when parents (or professors) teach young people that ordinary interactions are dangerous — for example, that speech is a form of violence — it hinders their intellectual and emotional growth. It also leads them to adopt black-and-white views (for example, that the world is made up of people who are either good or evil), and makes them more anxious in the face of minor stressors such as political disagreement.

1 Parents believe that they can leave a 10-year-old boy at home alone for three hours if their house is located in a safe place.

2 If parents want their children to be healthy and happy, they should teach them that the world is dangerous.

3 People who have a positive "primal world belief" tend to be healthier than those who hold a negative one.

4 Children whose parents teach them that the world is dangerous will become adults who are tolerant of others.

5 Teaching children that speech is a form of violence will promote the growth of their mind and intellectual ability.

経済事情 経営学 国際関係 社会学 心理学 教育学 英語(基礎) 英語(一般)

解説

〈全訳〉 次の英文の内容に合致するものとして最も妥当なものを選べ。

もし、あなたが親である場合、人生で最大の恐怖はおそらくあなたの子の身に何かが起こることだろう。（市場調査会社）OnePoll と Lice Clinics of America（私の通常のデータソースではないが、他の誰もこれを測定していないようである）の2018年の世論調査によると、親は週に平均37時間を子どもの心配に費やしており、一番の新学期の心配事は彼らの安全である。そして、安全であることが他の心配事に対処する前に確立されなければならない基本であると信じているなら、これは理にかなっている。

現代の子育て行動に、こうしたすべての心配事の影響が見て取れるだろう。（米世論調査団体）ピュー・リサーチ・センターの2015年の報告によると、平均して、親は子どもが、自宅の前庭で監視なしで遊ぶには少なくとも10歳、一人で家で１時間過ごすには12歳、監視なしの公共の公園にいるには14歳である必要があると述べている。それはまた、親が子どもたちに世界について教えることにも現れている。2021年の「ポジティブ心理学ジャーナル」に掲載された、心理学者の Jeremy D. W. Clifton と Peter Meindl の寄稿によると、回答者の53％が子どもたちに対して「危険な世界」という信念のほうを好むということがわかった。

間違いなく、これらの信念はまったくの善意から来ている。子どもたちに安全（それゆえ幸せ）であるよう望むのなら、あなたは彼らに世界が危険であることを教えるべきである。そうすれば、彼らはより用心深く注意深くなるだろう。しかし実際には、世界が危険であると彼らに教えることは、彼らの健康、幸福、そして成功にとって悪いことなのである。

世界はほとんど安全、または、ほとんど危険であるという主張は、一部の心理学者が「原初的世界信念」と呼んでいるもので、人生の本質にかかわるものである。なかでも問題なのは、世界の基本的な性質を脅威的なものとみなす、否定型の原初的信念のほうだ。原初的信念は、私たちの世界観全体に影響を及ぼすという意味において、たとえばスポーツや政治などにおけるより限定された信念とは異なる。レッドソックスが素晴らしい野球チームだと信じていたとして、それは一般的に私のそれとは無関係である態度や決定には影響を与えない。しかし、Clifton と Meindl によると、世界は危険だと信じていると、それは私の人生、人間関係、仕事の多くの他の面に対する見方に影響を与えることになる。たとえば、私は他者の動機をより疑うようになり、夜の外出のような、私や私の愛する人を危険にさらす可能性のあることをしたがらなくなる。

「危険な世界」という信念が私たちの子どもたちの助けになることを願うほど、正反対のことになってしまうということを証拠は示している。同じ論文で、Clifton と Meindl は、否定型の原初的信念を持っている人は、仲間よりも健康的ではなく、悲しいことが多く、落ち込みやすく、人生に満足していないことを示している。また、彼らは自分の仕事を嫌う傾向があり、より肯定型の人々よりもパフォーマンスが悪い傾向がある。これについての１つの解釈は、悪い状況（貧困、病気など）にある人々は、悪い結果ゆえに恐れも多いということである。しかし、Clifton と Meindl が主張するように、原初的信念が人生の結果と相互作用する可能性もある。常に危険を探し、リスクを回避していると、よりひどく苦しむ可能性があるのだ。

世界が危険であることを子どもたちに教えることで、彼らが他人に対して寛容でなくなる可能性もある。2018年のある研究では、研究者は成人の被験者を「危険な世界信奉度」と呼ばれる尺度にあてはめ、「今にも混乱と無政府状態が私たちの周りで噴出する可能性がある」や「単なる卑劣さから、まったく理由なく、誰かを攻撃する危険な人々が社会には多くいる」というような意見に同意するか反対するかを求めた。その結果わかったのは、この尺度で高いスコアを獲得した人々は、不法移民のような集団に対しても強い偏見と敵意を抱き、彼らの安全に対する脅威であるという固定観念を持っているということだった。この研究は成人を対象に実施されたが、こうした態度が子どもにどのように伝わるかは簡単にわかる。

これは、作家のGreg LukianoffとJonathan Haidtによる2015年の「アトランティック」誌上での、そしてその後に続く書籍『傷つきやすいアメリカの大学生たち』での議論に似ている。LukianoffとHaidtは、親（または教授）が若者に日常の交流が危険であると教えるとき、たとえば、言論は暴力の一形態であるなどというとき、それは彼らの知的および感情的な成長を妨げると主張している。それはまた、彼らが「白か黒か」の見方をするように導く（たとえば、世界は善人か悪人のどちらかで構成されている）、そして、政治的不一致などの些細なストレスに直面すると彼らをより不安にさせるのである。

1 親たちは、自分たちの家が安全な場所にある場合には、10歳の男の子を3時間家に一人にしておくことができると信じている。

2 もし親たちが子どもたちが健康で幸せであってほしいと思うなら、子どもたちに世界は危険であると教えるべきである。

3 肯定型の「原初的世界信念」を持っている人は、否定型のそれを持っている人よりも健康である傾向がある。

4 世界が危険だと両親から教えられている子どもたちは、他人に寛容な大人になる。

5 言論は暴力の一形態であることを子どもたちに教えることは、彼らの心と知的能力の成長を促進する。

＊　＊　＊

1. 第2段落にあるように、平均的な親が10歳でできるようになると信じていることは「自宅の前庭で監視なしで遊ぶ」である。

2. 第3段落に「世界が危険であると彼らに教えることは、彼らの健康、幸福、そして成功にとって悪いことなのである」とあり、本肢と正反対のことを述べている。

3. 妥当である。

4. 第6段落に「世界が危険であることを子どもたちに教えることで、彼らが他人に対して寛容でなくなる可能性もある」とあるように、本肢と正反対のことを述べている。

5. 第7段落に「言論は暴力の一形態であるなどというとき、それは彼らの知的および感情的な成長を妨げる」とあり、本肢と正反対のことを述べている。

正答　3

国家一般職［大卒］ No. 72 専門試験

英語(基礎) 内容把握 令和5年度

Select the statement which best corresponds to the content of the following passage.

The World Food Program warns conflict, climate change, COVID-19, and skyrocketing prices of food, fuel, and fertilizer are further threatening stability and development prospects in Africa's Sahel region.

WFP warns a wave of hunger and suffering is sweeping across part of the Sahel, driving people to the brink of desperation and upending years of development gains.

The agency reports 12.7 million people are acutely hungry, including 1.4 million on the verge of starvation. It says 6 million children are acutely malnourished, making them vulnerable to disease and even death if they do not receive treatment for their condition.

Alexandre Le Cuziat is WFP senior emergency preparedness and response adviser for West Africa. Speaking from Dakar in Senegal, he warns the number of people suffering from acute hunger and the number of malnourished children is likely to rise during the current lean season when food stocks are at their lowest.

"What we see is that acute hunger is driven primarily by conflict that will continue to trigger massive population displacements and the violence is often preventing people from accessing markets, fields, or humanitarian assistance. The region also bears the consequences of a climatic shock with very, very poor rains in 2021, one of the worst in the last 40 years," he said.

Le Cuziat says the conflict in Ukraine has driven up food and energy prices. He adds it also has led to shortages of fertilizer needed for the planting season, which is now over.

He notes less than half of the region's fertilizer needs have been met. This, he says, could result in a 20% drop in agricultural production in the region this year, further increasing the levels of hunger.

He says needs in the region are at record highs at a time when resources to respond to emergencies are dwindling. He says a lack of money is forcing WFP to reduce the number of people receiving assistance and to cut rations for the remaining beneficiaries.

"Even before the conflict in Ukraine drove up the global prices of food, fuel, and fertilizer, we were forced to cut rations by up to 50% in all of the Sahelian countries, as well as Nigeria, CAR. And our emergency nutrition programs are also underfunded, which combined with the cuts I was mentioning on our operations is going to put a lot of stress on what little resources the poorest families have left," he said.

Le Cuziat says WFP requires $329 million in the next six months for its life saving operation and to prevent the Sahel from becoming, what he calls, an all-out humanitarian catastrophe.

1 The WFP says that COVID-19 is the major cause of the hunger and malnutrition that is posing a significant threat to people living in the Sahel region in Africa.

2 According to the reports of the WFP, out of those who are suffering from severe hunger, more than half are almost starved.

3 A WFP adviser says that the number of people who are terribly hungry and children who lack nutrition are expected to decrease because the conflict will likely end in the near future.

4 A WFP adviser says that food and energy prices have risen due to the conflict in Ukraine, and less than half of the demand for fertilizer in the Sahel region has been fulfilled.

5 It was only after the increase in the global prices of food, fuel, and fertilizer that the WFP had to cut rations in countries in the Sahel region.

経済事情 経営学 国際関係 社会学 心理学 教育学 英語(基礎) 英語(一般)

解説

〈全訳〉 次の英文の内容に合致するものとして最も妥当なものを選べ。

国連世界食糧計画（WFP）は、紛争、気候変動、COVID-19（新型コロナウイルス感染症）、および食料、燃料、肥料の高騰した価格が、アフリカのサヘル地域（サハラ砂漠以南）の安定と開発の見通しをさらに脅かしていると警告している。

国連 WFP は、飢餓と苦しみの波がサヘル地域の一部に押し寄せており、絶望の瀬戸際に人々を追いやり、長年にわたる開発の成果を覆していると警告している。

当局は、1,270万人が深刻な飢餓状態にあり、そのうち140万人は餓死寸前にあると報告している。それによると、600万人の子どもたちが深刻な栄養失調にあり、そのことにより、彼らの症状に合った治療を受けなければ、病気や死にさえ至るほど脆弱になっている。

Alexandre Le Cuziat は、西アフリカの緊急事態準備対応担当の国連 WFP 上級アドバイザーである。セネガルのダカールから、彼は深刻な飢餓に苦しむ人々の数と栄養失調の子どもたちの数が、現在の作物がとれず食料の備蓄が最低になる時期に増加する可能性があると警告している。

「私たちがわかっていることは、深刻な飢餓が主に、大規模な人口移動を引き起こし続けるであろう紛争によって生じており、また、しばしば暴力は人々が市場、畑、または人道支援にアクセスすることを妨げているということです。この地域はまた、2021年に過去40年で最悪レベルのごくわずかな降雨という気候危機の影響も受けているのです」と述べた。

Le Cuziat は、ウクライナでの紛争が食料とエネルギーの価格を押し上げたと述べている。彼はまた、もう終わってしまった植え付けシーズンに必要な肥料の不足にもつながったと付け加えている。

彼は、この地域の肥料需要の半分未満しか満たされていないと言及している。これにより、今年のこの地域の農業生産が20％減少することになり、飢餓のレベルがさらに高まる可能性があると彼は言う。

彼は、この地域のニーズは、緊急事態に対応するためのリソースが減少している中で過去最高レベルにあると言う。彼は、資金不足により、国連 WFP は支援を受ける人々の数を減らし、受益者への配給を削減することを余儀なくされていると言っている。

「ウクライナでの紛争が食料、燃料、そして肥料の国際価格を跳ね上げる前でさえ、私たちはすべてのサヘル諸国とナイジェリア、中央アフリカ共和国で配給量を最大50％削減することを余儀なくされていました。そして、私たちの緊急栄養プログラムも資金不足であり、それは先ほど述べた私たちの活動費の削減と相まって、最も貧しい家族の残したわずかな資源に大きなストレスをかけるでしょう」と彼は言った。

Le Cuziat によると、国連 WFP は人道支援活動のため、また、サヘル地域が、彼の言う、全面的な人道上の大惨事になるのを防ぐために、今後6か月で3億2,900万ドルを必要としている。

1 国連 WFP は、COVID-19がアフリカのサヘル地域に住む人々に重大な脅威をもたらしている飢餓と栄養失調の主な原因であると述べている。

2 国連 WFP の報告によると、深刻な飢餓に苦しんでいる人々のうち、半数以上がほぼ飢えで瀕死の状態である。

3 国連 WFP のアドバイザーは、ひどく飢えている人々と栄養不足の子どもの数は、近い将来紛争が終結しそうであるため、減少すると見込まれていると述べている。

4 国連 WFP のアドバイザーは、食料とエネルギーの価格がウクライナの紛争のために上昇しており、サヘル地域の肥料の需要の半分未満しか満たされていないと述べている。

5 国連 WFP がサヘル地域の国々で配給を削減しなければならなかったのは、食料、燃料、肥料の世界的な価格の上昇の後になってからである。

＊　＊　＊

1. 第1段落にあるように、COVID-19以外にも「紛争や気候変動」なども原因として挙げられている。

2. 第3段落にあるように、深刻な飢餓状態にあるのは「1,270万人」で、瀕死の状態であるのは「140万人」であるので、「半数以上」ではない。

3. 第4段落のアドバイザーの発言では、飢えている人や栄養不足の子どもの数は増加する可能性があるとある。また、「紛争が終結しそう」であるとする記述はない。

4. 妥当である。第6・7段落にある内容である。

5. 第9段落にあるように、世界的な価格上昇以前から、(資金不足により) 配給を減らさざるをえなくなっていたとある。

正答　4

Select the statement which best corresponds to the content of the following passage.

Caterpillars, dried fish and clay are not what you would expect to find in ice-cream, but one Cape Town cafe with a mission to celebrate African foods and culture has used all three as ingredients in its frozen desserts.

"Handcrafted, authentic African ice-cream," reads a sign at the entrance to Tapi Tapi. Inside, the counter is filled with ice-creams in various shades of beige and brown. They look underwhelming, but the blackboard listing the flavours suggests differently.

Tshego Kale, a 22-year-old student and part-time worker in the cafe, explains the menu. "First up is *prekese* and kei-apple jam. Prekese is a spice from west Africa, sometimes used in soups," she says. "Kei apple is a sour fruit, but the ice-cream is sweet with a bitterness coming through." Rooibos, fermented pineapple and lime is next: "It's sweet, not as dense; good for hot days."

There are three ice-creams containing *chin chin* — a fried snack from west Africa. One is paired with African bird's eye chilli, and has "a kick that comes towards the end." Another one features clay as the second ingredient: "It has an earthy flavour, very mellow and smooth with a biscuity texture." *Egusi*, a combination of seeds used in west African cuisine, is mixed with pumpkin, cinnamon and nutmeg in another ice-cream. "People from overseas have said this one tastes like Christmas," says Kale.

Tapi Tapi and its African ice-cream is the brainchild of Tapiwa Guzha, who first came to Cape Town as a student from Zimbabwe. In the two years since it opened, he has created about 900 flavours. Each tub he makes is unique and never repeated. His aim is to use ice-cream as a vehicle for educating and inspiring people about African flavours. When making a new flavour, Guzha thinks of an ingredient and what he wants to achieve by using it. He explains: "What point am I trying to make by creating that flavour? Am I trying to showcase something new that people don't know about? Am I trying to teach people about a cooking technique that turns out certain dishes or flavours? Or am I looking at a cultural icon?"

The idea for Tapi Tapi came in 2018, when Guzha was doing post-doctoral research in plant biotechnology but wanted a change. "I was looking for ways of communicating about science without having to rely on the scientific process — journal publishing, conferences and keeping knowledge in academic spaces," he says.

Guzha had been making ice-cream for 10 years with dry ice that was delivered to his research labs, after seeing how it was done on a cookery show. One day, it dawned on him that he had never made a specifically African ice-cream. "I realised there was something faulty in the system. The moment you taste a flavour that connects you to home, your culture, your land — it's a different experience." He gave himself a year and a half to save up enough money, quit his job and start his own business. Tapi Tapi opened its doors in February 2020.

Reaction to Tapi Tapi and Guzha's idea of showcasing African ingredients has been varied.

"Sometimes people come out of spite. [They'll say]: 'I gave it a try and this is a fad,' or it's: 'Why can't you make normal ice-cream?'"

"Some people come with this idea that black people shouldn't be able to do this kind of thing," he adds. He has also had overwhelmingly positive reactions from others, seeing people phone home and become quite emotional. "There's something about going through your whole life without realising you were being ignored and someone showing you you've been ignored — it's quite a painful moment."

Most of his customers are white people because that is where the money is in Cape Town, he says, but adds that he opened Tapi Tapi predominantly for black people.

Guzha chose the suburb of Observatory, often described as alternative and bohemian, for its transport links — and its diversity. Tapi Tapi is wedged between a second-hand bookshop and a food store on the main strip of Observatory. Now he has branched out into other food and drinks. On the menu are toasties with bread made from sorghum, an ancient African grain, and pasta with a sauce of peanut butter, kapenta fish and the leaves from black-eyed peas.

He is not interested in expanding but is keen for others to take up this kind of work. "Other people need to do this — that's expansion. We need more representation."

1 Tshego Kale has created about 900 flavours in the two years since he came up with the idea of African ice-cream and opened the Tapi Tapi shop.

2 Tapiwa Guzha learned how to make African ice-cream with dry ice as a part of his post-doctoral research in plant biotechnology in 2018.

3 Reactions to Tapi Tapi's African ice-cream have been mixed, and although some people have criticized it other reactions have been positive.

4 Tapi Tapi was established mostly for white people because they are the only ones that can afford to buy their ice-cream in Cape Town.

5 Tapi Tapi operates in a suburb known for its diversity and transport, located next to an observatory.

〈全訳〉　次の英文の内容に合致するものとして最も妥当なものを選べ。

毛虫、魚の干物、粘土はアイスクリームの中に入っているものとして期待するようなものではないが、アフリカの食べ物と文化をほめたたえることを使命とするケープタウンのあるカフェは、冷凍デザートの材料として3つすべてを使っている。

「手作りの本物のアフリカンアイスクリーム」と、「タピタピ」の入り口にある看板には書かれている。店内には、ベージュやブラウンのさまざまな色合いのアイスクリームが並ぶカウンターがある。それらは見た目はパッとしないが、フレーバーが書かれた黒板はそれとは違って目を引くものがある。

カフェでは、バイトで働く22歳の学生、Tshego Kale がメニューを説明する。「一番のおすすめは、プレケセとケイアップルジャムです。プレケセは西アフリカのスパイスで、スープに使われることもあります」と彼女は言う。「ケイアップルは酸っぱい果物ですが、アイスクリームは甘くてちょっと苦味も伝わります」。その次が、ルイボス、発酵パイナップル、ライムで、「甘くて、そんなに濃厚ではありません。暑い日にぴったりです。」

西アフリカの揚げスナックであるチンチンが入っているアイスクリームが3種類ある。一つはアフリカの鳥の目唐辛子との組合せで、「終わりのほうでグッとくる」刺激がある。もう一つは、2番目の材料に粘土を使用している。「それは土のような風味を持ち、ビスケットの質感で非常にまろやかで滑らかです」。さらにもう一つのアイスクリームでは、エグシという西アフリカ料理で使用される種子の組合せが、カボチャ、シナモン、ナツメグとミックスされている。「海外の人から、これはクリスマスの味がすると言われます」と Kale は言う。

タピタピとそのアフリカンアイスクリームは、ジンバブエからの学生として最初にケープタウンに来た Tapiwa Guzha の発案である。オープンから2年間で、彼は約900のフレーバーを生み出した。彼が作るタブ（タブ型容器に入ったアイスクリーム）はどれもユニークで、同じものは二度と出てこない。彼の目的は、アフリカの味について人々を教育し、啓発するための手段としてアイスクリームを使うことである。新しいフレーバーを作るとき、Guzha は材料と、それを使って何を達成したいかを考える。「そのフレーバーを作り出すことで、私はどのような主張をしようとしているのか？　人々が知らない何か新しいものを見せようとしているのか？　特定の料理や味を生み出す料理技術について人々に教えようとしているのか？　それとも、私は文化の象徴を見ているのか？」と彼は説明する。

タピタピのアイデアは、Guzha が植物バイオテクノロジーのポスドク研究を行っていたが、変化を求めていた2018年に生まれた。「私は、科学的なプロセス、つまり、専門誌の出版、検討会、学術的な空間での知識の維持といったものに頼る必要なしに、科学についてコミュニケーションする方法を探していました」と彼は言う。

Guzha は、料理番組で作り方を見た後、彼の研究室に届けられたドライアイスで10年間アイスクリームを作っていた。ある日、彼はアフリカ特有のアイスクリームを作ったことがなかったことに気づいた。「私はシステムに何か欠陥があることに気がつきました。自分の家、文化、土地につながる味を味わった瞬間、それは異なる体験になるのです」。彼は十分なお金を貯めるために1年半を費やし、仕事を辞めて自分のビジネスを始めた。タピタピは、2020年2月に開店した。

タピタピの店とアフリカの食材を紹介するという Guzha のアイデアに対する反応はさまざ

までである。「悪意を持って店に来る人もいます。[彼らはこんなことを言う]：『ちょっと試してみたけど、これは一時の流行だね』とか、『なぜあなたは普通のアイスクリームを作ることができないのか？』と」

「黒人はこのようなことができるべきではないという考えを持っている人もいます」と彼は付け加える。また、他の人からは圧倒的に肯定的な反応があり、家に電話して非常に感動している人もいた。「自分が無視されていたことに気づいたり、自分が無視されたことを誰かが教えてくれたりすることなしに、全人生が過ぎ去ることに感じるものがある。それはとてもつらい瞬間です」

彼の顧客のほとんどはケープタウンでお金持ちの白人であると彼は言うが、彼は主に黒人のためにタピタピを開いたと付け加えた。

Guzha は、交通の便とその多様性のために、中心地ではなく自由な空気のある郊外のオブザバトリーを選んだ。タピタピは、オブザバトリーの大通りにある古本屋と食料品店の間に挟まれている。今、彼は他の食べ物や飲み物に事業拡大している。メニューには、古くからのアフリカの穀物であるソルガムから作られたパンのトーストサンドと、ピーナッツバター、カペンタフィッシュと黒目のエンドウ豆の葉が入ったソースのパスタがある。

彼は拡大することに興味がないが、他の人がこの種の仕事を引き受けることには熱心である。「他の人もこれを行う必要があります。それこそが拡大なのです。私たちはもっと発信が必要です」

1　Tshego Kale は、アフリカンアイスクリームのアイデアを思いつき、タピタピの店をオープンして以来、２年間で約900のフレーバーを作成した。

2　Tapiwa Guzha は、2018年に彼の植物バイオテクノロジーのポスドク研究の一環として、ドライアイスでアフリカのアイスクリームを作る方法を学んだ。

3　タピタピのアフリカンアイスクリームに対する反応はまちまちで、一部の人々はそれを批判しているが、他の反応は肯定的である。

4　タピタピは、ケープタウンでアイスクリームを買う余裕がある人々は白人のみであるため、主に白人のために設立された。

5　タピタピは、その多様性と交通の便で知られる郊外にあり、天文台の隣で営業している。

＊　＊　＊

1．第３段落にあるように、Tshego Kale はアルバイトの女性で、第５段落にあるように、タピタピの店を開いたのは Tapiwa Guzha である。

2．第６段落にあるように、彼は研究とは違うことをしたいと思って、科学的なプロセスを経ずに科学を伝えるためにアイスクリームを作り始めた。また、第７段落に、研究室に届けられたドライアイスでアイスクリームを作ったのは料理番組を見てのことだとある。

3．妥当である。第８・９段落の内容である。

4．第10段落に、主な顧客は白人だが、主に黒人のために店を開いたとある。

5．第11段落に、タピタピは郊外のオブザバトリー（地名）にあり、「古本屋と食料品店に挟まれている」とある。

正答　3

Select the most appropriate combination of words to fill in the blanks of the following passage.

Narcissistic personality characteristics are fairly (A) in the population, but not even one percent of cases are known to be (B) developed narcissistic personality disorders. The (C) feature is an inflated self-image where the individual (D) themselves as being magnificent, exalted, and successful. Since the foundation of the elevated self-image is very (E), the person will also be very sensitive to criticism.

	A	B	C	D	E
1	common	fully	dominant	perceives	fragile
2	often	totally	profound	understands	central
3	standard	completely	underlying	watches	unreal
4	typical	usually	obvious	views	moderate
5	usual	negatively	fabulous	realizes	delicate

解説

〈全訳〉 次の文章中の空所に当てはまる組合せとして最も妥当なものを選べ。

自己愛性パーソナリティの特徴は集団内ではかなり一般的だが、十分に進んだ自己愛性パーソナリティ障害であると認められるものは症例の1パーセントにも満たない。主要な特徴は、その個人が、自分が優れていて、尊く、そして成功していると認識する過大な自己イメージである。過大な自己イメージの基盤は非常にもろいため、批判に対して非常に敏感でもある。

＊　＊　＊

A：「common（一般的）」が最も適切。空欄に続く but not even one percent of cases 以下と対比して、珍しくないことであるという意味になる形容詞を選ぶ。often は副詞であるので外れる。standard（標準的）、typical（典型的）は文脈から外れる。

B：「fully（十分に）」が最も適切。性格として一般的なもののごく一部が病気として知られていることから、症状が進んだ状態を表す副詞が入る。usually（通常）、negatively（否定的に）は文脈から外れる。

C：「dominant（主要な）」が最も適切。障害の特徴的な症状について述べている文脈に即した形容詞が入る。profound（深い）、fabulous（素晴らしい）は文脈から外れる。underlying は（根底にある）、obvious は（明らか）の意。

D：「perceives（認識する）」が最も適切。個々人が自分自身を認識するという文脈に即した動詞が入る。watch（watch oneself 気を付ける）、realize（気づく、果たす）は文脈から外れる。

E：「fragile（壊れやすい）」が最も適切。続く文に、批判に対して sensitive（敏感）であるとあるので、傷つきやすいことの理由を表す形容詞が入る。central（中心的）、moderate（適度な）は文脈から外れる。delicate は（繊細な）の意。

よって、正答は**1**である。

正答　1

Select the sentence which is grammatically correct.

1 Let's discuss over the problem when you have time.
2 Outsiders are not permitted to go this entrance.
3 Will you attend of the upcoming conference?
4 The diet member did not speak the issue.
5 I am looking forward to seeing you at the meeting.

文法的に正しい文を選べ。

1．「時間があるときに問題について話し合いましょう。」discuss は他動詞なので、over は必要ない。

2．「部外者がこの入り口に入ることは許可されていません。」go は自動詞であり、「この入り口に入る」は go in at［by］ the entrance などとする必要がある。

3．「次回の会議に出席しますか？」attend は他動詞なので、of は必要ない。

4．「その国会議員はこの問題について話さなかった。」speak は他動詞と自動詞があるが、他動詞として使うときは「言語を話す、表明する」というような場合で、本肢のように the issue に対しては、speak about とするなど前置詞が必要である。

5．妥当である。この to は前置詞なので、不定詞ではなく動名詞が続く。「会議でお会いできるのを楽しみにしています。」

正答　5

Select the statement which best corresponds to the content of the following passage.

Middle powers' foreign policies are shaped primarily by their limited capabilities compared to Great Powers, and share a number of common features. First, middle powers favour international institutions and multilateralism because of the potential of these mechanisms to constrain the most powerful states. Within international institutions, they tend to join coalitions of like-minded states to gain leverage, such as the Cairns Group in the Uruguay Round of the GATT. Second, owing to their limited capabilities, they focus their diplomatic efforts on specific issue areas of global governance where they can make a mark, rather than attempting to cover the entire range. Canadian leadership on the Ottawa Treaty banning anti-personnel mines, the Rome Treaty establishing the International Criminal Court, and the indefinite extension of the Nuclear Non-Proliferation Treaty are examples of such 'niche diplomacy'. Third, middle powers tend to play important roles in conflict mediation and negotiation, thanks to their reputation as honest brokers.

Material capabilities enable middle powers to pursue activist policies, but how this activism becomes manifest in practice depends on a number of factors. Systemically, periods of uncertainty such as the aftermath of the Cold War or financial crises provide more opportunities for middle-power activism, as does the diffusion of power in the international system. Domestically, as Ravenhill shows in the case of Canada and Australia, leadership and party ideologies may influence levels of activism. In the case of emerging middle powers, favourable domestic conditions, such as sustained economic growth and democratization, can allow an emerging middle power to devote more resources and energy to foreign policy, and to act more confidently on the international scene. Rapidly growing material capabilities may also motivate emerging middle powers to seek enhanced status in the international system through a more activist role.

During the Cold War, middle powers in Europe and east Asia supported the United States in building and preserving the liberal international order. They benefited from the security and economic openness provided by this order, and were committed to maintaining its stability. Middle powers that rose to prominence in the post-Cold War era have likewise benefited from and contributed to the stability of the liberal international order. They have participated actively in multilateral institutions such as the UN, and forums such as the G20, where they have joined coalitions of like-minded states to pursue common goals. They have sought to play bridge-building roles between developed and developing countries in these organizations, and to broaden the range of interests pursued by them, thus helping to increase their legitimacy. Emerging middle powers have also contributed to issue areas beyond their immediate self-interest, such as the promotion of human rights, humanitarian aid and conflict mediation.

I argue that emerging middle powers of the post-Cold War era have made an additional contribution to the liberal international order as role models and promoters of democratic and market reforms in their neighbourhoods. These countries rose to prominence thanks to domestic reforms launched in the previous decades, which helped them achieve economic growth, political openness and stability. These improved domestic conditions have enabled them to project soft power and to support democratization, market reforms, economic interdependence and cooperation in their neighbourhoods. In this way, emerging middle powers have helped extend the norms of the liberal international order and the Kantian peace to countries at its periphery.

Emerging middle powers may have advantages in norm promotion compared to western powers and international organizations. They often share economic and political background conditions, and have cultural, linguistic and religious links with nearby countries that ease norm transmission. The fact that their own reforms are works-in-progress allows emerging middle powers to avoid the hierarchical relationship that inevitably forms when established democracies seek to diffuse norms to others. Moreover, emerging middle powers may help their neighbours adapt global norms to local conditions, as they have developed their own experience and knowledge of how these universal norms work in practice.

1 Middle powers tend to address a broad range of global issues by utilizing international institutions and multilateralism rather than focusing their efforts on a niche area.

2 Continued economic growth did not enable emerging middle powers to invest more resources in foreign policy in the post-Cold War period.

3 During the Cold War, middle powers in Europe and east Asia supported the United States because they felt it was unstable.

4 Middle powers that rose to prominence in the post-Cold War era have served as a bridge between developed and developing countries in order to shift economic growth from developed countries to developing countries.

5 In the post-Cold War era, emerging middle powers rose to prominence thanks to more favorable domestic conditions, which were a result of domestic reforms.

経済事情
経営学
国際関係
社会学
心理学
教育学
英語(基礎)
英語(一般)

解説

＜全訳＞ 次の文の内容に最も合致する記述を選びなさい。

中堅国家の外交政策は、主として大国に比べて限定されている自国の能力によって形作られ、多くの共通した特徴が見られる。まず第一に、中堅国家は国際機関や多国間主義を好むことが挙げられるが、これはこうした仕組みが覇権国家を制約する能力を持っているためである。国際機関の中にあって、これら中堅国は似た考えの国家と連合体を形成して影響力を得ようとする傾向がある。たとえば、GATT（関税と貿易に関する一般協定）のウルグアイ・ラウンド（訳注：現在の世界貿易機関〈WTO〉設立の基盤となったGATTに基づく多国間の貿易通商交渉のうち、ウルグアイを舞台に行われた1986年～1994年の交渉）におけるケアンズ・グループが挙げられる（訳注：カナダ・オーストラリアや中南米諸国など、農産物輸出国17か国が1986年、オーストラリアのケアンズでグループを結成し、輸出補助金の撤廃を主張した）。第二に挙げられるのは、そうした国家は自国の能力が限定されているため、その外交努力を全領域に注ぐのではなく、国際秩序の確立に足跡を残せそうな特定の問題領域に集中させる。対人地雷の禁止をうたったオタワ条約（1997年）締結、ICC（国際刑事裁判所）の設立につながったローマ規程（1998年）、またNPT（核兵器不拡散条約）の無期限延長（1995年）におけるカナダの指導的役割などは、そのような「ニッチ（透き間）外交」の例である。第三に挙げられるのは、中堅国はその「公平な仲裁者」としての評価ゆえに、紛争の調停や交渉の場面で重要な役割を果たす傾向がある。

（食料や資源などを生産供給できる）物的な能力は、中堅国が行動主義的な政策を追求することを可能にするが、こうした行動主義が実践の場でどのように表れるかは、数々の要因に左右される。世界をシステムとしてとらえれば、冷戦終結直後や金融危機のような不安定期は、国際システムにおける力の拡散が進みやすく、中堅国が行動主義的に振る舞う機会も高まる。国内的には、レイブンヒル（訳注：カナダのボースリー国際関係大学院のジョン・レイブンヒル教授）がカナダとオーストラリアの事例で示しているように、リーダーシップと政党のイデオロギーが行動主義の度合に影響するかもしれない。新興中堅国の場合でいえば、持続的な経済成長や民主化など国内の好ましい状況によって、新興中堅国がより多くの資源とエネルギーを外交政策に費やし、国際関係の舞台でより自信を持って振る舞うことが可能になる。物的能力の急成長もまた、新興中堅国がより行動主義的な役割を演じることで国際システムにおける地位の拡大を図る動機になるかもしれない。

冷戦期、ヨーロッパや東アジアの中堅国は、アメリカが自由主義的な国際秩序を構築し守ることを支援した。それらの国はこの秩序がもたらす安全保障や開かれた経済によって利益を享受し、その安定の維持に積極的に関与した。冷戦後の時代に頭角を現した中堅国も同様に、この自由主義的国際秩序の安定から利益を享受し、またそれに貢献してきた。それらの国は国連のような多国間機関やG20のような国際会合に積極的に参加し、そこで似た考えの国家と連合体を形成して共通の目標を追求してきた。こうした組織の中では先進国と発展途上国の橋渡しとなる役割を演じ、各国が追求する利益の幅を広げようと努めてきたことで、自らの正当性を高める一助とした。新興中堅国はまた、人権の向上や人道援助、紛争の調停といった自国の直近の利害を超えた問題領域にも貢献を果たしてきた。

私がここで主張したいのは、冷戦後の時代の新興中堅国は、近隣諸国の間の模範生として、また民主主義および市場主義の改革の推進者として、自由主義的国際秩序にさらなる貢献を果たしてきたということだ。これらの国々が頭角を現したのは、それに先立つ年月に立ち上げられた国内の改革のおかげであり、それが経済成長と政治の自由と安定の達成につながった。こうした国内状況の改善により、国が近隣諸国に対してソフトパワー（文化的影響力）を発信し民主化や市場改革、経済的な相互依存と協力関係を支援することが可能になった。このようにして、新興中堅国は自由主義的国際秩序と（哲学者の）カント流の平和主義の規範を、その地域の辺縁にある国々まで拡張することに貢献してきたのだ。

新興中堅国は、西側の大国や国際機関に比べて、規範の推進という点では有利な立場にあるのかもしれない。それらの国はしばしば、近隣諸国と共通の経済的および政治的な背景を持ち、文化や言語や宗教の面でのつながりも深いため、そのことが規範の伝播を容易なものにしている。自国の改革が現在も進行中であるという事実によって、新興中堅国は、民主主義を確立した国が多国に規範を拡散しようとするときに陥りがちなヒエラルキー型（支配型）の関係性が生じるのを避けることができる。さらにいえば、新興中堅国は世界的な基準が実際の場面でどのように作用するかについて自らの経験と知識を重ねているがゆえに、近隣諸国がこうした国際基準を現地の状況に適用するのを助けられるかもしれない。

1　中堅国はその努力を透き間の領域に集中させるよりは、国際機関や多国間主義を活用することにより幅広い領域の国際問題に取り組む傾向がある。

2　冷戦後の時代には、持続的な経済成長によって新興中堅国がより多くの資源を外交政策に投資することができるようにはならなかった。

3　冷戦期、ヨーロッパや東アジアの中堅国がアメリカを支援したのは、アメリカが不安定だと感じたからだった。

4　冷戦後の時代に頭角を現した中堅国は先進国と発展途上国の間の架け橋としての役割を果たしたが、それは経済成長を先進国から発展途上国に移行させるためであった。

5　冷戦後の時代、新興中堅国が頭角を現したのはより好ましい国内状況のおかげだったが、その状況は国内での改革の成果であった。

＊　＊　＊

1．逆に、中堅国は「自国の能力が限定されているため、その外交努力を全領域に注ぐのではなく、国際秩序の確立に足跡を残せそうな特定の問題領域に集中させる」と述べられている。

2．「持続的な経済成長や民主化など国内の好ましい状況によって、新興中堅国がより多くの資源とエネルギーを外交政策に費やし、国際関係の舞台でより自信を持って振る舞うことが可能になる」と述べられている。

3．冷戦期にヨーロッパや東アジアの中堅国がアメリカを支援し、結果としてアメリカが構築した自由主義的な国際秩序の安定に寄与したことは述べられているが、「アメリカが不安定だと感じたから」といった支援の動機や理由は述べられていない。

4．前半部分の内容については述べられているが、「経済成長を先進国から発展途上国に移行させるため」といった目的については述べられていない。

5．妥当である。

正答　5

英語(一般)　内容把握　令和5年度

Select the statement which best corresponds to the content of the following passage.

There is virtual unanimity that mastery of emerging technologies is key to prevailing in the 21st-century geopolitical competition. And as Russian President Vladimir Putin warned, whoever becomes the leader in artificial intelligence (AI) "will become the ruler of the world."

Consensus quickly breaks down after that. There isn't unanimity on which technologies matter or how to "master" them. There is widespread enthusiasm about "innovation," with a resulting flurry of government activity to fund and spur that creativity. This could be the wrong approach, however. Success in the tech competition won't be the product of entrepreneurs fueled by an idea and the prospect of a big initial public offering toiling away in garages and incubators. Governments should instead focus on diffusing new technologies throughout the economy. It's a marathon, not a sprint.

Innovation has been the main driver of long-term economic growth since the Industrial Revolution. New ideas increase productivity, freeing up some resources while generating new uses for others. Growth ensues, value increases, wealth is created.

Historically, attention has focused on the generation of those new ideas. That reflects an Anglo-American orthodoxy that puts markets above all other considerations (meaning that the effort of the individual or the discrete business interest matters more than the society in which they operate) and the availability of metrics that gauge relative success rates (R&D spending, in particular). In some countries, a powerful "science lobby" reinforces this inclination.

Michael Kitson, an economist at Cambridge University's Judge Business School, believes that the focus on generating innovations is a mistake. A better approach, he argues, is to prioritize the spread of innovation throughout the economy. "Since the industrial revolution, the diffusion of innovation has a much larger impact on economic growth than the generation of innovation, as 'innovation-using sectors' are much larger than 'innovation-generating' sectors." Or, more succinctly, implementation matters more than invention.

One reason we're misled is that it takes time for new technologies to have an impact. Few innovators can envision the full range of uses for their ideas. Most frequently, new technology is a substitute for old techniques and procedures, used to do old things new ways. Revolutions occur when technologies are applied in unexpected ways, to do new things, some that often weren't possible before.

For example, automobiles revolutionized the way we live, not just because they accelerated travel, but because they liberated individuals from the tyranny of imposed transportation systems. Cars made suburbs possible because they gave consumers freedom to travel when and where they wished.

The extraordinary potential impact of new technologies means that they also challenge powerful vested interests. Adoption can be inhibited by the political strength of those interests or cultural barriers (which are sometimes another expression of those economic interests).

Jeffrey Ding, an expert on AI and China now teaching at George Washington University, uses a slightly different framework to think about this problem. In a paper published last year, Ding argued that two competing paradigms explain innovation and its economic and geopolitical impact. According to the leading sector (LS) approach — the standard account — states advance by dominating "critical technological innovations in new fast-growing industries (leading sectors). By exploiting a brief window to monopolize profits in cutting-edge industries, the country that dominates innovation in these sectors rises to become the world's most productive economy."

Ding challenges the LS framework by asserting the importance of General Purpose Technologies (GPT), "fundamental advances that can spur economic transformation. Distinguished by their potential for continuous improvement, pervasive applicability throughout the economy and synergies with complementary innovations, GPT make a substantial impact on economic productivity only after a 'gradual and protracted process of diffusion into widespread use.'" Think of GPT as enabling technologies for a range of ideas. Electricity is the classic GPT, as are railroads and the automobile. One list of recent GPTs includes the internet, AI, biotechnology and nanotechnology.

Ding applied his theory to three industrial revolutions. In the second, which occurred from 1870 to 1914, spurred by inventions in machine tools, the industrial production of interchangeable parts, known as the "American system of manufacturing," embodied the key GPT trajectory. In addition, the U.S. edge in education and training systems widened the skill base and standardized best practices in mechanical engineering. This provided the foundation for the U.S. rise to global economic prominence in the first decades of the 20th century.

1 Governments must focus on funding innovation in order to ensure the success of their technology sector in the global competition.

2 An economist at Cambridge University believes that, in order to greatly promote economic growth, we should pay more attention to diffusing innovation than generating innovation.

3 Those with powerful vested interests use their political influence to diffuse new technologies.

4 An expert teaching at George Washington University believes that the country that dominates innovation in cutting-edge industrise will become the most productive economy in the world.

5 In the second industrial revolution, invention of new technologies helped the U.S. rise to global economic prominence in the first decades of the 20th century.

＜全訳＞　次の文の内容に最も合致する記述を選びなさい。

21世紀の地政学的競争において勝利するカギは最新のテクノロジーを支配することにある、というほぼ一致した見解がある。それは、ロシアのウラジミール・プーチン大統領が警告したように、人工知能（AI）の分野においてリーダーとなる者が「世界の覇者となる」ということだ。

だが、その先になると意見の一致はたちまち崩壊する。どのテクノロジーが重要なのか、あるいはどうやって「支配」するのかといったことについては、見解が一致していない。「イノベーション（技術革新）」については幅広く信奉されており、その結果として、政府が音頭をとって資金を援助し、その創造力を駆り立てる活動を行っている。だが、このやり方は間違っているのではないか。テクノロジーの競争における成功とは、起業家があるアイデアと大規模な新規株式公開の見込みにたきつけられて、ガレージや支援センターで格闘することで生み出されるようなものでもないであろう。政府は代わりに、新しいテクノロジーを経済全体に行き渡らせることに注力すべきだ。それはマラソンであり、短距離競走ではないのだ。

産業革命以来、イノベーションは長期に及ぶ経済成長の主な原動力であった。新しいアイデアは生産性を上げ、ある資源を開放する一方で他のことに向けた新たな利用法を生み出す。その結果として成長が起こり、価値が増加し、富が作り出される。

歴史的には、そうした新しいアイデアを生み出すことに関心が注がれてきた。このことは、市場を他のあらゆる検討対象よりも重要視する英米流の慣行（つまり、個人の努力や個々のビジネスの利害のほうが、それらが行われる社会全体よりも重要だという考え）と、相対的な成功率を測る評価基準（特に、研究開発費の支出）の使いやすさを反映したものだ。一部の国では、強力な「科学ロビー団体」の存在がこの傾向に拍車をかけている。

ケンブリッジ大学のジャッジ・ビジネススクール（経営大学院）の経済学者であるマイケル・キットソン氏は、イノベーションを生み出すことに集中するのは間違いであると考えている。彼によると、より適切なやり方はイノベーションを経済全体に広めるのを優先することだ。「産業革命以来、イノベーションの拡散のほうが、イノベーションの発生よりも経済成長にははるかに大きな影響を与えています。『イノベーションの利用』にかかわる産業のほうが、『イノベーションの発生』にかかわる産業よりもはるかに幅広いからです」と彼は語る。つまり、より端的にいえば、発明よりも実施することが大事ということだ。

私たちが勘違いをする一つの理由に、新しいテクノロジーが影響力を持つには時間がかかるということがある。イノベーター（革新者）が、自らのアイデアの活用法をあらゆる領域にわたって思い描けることはほとんどない。最もありがちなのは、新しいテクノロジーが古い技術や手順に取って代わり、古いことを新しいやり方でやるために使われる、というものだ。革命が起こるのは、テクノロジーが予期せぬ方面に応用され、何か新しい、以前は通常不可能だったことをするのに使われるようになるときだ。

たとえば、自動車は私たちの生活のあり方に革命を起こしたが、それは単に移動の速度を高めただけではなく、押しつけの交通システムの束縛から個人を解放したからだ。いつでもどこへでも望むように移動できる自由を消費者に与えたために、車によって郊外という選択肢が可能になったのだ。

新しいテクノロジーは驚異的な影響力をも秘めているが、それは強力な既得権益を脅かすこともあるという点だ。そのため、そうした既得権益や文化障壁（これは権益による経済的利害の言い換えにすぎない場合もあるが）が持つ政治的圧力によって、採用が妨げられることがある。

現在はジョージ・ワシントン大学で教鞭を執る、AIと中国の専門家であるジェフリー・ディン氏は、この問題を少しばかり違った枠組みを用いて考察している。昨年発表された論文でディン氏は、イノベーションとその経済的および地政学的影響は、2つの対立するパラダイム（理論的枠組）によって説明されると論じている。標準的説明であるリーディングセクター（LS）アプローチでは、「急成長する新しい産業（リーディングセクター）における重大な技術上のイノベーション」の支配による進歩ということが述べられる。「一瞬の好機をとらえて最先端産業における利益を独占することで、これらの部門のイノベーションを支配する国が、世界で最も生産性の高い経済国へとのし上がる」ということだ。

ディン氏はこのLSアプローチの枠組みに対し、汎用技術（GPT）の重要性を主張することで異議を唱える。「（GPTの発達は）経済の変容を加速することのできる根本的な進歩である。GPTは、絶え間ない改善の余地があり、経済全体に幅広く応用でき、補完し合うイノベーションとの相乗効果が期待される点で他と差別化されるものであり、それが経済的生産性に十分な影響を及ぼすのは『徐々に長い期間をかけて幅広い使用へと拡散するプロセス』を経た後のことである」ということだ。GPTとは、一連のアイデアを可能にするテクノロジーのことだと考えればよいだろう。電気は伝統型のGPTであり、鉄道や自動車も同様だ。近年のGPTを挙げるなら、インターネット、AI、バイオテクノロジー、ナノテクノロジーといったものが含まれる。

ディン氏は彼の理論を、3つの産業革命に当てはめている。第2次産業革命は1870年から1914年にかけて起こったもので、数々の工作機械の発明によって加速され、「アメリカ式製造業」として知られる、交換可能な部品の工業生産が主要なGPTの進展を具現化した。加えて、教育と職業訓練制度におけるアメリカの強みが技能の裾野を広げ、機械工学の最適例を標準化した。このことが、アメリカが20世紀最初の数十年で世界の傑出した経済国へと上りつめる基盤をもたらしたのだ。

1　国際競争における自国のテクノロジー部門の成功を確実にするため、政府はイノベーションへの資金援助に注力しなければならない。

2　ケンブリッジ大学のある経済学者は、経済成長を大幅に促進するためには、イノベーションを生み出すことよりもイノベーションを拡散することにもっと関心を向けるべきだと考えている。

3　強力な既得権益を持つ者は、その政治的影響力を使って新しいテクノロジーを拡散する。

4　ジョージ・ワシントン大学で教鞭を執るある専門家は、最先端産業においてイノベーションを支配する国が世界で最も生産性の高い経済国になるだろうと考えている。

5　第2次産業革命では、新しいテクノロジーの発明が、20世紀の最初の数十年でアメリカが世界の傑出した経済国へと上りつめることに貢献した。

＊　＊　＊

1．筆者は、政府が資金援助してイノベーションを生み出させるという考え方には否定的で、政府は新しいテクノロジーを経済全体に行き渡らせることに注力すべきだと述べている。

2．妥当である。第5段落で言及されているキットソン氏の主張に合致する。

3．逆に、新しいテクノロジーは既得権益を脅かすこともあるため、権益者の政治的圧力によって採用が妨げられることがあると述べられている。

4. 第9段落後半の引用符で囲まれている部分の内容に合致しているが、これはディン氏が自分の考えを述べたものではなく、彼の主張する「2つの対立するパラダイム」のうち従来型の「リーディングセクター（LS）アプローチ」について説明したものである。続く第10段落では、ディン氏がこのアプローチに異を唱えていることが述べられている。

5. ディン氏の言う「第2次産業革命」（注：歴史用語として the Industrial Revolution と大文字で表記される「産業革命」は、18世紀半ばから19世紀にかけてイギリスで起こったものをさすが、ここではそれが「第1次産業革命」に相当する）については最終段落で述べられているが、「数々の工作機械の発明によって加速され」たという記述はあるものの、「新しいテクノロジーの発明」という記述はない。アメリカが20世紀最初の数十年で世界の傑出した経済国へと上りつめる基盤をもたらしたのは、「交換可能な部品の工業生産」（規格部品の組み立てによる大量工場生産）であり、「教育と職業訓練制度」に秀でていたことだと述べられている。

正答　2

Select the statement which best corresponds to the content of the following passage.

The climate crisis has reached a "really bleak moment", one of the world's leading climate scientists has said, after a slew of major reports laid bare how close the planet is to catastrophe. Collective action is needed by the world's nations more now than at any point since the second world war to avoid climate tipping points, Prof Johan Rockström said, but geopolitical tensions are at a high. He said the world was coming "very, very close to irreversible changes ... time is really running out very, very fast".

Emissions must fall by about half by 2030 to meet the internationally agreed target of 1.5℃ of heating but are still rising, the reports showed — at a time when oil giants are making astronomical amounts of money.

On Thursday, Shell and TotalEnergies both doubled their quarterly profits to about $10bn. Oil and gas giants have enjoyed soaring profits as post-Covid demand jumps and after Russia's invasion of Ukraine. The sector is expected to amass $4tn in 2022, strengthening calls for heavy windfall taxes to address the cost of living crisis and fund the clean energy transition.

All three of the key UN agencies have produced damning reports in the last two days. The UN environment agency's report found there was "no credible pathway to 1.5℃ in place" and that "woefully inadequate" progress on cutting carbon emissions means the only way to limit the worst impacts of the climate crisis is a "rapid transformation of societies".

Current pledges for action by 2030, even if delivered in full, would mean a rise in global heating of about 2.5℃, a level that would condemn the world to catastrophic climate breakdown, according to the UN's climate agency. Only a handful of countries have ramped up their plans in the last year, despite having promised to do so at the Cop26 UN climate summit in Glasgow last November.

The UN's meteorological agency reported that all the main heating gases hit record highs in 2021, with an alarming surge in emissions of methane, a potent greenhouse gas. Separately, the IEA's world energy report offered a glimmer of progress, that CO_2 from fossil fuels could peak by 2025 as high energy prices push nations towards clean energy, though it warned that it would not be enough to avoid severe climate impacts.

Rockström, director of the Potsdam Institute for Climate Impact Research in Germany, said: "It's a really bleak moment, not only because of the reports showing that emissions are still rising, so we're not delivering on either the Paris or Glasgow climate agreements, but we also have so much scientific evidence that we are very, very close to irreversible changes — we're coming closer to tipping points."

Research by Rockström and colleagues, published in September, found five dangerous climate tipping points may already have been passed due to the global heating caused by humanity to date, including the collapse of Greenland's ice cap, with another five possible with 1.5℃ of heating.

経済事情 経営学 国際関係 社会学 心理学 教育学 英語（基礎） 英語（一般）

"Furthermore, the world is unfortunately in a geopolitically unstable state," said Rockström. "So when we need collective action at the global level, probably more than ever since the second world war, to keep the planet stable, we have an all-time low in terms of our ability to collectively act together."

"Time is really running out very, very fast," he said. "I must say, in my professional life as a climate scientist, this is a low point. The window for 1.5℃ is shutting as I speak, so it's really tough."

His remarks came after the UN secretary general, António Guterres, said on Wednesday that climate action was "falling pitifully short". "We are headed for a global catastrophe [and] for economy-destroying levels of global heating."

He added: "Droughts, floods, storms and wildfires are devastating lives and livelihoods across the globe [and] getting worse by the day. We need climate action on all fronts and we need it now." He said the G20 nations, responsible for 80% of emissions, must lead the way.

Inger Andersen, head of the UN environment programme (UNEP), told the Guardian that the energy crisis must be used to speed up delivery of a low-carbon economy: "We are in danger of missing the opportunity and a crisis is a terrible thing to waste."

Prof Corinne Le Quéré, at the University of East Anglia, UK, said: "It is fundamental to avoid cascading risks that responses to existing crises are made in a way that limits climate change to the lowest possible level."

Further reports published in the last two days said the health of the world's people is at the mercy of a global addiction to fossil fuels, with increasing heat deaths, hunger and infectious disease as the climate crisis intensifies.

1 In order to prevent irreversible changes to the environment, emissions need to be reduced by half of the agreed target of 1.5℃ by 2030.

2 Two of the large oil companies announced that they have made twice as much profit over the last quarter as a result of the end of Covid and the Ukraine invasion.

3 Although most countries have changed their energy plans as they promised at the Cop26 UN climate summit, there is still expected to be a rise in global heating by 2.5℃ by 2030.

4 Despite global geopolitical instability, countries are united in their views on climate which will enable timely collective action at a worldwide level.

5 According to António Guterres, G20 nations need to reduce emissions by 80% in order to avoid droughts, floods, storms, and wildfires from causing disaster around the world.

＜全訳＞　次の文の内容に最も合致する記述を選びなさい。

気候危機は「まさにお先真っ暗な時」に差しかかったと、世界で最も著名な気候科学者の1人は語っている。この惑星がどれだけ破局に近づいているかを、多くの主要な報告書が明らかにしたことを受けての発言だ。気候の大きな転換点を避けるために、第二次世界大戦以降今ほど世界各国による集団行動が必要とされている時はないと、(スウェーデン出身の環境学者)ヨハン・ロックストローム教授は語った。だが、地政学的な緊迫状態は高いままだ。彼は、世界が「後戻りのできない変化を迎えるところまでどんどん近づいて」おり、「時間はまさに猛スピードでなくなりつつある」と語った。

国際的に合意がなされた目標である1.5℃の気温上昇に抑えるには、温室効果ガスの排出量を2030年までにおよそ半分にしなければならないが、排出量は今なお上昇していることを報告書は示した。その一方で、大手石油企業はけた外れの利益を上げている。

木曜日、(石油およびガス企業の) シェルとトタルエナジーズは両社とも、四半期の利益をおよそ100億ドルに倍増させた。石油とガスの大手企業は、新型コロナ一段落後の需要の急上昇とロシアのウクライナ侵攻後、空前の利益を享受している。この部門の利益は2022年に (世界全体で) 4兆ドルに達することが見込まれており、生活コストの危機的状況への対処やクリーンエネルギーへの移行に資金を回すために高額の超過利潤税を課すべきとの声が強まっている。

ここ2日間で、国連の (気候変動にかかわる) 主要3機関のすべてが、強い批判を含む報告書を出している。国連の環境に関する機関 (国連環境計画＝UNEP) の報告書では、「1.5℃の目標達成に至る実現性ある方策は何一つ用意されていない」こと、また炭素排出量削減の「嘆かわしいほど不十分な」進行具合を見れば、気候危機の最悪の影響を限定的にとどめるには「社会全体の急激な変化」以外にありえないことがわかった、としている。

現行の、2030年までの行動への誓い (「持続可能な開発のための2030アジェンダ」) が十分に果たされたとしても、世界の気温は約2.5℃上昇するだろう。これは、国連の気候に関する機関 (国連気候変動枠組み条約＝UNFCCC 事務局) によれば、世界を壊滅的な気候の崩壊に追い込むレベルである。昨年11月に英国のグラスゴーで行われた国連の気候サミット COP26 (UNFCCC 第26回締約国会議) で約束したにもかかわらず、直近1年間で実際に計画を練り上げたのはほんの一握りにとどまっている。

国連の気象に関する機関 (世界気象機関＝WMO) の報告では、2021年には主要な温暖化ガスのすべての排出量が過去最高を記録し、なかでも温暖化作用の強いガスであるメタンの排出量が驚くほど急増した。それとは別に、IEA (国際エネルギー機関) の世界のエネルギーに関する報告書では、エネルギー価格の高騰が各国をクリーンエネルギーへと向かわせていることから、化石燃料由来の二酸化炭素排出量は2025年までに頭打ちとなる可能性があるという、前進のきざしが示された。とはいえ、それだけでは気候変動の深刻な影響を回避するには不十分であると、報告書は警鐘を鳴らしている。

ドイツのポツダム気候影響研究所長のロックストローム氏は、次のように語った。「今がまさにお先真っ暗な時というのは、単に炭素排出量が今も上昇しているという報告がなされ、パリやグラスゴーでの気候に関する合意のどちらも果たせそうにないからというだけでなく、私たちが後戻りのできない変化を迎えるところまでどんどん近づいていることを示す幾多の科学的証拠があるからです。私たちは大きな転換点のすぐそばに来ているのです」

9月に発表された、ロックストローム氏と同僚たちによる研究では、人間がこれまでに引き起こした地球温暖化によって、グリーンランドの氷冠（氷河の塊）の崩壊を含む5つの危険な気候上の転換点をすでに越えている可能性があること、そして1.5℃の温暖化によってさらに5つの転換点を越える可能性があることが示された。

「おまけに、世界は不幸にも地政学的に不安定な状態にあります」とロックストローム氏は語った。「ですから、この惑星を安定状態に保つためには世界レベルでの集団行動が、おそらくは第二次世界大戦後のいつよりも必要な時に、私たちは一致団結して行動する能力という点ではかつてないほど低いレベルにあるのです」

「時間はまさに猛スピードでなくなりつつあります」と彼は語った。「気候科学者としての私の職業人生の中で、今が最悪の時と言わねばなりません。こうして話している間にも、1.5℃の扉は閉じられつつあるのですから、本当につらいことです」

彼の発言は、水曜日に国連のアントニオ・グテーレス事務総長が、気候に関する行動は「話にならないほど目標を下回っている」と述べた後でなされた。「私たちは、世界的な破局へ（、また）経済が崩壊するレベルの地球温暖化へと向かっています」

彼はまた次のように語った。「干ばつや洪水、嵐、山火事が世界中で生命や暮らしを破壊し（、さらに）日ごとに悪化しています。気候に関して行動することがあらゆる局面で必要であり、それも今必要なのです」。そして、排出量の80％の原因であるG20諸国がそれを主導しなければならない、とも語った。

国連環境計画（UNEP）のインガー・アンダーセン事務局長は（英国の大手新聞）「ガーディアン」紙に対して、エネルギー危機は低炭素経済の達成を加速するために活用されなければならないと語った。「私たちはこの機会を逃してしまう危険があり、危機を無駄にするのは非常にもったいないことです」

英国のイーストアングリア大学のコリーヌ・ル・ケレ教授は、「連鎖的なリスクを回避するためには、数ある既存の危機への対応が、気候変動を可能な限り低いレベルに抑えるようなやり方でなされることが必須です」と語った。

ここ2日間で発表されたさらに別の報告書では、気候が危機の度を増す中で熱波による死者や飢餓や感染症が増えており、世界の人々の健康は化石燃料への世界的依存に左右されている状態だと述べられている。

1　環境に後戻りのできない変化を与えるのを防ぐために、（温室効果ガスの）排出量は2030年までに1.5℃という合意された目標（を達成するために定められた数値）を半分にする必要がある。

2　大手石油企業の2社が、新型コロナ終息とウクライナ侵攻の結果、この四半期に利益を倍増させたと発表した。

3　大半の国が国連の気候サミットCOP26で約束したとおりにエネルギー計画の変更を行ったが、それでも2030年までに地球は2.5℃温暖化すると見込まれている。

4　世界規模で地政学的に不安定な状況があるにもかかわらず、各国は気候についての考えにおいては結束しており、それはタイミングよい世界レベルでの集団行動を可能にするだろう。

5　アントニオ・グテーレス氏によれば、干ばつや洪水、嵐、山火事が世界中で災害を引き起こすのを避けるためには、G20諸国が（温室効果ガス）排出量を80％削減する必要がある。

＊　＊　＊

1．「国際的に合意がなされた目標である1.5℃の気温上昇に抑えるには、温室効果ガスの排出量を2030年までにおよそ半分にしなければならない」という記述はあるが、目標値をさらに半分に減らす必要があるという記述はない。

2．妥当である。

3．「2030年までの行動への誓いが十分に果たされたとしても、世界の気温は約2.5℃上昇するだろう」と述べられており、後半部分は正しいといえるが、「COP26で約束したにもかかわらず、直近１年間で実際に計画を練り上げたのはほんの一握りにとどまっている」とも述べられており、大半の国が約束どおりにエネルギー計画の変更を行ったとの記述はない。

4．世界が地政学的に不安定な状態にある現在、「私たちは一致団結して行動する能力という点ではかつてないほど低いレベルにある」との気候科学者の発言が引用されている。

5．気候に関して行動する必要性について、「排出量の80％の原因であるG20諸国がそれを主導しなければならない」とのグテーレス氏の発言は引用されているが、G20諸国が排出量を80％削減する必要があるという趣旨の発言は述べられていない。

正答　**2**

国家一般職［大卒］ 専門試験

No. 79 英語(一般) 内容把握 令和5年度

Select the statement which best corresponds to the content of the following passage.

The EU wastes more food than it imports and could puncture food price inflation by simply curbing on-farm waste, according to a report. About 153m tonnes of food in the EU are frittered away every year, double previous estimates and 15m tonnes more than is shipped in, according to the study's estimates. The amount of wheat wasted in the EU alone is equal to roughly half of Ukraine's wheat exports, and a quarter of the EU's other grain exports, it says.

Frank Mechielsen, the director of Feedback EU, which produced the study, said: "At a time of high food prices and a cost of living crisis, it's a scandal that the EU is potentially throwing away more food than it's importing. The EU now has a massive opportunity to set legally binding targets to halve its food waste from farm to fork by 2030 to tackle climate change and improve food security."

Global food prices last month were 8% higher than a year ago, according to the UN Food and Agriculture Organization (FAO), partly driven by the war in Ukraine. Wheat, maize and soya bean prices have this year even overshot records set at the height of the 2008 world financial crisis.

Abdolreza Abbassian, a grain market analyst and former senior FAO economist, said the era of cheap food was over and prices would probably remain high, even after the Russia-Ukraine war has ended. "Because of the energy situation, the fertiliser situation, uncertainties in the world, including in transport and shipments, not to mention climate change we have to accept that we are not going to see food prices at the levels of a decade ago, that we had become used to," he said.

Olivier De Schutter, a co-chair of the International Panel of Experts on Sustainable Food Systems, and a UN special rapporteur on extreme poverty and human rights, said the problem was that the agrifood industry had historically found waste more advantageous than efficiency. "At both ends of the food chain it's expensive to reduce waste and it is profitable to sell people more food than they need," he said. "Sell-by dates are also set in a way that obliges people to buy more than they can actually consume."

Brussels is expected to bring forward a proposal later this year for the world's first legally enforceable goals to curb food waste — 43 green non-profits have backed Feedback EU's call for a 50% drop in waste by 2030.

Piotr Barczak, the senior policy officer for the European Environmental Bureau (EEB), said: "All EU countries had committed to halve food waste within the United Nations' sustainable development goals. However, almost 10 years later, they have not achieved much, and our economies still generate incredibly high amounts of food waste."

The EEB wants to see legal measures for cutting waste along the whole food supply chain, including production, processing and food services. （中略） The report sources about 90m tonnes of food waste to primary production — three times more than household waste. Most of this is probably unrecorded, as EU waste measurements tend to exclude food left unharvested, unused or unsold on farms.

An estimated 20% of EU food production is wasted each year, at a cost to EU businesses and households of €143bn (£125bn) a year. Food waste is responsible for at least 6% of the bloc's total greenhouse gas emissions.

1 Around 138m tonnes of food are imported into the EU each year, which is around half of Ukraine's wheat exports.

2 In order to improve food security and climate change in the EU, laws are needed to reduce the amount of food wasted primarily on farms by half by 2030.

3 Abdolreza Abbassian says that factors such as energy, fertiliser, and instability in transport are likely to keep prices high for around another ten years.

4 Despite committing to reducing food waste in the EU by half nearly a decade ago, there has not been much change since then.

5 It is estimated that around 30m tonnes of food are wasted in households each year, and governments keep accurate records of all farm waste.

<全訳>　次の文の内容に最も合致する記述を選びなさい。

ある報告によると、EUは輸入する量よりも多くの食物を廃棄しており、単に農場で出る廃棄物を抑制するだけで食料価格のインフレを解消できるとのことだ。この研究の概算によれば、EU圏では毎年約1億5,300万トンの食料が浪費されており、これは以前の概算の2倍に相当し、輸入量よりも1,500万トン多い数字だ。小麦の廃棄量はEUだけでウクライナの小麦輸出量のざっと半分、またEUの他の穀物輸出量の4分の1に相当するとのことだ。

この研究報告を出したフィードバックEU（オランダに拠点を置く環境活動NGO）のフランク・メヒエルセン所長は、次のように語った。「食料価格が高騰し生活コストが危機的状況にあるときに、EUがもしかすると輸入しているよりも多くの食べ物を捨てているというのは、恥ずべきことです。今EUには、気候変動に対処し食料安全保障を高めるため、農場から食卓に至るまでに発生する食料廃棄物を2030年までに半減させる、法的拘束力のある達成目標を設定する大きなチャンスがあるのですから」

国連食糧農業機関（FAO）によると、先月の世界の食料価格はウクライナでの戦争の影響もあり、前年から8％上昇した。小麦、トウモロコシ、大豆の価格は今年、2008年の世界金融危機のピーク時に記録した価格さえも上回った。

FAOのかつての上級エコノミストだった、穀物市場アナリストのアブドルレザ・アバシアン氏は、食料が安かった時代は過ぎ去り、ロシアとウクライナの戦争が終わった後も価格はおそらく高止まりするだろうと語った。「エネルギーの状況、肥料の状況、輸送や入出荷を含む世界の不安定な情勢、また気候変動は言うに及びませんが、そうした事情のために、私たちは10年前のレベルの慣れ親しんだ食料価格を目にすることはもうないということを受け入れなくてはなりません」

「持続可能な食料システムに関する国際専門家パネル」の共同代表で、極度の貧困と人権に関する国連特別報告者も務めるオリヴィエ・デ・シュッター氏によると、農産食品業界が歴史的に、効率を追求するより無駄を出したほうが利があると見ていることに問題があるとのことだ。「フードチェーン（食料生産から最終消費に至る一連の流れ）の両方の端で、片や無駄を減らすのは高くつく、片や消費者に必要以上に食料を売るほうがもうかる、ということになりますから」と彼は語った。「賞味期限も、消費者が実際に消費できる以上の量を購入することを迫られるように設定されているのです」

（EU本部のあるベルギーの）ブリュッセルでは今年中に、食料廃棄物を抑制するための世界初となる法的執行力のある目標を掲げた提案が提出される予定であり、2030年までに廃棄物の50%削減を求めるフィードバックEUの呼びかけには、これまで43の環境系NPO（非営利団体）が支持を表明している。

欧州環境局（EEB）のピョートル・バルチャック上級政策担当官は、次のように語った。「EUの全加盟国が、国連の持続可能な開発目標（SDGs）の範囲内である食料廃棄物の半減を約束していました。ところが、10年近くたった今、各国の達成状況は芳しくなく、私たちの経済は今も信じられないほど多くの食料廃棄物を生み出しています」

EEBは、生産、加工、フードサービスを含む食料供給チェーンの全工程で廃棄物の削減を求める法的措置を講じたいと考えている。　（中略）　報告は、およそ9,000万トンの食料廃棄物の由来を一次生産としている。これは家庭で出る廃棄物の3倍に上る。EUの廃棄物量の測定法は、農場で未収獲だったり、未利用、未販売のまま残された食料は除外する傾向があるため、この数字のほとんどは記録には残らない。

EUの食料生産量のうち、毎年およそ20％が廃棄されており、これによりEU圏内の企業や家庭にとって年間1,430億ユーロ（1,250億ドル）の費用負担が生じていることになる。食料廃棄物は、EU圏の温室効果ガス総排出量の少なくとも6％の原因となっている。

1 EUは毎年およそ1億3,800万トンの食料を輸入しており、これはウクライナの小麦輸出量のおよそ半分に当たる。

2 EU圏内の食料安全保障と気候変動を改善するため、農場で最初から廃棄される食料の量を2030年までに半減させる法律が必要とされている。

3 アブドルレザ・アバシアン氏は、エネルギー、肥料、輸送の不安定な情勢などの要因により、今後約10年間は食料価格が高止まりする可能性があると述べている。

4 EU圏内の食料廃棄物を半減させると10年近く前に約束したにもかかわらず、それ以来さしたる変化はない。

5 毎年家庭でおよそ3,000万トンの食料が廃棄されていると概算されており、各国政府は農場廃棄物の全量を正確に記録に残している。

＊　＊　＊

1. 本文第1段落の「EU圏では毎年約1億5,000万トンの食料が浪費されており、これは……輸入量よりも1,500万トン多い数字だ」という記述から、EUの食料の年間輸入量は「1億5,300万－1,500万＝1億3,800万トン」ということになるが、一方で、ウクライナの小麦輸出量のおよそ半分に相当すると述べられているのは、「EU圏内だけで廃棄される小麦の量」であり、その数字については述べられていない。

2. 「農場から食卓に至るまでに発生する食料廃棄物を2030年までに半減させる、法的拘束力のある達成目標を設定する」ことについての発言は述べられているが、農場で発生する食料廃棄物のみを対象とした立法の必要性については述べられていない。

3. 氏の発言として本肢で列挙されている要因については本文でも言及されているが、食料価格の高止まりについては、本文では「10年前のレベルの慣れ親しんだ食料価格を目にすることはもうない」だろうと述べられており、「今後10年間は」という意味ではない。

4. 妥当である。

5. 本文で引用されている報告では「およそ9,000万トンの食料廃棄物の由来を一次生産としている。これは家庭で出る廃棄物の3倍を上回る」と述べられているので、本肢の前半部分については正しいといえるが、後半部分については、本文では「EUの廃棄物量の測定法は、農場で未収獲だったり、未利用、未販売のまま残された食料は除外する傾向があるため、この数字のほとんどは記録には残らない」と述べられている。

正答　4

国家一般職[大卒] No. 80 専門試験 英語(一般) **内容把握** 令和5年度

Select the statement which best corresponds to the content of the following passage.

The government will overhaul the nation's cybersecurity and privacy laws as the Optus hack of almost 10 million people reveals how metadata laws can be used to let telecommunications firms bank huge amounts of customers' personal data. Indicating fines for major data breaches will form part of the government's response to the hack, Prime Minister Anthony Albanese said there needed to be "clear consequences" when companies failed to appropriately secure customer data.

"Clearly, we need better national laws after a decade of inaction to manage the immense amount of data collected by companies about Australians," Albanese told parliament on Wednesday. "We are dealing with this issue, we know that it does need to be dealt with and we know that this has been an absolute priority for Australians."

Optus revealed on Wednesday evening that almost 37,000 Medicare numbers were exposed in the hack, with 22,000 of those expired, and said affected people could replace them through Services Australia. Medicare numbers usually only change by one digit with a new card, although Optus has said customers should be reassured their medical data cannot be accessed with a number alone. It said customers with active cards would be contacted within 24 hours and those with expired cards in the coming days.

Foreign Minister Penny Wong on Wednesday wrote to Optus boss Kelly Bayer Rosmarin saying there was a serious risk passport holders exposed in the hack could be subject to criminal exploitation, including through fraud and identity theft. The opposition had been pushing for the government to issue passports for free but the prime minister put the burden on Optus.

"We believe Optus should pay, not taxpayers," Albanese said, adding the breach was "caused by Optus and their own failures".

Experts have identified the amount of data stored by Optus as a central issue. The law requires phone companies to keep names, addresses and "other information used by the service provider for the purposes of identifying the subscriber" of customers while their account is active and for two years after to help authorities trace crimes.

It does not demand companies keep passport, driver's licence and Medicare numbers but a spokesperson for the attorney-general's department said the law did not specify what "other information" means companies must collect. Experts believe the ambiguity could be what Optus was using to keep data, though it does not explain why it appeared to retain the numbers years after customers left.

Alastair MacGibbon, a former head of the government's top cyber agency, said he agreed telecommunications customers should be required to prove their identity, saying it served as a "vital investigative tool" for law enforcement agencies. (中略) "Data is like asbestos — you really don't want to hoard this stuff," he said. "It's nasty."

Bayer Rosmarin said on Friday that "the reason that we hold on to customer data for a period of time is that it is the law. We have to be able to go back in our records for six years and so we do hold information for the required length of time." Asked which laws Bayer Rosmarin was referring to, an Optus spokesman said it was the metadata law and also "the more general requirements that apply to data retention". The company has previously emphasised it is working with governments to help affected customers but made no public commitment to pay for passports.

Associate Professor Rob Nicholls, an expert in telecommunications regulation at UNSW, said a telecommunications firms could claim it was keeping personal identification data under the metadata laws to show it was properly identifying customers. It could also argue that it should retain the data for years after accounts were closed in an effort to satisfy audit requirements. But, Nicholls said, "that's a horrible answer" and created a honeypot for hackers.

Tony Forward, a former chief information officer of billion-dollar companies including QBE Insurance, said Optus did not need to keep the document numbers after consumers signed up. "If you don't retain the data, you can't lose it to criminals," Forward said.

Home Affairs Minister Clare O'Neil stood by her earlier criticism of Optus in an *A Current Affair* interview on Wednesday night but would not say whether she thought Bayer Rosmarin should resign.

"There are companies that have held themselves out to be experts in cybersecurity who are failing on these types of attacks," O'Neil said.

Labor MP Peter Khalil, chair of the powerful parliamentary joint committee on intelligence and security, said Optus needed to accept responsibility for the data breach but that the previous government had not turned on extra cybersecurity rules for telecommunications companies. "We need to get those laws up to scratch," he said. State governments have moved to let people affected by the hack replace their driver's licenses but customers in NSW are concerned about the level of protection it will provide because the licence number often used to check their identity would not change.

Customer Service Minister Victor Dominello confirmed that Optus customers who apply for a new licence will only get an updated card number and expiry date to avoid a longer process. Dominello said the new expiry date and card number would offer extra protection because those two details would be different to those on their old licence. He said banks that did not check the card number and expiry date were putting their institution and customer security at risk.

1 After private information of almost 10 million people was stolen from Optus, the government will revise relevant laws to make companies store customers' data more securely.

2 Optus assured the 37,000 customers with active Medicare cards that their medical data cannot be accessed just from the numbers, but they would be contacted within 24 hours.

3 Telephone companies are required to keep names, addresses, and other information including driver's licence numbers of customers while their account is active and for two years after.

4 The decision by Optus to hold on to personal identification data years after accounts were closed to show it was following metadata laws has been commended by experts.

5 Victor Dominello claims that changing the card number and expiry date on driver's licences is not sufficient to protect Optus customers whose details were hacked.

<全訳>　次の文の内容に最も合致する記述を選びなさい。

（オーストラリアの通信大手）オプタス社がハッキングされて1,000万人にも及ぶ顧客データが流出し、メタデータ（データについての情報）に関する法律が、通信会社が大量の顧客の個人情報を囲い込む行為を正当化するために利用されうるという実態が明らかになったことを受け、政府は国のサイバーセキュリティ（ネット上の安全対策）とプライバシーに関する法律を精査することになった。今回のハッキングへの政府の対応には、大規模なデータ漏れに対して罰金を課すことも含まれることを示しながら、オーストラリアのアンソニー・アルバニージー首相は、企業が顧客データの安全を適切に守れない場合には「明確な結末」が必要とされると語った。

「企業によるオーストラリア国民に関する膨大なデータ収集をこの10年きちんと管理してこなかった今、明らかに、私たちはより適切な連邦法を必要としています」と水曜日、アルバニージー氏は国会で語った。「私たちはこの問題に取り組んでいる最中であり、対処の必要があること、そしてそれがオーストラリア国民にとって何よりも最優先の課題となっていることは重々承知しています」

オプタス社は水曜の夕方、ほぼ３万7,000件のメディケア（国民健康保険）番号がハッキングにさらされ、うち２万2,000件は有効期限を過ぎたものであること、また影響のある人はサービシズ・オーストラリア（厚生福祉省）を通じて番号を改めることができることを明らかにした。メディケア番号は通常、新しいカードでは１ケタの数字が変わるだけだが、オプタス社は、医療に関するデータは番号だけでは閲覧できないので顧客は安心してほしいと語っている。また、有効期限内のカードは24時間以内に、期限を過ぎたカードについては後日連絡に応じるとのことだ。

ペニー・ウォン外相は水曜日、オプタス社のケリー・ベイヤー・ロズマリン社長に対し、ハッキングにさらされたパスポート所持者が詐欺や個人情報盗難などの犯罪に利用されるおそれがあるとの書簡を送った。パスポートは無償で発行するよう、野党が政府に対して要求していたのだが、首相がその手間をオプタス社に負わせたものだ。

「納税者ではなく、オプタス社が払うのが筋だ」とアルバニージー氏は語り、データ漏れは「オプタス社と会社の失策によって起こったものだから」と続けた。

専門家は、オプタス社によって保管されているデータ量は重大な問題だととらえている。法律では、当局の犯罪捜査に資するため、電話会社に対して顧客の住所氏名および「サービスプロバイダー（インターネット接続業者）が加入者を特定する目的で利用するその他の情報」の保存を、顧客がアカウントを利用中およびその２年後にわたって求めている。

法律では、企業に対してパスポートや運転免許証、メディケア番号まで保存することは要求していないが、司法省の広報担当官は、企業が収集しなければならない「その他の情報」とは何かを特定しているわけではないと述べている。専門家は、この曖昧さが、オプタス社がデータを保存した根拠になったかもしれないと考えている。もっとも、顧客が解約した後、何年にもわたって番号を保存し続けていると思われた理由については、同社は説明していない。

政府のサイバー担当最高機関でかつて長官を務めたアラステア・マクギボン氏は、自分は通信会社の顧客が身元証明を求められることには賛成であるとして、法執行機関にとってはそれが「捜査上必須のツール」になると語った。　（中略）「データはアスベストのようなものだ。

別に好きこのんで集めたいわけではない。やっかいな代物だよ」

ベイヤー・ロズマリン氏は金曜日、「私たちが顧客データを一定期間保存し続ける理由は、それが法律だからです。記録を6年間さかのぼれるようにしておかないといけないため、私たちは求められている期間は確かに情報を保持しています」と語った。どの法律にベイヤー・ロズマリン氏は言及していたのかと聞かれて、オプタス社の広報担当者は、メタデータ法、さらには「データ保持に適用されるより一般的な要件」だと語った。会社はこれに先立って、影響を受けた顧客の支援を政府と連携して行うと強調しているが、パスポートの費用負担をすることについての公約はなかった。

UNSW（ニューサウスウェールズ大学）准教授で通信の規制行政に関する専門家であるロブ・ニコルズ氏は、メタデータ法に基づいて個人が特定できる情報を保存しているのは、会社が顧客の身元をきちんと特定していることを示すためだ、と通信会社が主張することはできるだろう、と述べた。また、監査の要件を満たそうと努めているため、アカウント閉鎖後何年もの間データを保持することは必要なのだと主張することもできるだろう。だが、それは「ぞっとする答え」であり、ハッカーに蜜の入ったつぼを用意するようなものだ、とニコルズ氏は語った。

QBE保険を含む売上10億ドルクラスのグループ会社の元最高情報責任者であるトニー・フォワード氏は、消費者が登録を済ませた後はオプタス社が公文書番号を保存する必要はない、と語った。「データを保持しなければ、犯罪者の手には渡りようがないのですから」とフォワード氏は語った。

クレア・オニール内務相は水曜の夜、（テレビ番組）「カレント・アフェア」でのインタビューで、先に行ったオプタス社の批判を改めて口にしたが、ベイヤー・ロズマリン氏が辞職すべきだと考えているかについては態度を明らかにしなかった。

「これまでサイバーセキュリティは万全であることを売りにしてきた会社が、今回のようなタイプの攻撃で失敗しつつあります」とオニール氏は語った。

労働党の国会議員で、強力な権限を持つ、情報と安全に関する国会合同委員会の議長を務めるピーター・ハリル氏は、オプタス社はデータ漏れに関して責任を受け入れる必要があるが、同時にこれまでの政府も通信会社に対してさらなるサイバーセキュリティの規則を定めることを中心課題にしてこなかったと述べ、「私たちは関連する法律を一定水準を満たすものにしなければなりません」と語った。州政府は、ハッキングの影響を受けた人には運転免許証を改めることを認める措置を講じているが、ニューサウスウェールズ州在住の顧客は、身元証明にしばしば使われる免許証番号については変更の予定なしとなっているため、保護のレベルを心配している。

顧客サービス担当大臣のヴィクター・ドミネッロ氏は新しい免許証を申請するオプタス社の顧客について、時間がかかるのを避けるため、更新された番号と有効期限の取得にとどまることを認めた。ドミネッロ氏は新しい有効期限の日付と免許証番号について、その2つの詳細が旧免許証に記載されたものとは異なるものになるため、それが新たな保護につながると語った。また、免許証番号と有効期限を確認しない銀行は、組織と顧客の安全をリスクにさらすことになる、と語った。

1　ほぼ1,000万人分の個人情報がオプタス社から盗まれた後、政府は企業に顧客データの管理をよりしっかりと行わせるために、関連法を改正するだろう。

2　オプタス社は有効期限内のメディケアカードを登録している3万7,000人の顧客に対し、番号のみから彼らの医療データにアクセスされることはないと保証したが、彼らは24時間以内に連絡に応じてもらえるだろう。

3　電話会社は顧客の住所氏名のほか、運転免許証番号を含む他の情報を、顧客がアカウントを利用中、およびその後２年にわたって保存する必要がある。

4　メタデータ法に従っていることを示すために、個人の身分証明データをアカウント閉鎖後何年もの間保持し続けるというオプタス社の決定は、専門家たちによって賞賛されている。

5　ヴィクター・ドミネッロ氏は、運転免許証の免許証番号と有効期限の変更は、詳細がハッキングされたオプタス社の顧客を守るのに十分ではないと主張している。

＊　＊　＊

1．妥当である。

2．ハッキングにさらされたほぼ３万7,000件のメディケア番号のうち、２万2,000件は有効期限を過ぎたものであったと述べられている。期限切れの数字が多いのは、続く記述から、オプタス社との契約を解除した顧客のデータもかなり含まれているためと考えられる。

3．本文では「顧客の住所氏名および『サービスプロバイダーが加入者を特定する目的で利用するその他の情報』」と述べられており、特に運転免許証番号には言及していない。続く段落でも、「法律では、企業に対してパスポートや運転免許証、メディケア番号まで保存することは要求していない」と述べられている。

4．逆に、オプタス社のそのような決定および弁明に対して疑義を呈する専門家の意見が紹介されている。

5．政府の担当閣僚であるドミネッロ氏は、今回の対応について、「その２つの詳細（運転免許証の免許証番号と有効期限の変更）が旧免許証に記載されたものとは異なるものになるため、それが新たな保護につながる」と語ったことが述べられており、不十分だとの主張は見られない。

正答　1

令和５年度　一般論文試験

行政区分の一次試験で行われる。
出題数１題。
答案用紙はB4サイズで1,600字見当。
解答時間は１時間。

我が国においては、文化財の滅失や散逸等の防止が緊急の課題であるとされ、茶道や食文化などの生活文化も含め、その保護に向けた機運が高まってきている。

文化財保護法については、平成30年に、地域における文化財の総合的な保存・活用や、個々の文化財の確実な継承に向けた保存活用制度の見直しなどを内容とする改正が行われ、また、令和３年に、無形文化財及び無形の民俗文化財の登録制度を新設し、幅広く文化財の裾野を広げて保存・活用を図るなどの改正が行われた。

このような状況に関して、以下の資料①、②、③を参考にしながら、次の⑴、⑵の問いに答えなさい。

⑴　我が国が文化財の保護を推進する意義について、あなたの考えを述べなさい。
⑵　我が国が文化財の保護を推進する際の課題及びそれを解決するために国として行うべき取組について、あなたの考えを具体的に述べなさい。

資料①　文化財保護法における「文化財」の種類とその対象となるもの

有形文化財	・建造物、絵画、彫刻、工芸品、書跡、典籍、古文書その他の有形の文化的所産 ・考古資料及びその他の歴史資料
無形文化財	・演劇、音楽、工芸技術その他の無形の文化的所産
民俗文化財	・衣食住、生業、信仰、年中行事等に関する風俗慣習、民俗芸能、民俗技術及びこれらに用いられる衣服、器具、家屋その他の物件
記念物	・貝づか、古墳、都城跡、城跡、旧宅その他の遺跡 ・庭園、橋梁、峡谷、海浜、山岳その他の名勝地 ・動物、植物、地質鉱物
文化的景観	・地域における人々の生活又は生業及び当該地域の風土により形成された景観地
伝統的建造物群	・周囲の環境と一体をなして歴史的風致を形成している伝統的な建造物群

（出典）文化財保護法を基に作成

資料② 生活文化等に係る団体※のアンケート調査結果

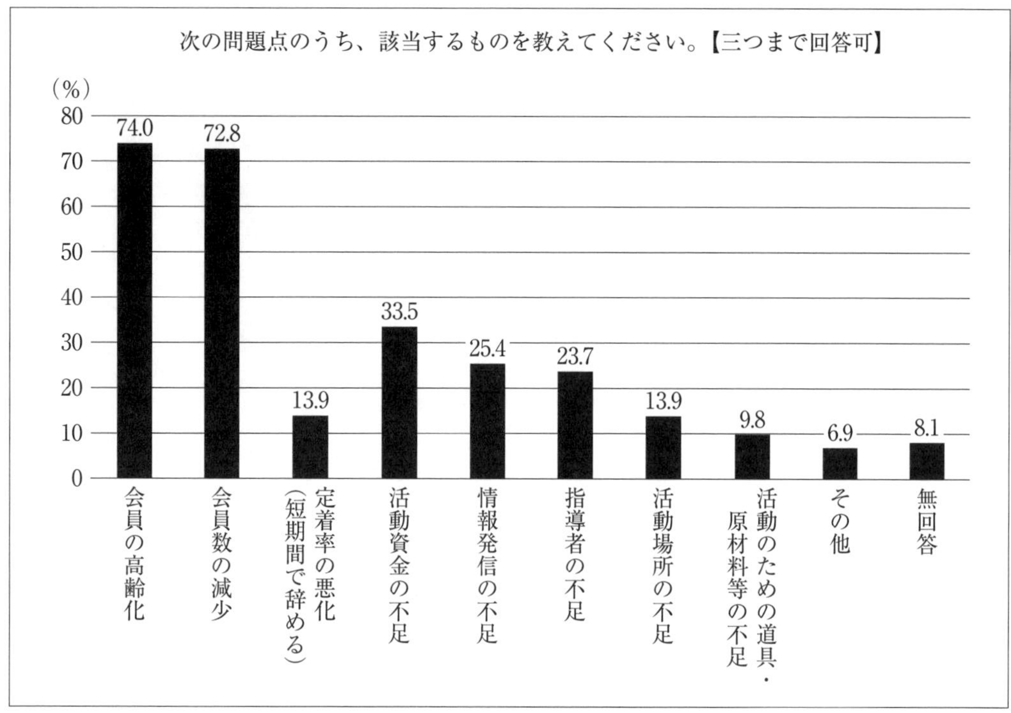

※ 文化芸術基本法第３章第12条に「生活文化」として例示されている「華道・茶道・書道・食文化」をはじめ、煎茶、香道、着物、盆栽等の専ら生活文化の振興を行う団体等

（出典）文化庁「平成29年度生活文化等実態把握調査事業報告書」を基に作成

資料③ 文化財多言語解説整備事業の概要

訪日外国人旅行者が地域を訪れた際、文化財の解説文の表記が不十分であり、魅力が伝わらないといった課題が指摘されることもあります。文化庁では、文化財の価値や魅力、歴史的な経緯など、日本文化への十分な知識のない方でも理解できるように、日本語以外の多言語で分かりやすい解説を整備する事業として、「文化財多言語解説整備事業」を実施しています。多言語解説として、現地における看板やデジタルサイネージに加えて、QRコードやアプリ、VR・ARなどを組み合わせた媒体の整備を積極的に支援しており、これにより訪日外国人旅行者数の増加及び訪日外国人旅行者が地域を訪れた際の地域での体験滞在の満足度の向上を目指すものです。

これまで平成30年度から令和２年度までの３年間で124箇所を整備済みであり、令和３年度末までには175箇所となる予定です。

（出典）文化庁「文化庁広報誌 ぶんかる」（2021年11月11日）を基に作成

令和4年度試験出題例

出題内訳表

令和4年度　専門試験〈行政〉

択一式（16科目80題中8科目40題選択解答）

No.	科目	出題内容	難易度
1		政治思想（ベンサム，グリーン，ロールズ，ハイエク，ヘーゲル）	B
2		民主主義（アリストテレス，トクヴィル，シュンペーター，ダール等）	B
3	政治学	国家と権力（ヴェーバー，ホッブズ，ルークス，ミルズ，フーコー）	B
4		利益団体（トルーマン，オルソン，政治的企業家，日本の労働運動等）	B
5		第二次世界大戦後の日本の内閣（吉田，池田，田中，中曽根，細川）	B
6		行政学説（テイラー，ワルドー，村松岐夫，サイモン，真渕勝）	B
7		日本の中央政府の行政システム（内部部局，スタッフ，審議会等）	B
8	行政学	政策実施（プレスマンとウィルダフスキー，フッド，行政指導等）	B
9		行政改革（第一次臨調，行政改革会議，ニュージーランド等）	S
10		日本の地方自治（不信任決議，専決処分，解職，行政委員会等）	C
11		法の下の平等（「信条」の範囲，租税法の解釈，私人間効力等）	B
12		身体的自由と思想・良心の自由（裁判員の辞退，「君が代」のピアノ伴奏等）	B
13	憲法	集会の自由（定義，公共施設における集会，道路での集団行進等）	A
14		司法権（最高裁の規則制定権，政党の内部自律権と審判権等）	B
15		財政（租税法律主義，予備費，政教分離，課税の要件等）	A
16		行政行為（取消し，附款，違法行為の転換，行政行為の留保等）	B
17		行政上の義務履行確保等（代執行，二重処罰の禁止，即時強制，国税徴収法）	B
18	行政法	行政不服審査法における教示・情報の提供（誤教示，努力義務等）	A
19		取消訴訟の訴訟要件（出訴期間，処分性，原告適格等）	B
20		国家賠償法（外形説，個人責任，大阪空港訴訟，相互保証等）	B
21		代理（意思表示の効力，制限行為能力者，復代理人の選任等）	B
22		無効と取消し（給付返還の義務，取り消しできる行為の追認等）	B
23	民法(総則および物権)	共有建物に関する事例（登記抹消手続，無断登記，明渡し請求等）	S
24		留置権（転売後の代金債権と留置権，損害賠償請求権のための留意権行使等）	B
25		物上代位（賃料への物上代位，請負代金債権，一般債権者の差押え等）	A
26		債務不履行に基づく損害賠償（将来取得すべき利益，金銭債務，解除権の行使等）	B
27		連帯債務（履行の請求，無効・取消し，相殺，免除）	A
28	民法(債権，親族および相続)	契約の成立（対話者間の申込み撤回，申込み発信後の死亡等）	B
29		売買（手付，一部他人物売買，追完請求権，代金減額請求権）	A
30		自筆証書遺言（手書きでない遺言書の有効性，押印，日付，複写方法）	B
31		一定の効用水準の実現に必要な最小所得額（計算）	B
32		生涯効用を最大化する労働者の就労年数（計算）	A
33	ミクロ経済学	コブ=ダグラス型生産関数を持つ企業の総費用関数（計算）	B
34		クールノー・ナッシュ均衡における価格（計算）	B
35		ゲーム理論（2つの戦略が支配戦略均衡になるための利得）（計算）	C
36		完全雇用を実現する限界税率を設定したときの財政収支（計算）	C
37		総需要・総供給モデルにおける均衡国民所得（計算）	B
38	マクロ経済学	フィリップス曲線（自然失業率7%，物価上昇率1%時の失業率）	B
39		ラスパイレス方式とパーシェ方式の物価指数（計算）	C
40		新古典派経済成長理論（労働1人当たり消費を最大にする貯蓄率）（計算）	A
41	財政学	日本の財政制度（地方交付税，特例公債法，60年償還ルール等）	A
42		日本の財政事情（一般会計当初予算規模の推移，3年度当初予算歳入等）	B
43		日本の経済事情（正規・非正規雇用者数の推移，GDP成長率，賃金動向等）	A
44	経済事情	2010年代以降に導入された日本の金融政策の順番	A
45		各国の政策金利の推移（ユーロ圏，英国，米国，ロシア，トルコ）	B
46		企業の戦略（ポーター，バーニー，スタック・イン・ザ・ミドル，差別化等）	B
47		経営組織（資源依存理論，取引コスト理論，組織均衡論，埋め込まれた紐帯等）	A
48	経営学	技術経営（アバナシーとアッターバック，野中郁次郎，ゴールドラット等）	A
49		国際経営（I-Rグリッド，プロダクト・サイクル仮説，CAGEフレームワーク等）	A
50		ミクロ組織論（ホーソン実験，マグレガー，フィードラー，オハイオ研究）	C
51		国際政治理論（政治的リアリズム，社会構成主義，ハンチントン等）	A
52		安全保障の仕組み（国連の拒否権，WTOとNATO，「憲章6章半」の活動等）	A
53	国際関係	冷戦後の国際社会（湾岸戦争，同時多発テロ，アラブの春等）	C
54		国際機関の活動・国際的取決め（ICC，TPP，京都議定書等）	C
55		国連憲章の英文（集団安全保障の強制措置）	B
56		社会学理論（パーソンズ，ジンメル，ブルーマー，ルーマン，ゴフマン）	B
57		社会集団（オルテガ，ル・ボン，タルド，コーンハウザー，リースマン）	B
58	社会学	M.ヴェーバーの学説（プロテスタンティズム，支配，価値自由等）	C
59		情報社会（マクルーハン，ベル，ラザーズフェルド，リップマン等）	C
60		国際社会の変化（世界システム，在日外国人，プッシュ=プル理論等）	A
61		記憶に関する実験の概要（短期記憶と長期記憶の区分）	B
62		古典的条件づけの実験（パブロフの実験，ワトソンの実験）（空欄補充）	C
63	心理学	防衛機制（投影・投射，昇華，反動形成，退行）	C
64		保存の概念に関する課題（ピアジェの発達理論）（空欄補充）	C
65		集団の中の個人（パフォーマンスの変化，社会的インパクト理論，同調等）	A
66		西洋の教育思想（ソクラテス，プラトン，リベラル・アーツ，コメニウス等）	B
67		不登校（教育機会確保法，指導要録上の出欠の取扱い等）	B
68	教育学	障害者の生涯学習支援（障害者差別解消法，地域学校協働活動等）（空欄補充）	C
69		文化と教育（伝統，外国語活動，博物館，文化庁）（空欄補充）	C
70		学校における教育評価（到達度評価，パフォーマンス評価，個人内評価等）	B
71		内容把握（翻訳の難しさと翻訳家の地位）	B
72		内容把握（ジョークの分析とその効用と笑いの意義）	B
73	英語(基礎)	内容把握（銭湯の歴史と新時代への模索）	C
74		空欄補充（製鉄の際に排出される二酸化炭素）	B
75		文法（句動詞，分詞）	B
76		内容把握（インターネット詐欺に対する自警活動）	B
77		内容把握（ビットコインの価値はなくなるか）	C
78	英語(一般)	内容把握（ナイフの画像はナイフ所持を助長させるか）	B
79		内容把握（トリビア〈雑学問題〉の成立条件）	B
80		内容把握（OSINT〈公開情報調査〉の是非）	B

※難易度：S＝特に難しい，A＝難しい，B＝普通，C＝易しい。

政治学
行政学
憲法
行政法
民法
経済理論
財政学

国家一般職［大卒］ No. 1 専門試験

政治学 政治思想 令和4年度

市民革命期以降の政治思想に関する次の記述のうち，妥当なのはどれか。

1 功利主義の立場に立つJ.ベンサムは，人々が快楽（幸福）を求め苦痛（不幸）を回避するという原理で行動する存在であるという前提の下，快楽（幸福）を増大するものが善であるという立場に立っており，「最大多数の最大幸福」を実現することが統治の目的であるとした。

2 T.グリーンの主張は，「古典的自由主義」と呼ばれ，必ずしも外的拘束や制約が存在しないことが自由ではないとした上で，自由主義の完成のためには，人格の成長ではなく経済的成長を妨げる障害を国家が排除すべきであるとした。

3 J.ロールズは，全ての人は平等に，最大限の基本的自由を持つべきであり，ある人間の基本的自由を制約することは，社会・経済的不平等の解消が必要な場合にのみ許容されるとし，他者の基本的自由を擁護するために自由を制約することは許されないとした。

4 リバタリアニズムの論者であるF.ハイエクは，「計画主義的思考」を持ち，市場は，それ自体が一定の規則性をもって機能する「自生的秩序」を有するものではないため，市場の失敗を意図的にコントロールする試みは有益であると主張した。

5 G.ヘーゲルは，国家の全体秩序を「市場」，「市民社会」，「国家」の三つに分けた上で，市民社会を「欲求の体系」，「司法活動」，「職能団体」の三つから成るものとし，市民社会における個人の自由を否定した。

政治学
行政学
憲法
行政法
民法
経済理論
財政学

解説

1．妥当である。ベンサムは主観価値説の立場から，諸個人にとって快楽（幸福）を増大するものが善であり，苦痛（不幸）を増大するものが悪であると考えた。そして，ベンサムは，「最大多数の最大幸福」を実現することが統治の目的であるとして，いわゆる量的功利主義を確立した。

2．グリーンの主張は「新自由主義（New Liberalism）」と呼ばれ，自由主義の完成のためには，人格の成長を妨げる障害（貧困など）を国家が除去すべきであるとした（「国家による自由」）。「古典的自由主義」と呼ばれるのは，「国家からの自由」を主張したJ. ロックらの主張である。

3．ロールズは，他者の自由と両立する限りにおいて，すべての人は平等に，最大限の基本的自由を持つべきであると考えた。したがって，他者の基本的自由を擁護するために自由を制約することは許されるとするのが，ロールズの立場である。

4．ハイエクは，「計画主義的思考」を非効率であると批判し，市場は，それ自体が一定の規則性を持って機能する「自生的秩序」を有するものであり，これを尊重するべきであると主張した。ただし，ハイエクは市場万能主義をとったわけではなく，一定の法的枠組みと政府の介入は必要であるとした。

5．ヘーゲルは，国家の全体秩序を「家族」「市民社会」「国家」の3つに分けたうえで，市民社会を「欲求の体系（＝市場経済）」「司法活動」「福祉行政と職業団体」の3つからなるものとした。また，ヘーゲルは，市民社会における個人の自由を肯定し，個人は市民社会において自己の利益の自由な追求を許されていると主張した。

正答 1

国家一般職［大卒］ No. 2 専門試験

政治学 民主主義 令和4年度

民主主義に関する次の記述のうち，妥当なのはどれか。

1 アリストテレスは，人間は私的な決定に参加することで自己の潜在能力を実現できるという思想を持ち，民主政を，貧しい者たちが数の力による主張をすることができる秩序のある政治体制であると捉えた。

2 A.トクヴィルは，民主主義という制度には，少数のエリートが多数者の権利を蹂躙（じゅうりん）する「エリートによる暴政」をもたらす危険性が内在しており，個人の自由を破壊しかねないとして，民主主義と自由とが共存することは不可能であると主張した。

3 J.シュンペーターは，民主主義を，有権者が選挙を通して意思決定を行う「人民の意志」によるものだとして，政治家による統治を否定し，民主主義とエリート主義が両立することはないと主張した。

4 R.ダールは，従来のデモクラシー概念は，現実の状態と理想の状態の双方を指しているため混乱を招くと指摘し，表現の自由や自由な選挙の保障などのリベラル・デモクラシーとして最低限の条件を満たす体制を「ポリアーキー」と名付けた。

5 C.モンテスキューに代表される参加民主主義論は，民主主義の根幹は，民衆が自分たちで自分たちに関わる事柄を決めるという自己決定にあるとし，選挙による代表の選出こそが民主主義の本質であるという立場を取っている。

1. アリストテレスは，支配者の数と政治のあり方を基準として政治体制を6つに分類し，そのうち多くの人々が権力を持ちつつ堕落した政治を行っているものを「民主政」と呼んだ。すなわち，アリストテレスのいう民主政とは，貧しい者たちが数の力を頼みとして自らの利益を追求している衆愚政治を意味するものであり，秩序を欠いた批判すべき政治体制とされた。

2. トクヴィルは，民主主義という制度には，多数決制の下で「多数者による暴政」をもたらす危険性が内在していると考えた。しかし，地方自治（住民自治）や陪審制，自発的結社などが尊重されることで，個人の自由が侵害されにくくなり，民主主義と自由とが共存することも可能になると主張した。

3. シュンペーターは，民主主義を，有権者が選挙を通して指導者を選び出す仕組みと考え，「民主主義的方法とは，政治決定に到達するために，個々人が人民の投票を獲得するための競争的闘争を行うことにより決定力を得るような制度的装置である」と定義した。このように，シュンペーターは，政治家による統治を肯定して民主主義とエリート主義を結びつけたが，その一方で，有権者が選挙を通して意思決定を行うことには否定的な態度を示した。

4. 妥当である。ダールは，表現の自由や自由な選挙の保障といったリベラル・デモクラシーの諸要素を，「包括性（参加）」と「公的異議申立て（自由化）」という2つの指標に集約し，この2つの指標において高い水準に位置づけられる政治体制を「ポリアーキー」と名づけた。したがって，ポリアーキーは，デモクラシーの現実態の一つとして位置づけられる。

5. モンテスキューは，三権分立論などを提唱した自由主義者であるが，参加民主主義論を主張してはいない。参加民主主義論は，ルソーにより展開され，ミルやコールによって促進された。また，参加民主主義論は，民衆が自分たちで自分たちにかかわる事柄を決めるという自己決定を重視しており，民衆が選挙を通じて代表を選出するだけでは不十分であるという立場をとっている。そのため，参加民主主義論では，代議制民主主義と直接民主主義（国民投票制度の導入など）の結合が主張されることも多い。

正答　4

国家一般職［大卒］ No. 3 専門試験

政治学　国家と権力　令和4年度

国家と権力に関する次の記述のうち，妥当なのはどれか。

1　M. ヴェーバーは，『職業としての政治』において，国家を，「ある一定の領域の内部で，最も強力な物理的強制力を持つ共同体」と定義した。したがって，国家運営に携わる政治家は，権力行使がもたらす結果に責任を持とうとするのではなく，あらかじめ権力行使の抑制に努力すべきだと彼は論じた。

2　T. ホッブズは，『君主論』において，人間の自己中心性を強調し，「自然状態」においては「万人の万人に対する闘争」と呼ばれる悲惨な状況が生まれると説いた。ホッブズによれば，この闘争を最終的に勝ち抜いた集団が，支配権を正当化するため，「主権者」を名乗るようになったのが国家の始まりである。

3　S. ルークスは，非決定，すなわち潜在的争点の顕在化を阻止するために決定が回避されるという形で権力が行使されるとする議論を「二次元的権力観」と呼び，自身の「三次元的権力観」と区別した。三次元的権力観では，非決定による不利益が当事者に意識されることすらないという形での権力行使に注目する。

4　C. W. ミルズは，『統治するのは誰か』において，米国政府における政治的な意思決定が，軍部と一部の大企業経営者によって支配されている実態を明らかにした。ミルズによれば，米国の政治では，大統領を始めとする政治家が政策決定にほとんど影響を及ぼしておらず，民主主義的とはいえない。

5　M. フーコーによれば，近代以前における権力は，主として権力作用を受ける側が自分で自分を規律するように仕向ける形で行使されていたが，市民革命を経験した近代国家では，軍隊や刑務所がそうであるように，規律による間接的な管理ではなく，より直接的な暴力による権力行使が正当化されるようになった。

解説

1．ヴェーバーは，『職業としての政治』において，国家を，「ある一定の領域の内部で，正当な物理的強制力の独占を……要求する共同体」と定義した。この定義は，国家の持つ物理的強制力の強さに注目したものではなく，国家だけが正当な物理的強制力を持つことができるという点を強調したものである。また，ヴェーバーは「結果責任」の概念を提示し，国家運営に携わる政治家は，権力行使がもたらす結果に責任を持つべきだと主張した。

2．ホッブズが「万人の万人に対する闘争」を主張した著作は『リヴァイアサン』である。これに対して，『君主論』はマキァヴェリの著作である。また，ホッブズは，「万人の万人に対する闘争」の状況から抜け出るため，人民は社会契約を結んで第三者に自然権を譲渡することとなり，その結果，この第三者が「主権者」になったと考えた。

3．妥当である。ルークスは，ダールが主張した関係的権力観を「一次元的権力観」，バクラックとバラッツが主張した非決定権力観を「二次元的権力観」と呼び，自身はこれらと異なる「三次元的権力観」を主張した。

4．ミルズが米国の政治的な意思決定の実態を分析した著作は『パワー・エリート』である。これに対して，『統治するのは誰か』はダールの著作である。また，ミルズによれば，米国の政治では，軍部と一部の大企業経営者，大統領をはじめとする政治家が一枚岩的団結を誇っており，このパワー・エリートが政策決定に大きな影響を及ぼしている。

5．フーコーによれば，近代以前における権力は，より直接的な暴力の行使を特徴とするものであった。これに対して，近代以降における権力は，主として権力作用を受ける側が自分で自分を規律するように仕向ける形で行使されているとされる。なお，フーコーは，近代以降の「規律的権力」が作用する例として，かつてベンサムが示した刑務所のデザイン（「パノプティコン〈一望監視装置〉」）を挙げている。

正答　3

国家一般職［大卒］ 専門試験

No. 4 政治学 利益団体 令和4年度

利益団体に関する次の記述のうち，妥当なのはどれか。

1 D.トルーマンは，工業化や都市化といった社会的分化が利益と価値の分断を生み，団体の活動を一般に弱めていると主張した。また彼は，社会変動に伴って既存の社会勢力間の均衡が崩れるとき，優位に立つ社会集団の側が，その地位を利用して組織化や圧力活動を強め，一層有利になると考えた。

2 M.オルソンは，個人が合理的に行動することを前提にする合理的選択論の立場から，団体形成の自動性を否定した。彼によると，大規模な利益団体が形成されるためには，人々の間に共通の利益があるだけでは不十分で，加入者に選択的誘因を与えるなどにより，集合行為問題が解決される必要がある。

3 「政治的企業家」とは，団体の創設時に，他の構成員に多くの負担を引き受けさせることのできる，強いリーダーシップを持った人を指す。政治的企業家自身は，団体形成のためのコストを負担しない一方，社会的な知名度や地位を求めるわけではないため，構成員からの自発的な協力を引き出せると考えられる。

4 我が国では，第二次世界大戦後，一貫して労働組合の組織率が高く，単一のナショナル・センターによって労働運動が統合されてきた。また，1980年代までは，労働団体は政府や経営者団体と緊密に連携し，良好な賃金水準と低失業率を達成してきた。そのため，我が国の政治経済体制は「労働中心のコーポラティズム」と呼ばれる。

5 我が国の政治資金規正法の規定によると，政治団体を除く会社・労働組合等の団体は，一定金額の範囲内でのみ，公職の候補者に直接寄附することができる。会社・労働組合等の団体は，政党に対しては無制限に寄附することができる一方，寄附金額を年度ごとに総務大臣に報告する義務がある。

政治学
行政学
憲法
行政法
民法
経済理論
財政学

解説

1．トルーマンは，工業化や都市化といった社会的文化が利益と価値の分断を生み，これが団体の活動を一般に活発化させていると主張した（「社会的かく乱理論」）。また彼は，社会変動に伴って既存の社会勢力間の均衡が崩れるとき，新たな団体が組織化や圧力活動を強め，団体間の相互作用のパターンがより複雑化すると考えた。

2．妥当である。オルソンは合理的選択論の立場に立ち，圧力団体の形成をミクロの視点から考察した。そして，団体の加入者に選択的誘因を与えるなどの措置がとられなければ，人々は団体の活動に「ただ乗り」することを選択するため，大規模な利益団体は形成されないと主張した。

3．「政治的企業家」とは，団体の創設時に自ら多くの負担を引き受け，他者に利益を提供することで団体への加入を促す人をさす。「政治的企業家」論は，ソールズベリーが合理的選択論の立場から主張したものである。

4．わが国では，第二次世界大戦後，労働組合の組織率が長期的に低下傾向で推移してきた。また，1989年に日本労働組合総連合会（連合）が成立するまで，日本労働組合総評議会（総評），全日本労働総同盟（同盟），中立労働組合連絡会議（中立労連），全国産業別労働組合連合（新産別）という４大ナショナルセンター（＝労働組合の全国中央組織）が併存していた。こうしたことから，わが国における労働組合の影響力は限定的であったと考えられており，1980年代までのわが国の政治経済体制は「労働なきコーポラティズム」（T. ペンペル＆恒川惠市）と呼ばれている。

5．わが国の政治資金規正法の規定によると，政治団体を除く会社・労働組合等の団体は，政治家個人への献金が禁止されており，公職の候補者に対する直接の寄附も認められていない。また，会社・労働組合等の団体は，政党に対する寄附は認められているものの，無制限の寄附が認められているわけではなく，年間の寄附総額に上限が設けられている。なお，会社・労働組合等の団体は，寄附を行ったからといって，寄附金額を総務大臣に報告する義務は課せられていない。

正答　2

国家一般職［大卒］ No. 5 専門試験

政治学 第二次世界大戦後の日本の内閣 令和4年度

第二次世界大戦後の我が国の内閣に関する次の記述のうち，妥当なのはどれか。

1 吉田茂内閣は，昭和26（1951）年に米国，英国，中華民国等との間で平和条約を締結し，連合国による日本の占領統治を終わらせた。また，吉田内閣は，昭和29（1954）年，平和条約に調印していなかったソビエト連邦とも日ソ共同宣言によって国交を回復し，同年中に国際連合への加盟を果たした。

2 池田勇人内閣は，昭和35（1960）年に「国民所得倍増計画」を国会で法制化した。この計画に基づき，政府は太平洋ベルト地帯等の工業開発を進めた結果，各地で公害が深刻な問題となった。これに対応するため，池田内閣は，昭和39（1964）年に公害対策基本法を成立させ，環境庁を設置した。

3 田中角栄内閣は，石油危機後のインフレーションを抑制し，景気を回復させるため，公共事業を拡大するなど「日本列島改造論」に基づく積極財政政策を採った。田中内閣は，外交面では昭和47（1972）年に，中華人民共和国との間で日中平和友好条約を締結し，国交回復を果たした。

4 中曽根康弘内閣は，財政再建のため，第二次臨時行政調査会の答申に基づいて行政改革を推進し，日本国有鉄道（国鉄）など三公社の民営化を行った。また，中曽根内閣は，昭和62（1987）年に売上税の導入を柱とする税制改革関連法案を国会に提出したが，野党等の反対が強く，同法案は不成立に終わった。

5 細川護熙内閣は，平成6（1994）年に政治改革関連法を成立させた。これにより，衆議院の選挙では小選挙区比例代表並立制が新たに採用され，参議院の選挙では全国区が廃止された。また，細川内閣は，GATT（関税及び貿易に関する一般協定）ウルグアイ・ラウンドにおいて，コメの輸入の完全自由化を決定した。

1．吉田茂内閣は，昭和26（1951）年に米国や英国等との間で平和条約を締結し，連合国による日本の占領統治を終わらせたが，中華民国はこれに参加しなかった。また，ソビエト連邦と日ソ共同宣言によって国交を回復したのは昭和31（1956）年のことであり，これを実現したのは吉田茂内閣ではなく鳩山一郎内閣であった。

2．池田勇人内閣は，昭和35（1960）年に所得倍増計画を閣議決定したが，同計画が国会で法制化されたという事実はない。また，公害対策基本法が制定されたのは昭和42（1967）年のことであり，当時の内閣は佐藤栄作内閣であった。なお，環境庁の設置は昭和46（1971）年のことであり，公害対策基本法の制定と直接のつながりはない。

3．田中角栄内閣は，就任当初，「日本列島改造論」に基づく積極財政政策を採っていたが，石油危機後のインフレーションを抑制するため，公共事業を抑制して緊縮予算を組むこととなった。また，田中内閣は，昭和47（1972）年に日中共同声明に調印し，日中国交正常化を実現した。日中平和友好条約の締結によって国交回復が成し遂げられたのは昭和53（1978）年のことであり，当時の内閣は福田赳夫内閣であった。

4．妥当である。中曽根康弘内閣は，第二次臨時行政調査会の答申に基づいていわゆる中曽根行革を実施し，三公社の民営化や規制緩和などを実現した。また，「大型間接税をやる考えはない」と発言した翌年に，売上税の導入を柱とする税制改革関連法案を国会に提出したが，野党や世論の反発にあって断念を余儀なくされた。

5．参議院の選挙制度改革によって全国区が廃止されたのは，昭和57（1982）年のことであった。したがって，参議院における全国区の廃止は，細川護熙内閣の下で平成6（1994）年に行われた一連の政治改革とは無関係である。また，GATTのウルグアイ・ラウンドでは，コメの関税化を6年間猶予して1999年に再交渉する代わりに，わが国がミニマム・アクセス（最低輸入量）を受け入れることで合意した。

正答 4

政治学
行政学
憲法
行政法
民法
経済理論
財政学

国家一般職［大卒］ No. 6 専門試験

行政学　行政学説　令和4年度

行政学の学説に関する次の記述のうち，妥当なのはどれか。

1　F. テイラーは，テイラー・システムと称される管理法を考案したが，その中の一つの手法である「機能別職長制度」は，工場労働者を第一線で監督する一人の「職長」に複数の監督機能を集中させるものであり，同制度は古典的組織論の組織編成原理と合致するものとして現場で広く採用された。

2　D. ワルドーは，1940年代から隆盛化した機能的行政学を批判し，アメリカ行政学を，米国に独特の経済的，社会的，政治的，イデオロギー的事実から切り離した上で，米国以外の国にも適用できるような科学的な理論を追求する必要性を主張した。

3　村松岐夫は，日本の行政の特徴として「最大動員」の概念を提示した。村松は，「最大動員」を「規則による責任志向の管理」に対する「目標による能率志向の管理」と定義し，人員や予算や権限といった，行政に利用できる様々なリソースが能率的に使用されていることを示した。

4　H. サイモンは，組織の構成員に対し，組織の参加への十分な動機づけを組織が与えることによって組織が維持されることを指摘し，組織の構成員が組織に満足し，組織に所属し続けている状態を「経済的」と称した。

5　真渕勝は，米国の連邦公務員の昇進管理に注目し，「二重の駒型」昇進モデルを示した。そこでは，採用時の区分によって昇進スピードが違うことが示され，それと併せて，幹部候補職員も一定のレベルまでは同時昇進が行われ，その後ピラミッド型の厳しい競争が行われることが示された。

解説

1．「機能別（職能別）職長制度」は，これまで1人の職長が行ってきた仕事を，必要となる技能や経験に応じて細分化し，複数の職長が行う仕組みであり，1人に集中させるものではない。複数の職長による指示が行われるという点で，命令系統の一元化を主張した古典的組織論とは異なるものである。

2．ワルドーは，1940年代に正統派行政学を批判し，正統派行政学は能率性や節約を提唱したが，公平性や民主性に配慮していないとした。さらに，行政学は，客観的な検証や分析ではなく，社会問題の解決などへの解決策を示すべきであるとした。したがって，米国の独自の経済的，社会的，政治的，イデオロギー的事実と切り離すのではなく，むしろ同調して問題を解決していくべきという主張と理解できる。このような政治との連続性や社会的能率を重視する行政学を，機能的行政学と呼ぶことがある。

3．妥当である。

4．サイモンは，経済人と経営人の対比を行い，経済人の行動とは，すべての選択肢の中から最善の選択肢を選ぶ行動，利益の最大化を行う行動であるとした。それに対して，経営人の行動とは，可能な選択肢の中で，満足化を図る行動である。本肢は，C.バーナードの組織均衡理論に関する解説である。同理論では，組織の構成員は，組織に果たした貢献よりも，組織が提供する誘因のほうが大きいか，等しい場合に構成員は組織に所属し続ける。そうではない場合には，組織から離脱するとした。

5．「二重の駒型」昇進モデルを示したのは，稲継裕昭であり，日本の国家公務員の昇進管理に着目した。

正答　3

国家一般職［大卒］ No. 7 専門試験

行政学　日本の中央政府の行政システム　令和4年度

我が国の中央政府の行政システムに関する次の記述のうち，妥当なのはどれか。

1　内閣府と各省の内部部局の在り方については国家行政組織法によって細かく規定されており，同法第７条では，府省の所掌事務を遂行するために官房と課を必ず置くこととされており，局については任意で置くことができるとされている。

2　府省の組織には，局長や部長といった職とは別に，スタッフ職として審議官などの名称の総括整理職が官房や局などの所掌事務に関して必要に応じて調整・補佐・助言することを目的として置かれている。

3　府省には外局として庁が設置されており，庁は府省から独立して特定の事務を行うため，庁の長官には独自の権限行使が認められている。かつては長官を国務大臣が務める庁が存在し，大臣庁と称されていたが，平成13（2001）年の中央省庁再編の際に大臣庁は全て府省に統合され，消滅した。

4　重要政策課題について専門家を中心に第三者的に議論を行うため，各省には国家行政組織法第８条に基づき個別の省令によって審議会等が設置されている。1990年代後半から政策決定の専門性が重要視されてきたことから，平成13（2001）年の中央省庁再編を契機に審議会等が新設され，政府全体で審議会等の数は中央省庁再編前に比べて倍増することとなった。

5　特殊法人とは国が特別の法律で設置した法人であり，全ての特殊法人は総務省によって所管されている。特殊法人は担当事業について企業的経営を行うことから，事業計画の決定について総務省は関与することができず，特殊法人は総務省から一定程度独立していることが指摘されている。

1．内閣府は，国家行政組織法の対象ではなく，内閣府設置法によって規定されている。国家行政組織法７条では，官房，局を置いたうえで（必須），必要がある場合に，官房，局の中に部を設置することができるとしている。これらの下には課，これに準ずる室を置くことができ，政令で定めるとされている（任意）。

2．妥当である。

3．中央省庁再編以前には，総理府内にいわゆる大臣庁は多数設置されていた（国土庁，経済企画庁等）。中央省庁再編ではこれらを内閣府や他省に整理し，大臣庁は防衛庁のみとなった（国家公安委員会は大臣が長を務める委員会である）。したがって，すべて府省に統合され，大臣庁が消滅したということはない。防衛庁はその後防衛省となったが，2012年に復興庁，2021年にデジタル庁という大臣が長を務める庁が設置された。

4．国家行政組織法８条に基づく審議会等は，法律または政令に基づいて設置される。省令ではない。中央省庁等再編では，審議会等の数が多く，また縦割り行政を助長しているといった批判から，整理合理化が進められた。

5．特殊法人は，総務省のみならず，内閣府，財務省，国土交通省等で所管されている。所管しているのは各府省だが，総務省は，特殊法人の新設，目的の変更，制度の変更などでの審査を行うことで，一定の関与を行っている。

正答　2

国家一般職［大卒］ No. 8 専門試験

行政学　政策実施　令和4年度

政策実施に関する次の記述のうち，妥当なのはどれか。

1　政策実施に関する研究は1980年代後半に始まり，J.L.プレスマンとA.ウィルダフスキーの著書『実施』では，米国の州政府が独自に決定し実施した金融政策によって州の金融機関が倒産したことに注目し，州政府における政策の実施過程について分析を行った。

2　政策実施研究のボトムアップ・アプローチは中央政府の政策立案担当者に注目した研究であり，そこでは，政策決定と政策実施を区分した上で，実施機関や利害関係者といった政策現場のアクターとの交渉による政策内容の変化を分析したものである。

3　教員や警察官といった政策の現場で一般市民と接する「第一線職員」は業務に関する専門知識に欠けるため，それらの第一線職員の業務の評価においては，事案の処理件数といった一定の評価基準を設定する方が望ましいことが第一線職員に関する研究では指摘されている。

4　C.フッドは，規制の違反者の類型化と違反者への対応戦略の類型化を行い，規制措置の実施を知らなかった，あるいは緊急事態等でルールを遵守できなかったという，故意のない違反者に対しては，政府が不利益処分などをする「制裁」という手段よりも，政府が当該規制に関する情報を与える「周知」という手段の方が，違反の抑止に有効であることを指摘している。

5　行政指導は行政機関が強制力を伴わない形で事業者や住民を説得する手段であるが，行政手続法では行政指導が明確に定義されていないため，我が国の地方公共団体では行政指導は行われず，法に基づいた命令等によって不利益処分が行われてきたことが北村喜宣によって指摘されている。

解説

1．プレスマンとウィルダフスキーの『実施』が出版されたのは，1973年であり，1970年代に政策実施研究が開始されたと考えられる。ただし，これに続く政策実施研究は1980年代以降に多く見られる。プレスマンとウィルダフスキーの『実施』では，連邦国務省経済開発局が，カリフォルニア州オークランド市を対象に実施した貧困対策プログラムで，その実施にかかわるアクターの相互作用から，政策が当初の予定通りに実施されなくなる過程を描いた。したがって，本肢の金融政策とは関係がない。

2．政策実施研究のボトムアップ・アプローチは，地方政府の政策実施担当者に着目した研究である。中央政府が政策の決定をした後に，地方政府が政策を実施する際，政策実施機関と政策の対象者（給付の受給者や支援の対象者）の間での政策現場の相互作用により，政策の内容が変化することを分析した。中央政府と政策現場のアクターの交渉によるものではない。

3．「第一線職員」は，業務に関する専門知識を，通常は有している。それらの職員の業務は，たとえば，生活保護のケースワーカーにおける生活の保障と自立の助長のように，相反する目標を持っていることも少なくない。事案の処理件数といった評価基準では，支援の必要性の乏しい対象者に対して件数をあげ，支援の必要性は高いが処理に時間を要する事案を避けるような行動につながりうる。したがって，事案の処理件数といった一定の評価基準を設定することは必ずしも望ましくなく，第一線職員に関する研究では，評価の設定の難しさが指摘されている。

4．妥当である。

5．行政手続法は行政手続の一般原則を定めており，行政指導は相手方の任意の協力によってのみ実現されるものであるとする（同32条１項）。わが国の地方公共団体においても行政手続法の下で行政指導は行われている。行政指導はあくまで任意であり，行政指導に従わなかったことを理由とする不利益な取扱いは認められていない（同32条２項）。不利益処分は相手方に義務や制裁を科すものであり，法令に基づいて行われる。

正答　4

国家一般職［大卒］ No. 9 専門試験

行政学 行政改革 令和4年度

我が国と諸外国における行政改革に関する次の記述のうち，妥当なのはどれか。

1 佐藤栄作内閣で設置された第一次臨時行政調査会は，第二次世界大戦後の新しい行政需要に対応するための抜本的な行政改革を行うため，11名の委員以外にも専門委員，調査員から構成される大規模な調査審議機関となり，その後の行政改革のモデルとなった。

2 橋本龍太郎内閣で設置された行政改革会議では，同会議の設置法で示されたように，内閣機能強化や中央省庁再編を始めとした公的部門の様々な改革が検討され，その中の一つとして，各省庁の組織規制の弾力化が最終報告で提言され，同提言を基に国家行政組織法が改正された。

3 米国のB. オバマ政権では，「国家業績レビュー（NPR）」の最終報告書を基に多様な改革が実施されたが，政府組織に関しては，NPM型改革を一層進めることを目的として，政府組織を連携させる「連結政府（連携政府）」の概念が提示され，組織連携の取組が進められた。

4 経済不況に直面していた英国のM. サッチャー政権では，経済政策をマネタリズムからケインズ主義へと大きく転換した上で，公的部門の改革にも着手し，その中で，VFM（Value for Money）の基本理念の下，民間の資金や技術を公共施設の整備・管理に活用するPFIを導入することとなった。

5 経済・財政状況が悪化していたニュージーランドでは，1984年にD. ロンギ労働党政権が誕生し，財務省主導の下で改革が進められ，各種産業の規制の緩和・撤廃，国有企業の民営化，政府機構改革を始めとした急進的な改革が世界で注目された。

1．第一次臨時行政調査会は，1961年に池田勇人内閣で設置された。行政の総合調整や民主的な手続き等の改革を目的としたが，改革の提言はほとんど実施されることはなかった。その後の行政改革のモデルになったと考えられるのは，1981年に鈴木善幸内閣で設置された第二次臨時行政調査会である。その目的は，第二次世界大戦後の新しい行政需要に対応するために増大した行政の仕事を，民営化するなどして効率化することにあった。

2．行政改革会議には設置法はなく，既存の総理府本府組織令を改正して設置された。行政改革会議の最終報告では，「行政組織の編成の柔軟化」が盛り込まれ，最終報告を受けた中央省庁等改革基本法でもその方針が盛り込まれた。具体的には，内閣官房の組織編成の柔軟化が示された。内閣官房の組織は，国家行政組織法ではなく，内閣法で定められており，提言に添って内閣法が改正された。本肢の各省庁の組織規制の弾力化を提言したのは，第二次臨時行政調査会の3次答申であり，それをもとに1983年に国家行政組織法が改正された。

3．「国家業績レビュー（NPR）」を行ったのは，B. クリントン政権である。NPM（New Public Management）型改革は，サッチャー政権下で導入され，国家業績レビューにも取り入れられた考え方である。しかし，連結政府は，後にイギリスにおいてNPM型行政改革で細分化した政府組織を連携させようとする取組みであり，国家業績レビューとの関係性はない。

4．サッチャー政権では，マネタリズムに基づく経済政策が展開された（ケインズ主義からマネタリズムへの転換）。マネタリズムとは，自由な市場に経済活動を委ねるべきであるという考え方であり，それ以前のケインズ主義への反対から生まれた。VFMおよびPFI（Private Finance Initiative）はサッチャー改革の延長線上にあるが，実際に導入をしたのは，J. メージャー政権である。

5．妥当である。

正答　5

国家一般職［大卒］ 専門試験

No. 10 行政学 日本の地方自治 令和4年度

我が国の地方自治に関する次の記述のうち，妥当なのはどれか。

1　都道府県知事又は市町村長（首長）が，議会における条例の制定若しくは改廃又は予算に関する議決について異議がある場合，原則としてその議決の送付を受けた日から30日以内に理由を示して議会に通知することができる。当該通知を受けた議決に関する原案は直ちに廃案となるため，首長は条例の制定や予算に関し強い拒否権を有しているといえる。

2　都道府県又は市町村の議会において，議員数の３分の２以上が出席し，出席議員の過半数の同意があれば，首長の不信任の議決をすることができる。この場合，首長はその通知を受けた日から10日以内に議会を解散することができるが，その解散と同時に首長は法律上，その職を失うこととなる。

3　都道府県又は市町村の議会が議決すべき事件を議決しないなどの場合や，議会の権限に属する軽易な事項でその議決により特に指定した場合には，首長は一定の範囲内で議決すべき事件を処分（専決処分）することができる。ただし，前者の場合に専決処分をしたものについては，首長は次の会議において議会に報告し，その承認を求めなければならないことが地方自治法に規定されている。

4　地方自治法においては直接請求制度が定められており，都道府県又は市町村に勤務する全ての公務員について，当該都道府県又は市町村の有権者の総数の10分の１以上の者の連署をもって解職の請求を行うことができるが，住民の投票によって選ばれる首長や議会の議員の解職については，直接請求制度の対象となっていない。

5　都道府県又は市町村においては，首長と並んで複数の委員で構成される合議制の組織である行政委員会が執行機関として存在し，二元代表制と呼ばれる。行政委員会は，政治的中立性の確保が必要とされる分野などにおいて設置され，首長とは相互に独立して職務を遂行しており，各行政委員会は関連する条例案や予算案を議会に直接提出することも認められている。

解説

1．首長は，議会が制定した条例等に異議がある場合，議決の送付を受けた日から10日以内に理由を付して議会に通知する。これを「再議」という。再議が行われたからといって，直ちに廃案となるわけではなく，議会が再度，出席議員の３分の２以上で議決した場合には，その議決は確定する。したがって，首長が強い拒否権を持っているとはいえない。

2．議会は，議員数の３分の２以上が出席し，出席議員の４分の３以上の同意により，首長の不信任を議決することができる。首長は，不信任の通知を受けた日から10日以内に議会を解散しなければ失職する。しかし，首長が議会を解散した場合には，直ちには失職せず，新たな議会でも再度不信任が可決された場合に失職する。

3．妥当である。

4．直接請求制度では，すべての公務員が解職の対象となっているわけではない。対象は主要公務員と呼ばれ，具体的には，副知事，副市区町村長，選挙管理委員，監査委員，公安委員会の委員が該当する。また，住民の投票によって選ばれる首長と議会議員も解職の対象となっている。いずれの場合も，当該都道府県，市区町村の有権者の総数の３分の１以上の連署を必要とする。

5．地方自治での「二元代表制」とは，都道府県知事，市区町村長（首長）と議会の議員がともに住民の選挙で選出されており，執行機関と議決機関をそれぞれ構成する関係を意味する。首長と行政委員会はともに執行機関である。首長と行政委員会は，相互に独立して職務を遂行しているが，行政委員会は条例案や予算案を議会に直接提出することはできず，条例に基づく規則制定のみを行うことができる（例：教育委員会規則）。

正答　3

国家一般職［大卒］ No. 11 専門試験

憲法　法の下の平等　令和4年度

法の下の平等に関するア～エの記述のうち，妥当なもののみを全て挙げているのはどれか。

ア．憲法第14条第１項は，すべて国民は，法の下に平等であって，人種，信条，性別，社会的身分又は門地により，政治的，経済的又は社会的関係において，差別されない旨規定しているが，同項後段に列挙された事項は例示的なものであるとするのが判例である。また，同項後段にいう「信条」とは，宗教上の信仰にとどまらず，広く思想上や政治上の主義を含むと一般に解されている。

イ．租税法の分野における所得の性質の違い等を理由とする取扱いの区別は，その立法目的が正当なものであり，かつ，当該立法において具体的に採用された区別の態様が当該目的との関連で著しく不合理であることが明らかでない限り，憲法第14条第１項に違反するものではないが，給与所得の金額の計算につき必要経費の実額控除を認めない所得税法の規定（当時）は，事業所得者等に比べて給与所得者に著しく不公平な税負担を課すものであり，その区別の態様が著しく不合理であるから，同項に違反するとするのが判例である。

ウ．憲法第14条の規定は専ら国又は公共団体と個人との関係を規律するものであり，私人相互の関係を直接規律することを予定するものではなく，私人間の関係においては，各人の有する自由と平等の権利が対立する場合の調整は，原則として私的自治に委ねられるのであって，企業者が特定の思想，信条を有する者をそのことを理由に雇入れを拒んでも，それを当然に違法とすることはできないとするのが判例である。

エ．参議院議員の選挙において，公職選挙法上，都道府県を単位として各選挙区の議員定数が配分されているために，人口変動の結果，選挙区間における投票価値の不均衡が生じていることについて，国会が具体的な選挙制度の仕組みを決定するに当たり，都道府県の意義や実体等を要素として踏まえた選挙制度を構築することは，国会の合理的な裁量を超えるものであり，同法の参議院（選挙区選出）議員の議員定数配分規定は憲法第14条第１項に違反するとするのが判例である。

1　ア，イ
2　ア，ウ
3　イ，ウ
4　イ，エ
5　ウ，エ

解説

ア：妥当である（最大判昭39・5・27）。列挙事項に該当しないものであっても，不合理な差別は禁止される。また，本肢の後段については最判昭30・11・22同旨。

イ：給与所得者の職務上必要な諸設備，備品等に係る経費は使用者が負担するのが通例であり，また，職務に関し必要な旅行や通勤の費用に充てるための金銭給付，職務の性質上欠くことのできない現物給付などがおおむね非課税所得として扱われていることを考慮すれば，給与所得者において自ら負担する必要経費の額が一般に旧所得税法所定の給与所得控除の額を明らかに上回るものと認めることは困難であって，給与所得控除の額は給与所得に係る必要経費の額との対比において相当性を欠くことが明らかであるということはできない。旧所得税法が必要経費の控除について事業所得者等と給与所得者との間に設けた区別は，合理的なものであり，憲法14条1項の規定に違反するものではないとするのが判例である（最大判昭60・3・27）。

ウ：妥当である。三菱樹脂事件の判例である（最大判昭48・12・12）。

エ：本件選挙当時，平成30年改正後の本件定数配分規定の下での選挙区間における投票価値の不均衡は，違憲の問題が生ずる程度の著しい不平等状態にあったものとはいえず，本件定数配分規定が憲法に違反するに至っていたということはできないとするのが判例である（最大判令2・11・18）。

以上から，妥当なものはアとウであるので，正答は**2**である。

正答 2

国家一般職［大卒］ No. 12 専門試験

憲法　身体的自由と思想・良心の自由　令和4年度

憲法第18条及び第19条に関するア～オの記述のうち，判例に照らし，妥当なもののみを全て挙げているのはどれか。

ア．裁判員としての職務に従事し又は裁判員候補者として裁判所に出頭することは，それが司法権の行使に対する国民の参加という点で参政権と同様の権限を国民に付与するものであることや，裁判員法等が裁判員の辞退に関し柔軟な制度を設け，加えて，旅費や日当等の支給により負担を軽減するための経済的措置が講じられていること等を考慮すれば，憲法第18条後段が禁ずる「苦役」に当たらない。

イ．強制加入団体である税理士会が政党など政治資金規正法上の政治団体に金員を寄付することは，それが税理士に係る法令の制定改廃に関する政治的要求を実現するためのものである限り，税理士法で定められた税理士会の目的の範囲内の行為であって，当該政治団体に金員の寄付をするために会員から特別会費を徴収する旨の税理士会の総会決議は，会員の思想，信条の自由を侵害するものではなく，有効である。

ウ．強制加入団体である司法書士会が震災により被災した他県の司法書士会に復興支援のための拠出金を寄付することは，たとえそれが倫理的，人道的見地から実施されるものであっても，司法書士法で定められた司法書士会の目的の範囲外の行為であって，被災した他県の司法書士会に拠出金を寄付するために特別に負担金を徴収する旨の司法書士会の総会決議は，会員の思想，信条の自由を侵害するものであり，無効である。

エ．公立中学校の校長が，その作成する調査書に生徒の外部団体の集会への参加やビラ配布などの活動を記載し，当該調査書を入学者選抜の資料として高等学校に提出したことは，当該調査書の記載の内容から生徒の思想，信条を知ることができ，生徒の思想，信条自体を入学者選抜の資料に供したものと解されることから，憲法第19条に違反する。

オ．市立小学校の校長が音楽専科の教諭に対して入学式の国歌斉唱の際に「君が代」のピアノ伴奏を行うことを命じた職務命令は，直ちに当該教諭の歴史観ないし世界観それ自体を否定するものではなく，当該教諭に対し特定の思想を持つことを強制したり禁止したりするものでもなく，また，当該職務命令は，小学校教育の目標などを定めた関係諸規定の趣旨にかなうものであるなど，その目的及び内容において不合理であるということはできず，憲法第19条に違反しない。

1　ア，イ
2　ア，オ
3　イ，ウ
4　ウ，エ
5　エ，オ

解説

ア：妥当である。判例は，裁判員の職務等は，国民に司法参加の権限を付与するものであり，これを「苦役」ということは必ずしも適切ではない。また，辞退についても柔軟な制度があることや日当等の経済的負担軽減措置が講じられていることを考慮すれば，憲法18条後段が禁ずる「苦役」に当たらないことは明らかであるとする（最大判平23・11・16）。

イ：判例は，強制加入団体である税理士会において，「政党など規正法上の政治団体に対して金員の寄付をするかどうかは，選挙における投票の自由と表裏を成すものとして，会員各人が市民としての個人的な政治的思想，見解，判断等に基づいて自主的に決定すべき事柄である」として，たとえ税理士に関係する政治的要求を実現するためであっても，特定政党への政治献金目的での特別会費の徴収決議は無効であるとする（最判平８・３・19）。

ウ：判例は，司法書士会が「強制加入団体であることを考慮しても，本件負担金の徴収は，会員の政治的又は宗教的立場や思想信条の自由を害するものではなく，また，本件負担金の額も50円という少額であり，会員に社会通念上過大な負担を課するものではないのであるから，負担金の徴収について，公序良俗に反するなど会員の協力義務を否定すべき特段の事情があるとは認められない」として，決議の効力は会員に及ぶとした（最判平14・４・25）。

エ：公立中学校の校長が，その作成する調査書に生徒の外部団体の集会への参加やビラ配布などの活動を記載し，当該調査書を入学者選抜の資料として高等学校に提出したことは，当該調査書の記載の内容から生徒の思想，信条そのものを了知させるものではなく，生徒の思想，信条自体を入学者選抜の資料に供したものとは解されないから，憲法19条に違反しない（最判昭63・７・15）。

オ：妥当である（最判平19・２・27）。

以上から，妥当なものはアとオであるので，正答は**2**である。

正答　2

政治学
行政学
憲法
行政法
民法
経済理論
財政学

国家一般職［大卒］ No. 13 専門試験

憲法　集会の自由　令和4年度

集会の自由に関する次の記述のうち，判例に照らし，妥当なのはどれか。

1　憲法第21条の保障する「集会」とは，特定又は不特定の多数人が一定の場所において事実上集まる一時的な集合体を指すところ，集会の自由が個人の人格の形成や民主主義社会の維持発展に不可欠な表現の自由の一環であることからすると，同条の集会は，公共的事項を討議し，意見を表明するための集会のみを指し，葬儀や結婚式のような冠婚葬祭のための集会を含まないと解されるから，何者かに殺害された労働組合幹部を追悼するための合同葬はこれに当たらない。

2　集会の自由は，公共の安全や他者の権利保護の点からの制約を免れないところ，主催者が集会を平穏に行おうとしているのに，その集会の目的や主催者の思想等に反対する者らが，集会を実力で阻止しようとして紛争を起こすおそれがあることを，市の福祉会館管理条例が定める「会館の管理上支障があると認められるとき」に当たるとして市長が当該会館の利用を拒むことができるのは，警察の警備等によっても混乱を防止することができないような事情がある場合に限られず，警察の警備等が行われることによりその他の当該会館の利用客に多少の不安が生ずる場合をも含むと解すべきである。

3　道路における危険を防止し，交通の安全等を図り，及び道路の交通に起因する障害の防止に資するという道路交通法所定の目的の下に，道路使用の許可に関する明確かつ合理的な基準を掲げて不許可とされる場合を厳格に制限した上，道路を使用して集団行進をしようとする者に対し，あらかじめ警察署長の許可を受けさせることとした同法及び県道路交通法施行細則の規定は，表現の自由に対する公共の福祉による必要かつ合理的な制限として憲法上是認される。

4　行列行進又は公衆の集団示威運動について，県の公安条例をもって，地方的情況その他諸般の事情を十分考慮に入れ，不測の事態に備え，法と秩序を維持するのに必要かつ最小限度の規制措置を事前に講ずることはやむを得ないから，公安委員会に広範な裁量を与え，不許可の場合を厳格に制限しない一般的な許可制を定めて集団行動の実施を事前に抑制することは，憲法に違反しない。

5　公共用財産である皇居外苑の利用の許否は，その利用が公共用財産の公共の用に供せられる目的に沿うものであったとしても皇居外苑の管理権者である厚生大臣（当時）の自由裁量に委ねられることから，メーデーのための皇居外苑の使用許可申請に対して，同大臣が行った不許可処分は，管理権の適正な運用を誤ったものとはいえず，憲法第21条に違反するものではない。

解説

1. 憲法21条の集会は，公共的事項を討議し，意見を表明するための集会のみを指すわけではなく，葬儀や結婚式のような冠婚葬祭のための集会も含むと解されるから，何者かに殺害された労働組合幹部を追悼するための合同葬もこれに当たる（最判平８・３・15）。

2. 市長が当該会館の利用を拒むことができるのは，当該会館における集会の自由を保障することの重要性よりも，当該会館で集会が開かれることによって，人の生命，身体または財産が侵害され，公共の安全が損なわれる危険を回避し，防止することの必要性が優越する場合をいうものと限定して解すべきであり，その危険性の程度としては，単に危険な事態を生ずる蓋然性があるというだけでは足りず，明らかな差し迫った危険の発生が具体的に予見されることが必要であるとするのが判例である（最判平７・３・７）。

3. 妥当である（最判昭35・３・３）。

4. 行列行進または公衆の集団示威運動は，公共の福祉に反するような不当な目的または方法によらない限り，本来国民の自由とするところであるから，条例においてこれらの行動につき単なる届出制を定めることは格別，そうでなく一般的な許可制を定めてこれを事前に抑制することは，憲法の趣旨に反し許されないとするのが判例である（最大判昭29・11・24）。

5. 合憲とする結論は正しいが，自由裁量に委ねられるとする理由づけ部分が誤り。判例は，利用の許否は，その利用が公共福祉用財産の，公共の用に供せられる目的に副うものである限り，管理権者の単なる自由裁量に属するものではなく，管理権者は，当該公共福祉用財産の種類に応じ，また，その規模，施設を勘案し，その公共福祉用財産としての使命を十分達成せしめるよう適正にその管理権を行使すべきであり，もしその行使を誤り，国民の利用を妨げるにおいては，違法たるを免れない。その許否は管理権者の単なる自由裁量に委ねられた趣旨と解すべきでなく，管理権者たる厚生大臣は，皇居外苑の公共福祉用財産たる性質に鑑み，また，皇居外苑の規模と施設とを勘案し，その公園としての使命を十分達成せしめるよう考慮を払ったうえ，その許否を決しなければならないのであるとした（最大判昭28・12・23）。

正答　3

国家一般職［大卒］ No. 14 専門試験

憲法 司法権 令和4年度

司法権に関するア～エの記述のうち，妥当なもののみを全て挙げているのはどれか。ただし，争いのあるものは判例の見解による。

ア．憲法第76条第１項は，すべて司法権は，最高裁判所及び法律の定めるところにより設置する下級裁判所に属する旨規定する。その例外として，裁判官の弾劾裁判を国会の設ける裁判官弾劾裁判所で行うことや，国会議員の資格争訟についての裁判を各議院で行うことが憲法上認められているが，これらの裁判に対して不服のある者は，更に司法裁判所へ出訴することができる。

イ．最高裁判所は，訴訟に関する手続，弁護士，裁判所の内部規律及び司法事務処理に関する事項について，規則を定める権限を有する。また，最高裁判所は，下級裁判所に関する規則を定める権限を，下級裁判所に委任することができる。

ウ．国公立大学における授業科目の単位授与（認定）行為は，学生が授業科目を履修し試験に合格したことを確認する教育上の措置であり，内部的な問題であることが明らかであるため，およそ司法審査の対象となることはないが，他方，国公立大学における専攻科修了認定行為は，大学が専攻科修了の認定をしないことは実質的に学生が一般市民として有する公の施設を利用する権利を侵害するものであるため，司法審査の対象となる。

エ．政党が党員に対してした処分が一般市民法秩序と直接の関係を有しない内部的な問題にとどまる限り，裁判所の審判権は及ばないが，他方，当該処分が一般市民としての権利利益を侵害する場合であっても，当該処分の当否は，当該政党の自律的に定めた規範が公序良俗に反するなどの特段の事情のない限り当該規範に照らし，当該規範を有しないときは条理に基づき，適正な手続に則ってされたか否かによって決すべきである。

1 ア，イ
2 ア，ウ
3 イ，エ
4 ウ，エ
5 ア，イ，エ

解説

ア：途中までは正しい（憲法76条１項，64条，55条）。しかし，弾劾裁判や資格争訟裁判に対して不服のある者であっても，さらに司法裁判所へ出訴することはできず，誤り。

イ：妥当である（憲法77条１項・３項）。

ウ：後半は正しいが，前半が誤り。判例は，単位の授与（認定）という行為は，学生が当該授業科目を履修し試験に合格したことを確認する教育上の措置であり，卒業の要件をなすものではあるが，当然に一般市民法秩序と直接の関係を有するものでないことは明らかである。それゆえ，単位授与（認定）行為は，他にそれが一般市民法秩序と直接の関係を有するものであることを肯認するに足りる特段の事情のない限り，純然たる大学内部の問題として大学の自主的，自律的な判断に委ねられるべきものであって，裁判所の司法審査の対象にはならないものと解するとする。したがって，およそ司法審査の対象となることはない，とする点が誤り。

エ：妥当である。共産党袴田事件の判例である（最判昭63・12・20）。

以上から，妥当なものはイとエであるので，正答は**3**である。

正答　3

憲法　財　政　令和4年度

財政に関するア～オの記述のうち，妥当なもののみを全て挙げているのはどれか。ただし，争いのあるものは判例の見解による。

ア．憲法第84条は，新たに租税を課し，又は現行の租税を変更するには，法律又は法律の定める条件によることを必要とする旨規定しているが，法律上課税できる品目であるにもかかわらず，実際上は非課税として取り扱われてきた品目を，通達によって新たに課税物品として取り扱うことは，通達の内容が法の正しい解釈に合致するものであっても，法的安定性や国民の予測可能性を欠くので，同条に違反する。

イ．国が国費を支出するには，国会の議決を経る必要があるが，国が財政上の需要を充足するために債務を負担するには，債務を負担する時点では国費の支出は伴っていないため，国会の議決は要しない。

ウ．内閣は，予見し難い予算の不足に充てるため，国会の議決を経ることなく予備費を設け，内閣の責任においてこれを支出することができる。ただし，予備費の支出については，内閣は，事後に国会の承諾を得なければならず，また，予備費の支出の決算については，会計検査院がこれを検査することとされている。

エ．憲法第89条が禁止している公金その他の公の財産を宗教上の組織又は団体の使用，便益又は維持のために支出すること又はその利用に供することというのは，憲法が定める政教分離原則の意義に照らして，公金支出行為等における国家と宗教との関わり合いが相当とされる限度を超えるものをいうと解すべきであり，これに該当するかどうかを検討するに当たっては，憲法第20条第3項にいう宗教的活動に該当するかどうかを検討するに当たっての基準と同様の基準によって判断しなければならない。

オ．国又は地方公共団体が，課税権に基づき，その経費に充てるための資金を調達する目的をもって，特別の給付に対する反対給付としてではなく，一定の要件に該当する全ての者に対して課する金銭給付は，その形式のいかんにかかわらず，憲法第84条に規定する租税に当たる。

1　ア，イ
2　ア，ウ
3　イ，オ
4　ウ，エ
5　エ，オ

解説

ア：前半の条文は正しいが，後半の判例が誤り。判例は，本件の課税がたまたま通達を機縁として行われたものであっても，通達の内容が法の正しい解釈に合致するものである以上，本件課税処分は法の根拠に基く処分と解するに妨げがなく，憲法84条に違反しないとする（最判昭33・3・28）。

イ：前半は正しいが，後半が誤り。国費を支出し，または国が債務を負担するには，国会の議決に基づくことを必要とする（憲法85条）。

ウ：予見し難い予算の不足に充てるため，国会の議決に基づいて予備費を設け，内閣の責任でこれを支出することができる。すべて予備費の支出については，内閣は，事後に国会の承諾を得なければならない（憲法87条）。したがって，国会の議決を経ることなく予備費を設けることができるとする点が誤り。なお，国の収入支出の決算は，すべて毎年会計検査院がこれを検査し，内閣は，次の年度に，その検査報告とともに，これを国会に提出しなければならない（90条1項）。

エ：妥当である。愛媛玉ぐし料事件の判例である（最大判平9・4・2）。

オ：妥当である。旭川市国民健康保険条例事件の判例である（最大判平18・3・1）。

以上から，妥当なものはエとオであるので，正答は**5**である。

正答 5

国家一般職［大卒］ No. 16 専門試験

行政法 行政行為 令和4年度

行政行為に関する次の記述のうち，妥当なのはどれか。ただし，争いのあるものは判例の見解による。

1 行政行為に瑕疵があり，行政庁がこれを職権により取り消す場合，この場合における取消行為も行政行為であるため，当該職権取消しを認める法律上の明文の規定が必要である。

2 附款は，行政行為の効果を制限するために付加される意思表示であるから，附款が違法である場合は，本体の行政行為と分離可能であっても，附款を含めた行政行為全体の取消しを求める必要があり，附款のみを対象とする取消訴訟を提起することは許されない。

3 違法行為の転換とは，行政行為が法令の要件を満たしておらず本来は違法ないし無効であるが，これを別の行政行為としてみると，瑕疵がなく，かつ，目的や内容においても要件を満たしていると認められる場合に，その別の行政行為と見立てて有効なものとして扱うことをいい，行政効率の観点から認められる場合がある。しかし，訴訟において違法行為の転換を認めると，行政行為の違法性を争う私人にとって不意打ちとなるため，行政庁が訴訟において違法行為の転換を主張することは明文で禁止されている。

4 行政庁が行う行政行為が基本的には裁量の余地のない確認的行為の性格を有するものであっても，具体的事案に応じ行政上の比較衡量的判断を含む合理的な行政裁量を行使することが全く許容されないものと解するのは相当でなく，行政庁が，当該行政行為の名宛人と，同人と対立する住民との間で実力による衝突が起こる危険を回避するために，一定の期間，当該行政行為を留保することは，当該行政裁量の行使として許容される範囲内にとどまり，国家賠償法第１条第１項の定める違法性はない。

5 行政財産である土地について建物所有を目的とし期間の定めなくされた使用許可が，当該行政財産本来の用途又は目的上の必要に基づき将来に向かって取り消されたときは，使用権者は，特別の事情のない限り，当該取消しによる土地使用権喪失についての補償を求めることができる。

解説

1. 瑕疵ある行政行為の取消しは，法令や公益に違反する状態を是正するものであるから，これを取り消すことについて法の明示の根拠があると否とを問わず行いうる。

2. 附款が違法であり，その附款が本体の行政行為と分離可能であれば，附款のみの取消しを求めればよく，必ずしも附款を含めた行政行為全体の取消しを求める必要はない。行政行為は，公益を図る目的で行われるので，附款と切り離して行政行為を存続させることができれば，「本体によって公益に資する」という機能を発揮させることはプラスだからである。

3. 前半の違法行為の転換の説明については正しい。後半については，行政庁が訴訟において違法行為の転換を主張することが明文で禁じられているわけではないので，この点は誤り。ただし，訴訟において違法行為の転換を認めると，行政行為の違法性を争う私人にとって不意打ちとなるおそれは否めない。一方で，違法行為の転換は，違法な行政行為を取り消して，改めて別の法条で適法な行政行為として行うという「行政効率を害する迂遠な方法」を回避できるという利点もある。そのため，違法行為の転換を認めるかどうかは，この両者の利益調整の視点で判断する必要がある（違法行為の転換を認めた裁判例として，最判昭29・2・19。認めなかったものとして，最判昭28・12・28）。

4. 妥当である（最判昭57・4・23）。

5. 行政財産について「期間を定めずに使用を認める」とは，行政財産が本来の用途や目的上の必要に基づく使用が開始されたときは明け渡すという趣旨を含むと解される。そのため，使用許可を受けた土地利用者の期待や信頼に反するといえる特別の事情のない限り，補償は不要と解されている（最判昭49・2・5）。

正答 4

国家一般職［大卒］ No. 17 専門試験

行政法　行政上の義務履行確保等　令和4年度

行政上の義務履行確保等に関するア～エの記述のうち，妥当なもののみを全て挙げているのはどれか。

ア．行政代執行法に基づき代執行をなし得るのは，他人が代わってなすことのできる代替的作為義務が履行されない場合のほか，営業停止や製造禁止といった不作為義務が履行されない場合も含まれる。

イ．法人税法が定めていた追徴税（当時）は，単に過少申告・不申告による納税義務違反の事実があれば，同法所定のやむを得ない事由のない限り，当該納税義務違反の法人に対し課せられるものであり，これによって，過少申告・不申告による納税義務違反の発生を防止し，もって納税の実を挙げようとする趣旨に出た行政上の措置と解すべきであるから，同法の定める追徴税と罰金とを併科することは，憲法第39条に違反しないとするのが判例である。

ウ．即時強制とは，相手方の義務の存在を前提とせずに，行政機関が人又は物に対して実力を行使する事実行為をいう。即時強制は，緊急の危険から私人を保護することや，公共の秩序や民衆に危険が及ぶことを防止することを目的としており，その実施の判断は行政機関の裁量に委ねられる必要があるため，原則として即時強制を実施するための根拠規定は不要である。

エ．国税徴収法は，国税債権の徴収に関わる手続を定めているが，同法に定められている厳格な手続は，国税債権以外の行政上の金銭債権の徴収にも広く適用されるべき一般的手続である。このため，国税債権以外の行政上の金銭債権の徴収に当たり，国税徴収法の定める徴収手続を適用する場合には，個別の法律において国税徴収法の定める徴収手続を適用するための明文の規定は不要である。

1　イ
2　ア，イ
3　ア，ウ
4　イ，エ
5　ウ，エ

解説

ア：行政代執行法に基づき代執行をなしうるのは，他人が代わってすることができる義務の不履行，すなわち代替的作為義務の不履行の場合に限られる（行執法２条カッコ書き）。不作為義務の不履行の場合は，執行罰による強制履行の方法が準備されている。

イ：妥当である。判例は，「法が追徴税を行政機関の行政手続により租税の形式により課すべきものとしたことは追徴税を課せられるべき納税義務違反者の行為を犯罪とし，これに対する刑罰として，これを課する趣旨でないこと明らかである」として，「憲法39条の規定は刑罰たる罰金と追徴税とを併科することを禁止する趣旨を含むものでない」とする（最大判昭33・４・30）。

ウ：行政上の即時強制は，直接に私人の身体や財産に実力を加える作用であるから，これを行うには法律上の根拠が必要である。感染症法（正式名称は『感染症の予防及び感染症の患者に対する医療に関する法律』）19条３項や，入管法（正式名称は『出入国管理及び難民認定法』）39条１項などはその例である。

エ：国税徴収法は，「国税」に関する一般的法律であり，国税債権以外の行政上の金銭債権の徴収にも広く適用されるというものではない。したがって，後者について国税徴収法を適用する場合には，個別の法律で「国税徴収法に規定する滞納処分の例による」旨の明文の規定が必要である（例として，地方税法48条１項，72条の68第６項，行政代執行法６条１項など）。

以上から，妥当なものはイのみであるので，正答は**1**である。

正答　1

国家一般職［大卒］ No. 18 専門試験

行政法　行政不服審査法における教示・情報の提供　令和4年度

行政不服審査法における教示や情報の提供に関するア～オの記述のうち，妥当なもののみを全て挙げているのはどれか。

ア．行政庁は，審査請求等の不服申立てをすることができる処分をする場合には，処分の相手方に対し，当該処分につき不服申立てをすることができる旨並びに不服申立てをすべき行政庁及び不服申立てをすることができる期間を書面で教示しなければならないが，当該処分を口頭でする場合も，当該教示は書面でしなければならない。

イ．行政庁は，利害関係人から，その処分が審査請求等の不服申立てをすることができる処分であるかどうか並びに当該処分が不服申立てをすることができるものである場合における不服申立てをすべき行政庁及び不服申立てをすることができる期間につき教示を求められたときは，当該教示を必ず書面でしなければならない。

ウ．審査請求等の不服申立てをすることができる処分につき，行政庁が誤って不服申立てをすることができる処分ではないと判断して，処分の相手方に対し，行政不服審査法所定の教示をしなかった場合，当該処分について不服がある者は，当該処分庁に不服申立書を提出することができる。

エ．審査請求等の不服申立てにつき裁決，決定その他の処分をする権限を有する行政庁は，不服申立てをしようとする者又は不服申立てをした者の求めに応じ，不服申立書の記載に関する事項その他の不服申立てに必要な情報の提供に努めなければならない。

オ．審査請求等の不服申立てにつき裁決等をする権限を有する行政庁は，当該行政庁に不服申立てをした者の求めに応じ，当該行政庁がした裁決等の内容その他当該行政庁における不服申立ての処理状況について公表しなければならない。

1　ア，イ
2　ア，ウ
3　イ，オ
4　ウ，エ
5　エ，オ

解説

ア：前半は正しい（行政不服審査法82条１項本文)。しかし，処分を口頭でする場合には書面で教示する必要はない（同項ただし書き）ので，後半は誤り。たとえば，店の前の歩道上に出されていた看板を店内にしまうように口頭で命じるような場合は，あえて書面での教示が必要とされるわけではない。

イ：利害関係人の場合は，教示を求められる状況もさまざまなので，書面による教示を一律に要求することは必ずしも適当ではない。そのため，この場合は，利害関係人が書面による教示を求めたときだけ書面で教示すればよいとされる（行政不服審査法82条２項・３項)。

ウ：妥当である（行政不服審査法83条１項)。処分庁が，処分性がないなどとして教示しなかった場合における相手方の救済策として，当該処分庁に不服申立書を提出すればよいとしたものである。

エ：妥当である（行政不服審査法84条)。不服申立てが円滑に行われるよう，必要な情報の提供に努めるべき旨を規定したものである。

オ：処理状況の公表は，行政庁の事務負担等も考慮して，法的な義務ではなく努力義務とされている（行政不服審査法85条)。

以上から，妥当なものはウとエであるので，正答は**4**である。

正答　4

政治学
行政学
憲法
行政法
民法
経済理論
財政学

国家一般職［大卒］ No. 19 専門試験

行政法　取消訴訟の訴訟要件　令和4年度

取消訴訟の訴訟要件に関するア～オの記述のうち，妥当なもののみを全て挙げているのはどれか。ただし，争いのあるものは判例の見解による。

ア．行政事件訴訟法で定められた訴訟要件を満たしていない訴えについては，請求が棄却されることとなる。

イ．取消訴訟は，正当な理由があるときを除き，処分又は裁決があったことを知った日から6か月を経過したときは，提起することができない。処分又は裁決の日から1年を経過したときも同様である。

ウ．取消訴訟の対象となる行政庁の処分とは，その行為によって，直接若しくは間接に国民の権利義務を形成し又はその範囲を確定することが法律上認められているものをいう。

エ．取消訴訟は，処分又は裁決の取消しを求めるにつき法律上の利益を有する者に限り提起することができ，当該者には，処分又は裁決の効果が期間の経過その他の理由によりなくなった後においてもなお処分又は裁決の取消しによって回復すべき法律上の利益を有する者も含まれる。

オ．行政庁の処分に対して法令の規定により審査請求をすることができる場合には，原則として，審査請求に対する裁決を経た後でなければ取消訴訟を提起することができない。

1　ア，ウ
2　ア，オ
3　イ，エ
4　イ，オ
5　ウ，エ

ア：訴えが訴訟要件を満たしていない場合には，裁判所は原告の請求内容について審理せず，この場合には訴えを却下する判決がなされる。

イ：妥当である（行政事件訴訟法14条1項・2項）。

ウ：取消訴訟の対象となる行政庁の処分について，判例は，「行政庁の法令に基づく行為のすべてを意味するものではなく，公権力の主体たる国または公共団体が行う行為のうち，その行為によって，直接国民の権利義務を形成しまたはその範囲を確定することが法律上認められているものをいう」とする（最判昭39・10・29）。すなわち，本肢は「直接若しくは間接」とする点が誤り。

エ：妥当である（行政事件訴訟法9条）。

オ：取消訴訟と審査請求の関係について，現行法は，原則として審査請求前置主義ではなく自由選択主義を採用している。すなわち，処分の取消しの訴えは，法律に当該処分についての審査請求に対する裁決を経た後でなければ処分の取消しの訴えを提起することができない旨の定めがある場合でなければ，審査請求ができる場合でも直ちに訴えを提起することができる（行政事件訴訟法8条1項）。

以上から，妥当なものはイとエであるので，正答は**3**である。

正答　3

政治学 行政学 憲法 行政法 民法 経済理論 財政学

国家一般職［大卒］ No. 20 専門試験

行政法 国家賠償法 令和4年度

国家賠償法に関する次の記述のうち，妥当なのはどれか。

1 国家賠償法第１条が適用されるのは，公務員が主観的に権限行使の意思をもって行った職務執行につき違法に他人に損害を加えた場合に限られるものであり，客観的に職務執行の外形を備える行為であっても，公務員が自己の利を図る意図をもって行った場合は，国又は公共団体は損害賠償の責任を負わないとするのが判例である。

2 公権力の行使に当たる公務員の職務行為に基づく損害については，国又は公共団体が賠償の責任を負い，職務の執行に当たった公務員は，故意又は重過失のあるときに限り，個人として，被害者に対し直接その責任を負うとするのが判例である。

3 保健所に対する国の嘱託に基づき，県の職員である保健所勤務の医師が国家公務員の定期健康診断の一環としての検診を行った場合，当該医師の行った検診及びその結果の報告は，原則として国の公権力の行使に当たる公務員の職務上の行為と解すべきであり，当該医師の行った検診に過誤があったため受診者が損害を受けたときは，国は国家賠償法第１条第１項の規定による損害賠償責任を負うとするのが判例である。

4 国家賠償法第２条第１項にいう営造物の設置又は管理の瑕疵とは，営造物が有すべき安全性を欠いている状態をいうが，そこにいう安全性の欠如とは，当該営造物を構成する物的施設自体に存する物理的，外形的な欠陥ないし不備によって一般的に危害を生ぜしめる危険性がある場合のみならず，当該営造物が供用目的に沿って利用されることとの関連において危害を生ぜしめる危険性がある場合をも含み，また，その危害は，当該営造物の利用者に対してのみならず，利用者以外の第三者に対するそれをも含むとするのが判例である。

5 外国人が被害者である場合には，国家賠償法第１条については，相互の保証があるときに限り，国又は公共団体が損害の賠償責任を負うが，同法第２条については，相互の保証がないときであっても，国又は公共団体が損害の賠償責任を負う。

1. 判例は，国家賠償法１条は，「公務員が主観的に権限行使の意思をもってする場合に限らず自己の利を図る意図をもってする場合でも，客観的に職務執行の外形を備える行為をしてこれによって，他人に損害を加えた場合には，国または公共団体に損害賠償の責を負わしめて，ひろく国民の権益を擁護することをもって，その立法の趣旨とする」として，国または公共団体の賠償責任を認める（最判昭31・11・30）。

2. 判例は，公務員の職務行為を理由とする国家賠償の請求においては，「国または公共団体が賠償の責に任ずるのであって，公務員が行政機関としての地位において賠償の責任を負うものではなく，また公務員個人もその責任を負うものではない」とする（最判昭30・４・19）。公務員個人への責任追及を認めると，公務遂行における萎縮効果をもたらすおそれがあるというのがその理由とされている。

3. 判例は，「検診及びその結果の報告は，医師が専らその専門的技術及び知識経験を用いて行う行為であって，医師の一般的診断行為と異なるところはない」として「検診等の行為を公権力の行使にあたる公務員の職務上の行為と解することは相当でない」としたうえで，本肢の事案において，国に国家賠償法に基づく賠償責任は認められないとしている（最判昭57・４・１）。

4. 妥当である。判例は，「当該営造物の利用の態様及び程度が一定の限度にとどまる限りにおいてはその施設に危害を生ぜしめる危険性がなくても，これを超える利用によって危害を生ぜしめる危険性がある状況にある場合には，そのような利用に供される限りにおいて営造物の設置，管理には瑕疵があるというを妨げず，したがって，営造物の設置・管理者において，かかる危険性があるにもかかわらず，これにつき特段の措置を講ずることなく，また，適切な制限を加えないままこれを利用に供し，その結果利用者又は第三者に対して現実に危害を生ぜしめたときは，それが設置・管理者の予測しえない事由によるものでない限り，国家賠償法２条１項の規定による責任を免れることができない」としている（最大判昭56・12・16）。

5. 相互保証主義を定めた国家賠償法６条は，「この法律は」と規定して，１条と２条を区別していない。すなわち，２条についても相互の保証があるときに限り，国または公共団体は賠償責任を負うことになる。

正答　4

国家一般職［大卒］ No. 21 専門試験 民法（総則及び物権） 代理 令和4年度

代理に関するア～オの記述のうち，妥当なもののみを全て挙げているのはどれか。

ア．代理人が，本人のためにすることを示さないで相手方に意思表示をした場合において，相手方が，代理人が本人のためにすることを知り，又は知ることができたときは，その意思表示は，本人に対して直接に効力を生ずる。

イ．代理人が相手方に対してした意思表示の効力が，ある事情を知っていたこと又は知らなかったことにつき過失があったことによって影響を受けるべき場合には，その事実の有無は，原則として，代理人を基準として決する。

ウ．制限行為能力者が他の制限行為能力者の法定代理人としてした行為は，行為能力の制限を理由として取り消すことができない。

エ．委任による代理人は，自己の責任で復代理人を選任することができるが，法定代理人は，本人の許諾を得たとき，又はやむを得ない事由があるときでなければ，復代理人を選任することができない。

オ．復代理人は，その権限内の行為について代理人を代表し，また，本人及び第三者に対して，その権限の範囲内において，代理人と同一の権利を有し，義務を負う。

1 ア，イ
2 ア，エ
3 イ，ウ
4 ウ，オ
5 エ，オ

解説

ア：妥当である（民法100条，99条１項）。

イ：妥当である（民法101条１項）。現に法律行為を行った者を基準に判断するのが妥当だからである。

ウ：制限行為能力者が代理人としてした行為は，行為能力の制限によっては取り消すことができないのが原則である（民法102条本文）。これは，制限行為能力者の財産保護に支障がないことがその理由である。しかし，制限行為能力者が他の制限行為能力者の法定代理人としてした行為については，例外として取消しが認められている（同条ただし書き）。この場合には，「他の制限行為能力者」の判断能力の不足を補うことが困難だからである。

エ：前半と後半の内容が逆である。委任による代理人は，本人の許諾を得たとき，またはやむをえない事由があるときでなければ，復代理人を選任することができない（民法104条）。法定代理人は，自己の責任で復代理人を選任することができる（105条前段）。

オ：復代理人は，その権限内の行為について，代理人ではなく「本人」を代表する。復代理人は，本人および第三者に対して，その権限の範囲内において，代理人と同一の権利を有し，義務を負う（民法106条）。

以上から，妥当なものはアとイであるので，正答は**1**である。

正答　1

国家一般職［大卒］ No. 22 専門試験

民法（総則及び物権） 無効と取消し 令和4年度

無効及び取消しに関するア～オの記述のうち，妥当なもののみを全て挙げているのはどれか。

ア．無効な行為は，追認によっても，その効力を生じない。ただし，当事者がその行為の無効であることを知って追認をしたときは，遡及的に有効となる。

イ．無効な無償行為に基づく債務の履行として給付を受けた者は，給付を受けた当時その行為が無効であることを知らなかったときは，その行為によって現に利益を受けている限度において，返還の義務を負う。

ウ．無効は，取消しとは異なり，意思表示を要せず，最初から当然に無効であり，当事者に限らず誰でも無効の主張ができるものであるから，無効な行為は，強行規定違反又は公序良俗違反の行為に限られる。

エ．取り消すことができる行為の追認は，原則として，取消しの原因となっていた状況が消滅し，かつ，取消権を有することを知った後にしなければ，その効力を生じない。

オ．追認をすることができる時以後に，取り消すことができる行為について取消権者から履行の請求があった場合は，取消権者が異議をとどめたときを除き，追認をしたものとみなされる。

1 ア，ウ
2 イ，エ
3 エ，オ
4 ア，ウ，オ
5 イ，エ，オ

解説

ア：前半は正しいが，後半が誤り。無効な行為は，追認によっても，その効力を生じない。ただし，当事者がその行為の無効であることを知って追認をしたときは，新たな行為をしたものとみなす（民法119条）。遡及的に有効となるわけではない。

イ：妥当である（民法121条の2第2項）。

ウ：無効は，取消しとは異なり，意思表示を要せず，最初から当然に無効であり，当事者に限らず誰でも無効の主張ができるのが原則であるが，無効な行為は，強行規定違反または公序良俗違反の行為（民法90条）に限られるわけではない。たとえば，心裡留保（同93条1項ただし書），虚偽表示（同94条1項）などの場合も無効とされている。

エ：妥当である（民法124条1項）。

オ：妥当である（民法125条柱書2号）。

以上から，妥当なものはイ，エ，オであるので，正答は**5**である。

正答 5

国家一般職［大卒］ No. 23 専門試験

民法（総則及び物権） 共有建物に関する事例 令和4年度

A，B及びCが甲建物を同一の持分で共有している場合に関するア～オの記述のうち，妥当なもののみを全て挙げているのはどれか。ただし，争いのあるものは判例の見解による。

ア．甲建物について，無権利者Dが単独名義の登記を有する場合，Aは，Dに対して，単独で登記の全部抹消登記手続を求めることができる。

イ．甲建物について，CがA及びBに無断で単独名義の登記を有する場合であっても，A及びBは，Cに対して，自己の持分を超えて更正の登記手続を請求することはできない。

ウ．Aは，B及びCに対して，いつでも甲建物の分割を請求することができ，A，B及びCの三者間の契約によっても，これを制限することはできない。

エ．甲建物について，A，B及びCの各持分の登記がされている場合において，CがEに対しその持分を譲渡し，登記も移転したが，当該譲渡が無効であったときは，Aは，自己の持分を侵害されているわけではないため，Eに対して，単独で持分移転登記の抹消登記手続を求めることができない。

オ．Cが単独で甲建物に居住してこれを占有している場合であっても，A及びBは，甲建物の明渡しを求める理由を主張・立証しない限り，Cに対して，甲建物の明渡しを請求することはできない。

1 ア，イ
2 ア，オ
3 ウ，エ
4 ア，イ，オ
5 ウ，エ，オ

解説

ア：妥当である（最判昭31・5・10）。保存行為（民法252条5項）に当たるので，共有者の一人が単独で行うことができる。

イ：妥当である（最判平12・4・7）。

ウ：前半は正しいが，後半が誤り。各共有者は，いつでも共有物の分割を請求することができる。ただし，5年を超えない期間内は分割をしない旨の契約をすることを妨げない（民法256条1項）。したがって，Aは，BおよびCに対して，いつでも甲建物の分割を請求することができるが，A，BおよびCの三者間の契約によって，これを制限することもできる。

エ：甲建物について，A，BおよびCの各持分の登記がされている場合において，CがEに対しその持分を譲渡し，登記も移転したが，当該譲渡が無効であったときは，Aは，Eに対して，単独で持分移転登記の抹消登記手続を求めることができるとするのが判例である（最判平15・7・11）。

オ：妥当である（最判昭41・5・19）。

以上から，妥当なものはア，イ，オであるので，正答は**4**である。

正答 4

国家一般職［大卒］ No. 24 専門試験

民法（総則及び物権） 留置権 令和4年度

留置権に関する次の記述のうち，妥当なのはどれか。ただし，争いのあるものは判例の見解による。

1 Aは，自己の所有する甲土地をBに売却したが，これを引き渡していなかったところ，Bは，弁済期が到来したにもかかわらず，Aに代金を支払わないまま甲土地をCに売却した。この場合において，CがAに対し甲土地の引渡しを請求したときは，Aは，AがBに対して有する代金債権のために，Cに対して，甲土地につき留置権を行使することができる。

2 Aは，自己の所有する甲土地をBに売却し引き渡したが，所有権移転登記を経由していなかったところ，甲土地をCにも売却して，所有権移転登記を経由した。この場合において，CがBに対し甲土地の引渡しを請求したときは，Bは，Aに対して有する債務不履行に基づく損害賠償請求権のために，Cに対して，甲土地につき留置権を行使することができる。

3 Aが，Bに対して有する代金債権のためにB所有の乙土地につき留置権を有する場合において，Bがその代金の一部を支払ったときは，Aは，その金額に応じて，乙土地の一部を引き渡さなければならない。

4 Aが，Bに対して有する代金債権のためにB所有の乙土地につき留置権を有する場合，Aは，自己の財産に対するのと同一の注意をもって，乙土地を占有しなければならない。

5 Aが，Bに対して有する代金債権のためにB所有の乙土地につき留置権を有する場合，Aは，原則として，乙土地をBの承諾なく自由に使用することができる。

解説

1. 妥当である（最判昭47・11・16）。

2. 本肢の場合において，CがBに対し甲土地の引渡しを請求したときは，Bは，Aに対して有する債務不履行に基づく損害賠償請求権のために，Cに対して，甲土地につき留置権を行使することができない（最判昭43・11・21）。

3. 留置権には不可分性があり，留置権者は，債権の全部の弁済を受けるまでは，留置物の全部についてその権利を行使することができる（民法296条）。本肢の場合において，Bがその代金の一部を支払った場合でも，残金全額の支払いがあるまでは，留置物全部について留置権を行使できるので，Aは，その金額に応じて，乙土地の一部を引き渡さなければならないわけではない。

4. 留置権者は，善良な管理者の注意をもって，留置物を占有しなければならない（民法298条1項）。本肢の場合，Aは，自己の財産に対するのと同一の注意ではなく，善良な管理者の注意をもって，乙土地を占有しなければならない。

5. 留置権者は，債務者の承諾を得なければ，留置物を使用し，賃貸し，または担保に供することができない（民法298条2項本文）。本肢の場合，Aは，原則として，乙土地をBの承諾なく自由に使用することができない。

正答　1

物上代位

物上代位に関するア～オの記述のうち，妥当なもののみを全て挙げているのはどれか。ただし，争いのあるものは判例の見解による。

ア．抵当権者による賃料への物上代位は，抵当権の実行までは抵当権設定者に不動産の使用・収益を認めるという抵当権の趣旨に反するため，被担保債権の不履行がある場合であっても認められない。

イ．物上代位は，先取特権，質権及び抵当権については認められるが，留置権には認められない。

ウ．請負人が注文者に対して有する請負代金債権の一部が，請負人が請負工事に用いるため購入した動産の転売によって取得する代金債権と同視できる場合であっても，請負代金には労務の対価が含まれているため，その動産の売主は，動産売買の先取特権に基づき，当該請負代金債権の一部に対して物上代位権を行使することができない。

エ．債権について一般債権者の差押えと抵当権者の物上代位権に基づく差押えが競合した場合，抵当権設定登記よりも一般債権者の申立てによる差押命令の第三債務者への送達が先であれば，一般債権者の差押えが優先する。

オ．動産売買の先取特権は，抵当権とは異なり公示方法が存在しないため，動産売買の先取特権者は，物上代位の目的債権が譲渡され，第三者に対する対抗要件が備えられた後でも，目的債権を差し押さえて物上代位権を行使することができる。

1 ア，ウ
2 ア，オ
3 イ，ウ
4 イ，エ
5 エ，オ

解説

ア：抵当権者による賃料への物上代位を認めるのが判例である（最判平元・10・27）。また，抵当権は，その担保する債権について不履行があったときは，その後に生じた抵当不動産の果実に及ぶ（民法371条）。

イ：妥当である。物上代位は，先取特権，質権および抵当権については認められる（民法304条，350条，372条）が，留置権には認められない。留置権は，目的物の交換価値を把握するものではないからである。

ウ：請負人が注文者に対して有する請負代金債権の一部が請負人が請負工事に用いるため購入した動産の転売によって取得する代金債権と同視できる特段の事情がある場合には，その動産の売主は，動産売買の先取特権に基づき，当該請負代金債権の一部に対して物上代位権を行使することができるとするのが判例である（最決平10・12・18）。

エ：妥当である（最判平10・3・26）。

オ：動産売買の先取特権は，抵当権とは異なり公示方法が存在しないため，動産売買の先取特権者は，物上代位の目的債権が譲渡され，第三者に対する対抗要件が備えられた後においては，目的債権を差し押さえて物上代位権を行使することはできないとするのが判例である（最判平17・2・22）。

以上から，妥当なものはイとエであるので，正答は**4**である。

正答　4

国家一般職［大卒］ 専門試験

No.26 民法（債権，親族及び相続） 債務不履行に基づく損害賠償 令和4年度

債務不履行に基づく損害賠償に関するア～エの記述のうち，妥当なもののみを全て挙げているのはどれか。

ア．売買契約における債務の不履行に対する損害賠償の請求は，その損害が特別の事情によって生じた場合には，当事者が契約締結時にその事情を予見していたときに限りすることができる。

イ．将来において取得すべき利益についての損害賠償の額を定める場合において，その利益を取得すべき時までの利息相当額を控除するときは，その損害賠償の請求権が生じた時点における法定利率により行う。

ウ．金銭の給付を目的とする債務の不履行に基づく損害賠償については，債務者は，不可抗力をもって抗弁とすることができない。

エ．売買契約の当事者は，債務の不履行について損害賠償の額を予定した場合であっても，解除権を行使することができる。

1 ア，ウ
2 イ，ウ
3 イ，エ
4 ア，イ，エ
5 イ，ウ，エ

解説

ア：債務の不履行に対する損害賠償の請求は，特別の事情によって生じた損害であっても，当事者がその事情を「予見すべきであった」ときは，債権者は，その賠償を請求することができる（民法416条2項）。したがって，その事情を予見していたときに限りすることができるわけではなく，誤り。

イ：妥当である（民法417条の2第1項）。

ウ：妥当である（民法419条3項）。金銭は常に履行が可能なはずだとの考えに基づくものである。

エ：妥当である（民法420条2項）。

以上から，妥当なものはイ，ウ，エであるので，正答は**5**である。

正答 5

国家一般職［大卒］ No. 27 専門試験

民法（債権，親族及び相続） 連帯債務 令和4年度

連帯債務に関する次の記述のうち，妥当なのはどれか。

1 債務の目的がその性質上可分である場合において，法令の規定又は当事者の意思表示によって数人が連帯して債務を負担するときは，債権者は，その連帯債務者の一人に対し，又は同時に若しくは順次に全ての連帯債務者に対し，全部又は一部の履行を請求することができる。

2 連帯債務者の一人について，法律行為の無効又は取消しの原因がある場合，他の連帯債務者の債務は，その効力を失う。

3 連帯債務者の一人に対する履行の請求は，債権者及び他の連帯債務者の一人が別段の意思を表示したときを除き，他の連帯債務者に対しても，その効力を生ずる。

4 連帯債務者の一人が債権者に対して債権を有する場合において，当該債権を有する連帯債務者が相殺を援用しない間は，その連帯債務者の負担部分についてのみ，他の連帯債務者は相殺を援用することができる。

5 連帯債務者の一人に対して債務の免除がされた場合には，免除の絶対的効力により，他の連帯債務者は，その一人の連帯債務者に対し，求償権を行使することはできない。

解説

1．妥当である（民法436条）。

2．連帯債務者の一人について法律行為の無効または取消しの原因があっても，他の連帯債務者の債務は，その効力を妨げられない（民法437条）。

3．民法438条（更改），同439条１項（相殺）および440条（混同）に規定する場合を除き，連帯債務者の一人について生じた事由は，他の連帯債務者に対してその効力を生じない（民法441条本文）。相対的効力の原則である。したがって，履行の請求には絶対的効力はない。

4．連帯債務者の一人が債権者に対して債権を有する場合において，当該債権を有する連帯債務者が相殺を援用しない間は，その連帯債務者の負担部分の限度において，他の連帯債務者は，債権者に対して債務の履行を拒むことができる（民法439条２項）。その連帯債務者の負担部分について，他の連帯債務者が相殺を援用することができるわけではない。

5．債務の免除には絶対的効力はない。**3**の解説を参照。

正答 1

政治学 行政学 憲法 行政法 民法 経済理論 財政学

国家一般職［大卒］

専門試験

No. 28 民法（債権，親族及び相続） 契約の成立 令和4年度

契約の成立に関するア～オの記述のうち，妥当なもののみを全て挙げているのはどれか。

ア．AがBに承諾の期間を定めて売買契約の締結の申込みをした場合において，その期間内にAがBから承諾の通知を受けなかったときは，Aの申込みは承諾されたものとみなされる。

イ．AがBに承諾の期間を定めずに売買契約の締結の申込みをした場合において，Aがこれを撤回する権利を留保したときであっても，Aは，Bからの承諾の通知を受けるのに相当な期間を経過するまでは，その申込みを撤回することはできない。

ウ．AとBが対話している間に，AがBに承諾の期間を定めずに売買契約の締結の申込みをした場合には，Aの申込みは，AとBの対話が継続している間は，いつでも撤回することができる。

エ．AがBに売買契約の締結の申込みの通知を発した後に死亡した場合において，Bが承諾の通知を発するまでにAの死亡の事実を知ったときは，Aの申込みは効力を有しない。

オ．AがBに売買契約の締結の申込みをしたところ，BがAの申込みに条件を付してこれを承諾した場合には，Bが承諾した時点で，その条件に従って変更された内容の契約が成立する。

1 ア，イ
2 イ，エ
3 ウ，エ
4 ウ，オ
5 エ，オ

ア：申込者が承諾の期間を定めてした申込みに対してその期間内に承諾の通知を受けなかったときは，その申込みは，その効力を失う（民法523条２項）。Ａの申込みが承諾されたものとみなされるわけではない。

イ：承諾の期間を定めないでした申込みは，申込者が承諾の通知を受けるのに相当な期間を経過するまでは，撤回することができない。ただし，申込者が撤回をする権利を留保したときは，この限りでない（民法525条１項）。Ａが撤回する権利を留保したときは，その申込みを撤回することができる。

ウ：妥当である（民法525条２項）。

エ：妥当である（民法526条）。

オ：承諾者が，申込みに条件を付し，その他変更を加えてこれを承諾したときは，その申込みの拒絶とともに新たな申込みをしたものとみなす（民法528条）。Ｂが承諾した時点で，その条件に従って変更された内容の契約が成立するわけではない。

以上から，妥当なものはウとエであるので，正答は**3**である。

正答　3

政治学 行政学 憲法 行政法 民法 経済理論 財政学

国家一般職［大卒］ 専門試験

No. 29 民法（債権，親族及び相続） 売 買 令和4年度

売買に関する次の記述のうち，妥当なのはどれか。ただし，争いのあるものは判例の見解による。

1 売買契約において，買主が売主に手付を交付した場合，その交付に当たって当事者が手付の趣旨を明らかにしていなかったときは，交付された手付は，違約手付と推定される。

2 売買契約の目的物である土地の一部が他人の所有に属していた場合のように，権利の一部が他人に属する場合であっても，売買契約は有効である。そのため，他人の権利を売買の目的とした売主は，その権利を取得して買主に移転する義務を負う。

3 売買契約において，引き渡された目的物が種類，品質又は数量に関して契約の内容に適合しないものであり，その不適合が買主の責めに帰すべき事由によるものでない場合，買主は，売主に対し，目的物の修補，代替物の引渡し又は不足分の引渡しによる履行の追完を請求することができる。その際，売主は，買主が請求した方法によらなければ履行の追完をしたことにはならない。

4 売買契約において，引き渡された目的物が種類，品質又は数量に関して契約の内容に適合しないものであり，その不適合が買主の責めに帰すべき事由によるものでない場合，買主は，売主に対し，その不適合の程度に応じて代金の減額を請求することができる。その際，買主は，売主が代金全額を受け取る機会を与えるため，必ず相当の期間を定めた履行の追完の催告をしなければならない。

5 売買契約において，引き渡された目的物が種類，品質又は数量に関して契約の内容に適合しないものである場合に，買主の救済手段として，一定の要件の下に，追完請求権や代金減額請求権が認められる。これらは紛争の早期解決を目的とする民法上の特則であるため，買主は，追完請求権や代金減額請求権を行使することができるときは，民法第415条の規定による損害賠償の請求や同法第541条の規定による解除権の行使をすることはできない。

解説

1. 売買契約において，買主が売主に手付を交付した場合，その交付に当たって当事者が手付の趣旨を明らかにしていなかったときは，交付された手付は，違約手付ではなく解約手付と推定されるとするのが判例である（最判昭29・1・21，同昭24・10・4）。

2. 妥当である（民法561条）。

3. 前半は正しい（民法562条1項本文・2項）が，後半は誤り。売主は，買主に不相当な負担を課するものでないときは，買主が請求した方法と異なる方法による履行の追完をすることができる（同条1項ただし書）。売主は，買主が請求した方法によらなければ履行の追完をしたことにならないわけではない。

4. 前半は正しい（民法563条1項・3項）が，後半は誤り。一定の場合には，買主は，相当の期間を定めた履行の追完の催告をすることなく，直ちに代金の減額を請求することができる（同条2項）。必ず相当の期間を定めた履行の追完の催告をしなければならないわけではない。

5. 買主は，追完請求権や代金減額請求権を行使することができるときであっても，民法415条の規定による損害賠償の請求や541条の規定による解除権の行使をすることができる（民法564条）。

正答 2

国家一般職［大卒］
No. 30 専門試験
民法（債権，親族及び相続） 自番証書遺言 令和4年度

自筆証書遺言に関するア～エの記述のうち，妥当なもののみを全て挙げているのはどれか。ただし，争いのあるものは判例の見解による。

ア．自筆証書遺言は，押印によって遺言者の同一性及びその意思の真意性が担保されているため，必ずしも手書きで作成する必要はなく，パソコンで作成した遺言書も押印があれば有効である。

イ．一般に，封筒の封じ目の押印は，無断の開封を禁止するという遺言者の意思を外部に表示する意味を有するもので，遺言者の同一性及びその意思の真意性を担保する趣旨のものではないから，遺言書の本文には押印がなく，遺言書を入れる封筒の封じ目に押印のある自筆証書遺言は無効である。

ウ．自筆証書遺言の日付は，作成時の遺言能力の有無や内容の抵触する複数の遺言の先後を確定するために要求されることから，日付が「令和4年3月吉日」と記載された自筆証書遺言は，日付の記載を欠くものとして無効である。

エ．カーボン紙を用いて複写の方法によって記載された自筆証書遺言は，民法が要求する自書の要件に欠けるところはなく，その他の要件を満たす限り，有効である。

1 ア，イ
2 ア，ウ
3 イ，ウ
4 イ，エ
5 ウ，エ

解説

ア：自筆証書遺言は，手書きで作成する必要がある（民法968条1項）から，パソコンで作成した遺言書は押印があっても無効である。

イ：判例は，遺言書の本文には押印がなく，遺言書を入れる封筒の封じ目に押印のある自筆証書遺言を，有効であるとしている（最判平6・6・24）。

ウ：妥当である（最判昭54・5・31）。

エ：妥当である（最判平5・10・19）。

以上から，妥当なものはウとエであるので，正答は**5**である。

正答 5

国家一般職［大卒］

No. 31

専門試験

ミクロ経済学　一定の効用水準の実現に必要な最小所得額　令和4年度

X財の消費量をx，Y財の消費量をyとするとき，ある個人の効用水準Uが

$U=xy$

で示されている。X財の価格が2，Y財の価格が10のとき，効用水準Uが125となるために必要な所得の最小値はいくらか。

1　40
2　100
3　125
4　150
5　250

解説

効用関数の形状より，

$2x=10y \quad \Leftrightarrow \quad x=5y$……①

の関係式が成立する。

よって，①式および$U=125$を効用関数に代入すると，

$125=5y^2$

$\therefore y=5,\ x=25$

問題文より，X財価格が2，Y財価格が10であることから，$U=125$となるために必要な所得の最小値は，

$2\times25+10\times5=100$

よって，正答は**2**である。

正答　**2**

政治学　行政学　憲法　行政法　民法　経済理論　財政学

国家一般職［大卒］ No. 32 専門試験

ミクロ経済学　生涯効用を最大化する労働者の就労年数　令和4年度

今後80年間生きるある個人が，これから T 年間働いて退職したときの生涯効用 u が以下のように示される。

$$u=C\times(80-T)$$

ここで，C は生涯の支出総額を表し，$0\leqq T\leqq 80$である。

この個人が働いている期間は毎年120の所得が得られ，退職後は毎年40の年金が得られる。生涯効用 u が最大となるときの T はいくらか。

ただし，この個人は現在の資産はなく，また，所得及び年金収入を今後の80年間のうちに全て支出するものとする。

1 20
2 30
3 40
4 50
5 60

解説

問題文の条件より，この個人の生涯の支出総額 C は，

$$C=120T+40(80-T)$$

で表される。これを生涯効用の式に代入すると，

$$\begin{aligned} u&=\{120T+40(80-T)\}\times(80-T)\\ &=(3200+80T)(80-T)\\ &=3200\times 80+3200T-80T^2 \end{aligned}$$

上式を T で微分してゼロとおくと，

$$\frac{du}{dT}=3200-160T=0$$

$$\therefore T=20$$

よって，正答は**1**である。

正答　1

ミクロ経済学　コブ＝ダグラス型生産関数を持つ企業の総費用関数　令和4年度

ある企業の生産関数が以下のように示される。

$Y=\sqrt{KL}$

ここで，$Y(>0)$ は生産量，$K(>0)$ は資本投入量，$L(>0)$ は労働投入量である。

資本の要素価格が4，労働の要素価格が9のとき，完全競争下で生産した場合の，この企業の総費用 TC を生産量 Y の式として表したものとして妥当なのはどれか。

1 $TC=1.5Y$
2 $TC=5Y$
3 $TC=12Y$
4 $TC=13Y$
5 $TC=36Y$

解説

本問のような，生産関数から総費用を求めさせる問題の場合，下記のような手順で解いていけばよい。

総費用 TC は下記の式で表される。

$TC=wL+rK$ ……①

(w：労働の要素価格，r：資本の要素価格)

また，本問の生産関数の形状より，$rK:wL=1:1$ すなわち $rK=wL$ である。この関係を使うと①式は $TC=2wL$ または $TC=2rK$ となり，題意より $w=9$，$r=4$ であるので，$TC=18L$ または $TC=8K$ となる。

よって，$L=\frac{TC}{18}$，$K=\frac{TC}{8}$ である。

これらを生産関数に代入すると，

$$Y=\sqrt{KL}=\sqrt{\frac{TC}{8}\times\frac{TC}{18}}=\frac{TC}{12}$$

$\therefore TC=12Y$

よって，正答は**3**である。

正答　3

国家一般職［大卒］ No. 34 専門試験

ミクロ経済学 クールノー・ナッシュ均衡における価格 令和4年度

ある財を生産する事業者Aと事業者Bから成る複占市場を考える。財の需要量qと価格pの関係は以下のように示される。

$q=12-p$

また，両者はいずれも限界費用6で財を生産するものとし，数量競争を行う。このとき，クールノー・ナッシュ均衡における価格pはいくらか。

1 2
2 4
3 6
4 8
5 10

解説

まず，需要関数を価格Pについての式に変形すると，

$P=12-(q_A+q_B)$ ……①

①式より，事業者Aの限界収入MR_Aは，

$MR_A=12-q_B-2q_A$

問題文より，限界費用は6であることから，事業者Aの反応関数は，

$12-q_B-2q_A=6$ ……②

一方，両事業者はともに同じ費用関数かつ同じ市場で競争していることから，均衡状態において，$q_A=q_B=q^*$となる。よって，②式は下記のように変形できる。

$12-q^*-2q^*=6$

$\therefore q^*=2$

これを①式のq_Aとq_Bに代入すると，$P=8$が得られる。

よって，正答は**4**である。

正答 4

ゲーム理論 令和4年度

企業Ｐは戦略①又は戦略②を採ることができ，企業Ｑは戦略③又は戦略④を採ることができるものとする。

また，企業Ｐと企業Ｑの採る戦略とそれぞれの利得の関係は，次の表で与えられるものとする。

ただし，表の（　　）内の左側が企業Ｐの利得であり，右側が企業Ｑの利得である。

		企業Ｑ	
		戦略③	戦略④
企業Ｐ	戦略①	(a，50)	(20，b)
	戦略②	(40，c)	(d，60)

このとき，（戦略①，戦略③）が支配戦略均衡となる場合の（a，b，c，d）の条件の組合せとして妥当なのはどれか。

1　(a＞20，b＜60，c＞50，d＜40)
2　(a＞20，b＜60，c＜50，d＞40)
3　(a＞20，b＜50，c＞60，d＜40)
4　(a＞40，b＜50，c＞60，d＜20)
5　(a＞40，b＜60，c＜50，d＞20)

解説

支配戦略とは，他のプレーヤーのすべての戦略に対し，最適応答となる戦略のことをいう。そして，すべてのプレーヤーに支配戦略が存在するとき，その支配戦略の組を支配戦略均衡という。

本問のゲームにおいて，（戦略①，戦略③）が支配戦略均衡になるとは，企業Ｑがどちらの戦略をとったとしても，企業Ｐにとって戦略①が最適応答すなわち支配戦略であり，かつ，企業Ｐがどちらの戦略をとったとしても，企業Ｑにとって戦略③が最適応答すなわち支配戦略である場合であることをいう。

利得表より，企業Ｑが戦略③をとった場合，企業Ｐが戦略①をとるには，a＞40である必要がある。同様に，企業Ｑが戦略④をとった場合でも，企業Ｐが戦略①をとるには，d＜20である必要がある。

一方，企業Ｐが戦略①をとった場合，企業Ｑが戦略③をとるには，b＜50である必要がある。同様に，企業Ｐが戦略②をとった場合でも，企業Ｑが戦略③をとるには，c＞60である必要がある。

したがって，すべての条件を満たすのは**4**のみである。

よって，正答は**4**である。

正答　4

国家一般職 [大卒]

No. 36 専門試験 マクロ経済学 完全雇用を実現する限界税率を設定したときの財政収支 令和4年度

ある国のマクロ経済が，次のように示されている。

$Y=C+I+G$

$C=20+0.8(Y-T)$

$I=70$

$G=150$

$T=tY$

ここで，Y は国民所得，C は消費，I は投資，G は政府支出，T は租税，t は限界税率である。

いま，政府が完全雇用を達成するように限界税率 t を定めた場合，政府の財政収支に関する次の記述のうち，妥当なのはどれか。なお，完全雇用国民所得は600とする。

1 均衡する。
2 25の黒字となる。
3 30の黒字となる。
4 25の赤字となる。
5 30の赤字となる。

政治学 行政学 憲法 行政法 民法 経済理論 財政学

解説

まずは，第1式にすべての式を代入すると，

$$Y=C+I+G$$
$$=20+0.8(Y-T)+70+150$$
$$=20+0.8(Y-tY)+70+150$$
$$=240+0.8(Y-tY)$$
$$\therefore (0.2+0.8t)Y=240 \quad \cdots\cdots①$$

①式に $Y=600$ を代入して t について解くと，

$$(0.2+0.8t)\times600=240$$
$$\therefore t=\frac{120}{480}=0.25$$

政府の財政収支は，$T-G=tY-150$ で表されることから，$t=0.25$，$Y=600$ を代入すると，

$$T-G=0$$

すなわち，財政収支は均衡する。

よって，正答は**1**である。

正答　1

政治学
行政学
憲法
行政法
民法
経済理論
財政学

国家一般職［大卒］ 専門試験

No. 37 マクロ経済学 総需要・総供給モデルにおける均衡国民所得 令和4年度

以下のような閉鎖経済のマクロ経済モデルを考える。財市場では,

$C=12+0.5Y$

$I=43-r$

$G=5$

(C：消費, Y：国民所得, I：投資, r：利子率, G：政府支出)

が成立し，貨幣市場では，以下が成立している。

$L=\dfrac{2}{r}$

$M=1$

(L：実質貨幣需要, M：名目貨幣供給)

また，物価をPとすると，総供給曲線は$Y=2P$で与えられている。このとき，このマクロ経済の均衡国民所得はいくらか。

1 10
2 20
3 40
4 60
5 80

解説

まずは，財市場の式を一本化すると，

$$Y=C+I+G$$

$$=12+0.5Y+43-r+5$$

$$\therefore r=60-0.5Y \quad \cdots\cdots ①$$

次に，貨幣市場の均衡式を求めると，

$$\frac{M}{P}=L$$

$$\frac{1}{P}=\frac{2}{r}$$

上式に①式を代入して P について解くと，

$$\therefore P=30-\frac{1}{4}Y$$

これが総需要曲線である。これと総供給曲線を連立して Y について解くと，

$$\frac{Y}{2}=30-\frac{1}{4}Y$$

$$\frac{3}{4}Y=30$$

$$\therefore Y=40$$

よって，正答は**3**である。

正答 **3**

政治学 行政学 憲法 行政法 民法 経済理論 財政学

フィリップス曲線

名目賃金の上昇率を g_w，失業率を U，自然失業率を U^N とするとき，以下の賃金版フィリップス曲線が成立しているとする。

$$g_w = -0.5\ (U - U^N)$$

また，名目賃金を W，物価水準を P，労働の限界生産性を μ とするとき，以下の関係が成立しているとする。

$$\frac{W}{P} = \mu$$

いま，労働の限界生産性の値は 2 で一定とする。

自然失業率が 7 %，物価上昇率が 1 %の場合における，失業率はいくらか。

1　1 %
2　2 %
3　3 %
4　4 %
5　5 %

解説

本問のようなフィリップス曲線の計算問題は，国家一般職では数年ごとに繰り返し出題される。いずれも解法パターンは同じなので，問題を繰り返すことで慣れてほしい。

まずは，実質賃金と労働の限界生産性の式を変化率の式に変形し，さらに労働の限界生産性が一定であることと物価上昇率の値を考慮すると，

$$\frac{\Delta\mu}{\mu} = \frac{\Delta W}{W} - \frac{\Delta P}{P} = g_w - 1 = 0$$

$$\therefore g_w = 1 \quad \cdots ①$$

なお，上式の導出には，数学的には対数微分法を用いることから，大学入試のために数学を勉強してこなかった受験者には難しいと感じられるであろうが，当該分野および成長会計では頻出なので，ぜひマスターしてほしい。

①および自然失業率の値を賃金版フィリップス曲線の式に代入すると，

$$g_w = -0.5(U - 7) = 1$$

$$\therefore U = 5$$

よって，正答は**5**である。

正答　5

No. 39 専門試験 マクロ経済学 ラスパイレス方式とパーシェ方式の物価指数 令和4年度

2019年，2020年のそれぞれにおける，財Aと財Bの価格と販売量は，次の表のとおりであった。

価格	2019年	2020年
財A	20	10
財B	10	20

販売量	2019年	2020年
財A	20	10
財B	10	20

2019年を基準年（基準年の物価指数＝100）として2020年の物価指数を，①ラスパイレス方式，②パーシェ方式でそれぞれ求めた値の組合せとして妥当なのはどれか。

	①	②
1	80	100
2	80	125
3	100	80
4	100	100
5	125	80

解説

物価指数におけるラスパイレス方式（*LP*）とは，基準年の数量を基準に計測された物価指数で，消費者物価指数や国内企業物価指数が該当する。一方，パーシェ方式（*PP*）とは，比較年の数量を基準に計測された物価指数で，GDPデフレーターが該当する。

まず①について，2019年が基準年であることから，

$$LP=\frac{10\times20+20\times10}{20\times20+10\times10}\times100=\frac{400}{500}\times100=80$$

次に②について，2020年が比較年であることから，

$$PP=\frac{10\times10+20\times20}{20\times10+10\times20}\times100=\frac{500}{400}\times100=125$$

よって，正答は**2**である。

なお，本問では，ラスパイレス指数がパーシェ指数より小さくなっているが，これは財A，財Bともにギッフェン財であるためである。

正答 2

国家一般職［大卒］

No. 40 専門試験 マクロ経済学 新古典派経済成長理論 令和4年度

ソローモデルの枠組みで考える。t 期の産出量を Y_t，資本ストックを K_t，労働人口を L_t とすると，マクロ的生産関数が以下のように示される。

$$Y_t = 0.2K_t^{\frac{1}{2}} L_t^{\frac{1}{2}}$$

また，労働人口は0.05の成長率で増加する。一方，資本ストックは t 期の投資を I_t とすると，以下のように示される。

$$K_{t+1} = K_t + I_t$$

なお，資本減耗率はゼロとする。いま，貯蓄率を s とすると，t 期の投資 I_t は以下のように示される。

$$I_t = sY_t \qquad (s>0)$$

また，t 期の消費 C_t は以下のように示される。

$$C_t = (1-s)Y_t$$

このとき，定常状態の労働人口１人当たりの消費を最大にする貯蓄率 s の値はいくらか。

1 0.05
2 0.1
3 0.2
4 0.5
5 0.8

政治学 行政学 憲法 行政法 民法 経済理論 財政学

解説

本問のような，1人当たり消費が最大になる定常状態を黄金律と呼ぶ。このとき，次の2つの条件が成立する。

①実質利子率＝人口成長率＋資本減耗率

②貯蓄率＝資本分配率

なお，分配率とは，各生産要素への支出割合のことであり，生産関数が下記のような式

$Y=AK^{\alpha}L^{\beta}$

で表され，$\alpha+\beta=1$であるとき，αが資本分配率，βが労働分配率となる。このことを知っていれば，計算することなく**4**を正答として選ぶことができるが，ここでは，黄金律を知らない前提で解説する。

まず，労働人口L_tでマクロ的生産関数を割ることで，労働人口1人当たり生産関数y_tが下記のように導出できる。

$$\frac{Y_t}{L_t}=0.2\frac{K_t^{\frac{1}{2}}L_t^{\frac{1}{2}}}{L_t}=0.2\left(\frac{K_t}{L_t}\right)^{\frac{1}{2}}=0.2k_t^{\frac{1}{2}}=y_t$$

（k_t：資本装備率）

次に，下記のように，消費関数C_tを労働人口L_tで割ることで，労働人口1人当たり消費c_tが得られる。

$$\frac{C_t}{L_t}=\frac{(1-s)Y_t}{L_t}=(1-s)y_t=y_t-sy_t=c_t$$

本問では資本減耗率がゼロであることから，定常状態において，

$sy_t=nk_t$　（n：労働人口成長率）　……①

の関係が成立する。よって，定常状態の労働人口1人当たり消費は，

$c_t=y_t-sy_t=y_t-nk_t=0.2k_t^{\frac{1}{2}}-0.05k_t$

となり，これを資本装備率k_tで微分してゼロとおけば，定常状態の労働人口1人当たりの消費を最大にするk_tが得られる。

$$\frac{dy_t}{dk_t}=0.5\times0.2k_t^{-\frac{1}{2}}-0.05=0$$

$$\frac{0.1}{\sqrt{k_t}}=0.05$$

$$\sqrt{k_t}=2$$

$$\therefore k_t=4$$

一方，定常状態における貯蓄率sは①式より，

$$s=\frac{nk_t}{y_t}$$

であることから，定常状態の労働人口1人当たりの消費を最大にする貯蓄率sは，

$$s=\frac{nk_t}{y_t}=\frac{0.05k_t}{0.2k_t^{\frac{1}{2}}}=\frac{1}{4}k_t^{\frac{1}{2}}=\frac{1}{4}\times4^{\frac{1}{2}}=0.5$$

よって，正答は**4**である。

正答　4

政治学
行政学
憲法
行政法
民法
経済理論
財政学

国家一般職［大卒］
No. 41 専門試験

財政学　日本の財政制度　令和4年度

我が国の財政制度に関する次の記述のうち，妥当なのはどれか。

1 地方交付税は，地方公共団体間にある税収の多寡を調整し，地方公共団体ごとの財源の均衡化を図ることで，地方行政の計画的な運営を保障するためのものである。財政余力の大きい自治体の地方税収の一定割合を，財政余力の小さい自治体に配分する仕組みとなっており，国が一定の使途の制限を設けている。

2 建設国債及び赤字国債の発行は，財政法では認められていないため，発行する年ごとに特例公債法を制定する必要がある。また，償還期限が到来した国債の一部を借り換えるための資金を調達するための借換債は，財政法第4条第1項ただし書で規定されている。

3 予算は，財政民主主義の観点から毎会計年度これを作成し，国会の議決を経なければならないという会計年度独立の原則を採用している。そのため，完成までに数会計年度を要する国の事業についても，その総額を年数で割った毎年度の支出見込額を定め，次年度以降の当初予算又は補正予算に毎年度，組み込む必要がある。

4 地方財政健全化法では，地方公共団体の財政の健全性を四つの指標で判定し，それらの報告を義務付け，財政健全化を促す制度を設けている。財政の早期是正措置として，これらの指標のうちいずれか二つが早期健全化基準以上となった場合には，財政再生団体として財政健全化計画を定めなければならない。財政の早期健全化が著しく困難であると認められるとき，財務大臣は必要な勧告をすることができる。

5 建設国債及び赤字国債の償還については，発行してから60年で償還し終えるという60年償還ルールが採用されている。一方，復興債については，特定の償還財源があるため，60年償還ルールの適用対象とはなっていない。

解説

1．前半の記述は正しい。地方交付税の財源は，財政余力の大きい自治体の地方税収の一定割合ではなく，地方交付税法の本則に定められたいわゆる法定率分（所得税および法人税の33.1%，酒税の50%，消費税の19.5% および地方法人税の全額）と法定加算（別途法定された各年度の加算額）の合計額となることを基本としている。また，国は地方交付税の使途を制限してはならないことになっている（地方交付税法 3 条 2 項）。

2．財政法は，赤字国債の発行を認めていないが，建設国債の発行については認めている（財政法 4 条 1 項ただし書き），また，財政法 4 条 1 項ただし書きは，借換債について規定していない。

3．前半は，会計年度独立の原則ではなく，予算の単年度主義に関する記述である。また，後半は「継続費」に関する記述であり，「継続費」は会計年度独立の原則の例外ではなく，予算の単年度主義の例外とされている。

4．第一文の記述は正しい。財政健全化計画を定めなければならない団体は，4 つの指標（実質赤字比率，連結実質赤字比率，実質公債比率，将来負担比率）のうちいずれかが早期健全化基準以上となった財政健全化団体である。また，実質赤字比率，連結実質赤字比率，実質公債比率のうちいずれかが財政再生基準以上である場合は，財政再生団体として財政再生計画を定めなければならない。さらに，財政の早期健全化が著しく困難であると認められるときに必要な勧告を行うのは，財務大臣ではなく，総務大臣または知事である。

5．妥当である。

正答　5

政治学
行政学
憲法
行政法
民法
経済理論
財政学

国家一般職［大卒］

専門試験

No. 42 財政学　日本の財政事情　令和4年度

我が国の財政の状況に関する次の記述のうち，妥当なのはどれか。ただし，令和元年度及び令和２年度の一般会計当初予算については，「臨時・特別の措置」を含むものとする。

1　一般会計当初予算の規模の長期的推移についてみると，平成元年度は約30兆円であったが，その後，急速に拡大し，平成15年度には約65兆円となった後，平成29年度から令和３年度までは５年連続で100兆円を超える規模となっている。

2　一般会計歳出の主要経費について令和３年度（当初）を平成２年度（決算）と比較すると，この約30年間で国債費は約3.5倍と最も増加率が高くなっており，社会保障関係費も約1.4倍となっている一方，公共事業関係費は，３分の１未満となっている。

3　一般会計当初予算の歳入のうち税収についてみると，平成28年度には60兆円を超え，令和３年度まででの最高額となったが，その後，令和３年度まで減少傾向で推移している。一方，一般会計当初予算の歳入の公債依存度は，平成20年度から令和２年度まで上昇傾向で推移している。

4　令和３年度における一般会計当初予算の歳出のうち，社会保障関係費についてみると，40兆円を超え歳出全体の３割強を占めており，前年度当初予算と比較すると約３兆円増加している。また，令和３年度における当該歳出では，12兆円を超える規模の新型コロナウイルス感染症対策予備費が計上されている。

5　令和３年度における一般会計当初予算の歳入についてみると，消費税が約20兆円となっており，所得税や法人税よりも多い。一方，公債金は40兆円を上回っており，このうち，特例公債が８割以上を占めている。

1．一般会計当初予算の規模を見ると，平成元年度は60兆4,142億円，平成15年度は81兆7,891億円であり，平成29年度および平成30年度は100兆円を超えていない。

2．国債費は平成２年度（決算）14.3兆円から令和３年度（当初）23.8兆円へと1.6倍となっている。この増加率は，平成２年度（決算）11.5兆円から令和３年度（当初）に35.8兆円となった社会保障関係費の増加率3.1倍より小さい。また，公共事業関係費は平成２年度（決算）7.0兆円から令和３年度（当初）6.1兆円へと変化しており，0.9倍弱となっている。

3．一般会計当初予算において税収が60兆円を超えたのは令和元年度であり，直近では，平成23年度から令和２年度まで税収は増加していた。また，平成20年度から令和２年度までの公債依存度の推移を見ると，平成22年度をピークに低下傾向で推移していた。

4．令和３年度一般会計当初予算における社会保障関係費は35兆8,421億円であり，歳出予算全体の33.6%を占める。また，前年度当初予算のそれより187億円減少している。また，新型コロナウイルス感染症対策予備費は５兆円である。

5．妥当である。

正答　5

データ出所：『令和３年度　地方財政計画関係資料』『令和３年度版　図説　日本の財政』

国家一般職［大卒］ 専門試験

No.43 経済事情 日本の経済事情 令和4年度

我が国の経済の動向に関する次の記述のうち，妥当なのはどれか。

1 総務省「労働力調査」により，2020年7月から2021年6月までの各月における，64歳以下の男女の正規・非正規の雇用者数（役員を除く。）について，2019年における同じ月と比較すると，男性では正規・非正規のいずれの雇用形態においても減少傾向であった一方，女性では正規雇用が増加傾向，非正規雇用が減少傾向で推移した。

2 内閣府「国民経済計算」により，実質GDP成長率（前年度比）をみると，2020年度は，新型コロナウイルス感染症の影響等により，1995年度以降では，リーマン・ショック時の2008年度に次ぐ過去2番目に大きい落ち込みとなった。また，四半期別の実質GDP成長率（季節調整済前期比）は，同感染症の影響により2020年4－6月期に大きく落ち込んで以降，2021年4－6月期までマイナス成長が続いた。

3 厚生労働省「毎月勤労統計調査」により，2020年初以降の名目賃金の動向を現金給与総額（就業形態計，前年同月比）でみると，新型コロナウイルス感染症の影響等により，2020年3月にマイナス幅（％）が最大になって以降，2021年6月までマイナスが続いた。

4 財務省「貿易統計」により，2020年7月から2021年6月までの我が国の輸出（2020年1月＝100）の推移をみると，対世界の輸出数量は，海外経済の回復を背景に緩やかに増加してきたが，2021年6月時点で，新型コロナウイルス感染症の感染拡大前の2020年1月の水準の7割程度に留まっている。特に，東南アジアを中心とした感染再拡大の影響もあり，輸出金額全体の3割近くを占めるアジア向け輸出の回復が低調であった。

5 内閣府「国民経済計算」により，2020年4－6月期から2021年4－6月期までの国内家計最終消費支出（四半期別，実質季節調整値）の推移を形態別（耐久財，半耐久財，非耐久財，サービス）にみると，サービスの消費は新型コロナウイルス感染症の感染拡大前の2019年10－12月期の水準を回復したものの，耐久財の消費は当該水準を回復しなかった。

解説

1．妥当である。

2．2020年度の実質 GDP 成長率（前年度比）は−4.5% となり，1995年度以降で最大の落込みとなった。また，四半期別の実質 GDP 成長率（季節調整済み前期比）は，2020年 4 — 6 月期に−7.9% と大幅に落ち込んだが，2020年 7 — 9 月期と同年10—12月期はプラス成長となった。その後，2021年 1 — 3 月期に再びマイナス成長となったが，同年 4 — 6 月期はプラス成長となった。

3．現金給与総額（就業形態計）の前年同月比を見ると，2020年 4 月にマイナスに転じ，マイナス幅を拡大した。また，その後2021年 6 月までの推移を見ると，2021年にはプラス幅を示す月もあり，マイナスが続いたわけではない。

4．わが国の対世界の輸出数量は，2021年 6 月時点で2020年 1 月水準を超えるまで回復した。また，アジア向け輸出の回復の好調さがこの回復に大きく寄与した。さらに，アジア向け輸出は輸出金額全体の 6 割近くを占める。

5．2020年 4 — 6 月期から2021年 4 — 6 月期までの国内家計最終消費支出（四半期別，実質季節調整値）を見ると，サービスの消費は2019年10—12月期の水準を回復していないが，耐久財については2020年 7 — 9 月期以降，2019年10—12月期の水準を回復している。

正答　1

データ出所：『令和 3 年版　経済財政白書』

国家一般職［大卒］ No. 44 専門試験

経済事情 2010年代以降に導入された日本の金融政策の順番 令和4年度

2010年代以降の我が国の金融政策に関するA～Dの記述を，古いものから順に並べたものとして妥当なのはどれか。

A.「マイナス金利付き量的・質的金融緩和」を導入し，金融機関が保有する日本銀行当座預金に－0.1％のマイナス金利を適用し，今後は「量」,「質」,「金利」の三つの次元で緩和手段を駆使して，金融緩和を進めていくこととした。

B.「長短金利操作付き量的・質的金融緩和」を導入することを決定した。その主な内容は，第一に，長短金利の操作を行う「イールドカーブ・コントロール」，第二に，消費者物価上昇率の実績値が安定的に２％の「物価安定の目標」を超えるまで，マネタリーベースの拡大方針を継続する「オーバーシュート型コミットメント」である。

C. 強力な金融緩和を粘り強く続けていく観点から，政策金利のフォワードガイダンスを導入することにより，「物価安定の目標」の実現に対するコミットメントを強めることとした。当該フォワードガイダンスは，予定されている消費税率引上げの影響を含めた経済・物価の不確実性を踏まえ，当分の間，現在の極めて低い長短金利の水準を維持することを想定している。

D. 消費者物価の前年比上昇率２％の「物価安定の目標」を，２年程度の期間を念頭に置いて，できるだけ早期に実現するため，マネタリーベース及び長期国債・ETFの保有額を２年間で２倍に拡大するなど，量・質ともに次元の違う金融緩和を行うことを決定した。

1 B→A→D→C
2 B→C→D→A
3 C→B→D→A
4 D→A→B→C
5 D→C→A→B

2013年３月に就任した黒田日本銀行総裁の下で導入されてきた金融政策に関する問題である。

A：2016年１月29日の金融政策決定会合で，企業コンフィデンスの改善や人々のデフレマインドの転換が遅延し，物価の基調に悪影響が及ぶリスクの顕在化を未然に防ぎ，２％の「物価安定の目標」にモメンタムを維持するためとして決定された「マイナス金利付量的・質的緩和」に関する記述である。

B：2016年９月21日の金融政策決定会合で，「量的・質的金融緩和」「マイナス金利付量的・質的緩和」の下での経済・物価動向や政策効果についての「総括的な検証」を踏まえて，「量的・質的金融緩和」「マイナス金利付量的・質的緩和」の政策枠組みを強化する形で導入が決定された「長短金利操作付き量的・質的金融緩和」に関する記述である。

C：2018年７月31日の金融政策決定会合で，「長短金利操作付き量的・質的金融緩和」の持続性を強化し，需給ギャップがプラスの状態をできるだけ長く続けることが適当と判断したことから決定された「強力な金融緩和継続のための枠組みの強化」に関する記述である。

D：2013年４月４日の金融政策決定会合で，実体経済や金融市場に表れ始めた前向きな動きを後押しするとともに，高まりつつある予想物価上昇率を上昇させ，日本経済をデフレからの脱却に導くためとして決定された「量的・質的金融緩和」に関する記述である。

よって，D→A→B→Cであるので，正答は**4**である。

正答　4

データ出所：『令和３年度版　図説　日本の財政』

国家一般職[大卒] No. 45 専門試験

経済事情 各国の政策金利の推移 令和4年度

図のA～Eは，ユーロ圏，英国，米国，ロシア，トルコの政策金利（各月末時点）の推移を示している。A～Eに該当する国又は地域の組合せとして妥当なのはどれか。

なお，A～Eはユーロ圏における主要リファイナンス・オペ金利，米国におけるフェデラル・ファンド金利（FF金利）など各国・地域における主要な政策金利を示しており，2021年7月末時点の政策金利は，Aが19％，Bが6.5％，Cが0.25％，Dが0.1％，Eが0％である。

ただし，米国については，FF金利誘導目標の上限を示している。

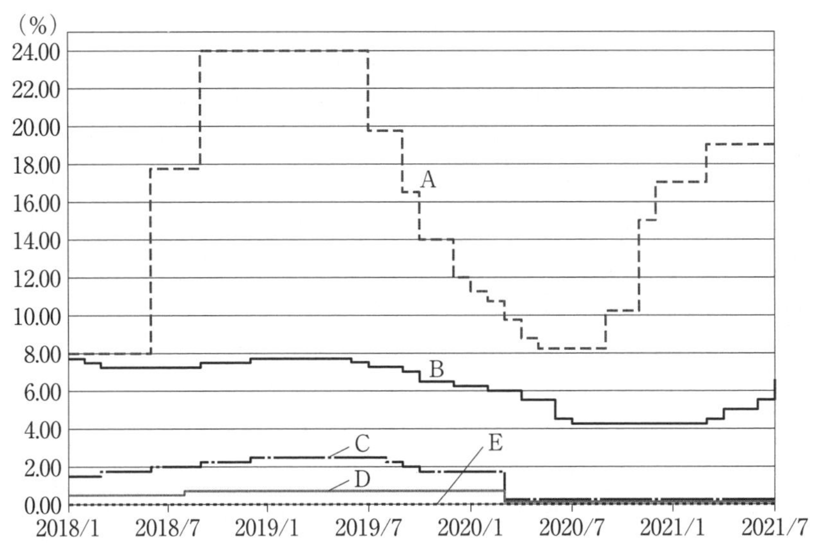

	A	B	C	D	E
1	ロシア	トルコ	ユーロ圏	英国	米国
2	ロシア	トルコ	英国	ユーロ圏	米国
3	ロシア	トルコ	米国	ユーロ圏	英国
4	トルコ	ロシア	ユーロ圏	英国	米国
5	トルコ	ロシア	米国	英国	ユーロ圏

解説

トルコの政策金利は，2018年4月にアメリカの10年国債の金利が3％を超えたことや，2018年8月のアメリカの制裁を契機に通貨が暴落（トルコ・ショック）したことを背景にして，2018年中に20％を超えた。その後，政策金利が引き下げられる中で，新型コロナウイルス感染症に対する経済政策として8.25％まで引き下げられたが，2020年度後半以降は引き上げられている。

ロシアの政策金利は，2018年4月にアメリカの10年国債の金利が3％を超えて以降，通貨の下落が見られたことなどを受けて，2019年にかけて8％近くまで上昇した。その後，2019年半ばから引き下げられ，新型コロナウイルス感染症に対する経済政策として5.5％にまで引き下げられた。

アメリカの政策金利（フェデラル・ファンド・レート，FF金利）は，2015年12月から引き上げ始められ，2018年末には2.25～2.50％の水準まで引き上げられた。しかし，2019年7月以降，経済の不透明感の増大を受けて「予防的利下げ」が実施され，2020年には新型コロナウイルス感染症の感染拡大が経済にもたらすリスク懸念から，度重なる利下げがなされたことから，2020年3月には再び実質ゼロ金利となった。

英国の政策金利は，2018年8月に，労働コスト等国内要因によるインフレ圧力が高まっているとして引き上げられたが，2020年に入ると新型コロナウイルス感染拡大の英国経済への影響に対応するため，年0.75％から年0.25％に引き下げられ，2016年8月以来で過去最低水準となった。その後，政策金利は年0.1％に引き下げられた。

ユーロ圏の政策金利（主要政策金利）は2016年から0％で推移していた。新型コロナウイルスの感染が拡大する以前の欧州中央銀行（ECB）は，2003年以来17年ぶりに金融政策の戦略的な見直しを開始することを決定していたが，この見直しは2021年半ばまでに延長され，新型コロナウイルス感染症対策としても政策金利は0％に据え置きとされた。

よって，Aは「トルコ」，Bは「ロシア」，Cは「米国」，Dは「英国」，Eは「ユーロ圏」であるので，正答は**5**である。

正答　5

データ出所：『通商白書2019』『通商白書2020』『通商白書2021』

国家一般職［大卒］ 専門試験

No.46 経営学 企業の戦略 令和4年度

企業の戦略に関する次の記述のうち，妥当なのはどれか。

1 M. E. ポーターは，業界の競争の程度に影響を及ぼす要因として，業者間の敵対関係，新規参入の脅威，顧客の交渉力などの五つを挙げた。このうち，新規参入の脅威についてみると，行政により許認可権が行使されている場合などは参入障壁が高くなり，新規参入が行われにくくなることがある。

2 J. B. バーニーは VRIO フレームワークを提唱し，競争優位をもたらす要素の特徴として，価値，希少性，模倣困難性，機会の四つを挙げた。このうち，価値についてみると，何らかの価値ある有用な資源が他社にあり，その資源が自社にない場合，自社は他社と研究開発などで競争して，その資源を獲得する必要がある。

3 企業がコストリーダーシップ，差別化，集中化などの競争戦略を採る場合，いずれか一つの戦略のみに固執すると，当初は順調な成長が持続していたとしても，成長の途中で成長率が大きく鈍化する状況がみられる傾向にある。このような状況は，スタック・イン・ザ・ミドルと呼ばれる。

4 家庭用ゲーム機などでデファクト・スタンダードを獲得するためには，消費者の30％程度に先に普及させる必要があるとされており，その分岐点はクリティカル・マスと呼ばれている。クリティカル・マスは，新製品導入に関する時期別採用者数の推移を示す普及曲線における，前期多数採用者が製品のユーザーになる時期と重なっている。

5 差別化戦略の方向性には大別して水平的な差別化と垂直的な差別化がある。水平的な差別化は，統一的な価値尺度の下で，大多数の消費者が個々の製品のランク付けができる場合に実行可能なものである一方，垂直的な差別化は個人の好みによって評価が分かれる個人別の基準の下で行われるものである。

1．妥当である。適切な競争戦略を選択するために行う業界の構造分析（ファイブ・フォース分析）の説明である。ポーターによれば，ある業界の競争の程度は，業者間の敵対関係，新規参入の脅威，供給業者（売り手）の交渉力，顧客（買い手）の交渉力，代替品・サービスの脅威の5要因に規定される。

2．競争優位をもたらす要素の中で「機会」が誤り。バーニーが唱えたVRIOフレームワークは，企業の経営資源がどのように持続的な競争優位を生み出すかを分析する理論枠組みである。具体的には，ある経営資源が競争優位をもたらすか否かは，価値または経済価値（Value），希少性（Rareness，Rarity），模倣困難性または模倣可能性（Imitability），経営資源を活用する組織（Organization）という4つの要素を保有しているかで決まるとする。ここでの価値とは，企業の戦略を実行可能にする有用な資源を保有することである。ただし，他社が保有する有用な資源を獲得しても，他社との競争関係は同列に過ぎず，競争優位が得られるとは限らない。

3．「いずれか一つの戦略のみに固執すると」以降の説明が誤り。ポーターは競争戦略の基本類型として，①コストリーダーシップ，②差別化，③集中化の3種類を挙げた。この中で①と③，②と③は組み合わせて実施されるが，①と②は二律背反の関係にある。その理由は，差別化戦略の導入は生産ラインの変更や広告・宣伝の拡充を伴い，コスト増となるため，低価格を志向するコストリーダーシップ戦略とは相反することによる。このように同時に2つの戦略を実施して中途半端な状況に陥り，収益性の低下を招く状況をスタック・イン・ザ・ミドル（Stuck in the Middle）と呼ぶ。

4．「消費者の30%程度」が誤り。クリティカル・マスとは，「ある製品や規格の普及率に決定的な影響を与えるユーザー数」のことであり，業界標準に関する研究によれば世帯普及率で2～3%とされる。他社に先駆けてクリティカル・マスに達した製品や規格は，デファクト・スタンダード（事実上の標準）となる可能性が高まる。また，「前期多数採用者が製品のユーザーになる時期と重なっている」という記述も誤り。E.M.ロジャースが示した製品の普及曲線では，製品の購入時期が早い順に消費者を，①革新的採用者（2.5%），②初期少数採用者（13.5%），③前期多数採用者（34%），④後期多数採用者（34%），⑤採用遅滞者（16%）に分類している（カッコ内の数字は消費者全体に占める各グループの比率）。この普及曲線に当てはめると，クリティカル・マスは革新的採用者から初期少数採用者に移行する段階に該当する。

5．水平的な差別化と垂直的な差別化の説明が逆である。G.サローナーらによれば，水平的な差別化は，製品を選ぶ際に個人の好みによって評価が分かれる場合に実行可能であり，嗜好の異なる消費者を対象に個別のニーズに適した製品を訴求する戦略である。これに対して，垂直的な差別化は，大多数の消費者が製品のランクづけを容易に行える場合に実行可能であり，統一的な価値尺度に基づいて製品の属性（品質，性能など）を消費者に訴求する戦略である。

正答　1

経営学　経営組織　令和4年度

経営組織に関する次の記述のうち，妥当なのはどれか。

1　A. D. チャンドラーは，多数の製品を扱うようになった企業が，事業部制組織から機能別組織を経てマトリクス組織へと移行することにより業績を最大化できることを明らかにし，部門間でやり取りされる資源の重要性や各部門の資源利用への裁量権，特定部門への資源の集中度により定まる部門間の資源依存度に従って最適な組織構造が決まるという資源依存理論を提唱した。

2　取引コスト理論においては，取引相手が少数である場合には，企業は相手の事業機会を最優先にすることで自社の利益も高めようとする機会主義的な行動をとるようになるので，取引相手が多数である場合と比べて，裏切りのリスクが低下して契約交渉に要する手間を省くことができるため取引コストが低くなるとされる。

3　H. サイモンによる組織均衡論においては，組織の参加者とは従業員のことを指し，投資家と顧客は組織の外部環境として扱われる。組織の参加者は組織から誘因を受け取り，その見返りとして組織に対して貢献を行う。組織が存続するために組織の参加者から貢献を確保することができている程度を組織の有効性という。

4　組織間のネットワークにおいて，埋め込まれた紐帯と呼ばれるつながりは，信頼やきめ細かい情報のやり取り，協同での問題解決という面で組織にとって有利であり，現状の環境に対する適合度を高めることができるが，埋め込みが過剰になると，新しい情報を獲得しづらくなることなどから組織の適応力が弱まる危険性がある。

5　J. ガルブレイスは，不確実性を，「組織が既に持っている情報量」と，「活動を行うために必要な情報量」の和であるとした。この不確実性が高い場合には，組織は無用の混乱を避けて必要な情報処理量を減らすために，スラック資源を削減することが有効であるとされる。

1.「事業部制組織から機能別組織を経てマトリクス組織へ移行する」が誤り。チャンドラーは『経営戦略と組織』(1962年)で，デュポンやゼネラル・モーターズ(GM)など20世紀初頭の米国大企業の成長過程を分析した。その結果，これらの大企業が事業の多角化に伴って，組織編成を機能別組織（職能別組織，職能別部門組織）から事業部制組織へと移行する経緯を明らかにし，「組織構造は戦略に従う」という命題を示した。また，資源依存理論を唱えたのはJ.フェファーとG.サランシックらである。資源依存理論の目的は，「ある組織が他の組織に経営資源をどの程度依存しているか」という観点から，組織の行動や組織間関係を分析することにあり，部門間の資源の依存度が対象ではない。フェファーらは，他の組織への経営資源の依存度は資源の重要性，資源の配分と使用への裁量権，資源の集中度の3要因によって決まるとした。

2. O.E.ウィリアムソンに代表される取引コスト理論によれば，取引相手が少数である場合，企業が相手に不利益を被らせて，一方的に自社の利益を高めようとする機会主義的行動が生じやすくなる。そのため，取引相手が多数である場合に比べて契約交渉が複雑になり，取引コスト（取引きを成立させ，契約を履行する際に要する諸費用）が高くなるとされる。

3.「投資家と顧客は組織の外部環境として扱われる」および「組織の有効性」の説明が誤り。組織均衡論はC.I.バーナードが提唱し，H.A.サイモンが発展させた。サイモンによれば，組織は「組織の参加者と呼ばれる多くの人々の相互に関連した社会的行動の体系」であり，その参加者には従業員，投資家，顧客，供給業者が含まれる。また，バーナードは，組織が参加者からの貢献を確保できている程度（個人動機の満足度）を「組織の能率」と呼び，組織目的の達成度を「組織の有効性」と定義した。そのうえで，組織を存続するためには，短期的には「有効性」と「能率」のいずれか，長期的には両方を満たす必要があるとした。

4. 妥当である。B.ウズィ（Uzzi）は調査から，組織間のネットワークには「市場関係としての紐帯」と「埋め込まれた紐帯」があることを示した。前者は，コストや利益が関心の対象となる経済的な利害関係であり，個別の取引きにおける「その場限りの関係」を意味する。後者は，経済的な利害関係よりも信頼や仲間意識を重視する社会的な関係である。

5.「和であるとした」および「スラック資源を削減することが有効である」が誤り。J.R.ガルブレイスは，不確実性を「組織がすでに持っている情報量」と「活動を行うために必要な情報量」の差であるとした。通常，組織は設定された目標や規則，階層に基づく意思決定によって情報を処理する。しかし，不確実性が高くなると既存の方法では対応できなくなるため，①情報処理量の負荷を減らす方法，②情報処理能力を高める方法のいずれかを選ぶことになる。①では「スラック資源の投入」と「自己完結型職務の形成」の2つの手段がある。前者は納期や人員，在庫などに余裕を持たせることであり，後者は製品別，地域別などアウトプット別の組織編成に変えることで，各部門の自律性を高めて情報処理の多様性を抑え，作業の効率化・円滑化を図ることである。②は情報処理システムの強化や管理者の水平的コミュニケーションの促進などが挙げられる。

正答　4

No. 48 経営学 技術経営 令和4年度

技術経営に関する次の記述のうち，妥当なのはどれか。

1 W.J.アバナシーとJ.M.アッターバックは，ドミナント・デザインが初めて登場する固定期においては，開発すべき製品機能が明確になるので，製品イノベーションの発生頻度が最も高くなるが，その影響を受けて，生産工程で用いられる設備の汎用化が進むため工程イノベーションの発生頻度が最も低くなるとした。

2 インテグラル型アーキテクチャの製品においては，構成部品間の独立度合いが高く，部品間のインターフェースが標準化されているため，各部品を設計している部署間での緊密な相互調整が不要となる。そのため，開発活動で生じる問題を開発プロセスの最後に一括で解決する方式であるフロント・ローディングにより開発コストを大幅に削減できる。

3 H.W.チェスブロウは，イノベーションのタイプとして，技術を積極的に開示する方法であるテクノロジー・プッシュにより生じるものをオープン・イノベーション，顧客ニーズに密着する方法であるディマンド・プルにより生じるものをクローズド・イノベーションと呼んだ。彼は，オープン・イノベーションは他社による技術の模倣リスクが高いという限界を指摘し，クローズド・イノベーションへの転換を図ることが必要であるとした。

4 野中郁次郎らは，組織における知識創造活動を暗黙知と形式知の変換過程として概念的に記述したSECIモデルを提唱した。このモデルでは四つの知識変換モードが想定されており，それらのうち「表出化」においては，暗黙知が，個人の思考や人々との対話を通じてメタファー，アナロジー，仮説など様々な形をとりながら，明示的な形式知へと変換される。

5 E.ゴールドラットは，制約条件の理論（TOC）において，ある生産システムにおける最も生産能力が高い工程をボトルネックと呼び，この工程がフル稼働できるようにするために，ボトルネックの工程の生産ペースに他の工程がタイミングを合わせ生産ペースを上げたり，ボトルネックの工程に対して生産能力が最も低い工程から人員を移動させたりすることが必要であるとした。

1. アバナシーとアッターバックは，イノベーションの段階を流動期，移行期，固定期に分類した。流動期は製品コンセプトが固まっていないため，技術開発の努力は製品イノベーション（製品技術の革新）に向けられる。その後，ある時点でドミナント・デザイン（その後の技術的基準となる標準化された製品）が登場すると，開発すべき製品機能が明確になり，移行期が始まる。移行期では，確立されたドミナント・デザインの下で特定の機能を向上することに開発努力が向けられるため，製品イノベーションの発生頻度が低下し，効率的な生産を実現するための工程イノベーション（生産工程の技術革新）の頻度が高くなる。固定期になると，製品の品質向上やコスト削減に努力が向けられるため，生産性は上昇するが，技術進歩の余地は少なくなり，製品イノベーションと工程イノベーションの頻度は低下する。

2. 構成部品の独立性が高く，部品間のインターフェイス（接合規格）が標準化されている製品アーキテクチャ（製品の設計構想）はモジュラー型である。インテグラル型は，製品の機能が部品間に複雑に配分されており，インターフェイスを製品ごとに細かく調整する必要がある。また，フロント・ローディングとは，製品開発の過程で生じる諸問題を早い段階に前倒しして解決する手法である。開発過程での部品間の調整や仕様の変更を伴うインテグラル型の製品では，フロント・ローディングを導入することでコストの削減や開発期間の短縮が期待できる。

3. オープン・イノベーションとクローズド・イノベーションの説明が誤り。チェスブロウによれば，オープン・イノベーションは自社内の開発だけではなく社外のアイデアを積極的に活用して新たな価値を創造することである。これに対して，クローズド・イノベーションは基礎研究から製品開発に至るまで一社内で行う。チェスブロウは，開発期間が長く，多額の投資を要するクローズド・イノベーションでは，新たな技術を創造しても他社による模倣リスクが高いと指摘し，社内外のアイデアを活用して早期の商品化を行うとともに，研究成果を他社に販売し，追加利益を得るオープン・イノベーションへの転換を図る必要があるとした。なお，テクノロジー・プッシュとディマンド・プルは，イノベーションを生み出す要因である。テクノロジー・プッシュは，技術の進歩が製品開発を刺激することでイノベーションが生じるという技術重視の考え方である。ディマンド・プルは，市場のニーズを契機として製品開発が刺激され，イノベーションが生じるという需要重視の考え方をさす。

4. 妥当である。野中らが提唱したSECIモデルでは，組織における知識創造の過程を，共同化(Socialization)，表出化（Externalization)，連結化（Combination)，内面化（Internalization)の4要素で示した。

5. ゴールドラットが唱えた制約条件の理論（Theory of Constraints）では，ある生産システムで生産能力が最も低い工程をボトルネックと呼んだ。ゴールドラットは，生産システム全体を最適化するためには，ボトルネック以外の工程の生産能力の向上ではなく，他の工程に合わせてボトルネックの生産ペースを上げることや，生産能力が最も高い工程からボトルネックに人員を投入する必要があるとした。

正答　4

経済事情 経営学 国際関係 社会学 心理学 教育学 英語(基礎) 英語(一般)

国家一般職［大卒］

No. 49 専門試験

経営学　国際経営　令和4年度

国際経営に関する次の記述のうち，妥当なのはどれか。

1　H. V. パールミュッターが提唱した国際人的資源管理における EPRG プロファイルにおいては，経営志向は，本国人材が海外子会社の主要ポストを占める「ポリセントリック（P）」，現地のことは現地スタッフに任せる「エスノセントリック（E）」，第三国籍人材が活用される「レジオセントリック（R）」などに分類され，これらの経営志向は固定的であるため，互いに，他の経営志向には転換しないとした。

2　G. ハメルが提唱した I－R グリッドは，本国組織と現地組織の統合の実現度合い（I）と，本国で開発された技術の複製可能性の度合い（R）の2軸により構成され，両者において高い水準を達成できる組織はグローバル型組織と呼ばれる。

3　J. バーキンショーと N. フッドは，海外子会社の役割は，「現地環境による影響」「現地従業員の比率」「本社からの役割の付与」「海外子会社のイニシアチブ」「海外子会社の技術水準」という五つの要因から決定されるとした。また，「海外子会社のイニシアチブ」が発揮されると，あらかじめ本社から付与された役割を果たすことができなくなるので，当該イニシアチブの発揮をなるべく抑えるべきであるとした。

4　R. バーノンが提唱したプロダクト・サイクル仮説では，既に本国において獲得された知識の優位性に基づき複数の海外市場を対象に新製品を提供するメタナショナル経営が提唱された。その利点として，資源や能力の多くが本国に集中され，海外子会社は親会社の戦略を実行することによって，規模の経済による効率性を最大化できることが挙げられる。

5　P. ゲマワットが提唱した CAGE フレームワークにおいては，多国籍企業が，現地の状況を理解できずに経営判断を誤ったり，コミュニケーションや交渉に失敗したりする要因となる，国・地域間に存在する隔たりとして，「文化」「制度・政治」「地理」「経済」という四つの要素が取り上げられている。

解説

1. パールミュッターがEPRGプロファイルで示した経営志向は，①エスノセントリック(Ethnocentric)，②ポリセントリック（Polycentric），③レジオセントリック（Regiocentric），④ジオセントリック（Geocentric）の4種類である。①は本社が重要な意思決定を行う本国中心型で，海外子会社の主要ポストは本国人材が占める。②は海外子会社に権限移譲を行う現地志向型で，現地でのマネジメントは現地スタッフに任せる。③は近隣諸国を束ねた地域単位で海外子会社を統括する地域志向型である。④は本社と海外子会社が協調し，各国の拠点が相互に依存する世界志向型であり，人材も世界規模で登用され，本国や現地以外の第三国籍人材が活用される。また，「これらの経営志向は固定的であるため」以降の記述も誤り。パールミュッターは，国際的な人的資源管理が「EPRG」の順に発展することを想定したが，実際には順番通りに発展せず，逆行するケースもある。

2. I-Rグリッドを提唱したのはC.K.プラハラードとY.ドーズである。I-Rグリッドは国際経営の方向性を分析するフレームワークであり，グローバル統合（Integration）とローカル適応（Responsiveness）の2軸で構成される。ここでのグローバル統合とは，海外展開を世界規模で標準化し，規模の利益を追求する「効率の論理」である。ローカル適応とは，進出先のニーズや政府の規制など現地特有の環境条件に対応しようとする「適応の論理」を意味する。プラハラードらは，この両軸で高い水準を達成できる組織を「マルチフォーカル組織」と呼んだ。なお，ハメルはプラハラードとともに，「コア・コンピタンス」概念を提唱した人物である。

3. バーキンショーとフッドによれば，海外子会社の役割は，①本社からの役割の付与（本社が海外子会社にどのような権限や機能を与えるか），②海外子会社の選択（海外子会社がどのように独自の意思決定を行うか），③現地環境による影響（現地の政治，社会，文化などの要因が海外子会社の経営にどのような影響を与えるか）の3要因から決定される。また，本社による主導では現地のニーズに対応できない場合，海外子会社がイニシアチブを発揮し，独自の役割を果たす重要性が指摘されている。

4. バーノンは，米国大企業の海外進出の過程を分析し，米国と他国の技術格差，製品のライフサイクルの進展に伴う生産立地の移転という観点から，プロダクト・サイクル仮説を唱えた。その内容は，①米国で新製品の生産が開始され，市場が拡大する。②米国市場の飽和に伴って輸出が開始され，やがて生産拠点が海外の先進国に移転する。③他国との技術格差が減り，製品が標準化するにつれて先進国から発展途上国に生産拠点が移転し，国際分業が進展するという段階を経る。また，メタナショナル経営はY.ドーズとJ.サントス，P.ウィリアムソンが示した国際経営の概念であり，自国の優位性に基づいた戦略を超えて世界規模で知識を入手し，活用することで価値創造を行い，競争優位を獲得する重要性を主張した。

5. 妥当である。ゲマワットが唱えたCAGEフレームワークの構成要素は，国際化に伴って多国籍企業が直面する本国と現地とのさまざまな相違であり，①文化的隔たり（Cultural Distance），②制度的・政治的隔たり（Administrative and Political Distance），③地理的隔たり（Geographic Distance），④経済的隔たり（Economic Distance）からなる。①は言語，民族，宗教などの違いであり，②は法律，外資規制，税制，労使関係などの違い，③は物理的な距離，時差，気候などの違い，④は購買力，インフラの整備状況などの違いである。

正答 5

国家一般職［大卒］ No. 50 専門試験

経営学　ミクロ組織論　令和4年度

ミクロ組織論に関するA～Dの記述のうち，妥当なもののみを全て挙げているのはどれか。

A．ホーソン実験は，科学的管理法の考えを前提に作業環境や条件などと生産性の関係を発見することを目的に行われた。しかし，その結果として，従業員の生産能率について，物理的な環境条件よりも，インフォーマルな組織や社会的承認の存在といった従業員の心理的なものに依存するところが大きいことが分かった。

B．D.マグレガーのX理論・Y理論において，X理論に基づき人間の管理をする場合，管理者は組織メンバーが組織目標の達成に努力することで，メンバー自身の満足も得られるような条件を作成することになる。しかし，そのような条件の作成は非常に困難で，具体的方法がないことから，Y理論に基づく命令と統制による管理が望ましいとされた。

C．F.E.フィードラーは，あるリーダーにとって，そのリーダーが置かれた状況の好ましさの程度を，状況好意性と呼び，状況好意性の高低により有効なリーダーシップは異なることを指摘した。このように，適切なリーダーシップはその時々の状況に応じて変化するという考えを，リーダーシップのコンティンジェンシー理論という。

D．オハイオ州立大による研究では，リーダーシップ・スタイルを「構造づくり」と「権力」の2次元で捉えている。「構造づくり」は，部下が効率的に職務を遂行するための環境を整える行動，「権力」は，リーダーの職位に基づく権限の強さであり，「構造づくり」が高く，「権力」も強いHiHi型のリーダーシップがより高い成果をあげることが明らかになった。

1　A，B
2　A，C
3　B，C
4　B，D
5　C，D

A：妥当である。ホーソン実験の当初の目的は，科学的管理法の成果を応用して職場の作業条件と作業能率の関係を調査することにあったが，明確な相関は見いだせなかった。その後，G.E.メイヨーとF.J.レスリスバーガーらのハーバード大学の研究者が実験を続けた結果，職場のインフォーマルな組織（非公式集団）で共有される価値観や規範が，公式組織の作業能率に影響を与えることが明らかにされた。

B：マグレガーは，人間は仕事が嫌いで強制や命令によってしか仕事に取り組まず，責任を回避したがる存在という人間観をX理論と呼び，人間は条件次第で自主的に仕事に取り組み，結果の責任を負う存在という人間観をY理論と名づけた。そのうえで，管理者が組織メンバーに強制的な命令と統制を行うX理論に基づく管理から，上司の管理能力の向上と従業員の欲求充足を結びつけるY理論に基づく管理への移行を唱えた。

C：妥当である。フィードラーが示した状況好意性は，①リーダーと組織メンバーとの関係，②タスク構造（課題の明確さ），③地位パワー（リーダーが持つ権限の大きさ）からなる。調査の結果，状況好意性がリーダーにとって，好意的か非好意的である場合は職務志向型のリーダーシップが有効であり，状況好意性がリーダーにとって好意的でも非好意的でもない中程度の場合は人間関係志向型のリーダーシップが有効であることが明らかとなった。

D：「権力」が誤り。オハイオ州立大による研究では，リーダーシップ・スタイルを「構造づくり」と「配慮」の2次元でとらえた。「構造づくり」とは，効率的な職務の手順を示す仕事中心のリーダー行動である。「配慮」とは，部下との信頼関係を築き，メンバーの満足度を高めようとするリーダー行動を意味する。調査の結果，部下の役割と職務の割り当てを明確にし，上司と部下の信頼関係を重視する「高構造づくり・高配慮」のリーダーシップが集団の業績で優れていることが示された。

よって，妥当なものはAとCであるので，正答は**2**である。

正答　2

経済事情 経営学 国際関係 社会学 心理学 教育学 英語(基礎) 英語(一般)

国家一般職［大卒］ No. 51 専門試験

国際関係　国際政治理論　令和4年度

国際政治の理論をめぐる議論に関する次の記述のうち，妥当なのはどれか。

1　人間の性格は利他的であっても，国際政治は主権国家がそれぞれの国益を追求して形成される権力政治（パワー・ポリティクス）の性格を持つと考える見方を，政治的リアリズムと呼び，第一次世界大戦後の時代の英国の国際政治学において大きな影響力を持った。

2　古典的リベラリズムは，国家の主権を制限して国際社会における平和を維持すべきだと考える見方を指す。文化的な相互信頼や，民主主義国は相互に戦争をしないという国際社会論を強調したりする立場も，リベラリズムとして理解される。

3　下部構造の経済の在り方が政治や文化を決定すると考えるマルクス主義的な見方は，帝国主義を自由主義の歴史の中で位置づけたV.レーニンや，中心が周辺を従属させていると考える国家中心主義システム論を唱えたI.ウォーラーステインの議論などにみられる。

4　社会構成員の間の認識に注目し，規範が行動に与える影響や，規範が形成される過程を強調する見方は，コンストラクティヴィズムと呼ばれる。構造と代理人（エージェント）の相互関係に着目する視点で，国家の対外政策と規範や文化との関係を分析する。

5　S.ハンチントンは1989年の東欧諸国の革命を見て，自由民主主義が普遍的なイデオロギーとなったと考えて，「冷戦の終わり」を論じた。これに対して，権威主義体制の勢力の復活によって大国の間で争いが起こり続けるとする「文明の衝突」を主張する見方もある。

解説

1．国際政治が権力政治（パワー・ポリティックス）の性格を持つと考える政治的リアリズムが大きな影響力を持ったのは，ナチスドイツが台頭する1930年代後半から第二次世界大戦後の冷戦期にかけてのことである。第一次世界大戦後の英国などで影響力を持ったのは，政治的リアリズムではなく，理想主義的な国際政治理論であった。

2．古典的リベラリズムは，自由主義，理想主義的な思想の下で国際主義を強調するとともに，国際法や国際機関，軍縮の実現によって国際社会における平和を維持すべきとの考え方であり，「国家の主権を制限」することで国際平和を維持するという考え方に立つものではない。M.ドイルやB.ラセットらによって提唱された「民主主義国家どうしは戦争しない」という民主主義平和論は，カントが「永遠平和のために」で述べたリベラリズムの政治思想を基礎としたもので，広い意味ではリベラリズムに属す思想といえる。だが，自由主義的な民主制という国内の政治制度的側面やシステムの機能を重視した理論であり，その点では国際機構や相互依存，レジーム論などを基礎とするリベラリズムの国際政治理論とは範疇を異にする。

3．レーニンは「帝国主義論」の中で，①生産と資本の集中が独占を生み出していること，②銀行資本と産業資本の融合により金融資本と金融寡頭制が成立していること，③商品輸出に代わり資本輸出が重要になっていること，④世界を分割する資本家の国際的独占体制が形成され，世界の経済分割が進んでいること，⑤資本主義列強による地球の領土分割が完了していること，の5つの状態が生み出されている資本主義の発展の最高段階こそが帝国主義であると論じた。帝国主義を資本主義の歴史の中で位置づけたもので，本肢の「自由主義の歴史の中」という記述は誤り。I.ウォーラスティンは，中心（先進国）が周辺（途上国）を従属させているとする「中心・周辺」理論の二分法を三分法に発展させ，半周辺の概念を付け加えて「近代世界システム論」と呼ぶ世界経済システムの発展史を提唱した。本肢にある「国家中心主義システム論」は誤り。I. ウォーラスティンは，世界システムは歴史上，「世界帝国」と「世界経済」という２つの形態となって現れるとし，近代以前の世界システムは世界帝国化したが，国民国家を担い手とする近代ヨーロッパの資本主義経済は空間的拡大を続けたが世界帝国化することなく，世界経済の状況にあるとした。

4. 妥当である。コンストラクティヴィズム（社会構成主義）は，国際関係における心理的。精神的な要素に着目し，規範，文化，アイデア，アイデンティティなどを重視する。国家間の相互作用を通して国際社会や自己に対して抱く認識や規範，価値観に基づいて国家は行動するという考え方をとり，これらの要因が政策決定にどのような影響を及ぼすか，あるいは国際的な規範がどのように形成され，それが為政者や国家の認識，行動を如何に規定していくのかといったプロセスに注目するアプローチである。

5. 東欧革命を見て「冷戦の終わり」を論じたのは，S. ハンチントンではなく，F. フクヤマである。F. フクヤマは，1989年夏季号の“National Interest”誌に「歴史の終焉」と題した論文を発表し，冷戦における西側の勝利は，抜本的な欠陥を持たないリベラルな民主主義体制が共産主義やファシズムなど他の統治体制に優越する正当性を持つことを立証するものととらえ，この体制の確立はヘーゲルなどのドイツ観念論のいう「一貫した進歩の過程」としての歴史の終りを意味するものであろうと論じた。S. ハンチントンは，冷戦後の世界は，それまでの国家間の対立に代わり文明間の対立が軸となるという「文明の衝突」論を唱え，特にキリスト教文明圏やイスラム文明圏，中国を中心とする儒教文明圏の三者の対立が激しくなると論じた。「権威主義体制の勢力の復活によって大国の間で争いが起こり続ける」という記述は誤り。

正答　4

国家一般職［大卒］ No. 52 専門試験

国際関係　安全保障の仕組み　令和4年度

20世紀に作られた安全保障の仕組みに関する次の記述のうち，妥当なのはどれか。

1　第一次世界大戦後の国際秩序に「民族自決」の考え方を導入することを「14か条」で唱えた米国のF.ローズヴェルト大統領は，それを「ワシントン体制」の中核をなす国際連盟の設立を通じて実現しようとした。ただし米国は，議会が反対したため国際連盟に参加できなかった。

2　国際連盟が大国の離反を招いて機能しなかった反省から，1945年に設立された国際連合では，安全保障理事会において第二次世界大戦の戦勝国である米・英・ソの三大国に拒否権が与えられた。後の安保理改革の際に，拒否権を持つ常任理事国は5か国に増加した。

3　冷戦時代に米国を中心とする自由主義諸国は，ワルシャワ条約機構（WTO）を設立したが，ソ連を中心とする共産主義諸国は，北大西洋条約機構（NATO）を設立して対抗した。両者の設立根拠となったのは，国連憲章第51条に定められた集団安全保障である。

4　第二次世界大戦後に米国は，日本，韓国，フィリピンなどの東南アジア諸国連合（ASEAN）諸国，オーストラリア，ニュージーランドと安全保障条約を結び，アジア太平洋地域でも地域機構による集団防衛体制を導入した。

5　冷戦中に生まれた国連平和維持活動を，D.ハマーショルド国連事務総長は「憲章6章半」の活動と呼んだ。ただし，冷戦後の国連平和維持活動は，頻繁に憲章第7章の権限を与えられ，更に多数の文民職員も動員して広範な活動を行うようになった。

1. 1918年に14か条の原則を発表した米国大統領はF. ローズベルトではなく，W. ウィルソンである。14か条の原則は，ヨーロッパ諸国民の民族自決や秘密外交の廃止，海洋の自由，軍備縮小，国際平和機構の設立などを主な内容とする大戦終結のための平和原則である。大戦後のパリ講和会議でW. ウィルソンは14か条の原則をもとに理想主義的な主張をし，国際連盟の設立を通してベルサイユ体制の維持を図ろうとした。本肢の「ワシントン体制」は誤り。

2. 1945年10月に国際連合が発足した段階で，安全保障理事会の常任理事国である米・英・仏・ソ・中華民国の5か国には，拒否権が認められている。「米・英・ソの三大国に拒否権が与えられた」「後の安保理改革の際に，拒否権を持つ常任理事国は5か国に増加した」という記述は誤りである。安全保障理事会の常任理事国に認める拒否権の範囲については，米・英とソ連との間で交渉が続いたが，1945年2月に開催されたヤルタ会談において，大国の拒否権は実質事項のみで，手続事項には適用されないこと，紛争の平和的解決が試みられている間は，当事国は表決に加わらないとの妥協が成立し，米・英・ソ・中に，イギリスの希望で加えられたフランスを含む5か国が拒否権を有する安保理常任理事国となるという「5大国一致の原則」が合意された。

3. 冷戦時代に米国を中心とする自由主義諸国は1949年，北大西洋条約を締結し，北大西洋条約機構（NATO）を設立した。これに対抗して，ソ連を中心とする共産主義諸国は1955年，東欧8か国友好相互援助条約を締結し，ワルシャワ条約機構（WTO）を設立した。両者とも，国際連合加盟国に対して個別的または集団的自衛権を認める国際連合憲章第51条を設立の根拠としており，集団防衛体制と呼ばれる。本肢はワルシャワ条約機構（WTO）と北大西洋条約機構（NATO）が逆，また「集団安全保障」は「集団防衛」の誤り。

4. 第二次世界大戦後，米国はアジアにおいて，日本と日米安全保障条約（1951年），韓国と朝鮮戦争後に米韓相互防衛条約（1953年），オーストラリア，ニュージーランドと太平洋安全保障条約（ANZUS）（1951年）を締結，また，英・仏・豪，ニュージーランドのほか，フィリピン，タイ，パキスタンが加わる東南アジア条約機構（SEATO）を1954年に締結し，集団防衛体制を敷いた。しかし，東南アジア諸国連合（ASEAN）との間では集団防衛条約を締結していないので，本肢の「フィリピンなどの東南アジア諸国（ASEAN）連合」は誤り。

5. 妥当である。国際連合憲章第7章に定める「集団安全保障」の機能不全を受け，かつ憲章第6章が規定する「紛争の平的解決」では対処できない地域紛争に対して，国連が冷戦時代，実行処理の中で編み出した紛争解決の慣行が国連の平和維持活動（PKO）である。平和維持活動は紛争の最終決着をめざすのではなく，平和を脅かす地域的事態が悪化して国際的に拡大するのを防止し，事態の鎮静化を通じて紛争の平和的解決の素地を創り出すことで，間接的に紛争解決の道を開こうとするものである。憲章第6章に規定された自発的紛争解決手段や第7章に基づく強制措置とも異なり，むしろこの二章を補う第三の機能という意味で，かつてハマーショルド国連事務総長は平和維持活動を「6章半の活動」と称した。冷戦後，平和維持活動は多様化し，停戦の実現に留まらず，紛争で疲弊した国家の再建をめざし，軍人だけでなく多数の文民職員も加わり，選挙の実施や教育，福祉，厚生，国土建設など幅広い任務を担当するようになった（複合多機能型PKO）。また1992年に当時のガリ国連事務総長が発表した報告書「平和への課題」に基づき，憲章第7章の強制的措置の行使を認める平和強制型PKOも誕生した。

正答　5

国家一般職［大卒］ No. 53 専門試験

国際関係 冷戦後の国際社会 令和4年度

冷戦後の国際社会に関する次の記述のうち，妥当なのはどれか。

1 1990年代初頭，イラクによるクウェートへの軍事侵攻に対し，米国は，国際連合安全保障理事会の決議のないまま英国など一部の国と多国籍軍を組織してイラクを攻撃し（湾岸戦争），同戦争に敗れたイラクは米国の制裁下に置かれることとなった。当時，米国が他国との交渉や多国間での枠組みを嫌って単独行動をとった傾向は，単独行動主義（ユニラテラリズム）として米国内外から批判が強まった。

2 2001年，米国ニューヨーク州のエンパイア・ステート・ビルやワシントンD.C.の国務省などが同時に攻撃される同時多発テロが発生した。米国のG.W.ブッシュ政権は，このテロをイスラム過激派組織ISIL（イラク・レバントのイスラム国）が実行したと断定し，「テロとの戦い」を掲げ，当該組織を支援するタリバン政権が支配するアフガニスタンへの攻撃を行った。

3 東南アジアでは，ベトナム戦争終結やカンボジア和平以降，地域内における各国の協力関係が深められ，2000年代に東南アジア諸国連合（ASEAN）の加盟国は5か国から10か国へ増加した。一方，安全保障面においては，ASEAN地域フォーラム（ARF）が2014年に初めて開催されたが，参加したのはASEAN加盟国の閣僚のみであり，政治的に不安定な国もあることから，閣僚級の会合はその後開催されていない。

4 ヨーロッパにおいては，1993年に発効したロンドン条約を批准した全ての欧州連合（EU）加盟国が同条約の発効直後から単一通貨（ユーロ）を導入し，その後1990年代末までにEUに加盟した東欧諸国など10か国も加盟と同時にユーロを導入した。一方，一部の東欧諸国や旧ソ連圏では，冷戦終了後に中央政府の権力が弱まったことなどから，コソボ紛争やダルフール紛争などの民族紛争が発生した。

5 2010年代初頭に北アフリカのチュニジアで発生した反政府デモを発端として，中東・北アフリカ地域の各国で本格化した一連の民主化運動は「アラブの春」と称され，チュニジア，エジプト，リビアでは長期間続いた独裁政権が崩壊した。こうした民主化運動の背景にはソーシャルネットワーキングサービス（SNS）の普及による市民の間での情報共有があったといわれる。

解説

1．1990年8月のイラクによるクウェートへの軍事侵攻に対し，米国はイラク軍の撤退を求めるとともに，英国などと多国籍軍を組織した。そしてイラクが期限までに撤退に応じない場合は武力行使を含むあらゆる手段を執る権限を多国籍軍に付与する国連安全保障理事会決議678を根拠に，1991年1月，イラクへの攻撃に踏み切った（湾岸戦争）。本肢の「安全保障理事会の決議のないまま」は誤り。また，「湾岸戦争に敗れたイラクが米国の制裁下に置かれた」という事実はない。湾岸戦争後，米軍はイラクでの駐留を継続。国連安保理決議688を根拠に，イラク北部にクルド人保護区を設定し，イラクの攻撃が及ばないように北緯36度以北でのイラク軍機の飛行を禁止した。こうした保護の下で，クルド自治政府が発足する。また南部シーア派へのサダムフセイン政権の弾圧を阻止するため，北緯32度以南でのイラク軍機の飛行も禁止した。一方，国連はイラクの大量破壊兵器やミサイルの開発，保有を防ぐため，安保理決議678で，国際機関の監視の下，核・化学・生物兵器や射程150km 以上の弾道ミサイルを無条件に破壊，破棄，無害化するようイラクに求めるとともに，国連大量破壊兵器破棄特別委員会（UNSCOM）を設置した。UNSCOM は国際原子力機関（IAEA）と協力しつつ，イラク国内にあるこれら兵器製造の疑いのある施設への査察を実施したが，イラクのフセイン政権は再三にわたって査察を妨害した。本肢の「米国が他国との交渉や多国間での枠組みを嫌って単独行動をとった傾向は，単独主義として米国内外から批判が強まった」というのは，湾岸戦争ではなく，2003年に G. W. ブッシュ政権が実施したイラク戦争のことである。

2．2001年９月の同時多発テロの際，ワシントン D. C. で攻撃を受けたのは国務省ではなく，国防省（ペンタゴン）である。G. W. ブッシュ政権がこのテロの実行犯と断定したのは，ISIL（イラク・レバントのイスラム国）ではなくイスラム過激派組織アルカイダである。

3．冷戦の終焉後，東南アジア諸国連合（ASEAN）加盟７か国にラオス，カンボジア，ミャンマーの３か国が加わり，加盟国が10か国（ASEAN10）となったのは1999年4月である。本肢の「2000年代」は誤り。ASEAN 地域フォーラム（ARF）は1993年，シンガポールでの ASEAN 拡大外相会議で創設が決定され，1994年にバンコクで第１回の会合が開催された。本肢の「2014年」は誤り。第１回会合には，17か国と欧州連合（EU）の外相等が参加した。ASEAN 加盟10か国だけでなく日本や中国等域外国の閣僚も参加しており，以後，毎年閣僚級の会合が開催されている。本肢の「参加したのは ASEAN 加盟国の閣僚のみであり」および「閣僚級の会合はその後開催されていない」の記述はいずれも誤り。現在，ARF の加盟国は ASEAN10か国＋16か国（日・米・中・韓・北朝鮮など）＋１機構（EU）である。

4．欧州共同体（EC）が欧州連合（EU）創設による政治統合とともに，通貨統合の方針を決定したのは，1992年に調印され1993年に発効したマーストリヒト条約である。本肢の「ロンドン条約」は誤り。また「同条約の発効直後からすべての加盟国が単一通貨（ユーロ）を導入した」という記述も誤りである。EU に加盟する15か国のうち単一通貨（ユーロ）の導入を決めたのは12か国だけで，導入の時期は1999年，実際に市中に流通するのは2002年１月１日である。「ダルフール紛争」は，アフリカのスーダン西部における政府・アラブ系民兵と反政府勢力の武力衝突であり，東欧や旧ソ連圏の民族紛争ではない。

5．妥当である。2010年12月にチュニジアで発生した反政府デモを発端に，独裁体制をとるアラブ諸国で相次いで大規模な抗議デモや反政府集会が開かれた。そして23年続いたチュニジアのベンアリ政権が2011年１月に倒れた（ジャスミン革命）のを皮切りに，同年２月にはエジプトのムバラク政権，同年８月にはリビアのカダフィ政権，さらに同年11月にはイエメンのサレハ政権が倒れるなど，アラブ地域の長期独裁政権が相次ぎ崩壊した。この一連の民主化運動を「アラブの春」と呼ぶ。各国で起きた民主化運動では，独裁政権に抵抗する市民がスマートフォンなどのソーシャルネットワーキングサービス（SNS）を利用し，政府の弾圧や取締りの状況に関する情報を互いに交換，共有し，また反政府運動への参加，結集を呼び掛ける際にも SNS が活用され，独裁政権打倒の市民パワーを高めた。

正答　5

国家一般職［大卒］ 専門試験

No. 54 国際関係 国際機関の活動・国際的取決め 令和4年度

国際機関の活動や国際的な取決めに関する次の記述のうち，妥当なのはどれか。

1 1990年代のボスニア・ヘルツェゴビナとルワンダにおける国際人道法違反の行為に対応して，国際連合安全保障理事会は特別な国際刑事裁判所を設立した。2002年には，多国間条約であるローマ規程に基づいて常設の機関として国際刑事裁判所（ICC）が設立された。

2 欧州連合（EU）は，1973年に発効したヨーロッパ連合条約（マーストリヒト条約）によって誕生した。2007年に調印されたリスボン条約は，欧州理事会議長を常任化し，外務・安全保障政策上級代表の機能を弱めて，EU として積極的な外交を行う難しさを示した。

3 アジア太平洋地域の文化交流協定として，2016年に同地域の12か国が環太平洋パートナーシップ（TPP）協定を調印した。その後米国が脱退し，日本は交渉に参加しないまま，2018年に環太平洋パートナーシップに関する包括的及び先進的な協定（CPTPP）が締結されて発効した。

4 キューバ・ミサイル危機の翌年の1963年に包括的核実験禁止条約が署名のために開放され，1968年には核不拡散条約が署名のために開放されて，核兵器を自由に拡散できる核兵器国と，開発・製造・保有を禁止された非核兵器国を区別した核不拡散体制が形成されていった。

5 持続可能なエネルギー問題に対して，1992年に温室効果ガス排出量の削減を目的とした国連気候変動枠組条約が締結されると，1997年の第３回締約国会議では排出量の削減を義務化する京都議定書が合意された。ただし，米国が義務を負わなかったため，後に多くの途上国が離脱した。

1. 妥当である。国連安全保障理事会は，旧ユーゴスラビア解体に伴う内戦に際して発生したボスニア・ヘルツェゴビナでの民族浄化行為を，戦時における文民の保護などを規定したジュネーブ諸条約に違反し，また人道に対する罪に当たるとして，これを裁くため1993年に安全保障理事会決議827をもって特別の国際刑事法廷をハーグに設置した（旧ユーゴ国際刑事法廷）。翌94年には，フツ族とツチ族による内戦流血が収まらないルワンダでの虐殺行為を裁くため，安全保障理事会決議955によってルワンダ国際刑事法廷を設置した。また1988年，ローマで常設の国際刑事裁判所設立のための国際会議が開かれ，国際刑事裁判所設立条約（ローマ規程）が採択された。そして要件とされる60か国の批准が整い，2002年に国際刑事裁判所（ICC）が設立された。

2. 欧州連合（EU）は1993年に発効したヨーロッパ連合条約（マーストリヒト条約）によって誕生した。本肢の「1973年」は誤り。2007年に調印されたリスボン条約では，それまで輪番，交代制であった欧州理事会議長を常任化したほか，それまでの共通外交・安全保障政策上級代表と欧州委員会対外関係担当委員の役職を統合し，新たに外務・安全保障政策上級代表のポストを設けた。外務・安全保障政策上級代表は，外相理事会の常任議長となり（欧州委員会副委員長を兼務），また上級代表の補佐機関として欧州対外活動庁長が新設されるなど，EU の外交機能の強化が図られた。本肢の「外務・安全保障政策上級代表の機能を弱めて，EU として積極的な外交を行う難しさを示した」という記述は誤り。

3. アジア太平洋地域の経済連携協定として，2016年に同地域の12か国が環太平洋パートナーシップ（TPP）協定を調印した。その後2017年に米国が脱退したため，日本が主導して2018年に新たな協定である，環太平洋パートナーシップに関する包括的および先進的な協定（CPTPP）（通称 TPP11）が締結され発効した。本肢の「文化交流協定」および「日本は交渉に参加しないまま」は誤り。

4. 包括的核実験禁止条約（CTBT）は，宇宙空間，大気圏内，水中，地下を含むあらゆる空間での核兵器の核実験による爆発，その他の核爆発を禁止する条約で，1996年に採択され署名のために開放された。日本は1996年に署名，1997年に批准した。CTBT が発効するためには，発効要件国（核兵器保有国を含む44か国）すべての批准が必要とされている。しかし，現在のところ，米，印，パキスタン等一部の発効要件国の批准の見通しは立っておらず，条約は未発効。本肢の「1963年に包括的核実験禁止条約が署名のために開放され」たという記述は誤り。核不拡散条約（NPT）は，1968年に署名開放され，1970年に発効した。わが国は1970年に署名，1976年に批准している。同条約は，米・露・英・仏・中の５か国を「核兵器国」と定め，「核兵器国」以外への核兵器の拡散を防止する義務が定められている（第１条）。本肢の「核兵器を自由に拡散できる核兵器国」という記述は誤り。

5. 1997年に京都で行われた国連気候変動枠組条約の第３回締約国会議で採択された京都議定書では，先進国に温室効果ガスの排出削減が義務づけられた。2008年から2012年の５年間に温室効果ガスの総排出量を全体で1990年に比べ５％削減するものとし，EU８％，米国７％，日本６％の国別削減目標が定められた。しかし，議定書の策定後，経済に打撃を与えかねないとして米国が離脱した。本肢の「米国が義務を負わなかった」という記述は誤り。また京都議定書で削減が義務づけられたのは先進国だけであり，「途上国が離脱」も誤りである。

正答　1

No. 55 専門試験 国際関係 国連憲章の英文 令和4年度

次の英文は，それぞれ国連憲章の条項の一部である。この中で集団安全保障の強制措置を定めたものとして妥当なのはどれか。

1 All Members shall refrain in their international relations from the threat or use of force against the territorial integrity or political independence of any state, or in any other manner inconsistent with the Purposes of the United Nations.

2 Nothing contained in the present Charter shall authorize the United Nations to intervene in matters which are essentially within the domestic jurisdiction of any state or shall require the Members to submit such matters to settlement under the present Charter; but this principle shall not prejudice the application of enforcement measures under Chapter Ⅶ.

3 In order to ensure prompt and effective action by the United Nations, its Members confer on the Security Council primary responsibility for the maintenance of international peace and security, and agree that in carrying out its duties under this responsibility the Security Council acts on their behalf.

4 Should the Security Council consider that measures provided for in Article 41 would be inadequate or have proved to be inadequate, it may take such action by air, sea, or land forces as may be necessary to maintain or restore international peace and security. Such action may include demonstrations, blockade, and other operations by air, sea, or land forces of Members of the United Nations.

5 Nothing in the present Charter shall impair the inherent right of individual or collective self-defence if an armed attack occurs against a Member of the United Nations, until the Security Council has taken measures necessary to maintain international peace and security. Measures taken by Members in the exercise of this right of self-defence shall be immediately reported to the Security Council and shall not in any way affect the authority and responsibility of the Security Council under the present Charter to take at any time such action as it deems necessary in order to maintain or restore international peace and security.

各選択肢の日本語訳は次のとおり。

1 すべての加盟国は，その国際関係において，武力による威嚇または武力の行使を，いかなる国の領土保全または政治的独立に対するものも，また，国際連合の目的と両立しない他のいかなる方法によるものも慎まなければならない。

2 この憲章のいかなる規定も，本質上いずれかの国の国内管轄権内にある事項に干渉する権限を国際連合に与えるものではなく，またその事項をこの憲章に基づく解決に付託することを加盟国に要求するものでもない。ただし，この原則は，第７章に基づく強制措置の適用を妨げるものではない。

3 国際連合の迅速かつ有効な行動を確保するため，国際連合加盟国は，国際の平和及び安全の維持に関する主要な責任を安全保障理事会に負わせるものとし，かつ安全保障理事会がこの責任に基づく義務を果たすに当たって加盟国に代わって行動することに同意する。

4 安全保障理事会は，第41条に定める措置が不十分であろうと認め，または不十分なことが判明したと認めるときは，国際の平和および安全の維持または回復のために必要な空軍，海軍または陸軍の行動をとることができる。この行動は，国際連合加盟国の空軍，海軍または陸軍による示威，封鎖その他の作戦を含むことができる。

5 この憲章のいかなる規定も，国際連合加盟国に対して武力攻撃が発生した場合には，安全保障理事会が国際の平和および安全の維持に必要な措置をとるまでの間，個別的または集団的自衛の固有の権利を害するものではない。この自衛権の行使において加盟国がとった措置は，直ちに安全保障理事会に報告しなければならない。また，この措置は，安全保障理事会が国際の平和および安全の維持または回復のために必要と認める行動をいつでもとるこの憲章に基づく権限及び責任に対しては，いかなる影響も及ぼすものではない。

＊　＊　＊

1．国連加盟国の行動の原則を定めた国連憲章第２条４項の規定である。国連憲章は，戦争だけでなく武力の行使を一般的に禁止している。

2．国連憲章第２条７項の規定である。国連は，他国の国内管轄権内にある事項に干渉する権限を持たないとしており，国連による国家への不干渉原則となっている。

3．安全保障理事会の任務と権限が国際の平和と安全の維持であることを定めた国連憲章第24条１項の規定である。

4．妥当である。国連憲章第42条の集団安全保障に関する軍事的措置を定めた規定である。

5．国際連合加盟国は国際法上，個別的または集団的自衛権を有していることを定めた国連憲章第51条の規定である。

正答　4

国家一般職［大卒］ No. 56 専門試験

社会学　社会学理論　令和4年度

社会学の理論に関する次の記述のうち，妥当なのはどれか。

1　T.パーソンズは，オートポイエーシスの概念を社会学に導入し，社会システムはその構成要素であるコミュニケーションを人間の心的システムから連続的に取り込むことによって，社会システム自体の秩序を安定させるとした。

2　G.ジンメルは，人々が複数の社会圏に参加するようになると，それぞれの社会圏が個人に課す規範の圧力が強くなるため，個人の個性の発達が抑制されるとした。同様に，多くの人々が集まる大都市では，様々な規範の圧力が生じるため，個人的自由が形成されにくいとした。

3　H.G.ブルーマーは，シンボリック相互作用論の三つの前提として，第一に，人間はものごとに意味を付与し，その意味に基づいて行動するということ，第二に，意味は社会的相互作用の中から形成されるということ，第三に，意味は人間によって解釈されるということを挙げた。

4　N.ルーマンは，個人が定めた目的を各人が自由に追求する結果，社会秩序が維持されなくなるという問題をホッブズ的秩序問題として定式化し，行為者が互いの利害を一致させ，自由意志に基づく契約を結ぶという主意主義的行為を採用することで解決するとした。

5　E.ゴフマンは，パフォーマーやオーディエンスがプレイやゲームを通して段階的に学習した役割を「一般化された他者」と呼び，相互行為の秩序は，行為者がドラマの演技者と同様，与えられた役割から距離をとることなく没頭し，それを忠実に演じることで初めて維持されるとした。

1．オートポイエーシスの概念を社会学に導入することで社会システム論を展開したのは，N.ルーマンである。また，ルーマンのいう社会システムとは，コミュニケーションを構成要素として，それを絶えず産出し続けるというプロセスであり，この社会システムは，心的システムとは基本的には別個独立している。このために，「コミュニケーションを人間の心的システムから連続的に取り込むことによって，社会システム自体の秩序を安定させる」は誤りである。

2．ジンメルは，人々が複数の社会圏に参加するようになると，それだけ広い活動領域が与えられ，この積み重ねによって，個人の個性はより高度に発達していくと論じた。また，多くの人々が集まる大都市では，互いに無干渉でいるという生活態度が形成されることで，人々は，自分の生活様式を誰にも強制されないという自由を獲得することができると論じた。

3．妥当である。

4．ホッブズ的秩序問題を定式化したのも，主意主義的行為論を展開したのもパーソンズである。またパーソンズの主張した主意主義的行為理論とは，行為を，客観的，外的要因のみならず，主観的要因（努力，意志など）なども不可欠のものとして重視しようとする理論である。したがって主意主義的行為を単に「利害を一致させ，自由意志に基づく契約を結ぶ」行為だとする後半の記述も誤りである。

5．「プレイやゲームを通して段階的に学習した役割を『一般化された他者』と呼び」という部分はG. H. ミードに関する記述である。ゴフマンは，行為者をパフォーマーとオーディエンスに見立てることによって相互行為秩序を探究したが，その際，「役割距離」という概念によって，与えられた役割から距離をとるという相互行為上の技法を指摘し，考察を加えているため，「与えられた役割から距離をとることなく没頭し」以降の記述は誤りである。

正答　3

国家一般職 [大卒] 専門試験

No. 57 社会学 社会集団 令和4年度

社会集団についての学説に関する次の記述のうち，妥当なのはどれか。

1 J. オルテガ・イ・ガセットは，『聖なる天蓋』において，群衆の非合理性を説いた。特に，祝祭などの儀礼を行う聖の時空間に人々が集合することで発生する非日常的な興奮状態に着目し，これを集合沸騰と呼んだ。

2 G. ル・ボンは，『群衆心理』において，暗示により扇動され不善をなすような存在という，それまでの群衆のイメージを否定して，その合理性を説き，行為者の合理的な行為が集積した結果として社会現象を説明した。

3 G. タルドは，『世論と群衆』において，公衆を，個人が同一空間に集合することで成立する一時的な現象と捉えた。個人間の相互作用を必要とする群衆に対し，公衆は相互作用を必要としないため，暗示や模倣が生じず，精神的集合体になりにくいとした。

4 W. コーンハウザーは，『大衆社会の政治』において，大衆社会論を貴族主義的批判と民主主義的批判に分類した。さらに，エリートへの接近可能性と非エリートの操縦可能性という二つの変数の高低により社会類型を区分し，前者が高く後者が低い社会を多元的社会とした。

5 D. リースマンは，『孤独な群衆』において，社会の発展に伴い，社会的性格が，「伝統指向型」から，慣習と儀礼の体系に従う「他人指向型」を経て，内集団に準拠する「内部指向型」へと発展すると論じた。

解説

1. 『聖なる天蓋』は，P. バーガーの著書。オルテガは『大衆の反逆』で，大衆による政治支配を悲観的に論じた。群衆の非合理性を説いて有名なのはル・ボンである。また，第2文目で説明されている「集合沸騰」はデュルケムが論じた。

2. ル・ボンは同書で，「暗示により扇動され不善をなすような存在」として，すなわち非合理的存在としての群衆を描き出した。

3. 「個人が同一空間に集合することで成立する一時的な現象」は群衆である。タルドは，空間的には散在していても，新聞などのメディアを通じて，特定の争点のもとに結びつき，相互作用（討論）を行っている精神的集合体として，「公衆」をとらえた。

4. 妥当である。

5. リースマンは，社会の発展に伴い，社会的性格が，慣習と儀礼の体系に従う「伝統指向型」から自己のうちに形成された信念や良心に従う「内部指向型」を経て，他者に準拠する「他人指向型」へと発展すると論じた。

正答 4

国家一般職［大卒］
専門試験

No. 58 社会学 M. ヴェーバーの学説 令和4年度

M. ヴェーバーの学説に関する次の記述のうち，妥当なのはどれか。

1 『プロテスタンティズムの倫理と資本主義の精神』において，世俗外禁欲が求められるプロテスタントが，あらゆる欲望を肯定する近代資本主義に反発し，職業労働を拒んだために，近代資本主義の発展が抑制されたと論じた。

2 方法論的個人主義の立場を採り，個人の行為は，動機などの主観的意味ではなく，客観的事実である行為の結果によって理解されるとした。さらに，個人間の相互作用による関係形成を社会化と呼び，社会化の形式を対象とする専門科学として形式社会学を提唱した。

3 命令と服従から成る支配という現象を，その正当性を基準にして分類し，支配の4類型を示した。その一つである伝統的支配の典型として官僚制を挙げ，官僚制によって，正確性，迅速性，継続性などが達成されるとした。

4 法律・政治制度，社会意識・イデオロギーなどを社会全体の土台とし，その上に，生産力と生産関係から成る生産様式が形成されるとした。生産力が発展すると，それまで対応関係にあった生産関係との間に矛盾が生まれ，これにより社会変動が引き起こされるとした。

5 社会科学における客観性について，研究者の主観的な視点を前提としつつも，事実認識と価値判断を峻別し，価値判断を自覚的にコントロールする態度こそが客観的な態度であると主張し，これを価値自由と呼んだ。

解説

1. ヴェーバーは同書において，禁欲的に職業労働に邁進することを奨励するプロテスタンティズムの教義が，近代資本主義の誕生に大きく貢献したのだと論じた。

2. ヴェーバーが方法論的個人主義の立場を採ったという点は正しいが，それは，個人の行為における動機などの主観的意味を理解することを重視する方法である。社会化の形式を対象とする専門科学として形式社会学を提唱したのは，ヴェーバーではなくG. ジンメルである。

3. ヴェーバーは支配を，その正当性の基準から「伝統的支配」「カリスマ的支配」「合法的支配」の3つに類型化した。このうち，官僚制は「合法的支配」の典型とされている。

4. K. マルクスの上部構造－土台論を想起させる文章である。ただしマルクスは，生産力と生産関係からなる生産様式を土台とし，そのうえに，法律・政治制度，社会意識・イデオロギーなどが形成されるとしている。本肢はこの説明が逆になっている。

5. 妥当である。

正答 5

国家一般職［大卒］ No. 59 専門試験

社会学　情報社会　令和4年度

情報社会に関する次の記述のうち，妥当なのはどれか。

1 M. マクルーハンは，活版印刷技術の普及により，視覚を中心とする感覚の編成が進むとともに社会全体も視覚経験に従って再編されていくが，テレビのような電子のメディアが登場することにより，再び感覚と社会の編成が大きく変化していくとした。

2 D. ベルは，産業革命以降に発展した機械技術とエネルギーを利用し，作業の合理化を推し進める先進資本主義が，イデオロギーの復権とともに，情報産業とサービス業が発展し，科学的な研究開発，理論的知識が社会を主導する科学的社会主義に移行するとした。

3 P. ラザーズフェルドは，インターネット上の意見分布の調査を行い，少数派の意見の持ち主はインターネット上での批判と孤立を恐れて投稿を躊躇（ちゅうちょ）する傾向があるため，多数派の意見がますます存在感を高めていくとする「コミュニケーションの二段の流れ」を提唱した。

4 W. リップマンは，社会構築主義の立場から，現実は行為者による外化，客観化，内在化という三つのプロセスから構成されるとし，そこから生まれる疑似環境と，メディアが提供するイメージによって思い描かれる現実環境とは区別されなければならないとした。

5 政治が安定化した1950年代，M. マコームズと D. ショーは，メディアが現実の出来事の中から何を取捨選択し，どのくらいの規模で論じるかを決定することにより，議論すべき焦点を人々に強く訴えるという皮下注射モデルを提唱した。

解説

1．妥当である。

2．ベルは，機械技術や作業の合理化などによって特徴づけられる工業社会が，イデオロギーの終焉とともに，情報産業や理論的知識などによって特徴づけられる脱工業社会に移行すると論じた。

3．ラザーズフェルドが「コミュニケーションの二段の流れ」を提唱したのは，『ピープルズ・チョイス』(1944年) で，インターネットの普及以前である。また「コミュニケーションの二段の流れ」とは，マスコミから流される情報は，まずオピニオン・リーダーと呼ばれる人たちに伝わり，そこからフォロワーと呼ばれる人々に伝えられていくということを説明するものである。

4．リップマンが疑似環境論を展開したのは『世論』(1922年) であるが，この頃にはまだ，「社会構築主義」という立場は存在していない。またリップマンは，メディアが提供するイメージによって作り出されものを，現実環境と区別して疑似環境と呼んだ。

5．「皮下注射モデルを提唱した」という部分が誤り。彼らはこれを「議題設定効果」と呼んだ。

正答　1

国家一般職
[大卒]

No. 60 専門試験

社会学　国際社会の変化　令和4年度

国際社会の変化に関する次の記述のうち，妥当なのはどれか。

1　I. ウォーラーステインによると，資本主義経済システムとしての世界システムは，システムの内部に中心・反中心・周辺の三層の空間構造を有しており，世界システムの誕生以来，こうした中心・反中心・周辺に属する国と地域は変動していないとされる。

2　日本に居住する外国人のうち，第二次世界大戦以前から日本に滞在・居住している在日中国人や在日韓国・朝鮮人などをオールドカマー（オールドタイマー）と呼ぶのに対して，戦後，特に1980年代頃から新たに来日した外国人をニューカマーと呼ぶ。

3　プッシュ＝プル理論とは，先進社会と発展途上社会との間にある雇用の大きさや賃金の格差よりも，本国のコミュニティと相手国にあるコミュニティを含めた社会的ネットワークが果たす役割に注目することによって，企業が海外投資を行う要因を説明しようとする理論である。

4　A. R. ホックシールドのいうグローバルなケア・チェーンとは，原材料の調達から生産，流通，販売，消費に至る世界規模のネットワークを指し，例えば，発展途上社会の労働者が先進社会の企業が所有する現地工場で生産労働に従事することも含まれる。

5　B. アンダーソンのリスク社会論によると，富の分配をめぐる対立が紛争の中心となる産業社会に対し，リスク社会では，リスクをいかに分配するかが問題となる。したがって，環境ホルモンなど知覚しにくいものは，分配が困難なため，ここでいうリスクには含まれない。

1. ウォーラステインは世界システムを中心（中核），半周辺，周辺の3層構造を有しているととらえた。また，どの国や地域が，中心（中核），半周辺，周辺のいずれに属するのかは，時代とともに変化するものとされている。

2. 妥当である。

3. プッシュ＝プル理論とは，先進社会と発展途上社会との間にある雇用の大きさや賃金の格差によって国際的な労働力移動を説明するものである。労働力が，低賃金で雇用機会の小さい社会から，高賃金で雇用機会の大きい社会へと移動していく場合，労働力を押し出す側の要因（低賃金，雇用機会小）がプッシュ要因，吸収する側の要因（高賃金，雇用機会大）がプル要因といわれる。本肢にあるような，コミュニティ間のネットワークに注目するのはトランスナショナル論と呼ばれる。

4. 本肢はグローバル・サプライ・チェーンの説明となっている。ホックシールドのいうグローバルなケア・チェーンとは，介護，看護，育児などのケア労働にかかわるものである。富める国（地域）は貧しい国（地域）から介護や育児などのケア労働を調達し，貧しい国（地域）は，さらに貧しい国（地域）からそれを調達する。このような，経済格差を基盤としたケア労働の収奪の連鎖現象を，彼は，グローバルなケア・チェーンと呼んだ。

5. リスク社会論を主導したのはアンダーソンではなくU.ベックである。ベックによれば，産業社会においては，階級などの社会的格差を背景として，富の分配を巡る対立が紛争の中心となったが，リスク社会では，自然や健康などが，社会的格差にかかわりなくリスクに曝され，その影響はすべての人々に平等に降りかかる。そのため「分配」は問題ではなくなる。また，ベックが指摘する今日のリスクの特徴は，放射線や環境ホルモンなど，通常は知覚できないようなリスクである。

正答　2

国家一般職［大卒］ No. 61 専門試験

心理学 記憶に関する実験の概要 令和4年度

次は，記憶に関するある実験の概要であるが，この実験と関連の深い記憶の区分や用語として妥当なのはどれか。

15語程度の単語のリストから1語ずつ，一定の時間間隔で実験参加者に提示した。実験参加者は，単語の提示が終了した直後に，思い出すことのできる単語を，順序に関係なくできるだけ多く答えるという「自由再生」を多数回行った。リスト内の各位置についての再生成績を集計した結果，リストの初頭部と終末部に位置する単語の再生成績が，中央部に位置する単語に比べて高くなった。一方，単語の提示後に30秒程度の計算課題を行い，その後に自由再生を行った場合は，リストの中央部に比べて，初頭部の再生成績は高くなったが，終末部の再生成績が高くなることはなかった。

1 エピソード記憶と意味記憶の区分
2 短期記憶と長期記憶の区分
3 転移適切性処理
4 潜在記憶と顕在記憶の区分
5 意味ネットワーク

1．エピソード記憶とは，「いつ，どこで」というように，時間と場所が定位された個人的経験の記憶である。対して意味記憶は，言語の意味の記憶のように，特定の状況に依存せず常に思い出され，使用することのできるものである。本問の実験とは関連がない。

2．妥当である。系列位置効果を示した実験で，短期記憶と長期記憶の 2 つの記憶システムを反映している。短期記憶は，短時間（約30秒）しか保持されない記憶で，その短い間のうちに反復（リハーサル）されなければ消失してしまう。短期記憶が反復されたり，その意味が分析されたりするなどの処理を受けることで，安定した長期記憶になる。初頭で提示される単語は，後から提示される単語に比べて覚える時間が長く，多数回リハーサルされることで長期記憶として定着されやすい。よって再生成績がよくなる（初頭効果）。終末に提示される単語は短期記憶として残っているため，こちらも再生成績がよくなる（新近効果）。妨害課題（計算課題）を挟んだ場合は，長期記憶として定着している初頭部の再生成績は高いものの，短期記憶として残っているだけの終末部のそれは高くない（妨害課題に影響される）。

3．転移適切性処理とは，学習（習得）したときに近い状況であるほど，情報を思い出しやすいことである。本問の実験とは関連がない。

4．潜在記憶は「思い出す」という想起意識を伴わないで用いることのできる記憶，いうなれば体で覚えている記憶である（自転車の乗り方など）。対して顕在記憶は，「思い出す」という想起意識によって呼び出される。本問の実験とは関連がない。

5．意味ネットワークは，意味記憶の関連の構造を表すモデルで，意味的関連性が強い概念が近接して表現される。本問の実験とは関連がない。

正答　2

No. 62 専門試験 心理学 古典的条件づけの実験 令和4年度

次は，古典的条件づけの実験に関する記述であるが，A～Dに当てはまるものの組合せとして妥当なのはどれか。

古典的条件づけの系統的な実験を初めて行ったのはI.P.パブロフである。通常，イヌは，食べ物として口に肉粉を与えられると唾液を分泌するが，メトロノームの音を聞いただけでは唾液を分泌しない。すなわち，メトロノームの音は，本来は唾液分泌反応を引き起こすことのない［　A　］刺激である。パブロフは，イヌの口に肉粉を与える際に，メトロノームの音を対にして提示する手続を繰り返し行った。その結果，イヌはメトロノームの音を聞いただけで唾液を分泌するようになった。

肉粉に対する唾液分泌は学習に基づく反応ではないことから，パブロフは，肉粉を［　B　］刺激，唾液分泌反応を［　B　］反応と呼んだ。これに対して，古典的条件づけの手続により，それだけで唾液分泌を引き起こすようになったメトロノームの音は［　C　］刺激，それによって生じる唾液分泌は［　C　］反応と呼ばれる。

パブロフの研究の影響を受けた［　D　］は，「アルバート坊や」で知られる生後11か月の乳児を対象に実験を行い，恐怖反応が古典的条件づけによって学習されることを示した。この乳児は，恐怖反応を引き起こす刺激（大きな音）とシロネズミを繰り返し対にして提示する手続により，実験の前には怖がらなかったシロネズミに恐怖反応を示すようになったという。

	A	B	C	D
1	中性	無条件	条件	J. B. ワトソン
2	中性	条件	無条件	J. B. ワトソン
3	条件	無条件	中性	B. F. スキナー
4	無条件	中性	条件	J. B. ワトソン
5	無条件	条件	中性	B. F. スキナー

解説

A：「中性」が入る。条件づけを経て，唾液分泌を引き起こすようになったメトロノームの音は条件刺激と呼ばれる。

B：「無条件」が入る。肉粉は，何の学習を経なくても（無条件に）唾液分泌を引き起こす刺激である。

C：「条件」が入る。唾液分泌を引き起こさない中性刺激であったメトロノームの音は，条件づけの手続きにより，それを引き起こす条件刺激となった。

D：「J. B. ワトソン」が入る。ワトソンの行動主義心理学理論は，行動とは刺激（S）への反応（R）と考える。ゆえに「S−R 理論」とも呼ばれ，パブロフの影響を受けている。B. F. スキナーは道具的（オペラント）条件づけを明らかにした人物で，ティーチング・マシンを使ったプログラム学習を提唱したことでも知られる。

よって，正答は**1**である。

正答　1

国家一般職［大卒］ No. 63 専門試験

心理学　防衛機制　令和4年度

防衛機制に関するA～Dの記述のうち，妥当なもののみを全て挙げているのはどれか。

A．子供に対して拒否感を持つ人が，その子供に対して過度に愛情を注ぐなどのように，受け入れ難い衝動や願望を抑圧し，それとは正反対の行動や態度をとることを「投影」又は「投射」という。

B．攻撃的な衝動をスポーツに向ける，性的な感情を芸術活動に向けるなどのように，社会的に受け入れられない衝動や欲求を，社会的に受け入れられる行動に変容して満足させることを「昇華」という。

C．自分が相手に対して持っている敵意を抑圧し，逆にその相手が自分に敵意を持っていると考えるなどのように，相手に向かう衝動や欲求を，その相手が自分に対して向けていると思うことを「反動形成」という。

D．小学校に入学した直後の子供が，やめていた指しゃぶりを再び始めるなどのように，困難な事態に直面したときに，過去の発達段階における未成熟な行動様式に戻ることを「退行」という。

1　A，B
2　A，D
3　B，C
4　B，D
5　C，D

A：投影・投射ではなく，反動形成である。投影・投射とは，自分が持っている欠点や望ましくない感情を自分のものと認めず，他人が持っていると考えることをいう。たとえば，浮気癖のある夫が，妻が浮気していると見立てて激しく非難するなど，落ち度をなすりつけることである。

B：妥当である。昇華は，最も積極的で健全な防衛機制といわれる。

C：反動形成ではなく，投影である。反動形成は，社会的に承認されない，ないしは見られたくない衝動を封じ込め（抑圧して），正反対の態度や行動をとることであるが，しばしば不自然に映る。

D：妥当である。退行により成熟が進んだ段階での高い欲求水準は引き下げられるので，欲求不満や不安が軽減される。退行は無意識的な心理機制とされるが，敢えて幼児的に振る舞うことで，欲求を充足しようという，意識的な戦略として用いられることもある。

よって，妥当なものはＢとＤであるので，正答は**4**である。

正答　4

国家一般職［大卒］ No. 64 専門試験

心理学 保存の概念に関する課題 令和4年度

次は，子供を対象としたある課題についての説明であるが，A，B，Cに当てはまるものの組合せとして妥当なのはどれか。

下図のような容器ア，イ及びウがある。アとイは，同形同大の容器であり，ウは，底面がア及びイよりも小さく，高さがア及びイよりも高い。

まず，Ⅰのようにア及びイに同量の水を入れ，アとイに入れた水の量が同じであることを子供に確認する。次に，子供の目の前で，Ⅱのようにイに入っている水をウに移し，アとウでは，どちらの水が多いかを質問する。

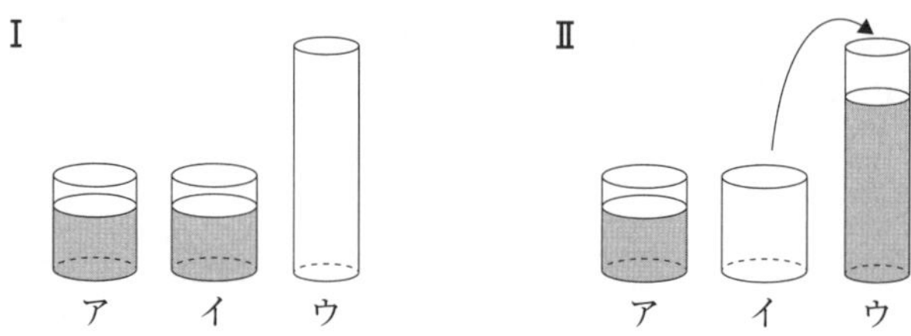

この課題では，「物の量は，その形が変わったとしても同じである」という理解のことである［ A ］を子供が有しているかを測定している。

J. ピアジェの発達理論において，アとウの水の量が同じであると分かるのは［ B ］期以降であるとされ，［ B ］期は，［ C ］期の次の発達段階である。

	A	B	C
1	保存の概念	具体的操作	感覚運動
2	保存の概念	具体的操作	前操作
3	保存の概念	形式的操作	前操作
4	対象物の永続性	具体的操作	形式的操作
5	対象物の永続性	形式的操作	感覚運動

A：「保存の概念」が入る。保存とは，個体や液体の物質量は形や布置状況が変わっても一定であることをいう。具体的操作期の子どもは，保存の観念を援用して，背の低い容器に入っている液体が縦長の背の高い容器に移されても，その量に変わりはないことを認識できる。対象の永続性は，ものは目の前から見えなくなっても存在し続けると認識することで，感覚運動期の子どももわかっている。

B：「具体的操作」が入る。目の前の具体物について論理的な思考ができるようになる時期で，保存の概念も獲得される。形式的操作期は具体的操作期の次の段階で，具体物を目にしなくても，言語や記号による抽象的な推論ができるようになる。

C：「前操作」が入る。実際に触れるなどの運動的活動を行わなくても，言語化された以前の認識体験（表象）をもとに，対象を認識できるようになる時期である。しかし論理的な思考は難しく，保存の概念も獲得していない（本問の実験だと，ウの縦長の容器に移された水の量は増えていると錯覚する）。感覚運動期は前操作期の前の段階で，もっぱら感覚と運動的活動を通して外界の事物を認識する時期である。

よって，正答は**2**である。

正答　2

専門試験

No. 65 心理学　集団の中の個人　令和 4 年度

集団の中の個人に関する次の記述のうち，妥当なのはどれか。

1　他者が見物人又は観察者として近くにいるときに作業のパフォーマンスが上がる現象を社会的促進といい，難しい作業を行う場合は，特にパフォーマンスが向上する。こうした他者の存在によるパフォーマンスの変化は，同じ作業を行う者がいるときは起こらないとされる。

2　他者が一緒に作業をしたり，近くにいたりすることにより，作業のパフォーマンスが下がる現象を社会的抑制といい，簡単な作業を行う場合は，特にパフォーマンスが低下する。他方，人が倒れるなどの緊急時では，多くの人がいても援助行動は抑制されない。これを傍観者効果という。

3　集団成員の行動や思考の準拠枠のことを流行といい，流行の普及要因を説明する理論は社会的インパクト理論という。この理論では，流行は，当事者にとっての問題の重要性と状況の曖昧さの積に比例するとされている。

4　個々人の行動や信念が所属集団の基準に一致する方向へと変化する現象を同調という。S. E. アッシュは，線分の長さを比較判断するという一人で行う場合はほとんど誤らないような簡単な課題であっても，実験参加者は，周囲の人が皆誤った判断を示すと，その判断に影響され得ることを実験から示した。

5　集団のヒエラルキー構造の上位にいる者の明示されない真意を推し量り，それに従う行動を服従という。S. ミルグラムは，人間に電気ショックを与えるという危険な課題であっても，実験参加者は，上位者の指示なく，自発的に危険な電圧の電気ショックを与えてしまい得ることを実験から示した。

1．難しい作業を行う場合は，パフォーマンスは低下する（社会的抑制）。また，同じ作業を行う者がいる場合も，パフォーマンスの変化は起きる。同じ作業を行う者がいることでパフォーマンスが向上することを，共行動効果という。

2．簡単な作業を行う場合，パフォーマンスは向上する（社会的促進）。傍観者効果とは，緊急時に多くの人が居合わせている場合，援助行動が抑制されることである。他の誰かが助けるだろう，という責任の分散が起きる。

3．流行とは，社会の一部の成員に伝達・共有されるに至った行動パターンや思想などをいう。短期間で消滅し，定着しないことが多く，集団成員の行動や思考の拠り所となっている準拠枠とは異なる。社会的インパクト理論は，個人の行動が他者から受ける影響を定式化しようとするものである。個人が受ける影響は，影響源である他者の強度，当該他者との近接性，当該他者の人数の積で決まるとされる。流行の普及要因を説明するものではない。

4．妥当である。集団の中の個人が同調に傾くかは，集団の凝集性の強度に加え，当該個人のパーソナリティや社会的地位などによっても決まる。

5．服従とは，集団の上位にある者（権威者）の命令や指示に従うことである。発せられた（明示された）命令に従うことであり，権威者の明示されない真意を推し量り，それに従うことをいうのではない。ミルグラムの実験では，上位者の指示に従い，自らの意に反しながらも，危険な電圧の電気ショックを与えてしまい得ることが示された。

正答　4

国家一般職［大卒］ No. 66 専門試験

教育学　西洋の教育思想　令和4年度

西洋の教育思想に関する次の記述のうち，妥当なのはどれか。

1　アテナイでは，自由と正義を重視したスパルタと異なり，教育は兵役準備の性格を持つものとして捉えられ，国民の生活と教育を国家管理の下に置くものとされた。また，子供は国家の所有物とされ，軍事訓練，スポーツなどを重視する国家主導型の教育が行われた。

2　ソクラテスは，当時のアテナイの市民が「自分は何も知らない」という「無知の知」を重視したことを批判し，教育者から学習者に直接的に真の知恵を教える問答法（産婆術）と呼ばれる独自の教育法を行った。

3　プラトンは，イデア論を批判して経験を重んじる実証主義の学風を掲げ，リュケイオンに学園を設立し教育活動を行った。『ニコマコス倫理学』のほか，真理を知るために，全てのものの存在を疑うことを提唱して『方法序説』を著した。

4　古代から中世において，実利や専門志向の知識に価値を置く専門科学の体系が形成され，文法学，修辞学，論理学（弁証法），算術の四学と，体育，幾何学，天文学，音楽の四科から構成されるリベラル・アーツとして確立された。

5　J. A. コメニウスは，全ての人に全ての事柄を教授することを目指して，あらゆる事柄に関する知識を網羅する汎知学（パンソフィア）の体系化に力を注ぎ，『大教授学』のほか，世界初の絵入り教科書『世界図絵』を著した。

1. アテナイとスパルタが逆である。アテナイでは自由と正義が重視されたが，スパルタでは厳しい軍国主義教育が行われた。今でも厳しい管理教育を言い表すものとして，「スパルタ教育」という言葉が使われる。

2. 問答法とは，問答を通して教育者（産婆に例えられる）が学習者を教育目標へと導く方法である。教育者が学習者に直接的に知恵を教えるのではない。ソクラテスは問答法を通して，青年たちに「自分は何も知らない」という「無知の知」の境地に至らしめた。したがって「アテナイの市民が……『無知の知』を重視したことを批判」という記述も誤りである。

3. プラトンではなく，アリストテレスについての記述である。プラトンはアカデメイアという学校を開き，青年らを教育した。また著書の『国家』において，イデア論を展開した。なお「真理を知るために，全てのものの存在を疑うことを提唱して『方法序説』を著した」のは，デカルトである。

4. リベラル・アーツは，文法学・修辞学・論理学の三学と，算術・幾何学・天文学・音楽の四科から構成される。

5. 妥当である。コメニウスは，近代教授学の祖と仰がれる。実物教授の支持者で，視覚や触覚などの五感が対象の認識に当たって重要な意義を持つと考え，教授は実際の事物を扱うべきであると述べている（『大教授学』）。『世界図絵』は，実物教授の教材としても知られる。

正答　5

国家一般職［大卒］ No. 67 専門試験

教育学　不登校　令和4年度

我が国における不登校に関する次の記述のうち，妥当なのはどれか。

1　教育機会確保法[*1]では，国及び地方公共団体が，学校以外の場における学習活動等を行う不登校児童生徒に対する支援を行うために必要な措置を講ずるものとされているほか，不登校児童生徒に対し，民間の団体が，昼間において授業を行う学校における就学の機会の提供その他の必要な措置を講ずるものとされている。

2　令和元年度の文部科学省通知「不登校児童生徒への支援の在り方について」によれば，教育支援センター（適応指導教室）は，通所希望者に対する支援に特化した不登校児童生徒への支援の中核となることが期待されている。ただし，中学校を卒業した者や私立学校等の児童生徒はその利用が認められないこととされている。

3　令和元年度の文部科学省通知「不登校児童生徒への支援の在り方について」によれば，義務教育段階の不登校児童生徒が学校外の公的機関やフリースクールなどの民間施設において相談・指導を受けている場合の指導要録上の出欠の取扱いについて，一定の要件を満たす場合に，これらの施設において相談・指導を受けた日数を出席扱いとすることができることとされている。

4　文部科学省の調査[*2]において，小学校及び中学校における理由別長期欠席者数については，「児童・生徒指導要録」の「欠席日数」欄の日数により，年度間に連続又は断続して90日以上欠席した児童生徒を対象とし，「家庭環境」，「居所不明」，「不登校」，「その他」の理由別に調査している。

5　文部科学省の調査によれば，小学校及び中学校の不登校児童生徒数は，平成３年度以降一貫して増加していたものの，教育機会確保法が施行された平成29年度以降減少傾向に転じた。また，小学校及び中学校の不登校児童生徒における不登校の要因の主たるものは，「いじめ」，「進路に係る不安」，「親子の関わり方」の順に多い。

＊1　義務教育の段階における普通教育に相当する教育の機会の確保等に関する法律
＊2　令和元年度 児童生徒の問題行動・不登校等生徒指導上の諸課題に関する調査

1.「民間の団体が，昼間において授業を行う学校における就学の機会の提供その他の必要な措置を講ずる」という規定はない。地方公共団体が「夜間その他特別な時間において授業を行う学校における就学の機会の提供その他の必要な措置を講ずる」という規定はある（第14条）。近年，夜間中学校の設置が進められており，主に義務教育を終えていない高齢者や外国人等が学んでいる。学齢期の中学生を受け入れることも可能である。

2. 教育支援センターは，通所を希望しない者への訪問型支援も行う。また，文部科学省『教育支援センター整備指針』によると，「必要に応じて，中学校を卒業した者についても進路等に関して主として教育相談等による支援を行うことが望ましい」とある。私立学校等の児童生徒は利用できない，という規定もない。

3. 妥当である。「当該施設における相談・指導が不登校児童生徒の社会的な自立をめざすものであり，かつ，不登校児童生徒が現在において登校を希望しているか否かにかかわらず，不登校児童生徒が自ら登校を希望した際に，円滑な学校復帰が可能となるよう個別指導等の適切な支援を実施していると評価できる場合，校長は指導要録上出席扱いとすることができる」とある（通知の別記１）。

4. 90日以上ではなく，30日以上である。長期欠席の理由のカテゴリーに「家庭環境」と「居所不明」というものはない。「病気」「経済的理由」「不登校」「その他」の理由別に調査されている。

5. 小・中学校の不登校児童生徒数は，平成29年度以降も増加を続けている。平成29年度は14万4,031人だったが，令和２年度は19万6,127人となっている。小・中学生の不登校の要因は「無気力，不安」「生活リズムの乱れ，あそび，非行」「いじめを除く友人関係をめぐる問題」の順に多い（令和２年度）。

正答　3

国家一般職［大卒］ 専門試験

No.68 教育学 障害者の生涯学習支援 令和4年度

次は，我が国における障害者の生涯学習支援に関する記述であるが，A～Dに当てはまるものの組合せとして妥当なのはどれか。

・　障害者の権利に関する条約の批准（平成26年），［　A　］の施行（平成28年）等に伴い，障害者の学校卒業後の学びや交流の機会整備及び生涯のライフステージを通じた学習活動の充実の必要性が高まっている。

・　文部科学省では，障害者学習支援推進室が中心となって，学校卒業後における学びの支援，福祉，保健，医療，労働等の関係部局と連携した進学・就職を含む切れ目ない支援体制の整備，障害のある子供の自立や社会参加に向けた主体的な取組を支援する［　B　］，障害者スポーツや障害者の文化芸術活動の振興等に取り組んでいる。

・　生涯学習の場における物理的環境，人的支援，意思疎通における具体的［　C　］の在り方やルール・慣行の柔軟な変更の在り方等の観点から，障害の有無にかかわらず共に学ぶ場をつくるための合理的［　C　］の在り方等について調査研究を行うことが求められている。

・　第3期教育振興基本計画では，障害者の生涯学習を推進することが目標の一つに掲げられており，それに向けて，地域と学校の連携・協働の下，地域全体で子供たちの成長を支え，地域を創生する［　D　］を推進するとされている。

	A	B	C	D
1	障害者差別解消法*1	チーム学校	配慮	青少年活動
2	障害者差別解消法	特別支援教育	配慮	地域学校協働活動
3	障害者差別解消法	チーム学校	包摂	青少年活動
4	障害者総合支援法*2	特別支援教育	包摂	青少年活動
5	障害者総合支援法	チーム学校	包摂	地域学校協働活動

＊1　障害を理由とする差別の解消の推進に関する法律

＊2　障害者の日常生活及び社会生活を総合的に支援するための法律

A：「障害者差別解消法」が入る。第７条にて「行政機関等は，その事務又は事業を行うに当たり，障害を理由として障害者でない者と不当な差別的取扱いをすることにより，障害者の権利利益を侵害してはならない」と定めている。障害者総合支援法は，平成25年に障害者自立支援法が名称変更したものである。

B：「特別支援教育」が入る。障害のある子どもの教育は，以前は特殊教育といっていたが，現在では特別支援教育という。チーム学校は，学校の教職員が外部の多様な専門人材（スクールカウンセラー，部活動指導員等）と協働することをいう。

C：「配慮」が入る。合理的配慮とは「障害者が他の者と平等にすべての人権及び基本的自由を享有し，又は行使することを確保するための必要かつ適当な変更及び調整であって，特定の場合において必要とされるものであり，かつ，均衡を失した又は過度の負担を課さないもの」をいう（障害者の権利に関する条約第２条）。

D：「地域学校協働活動」が入る。地域学校協働活動とは「幅広い地域住民の参画を得て，地域全体で子供たちの学びや成長を支えるとともに，『学校を核とした地域づくり』を目指して，地域と学校が相互にパートナーとして，さまざまな取組みを組み合わせて実施する活動」をいう（文部科学省）。放課後子供教室や家庭教育支援活動等である。

よって，正答は**2**である。

正答　2

国家一般職［大卒］ No. 69 専門試験

教育学　文化と教育　令和4年度

次は，我が国における文化についての教育に関する記述であるが，A～Dに当てはまるものの組合せとして妥当なのはどれか。

なお，文中の［　　　］については設問の都合上伏せてある。

- 平成29年3月に告示された小学校学習指導要領及び中学校学習指導要領において，古典など我が国の言語文化，都道府県内の主な文化財や年中行事の理解，我が国や郷土の音楽，和楽器，武道，和食や和服などの指導を通じて，［　A　］や文化に関する教育の充実が目指されている。
- 平成29年3月に告示された小学校学習指導要領において，［　B　］の目標の一つとして，［　　　］を通して，言語やその背景にある文化に対する理解を深め，相手に配慮しながら，主体的に［　　　］を用いてコミュニケーションを図ろうとする態度を養うことが掲げられている。
- ［　C　］は，資料収集・保存，調査研究，展示，教育普及といった活動を一体的に行う施設であり，実物資料を通じて人々の学習活動を支援する施設としても，重要な役割を果たしている。
- ［　D　］では，平成30年10月，新たに学校芸術教育室を設置し，これまで文部科学省本省が所管していた「学校における芸術に関する教育の基準の設定に関する事務」を［　D　］に移管し，学校教育における全ての子供たちへの芸術に関する教育の充実を図っている。

	A	B	C	D
1	芸術	社会科	図書館	デジタル庁
2	芸術	外国語活動	博物館	文化庁
3	伝統	社会科	図書館	文化庁
4	伝統	外国語活動	博物館	文化庁
5	伝統	外国語活動	図書館	デジタル庁

A：「伝統」が入る。2006年に改正された教育基本法で，教育の目標（第２条）に「伝統と文化を尊重し，それらをはぐくんできた我が国と郷土を愛するとともに，他国を尊重し，国際社会の平和と発展に寄与する態度を養うこと」が加えられたこととも関連している。

B：「外国語活動」が入る。平成20年告示の学習指導要領で小学校の教育課程に加えられたもので，平成29年告示の学習指導要領では中学年（第３学年・第４学年）で扱うこととされている。高学年（第５学年・第６学年）での教科としての外国語とは異なり，音声やコミュニケーションに重点が置かれる。なお，［　］には「外国語」が入る。

C：「博物館」が入る。公民館や図書館と並ぶ代表的な社会教育施設で，「歴史，芸術，民俗，産業，自然科学等に関する資料を収集し，保管し，展示して教育的配慮の下に一般公衆の利用に供し，その教養，調査研究，レクリエーション等に資するために必要な事業を行い，あわせて，これらの資料に関する調査研究をすること」を目的とする（博物館法第２条）。博物館には，学芸員（学芸員補）という専門職が置かれる。

D：「文化庁」が入る。文化芸術による子ども育成推進事業として，芸術家を学校等に派遣する事業などを行っている。

よって，正答は**4**である。

正答　4

国家一般職[大卒] No. 70 専門試験

教育学 学校における教育評価 令和4年度

学校における教育評価に関するA～Dの記述のうち，妥当なもののみを全て挙げているのはどれか。

A．到達度評価は，「わかる・できる」という具体的内容の到達を表す規準・基準によって学習状況を明らかにするもので，その実施手順として，①実践の開始時の診断的評価，②実践の中途で状況を把握する形成的評価，③実践の終了時の結果をみる総括的評価，という3段階のプロセスに沿った教育評価を行う。

B．パフォーマンス評価は，ペーパーテスト中心の評価に対する批判から登場したもので，評価しようとする能力や技能を実際に用いる活動の中で評価しようとするものである。この評価の採点指針として，課題の質を段階的に評価するための採点尺度表であるルーブリックが使用される。

C．個人内評価は，絶対評価の一種で，被評価者が持つ多様な側面や複数の特性どうしを比較する縦断的個人内評価と，被評価者の過去と現在を比較してどの程度進歩しているかを判断する横断的個人内評価の二つの方法がある。

D．ゴール・フリー評価は，「目標に基づく評価」に対して主張されるもので，評価を実施する前に，評価目標を定めない評価のことである。平成13年の文部科学省による指導要録の改善通知により，評価の基本的な枠組みとして，児童生徒一人一人の良い点や可能性，進歩の状況などを評価するため，ゴール・フリー評価への転換が図られた。

1 A，B
2 A，C
3 B，C
4 B，D
5 C，D

解説

A：妥当である。到達度評価では，到達すべき目標にどれほど達しているかで評価する。本肢の①～③の順に実施されているが，このような分類を行ったのはアメリカのB. S. ブルームである。

B：妥当である。平成28年12月の中央教育審議会答申では「資質・能力のバランスのとれた学習評価を行っていくためには，指導と評価の一体化を図る中で，論述やレポートの作成，発表，グループでの話合い，作品の制作等といった多様な活動に取り組ませるパフォーマンス評価などを取り入れ，ペーパーテストの結果にとどまらない，多面的・多角的な評価を行っていくことが必要である」とされている。その際，学習の目標と達成レベルを示した診断基準の表（ルーブリック）が用いられる。

C：縦断的個人内評価と横断的個人評価が反対である。前者は過去の成績等との比較（タテの比較）で，後者は他教科の成績等との比較（ヨコの比較）である。近年では，個人内評価も重視されるようになっている。

D：平成13年の文部科学省による指導要録の改善通知では，児童生徒一人一人のよい点や可能性，進歩の状況などを評価するため，個人内評価への転換が図られた。ゴール・フリー評価への転換ではない。

よって，妥当なものはAとBであるので，正答は**1**である。

正答　1

Select the statement which best corresponds to the content of the following passage.

Jhumpa Lahiri doesn't know what her native language is. She speaks Bengali and English, but since she moved from New York to Rome about a decade ago, she has been writing in Italian, the language she speaks every day.

Then she decided to translate her novel *Whereabouts* into English: "I was curious to see how my voice would emerge back in English filtered through the Italian," she told the online Melbourne Writers Festival. It was an experience that turned her into two people, and left her sometimes spending half a day figuring out one sentence.

Lahiri is an exception. Most writers have neither the skills nor the inclination to translate their own books, which is where invisible translators step in. It's a tightrope-walking feat: using your creative gifts as a writer, but also subordinating them to the spirit of the work you're illuminating.

We have excellent translators in Australia, although you've probably never heard of most of them. This weekend sees an online symposium run by AALITRA (Australian Association for Literary Translation). Publishers and writer-translators such as Elizabeth Bryer, Brigid Maher, Tiffany Tsao and Nadia Niaz will be looking at the state of Australian translation today, and how it could be developed further.

Meanwhile, the online language learning provider Preply has released a report on the most translated books in the world (minus religious texts). What a mixed bag: bestsellers, classics, literature and some surprisingly obscure titles.

Children's classics dominate, such as *The Little Prince* by Antoine de Saint-Exupery (382 languages), *The Adventures of Pinocchio* by Carlo Collodi (300 plus) and *Alice's Adventures in Wonderland* by Lewis Carroll (175 plus). Curiously, the number one from the US is L.Ron Hubbard's Scientology tome, *The Way to Happiness* (112 plus). There's only one book from Australia, Colleen McCullough's *The Thorn Birds* (20 plus). I'm surprised there wasn't a more recent candidate.

In recent years the International Booker Prize has played a big role in promoting quality world literature. The author and translator share the ￡50,000 ($94,000) prize for a book translated into English. The 2021 winner, David Diop's *At Night All Blood is Black*, is an intriguing cultural collaboration between the author (French-Senegalese) and the translator, poet and author Anna Moschovakis (American-Greek).

Very occasionally, a translator becomes famous. That was the fate—none too welcome—that befell Ann Goldstein, translator of the bestselling works of that mysterious and elusive creature Elena Ferrante. The self-effacing copy editor from *The New Yorker* was even feted as Ferrante's other half, like the two girls in *My Brilliant Friend*. This even though Goldstein and Ferrante have never met.

But most translators remain invisible, and some argue they are not sufficiently recognised or rewarded. Jennifer Croft, who translated Nobel Prize winner Olga Tokarczuk's *Flights* from Polish into English, says they should have their names beside the authors on the covers of books, because they write every carefully chosen word.

"We are the ones who control the way a story is told; we're the people who create and maintain the transplanted book's style," she writes in *The Guardian*. "Generally speaking we are also the most reliable advocates for our books, and we take better care of them than anybody else."

In Australia, they certainly take care. Some of the smaller presses, such as Text, Scribe, Giramondo, Black Inc and Cordite, make a point of bringing out fine international titles, such as Penny Hueston's translations of French writer Marie Darrieussecq, or other English translations of work by Australians who write in a language other than English.

They enrich our bookshelves with creations that we might otherwise never know about, let alone read. All power to them.

1 Jhumpa Lahiri is an unusual author because she was able to translate her novel *Whereabouts* into Italian by herself.

2 Translating a book is difficult because translators need to make sure that their own creative writing skills do not overshadow the work of the original author.

3 After so many meetings with Elena Ferrante, Ann Goldstein has started being referred to as Ferrante's other half.

4 Nobel Prize winner Olga Tokarczuk argues that translators should have their names beside the authors on book covers.

5 Smaller publishing companies in Australia have been very careful to publish international titles in a variety of languages.

解説

〈全訳〉　次の英文の内容に合致するものとして最も妥当なものを選べ。

ジュンパ・ラヒリは自分の母国語が何であるかを知らない。彼女はベンガル語と英語を話すが，10年ほど前にニューヨークからローマに引っ越してからは，書くときには日常的に話すイタリア語を使ってきた。

そして，彼女は自分の小説『わたしのいるところ』を英訳することを決意した。「私は，自分の声が，イタリア語のフィルターを通して英語に戻ったとき，どのように表れてくるのか知りたいと思ったのです」と彼女はオンラインで行われた「メルボルン・ライターズ・フェスティバル」で語った。それは自分が2人の人間になったかのような体験であり，時には1つの文の訳を考え出すのに半日を費やすような状態が続いた。

ラヒリは例外的な存在だ。作家の多くは，自分の本を翻訳する技術もないし，そうしたいという気持ちにもならない。そこで，(読み手の) 目には見えない翻訳者たちの出番となる。それは，作家としての創造の才能を発揮しつつ，その才能を自身が意味を明らかにしようとしている作品の精神に従属させるという点において，綱渡りのような芸当だ。

オーストラリアには優秀な翻訳者たちがいるが，そのほとんどは名前を聞いたこともないだろう。今週末にはAALITRA (オーストラリア文芸翻訳協会) のオンラインシンポジウムが行われる。そのシンポジウムで，出版社の編集者や，Elizabeth Bryer，Brigid Maher，Tiffany Tsao，Nadia Niazといった作家兼翻訳者が，今日のオーストラリアの翻訳の状況と，それがこの先どのように発展していく可能性があるのかということについての展望を語ることになっている。

一方，オンライン語学学習のプロバイダーであるPreplyは，世界で最も多く翻訳された書籍 (宗教書を除く) に関するレポートを発表した。ベストセラー，古典，文学，そして驚くほど無名なタイトルなどを寄せ集めたものである。

アントワーヌ・ド・サン＝テグジュペリの『星の王子さま』(382言語) やカルロ・コロッディの『ピノキオの冒険』(300言語以上)，ルイス・キャロルの『不思議な国のアリス』(175言語以上) などの児童文学の古典が上位を占めている。不思議なことに，アメリカの1位はL.ロン・ハバードのサイエントロジー本『しあわせへの道』(112言語以上) である。オーストラリアからはColleen McCulloughの『The Thorn Birds』(20言語以上) のみが取り上げられた。もっと最近の候補作がなかったことが驚きだ。

近年，国際ブッカー賞は，質の高い世界文学の普及に大きな役割を果たしている。英語に翻訳された本の著者と翻訳者は5万ポンド (9万4,000ドル) の賞金を分け合う。2021年の受賞者であるDavid Diopの『At Night All Blood is Black』は，フランス系セネガル人の著者とアメリカ系ギリシャ人の翻訳家・詩人・作家のAnna Moschovakisによる興味深い文化的コラボレーションである。

ごくたまに，翻訳者が有名になることがある。それは，あの謎めいた，とらえどころのない人物であるエラナ・フェッランテのベストセラー作品の翻訳者，アン・ゴールドスタインの身に降りかかった，あまり歓迎できない運命であった。その控えめな『ニューヨーカー』の編集者は，(フェッランテの小説が原作となった)『マイ・ブリリアント・フレンド』に出てくる2人の少女のように，フェッランテのパートナーとして祭り上げられさえした。ゴールドスタインとフェッランテは一度も会ったことがないのにもかかわらずだ。

しかし，ほとんどの翻訳者は目に見えないままであり，十分に認知されておらず，報酬も得られていないという意見もある。ノーベル賞受賞者オルガ・トカルチュクの『逃亡派』をポーランド語から英語に翻訳したジェニファー・クロフトは，「本の表紙には，著者の横に翻訳者の名前があるべきです。なぜなら，彼らはすべての言葉を慎重に選んで書いているからです」と語る。

「私たちは，物語の語り方を制御する者です。私たちは，移植された本のスタイルを作り，維持する人間なのです」と，彼女は『ザ・ガーディアン』紙に書いている。「概して，私たちは自分の（訳す）本の最も信頼できる支持者であり，誰よりもその本を大切にしているのです」

オーストラリアでは，彼ら（編集者たち）は確かに気を使っている。Text，Scribe，Giramondo，Black Inc，Cordite などの小規模な出版社では，Penny Hueston によるフランスの作家 Marie Darrieussecq の翻訳や，英語以外の言語で執筆したオーストラリア人の作品の英訳など，優れた国際作品を出版することに力を注いでいる。

彼らは，翻訳がなければ読むことはおろか，知ることもできないような作品でわれわれの本棚を豊かにしてくれるのだ。

1　ジュンパ・ラヒリは，自作の小説『わたしのいるところ』を自力でイタリア語に翻訳できたので珍しい作家だ。

2　翻訳者は彼ら自身の創作力が本来の著者の作品を見劣りさせてしまうことのないようにする必要があるので，本を翻訳することは難しい。

3　何度もエレナ・フェッランテと会った後，アン・ゴールドスタインはフェッランテのパートナーと呼ばれ始めた。

4　ノーベル賞受賞者のオルガ・トカルチュクは「本の表紙には，著者の横に翻訳者の名前があるべきだ」と主張した。

5　オーストラリアの小規模な出版社は，国際的なタイトルをさまざまな言語で出版することに非常に気を配っている。

＊　＊　＊

1．第2段落に，イタリア語で書いたものを英語に翻訳したとある。

2．妥当である。第3段落に「作家としての創造の才能を発揮しつつ，その才能を自身が意味を明らかにしようとしている作品の精神に従属させる……綱渡りのような芸当」という記述があり，本肢はその内容の読みかえであると考えられる。

3．第8段落に「ゴールドスタインとフェッランテは一度も会ったことがない」とある。

4．この主張はトカルチュクの作品の翻訳者のジェニファー・クロフトによるものである。

5．最終段落の内容から，「さまざまな言語で出版すること」ではなく，「さまざまな言語で書かれた作品を英語に訳した本を出版すること」に力を注いでいることがわかる。

正答　2

Select the statement which best corresponds to the content of the following passage.

When I die, I want to go peacefully in my sleep, like my grandfather. Not screaming in terror, like the passengers on his bus. If you laughed at that joke, it is because three things happened in your brain in lightning-fast succession. First, you detected an incongruity: You imagined my grandfather lying peacefully in bed, but then you realized he was actually driving a bus. Second, you resolved the incongruity: My grandfather was asleep at the wheel. Third, the parahippocampal gyrus region of your brain helped you realize I wasn't being serious, so you felt amusement. And all of that gave you a little bit of joy.

I realize that after that analysis, you're probably not laughing anymore. "Humor can be dissected, as a frog can," according to the writer E.B.White, "but the thing dies in the process and the innards are discouraging to any but the pure scientific mind." Fair enough. Humor is a serious business for happiness, however, and cultivating the skill of finding humor in life, even during the darkest times, can be the secret to keeping us from despair.

Researchers have theorized that a sense of humor is made up of six basic variables: the cognitive ability to create or understand jokes, an appreciation and enjoyment of jokes, behavior patterns of joking and laughing, cheerful or humorous temperament, a bemused attitude about life, and a strategy of using humor in the face of adversity. A sense of humor, then, can mean either being funny or enjoying funny things.

Consuming humor brings joy and relieves suffering. In a 2010 study from the *Journal of Aging Research*, the researchers gave one group of senior citizens "humor therapy"—daily jokes, laughter exercises, funny stories, and the like—for eight weeks. A control group did not receive this therapy. At the end of the experiment, the people in the first group reported feeling 42 percent happier than they had at the beginning. They were 35 percent happier than the second group, and experienced decreases in pain and loneliness.

However, the type of humor you consume and share matters. Humor can be positive, when it's not intended to belittle or harm others, or when one laughs at one's own circumstances. It can also be negative, when it attacks others or when one belittles oneself. Positive humor is associated with self-esteem, optimism, and life satisfaction, and with decreases in depression, anxiety, and stress. Negative humor follows the exact opposite pattern: While it can feel good in the moment, it exacerbates unhappiness.

For humor to be effective in increasing happiness, timing is everything. If you have ever made light of a tragedy and no one laughed, you might have tried to mitigate the faux pas by asking, "Too soon?" Researchers studying humor in the face of tragedy have found that jokes can indeed help people cope with grievances and loss. However, the joke can't be too close to or too far from the event in time. Tell a joke during a horrific natural disaster and you will be shunned; tell one about the 1906 San Francisco earthquake and most people won't know what you are talking about. But get it right, and you can provide tremendous relief.

Having this sense of comedic timing requires what social scientists call "humor creation ability," an ability that the authors Jennifer Aaker and Naomi Bagdonas of the book *Humor, Seriously*, credit with many other benefits, such as success in business. Being funny, however, is the one dimension of a sense of humor that does not appear to boost happiness, which is sometimes called the sad-clown paradox. In a 2010 experiment published in *Europe's Journal of Psychology*, researchers asked people to write captions for cartoons and come up with jokes in response to everyday frustrating situations. They found no significant relationship between being funny (as judged by outside reviewers) and happiness or unhappiness. Another study found that professional comedians score above population norms on scales measuring psychotic traits.

Laughter itself is what brings a lot of humor's benefits, not necessarily making other people laugh. Laughter also acts as a social lubricant, making interactions easier even when there is no humor involved. Indeed, one study found that only 10 to 15 percent of laughing is due to anything even remotely humorous. Much of the rest is meant to display emotions such as agreement or simple conviviality. Pay attention to your ordinary interactions today and you will appreciate this.

1 Humor can be found even during the darkest times of one's life, but very few people know the secret that humor can keep people in despair.

2 According to a study from the *Journal of Aging Research*, the group of senior citizens who received "humor therapy" was 42 percent happier than the group who did not receive such therapy.

3 Telling jokes during or about tragic events can be effective in increasing happiness, but it has to be told at the right time.

4 The sad-clown paradox refers to a phenomenon that trying hard to be funny, as judged by outside reviewers, actually makes people very unhappy.

5 Laughter acts as a social lubricant because people are relieved from the pressure of interacting with one another when they are just laughing together.

〈全訳〉 次の英文の内容に合致するものとして最も妥当なものを選べ。

死ぬとき，私は祖父がそうであったように安らかに眠りにつきたい。彼のバスの乗客のように恐怖で叫ぶこともなく。もし，あなたがそのジョークで笑ったのなら，それはあなたの脳内で3つのことが電光石火で起こったからだ。まず，あなたは矛盾を感じた：あなたは私の祖父が安らかにベッドに横たわっているさまを想像したが，その一方で，実は彼はバスを運転していたのだということにも気づいた。次に，あなたはその矛盾を解消した：私の祖父が居眠り運転をしていたと考えた。最後に，あなたの脳の海馬傍回という部位が，私が本気でないことに気づき，おもしろさを感じた。そして，そのすべてがあなたにちょっとした喜びを与えてくれたのである。

私は，その分析の後ではあなたはもはや笑っていないだろうと思う。E. B. ホワイトという作家も「カエルがそうであるように，ユーモアも解剖（詳しく分析）することができる。しかし，その過程でユーモアは死んでしまう。純粋な科学的思考を持つ人以外は，内臓（分析されたユーモア）を見てもがっかりするだけだ」と言っている。それは十分に正しい。しかしながら，ユーモアは幸せを求めるためには大切なことであり，たとえとても苦しい時期であっても，人生の中にユーモアを見つける技術を養うことが私たちを絶望から遠ざける秘訣になりうるのだ。

研究者は，ユーモアのセンスは6つの基本的な変数で構成されているという説を唱えている。冗談を言ったり理解したりできる能力があるかどうか，冗談を味わい，楽しむことができるかどうか，冗談を言ったり笑ったりするときにどのような行動パターンを取るか，明朗快活な気性であるかどうか，人生をおもしろがる態度があるかどうか，ユーモアを使うという戦略で逆境に立ち向かうことができるかどうかだ。つまり，ユーモアのセンスとは，おもしろおかしくあることと，おもしろいことを楽しむことのどちらかの意味になりうる。

ユーモアを摂取することは，喜びをもたらし，苦しみを和らげる。2010年の『Journal of Aging Research』誌に発表された研究において，研究者は高齢者の1つのグループに，毎日冗談を言ったり，笑う練習をしたり，おもしろい話をしたりといった内容の「ユーモア療法」を8週間にわたって施した。対照群となるグループは，この療法を受けなかった。実験の最後に，最初のグループの人々は実験を始めた頃と比べて42% 幸福感が増したと報告した。彼らは2つ目のグループに比べて35パーセント幸福感が高く，痛みや孤独感の減少を経験した。

しかしながら，どのようなユーモアを摂取し共有するかが重要だ。ユーモアは，他人を軽蔑したり傷つけたりする目的でない場合，あるいは自分の境遇を笑い飛ばす場合などにはポジティブになりうる。また，他人を攻撃したり，自分を卑下したりする場合には，ネガティブにもなりうる。ポジティブなユーモアは，自尊心，楽観主義，生活満足度，うつ病や不安やストレスの減少と関連している。ネガティブなユーモアは，まったく逆のパターンをたどる。その場では良い気分になれるが，不幸を増幅させるのだ。

ユーモアが幸福度を高めるのに効果的になるためには，タイミングがすべてである。もし，あなたが悲劇を軽んじて（話をし，その結果）誰も笑わなかったことがあるなら，「（話をするには）早すぎたかな？」と聞いて不作法さを軽減しようとしたことがあるかもしれない。悲劇に直面したときのユーモアを研究している研究者たちは，冗談が確かに悲しみや喪失に対処するのに役立つことを発見した。ただし，その冗談は時間的に（悲しい）出来事に近すぎても遠すぎてもいけない。恐ろしい自然災害のときに冗談を言えば，あなたは敬遠されるだろう。たとえば，1906年のサンフランシスコ地震について話をしても，ほとんどの人は何のことかわからないだろう。しかし，適切にやれば，あなたは非常に大きな安心感を与えることができる。

この笑いのタイミングの感覚は，社会科学者が「ユーモアを生み出す能力」と呼ぶものを必要としており，この能力については『Humor, Seriously』の著者ジェニファー・エイカーとナオミ・バグドナスが，ビジネスでの成功など，他の多くの利点と結び付けて評価している。しかしながら，ユーモアセンスの次元の一つではあるが，おもしろおかしくあることは，幸福感を高めはしないようだ。これは，「悲しいピエロのパラドックス」と呼ばれることもある。2010年に『Europe's Journal of Psychology』に掲載された実験では，研究者は被験者に漫画のせりふを書き入れるよう求め，日常のイライラする状況に応じた冗談を考えてほしいと頼んだ。その結果，外部の評価者が判断したおもしろさと，幸福感や不幸感との間に有意な関係はないことがわかった。別の研究では，プロのコメディアンは精神病の特徴を測定する尺度において，その集団の標準値を上回っていることがわかった。

笑い自体はユーモアの多くの効用をもたらすものだが，必ずしも相手を笑わせることではない。また，笑いは社会的な潤滑油として働くもので，その中にユーモアの要素が含まれていない場合でも，人との交流を円滑にする。実際，ある研究によると，笑いのうち，たとえほんのわずかであってもユーモアがあることを原因とするものは，10～15% しかないことがわかった。残りの多くは，同意や単に和気あいあいとした感情を表すためのものだ。今日，（自分がしている）ごく普通のやり取りに目を向ければ，このことが正しく理解できるだろう。

1 ユーモアは人生の最も苦しい時期にも見いだせるが，ユーモアが人々を絶望させ続けることがあるという秘密を知っている者はほとんどいない。

2 『Journal of Aging Research』誌に発表された研究では，「ユーモア療法」を受けた高齢者のグループは，その治療法を受けなかったグループよりも42% 幸福感が高かった。

3 悲劇的な出来事の間もしくはそのことについて冗談を言うことは幸福感を高めるのに効果的なことがあるが，それは適切なタイミングで語られなければならない。

4 悲しいピエロのパラドックスとは，外部の評価者が判断する基準でおもしろくあるよう努力することは，実は人々を大変不幸にするという現象のことをいう。

5 笑いが社会的な潤滑油として働くのは，ただ一緒に笑っていると，人々は互いに交流し合うことのプレッシャーから解放されるからだ。

＊　＊　＊

1．第２段落に人生の中の苦境とユーモアの関係についての記述はあるが，その内容は「とても苦しい時期であっても，人生の中にユーモアを見つける技術を養うことが私たちを絶望から遠ざける秘訣になる」ということであり，ユーモアが人々を絶望させ続けるという記述はない。

2．第４段落によれば，「42%」は「ユーモア療法」を受けたグループについて，実験前に比べてどの程度幸福度が高くなったかということを示した数字であり，受けなかったグループと比較した数字は「35%」となっている。

3．妥当である。第６段落の内容に一致する。

4．悲しいピエロのパラドックスについては第７段落に記述があるが，そのことについての実験では「外部の評価者が判断したおもしろさと，幸福感や不幸感との間に有意な関係はない」という結果が出たとある。また，別の実験では，プロのコメディアンが「精神病の特徴を測定する尺度において～標準値を上回っていることがわかった」とあるので，おもしろくあるよう努力することが本人自身の幸福感にはつながらないことを示す言葉だということが読み取れる。

5．社会的な潤滑油としての笑いについては最終段落に記述があるが，書かれている内容は「笑いは社会的な潤滑油として人々の交流を円滑にする」ということだけであり，その理由についての記述はない。

正答　3

内容把握　令和4年度

Select the statement which best corresponds to the content of the following passage.

Visitors leave their clothes and their worries at the wooden entrance to Inari-yu, a sento, or public bathhouse, in northern Tokyo. Inside they join the parade of bathers ambling beneath a mural of a snow-capped Mount Fuji. While perched on small stools, they scrub themselves with soap and rinse off with water poured from cypress-wood buckets. Then they soak together in hot pools, and the strict hierarchies and stiff formalities of Japanese life melt away. To cool down, they sip jars of chilled milk by the koi pond in the sento's courtyard.

Such scenes, once ubiquitous in Japanese neighbourhoods, have become rarer in recent decades. In the 1960s there were more than 2,500 sento in Tokyo alone. Just over 500 remain. But a new generation of sento-philes is working to keep the baths full for the 21st century. Younger sento-owners hope to revive the bathhouses by adding bars, music and event spaces. Sento have started to acquire a retro cachet among a younger crowd. In 2019 the number of sento-goers in Tokyo grew (albeit marginally) for the first time in more than a decade.

Japan's earliest public baths were attached to Buddhist temples, but the sento really took off in the dense, dirty environments of Tokyo and its precursor, Edo. Their primary appeal was practical: even as Tokyo prepared to host the Olympics in 1964, only around a third of its homes had bathing facilities. But sento also came to play an important role as common spaces that bring together people from different walks of life.

As private showers and baths proliferated—at least 98% of homes in Tokyo now have them—the sento started to dry up. As in lots of Japan's traditional industries, many owners resisted change. With an ageing clientele, the equally elderly proprietors often decide to call it quits. "It's becoming increasingly difficult for bathhouses to survive just as bathhouses alone," says Kuryu Haruka of *Sento & Neighbourhood*, which works to preserve old bathhouses.

Younger devotees reckon that sento must instead focus on fostering their communities, with a contemporary spin. After taking over Ume-yu, a historic sento in Kyoto, Minato Sanjiro attracted new clients by hosting concerts and flea markets at the bathhouse and by advertising online. His customer base grew from 70 people a day to around 250 before the pandemic hit. Whereas as many as 80% of the bathers were once senior citizens, now some 60% are in their 20s and 30s. Inari-yu is building a community space in an adjacent building, which will function as a lounge for bathers as well as a place for communal meals and exhibitions.

Others have opted for hipster makeovers. The third-generation owners of the 90-year-old Kogane-yu in eastern Tokyo have remodelled the venerable bathhouse; it reopened last year as a sleek modern space with a craft-beer bar and vinyl turntables.

Such changes can be divisive. Older regulars sometimes find the new bells and whistles alienating. Purists worry that turning sento into hipster haunts will ruin their democratic charm. "If you go too far in creating a new style, the idea of sento will be destroyed," says Mr Minato. "But if we don't change, the sento won't survive."

1 The number of sento in Tokyo has reduced to about one-fifth of the number back in the 1960s, but sento fans are trying to keep them filled with people in the 21st century.

2 Sento in Tokyo have become less and less popular in the last 60 years, and the number of people who use them has continued to decline to this day.

3 As the people who use sento have become older, the owners of sento, although they are much younger than the sento-goers, have decided to close their businesses.

4 Minato Sanjiro has made Ume-yu, which used to be a sento in Kyoto, into a public venue for concerts and flea markets, and the customer base has grown significantly.

5 Making contemporary changes has not only attracted younger customers to sento but also has been shown to have the inevitable effect of uniting the new generation of sento users with the traditional users.

〈全訳〉 次の英文の内容に合致するものとして最も妥当なものを選べ。

東京都北部にある銭湯「稲荷湯」では，訪れた者は彼らの衣服と心配事をその木造の玄関（にある脱衣場）に置いていく。浴場内に入ると，彼らは雪化粧した富士山の壁画の下で，大勢の入浴客たちに加わって進む。小さな風呂椅子に腰かけて，彼らは石鹸で身体を洗い，ヒノキの湯桶から注がれたお湯で身体を流す。それから，彼らは一緒に熱い浴槽に浸かる。すると，日本の生活における厳しい上下関係や堅苦しい形式が（お湯に）徐々に消え失せていく。（入浴で火照った）身体を冷ますために，彼らは銭湯の中庭にある鯉の池のそばで冷えた瓶牛乳をちびりちびりと飲む。

このような，かつては日本の隣近所でおなじみだった光景が，ここ数十年の間に珍しくなった。1960年代には東京都内だけでも2,500軒以上の銭湯があった。今や500軒余りを残すのみである。しかし，21世紀においては，新しい世代の銭湯愛好家たちが，浴場を満員にするべく努力している。若い銭湯経営者たちは，浴場に手すりをつけたり，音楽を流したりイベントを催せる空間を設けたりすることによって，人気の復活を図っている。銭湯は，若い人たちの間でレトロなイメージを持たれ始めている。2019年には，東京で銭湯に行く人の数は（小幅ながら）十数年ぶりに初めて上回った。

日本の初期の公衆浴場は仏閣に設けられていた。しかし，銭湯が本当に発展したのは，東京とその前身である江戸の密集して薄汚れた環境の中でだった。銭湯の最大の魅力は実用的であることだった。1964年のオリンピックを主催する準備をしていた頃でさえ，東京都内で内風呂を持っていた家は3分の1程度だったからだ。しかし，銭湯はさまざまな立場の人が集う公共の場としても重要な役割を果たすようになった。

個人用シャワーや浴槽の普及に伴い―今や東京の家屋の98%にこの設備がある―，銭湯は干上がり始めた。日本の多くの伝統産業がそうであるように，多くの経営者が変化に抵抗した。客層が高齢化し，彼らと同様に高齢となった店主が店じまいを決断することが多くなった。「銭湯だけでは生き残ることが難しくなるケースが増えてきています」と，古い銭湯の保存に尽力する「せんとうとまち」の栗生はるか氏は語る。

若い愛好家たちは，銭湯は（銭湯だけでやっていく）代わりに，現代的なスタイルを持った地域振興に焦点を当てなければならないと考えている。京都の歴史ある銭湯「梅湯」を引き継いだ後，湊三次郎氏は銭湯でコンサートやフリーマーケットを開催したり，ネットで広告を出したりして，新しい顧客を獲得していった。1日70人だった入浴客は，パンデミック発生前には約250人にまで増えた。かつては入浴客の8割が高齢者だったのが，今では6割ほどが20代と30代になっている。稲荷湯では，隣接する建物にコミュニティスペースを作ろうとしている。そのスペースは入浴者のためのラウンジとしてだけでなく，誰もが使える食事の場や展示の場としても活用されるだろう。

（銭湯を）最先端に改装することを選んだ者もいる。東京都東部にある創業90年の「黄金湯」の3代目の経営者たちは，古くて時代がかった銭湯を改装した。その銭湯は昨年，クラフトビールバーとレコード用のターンテーブルを備えた洗練されたモダンな空間として再オープンした。

このような変化はあつれきを招く可能性もある。年配の常連客は往々にして新しく加えられたものを疎ましく感じる。純粋（に銭湯が好き）な人は，銭湯を流行を追う人のたまり場にすると，銭湯の庶民的な魅力が損なわれるのではと危ぶむ。「もしも新しいスタイル作りが行き過ぎれば，銭湯の理念は台なしになってしまうでしょう。しかし，変わらなければ，銭湯は生き残れないのです」と湊氏は言う。

1　21世紀において，東京の銭湯の数は1960年代の約5分の1に減ったが，銭湯の愛好家たちは銭湯を入浴客で一杯にするべく努力している。

2　東京の銭湯はここ60年の間にどんどん人気がなくなってきており，今日に至るまで銭湯を使う人々の数は減り続けている。

3　銭湯の経営者たちは銭湯へ行く人たちよりもかなり若いが，銭湯を使う人々が年を取ってきたので，店じまいをすることを決断した。

4　湊三次郎氏は，京都で銭湯として使われていた梅湯をコンサートやフリーマーケットのための公共の場に作り変え，顧客層が大いに増えた。

5　現代的な変化を加えることは，銭湯に若い客を呼び込むだけでなく，その変化によって，新しい世代の銭湯利用者と従来の銭湯利用者を一致団結させる必然的な効果があることが示された。

＊　＊　＊

1．妥当である。第2段落の内容と一致する。

2．第2段落最終文に，2019年に東京で銭湯に行く人の数が十数年ぶりに上回ったという記述があるので，「減り続けている」というのは誤りである。

3．第4段落の内容より，銭湯の経営者たちも銭湯を使う人々と同じぐらい年配であることがわかる。

4．第5段落の内容より，湊氏は顧客獲得の手段としてコンサートやフリーマーケットを開催したが，銭湯自体を公共の場に作り変えたわけではないことがわかる。

5．第6段落の「銭湯を現代風に改装した」という内容を受けて，最終段落で「このような変化はあつれきを招く可能性もある」といっており，その例として「年配の常連客は新しく加えられたものを疎ましく感じる」とも述べられているので，「新しい世代の銭湯利用者と従来の銭湯利用者を一致団結させる必然的な効果がある」とはいえない。

正答　1

国家一般職［大卒］
No. 74
専門試験
英語（基礎）
空欄補充
令和4年度

Select the appropriate combinations of words to fill in the blanks of the following passage.

At present steel making (A) about 8 per cent of the carbon dioxide (B) into the atmosphere, making it as (C) to the climate as the world's car fleet. Steel production is (D) to triple by 2050, and current steel making processes would use up about half the budget of carbon dioxide we can still (E) into the atmosphere before we cause 1.5 degrees of warming.

	A	B	C	D	E
1	causes	spewed	bad	guessed	pass
2	constitutes	thrown	detrimental	thought	leave
3	creates	released	damaging	expected	emit
4	forms	surrendered	harmful	predicted	put
5	produces	transmitted	restricted	anticipated	send

解説

〈全訳〉 次の文章中の空所に当てはまる組合せとして妥当なものはどれか。

現在，鉄鋼生産の際に作り出される二酸化炭素は，大気中に放出される二酸化炭素の約８％であり，そのことによって，世界のすべての自動車が出すそれに匹敵するほどの環境負荷がかかっている。2050年には鉄鋼生産量が３倍になると予想されており，現在の鉄鋼製造プロセスのままでは，気温が1.5度上昇するまでの間に，大気中に排出されても差し支えないと考えられている二酸化炭素量のおよそ半分を（鉄鋼生産の際に出る二酸化炭素が）占めるだろう。

* * *

A：steel making（鉄鋼の製造）を主語，about 8 per cent of the carbon dioxide（二酸化炭素の約８％）を目的語とする文の動詞部分に当たる。「鉄鋼の製造は二酸化炭素の約８％を（　　）」に当てはめて意味が通るのは，**1**の causes（生じさせる），**2**の constitutes（割合を占める），**3**の creates（作り出す），**5**の produces（生み出す）である。これに対して，**4**の forms は「形作る」なので文脈に合わない。

B：前に the carbon dioxide（二酸化炭素），後ろに into the atmosphere（空気中に）があるので，「空気中に（　　）二酸化炭素」という表現の一部である。また，どの候補も過去形または過去分詞形の形を取っているが，この文の動詞が A であることや，**2**の候補の thrown が過去分詞で確定していることより，ほかの候補も「二酸化炭素」を修飾する過去分詞であり，「～される」という受け身の意味を持っていると考えられる。これを踏まえると，「空気中に（　　）二酸化炭素」に当てはめて意味が通るのは，**1**の spewed（吐き出される）と**3**の released（放出される）である。これに対して，**2**の thrown（投げ入れられる），**4**の surrendered（放棄される），**5**の transmitted（送られる）は文脈に合わない。

C：候補がすべて形容詞もしくは形容詞として使える分詞であることや，前後に as が２つあることより，as（ C ）as ～（～と同じぐらいCだ）という表現の一部であると考えられる。後ろの as に続く語句 the world's car fleet は「世界が保有する自動車（の全体）」という意味だが，二酸化炭素の量の割合が話題になっていることから，「世界のすべての自動車が出す二酸化炭素」と読みかえられる。「世界のすべての自動車が出す二酸化炭素と同じぐらい（　　）」に当てはめて意味が通るのは，**1**の bad（悪い），**2**の detrimental（有害な），**3**の damaging（損害を与える），**4**の harmful（有害な）である。これに対して，**5**の restricted は「制限された」という意味なので文脈に合わない。

D：前に be 動詞があることや候補がすべて過去分詞となりうることより，steel production（鉄鋼の生産）を主語とする受け身の文の一部であると考えられる。「鉄鋼の生産は2050年までに3倍になると（　　）」に当てはめて意味が通るのは，「予想される」「推測される」「考えられる」といった表現であり，**1**の guessed（推測される），**2**の thought（考えられる），**3**の expected，**4**の predicted，**5**の anticipated（いずれも「予想される」）のすべてがこれに当てはまる。

E：前に we can，後ろに into the atmosphere（空気中に）という表現があるので，この節の動詞部分である。また，文脈より，この節は直前の the budget of carbon dioxide を先行詞とする関係代名詞節（目的格の which が省略されている）と考えられるので，the budget of carbon dioxide we can still（ E ）into the atmosphere は「われわれがまだ空気中に（　　）できる二酸化炭素の予算〔許容量〕」という意味となる。ここでこれまでの内容を振り返ると，問題にされているのは「鉄鋼製造にともなう二酸化炭素の排出量」なので，（　　）には「排出する」という意味を持つ語が当てはまると考えられる。この条件に合うのは**3**の emit（排出する）のみである。これに対して**1**の pass（into と結びつくと「～に移行する」），**2**の leave（放置する），**4**の put（into と結びつくと「～の中に入れる」），**5**の send（送る）はいずれもこの条件には当てはまらない。

よって，空所に入れるのが妥当な語の組合せは**3**である。

正答 3

英語(基礎) 文法 令和4年度

Select the sentence which is grammatically correct.

1 She was furious when she found out he had been spying her.
2 The teacher had to tell the answer for the students several times.
3 Very few people have the charisma needed to be a good leader.
4 The movie was so complicating that he just couldn't understand it.
5 Let's go with me to see that new play I heard about in the news.

解説

文法的に正しい文を選べ。

1．正しい文である。「彼が（それ以前から知った時点まで）ずっと自分を見張っていたことを知ったとき，彼女は激怒した」という意味の正しい文である（ただし，「見張る」の意味では ... spying on her とするほうが一般的である）。

2．動詞が tell の場合，tell の後ろに事物を置いて第 3 文型にするときは <tell＋事物＋to＋人> と to を使って表す。また，事物が answer である場合は，<tell＋(人)＋the answer> と第 4 文型で表すのが一般的である。The teacher had to tell the students the answer [the answer to the students] several times. で「その教師は何度か生徒たちに答えを教えてやらなければならなかった」という意味の文となる。

3．正しい文である。「よいリーダーになるために必要なカリスマ性を持っている人はほとんどいない」という意味の正しい文である。

4．「複雑な」は complicated と表す。The movie was so complicated that he just couldn't understand it. で「その映画はとても複雑だったので，彼はまったくそれを理解できなかった」という意味の文となる。

5．Let's は Let us の短縮形で，us にすでに「私」の意味が含まれているため，「一緒に」という場合は with me ではなく together を使う。Let's go together to see that new play I heard about in the news. で「私がニュースで聞いたあの新しい舞台を一緒に見に行きましょう」という意味の文となる。

正答，1，3

※人事院の発表では**3**を正答としているが，編集部で検討の結果，**1**も正答であると判断した。

国家一般職［大卒］ No. 76 専門試験 英語(一般) 内容把握 令和4年度

Select the statement which best corresponds to the content of the following passage.

Three to four days a week, for one or two hours at a time, Rosie Okumura, 35, telephones thieves and messes with their minds. For the past two years, the LA-based voice actor has run a sort of reverse call centre, deliberately ringing the people most of us hang up on—scammers who pose as tax agencies or tech-support companies or inform you that you've recently been in a car accident you somehow don't recall. When Okumura gets a scammer on the line, she will pretend to be an old lady, or a six-year-old girl, or do an uncanny impression of Apple's virtual assistant Siri. Once, she successfully fooled a fake customer service representative into believing that she was Britney Spears. "I waste their time," she explains, "and now they're not stealing from someone's grandma."

Okumura is a "scambaiter"—a type of vigilante who disrupts, exposes or even scams the world's scammers. While scambaiting has a troubled 20-year online history, with early forum users employing extreme, often racist, humiliation tactics, a new breed of scambaiters are taking over TikTok and YouTube. Okumura has more than 1.5 million followers across both video platforms, where she likes to keep things "funny and light."

In April, the then junior health minister Lord Bethell tweeted about a "massive sudden increase" in spam calls, while a month earlier the consumer group *Which?* found that phone and text fraud was up 83% during the pandemic. In May, Ofcom warned that scammers are increasingly able to "spoof" legitimate telephone numbers, meaning they can make it look as though they really are calling from your bank. In this environment, scambaiters seem like superheroes—but is the story that simple? What motivates people like Okumura? How helpful is their vigilantism? And has a scambaiter ever made a scammer have a change of heart?

Batman became Batman to avenge the death of his parents; Okumura became a scambaiter after her mum was scammed out of $500. In her 60s and living alone, her mother saw a strange pop-up on her computer one day in 2019. It was emblazoned with the Windows logo and said she had a virus; there was also a number to call to get the virus removed. "And so she called and they told her, 'You've got this virus, why don't we connect to your computer and have a look.'" Okumura's mother granted the scammer remote access to her computer, meaning they could see all of her files. She paid them $500 to "remove the virus" and they also stole personal details, including her social security number.

Thankfully, the bank was able to stop the money leaving her mother's account, but Okumura wanted more than just a refund. She asked her mum to give her the number she'd called and called it herself, spending an hour and 45 minutes wasting the scammer's time. "My computer's giving me the worst vibes," she began in Kim Kardashian's voice. "Are you in front of your computer right now?" asked the scammer. "Yeah, well it's in front of me, is that... that's like the same thing?" Okumura put the video on YouTube and since then has made over 200 more videos, through which she earns regular advertising revenue (she also takes sponsorships directly from companies).

"A lot of it is entertainment—it's funny, it's fun to do, it makes people happy," she says when asked why she scambaits. "But I also get a few emails a day saying, 'Oh, thank you so much, if it weren't for that video, I would've lost $1,500.'" Okumura isn't naive—she knows she can't stop people scamming, but she hopes to stop people falling for scams. "I think just educating people and preventing it from happening in the first place is easier than trying to get all the scammers put in jail."

She has a point—in October 2020, the UK's national fraud hotline, run by City of London Police-affiliated Action Fraud, was labelled "not fit for purpose" after a report by Birmingham City University. An earlier undercover investigation by the *Times* found that as few as one in 50 fraud reports leads to a suspect being caught, with Action Fraud frequently abandoning cases. Throughout the pandemic, there has been a proliferation of text-based scams asking people to pay delivery fees for nonexistent parcels—one victim lost £80,000 after filling in their details to pay for the "delivery."

Asked whether vigilante scambaiters help or hinder the fight against fraud, an Action Fraud spokesperson skirted the issue. "It is important that people who are approached by fraudsters use the correct reporting channels to assist police and other law enforcement agencies with gathering vital intelligence," they said via email. "Word of mouth can be very helpful in terms of protecting people from fraud, so we would always encourage you to tell your friends and family about any scams you know to be circulating."

Indeed, some scambaiters do report scammers to the police as part of their operation. Jim Browning is the alias of a Northern Irish YouTuber with nearly 3.5 million subscribers who has been posting scambaiting videos for the past seven years. Browning regularly gets access to scammers' computers and has even managed to hack into the CCTV footage of call centres in order to identify individuals. He then passes this information to the "relevant authorities" including the police, money-processing firms and internet service providers.

For Okumura, education and prevention remain key, but she's also had a hand in helping a scammer change heart. "I've become friends with a student in school. He stopped scamming and explained why he got into it. The country he lives in doesn't have a lot of jobs, that's the norm out there." The scammer told Okumura he was under the impression that, "Americans are all rich and stupid and selfish," and that stealing from them ultimately didn't impact their lives.

"At the end of the day, some people are just desperate," Okumura says. "Some of them really are jerks and don't care... and that's why I keep things funny and light. The worst thing I've done is waste their time."

1 Rosie Okumura has gotten scammers to return the money they took from people by pretending to be an old lady, Britney Spears, and a six-year-old girl.

2 Many scambaiters are now using extremism, humiliation, and racism on YouTube and TikTok in order to expose scammers.

3 Rosie Okumura decided to become a scambaiter after her mother lost $500 to scammers who told her she had a virus on her computer.

4 Action Fraud has been criticized for having a very low rate of success in assisting in the arrest of suspects and for frequently abandoning cases.

5 Scambaiters usually work closely with the police to make sure that they have access to scammers' computers.

解説

〈全訳〉 次の文の内容に最も合致する記述を選びなさい。

週に3～4日，1回につき1～2時間，35歳のロージー奥村は泥棒たちに電話をし，彼らの心をもてあそぶ。この2年間，ロサンゼルスを拠点に活動する声優である彼女は，一種の逆コールセンターの仕事を運営している。彼女は，私たちの大半が電話を切ってしまうような人たち，たとえば税務署やIT技術サポート会社を装ったり，あなたが最近遭遇した交通事故の件で，と覚えのない事故のことで連絡してくるような詐欺師たちにあえて電話をかけるのだ。奥村が詐欺師に電話をするとき，彼女は年配の女性や6歳の女の子を装ったり，アップル社のバーチャルアシスタントであるSiriの風変わりな調子をまねたりする。あるときなどは，虚偽の顧客サービスの営業担当者をだまして，彼女がブリトニー・スピアーズ（訳注：アメリカのポップシンガー）であると信じ込ませることにも成功した。「彼らの時間を浪費してやるのよ」と彼女は説明する。「そしたら誰かのおばあちゃんからお金をだまし取るようなこともなくなる」

奥村は「スキャムベイター（詐欺取締隊）」と呼ばれる一種の自警団員で，世界の詐欺犯罪者を混乱させ，正体を暴き，さらにはだましたりもしている。詐欺取締りには20年にわたるオンライン上の紆余曲折の歴史があり，初期のフォーラム（交流の場）利用者が，多くは人種差別的な，相手に屈辱を与える過激な手法を使うこともあったが，今では新種の詐欺取締隊たちがティックトックやユーチューブの場を占拠しつつある。奥村は双方の動画プラットフォームで150万人を超えるフォロワーを持っており，そこでは物事を「楽しくて軽い」調子でとらえることを好んでいる。

4月には，当時（イギリス）保健省政務次官だったロード・ベテル氏が，迷惑電話の「突然の激増」についてツイッター上で発言し，一方その前月には消費者団体の「フィッチ」が，電話とテキストメッセージによる詐欺が（新型コロナウィルスの）パンデミックの間に83%増加したことを発表していた。5月にはオフコム（英国情報通信庁）が，詐欺犯が合法的な電話番号を「偽装する」，つまり彼らが本当にあなたの銀行から電話をかけているように装うことがいっそう可能になっている，との警告を発した。このような環境下では，詐欺取締隊はスーパーヒーローのようにも思えるが，事はそれほど単純なのだろうか？　奥村のような人々の動機づけになっているものは何か？　彼らの自警活動はどれほど役に立っているのか？　そして，詐欺取締隊が実際に詐欺師を改心させているのだろうか？

バットマンは両親の死のかたきを打つためにバットマンになった。奥村が詐欺取締隊になったのは，ママが詐欺で500ドルをだまし取られた後のことだ。60代で一人暮らしの母親は，2019年のある日，パソコンの画面に突然現れた見慣れないメッセージを目にした。それはウィンドウズのロゴマークで飾られ，彼女のパソコンがウィルス感染していることを告げており，さらにウィルスを除去するための連絡先が書かれていた。「それで母が連絡すると，『ウィルス感染してますね。あなたのパソコンに接続して，ちょっと見てみましょう』と言われたんです」。奥村の母親は詐欺犯に，自分のパソコンにリモート接続する許可を与え，そして，それは彼らが彼女のファイルすべてに目を通せることを意味したのだった。彼女は「ウィルス除去料」として500ドルを払い，さらに彼らは，社会保障番号を含む彼女の個人情報を盗み取った。

幸い，彼女の口座からお金が引き落とされるのを銀行が止めることができたが，奥村はお金が戻されるだけでは満足しなかった。彼女は母親に，電話をかけた相手の番号を教えてくれるよう頼み，自ら電話をし，1時間45分にわたって詐欺犯の時間を無駄にした。「私のパソコンったら最悪なのよ」と，彼女はキム・カーダシアン（訳注：アメリカのタレント・俳優）の声色でしゃべり始めた。「今，パソコンの前にお座りですか？」と詐欺犯が尋ねると，「ていうか，パソコンが私の前にあるんだけど，それって……同じようなことなのかしら？」といった具合だ。奥村はこの動画をユーチューブに投稿し，さらにそれ以降200を超える動画を作成し，それらを通じて定期的な広告収入を得ている（また，複数の会社と直接スポンサー契約もしている）。

「娯楽という部分が大きいですね。おもしろいし，やるのも楽しいですし，人を楽しませることもできます」と，彼女はなぜ詐欺取締隊をするのかとの問いに答えて言う。「でも，日に何通かメールをもらうんです。『いやあ，本当にありがとう。あの動画がなかったら1,500ドル失っていたところでした』とね」。奥村は甘い考えでやっているわけではなく，自分に詐欺行為が止められないこともわかっているが，人々が詐欺に引っかかるのを防ぎたいと願っている。「私は，まずは人々を啓発して事が発生するのを防ぐことのほうが，すべての詐欺犯を捕まえて牢屋に入れることよりも易しいと思っているんです」

彼女の言うことには一理ある。2020年10月，ロンドン市警察提携の詐欺対策機関が運営するイギリスの全国詐欺ホットラインは，バーミンガム市立大学による研究報告が出た後で「役目を果たしていない」と評価された。それ以前に行われたタイムズ紙による覆面調査の結果では，50件の詐欺発生件数のうち容疑者の逮捕に至ったのはわずか1件で，詐欺対策機関が途中で断念したケースがしばしばだった。パンデミックの期間を通じて，存在しない荷物の配達料を払うよう求める，文章主体の詐欺が激増しており，「配達物」への支払いのために必要事項を記入した後で8万ポンドを失った被害者もいた。

自警団的な詐欺取締隊の存在が，詐欺との闘いの助けになっているのか邪魔になっているのか聞かれた詐欺対策機関の広報担当は，明言を避けた。「重要なのは，詐欺犯の接触を受けた人が正しい通報ルートを利用して，警察や他の法執行機関が重要不可欠な情報を収集する助けとなることです」と，彼らはメールを通じて回答を寄せた。「人々を詐欺の被害から防ぐという観点では，口コミによる情報はとても役に立つことがあるので，私どもは常に皆様に対して，周囲で出回っている詐欺行為があればご友人ご家族に伝えていただくことを奨励しております」

確かに，詐欺取締隊の中には作業の一環として実際に詐欺犯を警察に通報している者もいる。ジム・ブラウニングは，350万人近いチャンネル登録者がいる北アイルランド人ユーチューバーの別名であるが，ここ7年にわたって詐欺取締りの動画投稿を続けている。ブラウニングは定期的に詐欺犯のコンピュータにアクセスし，また個人を特定するためコールセンターの監視カメラ映像への侵入にまで成功している。そして彼はこの情報を警察，送金サービス会社，インターネット接続業者を含む「関連当局」に伝えている。

奥村にとっては，今も啓発と予防が主目的ではあるものの，詐欺犯が改心する手助けをする

経済事情 経営学 国際関係 社会学 心理学 教育学 英語(基礎) 英語(一般)

ことにも一役買っている。「私は在学中のある学生と親しくなりました。彼は詐欺行為をやめ，なぜ自分がその行為を働くに至ったのかを私に説明してくれました。彼が住む国では働き口があまりなく，そこではそれが普通に行われていることなのです」。詐欺犯は奥村に，自分は「アメリカ人はみんな金持ちで愚かで自己中心的」という印象を持っていて，彼らからお金をだましとっても結局のところ彼らの人生には影響しないと思っていたと語った。

「詰まるところ，一部の人は本当に必死なんです」と奥村は言う。「また一部の人は本当にどうしようもない人でなしで……だから私は，楽しく軽いノリでやってるんです。私がしてきた最悪のことは，彼らの時間を無駄にしたことですね」

1　ロージー奥村は，年配の女性やブリトニー・スピアーズや6歳の女の子を装うことで，詐欺犯が人々から奪ったお金を返還させてきた。

2　多くの詐欺取締隊たちは現在，彼らの正体を暴くためにユーチューブやティックトック上で過激主義や相手への侮辱，人種差別主義を利用している。

3　ロージー奥村は，母親のパソコンがウィルスに感染していると伝えた詐欺犯に対して母親が500ドルを失った後で，詐欺取締隊になることに決めた。

4　詐欺対策機関は，容疑者の逮捕につながる支援における非常に低い成功率と，途中で断念したケースの多さゆえに批判されてきた。

5　詐欺取締隊は通常，詐欺犯のコンピュータに確実にアクセスできるよう，警察と緊密に連携している。

＊　＊　＊

1．声優の奥村氏が，電話でさまざまな人の声色を装って詐欺犯に電話をかけたことは述べられているが，その目的は，彼らの時間を浪費することで再犯を予防する効果を期待してのことだと述べられている。彼女のこうした行動によって実際に詐欺犯がお金を返還したという内容は述べられていない。

2．オンライン上の詐欺取締りの20年にわたる歴史の中で，初期には過激な手法がとられたことは述べられているが，現在ユーチューブやティックトック上でこうしたことが行われているとは述べられていない。

3．母親の事件があった後で奥村氏が詐欺取締隊になったことは述べられているが，事件については銀行が500ドルの引出しを止めたと述べられており，実際に詐欺犯に500ドルが渡ったわけではない。

4．妥当である。

5．詐欺犯のコンピュータへのアクセスに自力で成功した事例が述べられており，詐欺取締隊が特定の目的で警察と緊密に連携しているという記述はない。詐欺取締隊の中には実際に詐欺犯を警察に通報している者もいるとの記述はあるが，本文全体を通じて，通常は警察や行政の対策とは関係なく活動が行われていることが読み取れる。

正答　4

内容把握

専門試験 英語(一般) 令和4年度

Select the statement which best corresponds to the content of the following passage.

You'll often hear naysayers telling people that if everyone simply stopped buying Bitcoin, it would drift into oblivion without anyone noticing. They are also fond of saying that Bitcoin is nothing more than a fad or a bubble bound to burst any day now. On the other hand, crypto enthusiasts have their own version of what Bitcoin really is and are happy to point out its benefits to non-believers on every occasion.

But what would actually happen if Bitcoin's value suddenly dropped to zero? Would it just hurt a small number of big investors around the globe, or would it start a total collapse of the financial system as we know it? To answer this question, we'll first analyze Bitcoin's current position in the global financial system.

Today, all cryptocurrencies' combined value stands at $1.6 trillion. All this money—equivalent to the nominal GDP of Canada—is kept in 10 million digital wallets. Bitcoin alone accounts for $848 billion of the total crypto market cap. It's the shift in the average Bitcoin investor's profile that has brought on this massive expansion. Initially, the investor base comprised early believers, developers who understood and possibly contributed to the technology behind the cryptocurrency, and a small number of risk-takers. But the situation changed once both ordinary people and large companies and institutions started cautiously accepting the reality of Bitcoin.

The adoption of Bitcoin and its underlying technology have such an influence on the market that investors such as major investment companies and hedge funds—previously associated exclusively with traditional financial markets—have also been drawn to the crypto market. Currently, institutions hold over 63% of trading by value, signaling that Bitcoin supporters have recently become much more deep-pocketed.

Even though some governments and regulators are still attempting to stop Bitcoin altogether, it's becoming evident that they won't be successful. Yes, Bitcoin's price might take an occasional dive due to their efforts, but Bitcoin and its underlying technology have proved time and again that these attempts are nothing but futile in the long run. Nowadays, with the support and user base Bitcoin has, it might be wiser for regulators to try and work with Bitcoin rather than to continue fighting windmills.

Some governments have already taken this approach. The shift toward working with Bitcoin and blockchain technology has started a chain reaction. Institutions are finding ways to incorporate Bitcoin in their processes or offerings to attract more Bitcoin enthusiasts as customers. Banks have already made several moves to offer crypto-trading to appease the demand from their customers, and they are unlikely to halt these efforts as they gain significant traction.

Bitcoin is decentralized—and while big players can significantly impact its price, the chances of any small group of people driving Bitcoin to zero are next to impossible. Too many traders have algorithms set to automatically purchase Bitcoin when its price falls under a certain threshold. Additionally, at this point, too much is at stake for early enthusiasts to allow this to happen.

The early enthusiasts honestly believe Bitcoin can replace fiat currencies, and following that belief, they helped it take off the ground in the first place. Even when the price sinks nearly to the bottom of the ocean, this group doesn't sell. This group will also keep their Bitcoins for another reason—they are not losing much in Bitcoin's occasional dives. Considering the low initial price they purchased Bitcoin for when the project just began, they'll still be profiting from Bitcoin even if the price drops to $100.

The fluctuations in Bitcoin's price and its notorious volatility are brought on by a different kind of investor—speculators. This group is in it simply for financial gain. A part of this group understands that the interest in Bitcoin drives the price up. The others treat it as a form of gambling. The gamblers abandon the ship at the first sign of trouble, driving the price to the ground, but more experienced speculators know better than to sell at that point. They know that once the price dips, new investors will jump on board, causing Bitcoin's price to soar again.

All this makes Bitcoin's collapse extremely unlikely; some would even argue—downright impossible. Nonetheless, we've decided to do a little thought experiment—our take on what would occur if Bitcoin suddenly lost all value.

You'll often hear financial analysts comparing Bitcoin to the tulip mania or the dot-com bubble. Some similarities certainly exist. It took Bitcoin just over two years to pass the $1,000 mark and then three and a half years to double in 2017. Currently, it stands at roughly $45,000, while Cisco's highest watermark in the dot-com bubble was a mere $146.75.

The dot-com bubble eventually imploded, wiping out as much as $5 trillion back in 2000. With Bitcoin's current market cap of $848 billion, it's safe to assume that the stakes are already high enough to cause some ripples in the offline economy as well, but nothing comparable to the dot-com bubble: There simply isn't enough money tied up in Bitcoin. For now, at least.

At this point, too much is at stake for investors to allow Bitcoin to drop down to zero and disappear from the financial scene. It would take a series of highly improbable events to take place for Bitcoin to lose all its value and vanish, causing a recession dire enough to impact everyone. Enthusiasts, miners, and crypto exchanges are all used to the price dives and know better than to sell. Having a fully decentralized, transparent payment system free of governmental control is just too tempting to be abandoned. It opens the door for many opportunities far beyond having yet another currency to trade with.

With Bitcoin and its underlying technology making its way into every aspect of the global economy, it's safe to say this cryptocurrency is here to stay.

1 Bitcoin has undergone a massive expansion despite the lack of interest from large companies and institutions.

2 Efforts by governments and regulators to stop Bitcoin are unlikely to have a long-term impact on the price, and some now know that there is little point in trying.

3 People who were interested in Bitcoin from the beginning will be likely to sell if the price drops below $100 because they still make a profit.

4 Bitcoin has been compared with the dot-com bubble because it took three and a half years since its creation to reach $2,000.

5 Because Bitcoin is a fully decentralized system that is free from government control, it is unlikely to be affected by recessions like other currencies.

〈全訳〉 次の文の内容に最も合致する記述を選びなさい。

あなたはよく，何にでも反対するような人が，ビットコインは皆が買うのをやめるだけで誰も知らぬ間に忘却の彼方に消えていくだろう，と語るのを耳にするだろう。そういう人たちはまた，ビットコインは一時的流行やバブルのようなもので，いずれすぐにも崩壊する運命にある，と語るのを好む。一方で，暗号資産の熱心な支持者は，ビットコインの本質について独自の解釈を持ち，懐疑的な人々に事あるごとにその利点を喜んで説明したがる。

だが，もしビットコインの価値が突然ゼロに落ち込んだとき，実際に何が起こるのだろうか。世界中の少数の大投資家たちが損害を被るだけだろうか？　あるいは，私たちが知るような金融システムが全面的に崩壊する始まりとなるのだろうか？　この問いに答えるために，まずは世界の金融システムにおけるビットコインの現在の立ち位置を分析してみよう。

今日，すべての暗号資産を足し合わせた価値は1.6兆ドルにのぼる。カナダの名目GDPの額に相当するこのお金はすべて，1,000万口座を数えるデジタルウォレット（電子財布。個人が電子商取引を行うためのアプリや端末）に保管されている。ビットコインだけで，暗号資産全体の時価総額のうち8,480億ドルを占める。この大幅な拡大をもたらしたのは一般のビットコイン投資家たちの評価の変化である。当初その投資家基盤は，早くからの信奉者たち，暗号資産を裏打ちする技術を理解し，おそらくはそれに貢献した開発者たち，そしてリスク覚悟の少数の冒険者たちから成っていた。だが，一般の人々と大企業や大手機関がビットコインの現実を慎重に受け入れ始めると，状況は変化した。

ビットコインとその根底にある技術の採用は，それまで既存の金融市場とのみ結びついていた大手投資会社やヘッジファンドなどの投資家たちをも暗号資産市場に引き込んだほどの影響力を持っている。現在，機関投資家が取引価額の63%超を占めており，ビットコインの支持者は近年よりいっそう裕福になっていることを示している。

国によっては今も政府や規制当局がビットコインの取引きを全面的に止める試みを行っているが，それらはうまくいかないことが明らかになりつつある。確かに，ビットコインの価格が彼らの努力によって時に急落することはあるかもしれないが，ビットコインとその根底にある技術は，こうした試みが長い目で見れば無駄であることを繰り返し示すこととなった。現在では，ビットコインが得ている支持とユーザー基盤があるため，規制当局は（ドン・キホーテのように）風車との戦いを続けるよりもビットコインとの共存の道を探るほうが賢明だろう。

すでにこのアプローチを採用している政府もある。ビットコインおよびブロックチェーン技術と共存する方向への変化は，連鎖反応を引き起こしている。機関投資家は，自分たちの商品開発や顧客募集にビットコインを組み入れる手段を探っており，ビットコインの熱心な支持者をより多く顧客に引き込もうとしている。銀行では，すでに顧客からの要求をのんで暗号資産取引の場を提供する動きがいくつか出ており，これで一気に勢いを増せばこうした努力を止めるようなことはないだろう。

ビットコインは（中央銀行や単一の管理者を持たず）分散しており，大物プレーヤーがその価格に重大な影響を与えることも可能だが，一方でどんな集団であれ，少数の人々がビットコインの価値をゼロに落とそうとしてもそれはほぼ不可能である。ビットコインの価格がある一定の境界点を下回るとそれを自動的に買い戻すようアルゴリズム（取引きのチェック方法）をセットしているトレーダーが多すぎるためだ。さらに言えば，現時点においては，早くからの熱心な支持者はリスクが高すぎるためにこのようなことは起こさせないだろう。

初期の信奉者たちは，ビットコインは不換通貨（法定通貨）に取って代わることができると素直に信じ，その信念に従って，ビットコインがまずは幸先のよいスタートを切ることに貢献した。価格が海底近くにまで沈んでも，このグループは売ることはしない。またこのグループは，もう１つの理由からも自分のビットコインを保有し続けるだろう。それは，ビットコインが時に暴落しても，彼らは多くを失うことがないからだ。プロジェクトが始まったばかりの頃に彼らがビットコインを購入した当初の価格の低さを考えれば，価格が100ドルにまで下がったとしてもなおビットコインから利益を得ることだろう。

ビットコインの価格変動とその悪名高い変動率の高さは，それとは異なった種類の投資家たち，すなわち投機家によって引き起こされている。このグループは，単に金銭的利益のために参入している。このグループの一部は，ビットコインへの関心がその価格を引き上げることを理解している。その他の人々は，ビットコインをギャンブルの一形態のように扱っている。ギャンブラーは最初のトラブルの兆候で船を放棄し価格を地に落とすが，より経験のある投機家はその時点で売るような無思慮なことはしない。彼らは，いったん価格が下落すると新たな投資家たちが船に飛び乗り，その結果ビットコインの価格が再び上昇することを知っているのだ。

こうした事情により，ビットコインの崩壊は極めてありそうにないことだ。人によっては，まったくもって不可能と主張する者さえいる。とはいえ，私たちはちょっとした思考実験をしてみることにした。もしビットコインが突然すべての価値を失ったら何が起こるだろうか，という問いへの私たちの見方だ。

あなたはしばしば，金融アナリストがビットコインをチューリップマニア（訳注：17世紀オランダで起こった，チューリップの球根の投機バブルとその崩壊）やドットコムバブル（訳注：1999～2001年にアメリカを中心に起こったIT企業株のバブルとその崩壊）にたとえる話を耳にするだろう。いくつかの類似点は確かに存在する。ビットコインの価格が1,000ドルの水準を超えるまでわずか２年余り，その後2017年に２倍になるまで３年半しかかからなかった。現在はほぼ45,000ドルの水準にあるが，一方ドットコムバブルでのシスコ社（シスコシステムズ）の株価の最高水準は，わずか146.75ドルにすぎない。

ドットコムバブルは最後には崩壊し，2000年には５兆ドルものお金が消滅した。ビットコインの現在の時価総額は8,480億ドルなので，すでにリスクはオフライン経済（実体経済）にもさざ波が立つほどには高いと想定するのが無難だが，それでもドットコムバブルには匹敵すべくもない。ビットコインにひもづいているお金はとても少ないのだ。少なくとも今のところは。

現段階では，投資家たちがビットコインをゼロまで下落させて金融の現場から消滅させるのは，あまりにリスクが高すぎる。ビットコインがそのすべての価値を失って消滅し，誰もが影響を被るほど深刻な不況を引き起こすまでになるには，かなりありえないような出来事が立て続けに起こる必要がある。熱心な支持者やビットコインの採掘者（訳注：コンピュータで取引きの検証作業を行い，対価として暗号資産を受け取ることを，金銀を掘る作業になぞらえて「マイニング（採掘）」という），そして暗号資産取引所はみな価格の急落には慣れており，早まって売るようなことはしない。政府の規制を受けない，完全分散型で透明性のある決済システムを持っておくことには，放棄するには惜しいほどの魅力がある。それは，もう１つ別の取引通貨を持つという行為をはるかに越えた，多くの機会への扉を開くものなのだ。

ビットコインとその根底にある技術が世界経済のあらゆる側面に浸透している現状に鑑みれば，この暗号資産はこれからもあり続けるものだと言うのが無難だろう。

1　ビットコインは，大企業や大手機関からの関心が不足していたにもかかわらず，大幅な拡大を遂げた。

2　ビットコインを止めようという政府や規制当局の努力は，その価格に長期的な影響を与えそうにはなく，今ではそうする意味がほとんどないとわかっている者もいる。

3　当初からビットコインに関心を持っていた人々は，価格が100ドル未満まで下落すれば，それでもなお利益を得られるために売る可能性が高い。

4　ビットコインがドットコムバブルと比較されてきたのは，創造から2,000ドルに達するまでに要したのは３年半だったからだ。

5　ビットコインは政府の規制を受けない完全分散型のシステムであるため，他の通貨のように不況の影響を受ける可能性は低い。

＊　＊　＊

1．ビットコインは当初，少数の熱心な支持者にのみ評価されていたが，大企業や大手機関も次第にビットコインを受け入れ始め，それによって大幅な拡大につながったと述べられている。

2．妥当である。

3．逆に，早くからの熱心な支持者は価格が下がっても売ることはしないと述べられている。

4．ビットコインがドットコムバブルと比較されてきたことは正しいが，創設以来のビットコインの価格の上昇については「1,000ドルの水準を超えるまでわずか２年余り，その後2017年に２倍になるまでわずか３年半しかかからなかった」と述べられており，創造から2,000ドルに達するまでは５年半余りを要したことが読み取れる。

5．ビットコインが政府の規制を受けない完全分散型のシステムであること，また，ビットコインが「そのすべての価値を失って消滅し」，その結果として深刻な不況を引き起こすような事態は考えにくい，という内容は述べられているが，選択肢の前半部の内容と後半部の内容が因果関係にあるかのような記述はない。

正答　2

Select the statement which best corresponds to the content of the following passage.

Young people may be nudged into carrying knives by the police, research has found, as a new count showed the Metropolitan police circulated more than 2,100 images of seized knives on Twitter in a year.

In the same period, three leading violent-crime prevention charities—Hope Collective, the Ben Kinsella Trust and Dwaynamics—circulated two images of knives between them, according to research by the Green party in the London assembly.

"It's deeply worrying to see police sharing such frightening images of knives when the charities involved in reducing knife harm don't do this at all," said Caroline Russell, a Green party assembly member who sits on London's police and crime committee. "The disparity of approach is staggering, with the mayor's own violence reduction unit sharing no images of dangerous knives."

According to the Greens, between July 2020 and August 2021, images of knives were published 612 times by Met borough accounts, 229 times by the Met taskforce, 82 times by the roads and transport command, 16 times by the firearms command and 15 times by the main Metropolitan Police Service account.

Based on the average number of knife images posted by a sample of ward accounts from various boroughs, they estimated that local policing teams published a total of 1,176 images of knives.

There has been a long-running debate around sharing images of weapons on social media. The Met says it publishes pictures of seized weapons to reassure the public that its officers are committed to tackling violent criminals.

"We aim to include images of our officers in action showing the breadth of policing, alongside any images of weapons," a spokesperson said. "This is not always possible. We always include wording which explicitly discourages weapon carrying and violence to accompany any imagery."

Critics have said the images contribute to a sense that the carrying of weapons is widespread. At a youth violence summit in London, an adviser to the city's violence reduction unit said photos of blades could prompt young people to consider "upgrading tools."

That assessment seems to be backed by research published as a pre-print this month that suggests knife seizure images "potentially encourage knife-carrying." Young people in Glasgow shown images of seized knives told researchers led by the University of Strathclyde that they thought the pictures contributed to a climate of fear and perpetuated negative stereotypes of certain groups and areas—although all said they were personally opposed to knife-carrying.

Dr Charlotte Coleman, a psychologist at Sheffield Hallam University who was involved in the study, said the researchers questioned young people in high- and low-crime areas. "For those young people that were living in high-crime areas, they felt quite stigmatised by the volume of knife imagery that was flooding their area," she said.

Such images had the potential to frighten susceptible young people into carrying knives for self-defence, but equally others could be excited by them, prompting them to carry a knife because they thought doing so was "cool", Coleman said.

Regarding the Met's use of images of seized knives, she said: "I find it concerning that so many images are used. It's not just the 2,100 times that they are posted by the police, because they are posted and reposted. So, actually, the exposure becomes amplified by the number of shares." People more worried or excited by knives were more likely to share, she suggested.

There was a 31% year-on-year fall in knife offences recorded in London from January to March, 2021. But an increase in the severity of attacks led to a rise in the number of killings by a quarter, and police have warned London could be on track for its worst year of young homicides since 2008.

A Met spokesperson said: "The Met is an evidence-driven organisation, and that extends to the way in which we communicate with Londoners. We look forward to the results of this research being published in the coming months, which will help inform our approach moving forward."

1 Over the course of a year, the Metropolitan police published on Twitter over two thousand times the number of images of knives used in crime than the charities associated with preventing crime did combined.

2 Both the Met and the Greens agree that publishing pictures of seized weapons reassures the public that the police are striving to reduce crime.

3 Young people in Glasgow who were shown pictures of knife seizure images believed that they encouraged them to carry knives.

4 Many people could become more worried or excited by the images posted by the Met, which is now preventing them from being reposted by others.

5 Although there was a decrease in knife offences in the first three months of 2021 compared to the same period in 2020, the severity of attacks has increased.

解説

〈全訳〉 次の文の内容に最も合致する記述を選びなさい。

若者はナイフを携帯して歩くよう，警察によって後押しされるかもしれないことが，研究によって明らかになった。これは，最新の集計によって，首都警察（ロンドン警視庁）が押収してツイッター上で回覧していたナイフの画像が1年で2,100枚を超えるという現実を受けてのことだ。

同じ期間に，ホープ・コレクティブ，ベン・キンセラ・トラスト，ドウェイナミックスという，凶悪犯罪防止のための慈善活動を行う主要3団体が，彼らの間で回覧していたナイフの画像は2枚だったことが，ロンドン市議会の緑の党の調査で明らかになった。

「ナイフによる被害を減らす活動に従事している慈善団体がこんなことはしていないのに，警察がそのようなおぞましいナイフの写真を共有しているというのは，深く憂慮すべきことです」と，ロンドン市議会の警察および犯罪委員会のメンバーである，緑の党所属のキャロライン・ラッセル議員は語った。「市長直属の暴力対策班では危険なナイフの画像共有は行っていないことも考え合わせれば，このアプローチの相違は信じがたいことです」

緑の党によると，2020年7月から2021年8月の間に，ナイフの写真は首都警察の各特別区のアカウントで612回，首都警察の特別対策本部で229回，道路交通対策司令部で82回，銃火器対策司令部で16回，そしてメインであるロンドン警視庁のアカウントで15回公表されていた。

同党は，さまざまな地区から抽出した地区アカウントによるナイフ画像の投稿の平均数に基づいて，各地区の警備チームは合計1,176枚のナイフの写真を公表していたと概算した。

ソーシャルメディア上で凶器の画像を共有することを巡っては，長い間議論が続いている。首都警察は，押収した凶器の写真を公表するのは，警察官が凶悪犯罪に真剣に取り組んでいることを示して大衆に安心感を与えるためだと主張している。

「われわれは，どんな凶器の画像にも活動中の警察官の画像を添えて，広範な取り締まりが行われていることを示す努力をしています」と広報担当者は語った。「これは常に可能なわけではありません。われわれは常に，どんな画像についても，それとともに凶器の携行と暴力をやめるよう明確に促す表現を添えています」

評論家は，こうした画像は凶器の携行が広く行われているとの感覚を生むことに貢献していると語っている。ロンドンで行われた青少年の暴力問題がテーマのある会議で，市の暴力対策班のアドバイザーは，刃物の写真は若者が「道具の格上げ」を考えることを助長する可能性があると語った。

その評価は，査読前の原稿の形で今月発表された研究結果でも裏づけられるようだ。その研究は，ナイフの押収の写真は「ナイフの携行を促す可能性がある」ことを示唆している。押収されたナイフの画像を見せられたグラスゴーの若者たちは，ストラスクライド大学が主導する研究者たちに対して，こうした写真は恐れの風潮を高める原因となり，特定の集団や地域に対する否定的な見方を永続化させることになると思うと語った。彼らは皆，個人的にはナイフの携行には反対としたにもかかわらずだ。

この研究にかかわった，シェフィールド・ハラム大学所属の心理学者であるシャーロット・コールマン博士は，研究者たちが尋ねたのは犯罪発生率が高い地域と低い地域の双方の若者だったと語った。「犯罪発生率が高い地域に住む若者にとっては，自分たちの地域にあふれているナイフの画像の多さによってまるで自分が非難されているかのように感じたのです」

そうした画像は，多感な若者に恐怖を与えて自衛のためにナイフを携行する方向に導く可能性があるが，さらにはそれが興奮材料となる若者もいて，ナイフを携行することが「かっこいい」という理由でそうすることに彼らを向かわせる可能性もある，とコールマン氏は語った。

首都警察が押収されたナイフの画像を使っていることに関して，彼女は語った。「それに関して言えば，あまりにも多くの画像が使われていると思います。それらが警察によって2,100回投稿されているというのは，それだけの話にとどまりません。それらは何度も繰り返して投稿されるのですから。ということは，実際はシェアの数によって人目につく機会が増幅されることになります」。ナイフによってより心配する人も興奮する人も，どちらもシェアする可能性が高くなることを彼女は示唆した。

2021年の1月から3月までの期間，記録に残るロンドンでのナイフによる犯罪は前年比で31%低下した。しかし殺人事件の数が25%増加したことから，襲撃の激しさは増しており，ロンドンは若者による殺人事件数で2008年以来最悪のペースで進んでいる，と警察は警告を発している。

首都警察の広報担当者は語った。「首都警察は実証に基づく組織であり，それはわれわれのロンドン市民とのコミュニケーションのあり方にも及ぶことです。われわれは研究の成果が数か月後に発表されるのを心待ちにしており，われわれが対策を前に進めるうえで影響を与えることになるでしょう」。

1　1年の間に，首都警察はツイッター上に犯罪に使われたナイフの画像を，犯罪抑止に関わる慈善団体が行った数を合わせた数の2,000倍よりも多く公表した。

2　首都警察と緑の党の双方は，押収した凶器の写真を公表すれば，警察が犯罪の減少のために奮闘していることを示して大衆に安心感を与えるという考えで一致している。

3　ナイフ押収画像の写真を見せられたグラスゴーの若者たちは，写真が彼らにナイフを携行することを促していると信じた。

4　多くの人々が首都警察が投稿した画像によって心配を深めたり興奮を高める可能性があり，そのことが今，それらが他の人々によって再投稿されることを防いでいる。

5　2021年の最初の3か月間は，2020年の同期間に比べてナイフによる犯罪の減少が見られたが，襲撃の激しさは増した。

＊　＊　＊

1．1年の間に首都警察がツイッター上に公表したナイフの画像は2,100枚超，3つの慈善団体が回覧したナイフの画像は2枚と述べられているので，「2,000倍よりも多く」は誤り。X times the number of ～は「～のX倍の数」という意味の倍数表現で，「2,000回多い数」ではない。

2．首都警察のこのような考えは述べられているが，緑の党がこのような考えであると読み取れる記述はなく，むしろ警察のやり方を追及していることが述べられている。

3．グラスゴーの若者に聞き取りをした調査研究の結果，研究者たちがナイフ押収画像は「ナイフの携行を促す可能性がある」と示唆したことは述べられているが，聞き取りをした若者は皆「個人的にはナイフの携行には反対」と答えたことが述べられている。

4．前半部分の内容は述べられているが，そのことが再投稿の抑止につながっているという内容は述べられていない。

5．妥当である。

正答　5

専門試験
英語(一般) **内容把握** 令和4年度

Select the statement which best corresponds to the content of the following passage.

What makes for a good trivia question? There are some common-sense requirements. It should be clearly written, accurate, and gettable for at least some people. (Acceptable degrees of difficulty vary.) It must be properly "pinned" to its answer, meaning that there are no correct responses other than those the questioner is seeking. (This can be trickier than you might think.) In the opinion of Shayne Bushfield, the creator and sole full-time employee of LearnedLeague, an online trivia community that he has run since 1997, people should recognize the answer to the question as something worth knowing, as having a degree of importance. "Trivia is not the right word for it," he told me recently. "Because trivia technically means trivial, or not worth knowing, and it's the opposite."

The idea that the answers to trivia questions are worth knowing is a matter of some debate, and has been more or less since trivia itself was born. The pop-culture pastime of quizzing one another on a variety of subjects as a kind of game is fundamentally a phenomenon of the past hundred years or so: its first appearance as a fad seems to date to 1927, when "Ask Me Another! The Question Book" was published. As the "Jeopardy!" champion Ken Jennings notes in his book "Brainiac," "Ask Me Another" was written by "two out-of-work Amherst alumni" living in Manhattan, who "were shocked to find that, despite their fancy new diplomas and broad liberal educations, the job world wasn't beating a path to their door." Their book was a hit, and newspapers began running quiz columns, a follow-up of sorts to the national crossword craze of a couple of years before. Quiz shows came to radio and television about a decade later. But none of these games were called trivia until a pair of Columbia undergraduates, in the mid-sixties, shared their version of the game, first in the school's *Daily Spectator* and later in their own popular quiz book, which really did prize the trivial: the name of the Lone Ranger's nephew, the name of the snake that appeared in "We're No Angels," and so on. This version of trivia was all about the stuff one had read, listened to, or watched as a kid, and its appeal, according to one of the Columbia pair, was concentrated among "young adults who on the one hand realize they have misspent their youth and yet, on the other hand, do not want to let go of it." The purpose of playing, he explained, was experiencing the feeling produced when an answer finally came to you, "an effect similar to the one that might be induced by a pacifier."

Presumably, it has always been satisfying to know things, but the particular pleasure of trivia seems to depend on two relatively recent developments: the constant relaying of new information (i.e., mass media) and the mass production of people who learn a lot of things they don't really need to know. (College attendance began steadily rising in the nineteen-twenties, before booming after the Second World War.) It is sometimes asked whether the popularity of trivia will diminish in the age of Google and Siri, but those earlier developments have only accelerated, and trivia seems, if anything, more popular than ever. In contrast to the mindless ease of looking up the answer to a question online, there's a gratifying friction in pulling a nearly forgotten fact from your own very analog brain.

Bushfield writes and delivers nearly six hundred and fifty trivia questions to LearnedLeague players every year, distributed over the course of four twenty-five-day seasons. In his view, the last component of a truly excellent trivia question, after accuracy and importance, is that it offers multiple ways to come up with the answer. Such questions have an element of noodling that results in a wave of delight at the eureka moment. For instance: "A book from 2013 by design expert Jude Stewart is subtitled *An Exceedingly Surprising Book About Color*. What is this book's main title, which is the name of a made-up person also associated tangentially with the pattern that appears on the LGBT pride flag? *Note, full name with middle initial required*."

With this type of question, Bushfield told me, he wants to make it seem almost as though he's at your side, saying, "You can figure this out, you know this, don't get discouraged!" He tries to calibrate his questions such that LearnedLeague's collective batting average will be just below fifty per cent; that way, he has said, "really good players still are challenged occasionally, and the very bottom players still get some right."

One can easily despair at the amount of information we are exposed to every day and at the amount of stuff we forget. Trivia, when it's done well, offers little moments of mastery, in the form of a game—often one with low individual stakes or none at all. (There are no cash prizes in LearnedLeague.) In Bushfield's conception, trivia is a more generous game than it sometimes gets credit for; it prizes curiosity and reminds us that the world is much bigger than our immediate personal concerns. Perhaps the detail in a question doesn't matter to you, but it may very well be important to some other set of people—and thus, arguably, it should have value for the rest of us.

1 Everyone agrees that a good trivia question must be about something worth knowing, and therefore "trivia" is actually not the right name for it.

2 Radio and television quiz shows began using the word "trivia" in their titles, about ten years after a book called "Ask Me Another! The Question Book" was published.

3 The popularity of trivia will certainly diminish in the age of Google and Siri, because there is not much pleasure in trying to figure out the answers that can easily be found online.

4 According to Bushfield, the creator of LearnedLeague, there are only two important qualities of truly excellent trivia questions, namely accuracy and importance.

5 Bushfield thinks that trivia offers much more than people normally think, and it reminds us that there is much more in the world beyond one's immediate personal concerns.

〈全訳〉 次の文の内容に最も合致する記述を選びなさい。

よいトリビア（雑学，豆知識）の問題とはどんなものだろうか。常識的に言える条件がいくつかある。まず，明確な表現で書かれ，正確で，少なくとも一部の人にとって答えがわかるものである必要がある。（難しさの許容度は場合により異なる。）また，正解に適切に「ピン留め」されている，つまり質問者が求めている以外の正しい返答が存在しない必要がある。（これは，あなたが思うよりも微妙な問題をはらむ。）1997年から運営されているオンライン上のトリビア愛好家の場である，「ラーンドリーグ」の創設者であり唯一のフルタイム従業員であるシェイン・ブッシュフィールド氏の見解によれば，問題の正解は知る価値があり，ある程度の重要度を持つ物事と心得るべきとのことだ。「それに当たる言葉として，トリビアというのは適切ではありません」と，彼は最近私に語った。「トリビアとは，字義的には取るに足らない（もの），知る価値がない（もの）という意味で，実際は正反対なのですから」。

トリビア問題の正解は知る価値のあるものであるという考えは，少々議論のあるところで，トリビア自体が生まれたときから多かれ少なかれ議論がある。ゲームの一種として，さまざまなテーマについて互いにクイズを出し合うという大衆文化の娯楽は，基本的には過去100年前後の現象である。それが最初に流行として現れたのは，『そんなの知るか！　質問集』が出版された1927年にさかのぼるようだ。「ジェパディ」（訳注：1964年から放送が続くアメリカの人気テレビ番組）のチャンピオンであるケン・ジェニングスが著書『ブレイニアック（頭脳の天才）』に記しているところによると，『そんなの知るか！』は（ニューヨーク市の）マンハッタンに住んでいた「2人の失業中のアマースト大学卒業生」によって書かれ，彼らは「上等で新しい卒業証書と高等教育の幅広い一般教養があるにもかかわらず，仕事の世界が彼らのところに押しかけてこないことにショックを受けた」。彼らの本はヒット作となり，新聞がクイズ欄を連載するようになったのだが，これがその2，3年前のクロスワードパズルの全国的ブームに続く二番煎じとなった。その後10年ほどして，ラジオやテレビにクイズ番組が登場した。だがこうしたゲームがトリビアと呼ばれるようになったのは，1960年代半ばに，2人のコロンビア大学の学部生が独自の型のゲームを，最初は学校新聞の「デイリー・スペクテイター」紙に，のちに自分たちの著書で人気となったクイズ本に公開してからのことである。この本はまさに取るに足らないことを重んじたものだった。たとえば，ローン・レンジャー（訳注：アメリカの西部劇を題材としたドラマ・映画の主人公）の甥の名前や，『俺たちは天使じゃない』（訳注：1955年公開のアメリカ映画）に出てくるヘビの名前は何かといった具合だ。トリビアのこの型はすべて，誰もが子どもの頃に読んだり聞いたり見たりしたものに関係するもので，コロンビア大学生のうちの1人によれば，その人気は「一方では青春時代を無駄に過ごしたと自覚しながら，他方ではその時代を手放したくはない若い青年たち」の間に集中した。彼の説明によれば，それを楽しむ目的は，最後に正解が浮かぶときに生み出される感覚を経験することで，それは「おしゃぶりによって引き起こされるようなものに似た効果」があるとのことだ。

思うに，物事を知ることはどんな時代にあっても満足をもたらすものであるが，トリビアがもたらす特定の喜びは，比較的最近に発達した2つのことによるもののようだ。それは，マスメディアに象徴される新たな情報の絶え間ない伝達と，必ずしも知る必要のないことを多く知る人々が大量に生み出されたことである。（大学進学者は，第二次世界大戦後に急増する以前，1920年代に着実に増加し始めていた。）グーグルやSiriの時代になってトリビア人気は衰えるかという問いが時々発せられているが，そうした直近の発達は現在も加速する一方であるから，むしろトリビアはこれまで以上に人気になるように思われる。質問の答えをオンライン上で探すという知性不要の行為の簡単さに比べれば，忘れかけていた事実を自分自身の非常にアナログな脳から引き出す作業には心地よいじれったさが伴うのだ。

ブッシュフィールド氏は毎年650問近くのトリビア問題を作ってラーンドリーグのプレーヤーに届けており，問題は1期25日の4期分に分けられる。彼の考えでは，真に優れたトリビア問題に必要な，正確さや重要度の後にくる最後の構成要素は，正解に至る方法が複数用意されていることだ。そのような問題には考えを巡らせる要素が含まれ，最後に答えがわかった瞬間には歓喜の高まりを感じさせる。たとえば次のような問題だ。「デザインの専門家であるジュード・スチュワートが2013年に出版した著書には『色に関するびっくり仰天の本』という副題がついている。この本のメインの書名は架空の人物の名前であり，LGBT のプライドを示す旗に見られる模様にも少々関連するものであるが，その名前は何か。ミドルネームのイニシャルを含めたフルネームで答えよ」（訳注：正解は『Roy G. Biv』で，それぞれの文字がR＝Red，O＝Orange，Y＝Yellow，G＝Green，B＝Blue，I＝Indigo，V＝Violet という7色のレインボーカラーを表す）

この種の問題に関して，ブッシュフィールド氏が私に語ったところによると，彼は問題を，まるで彼があなたの側にいるような感じ，彼の言葉によると「きっと解けるよ，知ってるだろう，諦めるな」という感じにしたいと思っているとのことだ。彼は自分の問題を，できるだけラーンドリーグ全体の平均正解率が50% を少し下回るように調整している。そうすれば，彼によると「非常に優秀なプレーヤーであっても時に手ごたえを感じ，最下層のプレーヤーであってもいくつかは正解できる」とのことだ。

私たちが毎日さらされる情報の量と，忘れてしまうものの量の多さは，誰もが容易に絶望しそうになるほどだ。トリビアは，よくできた問題であれば，ゲーム形式で私たちにちょっとした達成の瞬間を与えてくれる。それも，多くは個人の懸賞が低額であるかまったくないゲームだ。（ラーンドリーグでは賞金を実施していない。）ブッシュフィールド氏の考えでは，トリビアとは時々受ける評価よりももっと寛大さを持ったものである。トリビアは好奇心を重んじ，世界は私たちの身近で個人的な関心事よりもはるかに大きいものであることに気づかせてくれるものだということだ。もしかすると，問題の細かな部分はあなたには関係ないかもしれないが，他の一群の人たちにとっては重要だということも大いにあるだろう。それゆえに，間違いなく，それは私たちのその他すべてにとっても価値があるはずである。

1　よいトリビア問題は知る価値のある物事についてのものでなければならず，それゆえ「トリビア」という名前は実際はそれにふさわしくない，という点で皆の意見が一致している。

2　ラジオやテレビのクイズ番組が番組名に「トリビア」という言葉を使い始めたのは，『そんなの知るか！　質問集』という本が出版された約10年後のことだった。

3　グーグルや Siri の時代にはトリビアの人気は確実に衰えるだろうが，それは，オンライン上で簡単に見つかる答えをひねり出そうとすることにはあまり喜びがないからである。

4　ラーンドリーグの創設者であるブッシュフィールド氏によれば，真に優れたトリビア問題の重要な特質は2つしかなく，具体的には正確さと重要度だ。

5　ブッシュフィールド氏は，トリビアとは人々がふだん考えるよりもはるかに多くのことを与えてくれるものであり，世界には自分の身近で個人的な関心事を越えてはるかに多くの物事があるということに気づかせてくれるものであると考えている。

＊　＊　＊

1. 「よいトリビア問題は知る価値のある物事についてのものでなければならない」ということ，「『トリビア』という名前は実際はそれにふさわしくない」ということは，本文中にブッシュフィールド氏の意見として述べられているが，そのような意見で皆が一致していると言えるような記述はない。

2. 『そんなの知るか！　質問集』が出版されたのは1927年，一方でトリビアという言葉が使われるようになったのは，1960年代半ばに，２人のコロンビア大学生が独自の型のゲームを学校新聞や，のちに自分たちの著書のクイズ本に公開してからのことと述べられている。

3. 筆者は，質問の答えをオンライン上で探すのは知性を必要としない簡単な作業であるのに対して，自分の頭で記憶の中から答えを引き出す作業は心地よさを伴うため，情報化が加速する中でトリビアはこれまで以上に人気になるように思われる，と述べている。

4. 本文では，真に優れたトリビア問題に必要なものとして，正確さや重要度のほかに「正解に至る方法が複数用意されていること」が挙げられている。

5. 妥当である。

正答　5

Select the statement which best corresponds to the content of the following passage.

The great hope of the 1990s and 2000s was that the internet would be a force for openness and freedom. As Stewart Brand, a pioneer of online communities, put it: “Information wants to be free, because the cost of getting it out is getting lower and lower all the time.” It was not to be. Bad information often drove out good. Authoritarian states co-opted the technologies that were supposed to loosen their grip. Information was wielded as a weapon of war. Amid this disappointment one development offers cause for fresh hope: the emerging era of open-source intelligence (OSINT).

New sensors, from humdrum dashboard cameras to satellites that can see across the electromagnetic spectrum, are examining the planet and its people as never before. The information they collect is becoming cheaper. Satellite images cost several thousand dollars 20 years ago, today they are often provided free and are of incomparably higher quality. A photograph of any spot on Earth, of a stricken tanker or the routes taken by joggers in a city is available with a few clicks. And online communities and collaborative tools, like Slack, enable hobbyists and experts to use this cornucopia of information to solve riddles and unearth misdeeds with astonishing speed.

Such an emancipation of information promises to have profound effects. The decentralised and egalitarian nature of OSINT erodes the power of traditional arbiters of truth and falsehood, in particular governments and their spies and soldiers. For those like this newspaper who believe that secrecy can too easily be abused by people in power, OSINT is welcome. The likelihood that the truth will be uncovered raises the cost of wrongdoing for governments. Liberal democracies will also be kept more honest. Citizens will no longer have to take their governments on trust. News outlets will have new ways of holding them to account.

Some will warn that OSINT threatens national security. But, if OSINT can tell the world about such things, a country's enemies are already able to know them. Pretending otherwise does not make states any safer. Others will point out that OSINT can be wrong. After the Boston Marathon bombing in 2013 internet users scrutinised the crime scene and identified several suspects. All were innocent bystanders. Or OSINT could be used by bad actors to spread misinformation and conspiracy theories.

However, every source of information is fallible and the scrutiny of imagery and data is more empirical than most of them. Hence, when OSINT is mistaken or malign, competing OSINT is often the best way to put the record straight. And over time, researchers and investigators can build a reputation for honesty, sound analysis and good judgment, making it easier for people to distinguish trustworthy sources of intelligence from charlatans. The greatest worry is that the explosion of data behind open-source investigations also threatens individual privacy. The privacy of individuals in a digital age is fraught with trade-offs. At the level of states and organisations, however, OSINT promises to be a force for good. It is also unstoppable.

This is a future that open societies would be wise to embrace. Tools and communities that can unearth missile silos and unveil spies will make the world less mysterious and a little less dangerous. Information still wants to be free—and OSINT is on a mission to liberate it.

1 The internet could not become a force for openness and freedom as people once hoped in the 1990s and 2000s, and it is disappointing that the internet will now be used for open-source intelligence (OSINT).

2 The decentralised and egalitarian nature of OSINT makes it susceptible to being abused by governments and their spies and soldiers, thereby further strengthening their powers.

3 There may be concerns that OSINT will undermine national security, but if OSINT is able to disclose such information, the adversaries of a country would already be in a position to access it.

4 OSINT can spread wrong or bad information, but there is no way for people to distinguish trustworthy sources from those that are not.

5 OSINT may be damaging to individual privacy, and therefore open societies are advised to resist the development of OSINT in the future.

解説

〈全訳〉 次の文の内容に最も合致する記述を選びなさい。

1990年代と2000年代の大きな希望は，インターネットが開放と自由の原動力となるだろうということだった。オンラインのコミュニティー（交流空間）の創始者であるスチュアート・ブランドの言を借りれば，「情報は自由になりたがっている。というのは，それを外に広めるコストがどんどん下がり続けているからだ」ということだ。ところがそうはならなかった。悪い情報がしばしばよい情報を駆逐した。権威主義的な国家は，自分たちの支配力を弱めると思われる科学技術を自らの側に取り込んだ。情報は戦争の武器として使われた。この絶望の中，ある技術の開発によって新たな希望の種がまかれている。それは，オープンソース・インテリジェンス（OSINT）（訳注：一般に公開されている情報源からデータを収集・分析すること）の時代の到来だ。

今や，車のダッシュボードの平凡なカメラから電磁波のあらゆる帯域を感知できる衛星に至るまで，新しいセンサーはこれまで以上に地球とそこに住む人々の詳細な調査を行っている。それらが集める情報はだんだん安価になっている。20年前には衛星画像は数千ドルの費用を要したが，今日ではしばしば無料で，しかも比較にならないほどの高画質で配信されている。地球上のどんな場所の写真，たとえば攻撃を受けたタンカーや町でジョギングをする人がたどる経路などといった写真も，何度かクリックすれば手に入る。そして，オンラインコミュニティーや「スラック」のような共同作業用ツールによって，趣味に熱中する人や専門家がこの情報の宝庫を利用して謎解きをしたり，悪事を驚くべきスピードで明るみに出したりしている。

そのような情報の解放は多大な影響を与えることになりそうである。脱中央集権型で平等主義的なOSINTの性質は，特定の政府およびその国のスパイや兵士たちの集団において，真実と虚偽を判断する既存の裁定者の権力を失わせる力がある。この新聞のように，秘密事項が権力の座にある者によっていとも簡単に乱用されうると考える人たちにとって，OSINTは歓迎すべき流れである。真実が明らかになる可能性が高まれば，政府にとって悪事を働くことの代償が大きくなる。自由民主主義もまた，より誠実な状態に保たれるだろう。市民はもはや自分たちの政府の言うことをうのみにする必要はなくなる。新たな情報ソースが彼らに釈明を求める新たな手段を用意するだろう。

OSINTが国の安全保障を脅かすと警鐘を鳴らす人もいるだろう。だが，もしOSINTがそのようなことについて世界に告げることができるなら，国家の敵対勢力もすでにそれを知ることができるということだ。そうでないように装うことで国家がより安全になるわけではない。また，OSINTが誤りを犯すこともあることを指摘する人もいるだろう。2013年のボストン・マラソン爆発テロ事件の後，インターネット利用者たちが犯行現場を綿密に調べて数人の容疑者を特定した。全員が無実の見物人だった。あるいは，OSINTが悪者に利用されて，誤情報や陰謀論を拡散させる可能性もあるだろう。

しかしながら，どんな情報源であっても誤りはあるものであり，画像とデータの精査はそれら情報源のほとんどよりも実証的である。ゆえに，もしOSINTが誤っているか害があるのであれば，競合するOSINTが多くの場合記録を正す最善の手段である。そしてやがては，研究者や調査者が誠実でしっかりした分析や適切な判断をしているとの評価を築くことができ，その結果人々が信頼に値する情報源とペテン師とを容易に見分けることができるようになる。最大の懸念は，オープンソースの調査の裏づけとなるデータの爆発的増加によって個人のプライバシーが脅かされるおそれも高まることだ。デジタル時代における個人のプライバシーはトレードオフの関係（一方を得るために他方を犠牲にすること）をはらんでいる。だが国家や組織のレベルにおいては，OSINT は善を促進する力になりそうだ。それは止めようのない動きでもある。

これは，開かれた社会ならば受け入れるのが賢明であるような未来である。ミサイル格納庫を明るみに出したりスパイを公にすることのできるツールや社会空間は，世界をよりわかりやすい，そして危険が比較的少ない場に変えるだろう。情報は今も自由になりたがっている。そして，OSINT は情報を解放する使命を帯びているのだ。

1　インターネットは，かつて1990年代と2000年代の人々が望んだような開放と自由の原動力となることはできず，今やインターネットがオープンソース・インテリジェンス（OSINT）のために使われようとしているのは残念なことだ。

2　脱中央集権型で平等主義的な OSINT の性質は，政府やその国のスパイや兵士によって乱用されやすく，それによって彼らの権力をさらに強化する結果になる。

3　OSINT が国家の安全保障を損なう懸念はあるだろうが，もし OSINT がそのような情報を暴露できるのであれば，国家の敵対者もすでにそれにアクセスできる立場にあるだろう。

4　OSINT が誤った，あるいは悪い情報を広める可能性はあるが，人々が信頼に値する情報源とそうでないものを区別する方法は存在しない。

5　OSINT は個人のプライバシーに悪影響を与えるかもしれず，それゆえに開かれた社会は将来 OSINT の発展に抵抗することが求められる。

＊　＊　＊

1. 前半部分については正しいと言えるが，後半部分について，インターネットが OSINT のために使われるというような記述はなく，OSINT についての筆者自身の否定的な評価も述べられていない。むしろ，本文全体を通して，OSINT は将来の希望であると述べられている。

2. むしろ，OSINT の持つそのような性質には，権力を失わせる力があると述べられている。本文中で「OSINT が悪者に利用され」る可能性に言及してはいるが，「乱用されやすい」とは述べておらず，本肢のような因果関係も述べられていない。

3. 妥当である。

4. 「もし OSINT が誤っているか害があるのであれば，競合する OSINT が多くの場合記録を正す最善の手段である」と述べられている。

5. 前半部分の内容は述べられているが，筆者は OSINT の未来について肯定的に評価しており，「開かれた社会ならば受け入れるのが賢明である」と述べている。

正答　3

令和４年度　一般論文試験

行政区分の一次試験で行われる。
出題数１題。
答案用紙はB4サイズで1,600字見当。
解答時間は１時間。

我が国は，2020年10月に，2050年までにカーボンニュートラル*を目指すことを宣言した。また，2021年４月には，2030年度の新たな目標として，温室効果ガスを2013年度から46％削減することを目指し，さらに50％削減に向けて挑戦を続けるとの新たな方針を示した。なお，世界では，120以上の国と地域が2050年までのカーボンニュートラルの実現を表明している。

＊　カーボンニュートラルとは，温室効果ガスの排出を全体としてゼロにすること

上記に関して，以下の資料①，②を参考にしながら，次の⑴，⑵の問いに答えなさい。

⑴　カーボンニュートラルに関する取組が我が国にとって必要な理由を簡潔に述べなさい。
⑵　カーボンニュートラルを達成するために我が国が行うべき取組について，その課題を踏まえつつ，あなたの考えを具体的に述べなさい。

資料①　日本のエネルギー起源CO_2排出量[※1]とカーボンニュートラル達成イメージ

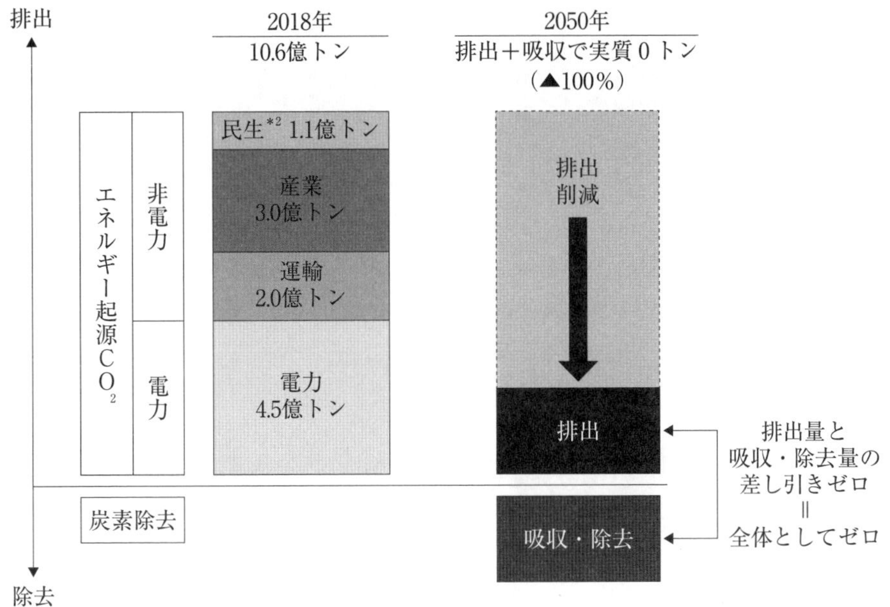

※1　燃料の燃焼，供給された電気や熱の使用に伴って排出されるCO_2の排出量
※2　一般の人々の生活（家庭部門）や，店舗などの第三次産業（業務部門）のこと

（経済産業省ウェブサイトを基に作成）

資料②　各種発電技術のライフサイクルCO_2排出量[※1]の比較

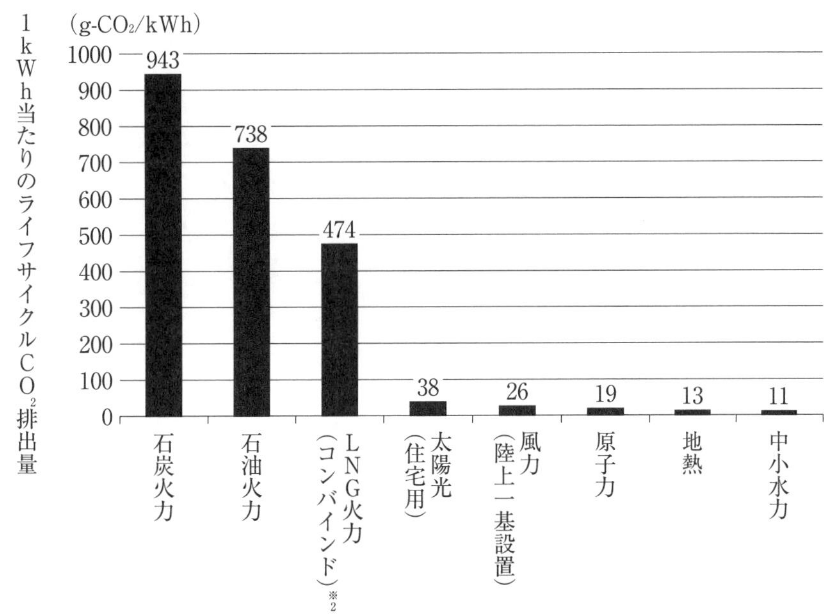

※1　発電燃料の燃焼に加え，原料の採掘から発電設備等の建設・燃料輸送・精製・運用・保守等のために消費される全てのエネルギーを対象としてCO_2排出量を算出
※2　ガスタービンと蒸気タービンを組み合わせた，熱効率の高い複合発電方式

（経済産業省ウェブサイトを基に作成）

令和 3年度試験出題例

出題内訳表

令和3年度　専門試験〈行政〉

択一式（16科目80題中 8 科目40題選択解答）

No.	科目	出題内容	難易度
1		エリートと大衆（パレート，リースマン，コーンハウザー等）	B
2		執政制度（フランス第五共和制，日本の地方公共団体等）	C
3	政治学	議会制民主主義（名誉革命前後のイギリス議会，バーク，シュミット等）	B
4		イデオロギー（ダウンズ，社会保険制度，第三の道，サルトーリ等）	B
5		市民の政治意識と行動（戦略投票，無党派層，ヴァーバ等）	A
6		官僚制（ゴールドナー，セルズニック，パーキンソン等）	B
7		行政責任と行政統制（アカウンタビリティ，官僚の監視方法等）	B
8	行政学	日本の内閣制度（首相指導の原則，内閣法制局，閣議等）	B
9		予算と決算等（予算編成，国会審議，会計検査院，決算等）	B
10		日本の政府規制と改革（護送船団方式，規制緩和推進計画等）	B
11		信教の自由（剣道実技拒否事件，内心の自由の絶対性等）	B
12		表現の自由（取材の自由，集団行進等の規制，名誉毀損罪等）	B
13	憲法	手続的権利（黙秘権，弁護人依頼権，検察官の上訴等）	B
14		国会（唯一の立法機関，国会内での発言，衆議院の優越等）	A
15		地方自治（財産権制限，条例の地域差，地方公共団体の要件等）	A
16		行政指導（教育施設負担金納付請求，建築確認処分の留保等）	A
17		行政手続法（目的，規定内容，聴聞・弁明，意見公募手続）	C
18	行政法	行政不服審査法（口頭による質問，行政不服審査会等）	B
19		訴えの利益（建築確認の取消し，運転免許証更新処分の取消し等）	B
20		国家賠償法（営造物設置・管理の瑕疵，損害賠償費用の負担者等）	B
21		条件・期限（停止条件付法律行為，不正による条件成就等）	B
22		時効（消滅時効の援用，時効完成後の債務承認等）	B
23	民法(総則及び物権)	不動産の物権変動（地上権，中間省略登記，共同相続等）	A
24		質権（指図証券，競売によらない弁済，被担保債権の範囲等）	B
25		抵当権（設定可能範囲，従物への効力，賃料債権への効力等）	B
26		債務不履行の責任等（損害賠償請求，注意義務軽減等）	A
27		債権者代位権（要件，債務者の権利行使，登記手続請求権等）	B
28	民法(債権，親族及び相続)	使用貸借（効力，契約解除，契約の相続，保管費用負担者等）	A
29		請負（同時履行，建築物の瑕疵修補，出来形部分の所有権等）	B
30		親子（父子関係の存否，認知届，無権代理の追認による養子縁組等）	A
31		2財消費者の効用最大化における需要の価格弾力性（計算）	B
32		2期間の消費税課税の有無による第1期の貯蓄額の相違（計算）	A
33	ミクロ経済学	企業の短期費用関数から長期費用関数の導出（計算）	A
34		独占企業の利潤最大化価格と限界費用価格規制時の価格差（計算）	B
35		社会厚生最大時の私的財と公共財の消費量（計算）	S
36		*IS-LM*モデルにおける完全雇用達成時の政府支出（計算）	B
37		テイラー・ルール下でのインフレ率上昇と国民所得の減少（計算）	B
38	マクロ経済学	労働力人口・離職率・復職率が所与時の均衡失業率（計算）	B
39		新古典派経済成長モデルにおける経済成長率の導出（計算）	B
40		リスクプレミアムの変化による株価の変化（計算）	C
41	財政学・経済事情　財政学	日本の財政制度（国庫債務負担行為，決算，地方交付税等）	B
42		日本の財政状況（予算規模，税収の内訳，地方税収等の推移等）	B
43		日本の経済動向（ガソリン店頭価格，企業の経常利益等）	B
44	経済事情	日本の人口・雇用（雇用者・就業率，女性非正規雇用者数等）	B
45		世界経済動向（アメリカ，ユーロ圏，中国，ダウ平均株価等）	B
46		企業戦略（チャンドラー，経験効果，スイッチング・コスト等）	B
47		国際経営（ハイマー，ダニング，ゴビンダラジャン等）	S
48	経営学	技術経営（アーキテクチャル・イノベーション等）	A
49		経営組織（ゴミ箱モデル，シャイン，組織学習等）	B
50		動機づけ理論（テイラー，ハーズバーグ，マグレガー等）	B
51		国際政治経済の歴史（第二次世界大戦後，冷戦終焉後の時代等）	B
52		安全保障を巡る議論（ウォルツ，勢力均衡，覇権安定論等）	B
53	国際関係	開発援助等の国際協力（ODA，MDGs，PKO，行為主体等）	A
54		人権（女子差別撤廃条約，ウィーン宣言，国連人権理事会等）	A
55		国際機構の設立にかかわる文書（国際連合憲章等）（英文）	B
56		社会学の諸理論（フーコー，ブルデュー，マートン等）	B
57		労働（ホーソン実験，日本的雇用慣行，フォード，OJT等）	B
58	社会学	集団とネットワーク（クーリー，パットナム，リッツァ等）	A
59		社会運動と社会運動論（資源動員論，新しい社会運動等）	C
60		社会統計学（名義尺度，中央値，相関，有意水準等）	C
61		感覚と知覚（弁別閾，馴化・脱馴化，運動残効，共感覚）	A
62		動機づけの理論や現象（ハル，マズロー，レッパー，アトキンソン等）	B
63	心理学	心理学における学習の実験（試行錯誤学習，認知地図，モデリング）	C
64		心的外傷後ストレス障害（男女比，症状の持続期間，本質的特徴等）	B
65		ハイダーのバランス理論（均衡・不均衡，認知者の方略等）〈空欄補充〉	C
66		教育法規とその法規名（障害者権利条約，世界人権宣言，教育基本法）	C
67		いじめ（法律上の定義，認知件数，いじめの四層構造論）〈空欄補充〉	C
68	教育学	日本の社会教育施設（公民館の利用目的，公立図書館職員の義務等）	B
69		日本の教育法規（義務教育諸学校の教科用図書の無償措置に関する法律等）	C
70		日本の教科と教育課程（外国語活動，道徳，プログラミング教育等）	C
71		内容把握（コロナウイルス流行下のヨーロッパにおける夜行列車の運行再開状況）	B
72		内容把握（持続可能な開発目標の実現と災害リスクの削減への対策）	B
73	英語(基礎)	内容把握（コロナウイルス流行によるロックダウン後の食料供給のあり方）	A
74		空欄補充（宇宙探査機ルーシーによる小惑星群の調査活動）	B
75		文法（不定詞，前置詞，so ～ that …の構文の用法等）	C
76		内容把握（星間物体の発見と調査計画）	B
77		内容把握（血糖値が運動の効果に与える影響）	B
78	英語(一般)	内容把握（スイス国政選挙での緑の党の躍進）	B
79		内容把握（コロナ禍でのアメリカの公立学校再開に伴う諸問題）	B
80		内容把握（AIによるシステムが権力者の意向に左右されることへの問題提起）	B

※難易度：S＝特に難しい，A＝難しい，B＝普通，C＝易しい。

国家一般職［大卒］ No. 1 専門試験

政治学 エリートと大衆 令和3年度

エリートと大衆に関する次の記述のうち，妥当なのはどれか。

1 V.パレートは，いかなる社会においても少数の支配層と多数の大衆が存在しており，少数の支配層であるエリートは固定的ではなく時代とともに交代することがあるものの，エリートによる支配は揺るがないとした。

2 D.リースマンは，『孤独な群衆』において，人間の社会的性格を「伝統志向型」，「組織志向型」，「内部志向型」の三つに分類し，現代大衆社会における人間は，内面化された規範に服従する「内部志向型」であるとした。

3 E.フロムは，『変革期における人間と社会』において，フランス第二共和制が打倒された理由を人々の心理状態に求めた。彼は，近代に入って共同体からの自由を得た大衆は同時に孤独となり，やがてその自由の重さに耐えかねてそこから逃走しようとしたと分析した。

4 W.コーンハウザーは，「エリートへの接近可能性」と「非エリートの操縦可能性」という二つの基準を用いて，社会を「共同体的社会」，「多元的社会」，「大衆社会」の三つに分類し，「大衆社会」については，「共同体的社会」と比べてエリートは非エリートの影響を受けにくいが，非エリートはエリートに操作されやすいとした。

5 W.リップマンは，第二次世界大戦後の英国において，「パワー・エリート」と呼ばれる人々が，経済・軍事・政治の三つの自律的な制度秩序の頂点に立ち，相互に緊密な関係を保ちながら支配的地位を占めていると主張した。

1．妥当である。パレートはエリート主義者であり，エリートが非エリートを支配するという社会構造は普遍的であるとした。また，エリートと非エリートの間では循環が行われており，大衆を操作する狐型エリートの時代と暴力によって支配する獅子型エリートの時代が交互に訪れると主張した（『エリートの周流』）。

2．リースマンは，『孤独な群衆』において，人間の社会的性格を「伝統志向型」，「内部志向型」，「他者志向型」の3つに分類した。「組織志向型」という類型は用いられていない。また，リースマンは，現代大衆社会における人間は，他者の動向に敏感に反応する「他者志向型」であるとした。「内部志向型」の社会的性格を持つとされたのは，近代社会における人間である。

3．フロムは，『自由からの逃走』において，ワイマール共和国がナチスによって打倒された理由を人々の心理状態に求め，本肢で説明されているような分析を行った。なお，『変革期における人間と社会』はK. マンハイムの著作であり，自由主義と民主主義の危機にあって，自由放任の社会を計画的社会へと転換すべきことが主張されている。

4．コーンハウザーは，「エリートへの接近可能性」と「非エリートの操縦可能性」という2つの基準を用いて，社会を「共同体的社会」，「多元的社会」，「大衆社会」，「全体主義的社会」の4つに分類した。このうち「大衆社会」は，2つの基準がともに高水準にある社会であり，エリートは非エリートの影響を受けやすく，非エリートはエリートの影響を受けやすいとされている。なお，「共同体的社会」は，2つの基準がともに低水準にある社会であり，エリートは非エリートの影響を受けにくく，非エリートはエリートの影響を受けにくいとされている。

5．パワー・エリートによる支配を指摘したのは，リップマンではなくC. W. ミルズである。また，ミルズは第二次世界大戦後のアメリカを考察し，パワー・エリートが支配的地位を占めていると主張した。これに対して，リップマンは大衆の非合理性を指摘し，マスコミの作り上げた疑似環境に反応して行動していること，ステレオタイプに基づいて現実を認識していることなどを指摘した。

正答　1

国家一般職［大卒］ No. 2 専門試験

政治学 執政制度 令和3年度

執政制度に関する次の記述のうち，妥当なのはどれか。

1 J. リンスの主張によると，大統領制と比較して，議院内閣制の下では民主主義体制が不安定になり，権威主義体制に移行しやすい。彼は，その理由として，議院内閣制の執政長官である首相は，国民の直接選挙で選ばれているわけではないため，専制的になっても容易に辞めさせられない点を挙げている。

2 米国の大統領は，憲法の規定により，連邦議会によって不信任案が可決される場合を除き，任期途中で解任されることはない。また，大統領は，連邦議会の可決した法案に対する拒否権を持っている。他方，連邦議会は，政府提出法案の審議を遅延させることにより，大統領に対抗することができる。

3 フランス第五共和制の執政制度は半大統領制に分類される。半大統領制では，大統領と議会議員がいずれも国民によって直接選出される。この執政制度の下では，大統領と首相が執政権力を分有しながら両者の所属政党が異なる状況，すなわち「コアビタシオン」が生じる可能性がある。

4 C. モンテスキューは，『法の精神』において，行政府や立法府による権力の濫用を防ぐために，国民の政治的自由を制約し，司法府の権限を強めることが必要だと説いた。J. マディソンは，権力分立の原理を更に重視し，行政府の存立を立法府の信任に基づかせる執政制度を理想とした。

5 我が国の地方自治法の規定によると，地方公共団体の長（首長）には，議会を解散する権限が与えられていない。他方で，条例案や予算案を議会に提出する権限は，首長と議会の両方に与えられている。また，首長は，議会が下した議決に異議がある場合，議会に再度審議を求めることができる。

解説

1. リンスの主張によると，民主主義体制が不安定になり，権威主義体制に移行しやすいのは，大統領制の場合である。リンスは，その理由として，①大統領選挙を巡って政治的対立が起こりやすいこと，②大統領と議会の間で対立が生じやすいこと，③大統領を任期途中で解任するのが難しいこと，④大統領の在職期間が限られているため，大統領の軽率な行動を生んだり，妥協を成立させる余地が小さくなったりすること，などを挙げている。

2. アメリカ合衆国憲法では，連邦議会が大統領を不信任に付すことは認められていない。ただし，大統領が重大な犯罪行為を犯した場合には，議会は弾劾手続きによって大統領を解任することができるとされている。また，連邦議会で審議する法案は連邦議会議員しか提出することができず，政府が法案を提出することは認められていない。

3. 妥当である。フランス第五共和制（1958年～現在）では半大統領制が採用されており，大統領の任命する首相に対して，下院は不信任決議権を持っている。そこで，大統領の所属政党と下院の多数派が異なる場合，大統領は政治的混乱を避けるため，下院の多数派から首相を選ぶケースが生じる。その結果生まれる保革共存政権を，一般に「コアビタシオン」と呼ぶ。

4. モンテスキューは，国民の政治的自由を守るために，立法府・行政府・司法府を分離して抑制と均衡の関係に置くべきだと主張した。すなわち，三権は対等の関係に置かれるべきだとされており，司法府の権限強化は説かれていない。また，マディソンは，権力分立の原理を重視して大統領制を理想とした。「行政府の存立を立法府の信任に基づかせる執政制度」とは議院内閣制のことであり，マディソンはこれを主張してはいない。

5. わが国の地方自治法の規定によると，地方公共団体の長（首長）は，議会から不信任の議決の通知を受けた日から10日以内に議会を解散することができる（地方自治法178条）。また，条例案を提出する権限は首長と議会の両方に与えられているが，予算案を議会に提出する権限は首長のみに与えられている（同112条１項，149条１・２号）。なお，議会が下した議決に異議がある場合，首長は議会に再度審議を求めることができるという点は正しい（同176条）。これを再議付託権という。

正答　3

国家一般職［大卒］ 専門試験

No. 3 政治学 議会制民主主義 令和3年度

議会制民主主義に関する次の記述のうち，妥当なのはどれか。

1 17世紀の英国では，名誉革命により身分制議会が解体され，代わって国民議会という一院制の議会が成立することとなったが，初期の国民議会においては，議会が行使できる権能は国王の課税に対する承諾権に限定されていた。

2 E. バークは，ブリストル演説において有権者と議員の関係について述べ，選挙区ごとに選ばれた議員は，個々の選挙区の利益代弁者としてその選挙民の意志にのみ拘束されるものであり，選挙民は，自己の意志との乖(かい)離を理由に議員を罷免することもできるとした。

3 C. シュミットは，公開の討論を本質とする議会制は個を重視する自由主義の制度であり，治者と被治者の同一性に立脚する民主主義とは異質なものであって，議会制民主主義は議会制と民主主義という出自の異なるものを強引に結びつけた，不自然な制度にすぎないと主張した。

4 N. ポルスビーは，議会について，国民の要求を法律という形に変換する場としての「変換型議会」と，与野党が次の選挙を意識しつつ自党の政策の優劣を争う討論の場としての「アリーナ型議会」に分類した。彼は，前者の代表例として英国議会，後者の代表例として米国連邦議会を挙げた。

5 H. ケルゼンは，価値相対主義が民主主義的な思想の前提となる世界観であることを否定した。彼のいう「多数・少数決原理」により形成された社会の意思は，多数派と少数派の相互作用の結果，対立する政治的意見の合成力として生成されるものであるから，絶対的真理として認識することができるとした。

解説

1. イギリスでは，名誉革命（1688～1689年）の終結後も，議会は二院制の形態をとり続けた。これに対して，国民議会という一院制の議会が成立したのは，フランス革命（1789～1799年）以降のフランスにおいてであった。なお，イギリスの場合，名誉革命以前の議会は国王の課税に対する承諾権しか持たなかったが，名誉革命後は立法権も持つこととなった。

2. バークは，ブリストル演説において国民代表の概念を提示し，各議員は個々の選挙区の利益を離れ，全国民の利益のために行動しなければならないと主張した。バークは，各議員を個々の選挙区の利益代弁者とする従来の議員観を否定して，国民代表の概念を主張したとされる。

3. 妥当である。シュミットは，民主主義の本質を治者と被治者の同一性に求め，１つにまとまった人民の喝采により支持された指導者が独裁を行うことを肯定的にとらえた。その一方で，自由主義の制度である議会制は，民主主義と必ずしも結びつくものではなく，永遠のおしゃべりに興じているにすぎないとして，これを否定的にとらえた。

4. ポルスビーは，「変換型議会」（前者）の代表例としてアメリカ連邦議会，「アリーナ型議会」（後者）の代表例としてイギリス議会を挙げた。アメリカ連邦議会では，個々の議員が国民の要求を吸い上げ，これを法律という形に変換している。これに対して，イギリス議会では，与野党がそれぞれ党議拘束によって一致団結し，政策の優劣を巡り討論を展開している。

5. ケルゼンは，価値相対主義が民主主義的な思想の前提となる世界観であると主張した。ケルゼンは，討論を通じて多数派と少数派の相互作用を導き，妥協と調整を行ったうえで多数決を行うべきであるとして，多数決を「多数・少数決原理」ととらえた。そして，多数決を通じて導かれた結論は，相対的真理として認識されるべきだとした。

正答　3

国家一般職 [大卒] No. 4 専門試験

政治学 イデオロギー 令和3年度

イデオロギーに関する次の記述のうち，妥当なのはどれか。

1 A. ダウンズの空間理論では，左翼政党と右翼政党が一次元のイデオロギー軸上で競争すると想定する。このとき，両党の政策的立場のちょうど中点の政策位置を理想とする有権者を「中位投票者」という。ダウンズによれば，中位投票者の多くは棄権するため，極端なイデオロギーを持つ有権者の投票で選挙結果は決まりやすい。

2 18世紀末から19世紀前半にかけて，西欧諸国ではK. マルクスの資本主義批判から影響を受けつつも，革命という暴力的手段によることなく，議会制民主政治の枠内で漸進的に社会問題を解決しようという社会民主主義が台頭した。ドイツの社会民主党政権は，19世紀後半に，世界で初めて社会保険制度を導入した。

3 1979年に成立した英国のM. サッチャー政権は，「第三の道」というスローガンを提示し，それまでの労働党政権による福祉政策と，旧来の自由主義的な保守党の経済政策をともに批判した。民営化や規制緩和を進める一方，教育政策を重視し，地方分権を推進した同政権のイデオロギーは新自由主義と呼ばれる。

4 G. サルトーリは，政党数と政党間のイデオロギー距離によって政党システムを分類した。「穏健な多党制」は，三つから五つの政党が存在し，政党間のイデオロギー距離が比較的小さい政党システムを指す。これに対し，「分極的多党制」は，六つから八つの政党が存在し，政党間のイデオロギー距離が比較的大きい政党システムを指す。

5 第二次世界大戦後の我が国の政党は，保守勢力と革新勢力に分かれて対立した。保守政党である自由民主党は，結党から1990年代まで，全ての国政選挙で獲得議席数が最も多い政党であった。革新政党である日本社会党の国会議席数は，「保革伯仲」と呼ばれた1970年代に最も多くなった。

解説

1.「中位投票者」（メディアン・ヴォーター）とは，一次元のイデオロギー軸上に有権者を並べたとき，左から数えても右から数えてもちょうど真ん中に位置する有権者のことである。ダウンズによれば，すべての有権者は自らの政策選好により近い政党を選んで投票するため，有権者の意見分布が単峰型（＝中央が盛り上がった山型）で，二大政党が競合する状況下では，中位投票者のイデオロギー的立場に合致した政策を打ち出した政党が勝利する。したがって，ダウンズは，極端なイデオロギーを持つ有権者の投票で選挙結果が決まるとしたわけではない。

2．社会民主主義は，19世紀末から20世紀前半にかけて台頭した。そもそもマルクス（1818～1883年）が活躍したのは19世紀中頃以降のことであり，代表作である『資本論』は1867年から1894年にかけて出版されている。また，ドイツで世界初の社会保険制度を導入したのは，ドイツ帝国のビスマルク首相であった。ビスマルク首相は，1880年代に疾病保険法，労災保険法，障害・老齢保険法（いわゆるビスマルク三法）とともに社会主義者鎮圧法を制定し，社会主義運動の過激化を抑えようとした。こうした政策は，「アメとムチの政策」と呼ばれている。

3.「第三の道」というスローガンを提唱したのは，1997年に成立したイギリスのT．ブレア政権である。「第三の道」では，旧来の労働党が掲げてきた福祉国家化路線と，それまでの保守党政権（＝サッチャーおよびメージャー政権）が推進してきた経済政策（＝新自由主義的政策）がともに批判された。ブレア政権は，新自由主義の下で進められてきた民営化や規制緩和の行き過ぎを是正するとともに，教育政策や地方分権を推進しようとした。

4．妥当である。サルトーリは，政党数と政党間のイデオロギー距離によって政党システムを分類し，一党制，ヘゲモニー政党制，一党優位政党制，二大政党制，穏健な多党制，分極的多党制，原子化政党制という7類型を示した。

5．日本社会党の国政選挙における獲得議席数は，左右両派の再統一（1955年）後に実施された両院選挙を1つの頂点として，1970年代と1980年代にはおおむね減少傾向で推移した。その理由としては，1960年代に進んだ野党の多党化により，反自民票が野党間で分散したことなどが挙げられる。なお，自由民主党は，1955年の結党時から第1党の地位を確保し続けていたが，2009年の衆議院総選挙および2007年の参議院通常選挙で民主党に敗れ，第2党に転落した。

正答 4

政治学
行政学
憲法
行政法
民法
経済理論
財政学

国家一般職［大卒］ No. 5 専門試験

政治学 市民の政治意識と行動 令和3年度

市民の政治意識と行動に関する次の記述のうち，妥当なのはどれか。

1 W. ライカーとP. オーデシュックの意思決定モデルによれば，有権者一人の投票行動によって選挙の結果が変わることはないので，合理的な有権者が投票に行くことはない。しかし，有権者が投票に義務感を持っている，すなわち有権者は非合理的であると仮定すれば投票参加は説明できるとされた。

2 全ての政党（候補者）の政策的立場を比較し，最も選好順位の高い政党（候補者）に投票する有権者の行動を「戦略投票」という。マスメディアの選挙報道は戦略投票を促す要因になる。特に比例代表制の下では戦略投票が多く行われ，有権者の投票先が分散する結果，多党化が進むと予測される。

3 1960年代以降の我が国で，無党派層の割合が最も低かったのは1990年代であった。この時期，自由民主党が分裂するなどして多くの新党が誕生した結果，それまで無党派であった多数の有権者が新たに支持政党を持つようになった。しかし，2000年代以降，政党数の減少に伴って，無党派層の割合は大きく高まった。

4 S. ヴァーバは，市民の政治参加を規定する要因として，「資源」，「政治への心理的な関わり（政治的関与）」，「政治的勧誘（動員）のネットワーク」の三つを挙げている。このうち，資源には，各個人の持つ時間的・金銭的な余裕のほか，政治活動に必要なスキルも含まれる。資源に恵まれた市民は一般に，政治参加により積極的だと想定される。

5 J. シュンペーターによれば，市民は投票を行う過程で社会への帰属意識を強め，他者の利害に配慮することを学ぶ。したがって，彼の民主政治モデルでは，選挙で投票して政治家を選ぶこと，また住民投票に参加して政策決定に直接関与することが，市民の果たすべき最も重要な役割だとされた。

解説

1. ライカーとオーデシュックは，合理的な有権者は投票によって得られる便益と投票にかかるコストを比較考量し，両者の総和である効用がプラスになる場合に投票すると主張した。したがって，複数の候補者が白熱した選挙戦を展開し，それぞれ同数の票を獲得することが見込まれるような場合には，有権者１人の投票行動によって選挙の結果が変わる事態も生じうるため，合理的な有権者は投票に行きやすくなるとされる。また，有権者が投票に義務感を持っている場合，合理的な有権者は投票に行くことで心理的満足が得られ，利得が高まるため，投票に行きやすくなるとされる。このように，ライカーとオーデシュックの理論では，義務感に基づく投票も合理的選択論の立場から解釈されている。

2. 戦略投票とは，所与の情報を分析したうえで，有権者が自らの効用を最大化するように投票先を変更することを意味する。マスメディアの選挙報道は戦略投票を促すことがあり，たとえば小選挙区制の下で，自分の支持する候補者が不利な状況にあるとの報道がなされた場合，合理的な有権者は投票のコストを嫌って棄権したり，自分の１票を無駄にしないために勝利可能性の高い候補者に投票しようとしたりする。これに対して，比例代表制の場合は，有権者の１票がそのまま支持政党の議席数に反映されやすいため，戦略投票は行われにくく，有権者の多様な選好を反映して多党化が進むと予測される。

3. 1990年代のわが国では，無党派層の割合が約５割へと急増した。この時期，自由民主党が分裂するなどして多くの新党が誕生し，離合集散を繰り返した結果，有権者は固定的な支持政党を持ちにくくなったとされる。2000年代以降には，無党派層の割合はやや減少し，約３〜４割の水準で推移している。

4. 妥当である。ヴァーバは，市民の政治参加について分析し，「資源」，「政治への心理的なかかわり（政治的関与）」，「政治的勧誘（動員）のネットワーク」という各要因が強く作用するほど，政治参加の度合いは高まると主張した。たとえば，時間的・金銭的余裕のある富裕者，政治への興味関心の強い者，知人から政治参加への誘いを受けている者などは，政治参加により積極的だと想定される。

5. 市民が広範な政治参加を通じて政治的に陶冶（教育）されていくと主張したのは，A. ド＝トクヴィルやJ. S. ミルなどである。これに対して，シュンペーターは，市民の政治的能力に懐疑的な立場をとり，市民は選挙で投票して政治家を選ぶべきであるが，政策決定に直接関与するべきではないと主張した。このように，政治運営は選挙で選ばれたエリートに一任するべきであるとしたシュンペーターの立場は，エリート競争型民主主義と呼ばれている。

正答　4

国家一般職［大卒］ No. 6 専門試験

行政学　官僚制　令和3年度

官僚制に関する次の記述のうち，妥当なのはどれか。

1　M.ヴェーバーは，官僚制は政治の質を害するとともに政治の量を過大にすると批判した。また，彼は，近代官僚制の構成要件の一つである「身分保障」について，官僚の公的活動と私的生活とは明確に区分され，上司と部下の間の身分的な上下関係は職務・職場内に限定されるとした。

2　A.ゴールドナーは，職業安定所における官僚制化の事例研究を行い，業務を効率化するための分業によって生じる組織内でのコンフリクトを解消するために，組織の新しい責任者が規則を強化して労働者の管理を徹底するという「懲罰的官僚制」の形態が出現したことを示した。

3　P.セルズニックは，TVA（テネシー川流域開発公社）の事例研究を行い，行政機関が組織の安定と存続への脅威を回避するために，組織の外的環境の一部を政策過程の中に取り込んで事業の実施の円滑化を図るという「包摂」の過程を示した。

4　M.クロジェは，官僚制の組織形態の類型として「専門指向型」と「組織指向型」という二つを指摘した。彼は，「専門指向型」では組織から独立した個々の専門性が重視されることから，外部組織からの中途採用も頻繁に行われるとし，その代表例として米国とフランスを挙げた。

5　C.パーキンソンは，官僚制組織の命令系統の構造に関して三人一組論を示し，上下関係にある上司・中間者・部下という三人の組合せにおいて，上司には現場に近い部下と中間者が理解できるように，具体的な指示や命令を出す責務があることを指摘した。

解説

1．官僚制が，人員の増加や業務の拡大を志向し，政治の質を害するとともに，政治の量を過大にすると述べたのは，『イギリス憲政論』における W. バジョットである。ウェーバー（ヴェーバー）の官僚制論では，身分保障とは，官僚は契約に基づいて採用され，職務に専念することに対して，昇進や昇給などにおいて第三者の恣意的な圧力は受けないというものである。本肢の説明はウェーバーの「公私の分離」に関する説明であり，官僚の公的活動と私的生活は区分され，職場を離れたところでは職場内の上下関係は及ばないとするものである。

2．ゴールドナーは，石膏（せっこう）会社の地方事業所の事例研究から，官僚制化の事例研究を行った。組織の上位者が下位者に対して厳格な規則を強制する「懲罰的官僚制」では，下位者の反発を招き，紛争が生じやすいとした。

3．妥当である。

4．官僚制を，「専門指向型」官僚制と「組織指向型」官僚制に分けて論じたのは，B. シルバーマンである。「専門指向型」では，専門職業的訓練を通じ，個人の知識と技術の習得が重視される。それに対して，「組織指向型」では職場への忠誠心や職場知が重視される。「専門指向型」とされたのは，アメリカ，イギリスである。フランスは日本とともに「組織指向型」であるとされた。

5．三人一組論を論じたのは，A. ダンザイヤである。三人一組論では，主に情報が集中する中間者の役割が重視される。中間者には，上司からの情報を選別し，分解し，翻訳する責任とともに，部下からの情報を選別し，集約し，翻訳する責任があるとした。パーキンソンは，パーキンソンの法則を提唱し，公務員数は，仕事の量や軽重に関係なく，一定割合で増加すること，財政的な支出は収入の額に達するまで膨張することを指摘した。

正答　3

政治学
行政学
憲法
行政法
民法
経済理論
財政学

国家一般職［大卒］ No. 7 専門試験

行政学　行政責任と行政統制　令和3年度

行政責任と行政統制に関する次の記述のうち，妥当なのはどれか。

1　アカウンタビリティの概念は，元来，足立忠夫が示した本人と代理人の関係における四つの責任類型の「応答的責任」に相当するものであるが，同概念が薬害エイズ事件をきっかけに「説明責任」として広まったことから，「代理人が本人に対して，自己の取った行動について弁明する責任」へと拡張された。

2　「行政責任のジレンマ状況」とは，C. ギルバートの分類した四類型の行政統制の一つである「制度的・外在的統制」の内部においてのみ起きる現象であり，そこでは，行政官は自己の判断に従って対処することは禁じられ，上級機関による指示に従うことが求められている。

3　行政機関を監視するオンブズマン制度は，米国で誕生した後にヨーロッパに普及し，我が国においても1980年代後半に総理府にオンブズマン委員会が設置されたのをきっかけに地方公共団体でオンブズマン制度の導入が進められ，さらに市民による自発的な監視活動も行われるようになった。

4　パブリック・コメント制度（意見公募手続）は，平成11（1999）年の情報公開法制定によって法制化されたものであり，国の行政機関が政令や省令等を制定する際に，直接的に影響を受ける業界の企業や団体といった組織に限定して，意見や情報，改善案等のコメントを求める制度となっている。

5　政治家による官僚の監視方法について，M. マカビンズとT. シュワルツは「パトロール（警察巡回）型」と「火災報知器（警報器）型」を示したが，「火災報知器型」とは，住民や利益団体から官僚が逸脱行動を取っているという情報を得た時に政治家が統制を行うという監視方法であり，「パトロール型」よりも監視コストがかからないことが指摘される。

1．足立忠夫は，「任務的責任」・「応答的責任」・「弁明的責任」・「受難的責任」という順序的に発生する4つの責任を類型化し，アカウンタビリティを「弁明的責任」ととらえた。これは，本人が代理人に対して，十分に応答していないと考えたとき，次の段階として本人は代理人に詰問し，弁明を要求する責任のことである。アカウンタビリティが「説明責任」の訳語として広まったのは，平成12（2000）年の国語審議会による答申「国際社会に対応する日本語の在り方」であったと言われている。薬害エイズ事件においては，公文書の情報公開が問題となった。

2．「行政責任のジレンマ状況」は，制度的統制，非制度的統制の間で生じることもあれば，外在的統制と内在的統制の間で生じることもあるため，「制度的・外在的統制」の内部においてのみ起きる現象ではない。行政官は，国会や国民の意見などの外在的統制に従うべきか，自らの専門性に基づく判断などの内在的統制に従うべきかに悩むことは，ジレンマの一例である。行政官が，自己の判断に従って対処することは禁じられているとまではいえず，上級機関による指示に従うことは求められるが，上記のようにジレンマは生じる。

3．オンブズマン制度は，19世紀初めにスウェーデンで導入された制度であり，ヨーロッパをはじめ世界各国に広がった。日本では，1980年代に旧行政管理庁（現総務省）にオンブズマン研究会が設置され，検討された。同研究会によって，オンブズマン委員会の設置が提言されたものの，導入はされなかった。すでに，総務庁（行政管理庁を改組したもの）の行政相談が行われており，それがオンブズマン機能を果たしているとも考えられている。オンブズマン制度は，市民オンブズマンとして地方公共団体に広がった。地方公共団体が任命し公的に活動するものや，市民が自発的に監視活動を行うものがある。

4．パブリック・コメント制度は，平成17（2005）年の行政手続法の改正により導入された。直接的に影響を受ける企業や団体だけではなく，インターネットにおいて広く一般から意見を募集している。

5．妥当である。

正答　5

国家一般職［大卒］

No. 8 専門試験 行政学　日本の内閣制度　令和3年度

我が国の内閣制度に関する次の記述のうち，妥当なのはどれか。

1　明治憲法の発布を受けて明治22（1889）年に内閣職権が定められ，従来の太政官制に代えて内閣制度が創設された。それとあわせて内閣に対する牽制機関として貴族院が設置され，各省官制通則，官吏制度等に関する勅令等の制定改廃に関しては，貴族院に諮問した上で行われることとなった。

2　議院内閣制の下での内閣制度の原則の一つにある「首相指導の原則」とは，首相が国務大臣等の任免権等を有し，政治的リーダーシップを発揮するという原則である。もっとも，首相の行政各部への指揮監督に関しては，内閣法第6条において，閣議にかけて決定した方針に基づくものと規定されている。

3　内閣法制局は，昭和27（1952）年の内閣法制局設置法に基づいて内閣官房に設置された機関であり，内閣を補佐する機能を有している。同局の業務の一つに「意見事務」があり，各府省から提出される全ての法律案・政令案に対し，それが憲法や他の法律と矛盾しないか助言が行われている。

4　いわゆる橋本行革による中央省庁再編によって，総理府本府，金融再生委員会，北海道開発庁及び沖縄開発庁をもとに内閣府が新設された。内閣府は国家行政組織法の適用を受けるものの，内閣の重要政策に関して政府内の総合調整を行うため，他の省庁よりも一段上の立場に位置付けられた。

5　閣議は内閣の最高意思決定の場であるため，各府省にまたがる重要政策事項の決定に関しては多数決が原則とされてきた。また，重要政策事項以外の議題について，平成21（2009）年の民主党政権以降の政権では，閣議の運営を円滑に行うため，閣議前日に事務次官等会議を開催して最終調整が行われるようになった。

1．内閣職権は，明治憲法の制定に先立って，明治18（1885）年に制定された。これにより，太政官制に代えて内閣制度が創設され，伊藤博文が初代内閣総理大臣に就任した。その後，明治22（1889）年に明治憲法が制定，公布された。同憲法に基づいて，衆議院と貴族院からなる帝国議会が創設された。貴族院は，特権階級らから構成され，選挙で選ばれる衆議院を牽制した。本肢の貴族院に関する説明は，枢密院に関する説明である。

2．妥当である。

3．内閣法制局は，昭和27（1952）年の法制局設置法に基づいて，内閣に置かれた。当時は法制局であったが，昭和37（1962）年に名称が内閣法制局に変更された。意見事務とされる本肢の説明の内容は，正しくは，審査事務に関する説明である。意見事務は，法令の解釈について，各省庁での疑義や各省庁間の争いがあるときに，求めに応じて法律問題に関する意見を述べるというものである。

4．橋本行革での中央省庁再編によって内閣府が新設されたが，元になったのは，総理府本府，経済企画庁，沖縄開発庁，国土庁防災局である。金融再生委員会は廃止されたために内閣府には含まれていないが，その一部が金融庁となり，金融庁は内閣府の外局となった。北海道開発庁は，国土交通省に統合されて北海道局となり，内閣府には含まれていない。また，内閣府は国家行政組織法の適用を受けず，別に内閣府設置法が制定され，他の省庁よりも一段上の立場に位置づけられた。

5．閣議にかかる案件には，国政に関する基本的重要事項等であり，内閣として意思決定を行うことが必要な一般案件，法律に基づき内閣として国会に提出・報告する国会提出案件などがあるが，いずれの場合も，慣例として全会一致を原則として決定を行う。重要政策事項に関して，多数決という区分けは行われていない。平成21（2009）年からの民主党政権では，閣議の前日に行われていた事務次官等会議が廃止されたが，平成23（2011）年に東日本大震災に対応するために復活し，平成24（2012）年の第二次安倍政権以降，次官連絡会議として運営されている。

正答　2

国家一般職［大卒］ No. 9 専門試験

行政学　予算と決算等　令和3年度

予算及び決算等に関する次の記述のうち，妥当なのはどれか。

1　予算編成に当たっては，例年，各府省は概算要求を作成し内閣総理大臣に提出する。その後，財務省主計局において各府省からのヒアリングを行うなど具体的な査定が行われ，内閣府に設置された経済財政諮問会議が財務省原案を承認した後に，政府案としての予算案が閣議決定されることとなる。

2　本予算の政府案は，例年，1月以降に国会で審議され，様々な議論が行われる結果，必ず国会による予算の修正が行われた上で議決されている。また，新年度が始まる前までに本予算が成立しないことが明らかになった場合には，暫定予算が作成されるが，公務員の給与や生活保護費など最低限度の支出に限定されることから国会の議決は不要とされている。

3　会計検査院は，明治憲法において規定されていた機関であった。現在は日本国憲法に根拠を持ち，会計検査院法において内閣に対し独立の地位を有することが規定されている。検査の対象は，国の行政機関，国会，裁判所だけでなく，国が出資している団体や国が補助金等を交付する地方公共団体等にも及んでいる。

4　会計検査院が実施する会計検査の結果，不適当な会計経理が行われたと判断した場合には，同院はその是正を求めることができる。また，同院は，故意又は重大な過失により著しく国に損害を与えた場合に関係した会計事務職員に対し懲戒処分を行う権限や，現金出納職員や物品管理職員の不注意等により国に損害を与えた場合に当該職員に弁償を求める権限を有している。

5　決算については，内閣は，会計検査院の検査報告とともに国会に提出し，その承認を受けなければならないことが財政法に規定されている。また，決算は，先に衆議院に提出しなければならないことや，参議院が衆議院と異なる議決をした場合に衆議院が両院協議会の開催を求めなければならないことが国会法に規定されている。

解説

1．各府省は概算要求を作成し，財務省主計局に提出する。ヒアリングを行うなどの査定の後とりまとめられた財務省原案は，閣議に提出され，政府案として閣議決定される。経済財政諮問会議の役割としては，概算要求基準の策定に先立って，「骨太の方針」，「予算の全体像」を決定し，これらに基づいて概算要求基準が策定されるというものである。また，概算要求基準は，経済財政諮問会議にその案が示され，審議された後に，閣議了解される。その後，経済財政諮問会議は，「予算編成の基本方針」を策定し，閣議決定が行われる。同方針に基づいて，財務省原案が策定される。したがって，経済財政諮問会議が財務省原案を直接承認するわけではない。

2．国会による予算の修正が必ず行われるということはない。政府案の国会提出後，衆議院，参議院の予算委員会で審議される中で，本会議において野党から予算案の修正動議や組み替え動議が提出されることはあるが，多数派を構成する与党により通常否決される。参議院において，予算案が否決されることはあるが，与党が多数派を占める衆議院が可決後，衆議院の優越により予算案は成立する。また，事情により，新年度が始まるまでに本予算が成立しなかったことはこれまでにもあったが，当面必要な最小限の予算を編成した暫定予算に対しても，国会の議決が必要となる。本予算が成立すると，暫定予算はこれに組み込まれる。

3．妥当である。

4．会計検査院は，会計事務職員が，故意または重大な過失により著しく国に損害を与えたと認める場合，各省大臣に対して懲戒処分を要求することができる。また，現金出納職員や物品管理職員の不注意等により国に損害を与えた場合，当該職員の損害の弁償責任の有無を検定する。弁償責任があると検定された場合，各省大臣がその職員に対して弁償を命令する責任がある。このように，会計検査院が，直接，懲戒処分を行い，弁償を求める権限を有しているわけではない。

5．決算は，衆議院，参議院に対して原則として同時に提出される。予算に見られる衆議院の先議や優越は，決算では定められていない。また，財政法で定められているのは，内閣が会計検査院の検査報告とともに国会に決算を提出しなければならないということである。国会の承認を得なければならないということは，財政法，国会法で定められていない。したがって，両院で議決は行われるが，形式的な手続きにすぎず，異なる議決をした場合の両院協議会等の開催も定められていない。

正答　3

国家一般職［大卒］ No. 10 専門試験

行政学　日本の政府規制と改革　令和3年度

我が国における政府規制とその改革に関する次の記述のうち，妥当なのはどれか。

1　政府規制を行う根拠である市場の失敗を構成するものの一つとして「情報の非対称性」があるが，これは主に政府と規制対象企業との間での情報の差のことであり，この「情報の非対称性」を根拠に政府は企業に立入検査を行い，公益事業料金の積算資料の確認等を行っている。

2　政府規制は，経済的規制と社会的規制に大きく区分できる。社会的規制は産業の健全な発展と消費者の保護を目的としているため，そこでは，企業間の適正な競争を損なうような価格を制限する規制や，商品やサービスの安全性を確保する規制が行われている。

3　かつて金融業に対して行われた「護送船団方式」と称される規制政策では，国際競争力の維持という観点から経営基盤の小さい中小金融機関の淘汰が目的とされ，銀行業や証券業といった「業態規制」が撤廃されることによって業界の垣根を超えた新規参入が生じ，多くの中小金融機関が倒産する事態となった。

4　政府規制の改革への取組として，1990年代前半の第三次臨時行政改革推進審議会の最終答申において規制緩和推進のためのアクション・プランの策定と第三者的な推進機関の設置等が提言され，その後，「規制緩和推進計画」が策定され，行政改革委員会に規制緩和小委員会が設置された。

5　第一次安倍晋三政権では，規制改革についても重要な政策課題の一つとしていたため，政府規制の問題を検討する会議体の名称が規制緩和委員会から規制改革委員会へと改称され，同委員会で検討された規制改革の社会実験の議論を基に構造改革特区制度が導入された。

解説

1．市場の失敗における「情報の非対称性」は，規制対象企業間で生じる。売り手である企業（個人）と買い手である企業（個人）において，欠陥も含めた商品のことを知るのは，売り手であり，買い手は情報を知りえない。ここに「情報の非対称性」が生じるため，政府は，両者の間の「情報の非対称性」を埋めるために，両者の取引に対して規制を行う。また，公益事業では，独占が生じやすく競争が働かないため，政府は，料金を認可するといった規制を行っている。その規制の適正さを確保するために，政府は立入検査や資料等の確認を行う。

2．経済的規制は，産業の健全な発展や消費者の利益を目的に，産業への参入や企業間の適正な競争を損なうような価格を制限する規制が行われている。社会的規制は，消費者や労働者の保護，環境の保全等を目的に，商品やサービスの安全性を確保する規制が行われている。

3．護送船団方式と称される規制政策では，国際競争力よりは，業界の保護という観点から，経営基盤の小さい中小金融機関であっても倒産を防ぎ，事前に行政指導を行い支援してきた。「業態規制」は，新規の参入を認めず，むしろ既存の機関を保護するものであった。しかし，バブル経済の崩壊により，金融機関の倒産が生じ，護送船団方式が見直された。金融ビックバンをはじめとする規制緩和により，「業態規制」も見直され，新規の参入が行われるようになった。

4．妥当である。

5．規制緩和委員会は，橋本龍太郎内閣において設置されていたことがある。複数の名称変更を経て，第一次安倍内閣では，平成19（2007）年に規制改革会議が設置された。構造改革特区は，第一次小泉純一郎内閣時の平成15（2003）年に導入され，総合規制改革会議および経済財政諮問会議で審議された。

正答　4

国家一般職［大卒］ No. 11 専門試験

憲法　信教の自由　令和3年度

政治学 行政学 憲法 行政法 民法 経済理論 財政学

信教の自由に関するア～エの記述のうち，妥当なもののみを全て挙げているのはどれか。

ア．公立高等専門学校の校長が，信仰上の理由により必修科目の剣道実技の履修を拒否した学生に対し，原級留置処分又は退学処分を行うか否かの判断は，校長の合理的な教育的裁量に委ねられるところ，剣道は宗教的でなく健全なスポーツとして一般国民の広い支持を受けており，履修を義務とした場合に受ける信教の自由の制約の程度は極めて低く，また，信教の自由を理由とする代替措置は政教分離原則と緊張関係にあることから，代替措置をとることなく原級留置処分及び退学処分を行った校長の判断に裁量権の逸脱・濫用はないとするのが判例である。

イ．内心における信仰の自由とは，宗教を信仰し又は信仰しないこと，信仰する宗教を選択し又は変更することについて，個人が任意に決定する自由をいう。内心における信仰の自由の保障は絶対的なものであり，国が，信仰を有する者に対してその信仰の告白を強制したり，信仰を有しない者に対して信仰を強制したりすることは許されない。

ウ．市が町内会に対し市有地を無償で神社施設の敷地としての利用に供している行為が憲法第89条の禁止する公の財産の利用提供に当たるかについては，当該行為の目的が宗教的意義を持ち，その効果が宗教に対する援助，助長，促進又は圧迫，干渉等になるような行為といえるか否かを基準に判断すべきであり，当該行為は，通常必要とされる対価の支払をすることなく，その直接の効果として宗教団体である氏子集団が神社を利用した宗教活動を行うことを容易にしていることから，公の財産の利用提供に当たり，憲法第89条に違反するとするのが判例である。

エ．信教の自由は，憲法第13条に規定する生命，自由及び幸福追求に対する国民の権利に含まれ，裁判上の救済を求めることができる法的利益を保障されたものとして私法上の人格権に属するから，配偶者の死に際して，他人の干渉を受けることのない静謐(ひつ)の中で宗教的行為をすることの利益は，宗教上の人格権の一内容として法的に保護されるとするのが判例である。

1　イ
2　ウ
3　エ
4　ア，ウ
5　イ，エ

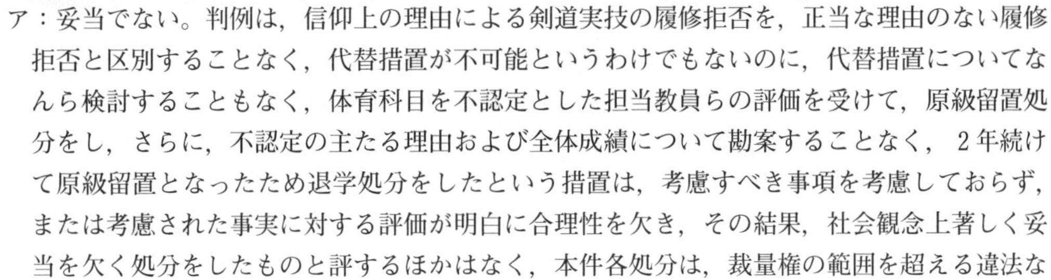

解説

ア：妥当でない。判例は，信仰上の理由による剣道実技の履修拒否を，正当な理由のない履修拒否と区別することなく，代替措置が不可能というわけでもないのに，代替措置についてなんら検討することもなく，体育科目を不認定とした担当教員らの評価を受けて，原級留置処分をし，さらに，不認定の主たる理由および全体成績について勘案することなく，２年続けて原級留置となったため退学処分をしたという措置は，考慮すべき事項を考慮しておらず，または考慮された事実に対する評価が明白に合理性を欠き，その結果，社会観念上著しく妥当を欠く処分をしたものと評するほかはなく，本件各処分は，裁量権の範囲を超える違法なものといわざるをえないとする（最判平８・３・８）。

イ：妥当である。

ウ：妥当でない。違憲とする結論は正しいが，判例は，本件について，当該行為の目的が宗教的意義を持ち，その効果が宗教に対する援助，助長，促進または圧迫，干渉等になるような行為といえるか否かの基準（目的効果基準）では判断していないので誤り。判例は，社会通念に照らして総合的に判断すると，本件利用提供行為は，市と本件神社ないし神道とのかかわり合いが，わが国の社会的，文化的諸条件に照らし，信教の自由の保障の確保という制度の根本目的との関係で相当とされる限度を超えるものとして，憲法89条の禁止する公の財産の利用提供に当たり，ひいては憲法20条１項後段の禁止する宗教団体に対する特権の付与にも該当するとした（最大判平22・１・20）。

エ：妥当でない。判例は，信教の自由の保障は，何人も自己の信仰と相いれない信仰を持つ者の信仰に基づく行為に対して，それが強制や不利益の付与を伴うことにより自己の信教の自由を妨害するものでない限り寛容であることを要請しているものというべきである。原審が宗教上の人格権であるとする静謐な宗教的環境の下で信仰生活を送るべき利益なるものは，これを直ちに法的利益として認めることができない性質のものであるとする（最大判昭63・６・１）。

以上から，妥当なものはイのみであり，**1**が正答となる。

正答　1

国家一般職［大卒］ No. 12 専門試験

憲法　表現の自由　令和3年度

表現の自由に関する次の記述のうち，判例に照らし，妥当なのはどれか。

1　公立図書館の職員である公務員が，閲覧に供されている図書の廃棄について，著作者又は著作物に対する独断的な評価や個人的な好みによって不公正な取扱いをすることは，当該図書の著作者が著作物によってその思想，意見等を公衆に伝達する利益を侵害するものであるが，当該利益は法的保護に値する人格的利益とまではいえず，国家賠償法上違法とはならない。

2　報道のための取材の自由は，憲法第21条の精神に照らし，十分尊重に値するが，公正な裁判の実現のためにある程度の制約を受けることとなってもやむを得ないものであり，その趣旨からすると，検察官又は警察官による報道機関の取材ビデオテープの差押え・押収についても，公正な刑事裁判を実現するために不可欠である適正迅速な捜査の遂行という要請がある場合には認められる。

3　道路における集団行進等を規制する市の条例が定める「交通秩序を維持すること」という規定は，通常の判断能力を有する一般人の理解において，具体的場合に当該行為がその適用を受けるものかどうかの判断を可能ならしめる基準が読み取れず，抽象的で立法措置として著しく妥当を欠くものであるから，憲法第31条に違反する。

4　検閲とは，公権力が主体となって，思想内容等の表現物を対象とし，その全部又は一部の発表の禁止を目的として，対象とされる一定の表現物につき網羅的一般的に，発表前にその内容を審査した上，不適当と認めるものの発表を禁止することであるから，道知事選挙への立候補予定者を攻撃する目的の記事が掲載された雑誌の印刷，販売等の事前差止めを命じた裁判所の仮処分は，検閲に当たり，違憲である。

5　名誉毀損罪における公共の利害に関する場合の特例を定める刑法第230条の２の規定は，人格権としての個人の名誉の保護と憲法が保障する正当な言論の保障との調和を図るものであるが，行為者が摘示した事実につき真実であることの証明がなければ，行為者がその事実を真実であると誤信し，その誤信したことについて，確実な資料，根拠に照らし相当の理由があるとしても，犯罪の故意が認められ，同罪が成立する。

解説

1. 判例は，公立図書館の図書館職員である公務員が，図書の廃棄について，基本的な職務上の義務に反し，著作者または著作物に対する独断的な評価や個人的な好みによって不公正な取扱いをしたときは，当該図書の著作者の人格的利益を侵害するものとして国家賠償法上違法となるとする（最判平17・7・14）。

2. 妥当である（最判平元・1・30）。

3. 判例は，本条例の「交通秩序を維持すること」という規定は，確かにその文言が抽象的であるとのそしりを免れないとはいえ，集団行進等における道路交通の秩序遵守についての基準を読み取ることが可能であり，犯罪構成要件の内容をなすものとして明確性を欠き憲法31条に違反するものとはいえないとする（最大判昭50・9・10）。

4. 判例は，検閲とは，行政権が主体となって，思想内容等の表現物を対象とし，その全部または一部の発表の禁止を目的として，対象とされる一定の表現物につき網羅的一般的に，発表前にその内容を審査したうえ，不適当と認めるものの発表を禁止することであるから，一定の記事を掲載した雑誌その他の出版物の印刷，製本，販売，頒布等の仮処分による事前差止めは，裁判の形式によるとはいえ，口頭弁論ないし債務者の審尋を必要的とせず，立証についても疎明で足りるとされているなど簡略な手続きによるものであり，また，いわゆる満足的仮処分として争いのある権利関係を暫定的に規律するものであって，非訟的な要素を有することを否定することはできないが，仮処分による事前差止めは，表現物の内容の網羅的一般的な審査に基づく事前規制が行政機関によりそれ自体を目的として行われる場合とは異なり，個別的な私人間の紛争について，司法裁判所により，当事者の申請に基づき差止請求権等の私法上の被保全権利の存否，保全の必要性の有無を審理判断して発せられるものであって，検閲には当たらないとする（最大判昭61・6・11）。

5. 判例は，刑法230条の2の規定は，人格権としての個人の名誉の保護と，憲法21条による正当な言論の保障との調和を図ったものというべきであり，これら両者間の調和と均衡を考慮するならば，たとえ刑法230条の2第1項にいう事実が真実であることの証明がない場合でも，行為者がその事実を真実であると誤信し，その誤信したことについて，確実な資料，根拠に照らし相当の理由があるときは，犯罪の故意がなく，名誉毀損の罪は成立しないとする（最大判昭44・6・25）。

正答 2

国家一般職［大卒］ No. 13 専門試験

憲法　手続的権利　令和3年度

手続的権利に関するア～オの記述のうち，判例に照らし，妥当なもののみを全て挙げているのはどれか。

ア．審理の著しい遅延の結果，迅速な裁判を受ける被告人の権利が害されたと認められる異常な事態が生じた場合であっても，その救済のためには法律で具体的方法が定められている必要があるから，迅速な裁判を受ける権利を保障した憲法第37条第１項に違反する審理に対して，その審理を打ち切るために，判決で免訴の言渡しをすることはできない。

イ．黙秘権を規定した憲法第38条第１項の法意は，何人も自己が刑事上の責任を問われるおそれのある事項について供述を強要されないことを保障したものと解されるから，交通事故を起こした者に事故の内容の警察官への報告を法令で義務付けていることは，同条項に違反する。

ウ．憲法第34条前段が規定する弁護人依頼権は，単に身体の拘束を受けている被疑者が弁護人を選任することを官憲が妨害してはならないとするだけではなく，被疑者に対し，弁護人を選任した上で，弁護人に相談し，その助言を受けるなど弁護人から援助を受ける機会を持つことを実質的に保障しているものと解すべきである。

エ．下級審における無罪又は有罪判決に対し，検察官が上訴し，有罪又はより重い刑の判決を求めることは，被告人を二重の危険にさらすものではなく，また，憲法第39条に違反して重ねて刑事上の責任を問うものでもない。

オ．詐欺その他の不正な方法で法人税を免れた行為に対して，法人税法上のほ脱犯として刑罰を科すとともに追徴税を課すことは，追徴税は名目上は税金であるが実質的には刑罰であり，刑罰としての罰金と同一の性質であるから，二重処罰を禁止する憲法第39条に違反する。

1　ア，イ
2　ア，オ
3　イ，ウ
4　ウ，エ
5　エ，オ

解説

ア：妥当でない。判例は，審理の著しい遅延の結果，迅速な裁判の保障条項によって憲法が守ろうとしている被告人の諸利益が著しく害せられると認められる異常な事態が生ずるに至った場合には，その審理を打ち切る方法については現行法上よるべき具体的な明文の規定はないのであるが，これ以上実体的審理を進めることは適当でないから，判決で免訴の言渡しをするのが相当であるとする（最大判昭47・12・20）。

イ：妥当でない。判例は，いわゆる黙秘権を規定した憲法38条１項の法意は，何人も自己が刑事上の責任を問われるおそれある事項について供述を強要されないことを保障したものと解されるが，交通事故を起こした者に事故の内容の警察官への報告を命ずることは，憲法38条１項にいう自己に不利益な供述の強要に当たらないとする（最大判昭37・５・２）。

ウ：妥当である（最大判平11・３・24）。

エ：妥当である（最大判昭25・９・27）。

オ：妥当でない。判例は，追徴税は，単に過少申告・不申告による納税義務違反の事実があれば，その違反の法人に対し課せられるものであり，これによって，過少申告・不申告による納税義務違反の発生を防止し，もって納税の実を挙げんとする趣旨に出でた行政上の措置であり，法が追徴税を行政機関の行政手続により租税の形式により課すべきものとしたことは追徴税を課せらるべき納税義務違反者の行為を犯罪とし，これに対する刑罰として，これを課する趣旨でないこと明らかである。追徴税のかような性質にかんがみれば，憲法39条の規定は刑罰たる罰金と追徴税とを併科することを禁止する趣旨を含むものでないと解されるから，違憲ではないとする（最大判昭33・４・30）。

以上から，妥当なものはウとエであり，**4**が正答となる。

正答　4

No. 14 憲法 国会 令和3年度

国会に関する次の記述のうち，妥当なのはどれか。

1 国会が「唯一の立法機関」であるとは，国会以外の機関が「法律」の形式で法規範を定立することを禁ずる趣旨であるから，緊急事態における臨時的な対応として，内閣等の機関が独立命令等を制定することを妨げるものではない。

2 衆議院の解散中に国に緊急の必要がある場合，内閣は参議院の緊急集会を求めることができるが，参議院の緊急集会は，あくまで緊急事態に対処するための臨時的な制度として想定されたものであり，これまで実際に開催されたことはない。

3 国会議員が国会で行った質疑等の中でした個別の国民の名誉又は信用を低下させる発言について，国の損害賠償責任が認められるためには，当該国会議員が，その職務とは関わりなく違法又は不当な目的をもって事実を摘示し，あるいは，虚偽であることを知りながらあえてその事実を摘示するなど，国会議員がその付与された権限の趣旨に明らかに背いてこれを行使したものと認め得るような特別の事情があることを必要とするとするのが判例である。

4 両議院は，各々その総議員の三分の一以上の出席がなければ，議事を開き議決することができないとされているが，議員として出席・活動し得ない欠員を議員に含めることは妥当でないことから，国会法は，「総議員」とは，法律で定められた議員数ではなく，現にその任にある議員数によるとしている。

5 法律案は，両議院で可決した場合に法律となるのが原則であるが，参議院で衆議院と異なった議決をした場合に，両議院の協議会を開いても意見が一致しないときは，衆議院の議決が国会の議決とされる。

1．国会が「唯一の立法機関」であるとは，国会以外の機関が法規範を定立することを原則として禁ずる趣旨であるから，前半は誤り。また，緊急事態における臨時的な対応として，内閣等の機関が独立命令等を制定することは許されないので，後半も誤り。

2．衆議院が解散されたときは，参議院は，同時に閉会となる。ただし，内閣は，国に緊急の必要があるときは，参議院の緊急集会を求めることができる（憲法54条２項）から，前半は正しい。しかし，これまで２回開催されたことがあるので，後半が誤り。

3．妥当である（最判平９・９・９）。

4．両議院は，おのおのその総議員の３分の１以上の出席がなければ，議事を開き議決することができない（憲法56条１項）から，前半は正しい。しかし，国会法には，本肢のような規定はなく，後半が誤り。

5．法律案は，この憲法に特別の定めのある場合を除いては，両議院で可決したとき法律となる（憲法59条１項）から，前半は正しい。しかし，予算などの場合（同60条２項，61条，67条２項参照）と異なり，法律案では，参議院で衆議院と異なった議決をした場合に，両議院の協議会を開いても意見が一致しないときに，衆議院の議決が国会の議決とされるわけではなく（同59条２項・３項参照），後半が誤り。

正答　3

No.15 憲法 地方自治 令和3年度

地方自治に関するア～オの記述のうち，妥当なもののみを全て挙げているのはどれか。

ア．憲法第29条第２項が財産権の内容は法律で定めると規定していることから，条例による財産権の制限は許されないのが原則であるが，法律の個別具体的な委任がある場合には，条例による制限も許されると一般に解されている。

イ．憲法第84条は，租税を課すには法律によることを必要とすると規定しているから，法律の個別具体的な委任なくして，条例によって地方税を賦課徴収することは同条に違反するとするのが判例である。

ウ．憲法が各地方公共団体の条例制定権を認める以上，地域によって差別を生ずることは当然に予期されることであるから，かかる差別は憲法自ら容認するところであると解すべきであり，地方公共団体が売春の取締りについて各別に条例を制定する結果，その取扱いに差別を生ずることがあっても，地域差を理由に違憲ということはできないとするのが判例である。

エ．憲法上の地方公共団体といい得るためには，単に法律で地方公共団体として取り扱われているということだけでは足らず，事実上住民が経済的文化的に密接な共同生活を営み，共同体意識を持っているという社会的基盤が存在し，沿革的に見ても，また，現実の行政の上においても，相当程度の自主立法権，自主行政権，自主財政権等地方自治の基本的権能を付与された地域団体であることを必要とするとするのが判例である。

オ．地方公共団体の長，その議会の議員及び法律の定めるその他の吏員は，その地方公共団体の住民により直接選挙される。また，地方公共団体の議会の議員は，地方自治法において，不逮捕特権や免責特権が認められているが，国会議員や他の地方公共団体の議会の議員との兼職は禁止されている。

1 ア，イ
2 ア，ウ
3 イ，オ
4 ウ，エ
5 エ，オ

ア：妥当でない。憲法29条２項は財産権の内容は法律で定めると規定しているが，条例による財産権の制限も許されると一般に解されている。

イ：妥当でない。判例は，普通地方公共団体が課することができる租税の税目，課税客体，課税標準，税率その他の事項については，憲法上，租税法律主義の原則の下で，法律において地方自治の本旨を踏まえてその準則を定めることが予定されており，これらの事項について法律において準則が定められた場合には，普通地方公共団体の課税権は，これに従ってその範囲内で行使されなければならないとはする（最判平25・３・21）が，本記述のように法律の個別具体的な委任なくして，条例によって地方税を賦課徴収することは憲法84条に違反するとはしていない。

ウ：妥当である（最大判昭33・10・15）。

エ：妥当である（最大判昭38・３・27）。

オ：妥当でない。地方公共団体の長，その議会の議員及び法律の定めるその他の吏員は，その地方公共団体の住民が，直接これを選挙する（憲法93条２項）。また，地方公共団体の議会の議員は，地方自治法において，国会議員や他の地方公共団体の議会の議員との兼職は禁止されている（地方自治法92条１項・２項）。しかし，地方公共団体の議会の議員は，地方自治法において，不逮捕特権や免責特権は認められておらず，この部分が誤り。

以上から，妥当なものはウとエであり，**4**が正答となる。

正答　4

行政法　行政指導　令和3年度

行政指導に関する次の記述のうち，判例に照らし，妥当なのはどれか。

1　行政指導は，相手方に対する直接の強制力を有するものではないが，相手方にその意に反して従うことを要請するものであり，私人の権利又は利益を侵害するものであるから，法律の具体的根拠に基づいて行われなければならない。

2　地方公共団体が継続的な施策を決定した後に社会情勢の変動等により当該施策が変更された場合，当該決定が特定の者に対し特定内容の活動を促す勧告・勧誘を伴い，その活動が相当長期にわたる当該施策の継続を前提としてはじめてこれに投入する資金等に相応する効果を生じ得る性質のものであるなどの事情があったとしても，その者との間に当該施策の維持を内容とする契約が締結されていないときは，地方公共団体の不法行為責任は生じない。

3　水道法上，水道事業者である市は，給水契約の申込みを受けた場合，正当の理由がなければこれを拒むことができないが，申込者が行政指導に従わない意思を明確に表明しているときは，正当の理由が存在するとして，給水契約の締結を拒むことができる。

4　市が行政指導として教育施設の充実に充てるためにマンションを建築する事業主に対して寄付金の納付を求めることは，その寄付金の納付が強制にわたるなど事業主の任意性を損なうものであっても，その目的が市民の生活環境を乱開発から守ることにある場合には，行政指導の限界を超えるものではなく，違法とはいえない。

5　地方公共団体が，地域の生活環境の維持，向上を図るため，建築主に対し，建築物の建築計画につき一定の譲歩・協力を求める行政指導を行った場合において，建築主が，建築主事に対し，建築確認処分を留保されたままでは行政指導に協力できないという意思を真摯かつ明確に表明し，建築確認申請に対し直ちに応答すべきことを求めたときは，特段の事情が存在しない限り，それ以後の，当該行政指導が行われていることのみを理由とする建築確認処分の留保は違法となる。

1．行政指導は，相手方に，その意に反して従うことを要請するものではなく，相手方の任意の協力のもとに一定の行政目的を達成しようとするものである。したがって，これを行うには必ずしも法律の具体的根拠は必要でない。最高裁判所は，石油ヤミカルテル事件の判例で，「石油業法に直接の根拠を持たない価格に関する行政指導であつても，これを必要とする事情がある場合に，これに対処するため社会通念上相当と認められる方法によつて行われ，『一般消費者の利益を確保するとともに，国民経済の民主的で健全な発達を促進する』という独禁法の究極の目的に実質的に抵触しないものである限り，これを違法とすべき理由はない」と判示している（最判昭59・2・24）。

2．判例は，本肢のような事情の下では，たとえその者と当該地方公共団体との間に施策の維持を内容とする契約が締結されたものとは認められない場合であっても，密接な交渉を持つに至った当事者間の関係を規律すべき信義衡平の原則に照らし，その施策の変更に当たってはかかる信頼に対して法的保護が与えられなければならないとして，地方公共団体に不法行為責任が生ずるとする（最判昭56・1・27）。

3．判例は，水道事業者（市）は，行政指導に従わない意思を明確に表明している事業主らからの給水契約の申込みであっても，そのことは給水契約の締結を拒む「正当の理由」には当たらず，契約締結の拒否は許されないとする（最決平元・11・8）。

4．判例は，寄付金の納付が強制にわたるなど事業主の任意性を損なうものである場合には，行政指導が，市民の生活環境をいわゆる乱開発から守ることを目的とするものであり，多くの市民の支持を受けていたことなどを考慮しても，当該行為は，本来任意に寄付金の納付を求めるべき行政指導の限度を超えるものであり，違法な公権力の行使であるとする（最判平5・2・18）。

5．妥当である。判例は，建築主において建築主事に対し，確認処分を留保されたままでの行政指導にはもはや協力できないとの意思を真摯かつ明確に表明し，確認申請に対し直ちに応答すべきことを求めているものと認められるときには，他に特段の事情が存在するものと認められない限り，当該行政指導を理由に建築主に対し確認処分の留保の措置を受忍せしめることは許されず，それ以後の行政指導を理由とする確認処分の留保は，違法となるとする（最判昭60・7・16）。

正答　5

政治学
行政学
憲法
行政法
民法
経済理論
財政学

国家一般職［大卒］ No. 17 専門試験

行政法　行政手続法　令和3年度

行政手続法に関するア～エの記述のうち，妥当なもののみを全て挙げているのはどれか。

ア．行政手続法は，行政手続に関する一般法であり，その目的として，行政運営における公正の確保と透明性の向上を図り，もって国民の権利利益の保護に資することに加えて，国民の行政の意思決定への参加を促進することについても規定している。

イ．行政手続法は，処分に関する手続について，申請に対する処分と不利益処分とに区分し，それぞれの手続について規定している。

ウ．行政手続法は，行政庁が不利益処分をしようとする場合における処分の名あて人の意見陳述のための手続として，聴聞と弁明の機会の付与の二つを規定しており，許認可等を取り消す不利益処分をしようとするときは，原則として聴聞を行わなければならないとしている。

エ．行政手続法は，処分，行政指導及び届出に関する手続に関し，共通する事項を規定しているが，法律に基づく命令等を定めようとする場合の意見公募手続については規定していない。

1　ア，イ
2　ア，ウ
3　ア，エ
4　イ，ウ
5　ウ，エ

ア：妥当でない。行政手続法は，すべての行政分野に関する一般的な通則法であり，処分，行政指導および届出に関する手続きならびに命令等を定める手続きに関し，共通する事項を定めることによって，行政運営における公正の確保と透明性の向上を図り，もって国民の権利利益の保護に資することを目的とするものである（行手法１条１項）が，国民の行政の意思決定への参加を促進することについては規定していない。

イ：妥当である。申請に対する処分と不利益処分では，手続きその他の面でさまざまな相違があることから，行政手続法は，個別に章を設けて両者を区別している（第二章が申請に対する処分，第三章が不利益処分）。

ウ：妥当である（行手法13条１項１号イ，同２号）。

エ：妥当でない。行政手続法は，命令等制定機関が命令等を定めようとする場合の意見公募手続についても規定している（行手法39条）。

以上から，妥当なものはイとウであり，**4**が正答となる。

正答　**4**

政治学 行政学 憲法 行政法 民法 経済理論 財政学

国家一般職［大卒］ No. 18 専門試験

行政法　行政不服審査法　令和3年度

行政不服審査法に関するア～オの記述のうち，妥当なもののみを全て挙げているのはどれか。

ア．行政不服審査法は，行政庁の処分及びその不作為，行政立法，行政指導等について，特に除外されない限り，審査請求をすることができるとの一般概括主義を採っており，広く行政作用全般について審査請求を認めている。

イ．行政不服審査法は，審理員による審理手続を導入し，審理員が主張・証拠の整理等を含む審理を行い，審理員意見書を作成し，これを事件記録とともに審査庁に提出する仕組みを設けている。審理員には，審査請求の審理手続をより客観的で公正なものとするため，審査庁に所属していない職員が指名される。

ウ．審査請求の審理の遅延を防ぎ，審査請求人の権利利益の迅速な救済に資するため，審査庁となるべき行政庁は，審査請求がその事務所に到達してから当該審査請求に対する裁決をするまでに通常要すべき標準的な期間を必ず定め，これを事務所における備付けその他の適当な方法により公にしておかなければならない。

エ．審査請求の手続は，原則として書面によって行われるが，審査請求人又は参加人の申立てがあった場合，審理員は，原則として，その申立人に口頭で審査請求に係る事件に関する意見を述べる機会を与えなければならない。その際，申立人は，審理員の許可を得て，当該審査請求に係る事件に関し，処分庁等に対して，質問を発することができる。

オ．行政不服審査法は，審査請求手続において客観的かつ公正な判断が得られるよう，行政不服審査会を総務省に置き，審査請求の審理に関与する仕組みを設けている。行政不服審査会の委員は，審査会の権限に属する事項に関し公正な判断をすることができ，かつ，法律又は行政に関して優れた識見を有する者のうちから，両議院の同意を得て，総務大臣が任命する。

1　ア，ウ
2　ア，オ
3　イ，ウ
4　イ，エ
5　エ，オ

ア：妥当でない。行政不服審査法は，本来は法令に基づいて適正に行われるべき公権力の行使が違法・不当に行われた場合に，それによって不利益を受ける者を救済し，あわせて行政の適正な運営を確保しようとするものである（行審法１条１項）。そのため，同法の対象は「行政庁の違法又は不当な処分その他公権力の行使に当たる行為」とされ，行政立法や行政指導などはその対象とされていない。

イ：妥当でない。審理員は，処分あるいは不作為にかかる処分に関与した（または関与することになる）者以外の職員の中から，審査庁によって指名される（行審法９条１・２項)。対象となる事案に精通した職員が審理することで，手続きを迅速に進めようとする趣旨である。したがって，後段は誤り。なお，前段は正しい（行審法42条)。

ウ：妥当でない。審査庁となるべき行政庁は，審査請求がその事務所に到達してから当該審査請求に対する裁決をするまでに通常要すべき標準的な期間を定めるよう努めるとともに，これを定めたときは，当該審査庁となるべき行政庁および関係処分庁の事務所における備付けその他の適当な方法により公にしておかなければならない（行審法16条)。すなわち，標準審理期間の定めは努力義務であって，法的な拘束力を持つ義務ではない。

エ：妥当である（行審法19条１項，31条１項本文，同５項)。

オ．妥当である（行審法67条１項，69条１項)。

以上から，妥当なものはエとオであり，**5**が正答となる。

正答　5

国家一般職［大卒］

専門試験

No. 19 行政法　訴えの利益　令和3年度

訴えの利益に関するア～オの記述のうち，判例に照らし，妥当なもののみを全て挙げているのはどれか。

ア．建築基準法に基づく建築確認は，それを受けなければ建築物の建築等の工事をすることができないという法的効果を付与されているにすぎないものであるから，当該工事が完了した場合には，建築確認の取消しを求める訴えの利益は失われる。

イ．風俗営業者に対する営業停止処分が営業停止期間の経過により効力を失った場合，行政手続法に基づいて定められ公にされている処分基準に，先行の営業停止処分の存在を理由として将来の営業停止処分を加重する旨が定められているとしても，風俗営業法その他の法令において，過去に同法に基づく営業停止処分を受けた事実があることをもって将来別の処分をする場合の加重要件とすることや，不利益な事由として考慮し得ることを定める規定は存在しないから，当該風俗営業者には，当該営業停止処分の取消しを求める訴えの利益は認められない。

ウ．再入国の許可申請に対する不許可処分を受けた本邦に在留する外国人が，再入国の許可を受けないまま本邦から出国した場合には，同人がそれまで有していた在留資格は消滅するところ，同人は，法務大臣が適法に再入国許可をしていれば出国によっても在留資格を喪失しなかったのであるから，法務大臣が，当該不許可処分が取り消されても現に在留資格を有していない者に対し再入国許可をする余地はないと主張することは，信義誠実の原則に反するため，同人には，当該不許可処分の取消しを求める訴えの利益が認められる。

エ．土地改良法に基づく土地改良事業施行の認可処分の取消しを求める訴訟の係属中に，当該事業に係る工事及び換地処分が全て完了したため，当該事業施行地域を当該事業施行以前の原状に回復することが，社会的，経済的損失の観点からみて，社会通念上，不可能となった場合には，当該認可処分の取消しを求める訴えの利益は失われる。

オ．自動車運転免許証の有効期間の更新に当たり，一般運転者として扱われ，優良運転者である旨の記載のない免許証を交付されて更新処分を受けた者は，優良運転者である旨の記載のある免許証を交付して行う更新処分を受ける法律上の地位を否定されたことを理由として，これを回復するため，当該更新処分の取消しを求める訴えの利益を有する。

1　ア，エ
2　ア，オ
3　イ，ウ
4　イ，エ
5　ウ，オ

解説

ア：妥当である（最判昭59・10・26）。

イ：妥当でない。判例は，行政手続法12条１項の規定により定められ公にされている処分基準において，先行の処分を受けたことを理由として後行の処分に係る量定を加重する旨の不利益な取扱いの定めがある場合には，先行の処分に当たる処分を受けた者は，将来において後行の処分に当たる処分の対象となりうるときは，先行の処分に当たる処分の効果が期間の経過によりなくなった後においても，当該処分基準の定めにより不利益な取扱いを受けるべき期間内はなお当該処分の取消しによって回復すべき法律上の利益を有するとして，訴えの利益を認める（最判平27・３・３）。

ウ：妥当でない。判例は，再入国の許可申請に対する不許可処分を受けた者が再入国の許可を受けないまま本邦から出国した場合には，同人がそれまで有していた在留資格が消滅することにより，当該不許可処分が取り消されても，同人に対して在留資格のままで再入国することを認める余地はなくなるから，同人は，当該不許可処分の取消しによって回復すべき法律上の利益を失うに至るとして，再入国の許可申請に対する不許可処分を受けた者が再入国の許可を受けないまま本邦から出国した場合には，不許可処分の取消しを求める訴えの利益は失われるとする（最判平10・４・10）。

エ：妥当でない。判例は，本件認可処分が取り消された場合に，事業施行地域を事業施行以前の原状に回復することが，訴訟係属中に事業計画に係る工事および換地処分がすべて完了したため，社会的，経済的損失の観点から見て，社会通念上，不可能であるとしても，そのような事情は，行政事件訴訟法31条の適用に関して考慮されるべき事柄であって，本件認可処分の取消しを求める法律上の利益を消滅させるものではないとする（最判平４・１・24）。

オ：妥当である。判例は，道路交通法は，「客観的に優良運転者の要件を満たす者に対しては優良運転者である旨の記載のある免許証を交付して更新処分を行うということを，単なる事実上の措置にとどめず，その者の法律上の地位として保障」しているとして，本記述のように判示している（最判平21・２・27）。

以上から，妥当なものはアとオであり，**2**が正答となる。

正答　2

国家一般職［大卒］ No. 20 専門試験

行政法 国家賠償法 令和3年度

国家賠償法に関するア～エの記述のうち，判例に照らし，妥当なもののみを全て挙げているのはどれか。

ア．国家賠償法第2条第1項の営造物の設置又は管理の瑕疵とは，営造物が通常有すべき安全性を欠いていることをいい，これに基づく国及び公共団体の賠償責任については，その過失の存在を必要としない。また，同条にいう公の営造物の管理者は，必ずしも当該営造物について法律上の管理権ないしは所有権，賃借権等の権原を有している者に限られるものではなく，事実上の管理をしているにすぎない国又は公共団体も同条にいう管理者に含まれる。

イ．公立学校の校庭が開放されて一般の利用に供されている場合，幼児を含む一般市民の校庭内における安全につき，校庭内の設備等の設置管理者は，当該設備等が本来の用法に従えば安全であるべきことについて責任を負うのは当然として，これを設置管理者の通常予測し得ない異常な方法で使用させないという注意義務も負っていると解すべきであるから，幼児が当該設備等を設置管理者の通常予測し得ない異常な方法で使用し損害を被ったときであっても，設置管理者は国家賠償法第2条に基づく賠償責任を負う。

ウ．国又は公共団体がその事務を行うについて国家賠償法に基づき損害を賠償する責めに任ずる場合における損害を賠償するための費用も国又は公共団体の事務を行うために要する経費に含まれるというべきであるから，当該経費の負担について定める法令は，当該費用の負担についても定めていると解され，同法第3条第2項に基づく求償についても，当該経費の負担について定める法令の規定に従うべきであり，法令上，当該損害を賠償するための費用をその事務を行うための経費として負担すべきものとされている者が，同項にいう内部関係でその損害を賠償する責任ある者に当たる。

エ．失火責任法は，失火者の責任条件について民法第709条の特則を規定したものであるから，国家賠償法第4条の「民法」に含まれると解されるが，他方，公務員である消防署職員の消火活動には高度の注意義務が課せられており，その活動上の過失については失火責任法の適用はないと解すべきである。したがって，消防署職員の失火による国又は公共団体の損害賠償責任については，失火責任法は適用されず，当該職員に重大な過失がなくても，国又は公共団体は国家賠償法第1条に基づく賠償責任を負う。

1 ア，ウ
2 ア，エ
3 イ，ウ
4 イ，エ
5 ウ，エ

（参考）国家賠償法
第３条　前２条の規定によつて国又は公共団体が損害を賠償する責に任ずる場合において，公務員の選任若しくは監督又は公の営造物の設置若しくは管理に当る者と公務員の俸給，給与その他の費用又は公の営造物の設置若しくは管理の費用を負担する者とが異なるときは，費用を負担する者もまた，その損害を賠償する責に任ずる。
２　前項の場合において，損害を賠償した者は，内部関係でその損害を賠償する責任ある者に対して求償権を有する。
第４条　国又は公共団体の損害賠償の責任については，前３条の規定によるの外，民法の規定による。

失火責任法（失火の責任に関する法律）
民法第709条の規定は失火の場合には之を適用せず。但し失火者に重大なる過失ありたるときは此の限に在らず。

解説

ア：妥当である（最判昭59・11・29）。
イ：妥当でない。判例は，公の営造物の設置管理者は，（営造物が）「本来の用法に従って安全であるべきことについて責任を負うのは当然として，その責任は原則としてこれをもって限度とすべく，本来の用法に従えば安全である営造物について，これを設置管理者の通常予測し得ない異常な方法で使用しないという注意義務は，利用者である一般市民の側が負うのが当然であり」，通常予測しえない異常な行動の結果生じた事故について，設置管理者は国家賠償法上の責任を負わないとする（最判平５・３・30）。
ウ：妥当である。判例は，本記述のように述べて，「市町村が設置する中学校の教諭がその職務を行うについて故意又は過失によって違法に生徒に損害を与えた場合において，当該教諭の給料その他の給与を負担する都道府県が国家賠償法１条１項，３条１項に従い上記生徒に対して損害を賠償したときは，当該都道府県は，同条２項に基づき，賠償した損害の全額を当該中学校を設置する市町村に対して求償することができる」としている（最判平21・10・23）。
エ：妥当でない。判例は，「失火責任法は，失火者の責任条件について民法709条の特則を規定したものであるから，国家賠償法４条の『民法』に含まれる」，「また，失火責任法の趣旨にかんがみても，公権力の行使にあたる公務員の失火による国又は公共団体の損害賠償責任についてのみ同法の適用を排除すべき合理的理由も存しない。したがつて，公権力の行使にあたる公務員の失火による国又は公共団体の損害賠償責任については，国家賠償法４条により失火責任法が適用され，当該公務員に重大な過失のあることを必要とする」とする（最判昭53・７・17）。
以上から，妥当なものはアとウであり，**1**が正答となる。

正答　1

国家一般職［大卒］ No. 21 専門試験 民法（総則及び物権） **条件・期限** 令和3年度

条件及び期限に関するア～オの記述のうち，妥当なもののみを全て挙げているのはどれか。

ア．相殺，取消し，追認等の相手方のある単独行為であっても，私的自治の原則により，条件又は期限を付すことが許されると一般に解されている。一方，婚姻，養子縁組等の身分行為は，身分秩序を不安定にするという理由により，条件又は期限を付すことは許されないと一般に解されている。

イ．不能の停止条件を付した法律行為は無効である。また，停止条件付法律行為は，その条件が単に債務者の意思のみに係るときは無効である。

ウ．社会の取引秩序及び身分秩序を混乱させるおそれがあるため，条件の成否が未定である間における当事者の権利義務は，これを処分し，又は相続することができない。

エ．条件が成就することによって利益を受ける当事者が不正にその条件を成就させたときは，相手方は，その条件が成就しなかったものとみなすことができる。

オ．不法な条件を付した法律行為は無効であるが，不法な行為をしないことを条件とする法律行為は有効である。

1 ア，イ
2 ア，オ
3 イ，エ
4 ウ，エ
5 ウ，オ

ア：妥当でない。前段が誤り。相殺（民法506条１項），取消し，追認等の相手方のある単独行為では，条件や期限を付すと相手方の地位を著しく不安定なものにするおそれがあるから，これらを付すことは許されないと一般に解されている。後段は正しい。

イ：妥当である（前段につき民法133条１項，後段につき同134条）。

ウ：妥当でない。条件の成否が未定である間における当事者の権利義務は，一般の規定に従い，処分し，相続し，もしくは保存し，またはそのために担保を供することができる（民法129条）。

エ：妥当である（民法130条２項）。

オ：妥当でない。不法な条件を付した法律行為は，無効である。不法な行為をしないことを条件とするものも，同様に無効である（民法132条）。よって，前半は正しいが，後半が誤り。

以上から，妥当なものはイとエであり，**3**が正答となる。

正答　**3**

国家一般職［大卒］ No. 22 専門試験 民法（総則及び物権） 時効 令和3年度

時効に関するア～オの記述のうち，妥当なもののみを全て挙げているのはどれか。ただし，争いのあるものは判例の見解による。

ア．時効が完成し，当事者がそれを援用したときには，時効の効力はその起算日に遡って発生するため，目的物を時効取得した者は，占有の開始時から正当な権利者であるが，時効期間中に生じた果実を取得する権限はない。

イ．時効の援用は，債務者の個人意思に委ねる性質のものであって，代位の対象とはなり得ないことから，債権者は，自己の債権を保全するのに必要な限度であっても，債権者代位権に基づいて債務者の援用権を代位行使することはできない。

ウ．後順位抵当権者は，先順位抵当権の被担保債権が消滅すると抵当権の順位が上昇し，配当額が増加することとなり，時効による債務の消滅について正当な利益を有する者であるから，先順位抵当権の被担保債権の消滅時効を援用することができる。

エ．物上保証人として自己の所有する不動産に抵当権を設定した者は，被担保債権の消滅時効が完成すると抵当権の実行を免れることとなり，時効による債務の消滅について正当な利益を有する者であるから，被担保債権の消滅時効を援用することができる。

オ．時効が完成した後に，債務者がその事実を知らずに債務を承認した場合，債権者は債務者がもはや時効を援用しない趣旨であると考えるであろうから，その後においては，債務者は，信義則上，時効を援用することができない。

1　ア，イ
2　ア，オ
3　イ，ウ
4　ウ，エ
5　エ，オ

ア：妥当でない。時効の効力は，その起算日にさかのぼる（民法144条）ため，目的物を時効取得した者は，占有の開始時から正当な権利者であり，時効期間中に生じた果実を取得する権限がある。

イ：妥当でない。判例は，時効の援用は，代位の対象となりうることから，債権者は，自己の債権を保全するのに必要な限度で，債権者代位権に基づいて債務者の援用権を代位行使することができるとする（最判昭43・９・26）。

ウ：妥当でない。判例は，順位上昇への期待は反射的利益にすぎず法的保護に値しないとして，後順位抵当権者は，先順位抵当権の被担保債権の消滅時効を援用することができないとする（最判平11・10・21）。

エ：妥当である（民法145条かっこ書）。

オ：妥当である（最大判昭41・４・20）。

以上から，妥当なものはエとオであり，**5**が正答となる。

正答　5

No. 23は，法改正や制度変更により現在では成立しなくなった問題のため，掲載していません。

国家一般職［大卒］ 専門試験

No.24 民法（総則及び物権） 質 権 令和3年度

質権に関する次の記述のうち，妥当なのはどれか。

1 質権は，財産権をその目的とすることができるが，指図証券を目的とする質権の設定は，その証券に質入れの裏書をして質権者に交付しなければ，その効力を生じない。

2 質権設定者は，債務の弁済期の前後を問わず，質権者に弁済として質物の所有権を取得させ，その他法律に定める方法によらないで質物を処分させる旨の契約を質権者と締結することができない。

3 動産質権者は，その債権の弁済を受けないときは，競売によって質物を売却し，優先弁済を受けることができるが，競売によることなく，質物をもって直ちに弁済に充てることや，質物から生じる果実を収取して弁済に充てることはできない。

4 不動産質権者は，設定行為に別段の定めがある場合を除き，質権設定者の承諾を得なければ，質権の目的である不動産の使用及び収益をすることができない。

5 質権の被担保債権の範囲は，設定行為に別段の定めがある場合を除き，元本及び利息に限られ，質権実行の費用や質物の隠れた瑕疵によって生じた損害の賠償はこの範囲に含まれない。

解説

1．妥当である（民法520条の７，520条の２）。

2．いわゆる流質契約であるが，質権設定者は，設定行為または債務の弁済期前の契約において，質権者に弁済として質物の所有権を取得させ，その他法律に定める方法によらないで質物を処分させることを約することができない（民法349条）。したがって，弁済期の「前後を問わず」とする点が誤り。

3．前半は正しいが，後半が誤り。動産質権者は，その債権の弁済を受けないときは，正当な理由がある場合に限り，鑑定人の評価に従い質物をもって直ちに弁済に充てることを裁判所に請求することができる（民法354条前段）。また，質権者は，質物から生ずる果実を収取し，他の債権者に先立って，これを自己の債権の弁済に充当することができる（同350条，297条１項）。

4．不動産質権者は，設定者の承諾がなくても，権利として質権の目的である不動産の用法に従い，その使用および収益をすることができる（民法356条）。

5．質権は，元本，利息，違約金，質権の実行の費用，質物の保存の費用および債務の不履行または質物の隠れた瑕疵によって生じた損害の賠償を担保する。ただし，設定行為に別段の定めがあるときは，この限りでない（民法346条）。

正答 1

政治学 行政学 憲法 行政法 民法 経済理論 財政学

民法（総則及び物権） 抵当権 令和3年度

抵当権に関するア～オの記述のうち，妥当なもののみを全て挙げているのはどれか。ただし，争いのあるものは判例の見解による。

ア．地上権及び借地借家法上の建物所有目的の土地賃借権については，抵当権を設定することができる。

イ．抵当権者は，利息その他の定期金を請求する権利を有するときは，原則としてその満期となった最後の５年分について，その抵当権を行使することができる。

ウ．宅地に抵当権が設定された当時，その宅地に備え付けられていた石灯籠及び取り外しのできる庭石は，抵当権の目的である宅地の従物であるため，その抵当権の効力が及ぶ。

エ．建物を所有するために必要な土地の賃借権は，特段の事情のない限り，その建物に設定された抵当権の効力の及ぶ目的物には含まれない。

オ．抵当権設定者が，抵当権が設定された建物の賃貸借契約に基づき賃料債権を有している場合において，抵当権の担保する債権について不履行があったときは，その後に生じた賃料債権にも，その抵当権の効力が及ぶ。

1 ア，イ
2 ア，オ
3 イ，エ
4 ウ，エ
5 ウ，オ

解説

ア：妥当でない。地上権および永小作権も，抵当権の目的とすることができる（民法369条２項）。しかし，借地借家法上の建物所有目的の土地賃借権については，抵当権を設定することができない。

イ：妥当でない。抵当権者は，利息その他の定期金を請求する権利を有するときは，その満期となった最後の「２年分」についてのみ，その抵当権を行使することができる（民法375条１項本文）。

ウ：妥当である（最判昭44・３・28）。

エ：妥当でない。判例は，建物を所有するために必要な土地の賃借権は，特段の事情のない限り，その建物に設定された抵当権の効力の及ぶ目的物に含まれるとする（最判昭40・５・４）。

オ：妥当である（民法371条）。

以上から，妥当なものはウとオであり，**5**が正答となる。

正答 5

国家一般職［大卒］ 専門試験

No. 26 民法（債権，親族及び相続） 債務不履行の責任等 令和3年度

債務不履行の責任等に関する次の記述のうち，妥当なのはどれか。

1 債務の履行が不能である場合，債権者は，これによって生じた損害の賠償を請求することができるが，契約に基づく債務の履行がその契約の成立時に既に不能であったときは，そもそも債権が発生していないのであるから，その履行の不能によって生じた損害の賠償を請求することはできない。

2 債務者が任意に債務の履行をしない場合，債権者が民事執行法その他強制執行の手続に関する法令の規定に従い履行の強制を裁判所に請求することができるのは，その不履行が債務者の責めに帰すべき事由によって生じたときに限られる。

3 債務が契約によって生じたものである場合において，債権者が債務の履行に代わる損害賠償の請求をすることができるのは，債務の不履行による契約の解除権が発生したときではなく，実際にその解除権を行使したときである。

4 債権者が債務の履行を受けることができない場合において，その債務の目的が特定物の引渡しであるときは，債務者は，履行の提供をした時からその引渡しをするまで，自己の財産に対するのと同一の注意をもって，その物を保存すれば足り，注意義務が軽減される。

5 債務者が，その債務の履行が不能となったのと同一の原因により債務の目的物の代償である権利を取得したときは，債権者は，その受けた損害の額にかかわらず，債務者に対し，その権利の全部の移転を請求することができる。

解説

1．債務の履行が不能であるときは，債権者は，これによって生じた損害の賠償を請求することができる（民法415条１項本文）から，前半は正しい。しかし，契約に基づく債務の履行がその契約の成立の時に不能であったことは，415条の規定によりその履行の不能によって生じた損害の賠償を請求することを妨げない（同412条の２第２項）ので，後半が誤り。

2．債務者が任意に債務の履行をしないときは，債権者は，民事執行法その他強制執行の手続きに関する法令の規定に従い，直接強制，代替執行，間接強制その他の方法による履行の強制を裁判所に請求することができる（民法414条）のは，その不履行が債務者の責めに帰すべき事由によって生じたときに限られない。

3．債務が契約によって生じたものである場合において，債権者が債務の履行に代わる損害賠償の請求をすることができるのは，その契約が解除され，または債務の不履行による契約の解除権が発生したときである（民法415条２項３号）。

4．妥当である（民法413条１項）。

5．債務者が，その債務の履行が不能となったのと同一の原因により債務の目的物の代償である権利を取得したときは，債権者は，「その受けた損害の額の限度において」債務者に対し，その権利の移転を請求することができる（民法422条の２）。

正答 4

国家一般職［大卒］ No. 27 専門試験 民法（債権，親族及び相続）

債権者代位権 令和3年度

債権者代位権に関するア～オの記述のうち，妥当なもののみを全て挙げているのはどれか。

ア．債権者は，その債権の期限が到来しない間であっても，裁判上の代位によれば，債務者に属する権利を行使することができる。

イ．債権者は，債務者に属する権利を行使する場合において，その権利の目的が可分であるときは，自己の債権の額の限度においてのみ，その権利を代位行使することができる。

ウ．債権者は，債務者に属する権利を行使する場合において，その権利が金銭の支払を目的とするものであるときは，相手方に対し，その支払を債務者に対してすることを求めることはできるが，自己に対してすることを求めることはできない。

エ．債権者が債務者に属する権利を行使した場合であっても，債務者は，その権利について，自ら取立てをすることができる。

オ．登記をしなければ権利の得喪及び変更を第三者に対抗することができない財産を譲り受けた者は，その譲渡人が第三者に対して有する登記手続をすべきことを請求する権利を行使しないときであっても，その第三者の同意を得れば，その権利を行使することができる。

1 ア，イ
2 ア，オ
3 イ，エ
4 ウ，エ
5 ウ，オ

解説

ア：妥当でない。債権者は，その債権の期限が到来しない間は，被代位権利を行使することができない。ただし，保存行為は，この限りでない（民法423条2項）。したがって，「裁判上の代位によれば」が誤り。

イ：妥当である（民法423条の2）。

ウ：妥当でない。債権者は，被代位権利を行使する場合において，被代位権利が金銭の支払いを目的とするものであるときは，相手方に対し，その支払いを自己に対してすることを求めることができる（民法423条の3前段）。

エ：妥当である（民法423条の5前段）。

オ：妥当でない。登記をしなければ権利の得喪および変更を第三者に対抗することができない財産を譲り受けた者は，その譲渡人が第三者に対して有する登記手続をすべきことを請求する権利を行使しないときは，その権利を行使することができる（民法423条の7前段）。その第三者の同意を得る必要はない。

以上から，妥当なものはイとエであり，**3**が正答となる。

正答 3

国家一般職［大卒］

No. 28 専門試験 民法（債権，親族及び相続）

使用貸借

令和3年度

使用貸借に関する次の記述のうち，妥当なのはどれか。

1　使用貸借契約は，当事者の一方が無償で使用及び収益をした後に返還することを約して相手方からある物を受け取ることによって，その効力を生ずる。

2　使用貸借契約の貸主は，書面による場合を除き，借主が借用物を受け取るまで，その契約を解除することができる。

3　使用貸借契約の借主は，自らの判断で自由に，第三者に借用物の使用又は収益をさせることができる。

4　使用貸借契約は，借主が死亡しても，特約のない限り，その相続人と貸主との間で存続する。

5　使用貸借契約における借用物の保管に通常必要な費用は，貸主が負担しなければならない。

解説

1. 使用貸借は，当事者の一方がある物を引き渡すことを約し，相手方がその受け取った物について無償で使用および収益をして契約が終了したときに返還をすることを約することによって，その効力を生ずる（民法593条）。すなわち，使用貸借は要物契約ではなく諾成契約である。

2. 妥当である（民法593条の２）。

3. 借主は，貸主の承諾を得なければ，第三者に借用物の使用または収益をさせることができない（民法594条２項）。

4. 使用貸借は，借主の死亡によって終了する（民法597条３項）。

5. 借主は，借用物の通常の必要費を負担する（民法595条１項）。

正答 2

請 負

請負に関するア～オの記述のうち，妥当なもののみを全て挙げているのはどれか。

ア．注文者Aと請負人Bが完成後に建物を引き渡す旨の約定で建物建築工事の請負契約を締結した場合には，AB間で特約がない限り，Aは，その建物の引渡しと同時にBに報酬を支払わなければならない。

イ．建物建築工事の請負契約の注文者Aの責めに帰することができない事由によって請負人Bが仕事を完成することができなくなった場合には，Bが既にした仕事の結果のうち可分な部分の給付によってAが利益を受けるときであっても，BはAに対して報酬を請求することができない。

ウ．建物建築工事の請負契約の目的物として請負人Bから引渡しを受けた建物に欠陥があった場合において，注文者Aがその欠陥があることを知った時から1年以内にその旨をBに通知しなかったときは，建物をAに引き渡した時に，Bがその欠陥の存在を知り，又は重大な過失によって知らなかったときを除き，Aは，その欠陥の存在を理由としてBに建物の修補を求めることができない。

エ．建物建築工事の請負契約において，注文者Aは，請負人Bがその工事を完成しない間は，損害を賠償することなく，いつでもその契約を解除することができる。

オ．注文者Aと請負人Bが，契約が中途で解除された際の出来形部分の所有権はAに帰属する旨の約定で建物建築工事の請負契約を締結した後に，Bがその工事を下請負人Cに一括して請け負わせた場合において，その契約が中途で解除されたときであっても，Cが自ら材料を提供して出来形部分を築造したのであれば，AC間に格別の合意があるなど特段の事情のない限り，その出来形部分の所有権はCに帰属するとするのが判例である。

1 ア，イ
2 ア，ウ
3 イ，エ
4 ウ，オ
5 エ，オ

ア：妥当である（民法633条本文）。

イ：妥当でない。注文者の責めに帰することができない事由によって仕事を完成することができなくなった場合において，請負人がすでにした仕事の結果のうち可分な部分の給付によって注文者が利益を受けるときは，その部分を仕事の完成とみなす。この場合において，請負人は，注文者が受ける利益の割合に応じて報酬を請求することができる（民法634条1号）。したがって，Bがすでにした仕事の結果のうち可分な部分の給付によってAが利益を受けるときには，BはAに対して報酬を請求することができる。

ウ：妥当である（民法637条）。

エ：妥当でない。請負人が仕事を完成しない間は，注文者は，いつでも「損害を賠償して」契約の解除をすることができる（民法641条）。

オ：妥当でない。注文者Aと請負人Bが，契約が中途で解除された際の出来形部分の所有権はAに帰属する旨の約定で建物建築工事の請負契約を締結した後に，Bがその工事を下請負人Cに一括して請け負わせた場合において，その契約が中途で解除されたときであっても，Cが自ら材料を提供して出来形部分を築造したのであれば，AC 間に格別の合意があるなど特段の事情のない限り，その出来形部分の所有権は，Cではなく「A」に帰属するとするのが判例である（最判平5・10・19）。

以上から，妥当なものはアとウであり，**2**が正答となる。

正答　2

政治学　行政学　憲法　行政法　民法　経済理論　財政学

国家一般職［大卒］ 専門試験

No. 30 民法（債権，親族及び相続） 親 子 令和3年度

親子に関するア～オの記述のうち，判例に照らし，妥当なもののみを全て挙げているのはどれか。

ア．父母が婚姻前から既に内縁関係にあり，婚姻をした後に出生した子は，婚姻の成立の日から200日以内に出生した場合であっても，父の認知を要することなく，出生と同時に当然に嫡出子たる身分を有する。

イ．妻が子を懐胎した時期に，夫が遠隔地に居住していたなど，嫡出子としての推定を受ける前提を欠く場合であっても，子と夫との間の父子関係の存否を争うときは，親子関係不存在確認の訴えによるのではなく，嫡出否認の訴えによらなければならない。

ウ．嫡出でない子について，血縁上の父から嫡出子としての出生届がされ，それが受理された場合，その出生届には事実に反するところがあるものの，出生した子が自己の子であることを承認し，その旨申告する意思の表示が含まれており，その届は認知届としての効力を有する。

エ．15歳未満の他人の子を実子として届け出た者の代諾によるその子の養子縁組は，代理権を欠く一種の無権代理と解されるから，その子が15歳に達した後にこれを追認した場合は，当初に遡って有効となる。

オ．親権者が，第三者の債務を担保するために，子を代理して子の所有する不動産に抵当権を設定する行為は，親権者自身の利益のためにするものではないが，子に経済的不利益をもたらすものであり，民法第826条にいう利益相反行為に当たる。

1 ア，イ
2 ウ，オ
3 ア，イ，オ
4 ア，ウ，エ
5 ウ，エ，オ

（参考）民法
（利益相反行為）
第826条　親権を行う父又は母とその子との利益が相反する行為については，親権を行う者は，その子のために特別代理人を選任することを家庭裁判所に請求しなければならない。
（第２項略）

ア：妥当である（大連判昭15・1・23）。

イ：妥当でない。判例は，妻が子を懐胎した時期に，夫が遠隔地に居住していたなど，嫡出子としての推定を受ける前提を欠く場合には，子と夫との間の父子関係の存否を争うときは，親子関係不存在確認の訴えによるべきとする（最判平10・8・31）。

ウ：妥当である（最判昭53・2・24）。

エ：妥当である（最判昭27・10・3）。

オ：妥当でない。判例は，親権者が，第三者の債務を担保するために，子を代理して子の所有する不動産に抵当権を設定する行為は，親権者自身の利益のためにするものではないから，民法826条にいう利益相反行為に当たらないとする（最判昭35・7・15）。

以上から，妥当なものはアとウとエであり，**4**が正答となる。

正答　4

国家一般職［大卒］ No. 31 専門試験 ミクロ経済学

需要の価格弾力性

令和3年度

X財，Y財の2財を消費する，ある消費者の効用 u が

$u=x^2y$（x：X財の消費量，y：Y財の消費量）

で示されているとする。

この消費者が，所与の所得 I の下，効用が最大となるようにX財とY財の消費量を決めるとき，X財の需要の価格弾力性はいくらか。

1 $\frac{1}{3}$

2 $\frac{1}{2}$

3 1

4 2

5 3

解説

X財の需要の価格弾力性を求める問題であるため，効用関数から需要関数を求め，そのうえで需要の価格弾力性を求める。

まず効用関数が $u=x^a y^b$ の形をしているため，需要関数の公式によって需要関数を求めることができる。

X財の価格を P_x，所得を I として求めると，X財の需要関数は，

$$x=\frac{aI}{P_x(a+b)}=\frac{2I}{3P_x}$$

となる。

X財の需要の価格弾力性は定義より，

$$\varepsilon_x=-\frac{dx/x}{dP_x/P_x}=-\frac{dx}{dP_x}\times\frac{P_x}{x}$$

である。$\frac{dx}{dP_x}$は需要関数を P_x で微分したものであるため，

$$\frac{dx}{dP_x}=-\frac{2I}{3P_x^2}$$

となる。また，$\frac{P_x}{x}$は需要関数の逆数に P_x を掛けたものであるため，

$$\frac{P_x}{x}=P_x\times\frac{3P_x}{2I}=\frac{3P_x^2}{2I}$$

となる。

これより，X財の需要の価格弾力性は，

$$\varepsilon_x=-\frac{dx}{dP_x}\times\frac{P_x}{x}=-\left(-\frac{2I}{3P_x^2}\right)\times\frac{3P_x^2}{2I}=1$$

となる。

したがって，正答は**3**となる。

正答　3

ミクロ経済学 2期間の消費税課税の影響 令和3年度

第１期と第２期の２期間を生きる消費者の効用 U が

$U=C_1C_2$（C_1：第１期の消費額，C_2：第２期の消費額）

で示されているとする。

この消費者は，第１期に300の所得を得て，消費額 C_1 と貯蓄 S に振り分ける。また，第２期には210の所得を得て，この所得と貯蓄 S をもとに，消費額 C_2 を支出する。貯蓄 S につく利子率を r とすると，$r=0.05$ である。この消費者は，効用 U が最大になるように，消費額 C_1，C_2 を決定する。

いま，ＡとＢの二つの場合を考える。

Ａ：第１期にのみ10％の消費税がかかる場合

Ｂ：第１期も第２期も消費税がかからない場合

このとき，Ａの貯蓄とＢの貯蓄に関する次の記述のうち，妥当なのはどれか。

1 Ａの貯蓄の方が，Ｂの貯蓄より10多い。
2 Ａの貯蓄の方が，Ｂの貯蓄より25多い。
3 Ａの貯蓄の方が，Ｂの貯蓄より10少ない。
4 Ａの貯蓄の方が，Ｂの貯蓄より25少ない。
5 Ａの貯蓄とＢの貯蓄は同額である。

解説

効用関数が $U=C_1^aC_2^b$ の形をしているため，需要関数の公式によって需要関数を求めることができる。異時点間の消費であるため，第１期の予算制約式は，

$$300=C_1+tC_1+S$$

となる。ここで t は消費税率を，したがって tC_1 は第１期の消費税額を表している。

第１期の予算制約式を S について解くと，

$$S=300-(1+t)C_1 \quad \cdots\cdots①$$

を得る。

第２期の予算制約式は，

$$210+1.05S=C_2+tC_2 \quad \cdots\cdots②$$

となるため，②に①を代入して解くと，

$$210+1.05\{300-(1+t)C_1\}=(1+t)C_2$$

$$525=1.05(1+t)C_1+(1+t)C_2$$

となる。ここから C_1 の価格は $1.05(1+t)$，C_2 の価格は $(1+t)$，所得は525として解くことができる。

$$C_1=\frac{525}{1.05(1+t)(1+1)}=\frac{250}{1+t}$$

これより S は，

$$S=300-(1+t)\frac{250}{1+t}=50$$

となるため，消費税率がいくらであっても貯蓄額は50で一定となる。

したがって，正答は**5**となる。

正答　5

政治学　行政学　憲法　行政法　民法　経済理論　財政学

政治学 行政学 憲法 行政法 民法 経済理論 財政学

国家一般職［大卒］ 専門試験

No.33 ミクロ経済学 長期費用関数の導出 令和3年度

ある企業は資本設備の大きさが$k(>0)$のとき，短期の費用関数が

$$C=\frac{9x^2}{k}+k+5 \quad (C：総費用，x：財の生産量)$$

で与えられているとする。

この企業の長期の費用関数として妥当なのはどれか。ただし，この企業は長期において，資本設備の大きさを調整費用なしで変更できるものとする。

1 $C=6x+5$
2 $C=6.5x+5$
3 $C=10x+5$
4 $C=3x^2+8$
5 $C=9x^2+6$

解説

長期の費用関数は資本設備 k が常に最適な大きさに調整されている状態になる。

資本設備 k が最適となる値を調べるために短期費用関数を k で微分してゼロとおく。

$$\frac{dC}{dk}=-\frac{9x^2}{k^2}+1=0$$

$$k^2=9x^2$$

$$k=3x\,(>0)$$

最適な資本設備 k の大きさは $3x$ であることがわかる。そこで，短期費用関数に $k=3x$ を代入すると長期費用関数を求めることができる。

$$C=\frac{9x^2}{3x}+3x+5=6x+5$$

したがって，正答は**1**となる。

正答　1

政治学　行政学　憲法　行政法　民法　経済理論　財政学

国家一般職［大卒］ 専門試験

No. 34 ミクロ経済学 独占企業の価格差 令和3年度

価格支配力を持ち，平均費用の逓減が著しい，ある独占企業について，この企業の生産物に対する逆需要関数 $p(x)$，費用関数 $C(x)$ がそれぞれ，

$$p(x)=500-x$$
$$C(x)=100x+30{,}000 \quad (x：生産量)$$

で示されているとする。

この企業が利潤を最大化した場合の価格を p_A，政府からの限界費用価格規制を受けた場合の価格を p_B とすると，p_A と p_B の関係に関する次の記述のうち，妥当なのはどれか。

1 p_A の方が p_B より250小さい。
2 p_A の方が p_B より200小さい。
3 p_A の方が p_B より200大きい。
4 p_A の方が p_B より250大きい。
5 p_A と p_B は同じ大きさである。

解説

まず，企業の利潤最大化の価格を求める。

独占企業の利潤最大化の条件は限界収入 MR＝限界費用 MC である。限界収入 MR は収入 $p(x)x$ を生産量 x で微分したものである。

$$MR=\frac{dp(x)x}{dx}=\frac{d(500-x)x}{dx}=500-2x$$

限界費用 MC は費用関数を生産量 x で微分したものであるため，

$$MC=\frac{dC}{dx}=100$$

となる。したがって，この独占企業の利潤が最大となる生産量は，

$500-2x=100$

$2x=400$

$x=200$

となる。

このときの価格 p_A は逆需要関数より，

$p_A=500-200=300$

となる。

次に $p=MC$ に，$p=500-x$ と $MC=100$を代入して，

$500-x=100$

$x=400$

これを $p=500-x$ に代入して，$p_B=100$となる。

これより，この企業が利潤を最大化した場合の価格 p_A のほうが限界費用価格規制を受けた場合の価格 p_B より200大きいことがわかる。

したがって，正答は**3**となる。

正答　3

政治学　行政学　憲法　行政法　民法　経済理論　財政学

国家一般職［大卒］ 専門試験

No. 35 ミクロ経済学

私的財と公共財

令和3年度

消費者Aと消費者Bの二人の消費者，そして私的財Xと公共財Yの二つの財から成る経済を考える。消費者AによるX財の消費量をx_A，消費者BによるX財の消費量をx_B，公共財の消費量をyとし，また，消費者A，Bの効用水準を，それぞれ，u_A，u_Bとすると，

$$u_A=x_A\sqrt{y} \qquad u_B=x_B\sqrt{y}$$

で示される。また，当初，経済には消費者Aと消費者Bの私的財だけが合計36存在し，以下の関数に基づき，公共財が私的財から生産される。

$$y=\frac{1}{3}x \ (x：私的財の総使用量)$$

一方，この経済の社会厚生関数wは，

$$w=u_A \times u_B$$

である。wを最大化するような（x_A，y）の組合せとして妥当なのはどれか。

1 $(x_A,\ y)=(6,\ 4)$
2 $(x_A,\ y)=(6,\ 6)$
3 $(x_A,\ y)=(6,\ 8)$
4 $(x_A,\ y)=(12,\ 4)$
5 $(x_A,\ y)=(12,\ 6)$

解説

社会厚生関数 w を最大にする私的財と公共財の量を求めるため，社会厚生関数 w を x_A と y のみの関数とする。

設問より社会厚生関数 w は，

$w=u_A\times u_B=yx_A x_B$ ……①

となる。また私的財の制約条件 $x_A+x_B+x=36$ と公共財の生産関数 $y=\frac{1}{3}x$ より，

$x_A+x_B+3y=36$

$x_B=36-x_A-3y$

となる。これを①に代入すると，

$w=x_Ay(36-x_A-3y)$

が求まる。社会厚生最大化条件は，w を x_A と y のそれぞれについて偏微分して0となること，すなわち，$\frac{\partial w}{\partial x_A}=0$ と $\frac{\partial w}{\partial y}=0$ である。

$\frac{\partial w}{\partial x_A}=36y-2x_Ay-3y^2=0$

$2x_A+3y=36$ ……②

$\frac{\partial w}{\partial y}=36x_A-x_A^2-6x_Ay=0$

$x_A+6y=36$ ……③

②×2−③より，

$3x_A=36$

$x_A=12$

が求まる。これを③に代入すると，

$12+6y=36$

$y=4$

となる。

したがって，正答は**4**となる。

正答 **4**

国家一般職［大卒］ No. 36 専門試験 マクロ経済学

IS-LMモデル

令和3年度

以下のような閉鎖経済におけるIS－LMモデルを考える。

$$Y=C+I+G$$

$$C=20+0.8Y$$

$$I=200-10r$$

$$L=Y+100-10r$$

$$\frac{M}{P}=600$$

［Y：国民所得，C：消費，I：投資，G：政府支出，r：利子率
L：実質貨幣需要，M：名目貨幣供給量，P：物価水準］

この経済において，完全雇用を達成する均衡国民所得が650であるとすると，完全雇用を達成するための政府支出はいくらか。

1 20
2 30
3 40
4 50
5 60

解説

まずは設問に従って IS 曲線，LM 曲線の式を求める。

IS 曲線は，

$$Y=20+0.8Y+200-10r+G$$

$$Y=1100+5G-50r \quad \cdots\cdots①$$

となる。

一方，LM 曲線は，

$$600=Y+100-10r$$

$$Y=500+10r \quad \cdots\cdots②$$

となる。

均衡国民所得を650にするために必要な政府支出を求めるためには，②×5+①を計算し，Yに650を代入すればよい。

$$6Y=1100+2500+5G$$

$$3900=3600+5G$$

$$300=5G$$

$$G=60$$

したがって，正答は**5**となる。

正答 5

政治学
行政学
憲法
行政法
民法
経済理論
財政学

国家一般職［大卒］ 専門試験

No.37 マクロ経済学 テイラー・ルール 令和3年度

以下のような閉鎖経済のモデルを考える。

$Y=C+I+G$

$C=10+0.5Y$

$I=15-r$

（Y：国民所得，C：消費，I：投資，G：政府支出，r：実質利子率）

財政当局は，政府支出を$G=5$としている。

中央銀行は，以下のテイラー・ルールに従って，名目利子率iを設定している。

$i=1.5(\pi-\pi^*)+0.5(Y-Y^*)+4$

ここで，πはインフレ率，π^*は目標インフレ率，Y^*は完全雇用GDP，$Y-Y^*$はGDPギャップである。

また，実質利子率rと名目利子率iの間には，以下のフィッシャー方程式が成立している。

$i=r+\pi$

当初，$\pi=0$，$\pi^*=2$，$Y^*=56$であった。このとき，インフレ率が$\pi=2$に上昇すると，国民所得はいくら減少するか。ただし，政府支出，目標インフレ率，完全雇用GDPは変化しないものとする。

1 0
2 1
3 2
4 3
5 4

解説

財市場における金融政策の効果を調べる問題である。

財市場は設問より，

$Y=10+0.5Y+15-r+5$

$Y=60-2r$　……①

と表せる。

一方，中央銀行の設定する名目利子率 i をフィッシャー方程式によって求まる i を用いて消去すると，

$r+\pi=1.5(\pi-\pi^{*})+0.5(Y-Y^{*})+4$

となる。インフレ率の変化による国民所得の変化を求めるため，インフレ率は π としてそれ以外の設問の値を代入すると，

$r+\pi=1.5\pi-3+0.5Y-28+4$

$0.5Y=27+r-0.5\pi$

$Y=54+2r-\pi$　……②

が求まる。①+②より r を消去すると，

$2Y=114-\pi$

$Y=57-\frac{\pi}{2}$

となる。ここからインフレ率が0から2に上昇することによって国民所得は1減少することがわかる。

したがって，正答は**2**となる。

正答　**2**

政治学 行政学 憲法 行政法 民法 経済理論 財政学

政治学
行政学
憲法
行政法
民法
経済理論
財政学

国家一般職［大卒］ No. 38 専門試験 マクロ経済学

均衡失業率

令和3年度

ある経済において，労働力人口は$\overline{L}$で一定とする。また，雇用者数をE，失業者数をUとすると，以下の関係が成立している。

$\overline{L}=E+U$

いま，一定期間中に雇用者のうち，sの割合が離職して失業者になる。また，同じ期間中に失業者のうちfの割合が就職して雇用者になる。

ここで，失業率が時間を通じて変化しない場合，その失業率を「均衡失業率」と呼ぶ。sが0.02，fが0.08であり，それぞれ一定とするとき，均衡失業率はいくらか。

1　2％
2　6％
3　10％
4　20％
5　25％

解説

失業率は失業者数 U を労働力人口 $\bar{L}$ で割ったもの $U/\bar{L}$ で表される。

均衡失業率とは失業率が時間を通じて変化しないものであるため，労働力人口が一定であることから U が時間を通じて一定となる失業率のことをさしている。

設問より失業者数 U は次の期に $0.08U$ 減少し，$0.02E$ 増加するため，時間を通じて一定となる U は，

$$U=U-0.08U+0.02E$$

を満たす必要がある。$E=\bar{L}-U$ を代入し，上式を整理すると，

$$0.08U=0.02\bar{L}-0.02U$$

$$U/\bar{L}=2/10=0.2$$

となる。

したがって，正答は**4**となる。

正答　4

政治学 行政学 憲法 行政法 民法 経済理論 財政学

国家一般職［大卒］ No. 39 専門試験

マクロ経済学 新古典派経済成長モデル 令和3年度

経済成長理論を考える。t 期における，産出量を Y_t，資本の生産性を A，資本ストックを K_t とするとき，マクロ生産関数が

$$Y_t=AK_t$$

で与えられている。ここでの資本ストックは物理的な資本だけでなく，人的資本なども含むものとする。$t+1$ 期の資本ストック K_{t+1}は，資本減耗率を d，投資を I_t とするとき，以下の式で示される。

$$K_{t+1}=(1-d)K_t+I_t$$

また，平均消費性向が a である t 期の消費関数 C_t が以下の式で示される。

$$C_t=aY_t$$

さらに，毎期，財市場の需給が均衡し，

$$Y_t=C_t+I_t$$

が成立している。いま，資本の生産性 A は0.4，資本減耗率 d は0.1，平均消費性向 a は0.6であり，それぞれ一定とする。このとき，経済成長率$\left(\frac{Y_{t+1}}{Y_t}-1\right)$はいくらか。

1 0％
2 2％
3 4％
4 6％
5 10％

解説

経済成長率$\left(\frac{Y_{t+1}}{Y_t}-1\right)=\frac{Y_{t+1}-Y_t}{Y_t}$を求めればよいため，$Y_{t+1}$と$Y_t$を$K_t$の式で表す。

設問よりY_tは，

$$Y_t=0.4K_t \quad \cdots\cdots①$$

となる。一方，Y_{t+1}は，$d=0.1$より，

$$Y_{t+1}=0.4K_{t+1}=0.4(0.9K_t+I_t) \quad \cdots\cdots②$$

となる。I_tは財市場の需給均衡式と消費関数を利用すると，

$$Y_t=aY_t+I_t$$

$$Y_t=\frac{1}{0.4}I_t$$

となり，①より，

$$\frac{1}{0.4}I_t=0.4K_t$$

$$I_t=0.16K_t$$

となる。これを②に代入すると，

$$Y_{t+1}=0.4(0.9K_t+0.16K_t)=0.424K_t$$

が求まる。経済成長率は，

$$\frac{Y_{t+1}-Y_t}{Y_t}=\frac{0.424K_t-0.4K_t}{0.4K_t}=\frac{0.024K_t}{0.4K_t}=0.06$$

となる。

したがって，正答は**4**となる。

正答　4

国家一般職［大卒］ No. 40 専門試験

マクロ経済学 リスクプレミアムと株価の変化 令和3年度

危険資産の収益率は，安全資産の利子率とリスクプレミアムの合計に一致するという裁定条件が常に成り立つとする。

1株当たり120円の配当が恒久的に得られると予想される株式がある。当初，安全資産の利子率及びリスクプレミアムは時間を通じて一定で，共に3％であった。いま，投資家が危険回避的になったことにより，リスクプレミアムのみが5％に変化した。この場合の株価の変化に関する次の記述のうち，妥当なのはどれか。

1 株価は1,500円下落する。
2 株価は1,000円下落する。
3 株価は500円下落する。
4 株価は500円上昇する。
5 株価は1,000円上昇する。

解説

危険資産の収益率が安全資産の利子率とリスクプレミアムの合計に一致することより，この株式の収益率は6(＝3＋3)％となる。120円の配当が6％に当たるということは株価をAとすると，

$0.06A=120$

$A=2000$

つまりリスクプレミアムが3％のときの株価は2000となる。

今，リスクプレミアムが5％に増加するとこの株式の収益率は8(＝3＋5)％とならなければならない。変化後の株価をA'とすると，

$0.08A'=120$

$A'=1500$

となる。これより，$A'-A=1500-2000=-500$となるため，株価は500円下落する。

したがって，正答は**3**となる。

正答 3

政治学
行政学
憲法
行政法
民法
経済理論
財政学

国家一般職［大卒］ 専門試験

No. 41 財政学 日本の財政制度 令和3年度

我が国の財政制度に関する次の記述のうち，妥当なのはどれか。

1 国が契約などによって債務を負担するには，法律・条約又は歳出予算若しくは繰越明許費に基づく場合のほかは，国庫債務負担行為としてあらかじめ予算をもって国会の議決を経なければならない。国庫債務負担行為の対象は，「工事，製造その他の事業」に限定され，必要な理由と債務負担の限度額などを明らかにする必要がある。

2 特別会計は，国が特定の事業を行う場合や特定の資金を保有してその運用を行う場合に設置され，国の一般の歳入歳出を経理する一般会計と区別される。受益と負担の関係や特定の事業・資金の運用の状況を明確化する意義があるため，近年，予算の透明化の観点から特別会計の数は増加傾向にあり，令和元年度においては，31の特別会計が設置されている。

3 各省各庁の長は，毎会計年度，決算報告書を作成し，財務大臣に送付しなければならない。財務大臣はそれに基づき決算を作成し，決算は内閣から会計検査院に送付される。会計検査院による決算の検査後，内閣は決算を検査報告とともに国会に提出し審議を受ける。ただし，決算に関する両院の議決によって，予算執行の効力が左右されることはない。

4 地方交付税は，地方公共団体間の財政力格差を調整し，地方公共団体が一定水準の行政サービスを行うことができるよう，必要な財源を保障するものであり，使途の制限がある。また，各地方公共団体の財政需要を算定し，財政需要が大きい地方公共団体ほど歳入に対する交付税の比重が大きくなるよう配分される。

5 国債の償還のための財源は，一般会計等からの繰入れのほか，国債整理基金特別会計において発行される赤字国債によって賄われている。国債の償還は，100年間で完全に一般財源で償還し終える仕組みとなっており，毎年度，前年度期首における国債残高総額の100分の１に相当する額を国債の債務償還費として予算に計上することとなっている。

1. 「法律・条約又は歳出予算若しくは繰越明許費に基づく場合のほか」ではなく，「法律・条約又は歳出予算若しくは継続費に基づく場合のほか」である。また，国庫債務負担行為の対象は特に限定されておらず，「工事，製造その他の事業」に限定されているのは継続費である。

2. 前段の記述は正しい。特別会計の設置には受益と負担の関係や特定の事業・資金の運用を明確化する意義があるが，予算全体の仕組みを複雑でわかりにくくし，財政の一覧性が阻害されるのではないかといった問題点が指摘されたことを踏まえて，特別会計の数は減少され，令和元年度においては13会計が設置されている。

3. 妥当である。

4. 地方交付税の使途に制限はない（一般財源）。また，地方交付税（普通交付税）の額は，財政需要が大きい地方公共団体ほど歳入に対する交付税の比重が大きくなるようには配分されておらず，基準財政需要額が基準財政収入額を超える分（財政不足額）が交付される。

5. 赤字国債ではなく，借換債によって賄われている。また，国債の償還は100年間ではなく，全体として60年間で完全に一般財源で償還し終える仕組みとなっており，毎年度，前年度期首における国債残高総額の100分の1ではなく，100分の1.6に相当する額が計上される。

正答 3

政治学

行政学

憲法

行政法

民法

経済理論

財政学

国家一般職［大卒］

No. 42 専門試験

財政学　日本の財政状況　令和3年度

我が国の財政の状況に関する次の記述のうち，妥当なのはどれか。ただし，令和元年度及び令和2年度の一般会計当初予算については，「臨時・特別の措置」を含むものとする。

1　我が国の一般会計当初予算の規模は，近年，増加傾向で推移しており，令和2年度当初予算は100兆円を上回っている。当初予算ベースの国債発行額を平成23年度以降令和2年度まででみると，対前年度比で減少を続けており，また，令和2年度のそれは40兆円を下回っている。

2　国税の各税目を個人所得課税，法人所得課税，消費課税，資産課税等に分類した上で，それぞれの税収が総税収に占める割合をみると，平成2年度（決算額）は消費課税の割合が4割程度と最も大きかったが，令和2年度（予算額）では法人所得課税の割合が4割程度と最も大きく，次いで個人所得課税が3割程度となっている。

3　地方税収等（地方税と地方譲与税の合計，平成30年度までは決算額，令和元年度及び令和2年度は地方財政計画額）の推移をみると，平成19年度は国から地方への税源移譲に伴い30兆円を上回っていたが，リーマンショックの影響を受けた平成21年度には20兆円を下回った。翌年度には増加したものの，その後，緩やかな減少傾向で推移し，令和2年度は15兆円を下回った。

4　地方の基礎的財政収支（プライマリーバランス）は平成25年度に赤字化して以降，令和元年度まで，赤字を継続している。また，地方の債務残高対GDP比（平成30年度までは実績値，令和元年度及び令和2年度は見込み）をみると，平成25年度以降，基礎的財政収支と同様に悪化し続けており，令和2年度は50％を超えている。

5　主要各国における租税負担額と社会保障負担額の合計の国民所得に対する比率である国民負担率（2017年，我が国は2017年度）についてみると，我が国は30％台であり，米国や英国の水準を下回っている。また，国民負担率に財政赤字対国民所得比（我が国は一般政府から社会保障基金を除いたもの）を含めた「潜在的な国民負担率」を同年（同年度）についてみると，我が国は60％程度であり，スウェーデンやフランスの水準を上回っている。

1．妥当である。

2．平成２年度国税の総税収（決算額）に占める消費課税の割合は２割程度であり，令和２年度国税の総税収（予算額）に占める割合では，４割程度を占める消費課税が最も大きい。個人所得課税は３割程度，法人所得課税は２割程度である。

3．平成19年度の地方税収等は40兆円を上回っていたが，平成21年度は35.3兆円となった。また，平成22年度からは増加傾向にあり，令和２年度は43.5兆円となった。

4．地方の基礎的財政収支は，平成17年度に黒字化して以降，黒字を継続している。また，平成25年度以降の地方の債務残高対 GDP 比は改善傾向にあり，令和２年度末は33％になる見込みである。

5．2017年度の日本の国民負担率は43.3％であり，イギリス（2017年47.7％）を下回っているものの，アメリカ（2017年34.5％）を上回っている。また，2017年度の日本の潜在的な国民負担率は48.3％であり，スウェーデン（2017年58.9％）やフランス（2017年72.1％）を下回っている。

データ出所：「税収に関する資料」（財務省），「地方財政要覧」（地方財務協会），「日本の財政関係資料」（財務省）

正答　1

No.43 経済事情 日本の経済動向 令和3年度

我が国の経済の動向に関する次の記述のうち，妥当なのはどれか。

1 内閣府「国民経済計算」により，国内家計最終消費支出（四半期別，実質季節調整済前期比）の動向を形態別（耐久財，半耐久財，非耐久財，サービス）にみると，2019年10-12月期では当該4形態のうちサービスの減少率が最も大きく，新型コロナウイルス感染症の影響が顕在化した2020年4-6月期では耐久財の減少率が最も大きかった。

2 内閣府「経済財政白書」（令和2年度）により，ガソリン店頭価格の動向をみると，新型コロナウイルス感染症の影響もあって，2020年に入り5月頃まで低下傾向で推移し，その後，緩やかながら上昇へと転じたが，2020年9月現在は前年同月に比べて低い水準となった。

3 内閣府「経済財政白書」（令和2年度）により，企業の経常利益（前年同期比）の動向をみると，2019年は，海外経済の鈍化を背景に，非製造業が大幅なマイナスで推移した。他方，製造業の経常利益（前年同期比）は，2019年はプラスで推移し，新型コロナウイルス感染症の影響が顕在化した2020年1-3月期から4-6月期についてもプラスを維持した。

4 厚生労働省「毎月勤労統計調査」により，2020年1～7月の現金給与総額（前年同月比）に対する所定外給与と所定内給与の寄与度をみると，所定外給与はゼロ近傍の寄与が続いたものの，新型コロナウイルス感染症の感染拡大の影響から，所定内給与は大きなマイナス寄与で推移した。

5 内閣府「経済財政白書」（令和2年度）により，株価（日経平均）の動向をみると，新型コロナウイルス感染症の感染拡大時（2020年3月を基点）は，リーマンショック時（2009年2月を基点）と比べると，下落に要する時間も反発に要する時間も長かった。また，為替（対ドル）の動向については，2020年3～5月にかけて急速に円安方向に進んだ。

解説

1．国内家計最終消費支出の動向を見ると，2019年10-12月期では，耐久財の減少率が最も大きく，2020年4-6月期ではサービスの減少率が最も大きい。

2．妥当である。

3．企業の経常利益（前年同期比）において，2019年にマイナスで推移したのは製造業であり，非製造業については，2019年はプラスで推移していたが，2020年1-3月期からマイナスに転じた。

4．2020年1～7月の現金給与総額（前年同月比）において，所定外給与はマイナス寄与で推移し，所定内給与はゼロ近傍の寄与が続いた。

5．2020年3月を基点とした株価（日経平均）の動向を見ると，リーマンショック時（2009年2月基点）に比べて，下落に要する時間も反発に要する時間も短かった。また，為替（対ドル）の動向については，2020年3～5月にかけて，横ばい圏内であるものの円高方向に，安定的に推移した。

データ出所：『令和2年版　経済財政白書』

正答　2

No. 44 専門試験 経済事情 日本の人口・雇用状況 令和3年度

我が国の人口や雇用をめぐる状況に関する次の記述のうち，妥当なのはどれか。

1 我が国の合計特殊出生率をみると，2019年には1.25と2005年の1.26を下回っており，また，2019年の年間出生数は前年から約５万人減少して第二次世界大戦後初めて100万人を下回った。一方，2020年１月１日現在の日本人住民の人口及び外国人住民の人口のいずれも１年前と比べて減少しており，その合計である我が国の人口は１年前と比べて約50万人減少している。

2 我が国の人口に占める65歳以上人口の割合は近年，一貫して上昇しており，2019年では35％を超えている。また，総務省「労働力調査」により，同年の60～64歳の就業率をみると，2009年と比べて１～２％ポイント程度増加し，50％程度となっている。

3 総務省「労働力調査」により，雇用者の状況をみると，2019年の非正規雇用者数は約3500万人と前年に比して約20万人増加したのに対し，同年の正規雇用者数は約2200万人と約45万人増加している。また，2019年の就業率は全体で約80％となっている。

4 総務省「労働力調査」により，64歳以下の女性の非正規雇用者数（対前年（同月）差）をみると，2019年後半にはプラスで推移したものの，2020年初頭にマイナスに転じ，新型コロナウイルス感染症の感染拡大に伴う緊急事態宣言が発出された４月以降，同年７月現在まで大きくマイナスで推移している。

5 総務省「労働力調査」により，2019年の女性の雇用者（役員を除く。）に占める正規雇用者の割合についてみると，25～34歳で75％程度，35～44歳で60％程度，45～54歳で65％程度となっており，いわゆるM字カーブがみられる。

解説

1. 2019年の日本の合計特殊出生率は1.36であり，2005年の1.26を上回った。また，第二次世界大戦後に年間出生数が100万人を初めて下回ったのは2016年である。さらに，2020年１月１日現在の日本人住民の人口は前年に比べて50万5,046人減少したが，外国人住民の人口は19万9,516人増加し，その合計である日本の人口は１年前に比べて約30万人減少している。

2. 2019年における日本の人口に占める65歳以上人口の割合は28.4％である。また，2019年の60～64歳の就業率は，2009年に比べて10％ポイント以上増加し，70.3％となっている。

3. 前半の非正規雇用者数に関する数値と，正規雇用者数に関する数値とが入れ替わっている。また，2019年の全体の就業率は約60％となっている。

4. 妥当である。

5. 2019年の女性の雇用者数（役員を除く）に占める正規雇用者数の割合を見ると，25～34歳は63％程度，35～44歳は48％程度，45～54歳は42％程度となっている。また，「M字カーブ」は正規雇用者数の割合で見たものではなく，就業率で見たものであり，解消方向に向かっている。

データ出所：『令和２年版　厚生労働白書』，「住民基本台帳人口」（総務省），「労働力調査」（総務省統計局）等

正答 4

No.45 専門試験 経済事情 世界の経済動向 令和3年度

最近の世界経済の動向に関する次の記述のうち，妥当なのはどれか。

1 全米経済研究所（NBER）によると，米国は2013年半ばから2020年初頭まで景気拡大が続き，これは景気拡大期としては史上3番目の長さであった。また，米国の実質GDP成長率（前年比）についてみると，2018年，2019年は2年連続で4％を超えた。

2 ユーロ圏全体の2019年の実質GDP成長率（前年比）は2018年を下回り，弱い景気回復となった。2020年に入り，新型コロナウイルス感染症の感染拡大に伴い消費や生産等の経済活動が悪化し，2020年1－3月期の実質GDP成長率（季節調整済前期比）はマイナスとなり，同年4－6月期は，1－3月期よりもマイナス幅が拡大した。

3 中国の実質GDP成長率（前年比）は，2019年では10％を超え2018年の当該成長率を上回ったが，当該成長率の需要項目別寄与度をみると，総資本形成が最終消費を大きく上回った。また，貿易についてドルベースでみると，2019年では輸出は米中貿易摩擦を背景に前年比で20％以上のマイナスとなったが，輸入については10％程度のプラスとなった。

4 原油価格（WTI原油先物価格）は，2019年初頭にOPECの協調減産が白紙撤回されたことを受けて，年間を通じて下落傾向で推移していたが，新型コロナウイルス感染症の感染拡大の影響により原油供給が途絶するおそれがあるとの観測が強まったことから，2020年前半は上昇傾向で推移した。

5 代表的な株価指数である米国のダウ平均株価についてみると，2017年初頭から2019年末まで，世界経済の減速を受けて緩やかな下落傾向で推移したが，新型コロナウイルス感染症の感染拡大の影響により下落傾向が顕著となり，2020年9月初めの水準は2019年末の水準よりも3割程度低下している。

1．アメリカの今次の景気拡大は2013年半ばからではなく，2009年半ばからであり，その期間は1854年以降で最長となった。また，2018年と2019年のアメリカの実質 GDP 成長率は 4 %を下回っている。

2．妥当である。

3．2019年の中国の実質 GDP 成長率（前年比）は6.1%となり，2018年の6.6%から低下した。また，2019年の当該成長率に対する需要項目別の寄与度を見ると，総資本形成は1.9%であり，最終消費の3.5%を下回っている。さらに，2019年の中国の貿易をドルベースで見ると，輸出は0.5%のプラスに縮小し，輸入は2.7%のマイナスに転じた。

4．2019年初頭に OPEC の協調減産は白紙撤回されていない。原油価格（WTI 原油先物価格）は，2019年の OPEC の協調減産の状態などを受けて上昇したが，4 月半ばから低下に転じ，9 月にサウジアラビアの石油関連施設が攻撃されると原油供給が途絶するおそれがあるとの観測が強まって急速に上昇した。2020年前半は下落傾向で推移した。

5．2017年初頭から2019年末までのダウ平均株価は，好調なアメリカ経済などを背景に上昇傾向で推移していた。その後，新型コロナウィルス感染症の感染拡大により下落傾向となったが，2020年 9 月初めには，2019年末の水準をほぼ回復した。

データ出所：『通商白書2020』『令和 2 年版　経済財政白書』

正答　2

経済事情　経営学　国際関係　社会学　心理学　教育学　英語(基礎)　英語(一般)

国家一般職[大卒] No.46 専門試験

経営学 企業戦略 令和3年度

企業の戦略に関する次の記述のうち，妥当なのはどれか。

1 A. D. チャンドラーは，企業の戦略について，長期の基本目標を定めた上で，その目標を実現するために行動を起こしたり経営資源を配分したりすることと定義した。また，新しい戦略が採用されると，それを遂行するために組織構造が変化するとし，「構造は戦略に従う」という命題を導いた。

2 M. E. ポーターは，有利なポジションで優位を確立するための基本戦略としてコスト・リーダーシップ戦略，差別化戦略，事業戦略の三つを掲げた。このうち差別化戦略とは，まず，特定の買い手や地域などをターゲットとして事業の絞り込みを行い，そこに企業の資金，人材，資源を集中する戦略である。

3 コスト優位をもたらすものの一つとして経験効果が挙げられる。経験効果とは，研究開発費，設備費などの固定的支出の存在によって，大きなキャパシティで作られた製品の平均費用が，小さなキャパシティで作られた製品の当該費用よりも小さくなる効果のことである。

4 スイッチング・コストとは，ある製品のユーザーが別の製品に買い替えるときに発生するコストであり，前者の製品を製造する企業にとって，一般的にこのコストは低いほど望ましいとされる。また，自社製品に対して他社が魅力的な新製品を発売したとき，自社が他社の新製品と同等の新製品を発売することを早期に告知することは，既存ユーザーのスイッチング・コストを低くする戦略である。

5 H. ミンツバーグは，コア・コンピタンスという概念を提唱し，これを他社に対する競争優位の源泉となる，企業に蓄積された技術や知識の集合と定義した。また，C. K. プラハラッドらは，日本の企業は欧米の企業と比較して，コア・コンピタンスの蓄積や活用という点で劣っていると指摘した。

経済事情
経営学
国際関係
社会学
心理学
教育学
英語(基礎)
英語(一般)

解説

1．妥当である。チャンドラーは，デュポン社やゼネラル・モーターズ（GM）社などを中心に19世紀末から20世紀初頭にかけてのアメリカ大企業の成長過程を分析した。そして，これらの大企業が事業の多角化に伴って，組織編成を事業部制組織に変革する経緯をあとづけ，「組織構造は戦略に従う」または「戦略は組織構造を従える」という命題を示した。

2．「事業戦略」が誤り。ポーターが示した競争優位を確立するための基本戦略は，コスト・リーダーシップ戦略，差別化戦略，集中戦略である。また，「特定の買い手や地域などを」以降の記述は集中戦略に関する説明である。

3．経験効果とは，ある製品の累積生産量が倍加するごとに，その製品のトータル・コスト（製品コストだけでなく，管理，流通などに要する費用も含む）が約10～30％低下する現象であり，ボストン・コンサルティング・グループ（BCG）が多様な業種の経営分析から見いだした。この経験則に基づけば，企業のとるべき戦略は競合する他社よりも先んじて生産量を高め，知識や経験を蓄積することにある。

4．「一般的にこのコストは低いほど望ましい」が誤り。スイッチング・コストは，顧客がある製品・サービスから他社の製品・サービスに乗り換える際に必要となる物理的・精神的費用であり，契約変更に伴う諸費用，ポイントやマイレージの残高，特定のブランドへの愛着などが該当する。したがって，企業が自社の顧客を囲い込み，他社への乗り換えを防ぐためには，スイッチング・コストを高く設定する必要がある。また，「既存ユーザーのスイッチング・コストを低くする戦略である」も誤り。他社が発売する新製品に対して，同等の新製品を自社が発売すると早期に告知することは，既存ユーザーのスイッチング・コストを高くし，他社製品への乗り換えを予防する戦略である。

5．顧客に利益をもたらす技術やスキル，知識，経験の集合体を意味するコア・コンピタンスの概念を唱えたのはプラハラッドとG.ハメルである。プラハラッドらは，1980年代におけるソニーの小型化技術やホンダのエンジン技術などを例に挙げて，日本企業は欧米企業に比べてコア・コンピタンスの蓄積や活用に優れていると指摘した。なお，ミンツバーグは，経営戦略はトップ・マネジメントによって事前にすべて計画されるものではなく，現場での取り組みや試行錯誤によって事後的に創り出されると主張し，この考え方に基づく経営戦略を創発的戦略（Emergent Strategy）と呼んだ。

正答　1

国家一般職［大卒］ No. 47 専門試験

経営学 国際経営 令和3年度

国際経営に関する次の記述のうち，妥当なのはどれか。

1 S.ハイマーが提唱した海外子会社の四つの類型のうち，「実行者」とは，戦略的に重要なロケーションに位置しておらず，現地でのオペレーションに必要な資源や能力もない海外子会社であり，「戦略的リーダー」などの他の類型と比べて効率面で大きく劣位にあるため，本社としてはできる限り早く撤退すべき対象であるとされる。

2 C.A.バートレットとS.ゴシャールは，多国籍企業の組織形態を「マルチナショナル型」と「グローバル型」という二つに分類した。前者は，資源や能力の多くを本社に集中し，海外子会社は本社の戦略を実行するだけの存在になる形態であり，後者は，中核的な能力は本社に集中させるが，その他は海外子会社に分散させる形態である。

3 J.H.ダニングが提唱した折衷理論によれば，多国籍企業が直接投資を行うためには，「所有優位性」「内部化優位性」「立地優位性」という三つの条件が満たされることが必要である。また，その後の研究者たちによって，事前に所有優位性を持っていなくても海外に進出し，それにより新たな優位性を得ようとする企業に注目する研究が行われた。

4 V.ゴビンダラジャンらは，国の文化の違いが，「権力格差」「経済格差」「個人主義」「男性らしさ」「不確実性の回避」「長期志向」という六つの次元から把握されることを提唱し，これらのうち経済格差が国の文化の違いを生み出す最も大きな要因であることを明らかにした。

5 1970年代前半にJ.C.アベグレンは，日本企業の強みを支える経営慣行として，終身雇用，年功賃金及び集団的意思決定を「三種の神器」と呼び高く評価したが，同時期にP.F.ドラッカーは，終身雇用により従業員が訓練を怠り生産性の低下を引き起こすとともに，集団的意思決定により社内の合意を得ることに時間がかかり実行も遅くなるため，日本企業の成長が妨げられていると指摘した。

解説

1．海外子会社の4類型を示したのはC. A. バートレットとS. ゴシャールである。彼らは，多国籍企業における海外子会社の役割を，現地環境の戦略的重要性と保有する能力・リソース（経営資源）によって，①ブラックホール（戦略的に重要な場所に位置しているが，能力やリソースが相対的に低い子会社），②戦略的リーダー（戦略的に重要な場所に位置し，能力やリソースも高い子会社），③実行者（戦略的に重要でない場所に位置し，現地の経営で必要な能力やリソースのみ備えている子会社），④貢献者（戦略的に重要でない場所に位置しているが，能力やリソースが高い子会社）に類型化した。この中で，「実行者」は本社から見て優先順位が低い海外子会社だが，効率面では「戦略的リーダー」に劣らないため，「できる限り早く撤退すべき対象」ではない。なお，ハイマーは多国籍企業論の基礎を築いた論者の一人であり，企業は海外直接投資を行うことで自社の優位性を海外市場で活用し，現地企業に対して競争上の優位を獲得できることを指摘した。

現地環境の戦略的重要性		低 現地子会社の保有する能力・リソース	高
	高	ブラックホール (black hole)	戦略的リーダー (strategic leader)
	低	実行者 (implementer)	貢献者 (contributer)

現地子会社の保有する能力・リソース

2. バートレットとゴシャールは，多国籍企業の組織形態を，①マルチナショナル型，②グローバル型，③インターナショナル型，④トランスナショナル型の４種類に分類した。①は資源や能力を海外子会社に分散させ，各子会社が現地のニーズに特化している分散型の形態である。②は資源や能力の多くを本社に集中させ，その成果を世界規模で活用する中央集権型の形態であり，海外子会社は本社の戦略を実行するだけの存在となる。③は中核的な能力を本社に集中させ，その他は海外子会社に分散する形態である。④は前述の３形態の統合型であり，本社と海外子会社はネットワーク状に連携し，相互の協力と調整が行われる。

3. 妥当である。所有優位性（Ownership-advantages）は他社に対して優位を生み出す有形・無形資産を所有すること，立地優位性（Location-advantages）は進出先で希少な天然資源や低コストの労働力などの優位な経営資源が得られること，内部化優位性（Internalization-advantages）は市場取引に比べて自社での内製のほうがコスト面で優位であることを意味する。ダニングはこれらをOLIパラダイムと呼び，多国籍企業が海外直接投資を行う場合は，この３条件を満たす必要があると主張した。なお，その後の研究では，事前に所有優位性がなくても海外に進出し，新たな優位性を獲得する企業の存在が指摘された。

4. 国の文化の測定尺度を示したのはG.H. ホフステッドである。また，６つの次元に「経済格差」はなく，「経済格差が国の文化の違いを生み出す最も大きな要因である」も誤り。ホフステッドは『多文化世界』（初版1991年，第３版2010年）で，IBM社の従業員を対象に多国籍企業における文化の国際比較を行った。その結果から，①権力格差（上下関係の強さ），②個人主義（個人主義と集団主義の度合い），③男性らしさ（男性らしさと女性らしさの度合い），④不確実性の回避（不確実な状況に脅威を感じる度合い）という国民文化（国民性）を測定する４つの次元を示した。また，その後の調査に基づいて，⑤長期志向（長期志向と短期志向の度合い），⑥放縦と抑制（欲求に対して開放的か自制的か）という２つの次元が新たに加えられた。なお，ゴビンダラジャンらはリバース・イノベーションの概念を唱えた。リバース・イノベーションとは，新興国で生まれたイノベーションである。先進国企業が新興国で導入する製品は，現地のニーズに合わせて品質や機能を簡素化し，低価格で供給する場合が多く，安価で使いやすいなどの利点があることから，後に先進国でも販売する場合がある。このように新興国でのイノベーションが先進国に「逆流する」ケースがあることをゴビンダラジャンらは示した。

5. 「J. C. アベグレン」「集団的意思決定」が誤り。日本的経営の「三種の神器」として終身雇用，年功賃金，企業別労働組合を示したのは，1972年にOECD（経済協力開発機構）が公表した対日労働報告書であった。また，ドラッカーは1971年に発表した論文で，日本企業は終身雇用による長期的な職場訓練に基づいて生産性の向上を図っていること，集団的意思決定は合意の形成に時間を要するが，実行過程は迅速であることを指摘し，これらが日本企業の成長を支える重要な要因であると評価した。

正答 3

国家一般職［大卒］ 専門試験

No. 48 経営学 技術経営 令和3年度

技術経営に関する次の記述のうち，妥当なのはどれか。

1 製品開発に関わる機能部門が業務を同時並行させて開発活動を進めることをシーケンシャル・エンジニアリングと呼ぶ。この方法は，開発期間の短縮や開発コストの削減という利点がある一方で，並行する業務間で情報伝達に失敗するため品質低下がもたらされてしまうという生産性のジレンマを引き起こしやすい。

2 R. ヘンダーソンと K. クラークは，個別の構成部品に用いられている技術は変化しないが，相互依存関係にある構成部品間のつなぎ方やまとめ方において技術が変化することをアーキテクチャル・イノベーションと呼び，既存企業はそれまでに構築してきた組織の構造などを変更することが容易ではないため，このようなイノベーションへの適応が難しいとした。

3 藤本隆宏らは，1980年代に日本の家電メーカーの製品開発活動に関する実証研究を行い，コンセプト創造や製品仕様，主要な技術の決定において大きな権限をもつ重量級プロジェクト・マネジャーを有する組織においては，プロジェクト・メンバーのモチベーションが低くなるため製品開発活動の成果が低くなることを明らかにした。

4 デジュール・スタンダードとは，企業間の事前の協議によって定まる業界標準のことであり，製品のユーザー数が増大するほどその製品から得られる便益が減少する効果である，ネットワーク外部性が強く作用する製品において設定されることが多い。これによって，企業間の熾烈な価格競争を回避することができるというメリットがある。

5 リーン生産方式においては，余剰な在庫が増大し作業の無駄も増大してしまうため，その対応のために生産ラインが頻繁に停止して生産性が低下する。これに代わる方式として1970年代にゼネラルモーターズによりジャスト・イン・タイム（JIT）方式が発明され，その後，トヨタをはじめとした多くの自動車メーカーがこの方式を導入したことにより各社の生産性が向上した。

1.「製品開発に関わる機能部門が業務を同時並行させて開発活動を進めること」をコンカレント・エンジニアリングと呼ぶ。コンカレント・エンジニアリングは，部門間の緊密な連携によって開発期間の短縮やコスト削減，品質の向上が期待できる。シーケンシャル・エンジニアリングは，研究開発，調達，製造，販売などの機能部門が個別に業務を完了させてから次の部門に引き継ぐ開発活動である。なお，生産性のジレンマとは，イノベーションが進むと生産性が向上するが，同時に生産工程や設備を固定化することになるため，結果的に市場のニーズの変化や新たな技術革新に対応できなくなる状況を意味する。

2．妥当である。ヘンダーソンとクラークは，構成部品に用いられる要素技術の変化と構成部品間のつなぎ方の変化によって，イノベーションの類型を，①ラディカル・イノベーション（要素技術とつなぎ方の両方が変化），②アーキテクチャル・イノベーション（つなぎ方のみが変化），③モジュラー・イノベーション（要素技術のみが変化），④インクリメンタル・イノベーション（両方ともに変化しない）の4種類に分類した。

要素技術の変化 ＼ 構成部品間のつなぎ方の変化	有	無
有	ラディカル・イノベーション	モジュラー・イノベーション
無	アーキテクチャル・イノベーション	インクリメンタル・イノベーション

3．「日本の家電メーカー」および「製品開発活動の成果が低くなる」が誤り。藤本らは，1980年代に日米欧の自動車メーカーの調査を行い，製品開発活動に対して大きな権限を持つ重量級プロジェクト・マネジャーが存在する組織では，高い業績を達成していることを示した。

4．「企業間の事前の協議によって定まる業界標準」はコンソーシアム型・スタンダード（コンセンサス標準）であり，デジュール・スタンダード（公的標準）は国際機関や認証機関が定めた業界標準である。また，ネットワーク外部性とは，ある製品・サービスのユーザー数が増大するほどその製品・サービスから得られる便益が高まる効果である。ネットワーク外部性が強く作用する製品・サービスが，市場競争の結果，数多くの顧客の支持を得てデファクト・スタンダード（事実上の標準）を形成すると，新規参入企業に対する参入障壁となる。

5．従来の大量生産方式は，見込み生産によって余剰在庫が発生すると，生産ラインを停止せざるをえなくなり，設備が遊休化するという短所がある。これに代わる方式として，トヨタ自動車は「ジャスト・イン・タイム」やかんばん方式に基づいて中間在庫を可能な限り圧縮するトヨタ生産方式を1970年代に体系化した。「ジャスト・イン・タイム」とは，「必要なものを，必要なときに，必要な数量だけ調達・生産する」という考え方である。また，リーン生産方式とは，マサチューセッツ工科大学（MIT）の研究チームがトヨタ生産方式に付けた名称であり，徹底して無駄を排除する生産方式であることから「リーン（lean：贅肉のない）」と名づけられた。

正答　2

国家一般職[大卒] No. 49 専門試験

経営学　経営組織　令和3年度

経営組織に関する次の記述のうち，妥当なのはどれか。

1　環境の不確実性が高い場合には，複数の選択肢の間で明確な優先順位をつけて，不要な選択肢を早期に棄却するという「ゴミ箱モデル」が有効であることが1960年代に提唱された。このモデルに基づきM.D.コーエンらによって1970年代前半に行われたコンピュータ・シミュレーションでは，「問題解決」と呼ばれる意思決定のみが行われることが示された。

2　C.I.バーナードは，公式組織を「2人以上の人々の意識的に調整された活動や諸力の体系」であるとし，その成立条件として，「共通目的」「貢献意欲」「利他的精神」「共有されたルール」の四つを提示し，その存続条件として，組織の共通目的を達成できている程度である「能率」を提示した。

3　P.ローレンスとJ.ローシュは，テクニカル・コアを環境の影響から切り離す方法として，「平準化」と「分化」を提示した。前者は，インプット側とアウトプット側の双方において在庫を持つことにより環境の変動を吸収する方法であり，後者は，電力の深夜料金などのように，需要の変動幅を抑える方法である。

4　E.H.シャインは，組織文化を「文物」「標榜されている価値観」「基本的仮定」「国や地域における慣習」という四つのレベルに分けた。これらのうち「国や地域における慣習」は，組織メンバーにとって当たり前の信念や認識であり容易に変えられないため，組織文化の変革に際して組織のリーダーは，自社の戦略や目標である「基本的仮定」を変更しなければならないとした。

5　組織学習について，C.アージリスとD.A.ショーンは，組織が持つ既存の価値観に基づいて矛盾や誤りを修正するシングル・ループ学習と，組織が持つ既存の価値観そのものに疑問を提示するような変革を伴うダブル・ループ学習という二つのタイプを示した。また，B.ヘドバーグは，時代遅れになったり，妥当性・効率性を欠くようになった既存の知識や価値観を捨て去ることに注目した。

1. コーエンとJ. G. マーチ，J. P. オルセンらが1972年に提唱した意思決定のゴミ箱モデルでは，ある「選択の機会」にさまざまな「問題」「解」「参加者」が投げ込まれ，あたかも満杯になったゴミ箱を片付けるように意思決定が行われると説明する。コーエンらが行ったコンピュータ・シミュレーションでは，環境の不確実性が高い場合，明確な優先順位に基づいて合理的な選択を行う「問題解決」だけでなく，「見過ごし」と「やり過ごし」による意思決定が行われることが示された。「見過ごし」は，重要な問題が明らかになる前に意思決定を行うことであり，「やり過ごし」は，問題が山積している状況では合理的な選択ができないため，負荷の大きい問題をやり過ごしつつ仕事を処理する意思決定である。
2. 公式組織の定義は妥当だが，成立条件の「利他的精神」「共有されたルール」と存続条件の「能率」の説明が誤り。バーナードは，組織の成立条件として「共通目的」「貢献意欲（協働意欲）」「コミュニケーション」を挙げた。また，組織の存続条件として，短期的には「有効性」と「能率」のいずれか，長期的には両方が必要であるとした。ここでの「有効性」とは，組織目的の達成度であり，「能率」とは個人動機の満足度（個人の貢献を引き出すために十分な誘因を組織が提供できる程度）を意味する。
3. テクニカル・コアの概念を唱えたのはJ. D. トンプソンである。トンプソンはインプット（ヒト，モノ，カネ，情報などの経営資源）をアウトプット（製品やサービス）に変換する技術システムとして組織をとらえ，その変換を担う中核部分をテクニカル・コアと呼んだ。そして，環境の不確実性からテクニカル・コアを隔離し，効率的な活動を維持するためには，①緩衝化，②平準化，③予測，④割り当て，という方法が必要であるとした。①は需要の増減など環境条件の変動を吸収して変換を安定化させる手だてであり，原材料の備蓄や在庫の確保が該当する。②は需要の変動をならすことである。例として，電力などの公益事業で需要の少ない夜間に割引を行い，需要のピーク時に高い料金設定をするケースが挙げられる。③はメーカーが季節に応じて生産調整を行うように，変動する環境条件を分析し，より確実な状況下で活動することである。④は病院が重症患者のためにベッドを確保するように，優先順位の高い要求に資源を割り当てることである。なお，ローレンスとローシュはコンティンジェンシー理論の論者であり，環境条件と組織における「分化と統合」の関係を分析した。
4. 「国や地域における慣習」が誤り。シャインは，組織文化を，①文物または人工物（その組織特有の技術や言葉，目に見える行動パターン），②価値または標榜されている価値観（その組織で共有されている規範や判断基準），③基本的仮定（組織内の「暗黙の了解事項」として当然視されている信念や認識，思考）の3層に分類した。この分類から，「自社の戦略や目標である『基本的仮定』」という記述も誤りである。組織を取り巻く環境条件が大きく変化した場合は組織文化を変革する必要が生じるが，「基本的仮定」の変更は容易ではなく，組織内で根強く共有され続ける場合もある。
5. 妥当である。なお，ヘドバーグは，これまでに学習した内容から時代遅れや不適切になった知識や価値観を意識的に捨て去ることをアンラーニング（Unlearning：学習棄却）と呼び，望ましい組織学習のプロセスにはアンラーニングが欠かせないとした。

正答 5

経済事情
経営学
国際関係
社会学
心理学
教育学
英語(基礎)
英語(一般)

国家一般職［大卒］ No. 50 専門試験

経営学　動機づけ理論　令和3年度

動機づけ理論に関する次の記述のうち，妥当なのはどれか。

1 F. W. テイラーは，米国の工場で生じていた組織的怠業などの生産現場の問題の改善に取り組み，差別的出来高給制度の運用は恣意的になりやすいため，金銭的報酬による動機づけは困難であるとした。また，職場の人間関係やインフォーマルな組織が職務満足や生産性の向上に決定的な影響を与えると主張した。

2 F. ハーズバーグは，仕事に関わる動機や欲求を，衛生要因と動機づけ要因に分類した。金銭的報酬や作業条件は衛生要因に分類され，人間関係や仕事そのものから得られる充実感などの個人の内面から生まれる欲求は動機づけ要因に分類される一方で，昇進や会社の方針などは衛生要因と動機づけ要因のどちらにも該当するとされた。

3 D. マグレガーは，X理論・Y理論と呼ばれる考え方を提示した。X理論では，人間は働くことを好まず，命令や強制がなければ働かないとされる一方で，Y理論では，人間は自己実現の喜びを求めて目標達成に向けて努力するとされた。

4 E. L. デシは，内発的動機づけの理論を体系化し，有能さや自己決定の感覚が高くなるほど職務満足感が高くなると唱えた。また，金銭的報酬は有能さを示す重要な指標であり，金銭的報酬を与えることで内発的動機づけを強化し，職務満足感を高めることができると主張した。

5 V. H. ブルームは，達成動機づけの理論モデルを提唱した。これによれば，動機づけの強さは「動機」「期待」「誘因価」の和によって決定される。このうち，「誘因価」は「期待」の関数であり，また，内的報酬によってもたらされるものである。このことから，ブルームは一般に，内発的動機づけの理論の提唱者として位置付けられている。

1.「差別的出来高給制度の運用は恣意的になりやすいため」以降の記述が誤り。テイラーが唱えた科学的管理法では，金銭的動機づけに基づく差別的出来高給制度を導入した。また，職場の人間関係やインフォーマルな組織の存在が作業能率に影響を与えることを示したのは，ホーソン実験を端緒とする人間関係論であった。

2.「昇進や会社の方針などは衛生要因と動機づけ要因のどちらにも該当する」が誤り。ハーズバーグが唱えた動機づけ－衛生理論では，職務上の満足を規定する動機づけ要因には，仕事の達成とその承認，責任の付与，仕事それ自体，昇進が含まれる。職務上の不満を規定する衛生要因としては，会社の方針（政策）および管理，作業条件，対人関係，給与，監督技術が挙げられる。

3．妥当である。マグレガーは，上司の管理能力の向上と従業員の自己実現欲求の充足を結びつけることを重視し，X理論に基づく管理からY理論に基づく管理への移行を唱えた。

4.「金銭的報酬は有能さを示す重要な指標であり」以降の記述が誤り。デシが行った実験によれば，内発的に動機づけられた活動に従事している者に金銭的報酬が与えられるようになると，内発的動機づけが低下することが示された。

5．ブルームは期待理論の論者であり，内発的動機づけ理論の提唱者ではない。また，「動機づけの強さは『動機』『期待』『誘因価』の和によって決定される」も誤り。本肢の達成動機づけ理論を唱えたのはJ.W.アトキンソンである。アトキンソンによれば，ある目標を達成しようとする行動の強さは，①成功に近づこうとする動機づけと②失敗を回避しようとする動機づけの合成値で決まるとした。①と②は，それぞれ「動機（成功しようとする動機の強さと失敗を回避しようとする動機の強さ）」，「期待（成功する見込みと失敗する見込み）」，「誘因価（成功したときの正の感情と失敗したときの負の感情）」の積によって決定される。この中で「誘因価」は，成功あるいは失敗に対する主観確率である「期待」の関数とされる。さらに，「誘因価」は成功した場合に生じる自尊心や達成感，あるいは失敗した場合に生じる恥の感情や喪失感であり，有能さや自己決定感にかかわる内的報酬であることから，アトキンソンの達成動機づけ理論は内発的動機づけ理論の系統に位置づけられる。

正答　3

国家一般職［大卒］ No. 51 専門試験

国際関係　国際政治経済の歴史　令和3年度

国際政治経済の歴史に関する次の記述のうち，妥当なのはどれか。

1　19世紀のオランダは，ヨーロッパ大陸で覇権国が台頭するのを防ぐ会議外交を進めながら，圧倒的な海軍力を背景にして，国際的な重商主義体制を維持した。同時に，産業革命を経て国力を充実させながら，他のヨーロッパ諸国と世界各地で植民地獲得競争を行った。

2　資本主義は帝国主義国家の間の戦争に行きつくと論じたK. マルクスは，社会主義国家を樹立するロシア革命を主導し，「平和に関する布告」を公表して民族自決や秘密外交の廃止を唱えた。ソ連は，日本と講和を果たして第一次世界大戦から離脱した。

3　第一次世界大戦後に世界最大の経済大国となった米国で，1929年に株価暴落が起こると，南北戦争が始まった。帝国主義諸国は，関税障壁を導入し，自国経済を守った。イタリアではナチスが台頭し，周辺国を侵略したため，第二次世界大戦が始まった。

4　第二次世界大戦後には，通貨秩序の安定を図って国際貿易を促進する目的で国際通貨基金や国際復興開発銀行（現在の世界銀行）を中心とするサンフランシスコ体制が導入された。しかしソ連と他の共産主義国はこれに参加せず，ワルシャワ条約機構で対抗し，世界は冷戦時代に突入した。

5　1989年に東欧諸国の共産主義体制が民衆運動によって倒された。その年，F. フクヤマは，自由民主主義の勝利を主張する「歴史の終わり」を唱えた。冷戦終焉後の時代には，国境を越えた経済活動や人とモノの移動といったグローバリゼーションが進んだといわれる。

1．オランダではなくイギリスである。19世紀のイギリスは対仏同盟を結成しナポレオンの挑戦を退けた後，正統主義を基調とするウィーン体制の下で，勢力均衡原理に基づき，ヨーロッパの特定の国が勢力を拡大させ覇権を獲得しないよう安定したヨーロッパ国際秩序を形成するとともに，産業革命によって充実した国力を背景に，海外の植民地獲得競争で優位を占めた。

2．ロシア革命を主導し，第一次世界大戦においては，1917年11月，「平和に関する布告」と呼ばれる無賠償・無併合・民族自決を原則とした即時停戦提案を行ったのは，K. マルクスではなくレーニンである。連合国は11月末，パリで対策を協議し，アメリカやイギリスはソビエト政権を承認し，新たな戦争目的を表明することを主張したが，フランス，イタリアが強く反対し，結局，連合国としてはソビエト政権を承認せず，「平和に関する布告」と秘密条約の破棄には無視の態度となった。これに対しレーニンは，イギリス，フランス，アメリカが「平和に関する布告」を受け入れず，全面的な停戦に至らなかったため，ロシア帝国がかかわった秘密同盟をすべて暴露した。また，レーニンは1918年３月，ブレストリトフスク条約を結び，ドイツとの単独講和を成立させた。日本との間では講和条約は結ばれていない。

3．1929年のアメリカ・ニューヨークでの株価暴落で世界恐慌が始まった。南北戦争が起きたのは1861～65年である。また，イタリアは，ドイツの誤りである。

4．第二次世界大戦後，国際通貨基金や国際復興開発銀行を創設し，通貨秩序の安定をめざしたのはブレトン－ウッズ体制である。また，ソ連や他の共産主義諸国が参加を拒否したのは，マーシャルプランおよびヨーロッパ経済協力機構（OEEC）である。1955年に結成されたワルシャワ条約機構は，北大西洋条約機構（NATO）や西独の再軍備に対抗して結成されたものである。

5．妥当である。ランド研究所顧問のフランシス＝フクヤマは，1989年夏季号の“National Interest”誌に「歴史の終焉」と題した論文を発表し，冷戦における西側の勝利は，抜本的な欠陥を持たないリベラルな民主主義体制が共産主義やファシズムなど他の統治体制に優越する正当性を持つことを立証するものととらえ，この体制の確立はヘーゲルなどのドイツ観念論のいう「一貫した進歩の過程」としての歴史の終わりを意味するものであろうと論じた。

正答　5

国家一般職
[大卒]
No. 52
専門試験

国際関係　安全保障を巡る議論　令和3年度

国際政治学における安全保障をめぐる議論に関する次の記述のうち，妥当なのはどれか。

1　K. ウォルツは，戦争の原因を，個人，国家（国内），国際システムの三つのイメージによる異なる分析のレベルから捉えることができると論じた。ウォルツ自身は，国際システムを強調する第三イメージを重視し，ネオリアリズムの立場をとった。

2　トゥキュディデスの罠とは，新興国の台頭が，従来の大国に同盟を模索させる現象を指すものであり，防衛的な新興国アテネの行動が，従来の大国であったスパルタの脅威に映ってアテネとの同盟を模索させたことから始まったペロポネソス戦争を叙述した中世ヨーロッパの歴史家の名前に由来する。

3　勢力均衡は，多義的な概念である。権利の分布を客観的に叙述する場合や，ある国が圧倒的優越を達成するのを促進するように政策を遂行する場合などがある。自助のシステムとされる国際政治では，諸国が自らの行動を通じて勢力均衡を図るのは，基本的な安全保障策である。

4　覇権安定論とは，国際政治経済の秩序は，他を圧倒する国力を持つ覇権国の力の低下によって形成され維持されるとする考え方である。1970年代に国際経済体制が安定していった際に，その原因を覇権国としての米国の衰退に求める議論から生まれた。

5　集団安全保障は，紛争の平和的解決の仕組みとして国際連合憲章第6章で規定されており，国連憲章第2条第4項に規定されている武力行使の禁止に違反するなどの国際の平和と安全の脅威が発生した場合に，全ての国連加盟国が調停活動に協力する仕組みである。

1. 妥当である。国際政治における力（パワー）の重要性を説く古典的なリアリズムに対し，パワーに加えて国際システムの構造が権力政治のあり方を大きく規定すると主張したK. ウォルツは，ネオリアリズムの創始者といわれる。彼はその著書『人，国家，戦争』において，戦争の原因を個人，国家，国際システムの3つのイメージから分析し，国際社会のアナーキー性が戦争を引き起こすとし，第三のイメージを重要視した。

2. トゥキュディデスの罠とは，新興国が覇権国に取って代わろうとするとき，二国間で生じる危険な緊張の結果，戦争が不可避となる状態を，アメリカのハーバード大学教授で国際政治学者のグレアム＝アリソンが名づけたものである。アリソンの研究によれば，過去500年の歴史で新興国が覇権国の地位を脅かしたケースは16件あり，うち12件が戦争に発展し，戦争を回避できたのは4件だけだった。ペロポネソス戦争は，海上交易を支配し急速に台頭を遂げつつあった都市国家アテネに対し，ペロポネソス同盟の盟主で陸上における軍事覇権国家スパルタが脅威を抱き，やがて両陣営間での戦争となった（紀元前431～前404年）。トゥキュディデスは『戦史』を執筆し，この戦争を描いた古代ギリシャの歴史家である。

3. 勢力均衡は多義的な概念であり，権力（パワー）の分布状況を客観的に叙述する場合や，ある国家が他の国々に対して圧倒的優位に立つ状況を阻止するための国家政策を意味する場合もある。自助が基本とされる国際政治において，勢力均衡政策は個別的安全保障の基本的な政策である。

4. 覇権安定論とは，国際政治経済の秩序は，他を圧倒する国力を持つ覇権国家が存在し，その国の力が諸国家の中で優位安定している場合に形成，維持されるという考え方である。1970年代に国際経済体制が流動不安定化した際に，その原因をベトナム戦争で国力を疲弊させたアメリカの衰退に求める議論から生まれた。

5. 集団安全保障は，紛争解決の仕組みとして国際連合憲章7章に規定されており，国連憲章2条4項に規定されている武力行使の禁止に違反するなど国際の平和と安全の脅威が発生した場合，すべての加盟国が違反国に対して，軍事的および非軍事的な制裁措置を発動する仕組みである。

正答　1

国家一般職［大卒］
No.53
専門試験

国際関係　開発援助等の国際協力　令和3年度

開発援助等の国際協力に関する次の記述のうち，妥当なのはどれか。

1　途上国に対する政府開発援助（ODA）は，国際連合の機関である経済協力開発機構（OECD）の下にある開発援助委員会（DAC）に加入する諸国によって，途上国の経済開発や福祉の向上を目的として行われる融資制度である。

2　2000年９月のＧ７ミレニアム・サミットで定められたミレニアム開発目標（MDGs）は，様々な開発目標を統合し，八つの共通目標にまとめたものである。2025年からは持続可能な開発目標（SDGs）に引き継がれる予定である。

3　国連安全保障理事会は，世界保健機関（WHO）などの専門機関のみならず，国連開発計画（UNDP）や世界食糧計画（WFP）などの基金と計画を管轄し，世界各地で様々な人道的干渉の活動を行っている。

4　冷戦終焉後に始まった国連の平和維持活動（PKO）は，平和構築と呼ばれる紛争の発生を防ぐための多角的な活動と結びついて発展してきた。ただし，治安部門改革などの社会安定化のための平和構築活動は，内戦後の脆弱国家などでは行われていない。

5　国際協力の現場では，様々な行為主体（アクター）が存在しており，主権国家だけでなく，2021年３月現在193の加盟国を持つ国連のような国際組織や欧州連合（EU）のような地域機構に加えて，非国家主体の民間団体などが協力して活動している。

1．政府開発援助（ODA）は，経済協力開発機構（OECD）の中の委員会の１つである開発援助委員会（DAC）に加入する諸国が途上国支援のために行う事業だが，技術協力もあり，そのすべてが融資事業ではない。ODA には，開発途上国に対して直接援助を実施する二国間援助と，国際機関を通じた援助（多国間援助：国際機関に対する出資や拠出）がある。二国間援助は，開発途上国に返済義務のない贈与と，低利で返済期間が長い緩やかな条件で資金を貸し付ける政府貸付等に分けられる。さらに贈与は，人材育成と技術移転を目的とした技術協力と，食糧援助や文化無償，緊急無償など，資金を援助する無償資金協力とに分けられる。

2．Ｇ７ミレニアム・サミットではなく，国連ミレニアム・サミットである。また，MDGs の８つの共通目標は2015年に持続可能な開発目標（SDGs）に引き継がれている。2000年に国連ミレニアム・サミットが開かれ，採択された国連ミレニアム宣言をもとに，貧困と飢餓の撲滅，初等教育の完全普及達成，乳幼児死亡率削減，HIV/AIDS 等疾病の蔓延防止，ジェンダー平等推進と女性の地位向上等2015年までに達成すべき８つの目標が「ミレニアム開発目標（MDGs）」として明示された。この目標は，2015年９月の国連サミットで採択された2030年までの「持続可能な開発目標（SDGs）」に継承・発展された。SDGs は17の目標と具体的な169項目の達成基準からなり，貧困の根絶とともに，「天然資源と生態系の統合的かつ持続可能な管理を推進」することや教育の向上なども目標に掲げている。SDGs はすべての国を対象とするが，法的な拘束力はなく，各国や民間企業の自主的な取組みを求めている。

3．世界保健機関（WHO）などの専門機関や，国連開発計画（UNDP），国連人口基金（UNFPA）などの基金と計画を管轄するのは，安全保障理事会ではなく，経済社会理事会である。

4．国連の平和維持活動（PKO）は冷戦終焉後に始まったものではない。平和維持活動のうち軍事監視団としては，1948年に中東に派遣された「国連休戦監視機構（UNTSO）」がその先駆である。平和維持部隊（PKF）では，1956年のスエズ動乱の際に派遣された「国連緊急軍（UNEF）」が最初である。冷戦終焉後は，軍隊だけでなく文民なども参加する複合多機能型の平和維持部隊が編成され，停戦の実現にとどまらず，武装解除や国家の復興を担う平和構築型の平和維持活動が主流となった。しかし，21世紀に入り，アフリカでは国家間紛争に代わり国家内部の紛争（内戦型紛争）が増加した。そのため，無秩序に近い状態の中で武装勢力の攻撃から市民を防護する平和維持活動が増えたが，治安部門改革など国家機能の復興や安定をめざす平和構築型の平和維持活動は困難になっている。

5．妥当である。国際協力とは，政府間，多国間，あるいは民間で行われる，国境を越えた援助・協力活動を意味する。国際協力を実施する主体は多様化しており，主権国家に限らず，国際連合，世界銀行のような国際機関や JICA などの国際協力機関，EU，ASEAN のような地域協力機構，さらに難民を助ける会やピースボートなどの非国家組織（NGO/NPO）の民間団体，大学，地方自治体，民間企業も含まれる。

正答　5

国家一般職［大卒］ No. 54 専門試験

国際関係　人　権　令和3年度

人権に関する次の記述のうち，妥当なのはどれか。

1　経済的，社会的及び文化的権利に関する国際規約（社会権規約）と市民的及び政治的権利に関する国際規約（自由権規約）は，共産圏で自由権が尊重されていないことを批判する西側諸国と社会権を優先すべきと考える東側諸国との利害が一致し，1954年に起草された後，同年中に採択された。また，我が国は自由権規約を批准しているが，社会権規約は批准していない。

2　世界人権宣言が採択された後，1950～60年代にかけて欧州，米州，アフリカ，東南アジアにおける各地域的国際機構において相次いで地域独自の人権条約が採択された。これらの地域のうち，欧州においてのみ人権裁判所が設置されており，欧州人権裁判所では個人が訴えることができ，その判決には拘束力がある。

3　女子差別撤廃条約は，1979年に国際連合で採択された条約であり，締約国が男女の事実上の平等を促進するための暫定的な特別措置（ポジティブ・アクション）をとることが許容されているほか，締約国は「男女の定型化された役割に基づく偏見及び慣習」などの撤廃を実現するための措置をとることが求められている。

4　1993年にウィーンで開催された世界人権会議において，人権の意味合いが地域により異なるという主張が認められ，同会議で採択されたウィーン宣言では，地域的特殊性を前提とした上で人権や基本的自由が保護されなければならないことが合意された。また，同宣言における勧告に基づいて旧ユーゴスラビア国際刑事裁判所（ICTY）が設立された。

5　国連人権理事会は1946年に設置され，世界人権宣言や国際人権規約などの作成に携わってきたが，2004年の「ハイレベル委員会」報告書を受けて，その翌々年に国連人権委員会に改組された。しかしながら，その業務内容については，人権問題を抱える一部の国の反対もあり，改組される前の国連人権理事会の業務内容と同様のものに限定されている。

解説

1．経済的，社会的及び文化的権利に関する国際規約（社会権規約）と市民的及び政治的権利に関する国際規約（自由権規約）が採択されたのは1966年である（発効は1976年）。日本は，社会権規約，自由権規約とも条件つきで批准している。ただ，個人通報制度に関する選択議定書と死刑廃止に関する選択議定書の２つの選択議定書は批准していない。

2．人権裁判所は欧州だけでなく，米州やアフリカでも設置されている。世界人権宣言が1948年に採択された後，人権の国際化が国連を中心に進められ，法的拘束力を持たせた国際人権規約が1966年に採択された。一方，地域の特徴を反映した人権保障の必要性が主張されるようになり，各地域協力機構が中心になり，欧州や米州，アフリカで人権条約が採択され，人権裁判所が設置された。しかし，東南アジアを含むアジア地域では人権条約は採択されておらず，人権裁判所も設置されていない。1959年にフランスのストラスブールに設置された欧州人権裁判所は，国家間だけでなく個人や団体が国家を提訴することも認められており，判決には法的拘束力がある。

3．妥当である。女性に対するあらゆる差別の禁止を求めた女子差別撤廃宣言（1967年）に法的拘束力を持たせる女子差別撤廃条約が1979年に採択された（1981年発効）。同条約は，男女の完全な平等の達成に貢献することを目的として，女性に対するあらゆる差別を撤廃することを基本理念としている。具体的には，１条で「女子に対する差別」を定義し，締約国に対し，政治的および公的活動，ならびに経済的および社会的活動における差別の撤廃のために適当な措置をとることを求めている。日本は1985年に同条約を批准している。同条約は，世界各国で法律上の平等が達成された後も男女差別が依然として存在することに留意し，締約国が事実上の男女平等を促進することを目的とする「暫定的特別措置」を講ずる必要性を認め，事実上の男女平等が達成されるまでの暫定的なものである限り，それを差別とはみなさないと規定している（４条１項）。また男女の定型化された役割に基づく偏見および慣習などについても，締約国として撤廃を実現するための措置をとることが求められている（５条）。

4．ウィーン宣言に基づき設立されたのは，旧ユーゴスラビア国際刑事裁判所（ICTY）ではなく，国連人権高等弁務官事務所（OHCHR）である。冷戦終焉後の1993年に，世界先住民族国際年を踏まえてウィーンで世界人権会議が開催され，世界のあらゆる人権蹂躙(じゅうりん)に対処するための国際人道法や国連の役割，すべての国に対する要求を総括したウィーン宣言及び行動計画が採択された。ウィーン宣言及び行動計画の第二部で，国連人権高等弁務官事務所の設置が勧告された。そして，1993年に国連総会でウィーン宣言及び行動計画が承認され，同年，国連人権高等弁務官事務所がジュネーブに設置された。

5．国連人権理事会と国連人権委員会が逆になっている。K. アナン国連事務総長の提言を受け，1946年に設立された国連人権委員会の強化を図るため，国連総会の決議を受け2006年に国連人権理事会が設置された。国連人権委員会は経済社会理事会の機能委員会の１つであったが，新設された国連人権理事会は国連総会下部機関の常設理事会に昇格し，その業務内容も人権委員会よりも強化されている。すなわち，人権委員会のときには，人権侵害が疑われる国が構成国になる矛盾がたびたび指摘された。そのため，人権理事会においては，理事国を選出するに当たり加盟国は人権の促進と保護に関する候補国の貢献度を考慮することとされ，選出された理事国は人権の促進と保護に関する最高基準の遵守を約束される。また，人権理事会には，すべての加盟国の人権状況を審査する権限が与えられており，人権理事会の下で行われる普遍的・定期的レビューで，加盟国の人権状況が定期的に審査されている。さらに，人権理事会は人権委員会の権限と責任を引き継ぐだけでなく，その見直しや手続きの合理化，強化の方法を検討することとされている。

正答　3

No. 55 国際関係 国際機構の設立にかかわる文書 令和3年度

次の英文は，それぞれ国際機構の設立に関わる文書の一部である（一部省略又は変更している箇所がある。）。これらのうち，国際連合憲章の目的を記したものとして妥当なのはどれか。

1 To maintain international peace and security, and to that end: to take effective collective measures for the prevention and removal of threats to the peace, and for the suppression of acts of aggression or other breaches of the peace, and to bring about by peaceful means, and in conformity with the principles of justice and international law, adjustment or settlement of international disputes or situations which might lead to a breach of the peace;

2 To promote economic and social progress which is balanced and sustainable, in particular through the creation of an area without internal frontiers, through the strengthening of economic and social cohesion and through the establishment of economic and monetary union, ultimately including a single currency in accordance with the provisions of this Treaty;

3 To assist in the reconstruction and development of territories of members by facilitating the investment of capital for productive purposes, including the restoration of economies destroyed or disrupted by war, the reconversion of productive facilities to peacetime needs and the encouragement of the development of productive facilities and resources in less developed countries;

4 The Parties to this Treaty reaffirm their faith in the purposes and principles of the Charter of the United Nations and their desire to live in peace with all peoples and all governments. They are determined to safeguard the freedom, common heritage and civilisation of their peoples, founded on the principles of democracy, individual liberty and the rule of law. They seek to promote stability and well-being in the North Atlantic area. They are resolved to unite their efforts for collective defence and for the preservation of peace and security;

5 It shall be a permanent institution and shall have the power to exercise its jurisdiction over persons for the most serious crimes of international concern, as referred to in this Statute, and shall be complementary to national criminal jurisdictions. The jurisdiction and functioning of the Court shall be governed by the provisions of this Statute;

英文の全訳は次のとおり。

1．国際の平和および安全を維持すること。そのために，平和に対する脅威の防止および除去と侵略行為その他の平和の破壊の鎮圧とのため有効な集団的措置をとることならびに平和を破壊するに至るおそれのある国際的の紛争または事態の調整または解決を平和的手段によってかつ正義および国際法の原則に従って実現すること。

2．特に国内国境のない領域を設けること，ならびに，経済的および社会的結合の強化を通して，そして最終的にはこの条約の諸規定に従った単一通貨を含む経済通貨連合の創設を通して，均衡がとれ，かつ持続可能な経済的および社会的進歩を促進すること。

3．生産目的のための資本投資を促進することにより，加盟国の領土の復興と発展を支援すること。これには，戦争によって破壊または混乱した経済の回復，生産施設の平時のニーズへの再転換，開発途上国における生産施設と資源の開発の奨励が含まれる。

4．この条約の締約国は，国際連合憲章の目的および原則に対する信念ならびにすべての国民および政府とともに平和のうちに生きようとする願望を再確認する。締約国は，民主主義の諸原則，個人の自由および法の支配の上に築かれたその国民の自由，共同の遺産および文明を擁護する決意を有する。締約国は，北大西洋地域における安定および幸福の助長に努力する。締約国は，集団的防衛ならびに平和および安全の維持のためにその努力を結集する決意を有する。

5．裁判所（それ）は常設の機関であり，この規程に定める国際社会全体の関心事である最も重大な犯罪を犯した者に対して管轄権を行使する権限を有し，各国の刑事管轄権を補完する。裁判所の管轄権および任務は，この規程の諸規定によって規律する。

＊　＊　＊

1．国際連合の目的を定める国連憲章1章1条である。

2．欧州連合（EU）の目標を定めた欧州連合条約（マーストリヒト条約）のB条である。

3．国際復興開発銀行の目的を定めたブレトンーウッズ協定（国際復興開発銀行協定）の1条である。

4．北大西洋条約の前文である。

5．国際刑事裁判所に関するローマ規程の1条である。

よって，正答は**1**である。

正答　1

国家一般職［大卒］ 専門試験

No.56 社会学 社会学の諸理論 令和3年度

経済事情 経営学 国際関係 社会学 心理学 教育学 英語(基礎) 英語(一般)

社会学の諸理論に関する次の記述のうち，妥当なのはどれか。

1 M. フーコーは，国家を統治するエリートを，異質なものの結合によって革新を成し遂げるキツネ型と，信念を持ち力による支配を実行するライオン型とに分類し，後者のエリートが，生権力と呼ばれる特殊な権力を行使し，国民の生命を抑圧して衰退させるとした。

2 A. ギデンズは，様々なリスクや社会不安が高まる現代社会において，社会的・経済的地位などの安定的なシステムに依存する前近代的な純粋な関係性が復活するとし，そうした事態をシステムによる生活世界の植民地化と呼んだ。

3 P. ブルデューは，生まれ育った社会的環境の中で形成され，場に応じた特定のものの見方，感じ方，振る舞い方を生み出す無意識の性向を社会的性格と定義し，特に第一次世界大戦後のドイツにおいて，自由を進んで放棄しナチスを支持した人々の社会的性格を権威主義的性格と呼んだ。

4 G. H. ミードは，会話分析を通して「人々の方法」を解明する自らの社会学的立場をシンボリック相互作用論と名付け，シンボルを駆使する人間の高度な自我は，子供時代に，ゲーム段階からより複雑なプレイ段階（ごっこ遊び）へと遊びの発展段階を経験することによって形成されるとした。

5 R. K. マートンは，状況を誤って定義してしまうことにより，当初の誤った考えが実現してしまうことを予言の自己成就と呼び，その例として，健全経営を行っていた銀行が，支払不能に陥ったといううわさによって実際に支払不能になる事態を挙げた。

解説

1. エリートをキツネ型，ライオン型に分類したのはV. パレート（エリートの周流論）である。ただし，「信念を持ち力による支配を実行するライオン型」の記述は正しいが，キツネ型は，権謀術数に長けた頭脳派タイプのことをさす。「生権力」はフーコーの概念だが，これは人々の生に積極的に介入し管理するという権力のことであり，「国民の生命を抑圧して衰退させる」ものとはされていない。

2. ギデンズは，社会的・経済的地位などから解放された形で取り結ばれる関係性を，近代的な「純粋な関係性」と呼ぶ。また，「システムによる生活世界の植民地化」はJ. ハーバーマスの概念である。

3. ブルデューは，「生まれ育った社会的環境の中で形成され，場に応じた特定のものの見方，感じ方，振る舞い方を生み出す無意識の性向」をハヴィトゥスと呼んだ。ナチスを支持した人々の社会的性格を権威主義的性格としたのは，E. フロムである。

4. 会話分析を通して「人々の方法」を解明するのは，エスノメソドロジーであり，H. ガーフィンケル，G. サーサスらがこの立場にくみする。ミードはシンボリック相互作用論の始祖とされるが名づけ親ではない。ゲーム段階，プレイ段階はミードの概念だが，説明が逆である。ミードは，プレイ段階からゲーム段階への移行過程で自我が形成されると論じた。

5. 妥当である。

正答 5

社会学　労働　令和3年度

労働に関する次の記述のうち，妥当なのはどれか。

1　物理的な労働条件が労働の生産性や作業効率に与える影響を調べるために行われたホーソン実験では，当初の予想どおり，作業環境を改善すると生産性と作業効率が上がることが明らかとなり，科学的管理法の有効性が実証された。

2　第二次世界大戦前に確立され，高度経済成長期に終焉を迎えた日本的雇用慣行は，長期雇用，年功制，産業別組合という三つの主要な要素から成り，特に長期雇用は，大企業と比べて従業員の数が少ない中小企業に特徴的な現象であった。

3　H. フォードは，自らの自動車工場における人工知能の導入，作業過程の単純化・細分化によって，非熟練労働者でも効率的な流れ作業を行えるフォーディズムを確立し，低賃金を維持したまま，T型フォードのような高級車を大量生産することに成功した。

4　M. ヴェーバーは，第二次産業から第三次産業への産業構造の転換により，接客業や対人サービスに従事する労働者を中心として，賃金と引換えに顧客に対して適切な感情表現を求める感情労働が拡大したとし，それが現代社会における「疎外された労働」を生み出しているとした。

5　OJT（on-the-job training）とは，実際に仕事に就きながら職場の先輩あるいは上司からの指導を受けて実施される，企業による職業訓練の一つであり，必要な人材を企業内部から調達する内部労働市場が形成される要因の一つとなっている。

解説

1．ホーソン実験では，当初は照明の明るさや労働時間などの物理的条件と，生産性や作業効率との関係を調べるために始められたが，結果的には当初の予想に反して，労働者の感情や職場の人間関係が，生産性や作業効率に大きく影響していることが判明し，科学的管理法の限界を示すものとなった。

2．「第二次世界大戦前に確立され，高度経済成長期に終焉を迎えた」，「産業別組合」，「中小企業に特徴的」の3か所が誤り。日本は，産業別組合ではなく企業別組合が主であり，これと，長期雇用，年功制を併せた日本的雇用慣行は，第二次世界大戦以降に確立した。長期雇用は，人材の囲い込みなどのためにとられる，大企業に特徴的な慣行である。

3．「人工知能の導入」，「低賃金を維持」，「T型フォードのような高級車」の3か所が誤り。フォーディズムが確立する20世紀初頭には人工知能は存在しない。フォードが日給5ドルという当時としては高給によって労働者を集めたことは有名である。T型フォードは，低価格の大衆車として爆発的なヒット商品となった。

4．感情労働は，A. R. ホックシールドによって指摘された。「疎外された労働」は『経済学・哲学草稿』においてK. マルクスが用いた概念である。

5．妥当である。

正答　5

国家一般職［大卒］ No. 58 専門試験

社会学　集団とネットワーク　令和3年度

集団とネットワークに関する次の記述のうち，妥当なのはどれか。

1　F.テンニースは，一定の地域の中で形成される地縁的結合としてのコミュニティに対し，目的によって結合した人為的団体をアソシエーションと呼び，国家は，血縁と地縁を基礎に形成される集団であるから，アソシエーションと呼ぶことはできないとした。

2　C.H.クーリーは，家族，子供の遊び仲間，近隣や地域集団のように，フェイス・トゥ・フェイスの対面状況，親しい結び付き，協力関係などによって特徴付けられる集団を第一次集団と呼び，人間性が育まれる場になっていると主張した。

3　有賀喜左衛門は，社会的紐帯の差異に注目して，類似と利益の共通性から生み出される社会を基礎社会，地縁や血縁から成る社会を派生社会と定義し，基礎社会の例として宗教集団や会社組織を，派生社会の例として村落，都市，国家を挙げた。

4　R.パットナムは，ホワイトカラーを対象とした実証調査によって，接触の機会が多い人々の間で形成される強い紐帯の方が，接触の機会が少ない人々の弱い紐帯よりも，確実で信頼に値する情報が得やすいことから，転職活動において有利に作用すると結論付けた。

5　G.リッツァは，信頼，互酬性の規範，ネットワークのセットから成る社会関係資本が，現代の米国において強化されており，そうした傾向が，投票率の上昇，政府への信頼の増大，市民団体や友愛団体の会員数の増加などに表れているとした。

1．テンニースは，本質意志に基づく結合としてのゲマインシャフトと，形成意志に基づく結合としてのゲゼルシャフトという概念を提示した。コミュニティとアソシエーションの区別はR. M. マッキーバーによる類別である。なお，マッキーバーは国家を，目的を持って形成されたアソシエーションだとしている。

2．妥当である。

3．基礎社会，派生社会の類別は高田保馬によるものである。また，説明部分も逆になっている。地縁や血縁に基づくのが基礎社会，類似と利益の共通性に基づくのが派生社会である。有賀喜左衛門は農村研究で有名である。

4．マーク＝S. グラノヴェターに関する記述である。ただし，彼は，強い紐帯を用いたときよりも，弱い紐帯を用いたときのほうが，広範な情報を得やすいことから，転職者にとっては有利であることを明らかにした。

5．信頼，規範，ネットワークによって社会関係資本の概念を規定したのはR. パットナムである。ただし，彼は，『孤独なボウリング』において，アメリカにおける社会関係資本の弱化を指摘している。リッツァは，現代社会の合理化過程を「マクドナルド化」と概念化したことで有名である。

正答　2

国家一般職
[大卒]

No. 59 専門試験

社会学 社会運動と社会運動論 令和3年度

社会運動及び社会運動論に関する次の記述のうち，妥当なのはどれか。

1 資源動員論とは，社会運動組織や運動の戦略・戦術を重視し，社会運動を目的達成のための合理的な行為と捉え，その形成・発展・衰退を，当該運動体が動員可能な社会的諸資源の量などによって説明しようとする考え方である。

2 集合行動論では，社会運動の発生原因として，個人の不安や不満に着目した従来の社会心理学的アプローチを批判し，人々の合理性を強調する。A. メルッチは，利益獲得の見込みや政治的機会の有無など，運動発生に至る諸要因を整序し，これを価値付加プロセスと呼んだ。

3 「新しい社会運動」は，従来の労働運動から，環境やジェンダーといった生活の場に関する運動へと領域を拡大したものである。運動の担い手は多様であるため，集合的アイデンティティは重視されず，主に，権力の中心にいるような専門職層，高学歴層の人々によって展開される。

4 NPOとは，民間の非営利組織であり，職員は全て無給のボランティアである。事業収入を得ることは禁じられているため，活動資金は，専ら寄附金や会費に依存しており，資源の全般的な不足が課題となっている。

5 公民権運動とは，我が国において高度経済成長期に多発した，地域開発による公害問題に起因する運動である。開発計画の見直しや公害被害の除去を訴え，陳情活動から実力行使を伴う激しい抵抗活動へと展開することもあった。

1．妥当である。

2．集合行動論は，不安や不満を社会運動の発生原因として重視してきた。これを批判し，人々の合理性を強調したのは集合行為論や資源動員論などである。また，価値付加プロセス論を展開したのは，メルッチではなく，N. スメルサーである。さらに，このスメルサーの価値付加プロセス論は，運動発生の要因を「構造的誘発性」や「構造的ストレーン」などの用語を用いつつ，社会構造の問題として扱っており，利益獲得の見込みや，政治的機会の有無に着目するものではない。

3．「集合的アイデンティティは重視されず」，「権力の中心にいるような専門職層，高学歴層の人々によって展開される」の2か所が誤り。「新しい社会運動」論では，集合的アイデンティティが主要な研究課題として重視されてきた。A. メルッチなどがその代表的論者である。また，こうした運動の担い手は，運動の主題に応じて，学生や主婦，マイノリティなど，広範な領域にわたっている。

4．NPO（Non-Profit Organization）は，株主への配当のように，収益を分配することを目的とすることはできないが，収益を目的とする事業を行うこと自体は認められている。職員はボランティアの場合も多いが，有給の職員もおり，その給料などは（「収益の分配」ではなく「経費」であるため），収益の中からの支出が可能である。

5．住民運動に関する記述である。公民権運動とは，20世紀中盤にアメリカで起こった，マーチン＝ルーサー＝キング牧師に代表される，黒人解放の運動のことをさす。

正答　1

経済事情　経営学　国際関係　社会学　心理学　教育学　英語(基礎)　英語(一般)

社会統計学

社会統計学に関する次の記述のうち，妥当なのはどれか。

1 名義尺度が分類・区別して値を与えるのみであるのに対し，順序尺度は，大きさなどの順に並べることができ，数値間の距離はどこでも等しい。そのため，算術平均や分散，相関係数をはじめとした広範な統計的処理が可能となる。

2 尺度として備えておくべき要件に，妥当性と信頼性がある。妥当性とは，同じ対象について繰り返し測定しても同じ結果が一貫して得られるかであり，信頼性とは，測定しようとしている概念を正確に測定できているかである。

3 大量のデータを代表する数値の一つに中央値がある。中央値は，データを大きさなどの順に並べた場合，中央に位置する値のことである。外れ値に影響されて変動しやすい算術平均に対し，外れ値の影響をほとんど受けることがない。

4 二つの変数の関連について，一方の変数が増加すると他方の変数が増加することを相関があるというのに対し，一方の変数が増加すると逆に他方が減少することを疑似相関があるという。相関係数が−1に近づくほど，疑似相関は強くなる。

5 有意水準とは，調査において標本数を決定するために，母集団の特性に応じてあらかじめ設定する水準である。有意水準を大きな値に設定するほど標本数も多くなり，調査結果は，統計的に有意であるとされる。

1．順序尺度は間隔尺度の誤り。順序尺度は，「大きさなどの順に並べることができ」るが，「数値間の距離はどこでも等しい」わけではない。したがって，その測定値が直接の数学的演算の対象になることはない。間隔尺度は，値を順位づける尺度であることに加え，値の間隔が等間隔であるような尺度である。この場合は，算術平均や分散などの，広範な統計的処理が可能である。

2．妥当性と信頼性の説明が逆である。「同じ対象について繰り返し測定しても同じ結果が一貫して得られる」とき，その尺度は信頼性が高いことになる。「測定しようとしている概念を正確に測定できている」とき，その尺度は妥当性を持つとされる。

3．妥当である。

4．「疑似相関」は「負の相関」の誤り。「一方の変数が増加すると逆に他方が減少する」とき，そこには「負の相関」があるという。相関係数が－1に近づくほど，負の相関が強くなる。疑似相関とは，2つの変数の間に因果関係がないにもかかわらず，あたかもあるかのように見えてしまう現象をいう。

5．標本数を決定するために設定されるのは信頼水準である。有意水準とは，検定の際，ある仮説を棄却するかしないかを決める基準の確率のことをいう。

正答　3

心理学 感覚と知覚 令和3年度

感覚や知覚に関するA～Dの記述のうち，妥当なもののみを全て挙げているのはどれか。

A．強度の異なる二つの刺激を比較したとき，両者を感覚的に区別できる最小の強度差を弁別閾と呼ぶ。弁別閾は一定の値をとるわけではなく，比較の基準となる刺激（標準刺激）の強度が大きくなるに従って増大する。弁別閾の値が標準刺激の強度に比例して変化するという関係は，ウェーバーの法則と呼ばれる。

B．一定の強度の刺激が感覚器官に持続的に与えられると，その刺激に対する感受性が低下する。例えば，入浴の際に最初は湯の温度が熱く感じられても，しばらくすると熱さを感じなくなるなどの経験がある。この現象を馴化と呼ぶのに対し，一度湯から出た後，再び入浴するとまた熱さを感じるように，強度の異なる刺激が与えられた後，感受性が元に戻る現象は脱馴化と呼ぶ。

C．流れている雲間の月を眺めていると，静止している月が動いているかのように見えることがある。また，停車中の列車から車窓を眺めていて，向かい側の列車が動き出すと，自分の乗っている列車が動き出したと感じることがある。このように，周辺環境の影響によって存在しない動きが感じられる現象を運動残効と呼ぶ。

D．音の刺激によって聴覚が生じるように，通常，感覚は刺激された感覚器官が働いて生じるが，他の感覚が生じる場合もある。例えば，音の刺激を与えられた場合に，その音が聞こえるだけでなく，色や光が見えるという人が存在する。一般に，ある感覚刺激によって，本来の感覚とともに別の感覚が同時に生じる現象を共感覚と呼ぶ。

1 A，B
2 A，C
3 A，D
4 B，C
5 C，D

A：妥当である。100gの重さが103gになったとき，その違いが弁別できた場合，両者の差分である３gが弁別閾ということになる。ウェーバーによると，この弁別閾は比較の基準となる刺激（標準刺激）の強度に比例する。200gの重さ（標準刺激）の場合，弁別閾は２倍の６gとなり，206gになって違いを弁別できることになる。

B：妥当でない。馴化とは，一定強度の刺激が持続的に与えられると，それへの反応が減退・消失することをさす。感受性が低下するのではない。刺激を与える部位や刺激の強度を変えると再び反応が表れる現象は，脱馴化といわれる。

C：妥当でない。運動残効は，一定方向に動いている対象（①）をしばらく見た後，静止している対象（②）を見ると，②が①と逆方向に動いて見える現象をいう。流れ落ちる滝をしばらく眺めた後，周囲の景色に目を移すと，景色がゆっくり上昇して見える「滝錯視」は運動残効の例である。

D：妥当である。共感覚の例として，聴覚から色覚が生じる「色聴」がよく知られている。

以上から，妥当なものはAとDであり，**3**が正答となる。

正答　3

No. 62 心理学 動機づけの理論や現象 令和3年度

動機づけの理論や現象に関する次の記述のうち，妥当なのはどれか。

1 C. L. ハルの動因低減説によれば，動物の行動は生理的欲求を動因として生じ，動因が大きいほどその低減のための行動も強く生じる関係にある。これを含めて，動機づけが大きくなるほど行動が促進されるという関係は，ヤーキーズ・ドッドソンの法則と呼ばれている。

2 A. H. マズローは，自らが開発した主題統覚検査や面接，観察などを通して，5種類の社会的動機のリストを作成した。その中には，困難な課題を克服して目標の達成を目指す達成動機や，他者との友好関係を成立させ，維持したいという親和動機が含まれる。

3 M. R. レッパーらの実験では，ご褒美を与えると伝えられて絵を描いた幼児は，その後，自主的に絵を描こうとする時間が短くなる傾向が見いだされた。これを含めて，報酬を与えられることで内発的動機づけが低下する現象は，アンダーマイニング効果と呼ばれている。

4 H. A. マレーが提唱した欲求階層説によれば，人間の欲求は，最下層に位置する生理的欲求から最高層の自己実現欲求に至るまで20段階の階層を成しており，下位の欲求が充足されなければそれより上位の欲求は生じないとされる。

5 J. W. アトキンソンは，成功可能性がないことを学習した場合に達成動機づけが消失する学習性無力感を見いだし，このことから，課題達成の欲求，主観的な成功可能性，成功時の満足度の3要因によって達成動機づけの強さが決まるとする期待価値理論を唱えた。

解説

1．ヤーキーズ・ドッドソンの法則とは，覚醒と学習の関係は逆U字型を描くというものである。一定の水準までは覚醒が上がるにつれ学習のパフォーマンスは向上するが，最適の覚醒水準を過ぎると低下していく。

2．マズローではなく，H.A. マレーに関する記述である。マレーが提示した社会的動機のリストは5種類ではなく28種類からなり，達成動機や親和動機はその中に含まれる。マズローは，欲求を5つの段階に階層づけた欲求階層説で知られる。

3．妥当である。過正当化効果ともいう。

4．欲求階層説を提唱したのはマレーではなくA. H. マズローである。マズローは欲求を20段階ではなく5段階に区分した。最も低次の欲求は生理的欲求で，安全欲求，愛情欲求，尊厳欲求と徐々に高次なものとなり，最高層の自己実現欲求へと至る。

5．期待価値理論は，主観的な成功可能性（目標達成への期待）と，成功時の満足度（誘因価）の2要因によって達成動機づけの強さが決まると考える。学習性無力感とは，回避困難なストレス状況下に長時間置かれると，そこから逃れようという行動すら起こさなくなることをいう。課題を達成しようという達成動機が消失することではない。M. セリグマンによる犬を被験体とした実験で確かめられた。

正答 3

国家一般職［大卒］ 専門試験

No. 63 心理学 心理学における学習の実験 令和3年度

次のア，イ，ウは，心理学における学習の実験に関する記述であるが，それぞれの実験と関連の深い用語の組合せとして妥当なのはどれか。

ア．E. L. ソーンダイクは，空腹のネコを錠の付いた木の箱に入れ，箱の外に餌を置き，ネコが錠を開けて箱から脱出するまでの時間を測定した。箱には仕掛けがあり，ひもを引いたり，ペダルを踏んだりすると錠が開き，脱出できるようになっていた。餌を求めるネコは様々な行動をし，偶然に脱出できると再び同じ箱に戻された。この作業を繰り返すうちに，次第に脱出につながる行動だけが生じるようになり，脱出までの時間も短くなった。

イ．E. C. トールマンは，1日に1試行ずつ，ネズミを迷路に入れ，ゴールへの到達時間を測定する実験を行った。毎日ゴールに到達すると餌を与えられたネズミと比べ，最初の10日間はゴールに到達しても餌を与えられず，11日目から餌を与えられたネズミは，11日目こそ成績が劣っていたものの，12日目には前者と変わらない成績を示した。この結果から，報酬がない間も，ネズミが迷路を探索することで何らかの学習をしていたことが示された。

ウ．A. バンデューラは，幼児を対象として，人形に対して攻撃行動を行う大人の映像を見せる実験を行った。映像を見る前と後で，同じ人形に対する幼児の攻撃行動を測定した結果，映像を見た後では攻撃行動の増加が生じた。なお，攻撃行動をした大人が別の大人から処罰される映像を追加で見た幼児は，攻撃行動が賞賛される映像を追加で見た幼児や，追加の映像を見なかった幼児に比べ，映像を見た後の攻撃行動は少なかった。

	ア	イ	ウ
1	洞察学習	概念形成	モデリング
2	洞察学習	認知地図	転移
3	試行錯誤学習	概念形成	転移
4	試行錯誤学習	認知地図	転移
5	試行錯誤学習	認知地図	モデリング

ア：試行錯誤学習である。字のごとく，あらゆる手段を試し失敗を重ねる過程を経て課題解決に至る。ソーンダイクの実験は問題箱実験といわれる。学習者の能動的な問題解決を経て知識を得させる問題解決学習と近く，教師が初めから知識を系統的に教える系統学習と対置される。洞察学習は諸情報の統合により問題解決の見通しを一気に立てることで，W. ケーラーのチンパンジーの実験が知られている。

イ：認知地図である。認知形態の表象のことで，方向，距離，目印といった空間情報も含まれる。トールマンの実験でネズミが迷路のゴールに到達したのは，えさという刺激への反応ではなく，認知地図という認知表象を形成したことによる。概念形成とは，個々の事物に共通する性質を抽出しまとめ上げることである。

ウ：モデリングである。他者の行動やその結果を観察することで，当人の行動に変化が生じることをいう。その強さはモデルに与えられる強化に左右され，攻撃行動をした大人が賞賛される映像を見た幼児は，形成された攻撃行動がより強くなる。転移とは，前の学習がその後の学習に影響を及ぼすことをいう。後の学習を促す場合は「正の転移」，阻害する場合は「負の転移」となる。

以上から，**5**が正答となる。

正答　5

経済事情
経営学
国際関係
社会学
心理学
教育学
英語(基礎)
英語(一般)

国家一般職［大卒］ 専門試験

No. 64 心理学 心的外傷後ストレス障害 令和3年度

DSM-5（精神疾患の診断・統計マニュアル）における心的外傷後ストレス障害に関する次の記述のうち，妥当なのはどれか。

1　この障害は，女性よりも男性に多い。これは，心的外傷的出来事を経験する確率は男性の方が高い上，性的暴力の被害が診断基準に含まれていないためと考えられている。性的暴力の被害が原因で，解離性健忘や現実感消失といった症状が現れた場合は全般性不安障害として診断する。

2　この障害は，危うく死ぬような出来事を実際に体験した直後からフラッシュバックなどの症状が生じ，それが3日～1か月の間持続する。ただし，症状が現れても，その原因となる出来事が死の脅威を感じるほどではない場合は急性ストレス障害と診断する。

3　この障害は，6歳未満の子供では，実際に心的外傷的出来事に曝露された場合に限らず，テレビ等でそうした出来事を仮想的に体験した場合も診断の対象となる。他方，症状の原因となる心的外傷的出来事が養育者からの虐待の場合は反応性愛着障害として診断する。

4　この障害の本質的特徴は，一つまたはそれ以上の心的外傷的出来事に曝露された後に生じる特徴的な症状の発現である。その症状の具体例としては，心的外傷的出来事が再び起こっているように感じることや，心的外傷的出来事に関連する苦痛な夢を見ることなどが挙げられる。

5　この障害の本質的特徴は，他者によって注視されるかもしれない社交状況に関する強烈な恐怖や不安であり，他の精神疾患の併発はほとんどない。特徴的な症状には，心的外傷的出来事に曝露された後に，その出来事に関連する場所等を避けようとすることが挙げられる。

1．男性よりも女性に多い。「強姦およびその他の種類の対人暴力といった，心的外傷的出来事に曝露される可能性がより高いため」とされる。性的暴力の被害も診断基準に含まれる。

2．心的外傷的出来事に関連する侵入症状（フラッシュバックなど）の持続期間は，人によってさまざまである。数年間の長期にわたるケースもある。また，心的外傷後ストレス障害の診断基準でいう心的外傷的出来事には，死の脅威を感じさせるほどではないものも含まれる（近親者の心的外傷的出来事を見聞きするなど）。

3．診断基準でいう心的外傷的出来事の目撃には，「電子媒体，テレビ，映像，または写真のみで見た出来事」は含めない。養育者からの虐待は心的外傷的出来事への曝露に含まれるので，これが原因の症状の場合，心的外傷後ストレス障害として診断する。

4．妥当である。心的外傷的出来事は，さまざまな形で再体験されうる。

5．他者によって注視されるかもしれない社交状況に関する恐怖や不安は，社交不安障害の本質的特徴である。心的外傷後ストレス障害のある人は，ない人よりも他の精神疾患を併発することが多い（抑うつ障害，双極性障害，不安症など）。心的外傷的出来事に関連する場所等を避けようとする，という症状は正しい（刺激の持続的回避）。

正答　4

心理学 ハイダーのバランス理論 令和3年度

次は，F.ハイダーによるバランス理論に関する説明であるが，A，B，Cに当てはまるものの組合せとして妥当なのはどれか。

バランス理論は，均衡理論やP－O－X理論とも呼ばれ，「ある人（P）と他者（O）」などの二者関係，「ある人（P）と他者（O）と事物（X）」といった三者関係を人がどのように認知するかを扱うものである。

図は，認知者がとらえている自分（P），友人（O），ロック音楽（X）という三者の間の心情関係を示したものである。この図では，態度が好意的である場合を「＋」，非好意的である場合を「－」で表している。すなわち，図は，認知者が，「自分はロック音楽が嫌い」であり，「自分は友人が好き」であり，「友人はロック音楽が好き」であると認知していることを示している。

バランス理論では，図のような関係は［ A ］な状態であると考えられ，認知者は「［ B ］」といった方略をとることで，関係を［ C ］な状態に変化させようとするとされる。

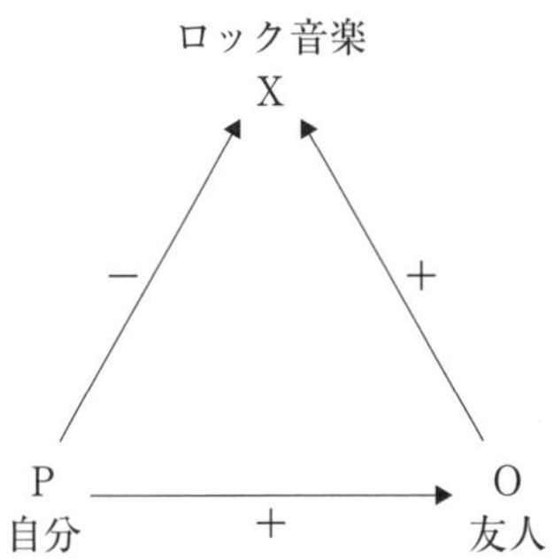

	A	B	C
1	不均衡	友人に自分を好きになってもらう	均衡
2	不均衡	自分もロック音楽を好きになる	均衡
3	不均衡	自分はクラシック音楽を好きであると友人に伝える	均衡
4	均衡	友人を嫌いになるようにする	不均衡
5	均衡	友人がロック音楽を好きな理由を考える	不均衡

A：「不均衡」が入る。バランス理論では，図の３つの符号の積がマイナスになる場合，不均衡ととらえる。＋が２つ，－が１つであるので，３つの符号の積はマイナスとなり，不均衡な状態と考えられる。

B：「自分もロック音楽を好きになる」または「友人を嫌いになるようにする」が入る。自分の認知を変えることで不均衡な状態を脱する（３つの符号の積をプラスにする）方略は，自分がロック音楽を好きになる（－を＋に変える）か，自分が友人を嫌いになる（＋を－に変える）かである。

C：「均衡」が入る。自分もロック音楽を好きになる，あるいは，友人を嫌いになるようにすることで，３つの符号の積がプラスの均衡状態になる。

以上から，**2**が正答となる。

正答　**2**

経済事情
経営学
国際関係
社会学
心理学
教育学
英語(基礎)
英語(一般)

国家一般職[大卒] No. 66 専門試験

教育学 教育法規の条文と法規名 令和3年度

次のア，イ，ウは，教育に関する国内外の法規の抜粋であるが，それぞれの法規名の組合せとして妥当なのはどれか。

ア．締約国は，教育についての障害者の権利を認める。締約国は，この権利を差別なしに，かつ，機会の均等を基礎として実現するため，障害者を包容するあらゆる段階の教育制度及び生涯学習を確保する。

イ．すべて人は，教育を受ける権利を有する。教育は，少なくとも初等の及び基礎的の段階においては，無償でなければならない。初等教育は，義務的でなければならない。技術教育及び職業教育は，一般に利用できるものでなければならず，また，高等教育は，能力に応じ，すべての者にひとしく開放されていなければならない。

ウ．教育は，人格の完成を目指し，平和で民主的な国家及び社会の形成者として必要な資質を備えた心身ともに健康な国民の育成を期して行われなければならない。

	ア	イ	ウ
1	障害者権利条約*1	世界人権宣言	教育基本法
2	障害者権利条約	世界人権宣言	日本国憲法
3	障害者権利条約	学習権宣言	日本国憲法
4	人種差別撤廃条約*2	世界人権宣言	日本国憲法
5	人種差別撤廃条約	学習権宣言	教育基本法

＊1　障害者の権利に関する条約
＊2　あらゆる形態の人種差別の撤廃に関する国際条約

解説

ア：障害者権利条約24条１項である。2006年の国連総会で採択され，日本は2014年に批准した。人種差別撤廃条約は，南アフリカでアパルトヘイトが行われていたことなどを背景に1963年の国連総会で採択され，日本は1995年に加入している。

イ：世界人権宣言26条１項である。1948年の国連総会で採択されたもので，26条では教育を受ける権利，教育の機会均等について言及されている。学習権宣言は1985年にユネスコが採択したもので，学習権を「人間の生存にとって不可欠な手段」と位置づけている。

ウ．教育基本法１条である。教育の目的について規定している。教育基本法は1947年に制定されたが，2006年に抜本改正されている。

以上から，**1**が正答となる。

正答　1

No. 67 専門試験 教育学 いじめ 令和3年度

次は，いじめに関する記述であるが，A，B，Cに当てはまるものの組合せとして妥当なのはどれか。

平成25年に施行されたいじめ防止対策推進法において，「いじめ」とは，「児童等に対して，当該児童等が在籍する学校に在籍している等当該児童等と一定の人的関係にある他の児童等が行う心理的又は物理的な影響を与える行為（インターネットを通じて行われるものを［ A ］。）であって，当該行為の対象となった児童等が心身の苦痛を感じているもの」と定義されている。

文部科学省の「令和元年度 児童生徒の問題行動・不登校等生徒指導上の諸課題に関する調査」によると，令和元年度における小・中・高等学校及び特別支援学校におけるいじめの認知件数は612,496件，児童生徒1,000人当たりの認知件数は46.5件となっており，ともに，前年度比で平成26年度以降，令和元年度まで［ B ］し続けている。

いじめの研究には，加害者の攻撃性などのパーソナリティ要因に関連付けて捉えようとする心理学的研究がある。これに対して，教育社会学者の森田洋司らは，いじめの発生を学級集団という小社会の構造に結び付けて捉え，いじめの場面では，学級集団は，「加害者」，「被害者」，「観衆」，「［ C ］」から成っているという「いじめの四層構造論」を提唱した。

	A	B	C
1	含む	減少	教師
2	含む	減少	仲裁者
3	含む	増加	傍観者
4	除く	減少	仲裁者
5	除く	増加	傍観者

解説

A：「含む」が入る。インターネットを通じて行われるものとは，いわゆるネットいじめである。パソコンやスマホが普及した現在では，こうした新手のいじめがはびこっている。

B：「増加」が入る。小・中・高等学校および特別支援学校におけるいじめ認知件数は，平成26（2014）年度は18万8,072件だったが，令和元（2019）年度は61万2,496件と3倍以上に増えている。平成25（2013）年にいじめ防止対策推進法が施行され，いじめの把握に本腰が入れられるようになっていることが大きい。

C：「傍観者」が入る。いじめの四層構造論は，いじめを加害者の人格問題ではなく，学級全体の集団病理としてとらえる。いじめの解決に当たっては，量的に多い観衆や傍観者を，仲裁者ないしは申告者に変えることが重要となる。

以上から，**3**が正答となる。

正答 3

No. 68 教育学 日本の社会教育施設 令和3年度

我が国の社会教育施設に関するア～エの記述のうち，妥当なもののみを全て挙げているのはどれか。

ア．公民館が専ら営利のみを追求することは禁止されているが，収益金を地域福祉の事業に利用することを目的としたバザーを公民館で開催することは，一般に，禁止される行為には当たらない。

イ．選挙期間中に，ある候補者が公民館を演説会場として利用した場合，当該公民館は，その位置する選挙区の他の全ての候補者に対して，同じ用途で利用するよう働き掛けなければならない。

ウ．公立図書館の職員は，公正に図書館資料を取り扱う義務を負っており，独断的な評価や個人的な好みによって，蔵書を廃棄するといった取扱いをすることはできない。

エ．公立博物館は，歴史問題や政治外交問題など，世論を二分するような内容の展示を行おうとする場合，当該博物館を設置する地方公共団体の検閲を受けなければならない。

1 ア，イ
2 ア，ウ
3 ア，エ
4 イ，ウ
5 イ，エ

ア：妥当である。社会教育法23条１項は，公民館が「もっぱら営利を目的として事業を行い，特定の営利事務に公民館の名称を利用させその他営利事業を援助すること」を禁じているが，地域福祉の事業資金を得ることを目的としたバザーは，もっぱら営利を目的とした事業とは解されない。「社会福祉の増進に寄与すること」（同法20条）という公民館の目的を逸脱するものでもない。

イ：妥当でない。公民館は「特定の政党の利害に関する事業を行い，又は公私の選挙に関し，特定の候補者を支持すること」を禁じられているが（同法23条２項），公民館を政党または政治家に利用させることは許される（文部科学省事務連絡，平成30年12月21日）。しかし政治的中立性の確保という理由で，同じ選挙区の全候補者に対し，同じ用途で利用するよう働きかけなければならない，という規定はない。

ウ：妥当である。船橋市の図書館蔵書廃棄事件の最高裁判決（最判平17・７・14日）では，公立図書館の職員は「独断的な評価や個人的な好みにとらわれることなく，公正に図書館資料を取り扱うべき職務上の義務を負うものというべきであり，閲覧に供されている図書について，独断的な評価や個人的な好みによってこれを廃棄するということは，図書館職員としての基本的な職務上の義務に反するものといわなければならない」と言及されている。

エ：妥当でない。公立博物館は地方公共団体が設置する博物館であり，その事業の一つは「実物，標本，模写，模型，文献，図表，写真，フィルム，レコード等の博物館資料を豊富に収集し，保管し，及び展示すること」であるが（博物館法３条１項），展示の内容について地方公共団体の検閲を受けなければならない，という規定はない。

以上から，妥当なものはアとウであり，**2**が正答となる。

正答　2

国家一般職
[大卒]
No.
69
専門試験
教育学　日本の教育法規　令和3年度

我が国の教育法規に関する次の記述のうち，妥当なのはどれか。

1　日本国憲法及び教育基本法において，学齢児童及び学齢生徒は，義務教育として行われる普通教育を受ける義務を負うとされている。

2　地方教育行政の組織及び運営に関する法律において，教育委員会の委員は，人格が高潔で，教育，学術及び文化に関し識見を有するもののうちから，地域住民の公選により選出するものとされている。

3　学校教育法において，校長及び教員は，教育上必要があると認められる場合には，身体面及び精神面への十分な配慮の下，児童生徒に体罰を行うことができるとされている。

4　教育職員免許法において，普通免許状は，その授与の日から退職の日まで，全ての都道府県において効力を有するとされており，有効期限は存在しない。

5　義務教育諸学校の教科用図書の無償措置に関する法律において，教科書は，国・公・私立の義務教育諸学校に在学している全児童生徒に対し，その使用する全教科について，無償で給与されるとされている。

解説

1．義務教育とは，保護者が学齢の児童生徒に普通教育を受けさせる義務のことで，児童生徒が教育を受ける義務を負うのではない（日本国憲法26条２項，教育基本法５条１項）。

2．教育委員会の委員は「当該地方公共団体の長の被選挙権を有する者で，人格が高潔で，教育，学術及び文化に関し識見を有するもののうちから，地方公共団体の長が，議会の同意を得て，任命する」（地方教育行政法４条２項）。戦後初期の頃は住民の直接選挙による公選制だったが，昭和31（1956）年の地方教育行政法制定に伴い，首長による任命制に変わった。

3．学校教育法11条は「校長及び教員は，教育上必要があると認めるときは，文部科学大臣の定めるところにより，児童，生徒及び学生に懲戒を加えることができる。ただし，体罰を加えることはできない」と定めている。懲戒は許されるが，肉体的苦痛を伴う体罰は許されない。

4．普通免許状は「その授与の日の翌日から起算して10年を経過する日の属する年度の末日まで，すべての都道府県において効力を有する」（教育職員免許法９条１項）。平成21（2009）年の教員免許更新制導入に伴い，普通免許状には10年の有効期限が付されている。

5．妥当である。義務教育諸学校の教科用図書の無償措置に関する法律３条の規定である。学年の中途で転学した児童生徒については，転学先で使用する教科書が転学前と異なる場合，新たに教科書が給与される。

正答　5

No. 70 教育学 日本の教科と教育課程 令和3年度

我が国の教科や教育課程に関する次の記述のうち，妥当なのはどれか。

1 生活科は，平成元年の学習指導要領改訂により，小学校高学年で導入された。衣食住などに関する実践的・体験的な活動を通して，生活をよりよくしようと工夫する資質・能力を育成することを目標とする教科であり，女子のみが履修することとされた。

2 総合的な学習の時間は，平成10・11年の学習指導要領改訂により，小・中・高等学校で導入された。横断的・総合的な学習を行うことを特徴とする教科であったが，教師の多忙化や児童生徒の学力低下を招くとの批判から，平成29年の学習指導要領改訂の際に廃止された。

3 外国語活動は，平成20年の学習指導要領改訂により，小学校低学年で導入された。外国語のコミュニケーションよりも読み・書きの能力の素地を養うことに重点を置く学習活動であり，授業の実施はネイティブ・スピーカーが行うこととされた。

4 道徳は，平成27年の学習指導要領の一部改正により，小・中学校で特別の教科として位置付けられた。道徳的な判断力，心情，実践意欲と態度を育てることを目標とする教科であり，中心となる教材として検定教科書を導入することとされた。

5 プログラミング教育は，平成29年の学習指導要領改訂により，中学校において必修化された。プログラミングに関する専門的な言語や技能を習得することを主たる狙いとする学習活動であり，教科等で学ぶ知識や技能などとは独立したものであるとされた。

解説

1．生活科は，小学校低学年で導入された。本肢で述べられている目標は家庭科のものであり，生活科の目標は「具体的な活動や体験を通して，身近な生活に関わる見方・考え方を生かし，自立し生活を豊かにしていくための資質・能力を育成すること」である。「女子のみが履修する」という箇所も誤りである。

2．平成29（2017）年の学習指導要領改訂で総合的な学習の時間は廃止されていない。高等学校では，総合的な探究の時間という。

3．外国語活動は，平成20（2008）年の学習指導要領改訂により小学校高学年で導入された。平成29(2017)年改訂の学習指導要領では，高学年に教科の外国語が導入されたことに伴い，外国語活動は中学年に移行している。また，外国語活動の授業では，ネイティブ・スピーカーを活用することとされているが，ネイティブ・スピーカーが行うこととはされていない。

4．妥当である。平成27（2015）年の学習指導要領一部改正により道徳は「特別の教科・道徳」となり，文部科学省の検定教科書が使用されることとなった。

5．プログラミング教育は，平成29（2017）年の学習指導要領改訂により，小学校で必修化された。プログラミングの学習活動のねらいは，専門的な言語や技能の習得ではなく，「論理的思考力を育むとともに，プログラムの働きやよさ，情報社会がコンピュータをはじめとする情報技術によって支えられていることなどに気付き，身近な問題の解決に主体的に取り組む態度やコンピュータ等を上手に活用してよりよい社会を築いていこうとする態度などを育むこと，さらに，教科等で学ぶ知識及び技能等をより確実に身に付けさせることにある」（小学校学習指導要領解説）。「教科等で学ぶ知識や技能などとは独立したもの」という箇所も誤り。各教科等の知識・技能の習得のうえでも，プログラミングの学習活動を行うこととされる。

正答 4

Select the statement which best corresponds to the content of the following passage.

For all their promise of romance and adventure, Europe's sleeper trains had appeared to have reached the end of the line. Cripplingly expensive to run and forsaken by travellers for budget airlines, a decision by the German rail operator Deutsche Bahn to terminate the service connecting Paris to Berlin six years ago ushered in the closure of routes across the continent including almost all of France's network.

But as Europe continues to grapple with the coronavirus pandemic, there are tentative signs of a new dawn for the couchettes and twin bunks, as the concerns of both governments and travellers' over the environmental impact of short-haul flights are being complemented by a desire to avoid airport departure lounges and security queues.

In the last few weeks there has been a flurry of announcements and inaugural journeys. Last Thursday the Swedish government said it would provide funds for two new routes to connect the cities of Stockholm and Malmö with Hamburg and Brussels. A few days earlier, France's transport minister, Jean-Baptiste Djebbari, said an overnight service would be resurrected between Paris and Nice following Emmanuel Macron's Bastille Day promise to redevelop night trains for the nation.

Leading the way has been the Austrian operator Österreichische Bundesbahnen (ÖBB), which had the foresight to buy 42 sleeper cars from Deutsche Bahn in 2016. It has resumed half of the night-time routes connecting Hamburg, Berlin, Munich, and Düsseldorf to Austria, Switzerland, and Italy.

Despite a recent rise in the number of coronavirus infections in Belgium, up 71% week-on-week, a Brussels-Vienna service, which opened in February offering one-way trips from as low as €29.90 (£27.25), will recommence in September. Along with government action there is evidence of renewed enthusiasm among the paying public too, as people reflect more deeply on how they travel amid the Covid-19 pandemic.

A new summer night train linking five EU member states—the Czech Republic, Slovakia, Hungary, Slovenia, and Croatia—had set off from Prague on 30 June, but when the level of demand from holidaymakers heading to the coast increased, it was upgraded to a daily service. The Swedish rail company Snälltåget said in June it planned to quadruple the number of night trains on its Stockholm-Malmö-Copenhagen-Hamburg-Berlin route. A new Alpine-Sylt night express that began operating between Sylt in northern Germany and Salzburg in Austria was also due to run for only two months but will continue until November due to demand.

"What I am told by people using my site is two things in the same breath: they are fed up with the airport experience and they want to cut their carbon footprint," said Mark Smith, who runs the award-winning Man in Seat 61 railway website offering information on pan-European services. "Certainly, in the short term, I am getting some people commenting that they don't want to fly because of the pandemic. I think climate change will be the bigger one in the long term because hopefully this pandemic will be over at some point."

The recovery of the night train may not be all smooth running, however, as the economics of night services remain difficult. A normal high-speed train can accommodate 70 people in a coach and take multiple journeys a day, offering a number of stops. A sleeper might hold 20 to 30 beds in a coach but the majority of its passengers will travel end-to-end. The rolling stock is used for just one journey over a 24-hour period.

Train services have had to pay track access charges as they cross borders since 2000. New services run by private companies are often just for the summer months, while state operators are taking huge government handouts in order to re-establish their overnight routes. As a result, some of the most romantic night train journeys that were still running when the pandemic struck may still be discontinued, including the Thello Paris-Venice night train service and the Trenhotel Lusitania, which runs between Lisbon and Madrid.

Karima Delli, a French MEP who chairs the European parliament's transport committee, welcomed governments' loosening of their purse strings. "Relaunching night trains is both a necessity and an ecological solution to the planet," she said. But Alexander Gomme, from the *Back on Track Belgium* campaign group, said there needed to be a wider rethink of the costs to allow private operators to thrive, raise standards, and take advantage of the new mentality.

" 'More state' is a possibility but another is that the European Union makes it easier and cheaper for operators to book track access," he said. "Night trains do a lot of kilometres and access charges are counted in kilometres."

Nick Brooks, the secretary general of the Alliance of Rail New Entrants, which represents independent providers, argued that governments should also prohibit airlines receiving state bailouts from operating any short-haul or late-night flights that could be done by train. "This pandemic must lead to a better appreciation for rail," he said.

1 There has been an increase in night train routes recently, with more routes planned in Sweden, Germany, France, and Belgium.

2 The new night train linking five EU member states has run daily since it started on June 30.

3 Mark Smith says that the main reason why people don't want to use planes is because they are worried about how Covid-19 is handled.

4 Sleeper trains carry only a third to a half as many passengers per day when compared with normal high-speed trains.

5 Night trains that cross international borders are profitable because they travel so many kilometres.

解説

〈全訳〉 次の英文の内容に最も合致する記述を選びなさい。

ヨーロッパの寝台列車は，（乗客に）ロマンと冒険を約束していたにもかかわらず，その使命を終えたかのように見えた。運営には莫大な費用がかかり，格安航空会社の登場によって旅行者たちにも見放されたために，ドイツの鉄道会社ドイチェ・バーン（ドイツ鉄道）が6年前にパリとベルリンを結ぶ路線の廃止を決定したことをきっかけに，フランスのほぼすべての路線を含む大陸全土の路線が閉鎖された。

しかし，ヨーロッパがコロナウイルスのパンデミックに対処し続ける中，寝台客室や（寝台車の）二段ベッドに新たな夜明けの兆しが見えてきた。短距離路線の環境への影響に対する政府や旅行者の懸念に加え，空港の出発ラウンジや保安検査場の行列を避けたいという要望があるからだ。

ここ数週間，多くの発表や開業が相次いだ。先週木曜日，スウェーデン政府は，ストックホルムやマルメといった都市とハンブルクやブリュッセルといった都市を結ぶ2つの新路線に資金を提供すると発表した。その数日前，フランスのジャン＝バティスト＝ジェバリ交通担当相は，エマニュエル＝マクロン大統領がバスティーユ・デー（フランス革命記念日）に公約した「国のために夜行列車を再開発する」という言葉を受けて，パリとニースの間に夜行列車を復活させると述べた。

先陣を切ったのはオーストリアの鉄道会社オーストリア連邦鉄道（ÖBB）だった。2016年にドイツ鉄道から42両の寝台車を購入したという先見の明を持った会社である。同鉄道はハンブルク，ベルリン，ミュンヘン，デュッセルドルフとオーストリア，スイス，イタリアを結ぶ夜間路線の半分を再開した。

ベルギーでは，コロナウイルスの感染者数が前週比71％増となっているにもかかわらず，片道29.90ユーロ（27.25ポンド）という低価格で2月に開業したブリュッセルーウィーン線が9月に再開される。政府の動きに加えて，新型コロナウイルスのパンデミックの渦中にあって，人々が旅の方法をより深く考えるようになったことによって，一般消費者の間でも（夜行列車の）復活を熱望する動きがある。

チェコ，スロバキア，ハンガリー，スロベニア，クロアチアのEU5か国を結ぶ新しい夏の夜行列車は6月30日にプラハを出発したが，沿岸部に向かう旅行者の需要が高まったため，毎日運行するように変更された。スウェーデンの鉄道会社スネールトーグは6月にストックホルム，マルメ，コペンハーゲン，ハンブルク，ベルリンを結ぶ路線で，夜行列車を4倍に増やす計画を発表した。ドイツ北部のジルト島とオーストリアのザルツブルクを結ぶ新しい夜行特急「アルパイン・ジルト」も2か月だけの運行予定だったが，要望によって11月まで延長された。

「私のサイトを利用している人たちから，私は一度に2つのことを言われます。空港での体験にうんざりしていることと，二酸化炭素排出量を削減したいと思っていることです」と，数々の賞を受賞したMan in Seat 61というヨーロッパ全土の（鉄道）サービスの情報を提供する鉄道情報サイトを運営しているマーク＝スミス氏は語る。「確かに，今のところはパンデミックのために飛行機に乗りたくないというコメントもいただいています。私としては，このパンデミックはいつか終わると願いたいので，ゆくゆくは気候変動がより大きな問題になってくるだろうと考えています」

しかしながら，夜間運行業務の経済状況は依然として厳しいので，夜行列車の復活は，すべてが順調に進むとは限らない。通常の高速列車は1両当たり70名乗車可能で，1日に何度も運行でき，たくさんの駅から人が乗ってくる。（これに対して）寝台車は1両当たり20～30台のベッドが設置可能だが，乗客の大多数は最初から最後まで列車に乗っている。全部の車両がたった1回の旅のために24時間使われる。

鉄道会社は2000年から国境を越える際にトラックアクセスチャージ（線路使用料）を支払わ

なければならなくなった。国営の鉄道会社は夜間路線を復活させるために政府から多額の補助金を受けているが，民間事業者による新しいサービスは夏の間だけであることが多い。結果として，パンデミックが起きたときにはまだ走っていた，テッロ社のパリーベニス間の夜行列車やリスボンとマドリッドの間を走るトレンオテル・ルシタニアを含む非常にロマンチックな夜行列車の旅は，中止されたままになるだろう。

欧州議会の交通委員会の委員長を務めるフランスのMEP（欧州議会議員）カリマ＝デッリ氏は，政府が財布のひもを緩めたことを歓迎した。「夜行列車の再開は，必要なことであり，地球の環境問題の解決策でもあるのです」と彼女は言った。しかし，「バック・オン・トラック・ベルジャム」という運動団体のアレクサンダー＝ゴム氏は，民間事業者が成功し，水準を高め，新しい考え方を活用できるようにするためには，もっと広い範囲のコスト面での再考が必要だと述べた。

「『より多くの（夜行列車が運行を再開する）状態』も（コスト面での再考の）可能性の１つですが，もう１つの可能性は，欧州連合が事業者にとってより簡単に安く線路使用料を計上できるようにすることです」と彼は言った。「夜行列車は何キロメートルもの距離を走行しますが，使用料はキロメートル単位で計算されるのです」

独立業者の代表であるアライアンス・レール・ニュー・エントランツの事務局長ニック＝ブルックス氏は，政府が国の救済措置を受けている航空会社に対して，列車にも可能な短距離便や深夜便の運航をすべて禁止するべきだと主張した。「このパンデミックを鉄道にとってよい方向に利用しなくては」と彼は言った。

1　最近，夜行列車の路線が増えてきており，スウェーデンとドイツとフランスとベルギーでさらに多くの路線が計画されている。

2　欧州連合の５か国を結ぶ新しい夜行列車は，６月30日に開業したときからずっと，毎日運行し続けてきた。

3　マーク＝スミス氏によると，人々が飛行機を使いたくない主な理由は，新型コロナウイルスに対してどのように対処しているのか不安だからだ。

4　寝台車は，通常の高速列車に比べると，１日当たりたった３分の１から２分の１の乗客しか運べない。

5　何キロメートルもの距離を走るので，国境を越える夜行列車は利益になる。

＊　＊　＊

1．妥当である。

2．「６月30日にプラハを出発したが～需要が高まったため，毎日運行するように変更された」とあるので，６月30日の時点では毎日の運行ではなかったことがわかる。

3．マーク＝スミス氏は「空港での体験にうんざりしていることと，二酸化炭素排出量を削減したいと思っていること」を理由として挙げている。

4．通常の高速列車は「１両当たり70名乗車可能」とあるのに対して，寝台車は「１両当たり20～30台のベッドが設置可能」とあるが，それぞれの１日当たりの運行本数などがわからないので，１日当たりの乗客数を単純比較することはできない。

5．「国境を越える際に線路使用料を支払わなければならない」とあり，この使用料は走行距離によって決まるので，長距離を走ると利益にはならないと考えられる。

正答　1

Select the statement which best corresponds to the content of the following passage.

It is just over three years since United Nations Member States adopted the Sendai Framework for Disaster Risk Reduction 2015-2030, the global plan to reduce disaster losses, which is pivotal to the success of the 2030 Agenda for Sustainable Development. It focuses primarily on prevention, aiming to recognize and nullify disaster risks before they trigger events that lead to the loss of life, homes and livelihoods, as well as damage to health facilities, schools, public utilities, and other important communal assets.

Reducing disaster risk is a cross-cutting issue for all the Sustainable Development Goals (SDGs), especially SDG 1, on the eradication of poverty in all its forms everywhere. Disasters are a major contributor to entrenched poverty in low- and middle-income countries attempting to recover from extreme weather events amplified by the effects of climate change. Disasters can set back development gains made over decades of hard work.

The World Bank estimates that disasters cost the global economy $520 billion annually, while pushing 26 million people into poverty.

Since the Sendai Framework was adopted, some 60 million people in over 100 countries have been displaced by disaster events, mainly floods, storms, and droughts. These adverse events often take place in environments exposed to natural and man-made hazards, poverty, lack of protective ecosystems, and weak institutional capacity to prepare for and respond to them. Population growth, economic development, and rapid and often risk-blind urbanization place more people in harm's way than ever before in earthquake zones, flood plains, coastlines, dry lands, and other high-risk areas, increasing the possibility that a natural hazard turns into a humanitarian catastrophe. More people are affected by extreme weather events than any other type of natural hazards, be they floods, storms, or drought, which are responsible for 95 per cent of disaster-affected populations.

While early warning systems and timely evacuations have led to reduced loss of life, economic losses continue to grow, impeding a number of nations' graduation from least developed country (LDC) status to middle income status.

Many of those countries that suffer the most from economic losses are Small Island Developing States. Vanuatu, which was devastated by Cyclone Pam in 2015 as the Sendai Framework was being adopted, will not graduate from LDC status until 2020 due to the storm's lasting impact on its economy. It is therefore imperative that disaster risk reduction be formalized and embedded in the DNA of a country's governance if it is to make a long-term contribution towards sustainable development.

This requires clear vision, plans, competence, guidance, and coordination within and across sectors. It also demands inclusion and participation of key segments of society, which, if excluded, can become vulnerable, but whose insights and experience of coping with disaster events can strengthen disaster risk management. These groups include women and girls, children, older persons, those living with disabilities, and indigenous peoples.

(注) 設問の文章は，2018年7月時点のものである。

1 Disaster risk prevention is specified as one of the SDGs because it is statistically shown that low- and middle-income countries are the most affected by natural hazards.

2 Population growth and economic development have weakened the impact of natural hazards, causing 60 million people in over 100 countries to be displaced by floods.

3 United Nations Member States could choose to follow the Sendai Framework, formulated in the aftermath of the Great East Japan Earthquake, instead of the 2030 Agenda for Sustainable Development.

4 Vanuatu is frequently affected by rising sea waters, and although it has struggled with severe economic blows, it graduated from LDC status in 2015.

5 Considering long-term sustainable development, governments should take measures against disaster risks as a matter of national governance.

解説

〈全訳〉 次の英文の内容に最も合致する記述を選びなさい。

国連の加盟国が，国際的な災害リスク削減計画であり，「持続可能な開発のための2030アジェンダ」の成功のために欠かせないものでもある「仙台防災枠組2015-2030」を採択してから，ちょうど3年が過ぎた。それは主に予防に焦点を当てており，災害リスクを認識し，それが人命，家屋，生計を立てる手段の損失や，医療施設，学校，公共施設，その他の重要な共同資産の損害につながる事象を引き起こす前に（リスクを）無効にすることを目的としている。

災害リスクの削減は，すべての持続可能な開発目標（SDGs），特にすべての場所であらゆる形態の貧困をなくすことを目標としたSDG 1にとっての分野横断的な問題である。災害は，気候変動によって増大した異常気象（の損害）から立ち直ろうとしている低中所得国において，貧困が固定化する主要な原因となっている。災害は，何十年もの努力によって得られた開発の利益を元の木阿弥（もくあみ）にしてしまいかねない。

世界銀行は，災害が世界経済にもたらす損害は年間5,200億ドルであり，このために2,600万人の人々が貧困を余儀なくされていると推定している。

仙台枠組が採択されて以来，100か国以上の約6,000万人の人々が，主に洪水や，嵐や，干ばつといった災害によって住む場所を失ってきた。これらの有害事象は自然災害および人災，貧困，生態系保全の欠如，そして，災害に備え，対応する組織能力の乏しさにさらされている環境の下で起きることが多い。人口の増加，経済の発展，そして急速でリスクに目を向けない都市化によって，より多くの人々が，以前よりも危険な，地震帯や氾濫原や海岸沿いや乾燥した土地やその他リスクの高い場所に身を置いており，自然災害が人道的に見て破滅的な状態へと転じる可能性が高まってきている。異常気象の影響を受ける人の数は，それが洪水であれ，嵐であれ，干ばつであれ，他のどの自然災害よりも多く，災害の影響を受けた人の95％を占めている。

早期警戒体制や適切なタイミングでの避難のおかげで命を落とすことは減りつつあるが，経済的な損失は増え続けており，多くの国々が後発開発途上国（LDC）から脱して中所得国となることを妨げている。

このように経済的損失を最も被っている国々の多くは小さな島国の発展途上国である。バヌアツは仙台枠組が採択されつつあった2015年にパムというサイクロンによって被災したが，嵐による経済的な影響が続いていたために，2020年までLDCを脱することができないだろう。それゆえに，持続可能な開発に向けて長期的に貢献するためには，災害リスク軽減にきちんとした形を与え，国の統治のDNAに組み込むことが不可欠である。

このことには，明確な見通しと計画と能力と指導と部門内外の調整が必要となる。また，社会の中の（問題解決の）かぎとなる層を取り込み，参加させる必要もある。この層は排除された場合に弱者となる可能性があるが，彼らの洞察力や災害に対処した経験によって，災害のリスク管理を強化することができる。これらのグループには女性や少女，子ども，お年寄り，障がい者，土着の人々が含まれる。

1　中低所得国が最も自然災害の影響を受けていることが統計的に示されていることから，災害リスクの削減はSDGsの１つとして明記されている。

2　人口の増加と経済の発展が自然災害の影響を弱めてきたことは，100か国以上の6,000万人の人々が洪水で住む場所を失う原因となっている。

3　国連加盟国は，「持続可能な開発のための2030アジェンダ」の代わりに，東日本大震災の直後に策定された仙台枠組に従うことを選べた。

4　バヌアツは頻繁に海面の上昇の影響を受けており，経済への深刻な打撃に悩まされてきたが，2015年にLDCの立場から脱した。

5　長期的な持続可能な開発を考慮に入れると，各国政府は国家統治の問題として，災害のリスクへの対策を講じるべきだ。

＊　＊　＊

1．災害リスクの削減は，「SDGsの１つ」ではなく「すべての持続可能な開発目標（SDGs）～にとっての分野横断的な問題」だとある。また，その理由としては，災害が「低中所得国において，貧困が固定化する主要な原因となっている」ことが挙げられている。

2．人口の増加と経済の発展は，人々がよりリスクの高い場所に住むことを余儀なくされる要因として挙げられており，それが「自然災害の影響を弱めてきた」という記述はない。

3．仙台枠組は「持続可能な開発のための2030アジェンダ」の成功のために欠かせないものだという記述より，両者は密接に結びついていて，どちらかをどちらかの代わりに選ぶようなものではないことがわかる。

4．バヌアツは，海面の上昇ではなくサイクロンによる被災の影響を受けているとある。また，経済がその影響を受け続けているせいで「2020年までLDCを脱することができないだろう」とあるので，2015年の時点ではLDCの立場から脱していなかったことがわかる。

5．妥当である。

正答　5

Select the statement which best corresponds to the content of the following passage.

The first post-lockdown crops of the land army have been harvested. The food—chard, spinach, lettuce, and radish—is being parcelled out to the local shops, market stalls and those in need. Now the volunteer labour force has its sights on a new goal: a land-use revolution that will make UK farming more nature friendly, plant-based and resilient to future shocks.

At Machynlleth, a bucolic town on the southern fringe of Snowdonia, the recently formed Planna Fwyd! (Plant Food!) movement is encouraging sheep farmers to diversify into vegetable production as their ancestors did. Teams of volunteers have sown crops of potatoes and, once or twice a week, they now fan across the slopes to tend gooseberry bushes, peas, and squash. Others distribute seed packets to local families and run online classes on how to grow plants at home.

"If the whole coronavirus experience has taught us anything, it is that we should be more self-sufficient. It was terrifying seeing the empty shop shelves," said Chris Higgins, a retired academic who gets as much back as he gives from the voluntary work. "It's very enriching. Growing and cooking food and working together is a great way of engaging with the local community and nature at the same time."

In the not-too-distant past, eco-farming in rural communes was considered a fringe activity, but many of its core concepts—local distribution, diversity and eco-system management—have become mainstream concerns in the wake of a pandemic that made the public appreciate the vitality of nature and the fragility of global supply chains.

For many, the greatest upside of the crisis has been the respite for other species—deer on the beach in Hartlepool, mountain goats wandering the streets of Llandudno, more dolphins and porpoises in the harbour at Fishguard. In a nationwide YouGov-Cambridge Centre and Jesus College Intellectual Forum at Cambridge University survey, conducted in partnership with us at the peak of the lockdown, 75% of respondents felt the lockdown has been good for the environmental health of the planet. There were also strong expectations that the benefits to nature and the climate would continue after the crisis. The poll showed 47% believe the lasting impact of lockdown will be positive for the environment, 29% foresaw no change, and only 10% believed it would make things worse.

As the lockdown eases, Boris Johnson says the "nation is coming out of hibernation," but unless more space is found for nature in the government's recovery plans, wildlife will once again retreat, the soil degrade and the climate destabilise.

History shows the folly of trying to return to business as usual after a pandemic. In the 14th century, the Black Death disrupted trade, left crops unharvested and prompted devastating famines. The aristocracy attempted to regain lost revenue and authority with higher taxes and more restrictions. This created the conditions for Wat Tyler's Peasants

Revolt and the Welsh war of independence led by Owain Glyndwr.

Today's rebels want greater food security, lower carbon emissions and healthier commons that can provide clean water, fresh air, and a stable climate for everyone. This is not just the Landworkers Alliance and Extinction Rebellion Farmers, but academics and former ministers who say it makes good business sense.

Machynlleth—the first seat of government for Glyndwr in the 15th century—is today among the most progressive rural communities in the UK. The landscape is recognised by UNESCO as a globally important biosphere, it is the site of the Centre of Alternative Technology, and its council was the first in Wales to declare a climate emergency.

The small population of 2,200 people is also home to a disproportionate number of influential thinkers, including Jane Powell, the coordinator of the Wales Food Manifesto. The writer and activist said Covid-19 had instigated a clamour for food democracy. "It has mobilised people. There is a huge uprising of people volunteering to distribute or grow food. They've seen the fragility of global supply chains. I think it has given people a sense of 'gosh, it's up to us.' We'd like to be better prepared next time. We need more control and knowledge."

1 Sheep farmers in Machynlleth started growing vegetables after their ancestors formed Planna Fwyd!.

2 The coronavirus experience has made many people aware of the need to distribute food locally, as global supplies were shown to break down easily during the crisis.

3 Three-quarters of respondents in a survey believe that the lockdown has been good for the environment, and more than half agreed that the lockdown will continue to have long-term effects.

4 The aristocracy of the 14th century showed that the best way to recover from a pandemic was to quickly return to a normal lifestyle in order to harvest crops and help avoid famines.

5 The rebels of the modern day want greater food security, clean water, fresh air, and a stable climate; demands which led the peasants to start the Welsh war after the Black Death.

〈全訳〉 次の英文の内容に最も合致する記述を選びなさい。

農地で戦う人々の，ロックダウン後の最初の作物が収穫された。チャード，ホウレンソウ，レタス，ラディッシュといった食べ物は，地元の店や市場の露店や食べ物が必要な人たちに分配されつつある。ボランティアの労働者たちは，今，新しい目標に目を向けている。イギリスの農業を，より自然に優しく，植物をベースにした，フューチャー・ショック（社会や技術の変化が速すぎて衝撃的な感覚を覚えること）への回復力に富んだものにするための土地利用革命だ。

スノードニアの南端にある牧歌的な町マカンスレスでは，最近始まったPlanna Fwyd!（Plant Food!のウェールズ語訳）運動によって，先祖がしたように野菜の生産にも手を広げる牧羊業者が増えつつある。ボランティアチームはジャガイモの種まきを終え，今は週に1回か2回，山の斜面の地域に拡散して，グーズベリーの茂みやエンドウやカボチャの世話をしている。地元の家庭に種の包みを配布し，家庭での植物の育て方についてのオンライン講座を開催している者もいる。

「コロナウイルスの経験から何かを学んだとすれば，それは私たちがもっと自給自足すべきだということです。空っぽになったお店の棚を見ることは恐怖でした」と，引退した学者であるクリス＝ヒギンズ氏は語った。彼はボランティアの仕事から，自分が与えたものと同じぐらい多くのものを返してもらったという。「それはとても豊かなものです。食べ物を育てて料理することや一緒に労働することは，地域社会と自然の両方にかかわるすばらしい方法です」

それほど昔でもない頃，農村社会で行われていたエコ・ファーミング（自然農法）は非主流的な活動だと考えられていた。しかし，その核心にある考え方――局所分布，多様性，そして生態系の管理――は，人々に自然の生命力や国際的な供給網の脆弱さを認識させることとなったパンデミックの結果として，関心事の主流になってきている。

多くの人たちは，ハートルプールの海岸にいる鹿やランドゥドゥノの通りを歩き回るヤギやフィッシュガードの港にいるイルカやネズミイルカのような人間以外の種にとってはこの危機が安息時間となったのは不幸中の幸いだったと思っている。YouGov社（イギリスの世論調査会社）のケンブリッジセンターとケンブリッジ大学ジーザスカレッジの有識者会議がロックダウンのピーク時に，私たちと共同で行った全国規模の調査では，75%の回答者がロックダウンは地球の環境衛生によい影響を与えていると感じていた。また，自然や気候への恩恵が危機後も継続することへの期待も大きかった。世論調査では，ロックダウンの影響が環境にプラスに働くと考えている人が47%，変化がないと考えている人が29%，状況が悪化すると考えている人はわずか10%だった。

ボリス＝ジョンソン首相は，ロックダウンが解除されるにつれて「国家は冬眠から覚めつつある」と語っている。しかし，政府の復興計画の中で，自然について考える余地を増やさなければ，野生生物は再び姿を隠し，土壌は劣化し，気候は不安定になるだろう。

パンデミック後に通常の業務に戻ろうとすることの愚かさは，歴史が証明している。14世紀には，黒死病によって貿易が妨げられ，農作物が収穫できず，壊滅的な飢饉が発生した。貴族階級は，失った収入と権威を取り戻すために，増税と制限の強化を試みた。このことが，ワット＝タイラー率いる農民の乱や，オウェイン＝グリンドゥル率いるウェールズの独立戦争勃発のきっかけとなった。

今日の反逆者たちは，食料安全保障の向上，二酸化炭素排出量の削減，そして，きれいな水や新鮮な空気や安定した気候をみんなに提供できる，より健康的な共有地を求めている。これはランドワーカーズ・アライアンスやエクスティンクション・レベリオン・ファーマーズといった団体に限らず，それがビジネスとして成り立つと言っている学者や元大臣も同様である。

15世紀にグリンドゥルの最初の政庁があったマカンスレスは，今日ではイギリスで最も進歩的な農村地帯の1つである。その景観はユネスコによって世界的に重要な生物圏（保護地域）として認められており，そこには「代替技術センター（環境保護活動に関する総合施設）」があり，その議会ではウェールズで最初に気候変動緊急事態を宣言した。

また，人口2,200人の小さな町には，「ウェールズ・フード・マニフェスト」の取りまとめ役であるジェーン＝パウエル氏をはじめ，影響力のある思想家が不つりあいなほど多く住んでいる。その作家兼活動家は，新型コロナウイルスがきっかけで，フード・デモクラシーを求める声が上がったと語った。「そのおかげで，人々は結集しました。多くの人々が立ち上がって，食料の配給や栽培を志願しています。彼らは，国際的な供給網の脆弱さを目の当たりにしてきました。私は，それは人々に『なんてことだ，すべては私たち次第じゃないか』という感覚を与えたと思います。次の機会には，もっとよく準備をしたいと思います。私たちには，もっと管理能力と知識が必要なのです」

1　マカンスレスの牧羊業者たちは，彼らの先祖が「Planna Fwyd!」を立ち上げた後に野菜を育て始めた。

2　コロナウイルスの経験は，多くの人々に，国際的な供給網はその危機の間に容易に壊れてしまうので，食料は地元で流通させる必要があるということを気づかせた。

3　ある調査の回答者の4分の3がロックダウンは環境によいと考えており，半数以上がロックダウンは長期的な影響を及ぼし続けるだろうという意見に賛成だった。

4　14世紀の貴族階級は，パンデミックから回復する最善の方法は，穀物を収穫し，飢饉を防ぐ助けとなるように，すぐに普段どおりの生活様式に戻ることだということを示した。

5　今日の反逆者たちは，食料安全保障の向上やきれいな水や新鮮な空気や安定した気候を求めているが，それは農民たちが黒死病の後にウェールズ戦争を引き起こしたきっかけとなった要求でもあった。

＊　＊　＊

1．マカンスレスの牧羊業者たちが野菜を育て始めたという部分は正しいが，そのきっかけとなった「Planna Fwyd!」は最近始まった運動である。

2．妥当である。

3．ある調査の回答者の4分の3がロックダウンは環境によいと考えているという部分は正しいが，「ロックダウンは長期的な影響を及ぼし続けるだろうという意見に賛成」だという回答者の数については記述がない。

4．貴族階級は，黒死病のパンデミック後，失った収入と権威を取り戻すために，増税と制限の強化を試みた結果，それが農民たちの反乱につながったという記述があるので，「パンデミックから回復する最善の方法は普段どおりの生活様式に戻ることだということを示した」とは言えない。

5．今日の反逆者たちは，食料安全保障の向上やきれいな水や新鮮な空気や安定した気候を求めているという部分は正しいが，農民たちが黒死病の後にウェールズ戦争を引き起こしたきっかけとなったのは，貴族たちが増税や制限の強化をしたことである。

正答　2

No. 74 英語（基礎） 空欄補充 令和3年度

Select the appropriate combinations of words to fill in the blanks in the following passage.

If it (A) in its mission, Lucy will be the first spacecraft to (B) the Trojan asteroids. These ancient space rocks share the same orbit as Jupiter and are thought to be composed of the same (C) that made the gas giants of the outer solar system. During its 12-year (D), Lucy will fly by seven Trojan asteroids, collecting data to help (E) the formation history of the entire solar system.

	A	B	C	D	E
1	departs	visit	components	trip	divulge
2	enters	travel	substances	voyage	understand
3	goes	reach	things	expedition	know
4	succeeds	explore	materials	mission	reveal
5	travels	enter	resources	undertaking	recognize

解説

〈全訳〉 次の文の空欄に入る適切な語句の組合せを選びなさい。

もしその任務に$_A$成功すれば，ルーシーはトロヤ群小惑星を$_B$調査する最初の宇宙探査機となるだろう。この古い隕石群は木星と同じ（公転）軌道を共有しており，この太陽系外縁部の巨大なガス惑星（木星のこと）を構成しているのと同じ$_C$物質でできていると考えられている。12年に及ぶ$_D$任務の間に，ルーシーは7つのトロヤ群（の小惑星）のそばを飛行し，太陽系全体が作られた歴史を$_E$明らかにするのに役立つデータを収集することになる。

1	A：出発する	B：訪れる	C：成分	D：旅	E：明らかにする
2	A：入る	B：旅する	C：物質	D：旅	E：理解する
3	A：行く	B：到着する	C：物	D：調査旅行	E：知る
4	A：成功する	B：調査する	C：物質	D：任務	E：明らかにする
5	A：旅する	B：入る	C：資源	D：仕事	E：認識する

＊　＊　＊

B～Eについては，それぞれの空欄に**1**～**5**のどの候補を入れても意味が通るので，Aに当てはまる語が**1**～**5**のどれなのかによって正答が決まることになる。

Aは直後にinが続いている。**1**のdepartsは後ろにforを，**3**のgoesはtoを伴わないと意味が通らない。また，「～に入る」の意味のenterは他動詞なので，**2**のentersの後ろには何もつかない。**5**のtravelsはinとともに使うことができるが，inの後にits mission「その任務」が続いているので「その任務に旅する」となり意味が通らない。これに対して，**4**のsucceedsはsucceed in ～で「～に成功する」なので意味が通る。

したがって，**4**が正答となる。

正答 4

国家一般職［大卒］ 専門試験 No. 75 英語(基礎)

文 法

令和3年度

Select the sentence which is grammatically correct.

1 Angelina helped to him to understand what was wrong with the essay.
2 I need to finish writing the letter before the post office closed.
3 She was shocked to hear that the old man had died for a heart attack.
4 The driving school was dedicated to making sure they were safety drivers.
5 The instructions were so confusing I had to read them again and again.

解説

文法的に正しい文を選ぶ問題である。

1.「(人) が〜するのを助ける」は〈help＋人＋to 不定詞〉で表すので，help の直後の to が不要である。この to を取れば，「アンジェリーナは彼がその作文の何がいけなかったのかを理解するのを助けた」という正しい文となる。※特にアメリカ英語においては＜help＋人＞の後に原形不定詞が置かれることも多いので，to understand の前の to も取って，Angelina helped him understand 〜としても，同様に正しい文となる。

2.「〜が閉まる前に」は before 〜 close(s)と現在時制で表す。「郵便局」を表す the post office は 3 人称・単数なので，closed を closes にするか，is closed と受け身の現在時制にすれば，「私は郵便局が閉まる（閉められる）前に手紙を書き終える必要がある」という正しい文となる。

3.「病気で死ぬ」という場合は die from 〜もしくは die of 〜と表す。よって，a heart attack の直前の for を from もしくは of に変えれば，「彼女はその老人が心臓発作で死んだと聞いて衝撃を受けた」という正しい文となる。

4.「安全運転をする人（安全な運転者)」は safe driver と表す（safety driver は「車の安全性を確認するために試運転をする人」の意味になる)。よって，文末の safety drivers を safe drivers とすれば，「その運転教習所は彼らが安全な運転者であることを確認することに力を注いだ」という正しい文となる。

5. 妥当である。これは「とても〜なので…」を表す so 〜 that …の文であるが，この that は省略可能なので，「その説明書はとてもわかりにくかったので，私は何度もそれを読まなければならなかった」という正しい文であるといえる。

正答 5

経済事情 経営学 国際関係 社会学 心理学 教育学 英語(基礎) 英語(一般)

Select the statement which best corresponds to the content of the following passage.

In October of 2017, Rob Weryk discovered an interstellar object in his hotel room at the Marriott in Provo, Utah. Weryk, an astronomer and postdoctoral fellow at the University of Hawaii, was in town for the forty-ninth meeting of the American Astronomical Society's Division for Planetary Sciences. One morning, before heading off for a day of presentations, he opened his laptop to go through data he had downloaded from a telescope called Pan-STARRS, which is situated at the Haleakala Observatory, on Maui. The panoramic telescope stares fixedly at vast fields of the night sky, searching for changes over time. Special software flags anything that moves for review.

Weryk noticed that, on October 19th, something new had been detected. Visually, it was uninterpretable—a dot, or maybe noise in the image. Still, once the movement had been spotted, it was possible to go back in time, locating it in the pre-discovery, or "precovery," data. Weryk used these previous observations to reconstruct the object's flight path. It behaved oddly: unlike everything else in the solar system, from dust motes to Jupiter, it didn't seem gravitationally tethered to the sun. As he investigated, an astonishing picture emerged. Long-period comets, which are just barely bound to our solar system, might move at one or two kilometres per second. This object was travelling at twenty-six.

He asked a colleague in Europe to take a look. He also contacted astronomers at the Canada-France-Hawaii Telescope, on the Big Island of Hawaii, who added the object's coordinates to the list of targets the telescope should view the following night. He wrote to the individual directors of other telescopes, explaining why the object merited observation time. A team and a consensus grew, with scholars around the world using their telescopes to study what was now almost certainly the first interstellar object to be observed entering our solar system. They named it 'Oumuamua—a Hawaiian word meaning "scout."

Two years later, at the Jet Propulsion Laboratory, in Pasadena, California, an astronautical engineer named Randii Wessen stood before a wall-sized whiteboard in a room called Left Field. Facing him were eighteen researchers—planetary scientists, astrophysicists, engineers—most in their mid-twenties, all graduate students or postdocs. Bald, bearded, and trim at sixty-one, Wessen worked on the Voyager and Cassini space probes. He is now the lead study architect of J.P.L.'s so-called A-Team—a group in charge of early space-mission concept planning at the lab's Innovation Foundry. (The team is named both for the discipline of mission architecture and for the nineteen-eighties TV show about a crack team of do-gooding mercenaries). No two of the hundreds of thousands of identified objects in the solar system are exactly alike; each must be explored according to its own characteristics. Successful missions, therefore, emerge from the spot where the proved and the fantastic intersect. The best way to explore Io, Jupiter's volcanic moon, could be an orbiter, but it could also be a lava boat. Often, these so-crazy-they-might-work solutions begin on Wessen's whiteboards.

The young researchers were there as part of the agency's annual Planetary Science Summer Seminar—a program designed to teach scientists in disparate fields how to work together to plan missions to other worlds. Before arriving in Pasadena, they had attended eleven weekly teleconferences taught by experts on every aspect of mission development. On Slack and over the phone, they had debated different targets of hypothetical exploration. They had settled, finally, on the idea of intercepting and inspecting an ʻOumuamua-like interstellar object—a mission unlike any NASA had attempted. In Pasadena, during the seminar's final meetings, they hoped to design a spacecraft capable of determining where such an object came from and whether it contained the basic components of life. They then presented their mission plan and spacecraft design to a review panel of space-exploration veterans charged with tearing it apart.

1 In October 2017, Mr Weryk found an object which had fallen from space in his hotel room at the Marriott in Provo, Utah.

2 Mr Weryk was surprised because he discovered that the object he saw was moving much slower than the usual long-period comets.

3 Two years after Mr Weryk observed the ʻOumuamua, Randii Wessen was planning an actual space mission together with young researchers mostly in their mid-twenties.

4 Usually, more than two of the hundreds of thousands of identified objects in the solar system are exactly alike.

5 In the final meetings of the summer seminar, the participants presented their hypothetical space mission plan to a review panel which was waiting to give harsh criticism.

〈全訳〉 次の文の内容に最も合致する記述を選びなさい。

2017年の10月，ロブ＝ウェリックは，ユタ州プロボにあるマリオットホテルの彼の部屋で，ある星間物体を発見した。宇宙飛行士でありハワイ大学の博士研究員であるウェリックは，アメリカ天文学会惑星科学部会の49回目の会合に出席するため町に滞在していた。ある朝，彼はプレゼンテーションの日に出発する前，（ハワイ州）マウイ島のハレアカラ観測所にあるパンスターズと呼ばれる望遠鏡からダウンロードしたデータに目を通すために，自分のノートパソコンを開いた。この全天監視望遠鏡は，夜空の広大な空間をじっと眺め，時間の経過による変化を探索している。何か動くものがあれば，専用ソフトウェアが目印をつけて検討に回されることになっている。

ウェリックは10月19日に，何か新しいものが検知されたことに気づいた。視覚的には，それは解釈不能のものだった。１つの点に見えるが，（宇宙線による）画像のノイズかもしれなかった。それでも，何か動きが見つかったなら，時間をさかのぼって，発見以前の「プリカバリー」と呼ばれているデータの中にそれを探し当てることが可能だった。ウェリックはこうした以前の観測結果を用いて，その物体の飛行経路を再構成した。その動きは奇妙なものだった。太陽系内にある，微小なちりから木星に至る他のあらゆるものとは異なり，太陽の引力には縛られていないように思われた。調べていくと，驚くべき絵が浮かび上がった。長周期すい星は，引力が及ぶぎりぎりの距離でわれわれの太陽系に縛られているため，毎秒１ないし２キロメートルの（遅い）速度で進むこともある。だが，この物体は毎秒26キロメートルの速度で進んでいたのだ。

彼はヨーロッパにいる同僚に，観察するよう頼んだ。彼はまた，ハワイ島にあるカナダ・フランス・ハワイ望遠鏡の天文台にいる宇宙飛行士たちにも連絡を取り，彼らは望遠鏡が次の日の夜に観察すべき対象のリストにその物体の座標を加えた。ウェリックは他の望遠鏡のある天文台のそれぞれの所長に手紙を書き，その物体に観察時間を割く価値がある理由を説明した。１つのチームと合意が形成され，世界各地の学者が自身の望遠鏡を使って，当時世界初観測となるのがほぼ確実だった，星間物体がわれわれの太陽系に突入する様子を研究した。彼らはその物体を，ハワイ語で「遠方からの最初の使者（斥候）」を意味する「オウムアムア」と名づけた。

２年後，カリフォルニア州パサディナにあるジェット推進研究所で，ランディー＝ウェッセンという名の宇宙工学者が，レフトフィールドと呼ばれる部屋にある壁面サイズのホワイトボードの前に立っていた。彼と向かい合っていたのは惑星科学者，天体物理学者，エンジニアなど18名の研究者たちで，その大半が20代半ば，そして全員が大学院生またはポスドク（博士研究員）だった。スキンヘッドにあごひげを生やした細身のウェッセンは61歳で，かつて宇宙探査機のボイジャーやカッシーニの仕事に携わった。現在は，ジェット推進研究所でＡチームと呼ばれている，研究所のイノベーション半導体工場内にある宇宙ミッション構想の早期立案を担当するグループで研究の構築を主導している（チームの名前は，統率のとれたミッション構成を表すと同時に，勧善懲悪的な傭兵集団の精鋭部隊が活躍する1980年代のテレビ番組（訳注：邦題「特攻野郎Ａチーム」）からもきている。太陽系内で確認された数十万の物体のうちどの２つとして，まったく瓜二つというものはないので，それぞれが持つ独自の特徴に応じて探査されなければならない。ゆえにミッションの成功は，きちんと証明されたものと不可思議なものが交差する地点から生まれる。木星の火山活動が盛んな衛星であるイオを探査する最良の方法は人工衛星かもしれないが，ひょっとしたら溶岩ボートもありかもしれない（訳注：キラウエア火山のあるハワイ島では，溶岩が海に流れ込む様子を船上から眺めるlava boat tourというツアーが行われている）。しばしばこうした，奇想天外なものがうまくいくような解決法が，ウェッセンのホワイトボードから生まれるのだ。

若い研究者たちは，研究所で毎年行われる惑星科学夏期セミナーの一環として集まっており，そこで行われていたのは，まったく畑違いの科学者たちに対して，どのように協力して異世界へのミッションの計画を立てるかを教える目的で組まれたプログラムだった。彼らはパサディナに来る前，ミッション開発のあらゆる側面における専門家が講師を務める，週ごとのテレビ会議に11回参加していた。（ビジネス用メッセージアプリの）スラックや電話を通じて，彼らは仮想上の探索のさまざまな達成目標について議論を重ねてきた。彼らは最終的に，オウムアムアのような星間物体を捕まえて念入りに調査するという考えに到達していた。これは，NASA（アメリカ航空宇宙局）がそれまで試みた他のどれとも違うミッションだ。パサディナでのセミナーの最終ミーティングの中で，彼らは，そのような物体がどこから来るのか，そしてそこには生命の基本的構成要素が含まれているのかを特定することができるような宇宙船を設計したいという望みを語った。その後彼らは，宇宙探索のベテランたちで構成され厳しい評価を下す役回りを担っている調査委員会に，彼らのミッション計画と宇宙船のデザインを発表した。

1　2017年10月，ウェリック氏はユタ州プロボにあるマリオットホテルの彼の部屋で，宇宙から落下した物体を発見した。

2　ウェリック氏が驚いたのは，彼が見た物体が通常の長周期すい星よりもずっと遅い速度で動いていることを発見したからだった。

3　ウェリック氏がオウムアムアを観測した2年後，ランディー＝ウェッセンは，大半が20代半ばの若い研究者たちとともに実際の宇宙ミッションを計画していた。

4　通常，太陽系内で確認された数十万の物体のうち，まったく瓜二つのものが2つよりも多くある。

5　夏期セミナーの最終ミーティングで，参加者たちは，厳しい批評をしようと待ち構えている調査委員会に対して自身の仮想上の宇宙ミッション計画を提出した。

＊　＊　＊

1. 誤り。「宇宙から落下した物体の発見」についてはまったく述べられていない。ウェリック氏は，ノートパソコンの画面で未知の星間物体を発見したと述べられている。

2. 誤り。長周期すい星が毎秒1ないし2キロメートルの速度で進むこともあるのに対して，その物体は毎秒26キロメートルの速度で進んでいたと述べられている。

3. 誤り。ウェッセン氏と若い研究者たちが集まっていたのは，彼が所属していた研究所で行われたセミナーの「まったく畑違いの科学者たちに対して，どのように協力して異世界へのミッションの計画を立てるかを教える目的で組まれたプログラム」と述べられており，そこで実際の宇宙ミッションを計画したことは述べられていない。

4. 誤り。太陽系内で確認された数十万の物体のうちどの2つとして，まったく瓜二つというものはないと述べられている。

5. 妥当である。

正答　5

Select the statement which best corresponds to the content of the following passage.

People with consistently high levels of blood sugar could get less benefit from exercise than those whose blood sugar levels are normal, according to a cautionary new study of nutrition, blood sugar and exercise. The study, which involved rodents and people, suggests that eating a diet high in sugar and processed foods, which may set the stage for poor blood sugar control, could dent our long-term health in part by changing how well our bodies respond to a workout.

We already have plenty of evidence, of course, that elevated blood sugar is unhealthy. People with hyperglycaemia, high blood sugar, tend to be overweight and face greater long-term risks for heart disease and Type 2 diabetes, even if, in the early stages, their condition does not meet the criteria for those diseases. They also tend to be out of shape. In epidemiological studies, people with elevated blood sugar often also have low aerobic fitness. This interrelationship between blood sugar and fitness is consequential in part because low aerobic fitness is closely linked to a high risk of premature death.

But most past studies of blood sugar and fitness have been epidemiological, meaning they have identified links between the two conditions but not their sequence or mechanisms. They have not clarified whether hyperglycaemia usually precedes and leads to low fitness, or the other way around, or how either condition manages to influence the other.

So, for the new study, which was published last month in *Nature Metabolism*, researchers at the Joslin Diabetes Centre in Boston and other institutions decided to raise blood sugar levels in mice and see what happened when they exercised. They started with adult mice, switching some from normal diet to a diet high in sugar and saturated fat, similar to what many of us in the developed world eat nowadays. These mice rapidly gained weight and developed habitually high blood sugar.

They injected other mice with a substance that reduces their ability to produce insulin, a hormone that helps to control blood sugar, similar to when people have certain forms of diabetes. Those animals did not get fatter, but their blood sugar levels rose to the same extent as among the mice in the sugary diet group. Other animals remained on their normal diet, as a control group.

After four months, the scientists checked each mouse's fitness by measuring how long it could run on a treadmill before exhaustion. They then put a running wheel in each animal's cage and let them jog at will for the next six weeks, which they did. On average, each mouse ran about 300 miles during that month and a half.

But they did not all gain the same level of fitness. The control group now ran for a much longer period of time on the treadmill before exhaustion; they were much fitter. But the animals with high blood sugar showed little improvement. Their aerobic fitness had barely budged. Interestingly, their exercise resistance was the same, whether their blood sugar problems stemmed from poor diet or lack of insulin, and whether they were overweight or slimmer. If they had high blood sugar, they resisted the benefits of exercise.

To better understand why, the scientists next looked inside muscles. And conditions there were telling. The muscles of the control animals teemed with healthy, new muscle fibres and a network of new blood vessels ferrying extra oxygen and fuel to them. But the muscle tissues of the animals with high blood sugar displayed mostly new deposits of collagen, a rigid substance that seems to have crowded out new blood vessels and prevented the muscles from adapting to the exercise and contributing to better fitness.

Finally, because rodents are not people, the scientists checked blood sugar levels and endurance in a group of 24 young adults. None had diabetes, although some had blood sugar levels that could be considered prediabetic. During treadmill fitness testing, those volunteers with the worst blood sugar control also had the lowest endurance, and when the scientists later microscopically examined their muscle tissues after the exercise, they found high activation of proteins that can inhibit improvements to aerobic fitness.

Taken as a whole, these results in mice and people suggest that "constantly bathing your tissues in sugar is just not a good idea" and could undercut any subsequent benefits from exercise, says Sarah Lessard, an assistant professor at the Joslin Diabetes Centre and Harvard Medical School, who oversaw the new study.

In practical terms, the findings suggest that, for those of us whose blood sugar levels depend on our diets, we might want to "cut back on sugar" and the highly processed, fatty foods that also can raise blood sugar and blunt exercise effects, she says. More fundamentally, the study intimates that "diet and exercise should be considered together" when we start thinking about how to improve our health, Lessard says. They affect each other and they influence how each affects us more than we might expect, she says.

But perhaps most important, the study contains some encouraging data, Lessard points out. The hyperglycaemic mice gained little endurance from their weeks of working out, but they were beginning to show early signs of better blood sugar control, she says. So, it might require time and gritty determination, but exercise eventually could help people with hyperglycaemia to stabilise their blood sugar, she says, and then start feeling their fitness rise.

1 Research shows that if people with hyperglycaemia do not meet the criteria for diseases like heart disease and diabetes in the early stages, they have a smaller risk of contracting them.

2 As part of the experiment, mice were injected with insulin which made it difficult to control blood sugar in the same way as humans with certain forms of diabetes.

3 Mice with high blood sugar had the same exercise resistance as mice with normal blood sugar after jogging freely in a cage for six weeks.

4 Scientists found that high blood sugar in mice can cause an increase in collagen which inhibits the adaptability of muscles to exercise.

5 An encouraging outcome of the study was that when the hyperglycaemic mice exercised continually, their endurance gained rapidly because they had better blood sugar control.

〈全訳〉 次の文の内容に最も合致する記述を選びなさい。

栄養と血液中の糖と運動に関する警告となるような新たな研究によると，常に血糖値が高いレベルにある人は，通常の血糖値の人に比べて運動の恩恵は少ないとのことだ。(ネズミなどの）げっ歯類と人間を対象としたこの研究が示すところでは，糖と加工食品の多い食事をしていると血糖をうまく制御できない状態に至ることがあり，私たちの体が運動に対応する能力が変化することもあって長期的な健康が損なわれる可能性があるという。

もちろん，血糖値の上昇が健康に悪いことを示す証拠は，すでにたくさんある。高血糖の人は体重過多の傾向があり，初期段階では基準値内に収まっていても，心疾患や2型糖尿病にかかる長期的なリスクが高い。高血糖の人はまた，体調が優れない傾向にもある。疫学調査によれば，高血糖の人はしばしば，同時に有酸素運動能力が低い。血糖と体の健康の相互関係が重大である理由は，有酸素運動能力の低さが通常より早い死と密接に関連しているということもある。

だが，血糖と体の健康状態に関する過去の研究の大半は疫学的なものであった。つまり，2つの状態の関連性を突き止めはしたが，それらが起こる順序やメカニズムまでは突き止めなかったのだ。過去の研究は，通常高血糖が先行し有酸素運動能力の低下につながるのか，その逆なのか，あるいは一方の状態がもう一方の状態にどうして影響を与えてしまうのかは明らかにしなかった。

そこで，先月「ネイチャー・メタボリズム」誌に発表された新たな研究では，ボストンのジョスリン糖尿病センターやその他の機関に所属する研究員たちが，マウスの血糖値を上昇させ，それらのマウスが運動するときに何が起こるかを調べることにした。彼らは成長したマウスを用いて研究を始め，何匹かを通常の食事から糖分と飽和脂肪を多く含んだ食事に切り替えた。これは，今日先進国の多くの人が食べている食事に類似したものだ。このようにしたマウスは急速に体重を増し，習慣的に高血糖の状態を示すようになった。

彼らはまた他のマウスに対して，血糖を制御する役割を持つホルモンであるインスリンの分泌能力を減退させる物質を注射した。これは，人がある種の糖尿病を患っているときの症状に類似したものだ。このようにしたマウスは太りはしなかったが，その血糖値は糖分の多い食事を摂取したマウスのいくつかと同程度にまで上昇した。また他のマウスは，対照群（訳注：同一実験で実験要素を加えないグループ）として通常の食事を続けた。

4か月後，科学者たちは，それぞれのマウスが疲労するまでどれほど長時間トレッドミル（ランニングマシン）上を走れるかを測定することで，その健康状態を調べた。それから彼らはそれぞれのマウスのケージに回し車を置いて，続く6週間の間気が向いたときに走らせるようにし，実際マウスはそうした。平均すると，その1か月半の間にそれぞれのマウスは約300マイル走った。

だが，それらのマウスがすべて同じレベルの健康状態を得たわけではなかった。対照群は，疲労するまでトレッドミル上を走る時間が以前よりずっと長くなった。健康状態がずっとよくなったのだ。だが，高血糖のマウスはほとんど改善が見られなかった。それらの有酸素運動能力はほとんど変わっていなかったのだ。興味深いことに，マウスの血糖の問題がよくない食事に由来するものであれインスリン不足に由来するものであれ，またマウスが体重過多であってもよりスリムであっても，その運動抵抗性（運動の効果を打ち消す作用）は同じだった。マウスが高血糖であれば，運動の恩恵は抵抗を受けることになったのだ。

理由をきちんと理解するため，科学者たちは次に筋肉の内部を調べた。すると，その状態が理由を物語っていた。対照群のマウスの筋肉は，健全で新しい筋繊維と，そこへ有り余る酸素と燃料を運ぶ新しい血管のネットワークが張り巡らされていた。しかし，高血糖のマウスの筋組織は，たいていは固形物質であるコラーゲンの新たな沈着を示しており，これが新しい血管を締め出すことで，筋肉が運動に順応して健康状態の改善につながることを妨げていたように思われるのだ。

そして最後に，げっ歯類は人ではないため，科学者たちは24人の青年の集団を対象にして血糖値と持久力を調べた。糖尿病の人はいなかったが，何人かは糖尿病予備軍と考えられる血糖値を示していた。トレッドミルでの健康状態診断では，血糖の制御に最も問題のある志願者たちが持久力においても最も劣り，後に科学者たちが彼らの運動後の筋組織を顕微鏡で調べたところ，有酸素運動能力の改善を抑制する可能性のあるタンパク質が活性化していることがわかった。

総じていえば，マウスと人におけるこれらの結果が示すことは「組織を糖にずっと浸しておくことは，よい考えではまったくない」ということで，その後に得られるどんな運動の恩恵をも減殺する可能性があります，とハーバード大学医学部付属ジョスリン糖尿病センター准教授で，この新しい研究の監督役を務めたサラ＝レッサード氏は語る。

現実問題として，この知見が示していることは，私たちの食事によって血糖値が左右される人たちについては，私たちは「砂糖の量を減らし」，またほかにも血糖値を上げ運動の効果を弱める可能性のある，加工度の高い食品や脂肪の多い食品を減らすのがよいだろうということです，と彼女は語る。より根本的には，研究が暗に示していることは，健康を改善する方法について考えようと思ったら「食事と運動を併せて考えるべきだ」ということです，とレッサード氏は語る。彼女によると，この2つは相互に作用し，それぞれが私たちの体に想定以上の効果をどれだけもたらすかに影響を与える，とのことだ。

でも，おそらく最も重要なことかもしれませんが，研究には前向きなデータも含まれています，とレッサード氏は指摘する。高血糖のマウスは数週間にわたる運動からほとんど持久力を身につけなかったものの，血糖が以前より制御されているという初期兆候を示し始めたのです，と彼女は語る。つまり，時間とくじけない決意は必要かもしれないが，運動は最終的には，高血糖の人が自分の血糖を安定させ，その結果自分の健康状態の改善を実感し始める一助となる可能性がある，とのことだ。

1　研究の示すところでは，高血糖の人が初期段階で心疾患や糖尿病のような病気の基準を満たさなければ，それらにかかるリスクは比較的小さい。

2　実験の一環として，ある種の糖尿病を抱えた人の場合と同様に血糖の制御を困難にするインスリンが，マウスに注射された。

3　ケージの中で6週間自由にジョギングした後，高血糖のマウスは血糖が通常のマウスと同様の運動抵抗性を示した。

4　科学者たちがわかったことは，マウスにおける高血糖が，筋肉の運動への順応性を抑制するコラーゲンの増加の原因である可能性があるということだ。

5　研究の前向きな成果は，高血糖のマウスが継続的に運動すれば，血糖の制御が改善するため急速に持久力が向上するということだった。

＊　＊　＊

1．誤り。高血糖の人は，初期段階では基準値内に収まっていても，心疾患や２型糖尿病にかかる長期的なリスクが高いと述べられている。

2．誤り。マウスに注射されたのはインスリンではなく，「インスリンの分泌能力を減退させる物質」と述べられている。同様に，糖尿病の人の症状については，インスリンが血糖の制御を困難にしているのではなく，血糖を制御する役割を持つインスリンの分泌が抑制されている状態にあると述べられている。

3．誤り。高血糖のマウスの有酸素運動能力はほとんど変わらなかった，つまり高い運動抵抗性を示したのに対して，対照群のマウスは有酸素運動能力が大幅に向上したと述べられているので，不適。

4．妥当である。

5．誤り。本文で述べられているのは，マウスの血糖の制御が改善される初期兆候が見られ始めたということにすぎず，すぐには持久力が向上しなかったという内容である。したがって，高血糖の人が根気強く運動を続ければ，血糖の制御が改善し長期的には健康状態の改善につながる可能性を秘めているという点では前向きな成果であると述べている。

正答　4

国家一般職［大卒］ No. 78 専門試験 英語(一般) **内容把握** 令和3年度

Select the statement which best corresponds to the content of the following passage.

Green parties have made historic gains in national elections in Switzerland, marking a significant shift in power in the consensus-centred system of the Alpine country, where political change often takes place at glacial speed. The rightwing anti-immigrant Swiss People's party (SVP) remained the largest party in parliament despite a slip in its support. But the Swiss Greens received a six-point bump on their 2015 performance, taking 13.2% of the vote in a result that amounted to "a tectonic shift," according to their president, Regula Rytz.

Boosted by a campaign in which concerns about climate change took centre stage, Rytz called for the "urgent convening of a national climate summit." In an interview published by Swiss newspaper Neue Zürcher Zeitung on Monday, she also raised the role of the country's financial sector in the climate emergency. "We have to hold the financial centre more accountable," she said. "Do not invest any longer in coal or fossil energy. Renewable energies are the opportunity for the future."

The Green Liberals—an environmentalist party with a pro-business stance that split from the Greens in 2004—also gained ground, taking 7.8% of the vote compared with less than 5% in 2015. "It's more than a wave, it's a tidal wave on the Swiss scale," the political scientist Pascal Sciarini told reporters.

The focus in the coming weeks will turn to whether the Greens—or a coalition of the two parties—will claim one of the seven seats in the national cabinet, which has been made up of members of the same four main parties for the last 60 years. Under the so-called "magic formula" for power sharing, six cabinet seats are shared equally by the SVP, the Social Democratic party (SP) and the right-leaning liberal FDP, with the centrist Christian Democrats holding the seventh seat.

The presidency rotates each year, and the number of seats held by the parties is usually only adjusted if electoral trends have held up over two elections in a row. The influential broadsheet Neue Zürcher Zeitung said the result had called the magic formula into question, but also warned against upsetting the country's balance of power. "It is a wise tradition that parties have to prove their strength over a certain period," the paper said.

Under Switzerland's unique political system, the election decides the 200 lower house lawmakers and 46 senators elected to four-year terms, but the makeup of the executive Federal Council will not be decided until December. The SVP claimed 25.6% of the vote, down from the 29.4% it garnered in 2015. The rightwing conservative party has in past years built its strength on warning about immigration and condemning the influence of the EU, of which Switzerland is not a member. In its election posters, the SVP pledged to protect Swiss citizens from three angry aggressors: a Middle-Eastern looking man with a beard, a bespectacled man in a jumper bearing the stars of the EU flag, and a girl wearing her hair in the distinctive style of Greta Thunberg's braids.

But the SVP's tried and tested messages failed to cut through, with the party facing a larger-than-expected loss of 3.8 percentage points. The University of Lausanne political scientist Oscar Mazzoleni told reporters the results showed that the SVP struggled to attract young voters while its ageing electoral base was less motivated to vote than in 2015, when Europe's refugee crisis was on "page one." The SVP is also the only major party that has not pledged to pursue bolder climate action, having consistently denounced "climate hysteria" in Swiss politics. The three other parties in the cabinet, the SP, the FDP, and the Christian Democrats, also chalked up significant losses, with the latter party being beaten to fourth spot by the Greens for the first time.

Yet it remains uncertain how Swiss consensus politics will allow for the Greens to claim their place. Removing the Christian Democrats, who have served in cabinet since the formula was implemented in 1959 and represent Switzerland's centrist bloc, would mark a break with national tradition. The leftwing Greens would rather take a Federal Council seat from the right-leaning FDP, but may have to form a tricky alliance with the Green Liberals to do so.

But Rytz has made clear she believes the Greens belong in government. "Now is the time," she said, adding that Swiss leaders "may need to discuss a new magic formula" to reflect changing political priorities. The results provided further evidence that a nation whose economy and lifestyle are closely tied to the country's stunning snow-capped peaks has grown increasingly concerned about the ravages of climate change. A recent study by ETH Zurich university found that more than 90% of 4,000 glaciers dotted throughout the Alps could disappear by 2100 if greenhouse gas emissions are not curbed.

(注) 設問の文章は，2019年10月時点のものである。

1 The political changes in Switzerland are famous for how quickly they take place, and this has been shown again with the gains by the Green parties.

2 The Swiss Greens increased their results by 13.2% of the vote in the Swiss elections compared with their 2015 performance.

3 The advertising posters of the SVP, focusing on issues associated with immigration and the influence of the EU, have caused them to gain more support from voters since the 2015 election.

4 All of the major political parties in Switzerland, apart from the SVP, faced losses due to their lack of commitment to action for the environment.

5 If greenhouse gas emissions are not reduced, a study found that less than 400 glaciers might remain in the Alps by 2100.

〈全訳〉　次の文の内容に最も合致する記述を選びなさい。

スイスの国政選挙において，緑の党各党が歴史的な議席数を獲得した。アルプス山脈のあるその国では意見の一致を重視する制度が採用されているため，政治的変化は遅々として進まないのがしばしばであり，これは重要な政権の変化を示す出来事だ。反移民を掲げるスイス国民党（SVP）は支持を減らしたものの，引き続き議会第一党にとどまった。だが，緑の党は13.2％の票を獲得して2015年の戦績から6ポイントの上昇を記録し，レグラ＝リッツ党首によれば「構造的転換」に匹敵する結果となった。

気候変動についての懸念を中核とした選挙運動に後押しされ，リッツ氏は「国際環境会議の緊急開催」を求めた。月曜にスイスの新聞ノイエ・チュルヒャー・ツァイトゥング紙に掲載されたインタビューで，彼女はまた，環境の緊急事態におけるスイスの金融部門の役割についても問題提起した。「私たちは金融センターを，より説明責任を負う組織に保っていかなければなりません。石炭や化石エネルギーにはもう投資しないで。再生可能エネルギーは未来へのチャンスなのです」と彼女は語った。

2004年に緑の党から分かれた，経済活動を重視する立場である自由緑の党も，2015年の5％未満に対して今回は7.8%の票を獲得して前進した。「これは単なるうねりというより，スイス版の津波ともいえるものです」と政治学者のパスカル＝スキアリーニ氏は記者に語った。

向こう数週間の焦点は，緑の党，あるいは2党の連合が，過去60年間同じ4つの政党の議員で構成されてきた，連邦内閣の7つの席のうちの1つを主張するかどうかだ。権力分担のいわゆる「魔法の公式」の下では，6つの閣僚席はSVP，社会民主党（SP）そして右派寄りリベラルのFDP（自由民主党）によって等分され，7つめの席を中道のキリスト教民主党が占めることになっている。

大統領職は1年ごとの輪番制であり，政党が保有する閣僚席の数は通常，選挙結果の傾向が2期連続にわたって続いた場合にのみ調整される。影響力のある高級紙ノイエ・チュルヒャー・ツァイトゥング紙は，この結果は魔法の公式に疑義を唱えるものとなったと述べたが，同時に国家の権力のバランスを乱すことへの警告も発し，「政党が一定期間にわたってその力量を証明する必要があるというのは賢明な伝統である」と述べた。

スイスの独特な政治制度の下では，選挙によって任期4年の下院議員が200人と上院議員46人が選出されるが，行政機関である連邦内閣は12月まで決まらない。SVPは2015年に集めた29.4%の得票から減らして25.6%の票を獲得した。この右派の保守政党は近年，移民（の増加）に関して警告を発し，スイスが加盟国ではないEU（欧州連合）の影響を非難することで勢力を築いてきた。選挙ポスターで，SVPはスイス市民を3人の怒れる侵略者から守るとの公約を掲げた。それぞれ，あごひげを蓄えた中東風の外見の男，EU旗の（加盟国数を表す12個の）星がついたジャンパーを着た眼鏡姿の男，そしてグレタ＝トゥーンベリさん（訳注：スウェーデンの環境活動家）をほうふつとさせるおさげ髪の女の子だ。

しかし，この十分にテスト済みのSVPのメッセージは新たな道を切り開くことができず，3.8ポイント分の予想外の票を失う結果となった。ローザンヌ大学の政治学者オスカル＝マッツォレーニ氏は記者に対して，SVPは若い有権者の気を引こうと躍起になった一方で，ヨーロッパの難民危機がまだ「1ページ目」だった2015年に比べて，年齢を重ねた選挙母体はあまり積極的に投票しなかったことを示している，と語った。SVPはまた，気候（変動）に関して果敢に行動していくことを公約に盛らず，スイスの政治における「気候ヒステリー」を一貫して非難してきた唯一の政党でもある。閣内の他の3党，SP，FDPそしてキリスト教民主党もまたかなり票数を減らし，キリスト教民主党は第4党の座を緑の党に今回初めて明け渡している。

だが，スイスの合意形成型の政治において，緑の党がその地位を主張することがどの程度認められるのか，状況はまだ定かではない。現下の公式が実施された1959年以来内閣に席を有し，スイスの中道一派を代表するキリスト教民主党を排除すると，国の伝統を途切れさせることになる。左派の緑の党はむしろ，右寄りのFDPから内閣の席を取り上げたいと望むだろうが，そうするためには自由緑の党と巧妙に連携を取る必要があるかもしれない。

しかしリッツ氏は，緑の党は閣内にあるべきだと思うとの信念を明らかにしている。「今がその時です」と彼女は語る。さらに，変わりつつある政治の優先課題を反映させるために，スイスの指導者たちは「新しい魔法の公式について議論する必要があるのではないかと思います」と語った。今回の結果は，山頂に雪をいただく絶景と国の経済や生活様式が切っても切れない関係にある国家が，気候変動のもたらす惨禍にますます懸念を抱くようになったことの一層の証拠を提供するものとなった。チューリッヒ工科大学による最近の研究によると，このまま温室効果ガスの排出量が削減されなければ，アルプス山脈一帯に点在する4,000の氷河の90％超が，2100年までに消滅する可能性があることがわかった。

1　スイスにおける政治的変化は，それがいかに急速に起こるかということでよく知られ，このことは緑の党各党の議席増によりまたも示された。

2　スイスでの選挙の結果，スイス緑の党は2015年の結果と比べて13.2％の票を増やした。

3　SVPの宣伝ポスターは，移民やEUからの影響に関連する問題を重視しており，2015年の選挙から有権者の支持をさらに増やす原因となった。

4　SVPを除くスイスの主要政党のすべてが得票数を減らす結果となったのは，環境のために行動を起こす取り組みが欠けていたためだった。

5　もし温室効果ガスの排出が削減されなければ，2100年までにアルプス山脈には400未満の氷河しか残らないかもしれないことが，ある研究によってわかった。

＊　＊　＊

1．誤り。スイスにおける政治的変化については，しばしば「遅々として進まない」と述べられている。第1段落にあるat glacial speedとは「氷河の速度」が直訳だが，氷河のように時間をかけて形成されることの比喩である。また，第4段落以降の内容からも，合意形成が重視されるスイスでは政治的変化が急には進まないことが読み取れる。

2．誤り。13.2％という数字は前回の選挙からの増加幅ではなく今回の選挙での得票率であり，前回からの増加幅については6ポイント増（つまり7.2％前後→13.2％）と述べられている。

3．誤り。前半部分については正しいが，後半部分が誤り。今回の選挙で，SVPは第一党にはとどまったが，得票率は3.8ポイント減だったと述べられている。

4．誤り。今回の選挙でSVPは得票数を減らし，緑の党と自由緑の党は得票数を増やしたことが述べられている。その他の主要政党の得票数の増減は述べられていない。また後半部分について，緑の党各党は環境問題の解決に積極的であり，取り組みが欠けていたのはむしろSVPのほうである。

5．妥当である。最終段落に「4,000の氷河の90％超が，2100年までに消滅する可能性がある」と述べられているので，残る可能性があるのは「4,000の10％未満＝400未満」である。

正答　5

Select the statement which best corresponds to the content of the following passage.

American children need public schools to reopen in the fall. Reading, writing, and arithmetic are not even the half of it. Kids need to learn to compete and to cooperate. They need food and friendships; books and basketball courts; time away from family and a safe place to spend it.

Parents need public schools, too. They need help raising their children, and they need to work.

In Britain, the Royal College of Pediatrics and Child Health has warned that leaving schools closed "risks scarring the life chances of a generation of young people." The organization's American counterpart, the American Academy of Pediatrics, has urged administrators to begin from "a goal of having students physically present in school."

Here is what it's going to take: more money and more space.

The return to school, as with other aspects of pre-pandemic normalcy, rests on the nation's ability to control the spread of the coronavirus. In communities where the virus is spreading rapidly, school is likely to remain virtual. The rise in case counts across much of the country is jeopardizing even the best-laid plans for classroom education.

But even in places where the virus is under control, schools lack the means to safely provide full-time instruction. In New York City, the nation's largest school district says that it can only safely provide a few days each week of in-person instruction.

Other large districts, like Fairfax County, Virginia, and Clark County, Nevada, have announced similar plans for a partial return to the classroom in the fall.

To maximize in-person instruction, the federal government must open its checkbook.

Districts need hundreds of billions of dollars to cover the gap between the rapid decline in tax revenue caused by the virus and the rapid rise in costs also caused by the virus. Guidelines published by the Centers for Disease Control and Prevention recommend, among other things, the installation of physical barriers in common areas, increased cleaning and daily health checks. The School Superintendents Association estimates that necessary protective measures would cost about $1.8 million for an average district of eight schools and 3,500 students. With more than 13,000 school districts in the United States, the total adds up.

Crucially, money alone is not enough. If safety dictates that classrooms can hold only half as many students, it follows that schools need twice as much room. Some of that space can be found by repurposing gyms and cafeterias, but districts including New York have cited a lack of space as a key reason students won't be able to return full time.

Officials need to think outside the building. Some fall classes could be held in the open air, or under tents with no walls—spaces in which the available evidence suggests transmission risks also are much lower. In Denmark, schools held spring classes on playgrounds, in public parks, and even in the stands of the national soccer stadium.

Some states, including Florida, Minnesota, and Connecticut, have encouraged schools to use available outdoor space. Particularly in cities, where space is scarce, officials should give serious consideration to closing streets around schools and holding classes there.

Under the circumstances, public education is surely the best use of those public spaces.

Outdoor education is not a cure-all. Students still would need to use shared bathrooms. Equipment still would need to be stored in buildings. Environmental conditions also are a limiting factor: heat, rain, high winds—and air pollution.

But American communities need to choose among the available options.

(注) 設問の文章は，2020年7月時点のものである。

1 There are many reasons why American children need public schools to reopen, but reading, writing, and arithmetic cover the majority of those reasons.

2 Public schools are needed not only by children but also by their parents, because the parents need public schools for their own education.

3 The nation's ability to control the spread of the coronavirus affects whether or not children will be able to return to schools.

4 In order to maximize in-person instruction, the author argues that the federal government must open its book of checklists to monitor progress.

5 The author thinks that officials need to get out of their buildings, instead of discussing it in their offices, in order to come up with flexible solutions.

〈全訳〉 次の文の内容に最も合致する記述を選びなさい。

アメリカの子どもたちは，秋には公立学校が再開してほしいと思っている。読み，書き，算数はその理由の半分ですらない。子どもたちは競争し，協力し合う必要があるのだ。彼らには食事や友情，書籍やバスケットボールのコート，家族から離れている時間とその時を過ごす安全な場所が必要だ。

公立学校は親にとっても必要なものだ。子育てをするのに助けが必要であり，また働く必要もある。

イギリスでは，王立小児科小児保健学会が，学校を閉鎖したままにしておくことは「1つの世代の若者のライフチャンス（生活の選択肢とつながりの機会）に傷跡を残すおそれがある」との警告を発している。その組織のアメリカ版に当たるアメリカ小児科学会は，行政担当者に対して「生徒を（ネットを通じてではなく）物理的に学校にいさせるという目標」から始めるよう促している。

そこで必要になってくるのが，余分のお金と空間だ。

パンデミック（感染爆発）以前の日常の他の側面と同様，学校への帰還は，コロナウイルスの拡大を抑制する国家の能力にかかっている。ウイルスが急速に広がっている地域では，学校は引き続きバーチャル（遠隔授業）で，ということになりそうだ。国の大部分の地域における症例数の増加は，教室を使用した最善の教育計画をも危機にさらしている。

だが，ウイルスが抑制されている場所でさえも，学校はフルタイムの授業を安全に提供する手段を欠いている。ニューヨーク市では，国内最大の学区が，安全に提供できるのは週に数日の対面授業に限られると発言している。

バージニア州フェアファックス郡やネバダ州クラーク郡のような他の広い地区では，秋に部分的に学校に生徒を戻す同様の計画を発表している。

対面授業を極力増やすためには，連邦政府が資金を手当てする必要がある。

ウイルスが引き起こした急激な税収の減少と，やはりウイルスが引き起こした急激なコストの増加の間のギャップを埋めるために，学区が必要とするお金は数千億ドル規模である。アメリカ疾病予防管理センターが発表した指針では，数ある事項の中で，公共エリアでの物理的な仕切りの設置や清掃の回数の増加，日々の健康チェックといったことが推奨されている。学校教育長協会では，8つの学校と3,500人の生徒からなる標準的な学区の場合，必要な予防措置はおよそ180万ドルに上るだろうと概算している。アメリカ国内には1万3,000以上の学区があるので，その分総額は積み上がる。

そして決定的なことは，お金だけでは不十分だということだ。もし安全基準によって教室には生徒を半数しか入れることができないと定めれば，当然学校は2倍の空間を必要とすることになる。そのうちいくらかのスペースは体育館や食堂を目的外利用することで対処できるものの，ニューヨークのような学区では，生徒がフルタイムで学校に戻れる見込みがない主要な理由としてスペース不足の問題を挙げている。

行政担当者は屋外について検討する必要がある。秋の授業の一部は野外で，もしくは壁のないテントの中で行うことも可能だろう。こうしたスペースでは，人に感染させるリスクもずっと低いとする入手可能な証拠がある。デンマークでは，学校の春の授業がグラウンドや公園，あるいは国立サッカースタジアムの観客席なども使って行われた。

フロリダ州，ミネソタ州，コネティカット州などいくつかの州では，利用可能な屋外スペースを使うように学校に奨励している。特にスペースの限られる都市部では，担当者は学校周辺の通りを封鎖してそこで授業を行うことも真剣に検討すべきだ。

現下の状況においては，公共教育こそそうした公共のスペースの最善の活用法であるはずだ。

屋外での教育は万能薬ではない。生徒たちはそれでもなお，共用のトイレを使う必要があるだろう。設備や備品類もなお，屋内で保管される必要があるだろう。環境条件もまた制限要因となる。暑さや雨や強風，そして大気汚染も考慮されなければならない。

とはいえ，アメリカの地域社会は利用可能な選択肢の中から選んで対応する必要がある。

1　公立学校が再開してほしいとアメリカの子どもたちが思っている理由は数多くあるが，読み，書き，算数がそれらの理由の大多数を占めている。

2　公立学校が子どもだけでなく親にとっても必要であるのは，親も自分自身の教育のために公立学校を必要としているからである。

3　コロナウイルスの拡大を抑制する国家の能力は，子どもたちが学校に戻ることができるかどうかに影響を与える。

4　対面授業を極力増やすためには，筆者は連邦政府がチェックリスト帳を開いて進捗状況を監視しなければならないと論じている。

5　筆者は，行政担当者は職場で議論するのではなく，自分がいる建物から外に出て，柔軟な解決策を提案する必要があると考えている。

＊　＊　＊

1．誤り。読み，書き，算数は理由の半分ですらなく，子どもたちには競争し，協力し合う場としての学校が必要だと述べられている。

2．誤り。このような内容は述べられていない。親も公立学校を必要としている理由としては，子育てをするのに助けが必要であること，また自分自身働く必要があることが挙げられている。

3．妥当である。

4．誤り。このような内容は述べられていない。本文中で述べられているcheckbookとは「小切手帳」の意味であり，ここでは，連邦政府が各州や自治体・学区に対して必要な資金の調達や手当てをすべきであるということを述べている。

5．誤り。このような内容は述べられていない。本文で述べられているのは，子どもが学校での授業に戻れるように，行政担当者は授業を屋内だけでなく屋外の公共施設や公共スペースを活用して行う案を考える必要がある，ということである。

正答　3

Select the statement which best corresponds to the content of the following passage.

Law enforcement, marketers, hospitals, and other bodies apply artificial intelligence (AI) to decide on matters such as who is profiled as a criminal, who is likely to buy what product at what price, who gets medical treatment and who gets hired. These entities increasingly monitor and predict our behaviour, often motivated by power and profits.

It is not uncommon now for AI experts to ask whether an AI is "fair" and "for good." But "fair" and "good" are infinitely spacious words that any AI system can be squeezed into. The question to pose is a deeper one: how is AI shifting power?

From 12 July, thousands of researchers will meet virtually at the week-long International Conference on Machine Learning, one of the largest AI meetings in the world. Many researchers think that AI is neutral and often beneficial, marred only by biased data drawn from an unfair society. In reality, an indifferent field serves the powerful.

In my view, those who work in AI need to elevate those who have been excluded from shaping it, and doing so will require them to restrict relationships with powerful institutions that benefit from monitoring people. Researchers should listen to, amplify, cite, and collaborate with communities that have borne the brunt of surveillance: often women, people who are Black, Indigenous, LGBT+, poor, or disabled. Conferences and research institutions should cede prominent time slots, spaces, funding, and leadership roles to members of these communities. In addition, discussions of how research shifts power should be required and assessed in grant applications and publications.

A year ago, my colleagues and I created the Radical AI Network, building on the work of those who came before us. The group is inspired by Black feminist scholar Angela Davis's observation that "radical simply means 'grasping things at the root,'" and that the root problem is that power is distributed unevenly. Our network emphasizes listening to those who are marginalized and impacted by AI, and advocating for anti-oppressive technologies.

Consider an AI that is used to classify images. Experts train the system to find patterns in photographs, perhaps to identify someone's gender or actions, or to find a matching face in a database of people. "Data subjects"—by which I mean the people who are tracked, often without consent, as well as those who manually classify photographs to train the AI system, usually for meagre pay—are often both exploited and evaluated by the AI system.

Researchers in AI overwhelmingly focus on providing highly accurate information to decision makers. Remarkably little research focuses on serving data subjects. What's needed are ways for these people to investigate AI, to contest it, to influence it or to even dismantle it. For example, the advocacy group Our Data Bodies is putting forward ways to protect personal data when interacting with US fair-housing and child-protection services. Such work gets little attention. Meanwhile, mainstream research is creating systems that are extraordinarily expensive to train, further empowering already powerful institutions, from Amazon, Google, and Facebook to domestic surveillance and military programmes.

Many researchers have trouble seeing their intellectual work with AI as furthering inequity. Researchers such as me spend our days working on what are, to us, mathematically beautiful and useful systems, and hearing of AI success stories, such as winning Go championships or showing promise in detecting cancer. It is our responsibility to recognize our skewed perspective and listen to those impacted by AI.

Through the lens of power, it's possible to see why accurate, generalizable, and efficient AI systems are not good for everyone. In the hands of exploitative companies or oppressive law enforcement, a more accurate facial recognition system is harmful. Organizations have responded with pledges to design "fair" and "transparent" systems, but fair and transparent according to whom? These systems sometimes mitigate harm, but are controlled by powerful institutions with their own agendas. At best, they are unreliable; at worst, they masquerade as "ethics-washing" technologies that still perpetuate inequity.

1 The author of the article thinks that researchers of AI should listen to, amplify, cite, and collaborate with communities that benefit the most from the use of AI.

2 The author created the Radical AI Network from scratch ignoring previous work, based on the assumption that power is distributed unevenly.

3 In the author's definition, "data subjects" include those who manually classify photographs to train the AI system, usually for a large remuneration.

4 Many researchers are troubled by the fact that their intellectual work with AI is known to further inequity, although their intent is to create mathematically beautiful and useful systems.

5 A more accurate facial recognition system is harmful if it is used by exploitative companies or oppressive law enforcement.

〈全訳〉　次の文の内容に最も合致する記述を選びなさい。

警察などの法執行機関，市場関係者，病院やその他の団体が，ものごとを決定する際，たとえばどんな人物が犯人像として浮かんでくるか，どんな人がどんな値段で何の商品を買う傾向があるか，どんな人が医療を受けどんな人を雇用したらよいかといった場面で人工知能（AI）を活用している。この種の存在は，多くは権力と利潤に動機づけられて，われわれの行動をますます監視し予測するようになる。

今ではAIの専門家が，果たしてAIは「公正」で「永遠に続く」存在であるのかという問いを発することが珍しくない。だが「公正」も「永遠」も，どんなAIのシステムも割り込めないほど果てしなく意味が広がる単語である。ここで投げかける疑問はもっと深い意味のものだ。つまり，AIはどのように権力を移行させつつあるのか，ということである。

7月12日から1週間にわたって行われる，世界最大のAIに関する会合の1つである「機械学習に関する国際会議」に，何千人もの研究者がオンラインで一堂に会することになっている。多くの研究者は，AIは中立的で多くは有益なものであり，害があるのは不公正な社会から引用された偏ったデータによる場合だけであると考えている。だが現実には，関心が持たれない分野は権力者の意思に沿うものになる。

私の意見は，AIにかかわる仕事をする人は，その人工知能の形成の過程で排除されてきた人々をすくい上げる必要があり，彼らはそうするに当たって，人々を監視することで利益を得る，権力を持った組織との関係を制限することが必要になるだろう，というものだ。研究者は，監視の矢面に立つ人々，多くは女性や黒人や先住民やLGBT＋（訳注：レズビアン・ゲイ・バイセクシャル・トランスジェンダーをさすLGBTに加えて，それ以外の多様な性的志向を持つ性的少数者を包括した総称），貧困者や障害者といった人たちだが，そうした集団に耳を傾け，彼らの声を増幅し，言葉を引用し，ともに歩むべきだ。さまざまな会議や研究機関は，こうした社会集団に属する人々に対して，人目につくほどの時間枠とスペースと資金，そして指導的役割を分け与えるべきだ。さらには，付与の申請と公表がなされる中で，研究がどのように権力を移行させるのかについての議論が必要とされ，また評価されるべきだ。

1年前，同僚たちと私は先人の業績を足がかりに，「ラディカルなAIネットワーク」というものを立ち上げた，このグループは，「ラディカルとは単に『ものごとを根本において把握する』という意味」であり，根本の問題は権力が公平に配分されていないことだという，黒人で女性解放論の学者であるアンジェラ＝デイヴィス氏の言に触発されたものである。私たちのネットワークが重視するのは，AIによって隅に追いやられ影響を受けている人々に耳を傾けること，そして反抑圧的なテクノロジーの提唱である。

画像の分類に使われるAIを考えてみよう。専門家は，あるいはある人物の性や行動を特定するために，または人物のデータベースの中に該当する顔を見つけるために，写真の中のパターンを見つけるようシステムを訓練する。「データ主体」，これはしばしば同意を得ることなく，追跡される人々を意味し，また大概はわずかな報酬で，AIシステムを訓練するために写真を手作業で分類する人々をも含めて言っているのだが，そうした主体者はしばしば，AIシステムによって都合よく利用されかつ評価を受けているのだ。

AIの研究者は，極めて正確な情報を意思決定権者に与えることに重点を置いている場合が圧倒的に多い。データ主体の意思に沿うことに重点を置いた研究はごくまれである。必要とされているのは，こうした人々がAIを調査し，異議を唱え，影響力を行使し，場合によっては解体するための手法だ。たとえば，支援団体である「アワーデータ・ボディーズ（私たちのデータを守る団体）」は，アメリカ国内の住宅の機会均等や児童保護のサービスに関してやり取りをする際，個人データを保護する方法を提案している。だがこのような活動が注目されることはほとんどない。他方，主流の研究は，訓練するのに異常に高額な費用がかかり，アマゾン，グーグル，フェイスブックなどの会社から国内監視プログラムや軍事プログラムに至るまで，すでに強い権力を持つ組織に一層力を与えるようなシステムを作り上げているのだ。

多くの研究者は，AIにかかわる自分の知的作業が不公正を広げているとは考えたがらない。私のような研究者は，自分たちにとって数学的に美しく実用的なシステムと感じられるものに取り組んだり，また囲碁の大会で優勝したりがんの検知に有望であるといったAIの成功物語を耳にしたりしながら日々を過ごしている。自分たちのゆがんだ物の見方に気づき，AIによって影響を受けている人に耳を傾けるのは私たちの責任だ。

権力という観点を通して見れば，正確で，一般化が可能で，効率的なAIシステムがなぜ万人にとってよいものではないのかを理解することは可能だ。搾取的な会社や抑圧的な法執行機関の手中にあっては，より正確な顔認証システムは有害なものである。公的機関はこれまで，「公正で」「透明な」システムを設計すると誓約することで対応してきたが，誰の基準に従って公正で透明であるということなのかが問題だ。こうしたシステムは危害を軽減することもあるが，独自の行動指針を持った強力な組織に支配されてしまう。それらはよく言っても信頼できないものであり，悪く言えば，「倫理に配慮した」技術を装いながら，実際は不公正をさらに永続化させるものだ。

1　この記事の筆者は，AIの研究者はAIの利用による恩恵を最も受けている社会集団に耳を傾け，声を増幅し，言葉を引用し，ともに歩むべきであると考えている。

2　筆者は，権力が公平に配分されていないという憶測に基づいて，先人の業績を無視して「ラディカルなAIネットワーク」をゼロから立ち上げた。

3　筆者の定義では，「データ主体」には，大概は多額の報酬で，AIシステムを訓練するために写真を手作業で分類する人々も含まれる。

4　多くの研究者が，数学的に美しく実用的なシステムを作り上げるのが自分の意図であるにもかかわらず，AIにかかわる自分の知的作業が不公正を広げていることが知られているという事実に悩まされている。

5　より正確な顔認証システムは，もしそれが搾取的な会社や抑圧的な法執行機関によって利用されるならば，有害なものである。

＊　＊　＊

1．誤り。筆者は，監視の矢面に立つ人々，主として女性や黒人や先住民などのマイノリティ（少数者）集団に耳を傾け，彼らの声を増幅し，言葉を引用し，ともに歩むべきだと述べている。

2．誤り。筆者と同僚たちは，先人の業績を足がかりに「ラディカルなAIネットワーク」を立ち上げたと述べられている。

3．誤り。本文では「多額の報酬」ではなく，「大概はわずかな報酬で」と述べられている。その他の部分の記述は正しい。

4．誤り。多くの研究者は，AIにかかわる自分の知的作業が不公正を広げているとは考えたがらないと述べられている。

5．妥当である。

正答　5

令和３年度　一般論文試験

行政区分の一次試験で行われる。
出題数１題。
答案用紙はB4サイズで1,600字見当。
解答時間は１時間。

厚生労働省「国民生活基礎調査」による我が国の「子どもの貧困率」は，2018年時点で13.5％と，子どもの約７人に１人が貧困線*を下回っている。このような状況に関して，以下の資料①，②，③を参考にしながら，次の⑴，⑵の問いに答えなさい。

なお，同調査における「子どもの貧困率」とは，17歳以下の子ども全体に占める，貧困線に満たない17歳以下の子どもの割合のことである。

＊　貧困線とは，等価可処分所得の中央値の半分の値をいい，等価可処分所得とは，下記により算出した所得である。なお，2018年の貧困線は127万円である。

$$\text{等価可処分所得}=(\text{総所得}-\text{拠出金（税金や社会保険料）})\div\sqrt{\text{世帯人員数（所得のない子ども等を含む）}}$$

⑴　我が国の子どもの貧困問題が社会にどのような影響を及ぼすのか，子どもの貧困に関する現状を踏まえながら，あなたの考えを述べなさい。

⑵　我が国が子どもの貧困問題に取り組む上でどのようなことが課題となるかについて，あなたの考えを具体的に述べなさい。

資料①　子どもがいる現役世帯の貧困率等の年次推移

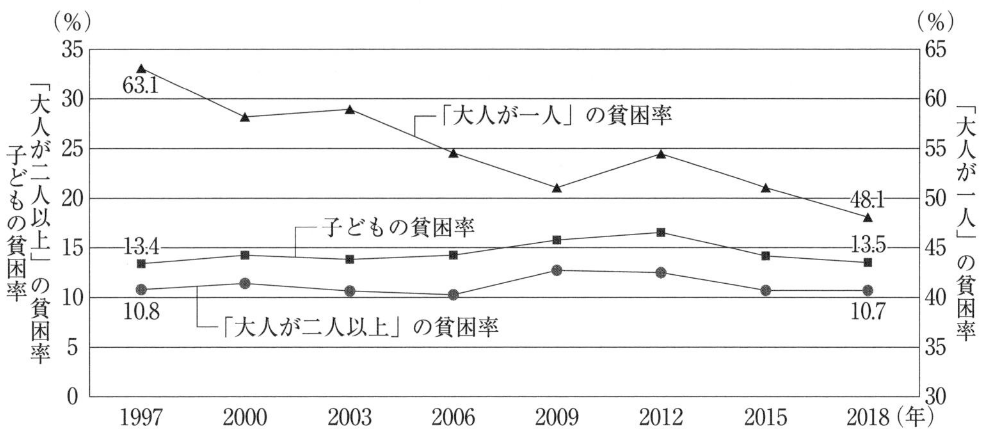

（注）「大人が一人」の貧困率：現役世帯のうち「大人が一人と17歳以下の子どものいる世帯」（例えば，ひとり親家庭等）に属する世帯員の中で，貧困線に満たない当該世帯の世帯員の割合をいう。

「大人が二人以上」の貧困率：現役世帯のうち「大人が二人以上と17歳以下の子どものいる世帯」に属する世帯員の中で，貧困線に満たない当該世帯の世帯員の割合をいう。

（出典）厚生労働省「2019年　国民生活基礎調査の概況」を基に作成

資料②　子供の大学等進学率の内訳（2017年）

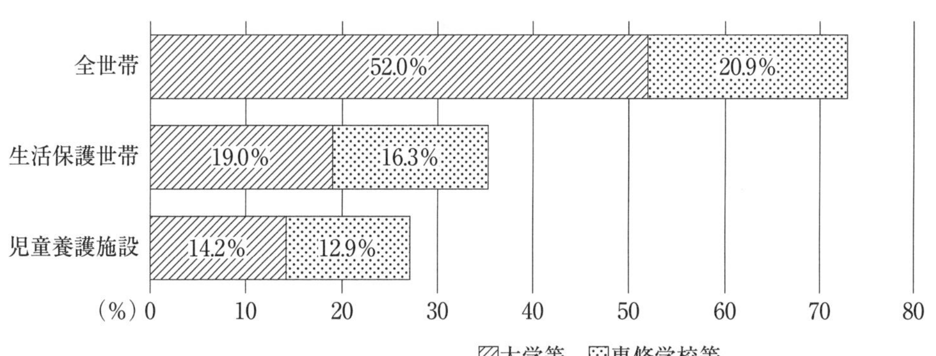

（出典）第6回 子供の貧困対策に関する有識者会議（2018年5月17日開催）資料1「子供の貧困に関する指標の推移」を基に作成

資料③　子供の貧困に関する指標（抜粋）

指標	直近値
生活保護世帯に属する子供の高等学校等中退率	4.1%
全世帯の子供の高等学校中退率	1.4%
母子世帯の親のうち，就業している者の割合	80.8%
就業している母子世帯の親のうち，正規の職員及び従業員の割合	44.4%
スクールソーシャルワーカーによる対応実績のある学校の割合（小学校） （注）スクールソーシャルワーカーが機能する体制の構築等を通じて，ケースワーカーや児童相談所等と教育委員会・学校等との連携強化を図り，苦しい状況にある子供たちを早期に把握し，支援につなげる体制を強化するとされている。	50.9%

（出典）「子供の貧困対策に関する大綱」（令和元年11月）を基に作成

令和 2年度試験出題例

出題内訳表

令和2年度　専門試験〈行政〉

択一式（16科目80題中８科目40題選択解答）

No.	科目	出題内容	難易度
1		市民参加（アレント，ハーバーマス，ペイトマン，フィシュキン）	A
2		中間団体（ヘーゲル，トクヴィル，ダール，パットナム等）	B
3	政治学	政党（ヴェーバー，ミヘルス，デュヴェルジェ，キルヒハイマー等）	B
4		世論とマスメディア（エリー調査，ステレオタイプ，沈黙の螺旋等）	B
5		わが国の政治制度（議院内閣制，中選挙区制，並立制，地方選挙等）	B
6		行政学説（真渕勝，人間関係論，行政責任論，官僚制等）	B
7		政策過程（サイモン，キングダン，ゴミ缶モデル，稟議制等）	B
8	行政学	わが国の計画・調整（国勢調査，総合計画，内閣官房，経済財政諮問会議等）	A
9		行政組織・行政委員会（国地方係争処理委員会，大部屋主義，NPM等）	A
10		わが国の公務員制度等（採用試験，女性公務員，地方出向，給与等）	B
11		憲法13条（プライバシー侵害，パブリシティ権，人格権，環境権等）	A
12		参政権（在外国民の選挙権，投票価値の平等，政見放送，戸別訪問禁止等）	B
13	憲法	経済的自由権（薬局開設適正配置規制，許可制，財産権，公共の福祉等）	A
14		国会（議員資格争訟，議員懲罰権，両院協議会，会期不継続の原則等）	B
15		司法権（法律の議事手続審理，衆議院解散の審査，裁判所の審査権等）	B
16		行政行為（公定力，国家賠償請求，自力執行力，撤回，負担）	C
17		情報公開法（裁量的開示，グローマー拒否，開示決定等の期限，手数料等）	B
18	行政法	行政不服審査法（不作為についての審査請求，処分についての審査請求の認容等）	B
19		抗告訴訟の処分性（住民票への続柄の記載，法に基づく工事実施計画の認可等）	A
20		損失補償（文化財的価値，消防対象物・土地，私人の財産への補償時期等）	B
21		権利・行為能力（制限行為能力者への催告権，成年被後見人，保佐人の同意等）	B
22		意思表示（効力発生時期，虚偽表示，錯誤，詐欺，強迫）	A
23	民法（総則及び物権）	動産の物権変動（占有改定，物権譲渡の対抗要件，即時取得，盗品の回復）	A
24		担保物権の性質・効力（附従性，不可分性，物上代位性，収益的効力等）	C
25		根抵当権（定義，極度額の増額，担保すべき元本，被担保債権の譲渡等）	A
26		詐害行為取消権（詐害行為取消請求，認容判決の効力，期間制限等）	A
27		債権譲渡（性質，効力，将来債権の譲渡性，証書通知日時，相殺権）	B
28	民法（債権，親族及び相続）	賃貸借（意思に反する保存行為，有益費，全部滅失等による終了，敷金等）	B
29		不法行為（建築建物の瑕疵，責任無能力者の監督義務者等の責任等）	A
30		相続の放棄（方式，財産の管理，子・代襲者等の相続権，撤回）	C
31		課税方式の違いによる効用水準の比較（計算）	A
32		２財消費者の効用関数と消費者100人の市場全体の需要関数（計算）	B
33	ミクロ経済学	長期均衡価格下での企業数（計算）	B
34		消費者Ａ・Ｂの効用関数と効用フロンティア（計算）	S
35		戦略型ゲームによるナッシュ均衡と部分ゲーム完全均衡	C
36		政府支出増と買いオペを行った後の均衡国民所得の増加（計算）	B
37		政府支出，租税，国民所得を増加時の実質貨幣供給量の増加（計算）	B
38	マクロ経済学	経常収支を均衡させるように税を決定した場合の財政収支（計算）	B
39		ライフサイクル仮説に基づき行動する個人の転職後の消費水準（計算）	A
40		ソロー・モデルにおける労働人口１人当たりの産出量（計算）	A

No.	科目		出題内容	難易度
41	財政学・経済事情	財政学	財政制度（各国の会計年度始期，継続費，暫定予算，政府関係機関予算等）	B
42			わが国の財政状況（予算規模，社会保障関係費，公債，国債費，国民負担率）	B
43		経済事情	わが国の経済動向（実質GDP成長率，家計最終消費支出，有効求人倍率等）	B
44			わが国の経済動向（GDPギャップ，民間企業設備，為替レート，就業者数等）	B
45			世界経済の状況（アメリカ，ユーロ圏・ドイツ，イギリス，中国）	A
46			企業戦略（多角化戦略，PPM，コモディティ化，SWOT分析，RBV）	B
47			国際経営（プロダクトサイクル仮説，海外子会社の役割，海外進出フェーズ等）	A
48	経営学		イノベーション（イノベーターのジレンマ，脱成熟化，誘因，顧客分類等）	B
49			経営組織（官僚制，職能別組織，個体群生態学，制度的同型化等）	A
50			組織行動（グループシンク，リーダーシップ・スタイル，オハイオ研究等）	B
51			国際政治史（国際連盟，SDGs，国連憲章51条，相互依存論・覇権安定論等）	C
52			国際社会の法規範（戦争違法化，国際人権法，国際海洋法，NPT，安保理決議）	B
53	国際関係		武力紛争と国際平和活動（保護する責任，PKO，地域協力機構，内戦等）	B
54			地球環境問題（『成長の限界』，条約，持続可能な開発，温室効果ガス削減等）	A
55			1951年に締結されわが国の主権回復を果たした条約（英文）	C
56			相互作用（フリーライダー，エスノメソドロジー，儀礼的無関心等）	B
57			家族社会学等（『〈子供〉の誕生』，女性の労働力率，核家族，合計特殊出生率等）	A
58	社会学		宗教・文化（近代資本主義の精神，宗教と自殺，見えない宗教，ベネディクト等）	B
59			逸脱（ホワイトカラー犯罪，ラベリング論・スティグマ論，生来性犯罪者説等）	C
60			社会調査（郵送調査，誘導質問，ダブル・バーレル，標本調査，無作為抽出）	B
61			知覚・認知（顔の倒立効果，高次脳機能障害，トップダウン処理，マスキング効果）	A
62			パーソナリティ検査の特徴（投影法〈投映法〉，作業検査法，質問紙法）	B
63	心理学		心理学実験（利用可能性ヒューリスティック，確証バイアス，機能的固定）	B
64			エリクソンの発達理論（青年期・老年期の達成課題）〈空欄補充〉	C
65			マスメディアの影響（強力効果説，限定効果説，議題設定効果，バンドワゴン効果）	B
66			江戸時代以降の教育（寺子屋，藩校，庶民の教育機会・句会，松下村塾）	B
67			ドーア『学歴社会』（学歴インフレーション，後発効果，脱学校論）〈空欄補充〉	C
68	教育学		教育職員（社会教育主事，司書・司書補，学芸員，特別支援教育支援員）	B
69			学校・地域社会の連携（PTA，学社融合，コミュニティ・スクール，夜間中学等）	B
70			ドルトン・プラン（シュタイナー，アサインメント，ウィネトカ・プラン等）	B
71			内容把握（携帯電話と犯罪の減少の関係）	B
72			内容把握（脳の大きさと保持できる集団の大きさの比率）	B
73	英語（基礎）		内容把握（海面上昇への危惧）	B
74			空欄補充（動詞breakを含むさまざまな熟語）	C
75			文法（動詞・名詞・形容詞・前置詞の用法）	B
76			内容把握（収蔵品の保存修復の様子を公開し始めた美術館）	B
77			内容把握（国際法を巡る議論と国際機関の実効性）	A
78	英語（一般）		内容把握（プロポーズの演出や撮影に対する需要の増加）	C
79			内容把握（求められているロボットの顔だちの特徴）	B
80			内容把握（火星探査ミッション模擬実験参加者のコメント）	B

※難易度：Ｓ＝特に難しい，Ａ＝難しい，Ｂ＝普通，Ｃ＝易しい。

政治学
行政学
憲法
行政法
民法
経済理論
財政学

国家一般職［大卒］ No. 1 専門試験

政治学　市民参加　令和2年度

市民参加に関するア～エの記述のうち，妥当なもののみを全て挙げているのはどれか。

ア．H. アレントは，社会的領域とは，国家が支配する場所や個人や集団が私的な経済的利益を追求する場所ではなく，人々が全員に共通する事柄をめぐって，異なった意見を自由に表明できるような開かれた共通の場であるとした。そして，社会的領域の要求が政治に入力されることを肯定的に評価した。

イ．J. ハーバーマスは，公職者だけが公共性を実現するという従来の考え方を転回し，市民社会において「強制されたコミュニケーション」を通じて公共的な意見が形成され，市民的公共性が成立しているとした。しかし，彼によると，公共的な意見は議会や裁判所のような公式の制度における決定の正統性に影響を与えることはない。

ウ．C. ペイトマンは，デモクラシーの根幹は市民が自分たちに関わる事柄を決めるという自己決定にあるとした。しかし，市民は私的・経済的利益を守ることのみに熱心であり，公的決定をエリートに任せきりにしていたため，もはや，政治や社会を動かすことができるという政治的有効性感覚を持つことはないとした。

エ．J. フィシュキンは，国民の関心が高く論争的なテーマについて，無作為抽出によって全国民から選ばれた参加者が討議し，その前後の意見を調査する「討論型世論調査」を実施した。彼によると，参加者は討議後には問題に対する理解を深め，討議に参加する以前に自分が抱いていた意見や選好を変容させる可能性がある。

1　ア
2　エ
3　ア，イ
4　イ，ウ
5　ウ，エ

解説

ア：妥当でない。アレントは，社会的領域とは個人や集団が経済的利益を追求する場所であり，国家（ポリス）にかかわる公的領域や家族にかかわる私的領域とは区別されるとした。また，本肢にある「人々が全員に共通する事柄をめぐって，異なった意見を自由に表明できるような開かれた共通の場」とは公的領域のことである。彼女によれば，社会的領域の要求が政治に入力されることは，社会的領域が公的領域を侵食して危機的状況に陥らせることにつながるため，否定的に評価されるべきだとされる。

イ：妥当でない。ハーバーマスは，市民社会においては「理想的発話状態」（＝誰もが支配から自由に自らの意見を表明できる状態）の下で公共的な意見が形成され，市民的公共性が成立しているとした。そして，公共的な意見は，議会や裁判所のような公式の制度における決定に正統性を与えるという点で，大きな意味を持つと主張した。

ウ：妥当でない。ペイトマンは，デモクラシーの根幹を自己決定に求めつつ，市民は政治参加の能力や動機づけを持つとして，参加デモクラシーの実現を主張した。市民が公的決定をエリートに任せきりにしてきたのは事実としても，市民は政治や社会を動かすことができるという政治的有効性感覚を持ちうると考えられている。

エ：妥当である。フィシュキンは，「討論型世論調査」（deliberative polling）を実施し，その結果を政策決定や選挙に反映させるべきだと主張した。また，彼はB. アッカーマンとともに「討論の日」（deliberative day）を提案し，大統領選挙に先立って休日を設け，無作為抽出で選ばれた参加者が討論をし，それを全国に中継することが望ましいと主張した。

以上から，妥当なものはエのみであり，**2**が正答となる。

正答　2

国家一般職
[大卒]
No.
2
専門試験
政治学　中間団体　令和2年度

中間団体に関する次の記述のうち，妥当なのはどれか。

1　G.ヘーゲルは，国家の全体秩序を「国家」「市民社会」「個人」の三つに分け，市民社会を「欲求の体系」「司法活動」「職能団体」の三つから成るものと規定した。市民社会における個人の自由は，職能団体を通じて再編成されるが，こうした中間団体は私的利益のみを組織化するので，公共性を阻害するとした。

2　A.トクヴィルは，米国では陪審制等の政治や司法に直接参加する仕組みが整っていないものの，市民は様々な団体を通じて公的な事柄について参加，学習が可能となっているとした。しかし，団体を通じた政治参加では多数の横暴を抑えられず，米国のデモクラシーは健全に維持されていないと指摘した。

3　R.ダールは，米国政治における利益集団の影響力を分析して，民主政治を「多数者の専制」とみなした。様々な利益集団が日常的に競争して，互いに牽制や調整をしながら政治過程に参入したとしても，政策決定に影響を及ぼすことはできず，多様な意見を政治に反映できないと考えた。

4　P.シュミッターは，オランダなどにおける，宗教や言語が異なる集団間の対立の顕在化を避けるために各々の代表が集まり利害を調整する政治を，「多極共存型デモクラシー」と名付けた。A.レイプハルトは，オーストリアなどにおける，労働者・経営者・政府の代表が協議の場を持ち調整により政策を決める政治を，「ネオ・コーポラティズム」と名付けた。

5　R.パットナムは，イタリアの地方政府の研究を基に，民主的な政府が有効に機能するのに最も影響したのは，中世都市以来の市民的伝統であったと指摘した。市民的伝統を持つ共同体とは，信頼，互酬性の規範，ネットワークといった社会関係資本を蓄積してきた共同体であり，こうした市民社会と組み合わされてこそ，民主的な政府は強化されるとした。

1．ヘーゲルは，国家の全体秩序を「国家」「市民社会」「家族」の3つに分け，市民社会を「欲求の体系」「司法活動」「職能団体」の3つからなるものとした。市民社会における個人の自由は，職能団体を通じて再編成されるが，こうした中間団体は個人を団体に統合してアトミズム（＝諸個人がばらばらになること）を抑制するとともに，国家意識を培養する役割を果たすことから，一定の公共性を持つものとされた。

2．トクヴィルは，アメリカでは陪審制や住民集会等の政治や司法に直接参加する仕組みが整っており，また，市民はさまざまな団体を通じて公的な事柄について参加，学習が可能となっているとした。そして，このような政治参加を通じて多数の横暴が抑えられることから，アメリカのデモクラシーは健全に維持される可能性を持っていると指摘した。

3．ダールは，アメリカにおいてはさまざまな利益集団が日常的に競争し，互いに牽制や調整をしながら政治過程に参入しており，その結果が政策決定に大きな影響を及ぼしていると主張した。こうした見解を政治的多元主義（プルーラリズム）というが，政治的多元主義はアメリカ政治学における通説として認められてきたものである。

4．オランダなどの研究を通じて「多極共存型デモクラシー」の概念を提示したのはレイプハルトである。また，オーストリアなどの研究を通じて「ネオ・コーポラティズム」の概念を提示したのはシュミッターである。

5．妥当である。パットナムは，イタリアにおいて南北格差が生じている原因を分析した結果，信頼，互酬性の規範，ネットワークといった社会関係資本（人間関係資本）が政治システムのパフォーマンスに大きな影響を与えていることを見いだした（『哲学する民主主義』）。なお，彼は後にアメリカ社会の分析も行い，現代のアメリカ社会では社会関係資本が衰退しているため，さまざまな悪影響が生じるであろうとしている（『孤独なボウリング』）。

正答　5

政治学
行政学
憲法
行政法
民法
経済理論
財政学

国家一般職［大卒］
No. 3
専門試験

政治学　政　党　令和2年度

政党の機能と組織に関する次の記述のうち，妥当なのはどれか。

1　E. バークは，政党とは社会の中の特定の集団の利益を図るための組織であり，社会全体の利益を推進することはないと考えた。また，彼は，政党の構成メンバーの考え方がしばしば一致しないことを指摘し，政党とは私的利益にしか関心を持たない派閥や徒党と同じであるとして否定的に捉えた。

2　M. ヴェーバーは，19世紀に各国の政党が貴族政党から近代組織政党へと発展を遂げ，さらに20世紀に入って近代組織政党が名望家政党へと変化しつつあることを指摘した。このうち名望家政党とは，カリスマ的なリーダーシップを持った名望家がマスメディアを用いて有権者に直接訴え，支持を集める政党を指す。

3　R. ミヘルスは，20世紀初頭にドイツの社会民主党について分析を行い，この政党が民主主義を掲げているにもかかわらず，組織の内部では一握りのエリートが支配している実態を明らかにした。このことから彼は，あらゆる組織において少数者支配が生じるという「寡頭制の鉄則」を主張した。

4　M. デュヴェルジェは，20世紀初頭に，欧米諸国で大衆政党と呼ばれる新しい組織構造を持った政党が出現したと指摘している。大衆政党は，この時期に新しく選挙権を得た一般大衆に基盤を置く政党で，従来の政党に比べて極めて分権的な組織であるとされる。大衆政党の典型例に，米国の民主党が挙げられる。

5　O. キルヒハイマーは，20世紀前半に，西欧諸国で社会主義政党やファシズム政党が台頭する状況を観察し，これらの新たな政党を包括政党と類型化した。包括政党は，極端なイデオロギー的主張を用いて大衆を動員すること，また多様な利益団体と接触することにより，社会の広範な層から集票する点に特徴がある。

解説

1．バークは，政党とは社会の中の特定の集団の利益を図るための組織ではなく，社会全体の利益を促進するための組織であると考えた。また，彼は，政党の構成メンバーの基本的な考え方が一致している点を指摘し，政党とは私的利益にしか関心を持たない派閥や徒党とは異なっているとして肯定的にとらえた。なお，こうしたことから，彼は「政党とは，全員が同意しているある特定の原理に基づき，共同の努力によって国民的利益を推進するために結集した人々の集まりである」と定義づけた。

2．ヴェーバーは，19世紀までに各国の政党が貴族政党から名望家政党へと発展を遂げ，さらに19世紀後半から20世紀にかけて，名望家政党が近代組織政党へと変化しつつあることを指摘した。このうち名望家政党とは，名望家（＝地方の有力者）が緩やかに集まって形成した政党をさし，院内政党を中心に活動した。

3．妥当である。ミヘルスは，ドイツ社会民主党の研究を通じて，「寡頭制の鉄則」を主張した。組織において寡頭制化が進む理由としては，組織運営上の効率性，権力を求める指導者の心理，大衆の無能力と指導者願望が挙げられている。

4．デュヴェルジェのいう大衆政党は，一般大衆に基盤を置く政党で，従来の政党に比べて極めて集権的であるという特徴を持つ。アメリカの民主党は分権的な組織構造を持っており，大衆政党というよりは幹部政党の要素を強く持っている。大衆政党の典型例としては，各国の共産党や社会主義政党が挙げられる。

5．キルヒハイマーは，第二次世界大戦後の西欧諸国の政党を分析し，多くの政党がその支持基盤を特定の階級や階層から国民各層に広げようと変化しつつあるとしたうえで，こうした新たな政党を包括政党と類型化した。包括政党は，イデオロギー的主張はあまり行わず，また，多様な利益団体と接触することにより，社会の広範な層から集票する点に特徴がある。

正答　3

国家一般職［大卒］ No. 4 専門試験

政治学 世論とマスメディア 令和2年度

世論とマスメディアに関する次の記述のうち，妥当なのはどれか。

1 P.ラザースフェルドらは，1940年のエリー調査に基づき，選挙キャンペーンの効果について検証した。その結果，選挙までの半年の間に，マスメディアの影響で投票意図（投票を予定している政党）を変えた有権者がごく少数であったこと，すなわちマスメディアによる改変効果は小さいことを主張した。

2 W.リップマンによれば，大衆は複雑な現実世界をありのままに理解する能力を欠いているものの，ステレオタイプ（文化的に規定された固定観念）を用いて極めて正確に周囲の情報を得ている。したがって，彼は，世論の動きには十分に合理性があるとし，大衆民主主義について楽観的な見方を示した。

3 「アナウンスメント効果」とは，マスメディアが選挙前に各政党の公約に関する評価を報じることで，有権者の投票行動に影響が生じる効果をいう。その一種である「判官びいき効果」とは，マスメディアから公約を否定的に評価された政党に有権者から同情が寄せられ，事前予測よりも得票が増える現象をいう。

4 特定の争点に対し，どのような立場の人も意見を表明しなくなる現象を，E.ノエル=ノイマンは「沈黙の螺旋」と呼んだ。彼女によれば，少数派の意見を持つ人は，社会的孤立を恐れて発言を控えてしまう。他方，多数派の意見を持つ人も，他人による意見表明を期待し，積極的な主張をしなくなるとする。

5 特定の争点がマスメディアで強調されると，その争点は有権者が政治指導者を評価する際の基準として比重を増すという効果を「第三者効果」という。一方，同じ争点についても報道の切り口（枠付け）によっては，受け手が情報の信ぴょう性に疑いを持ってしまう。この効果を「フレーミング効果」という。

1. 妥当である。ラザースフェルドらは，1940年の大統領選挙に際してオハイオ州エリー郡でパネル調査を行った。その結果，有権者の投票行動はその社会的属性（社会経済的地位，宗教，居住地域など）と密接に関連しており，マスメディアの影響で投票意図を変えることは少ないという事実が判明した。マスメディアの影響が限定的である理由としては，マスメディアの影響力が地元のオピニオン・リーダーを媒介として一般有権者に及んでいるためとされた（「コミュニケーションの２段階の流れ」仮説）。

2. リップマンによれば，大衆は複雑な現実世界をありのままに理解する能力を欠いており，ステレオタイプを用いて不正確に周囲の情報を得ていることが多い。したがって，彼は，世論の動きには合理性が欠けているとし，大衆民主主義について悲観的な見方を示した。

3. 「アナウンスメント効果」とは，マスメディアが各政党の議席の増減や各候補者の当落に関する予測を報じることで，有権者の投票行動に影響が生じることをいう。その一種である「判官びいき効果（アンダードッグ効果）」とは，マスメディアによって劣勢にあると予測された政党や候補者に有権者から同情が寄せられ，事前予測よりも得票が増える現象をいう。

4. ノエル＝ノイマンのいう「沈黙の螺旋」とは，マスメディアが少数派と紹介した意見の持ち主が自分の意見を表明しなくなる現象のことである。彼女によれば，少数派とされた意見を持つ人は，社会的孤立を恐れて発言を控えてしまうが，多数派とされた意見を持つ人は，そうした自己抑制を働かせる必要がなく，自分の意見を表明し続けるとされる。

5. 「第三者効果」とは，自分はマスメディアからあまり大きな影響を受けないが，世間の人々はマスメディアから容易に影響を受けてしまうとする考え方をいう。また，「フレーミング効果」とは，同じ争点についても報道の切り口（枠付け）が異なれば，受け手がそれぞれ異なる評価を下してしまうという効果をいう。

正答　1

国家一般職［大卒］ 専門試験

No. 5 政治学 わが国の政治制度 令和2年度

我が国の政治制度に関する次の記述のうち，妥当なのはどれか。

1 第二次世界大戦後における我が国の執政制度は，議院内閣制に分類される。この制度では，国民は選挙によって首相を直接選出することはできず，国会議員が衆議院議員の中から首相を選ぶ。首相の地位は国会の信任に基づいているため，衆議院が内閣不信任決議案を可決した場合，内閣は直ちに総辞職する必要がある。

2 我が国の国会は，日本国憲法の規定に従って通年で開催されており，法案が法律として成立するのは衆議院と参議院の両院で可決された場合に限られる。各法案に関する実質的な審議は各院の本会議で行われるため，我が国の国会は英国議会と同様に，本会議中心主義を採っているとみなされる。

3 昭和22（1947）年から平成5（1993）年までの衆議院議員総選挙では中選挙区制が採用されていた。この制度では各選挙区から10～20名の議員が選出された。我が国の中選挙区制は単記移譲式とも呼ばれ，有権者は複数の候補者に順位を付ける形式で投票した点で，アイルランドの単記非移譲式とは異なる。

4 平成6（1994）年の制度改革によって，衆議院議員総選挙の選挙制度が小選挙区比例代表並立制に改められた。この制度では，一人の候補者が小選挙区選挙と比例代表選挙の両方に立候補できる重複立候補制が採られている。比例代表選挙は拘束名簿式で行われ，有権者は政党名を投票用紙に記入して投票を行う。

5 昭和22（1947）年以降，各地方公共団体では，議会議員だけでなく，首長も住民の直接選挙によって選出されている。そのため，我が国における地方政治の仕組みは一元代表制に分類される。地方議会の議員選挙は大選挙区制に基づいて行われており，住民は複数の候補者を選択する形式で投票を行う。

1．わが国では，国会議員が国会議員の中から首相を選ぶ（憲法67条１項）。また，衆議院が内閣不信任決議案を可決した場合，内閣は10日以内に衆議院が解散されない限り，総辞職をしなければならない（同69条）。

2．わが国の国会は，一定の期間だけ活動能力を有する「会期制」を前提としている（憲法52〜54条）。すなわち，国会の活動は会期中に限られ，各会期は独立したものとして扱われる。また，法案は，原則として両院で可決したとき法律となるが，衆議院で可決し，参議院でこれと異なった議決をした法案については，衆議院で出席議員の３分の２以上の多数で再び可決すれば，法律となる（同59条２項）。これを衆議院の再可決という。さらに，各法案に対する実質的な審議は各院の委員会で行われることが多いため，わが国の国会はアメリカ連邦議会と同様に，委員会中心主義をとっているとみなされる。

3．かつてわが国で採用されていた中選挙区制では，各選挙区から原則３〜５名の議員が選出された。わが国の中選挙区制は単記非移譲式とも呼ばれ，有権者は一人の候補者に対してのみ投票していた。これに対して，アイルランドの単記移譲式では，有権者は複数の候補者に順位を付ける形式で投票が行われる。

4．妥当である。1994年に導入された小選挙区比例代表並立制では，一人の候補者が小選挙区選挙と比例代表選挙に重複立候補することが認められている。重複立候補者は各党の候補者名簿で同一順位に並べることができ，その場合，同一順位者の間の優先順位は惜敗率（＝小選挙区選挙における本人の得票数／当該小選挙区における当選者の得票数）によって決定される。比例代表選挙は拘束名簿式で行われ，有権者は政党名を投票用紙に記入して投票を行う。なお，参議院の比例代表制で採用されている非拘束名簿式では，政党名に代えて個人名を投票用紙に記入することも認められている。

5．各地方公共団体では，執行機関の首長と議決機関の議会議員がともに住民の直接選挙によって選出されているため，わが国における地方政治の仕組みは二元的代表制に分類される。地方議会の議員選挙は大選挙区制に基づいて行われており，各選挙区から複数名の議員が選出されているが，住民は一人の候補者を選択する方式（＝単記制）で投票を行う。

正答　4

国家一般職［大卒］ No. 6 専門試験

行政学　行政学説　令和2年度

行政学の学説に関する次の記述のうち，妥当なのはどれか。

1　真渕勝は，国家は官僚が背負うと自負する1960年代までの国士型官僚，政治家と協力して社会の利益の調整に当たる1970年代以降の調整型官僚，多様な利益の調整は政治家に任せ，必要最小限の仕事をしようとする1980年代中頃以降の吏員型官僚という，時代区分に応じた官僚像を示した。

2　人間関係論は，F. テイラーらによるホーソン工場での調査を基に，職場のインフォーマル（非公式）な人間関係以上に，組織の命令系統に基づくフォーマル（公式）な人間関係が，工場での作業能率に大きな影響をもたらしているとした。

3　C. フリードリッヒは，現代における行政の責任とは，議会による行政府に対する統制に適切かつ迅速に応答することであり，コミュニティに対して直接対応する責任や，科学的な知識に基づいて対応する責任は，行政官にとって過大な責任であると考えた。

4　M. リプスキーは，人事，財政担当部局などの職員のように，行政サービスの対象者と直に接し，職務を遂行している行政職員のことを「ストリート・レベルの官僚」と呼び，「エネルギー振り分け」などの裁量が狭いことが職務上の特徴であるとした。

5　R. マートンは，官僚制では，法令，規則に基づいて職務を遂行することは，不確実な社会での柔軟な対応を阻むために重視されず，法令，規則はその時々で柔軟に変更できるものとしつつ，効率的に「目的の転移」を図ることが望ましいとした。

解説

1．妥当である。真渕勝は，伝統的に官僚が主導してきた政官関係から，1970年代以降，次第に政治家が官僚に対して強くなり官僚の役割が縮小する過程を，国士型官僚から調整型官僚，吏員型官僚への変化として説明した。

2．科学的管理法と人間関係論の違いを問う選択肢である。人間関係論は，E. メイヨーらによるホーソン工場での調査をもとに提唱された。テイラーは，人間関係論が提唱される以前，労働者の作業を科学的に分析し，作業環境を改善することで効率化する科学的管理法を提唱した。人間関係論では，職場のフォーマルな人間関係以上に，インフォーマルな人間関係が生産性に影響するとする。結果的に，人間関係論は，科学的管理法に相反する理論として位置づけられた。

3．H. ファイナーとフリードリッヒの行政責任論の違いを問う選択肢である。ファイナーは，議会制民主主義を重視し，議会による行政府に対する統制に適切かつ迅速に応答することを，行政責任であると考えた。それに対して，フリードリッヒは，行政国家化が進展し，議会の役割が低下する状況では，議会による統制と応答だけでは不十分であるとした。コミュニティに対して直接対応する責任や，科学的な知識に基づいて対応する責任まで含めて，行政責任であると考えた。

4．リプスキーが「ストリート・レベルの官僚」と呼んだのは，社会福祉のケースワーカーや，外勤警察官のように，役所の外で住民と直接接する仕事を担当する職員である。人事や財政担当部局は，市民と直接接するというよりは，役所の中で勤務し，そうした「ストリート・レベルの官僚」を統制する立場にある。また，「ストリート・レベルの官僚」は，統制する人が近くにいないため，自分の担当するいくつかの仕事の中で，エネルギーをどのように割り振るかの裁量が広いことが特徴である。

5．M. ヴェーバーを代表とする官僚制理論では，法令，規則に基づいて職務を遂行することが官僚制にとって重要である。柔軟な対応以上に，どのような人が対応しても同じ対応となることが重視される。その時々で法令や規則を変更できることとすると，公平な対応ができなくなるため，望ましくない。このように合理的な官僚制だが，それに対して，マートンは，法令や規則の遵守が行きすぎると弊害が生じるという逆機能論を展開した。弊害の一つが「目的の転移」である。状況が変化している場合でも，法令や規則を守ることにこだわり，法令や規則を守っても本来の目的である課題を解決することはできないにもかかわらず，法令や規則を守ることそのものが目的となってしまう弊害である。

正答　1

国家一般職［大卒］ 専門試験 No. 7 行政学 政策過程 令和 2 年度

政策過程に関する次の記述のうち，妥当なのはどれか。

1 H. サイモンは，人間の認識能力には際限がなく，効用を最大化することを目指すべきであるとして，十分に満足する水準の充足を目指す満足化モデル（satisfying model）を主張し，合理性の限界を考慮することは，「訓練された無能力」であるとして批判した。

2 C. リンドブロムは，政策過程は公共の目的を持っており，個々の立案者たちが共通の目的を持って参画すべきであり，それぞれの利益に基づく考え方は反映すべきではないとする唱道連携フレームワーク（Advocacy Coalition Framework）を提唱した。

3 J. キングダンは，ある政策案が推進される好機が訪れることを，「政策の窓（Policy Window）」が開くという比喩で表現し，「問題」「政策」「政治」という三つの流れとその合流によって，政策過程を説明した。

4 J. マーチらは，政策決定過程では，必要性の高い課題と政策は政策決定の場に残るが，必要性の低い課題と政策はそれらとは区別された上で，不要なものとしてゴミ缶の中に捨てられ，解決すべき課題や政策として取り上げられなくなるとする「ゴミ缶モデル」を提唱した。

5 稟議制は，官僚制組織の意思決定方式の一つであり，辻清明は，最終的に決裁を行う職員が起案文書を作成すること，文書が順次回覧され個別に審議されることなどを特徴として指摘するとともに，これが効率的であるとして，欧米の官僚制組織の意思決定にも広がっていったとした。

1.「訓練された無能力」を指摘したのは，R. マートンである。法令や規則を遵守する官僚としての訓練を受けた結果，かえって変化に応じた対応ができなくなり，問題解決が遠のく官僚制の弊害（逆機能）のことである。サイモンは，人間の認識能力や，効用を最大化することには限界があるとして，とりあえず満足できる水準の充足をめざす満足化モデルを提唱した。同時に，合理的な認識や行動の限界を考慮する必要があるとして，「限定された合理性」を主張した。

2. リンドブロムは，政策立案過程で，理想には及ばないが，２，３の実現可能な選択肢が検討され，現状の政策を少しずつ変更しながら問題の解決を図るというインクリメンタリズムを提唱した。本肢の記述とはまったく異なる。唱道連携フレームワークは，P. サバティアが提唱し，政策過程で共通の目的，信念を持つ者たちが連合を形成し，自らの目的を達成するために働きかけを行い，他の連合とも相互に作用することで政策変化が起きるという理論である。したがって，唱道連携フレームワークの説明としても，連合の参加者は目的や信念を共有したうえで，それぞれの利益に基づく考え方を反映しようとするため，反映すべきではないという点が誤りである。

3. 妥当である。さまざまな案件のうち，何が，どのようなきっかけで問題として認識され，政策の議題として設定されるのかを説明した。

4.「ゴミ缶モデル」での「ゴミ」とは，必要性が低く不要なものではなく，意思決定が行われるのに不可欠な「問題」「解」「参加者」が「ゴミ」にたとえられている。それらが，偶然的に「缶」に投げ込まれることで「選択機会」が生じるため，「選択機会」が「缶」にたとえられている。このような，「問題」「解」「参加者」「選択機会」という４つが流動し，タイミングよく出会ったときに，政策決定がなされると考えられる。

5. 稟議制では，末端の職員が起案文書を作成する。文書は，順次最終決裁者に向けて回覧されるものの，形式的な確認にとどまり，個別には審議されにくい。稟議制は，日本の官僚制組織の特徴的な意思決定方式であるとされ，形式的であることや責任が曖昧であることから，欧米の官僚制組織からは驚かれ，疑問が示された。

正答　3

国家一般職［大卒］ 専門試験 No.8

行政学 わが国の計画・調整 令和2年度

我が国における計画と調整に関する次の記述のうち，妥当なのはどれか。

1 地域再生計画とは，地方公共団体の財政が悪化したときに，財政健全化を図る，まち・ひと・しごと創生法に基づく地方創生の仕組みであり，地方公共団体は，事前に設定された財政健全化基準を超えた場合に，この計画を策定することが義務付けられている。

2 高齢社会を迎えた我が国では，各種行政計画を策定する上で高齢者の意向とその変化を調査する必要があり，65歳以上の高齢者を対象として，将来への不安や生活満足度を定期的に調査する国勢調査が行われている。この調査は，５年に１回行われていたが，平成27（2015）年以降，マイナンバーを用いて，毎年行われることとなった。

3 地方公共団体は，市町村合併の基本的な考え方を定めた総合計画を策定する。財務省は，合併に向けた総合計画の達成可能性やその実現に必要となる経費を算出し，地方公共団体に対する地方交付税交付金の額を決定する。

4 平成13（2001）年に行われた中央省庁等再編では，内閣総理大臣の補佐体制を強化するため，内閣官房は，各省の対立を調整する総合調整の機能に加えて，企画立案の機能を有することとなり，その役割が強化された。

5 経済財政諮問会議は，平成30（2018）年に財務省に設置された合議制組織であり，毎年度，「経済財政運営と改革の基本方針」を策定，公表し，中長期の財政目標や予算の総額，公債発行額など，今後の財政の大枠を示し，予算を積み上げて決定するミクロ編成で重要な役割を果たしている。

政治学
行政学
憲法
行政法
民法
経済理論
財政学

解説

1．地方公共団体は，事前に設定された財政健全化基準を超えた場合には，財政健全化計画を策定する。地方再生計画は，地域再生法に基づく地方創生のために策定される計画である。地方公共団体が自主的に取組みを行い，計画が認定されると国から支援を受けることができる。

2．国勢調査は，日本に住むすべての人と世帯を対象に行われている。将来への不安や生活満足度といった具体的な質問ではなく，基礎的な統計調査であるため，教育，就業，国籍，世代人員，住宅の種類といったことが質問事項である。現在でも５年に１回行われている。マイナンバーは活用されていないが，2015年より，インターネットでの回答が可能となった。

3．総合計画は，地方公共団体の今後の基本的な政策を定めるものであり，市町村合併について含まれることもあるが，市町村合併のための計画ではない。また，総合計画と地方交付税交付金の額の決定には直接的な関係はない。地方交付税は，総務省が地方公共団体の財源不足を補うよう算出し，交付される。総務省は，地方財政計画を策定し，地方公共団体の歳出と歳入の総額の見込額を示す。その中で地方交付税の見込額も示される。

4．妥当である。現在，内閣官房は，総合調整と企画立案の２つの機能を有している。

5．経済財政諮問会議は，中央省庁等再編に伴い内閣府に創設された合議制組織である。それ以前の予算編成では，各府省からの要求を財務省が査定し，予算を積み上げて決定するミクロ編成の手法がメインであった。財務省は，概算要求基準の提示などを通じて，予算の大枠を管理するマクロ編成を担っていたが，経済財政諮問会議が，新たに，首相のリーダーシップや，民間議員の提言などに基づいて予算や国債の発行額の大枠を示すこととなり，マクロ編成の機能が強化された。

正答　4

行政学　行政組織・行政委員会　令和2年度

行政組織と行政委員会に関する次の記述のうち，妥当なのはどれか。

1　国地方係争処理委員会は，選挙で選出され内閣総理大臣が任命する5人の委員で構成される合議制の委員会であり，令和元（2019）年9月には，関西国際空港の移転に関する泉佐野市の審査申出に対して審査し，内閣総理大臣に必要な措置を講ずるよう勧告した。

2　原子力安全委員会は，国家行政組織法第3条に基づいて，東日本大震災への対応を主な目的に平成24（2012）年に環境省の外局として設置された。この委員会は，国務大臣を委員長とする行政委員会であり，事務局として復興庁が設置されている。

3　大森彌は，日本の行政組織の特徴として，それぞれの組織の職務分掌が明確であり，それゆえに個人の役割も明確になっていることや，外形的に個々人が独立して，区切られた空間で執務する形態などを指摘し，これを「大部屋主義」と呼んだ。

4　P.ダンリーヴィーは，1980年代に組織形整（bureau-shaping）モデルを提唱し，行政組織の上層部は，政策の企画立案等の仕事の面白さを重視するため，電気・ガスなどの社会インフラに関わる企業の活動を行政組織に内部化することで組織や予算の規模を大きくしたいというインセンティブを持つとした。

5　英国で導入されたエージェンシー制度や，日本で導入された独立行政法人制度は，いわゆるNPM（New Public Management）という概念による行政改革に基づいており，C.フッドは，NPMの要素として，公共部門における競争の重視や，民間部門の経営手法の強調等を指摘した。

1. 国地方係争処理委員会は，有識者の中から両院の同意を得て，総務大臣が任命する5人の委員で構成される合議制の委員会である。泉佐野市は，ふるさと納税の新制度から除外されたことを不服として，国地方係争処理委員会に審査を申し立てた。2019年9月，同委員会は，総務省に対して，泉佐野市を新制度から除外した根拠が不十分であるとして，再検討するよう勧告した。その後，同年10月に総務省は泉佐野市の除外を継続決定したが，2020年6月に最高裁判所は除外を取り消す判決を行った。

2. 原子力安全委員会は，内閣府に設置されていた審議会であったが，東日本大震災以後，原子力行政の再構築の中で，2012年に廃止された。原子力安全委員会の廃止に伴い，同委員会と原子力安全・保安院の役割を一元化した原子力規制委員会が新設された。原子力規制委員会は，国家行政組織法3条に基づいて設置された，環境省の外局である。原子力安全委員会は，同8条に基づいて設置された審議会であったため，原子力規制委員会の原子力の規制に関する権限はより強化された。原子力規制委員会の委員長は，工学者等の有識者が務めている。事務局として原子力規制庁が新設された。

3. 「大部屋主義」の特徴は，それぞれの組織の職務分掌が明確であるのとは対照的に，組織を構成する個人の役割が曖昧になっていること，外形的な執務体制としても個々人が独立せず，区切られていない空間で，構成員が一緒に仕事をすることなどである。それに対して，欧米では，個人の役割が職務記述書などで明確に定められており，外形的にも個々人が独立して勤務する形態を「個室主義」とした。

4. ダンリーヴィーの組織形整モデルは，官僚が予算を最大化するよう行動するという，W.ニスカネンの予算極大化モデルを批判した。行政組織の上層部は，予算を極大化するよう行動するとは限らず，政策の企画立案等の仕事のおもしろさやプライド，知識を得ることを重視するために，行政組織の中でルーティン化された仕事を嫌う。そのため，たとえ組織や予算が小さくなっても，ルーティン化された仕事を行政組織から切り離し，外部化する傾向があることを指摘した。当時イギリスで行われていた民営化などの行政改革が行われた背景を説明した。

5. 妥当である。NPMは，フッドにより理論的に日本に紹介された。

正答 5

政治学
行政学
憲法
行政法
民法
経済理論
財政学

国家一般職［大卒］

No. 10 専門試験 行政学 わが国の公務員制度等 令和2年度

我が国の公務員制度等に関する次の記述のうち，妥当なのはどれか。

1 国家公務員の採用については，府省別採用や採用後の人事管理がセクショナリズムの原因となっているとの指摘があった。このため，国家公務員採用試験は，平成28（2016）年度試験より，総合職試験，一般職試験，各種専門職試験に再編された。また，内閣人事局が一括して採用を行い，配属先を決定する仕組みとなった。

2 女性国家公務員の採用については，平成27（2015）年に策定された第４次男女共同参画基本計画において，総合職試験の採用者の30％以上を女性とすることを義務付けるクォータ制を導入した。これにより，総合職試験の女性の採用者は，平成29（2017）年度から３年連続で40％を超えている。

3 国から地方公共団体への出向者は，幹部に就任することが原則であり，これにより地方公共団体の職員の意欲が低下し，地方公共団体の自律的な運営を阻害していると指摘される。このため，現在は，国から地方への出向者数の上限が法定されるとともに，各府省の大臣は，職員を出向させる際には総務大臣の事前承認を得ることとされている。

4 公的年金の支給開始年齢が65歳へと引き上げられたことに伴い，平成25（2013）年に国家公務員の定年制が廃止された。これにより，若年層の昇進ペースが遅くなり，管理職員の高年齢化が進んだため，平成30（2018）年度に，60歳に達した管理職員を原則として降格させる役職定年制が導入された。

5 国家公務員の給与については，民間企業の給与水準との格差をなくすことを基本に，第三者機関である人事院が，給与の改定について内閣及び国会に対し勧告を行う，給与勧告制度が採られている。これは，国家公務員の労働基本権が制約されていることの代わりに設けられている措置である。

1．国家公務員採用試験は，2012年から総合職，一般職，専門職試験に再編された。セクショナリズムの批判はあるものの，府省別採用や府省別の人事管理は継続されている。ただし，2014年に内閣人事局が新設されて以降，幹部公務員については内閣人事局の適格性審査と，首相，内閣官房長官，大臣による任免協議の仕組みが導入され，府省一元的な管理が行われるようになった。

2．第４次男女共同参画基本計画は，女性の登用に関する成果目標として，国家公務員採用試験および国家公務員採用総合職試験からの採用者に占める女性の割合を毎年度30％以上とすることを定めている。これは，あくまで努力を求める目標値であり，達成を義務づけるクォータ制とは異なる。実際に，2015年度以降，総合職試験採用者に占める女性の割合は，35％前後で推移している。

3．前段には，むしろ地方公共団体の側が積極的に出向者を受け入れているとの指摘もあり，両論が展開されている。国から地方公共団体への出向者数の上限は法定されていない。また，総務大臣の事前承認は必要とせず，派遣元の府省と出向先の地方公共団体が同意すれば，出向が可能である（一部，地方議会の同意を必要とする人事もある）。

4．国家公務員の60歳定年を段階的に65歳に引き上げる法案は，2020年３月に国会に提出されたものの，廃案となり，定年は延長されていない。定年制の廃止は議論されていない。同法案には，役職定年制の導入も盛り込まれていたが，導入に至っていない。

5．妥当である。人事院は，労働基本権が制約されていることの代わりに，給与勧告を行っている。

正答　5

国家一般職［大卒］ No. 11 専門試験

憲法　憲法13条　令和2年度

憲法第13条に関する次の記述のうち，判例に照らし，妥当なのはどれか。

1　学籍番号及び氏名は，大学が個人識別等を行うための単純な情報であって，秘匿されるべき必要性が必ずしも高いものではなく，自己が欲しない他者にはみだりにこれらの個人情報を開示されないことへの期待は，尊重に値するものではあるものの，法的に保護されるとまではいえないから，学籍番号及び氏名はプライバシーに係る情報として法的保護の対象とはならない。

2　人の氏名，肖像等（以下，併せて「肖像等」という。）は，個人の人格の象徴であるから，当該個人は，人格権に由来するものとして，これをみだりに利用されない権利を有するところ，肖像等は，商品の販売等を促進する顧客吸引力を有する場合があり，このような顧客吸引力を排他的に利用する権利は，肖像等それ自体の商業的価値に基づくものであるから，当該人格権に由来する権利の一内容を構成するものということができる。

3　聞きたくない音を聞かない自由は，人格的利益として現代社会において重要なものであり，憲法第13条により保障され，かつ，精神的自由権の一つとして憲法上優越的地位を有するものであるから，商業宣伝放送を行うという経済的自由権によって当該自由が制約されている場合は，厳格な基準によってその合憲性を判断しなければならない。

4　患者が，輸血を受けることは自己の宗教上の信念に反するとして，輸血を伴う医療行為を拒否するとの明確な意思を有している場合であっても，このような意思決定をする権利は，患者自身の生命に危険をもたらすおそれがある以上，人格権の一内容として尊重されるということはできない。

5　人格権の内容を成す利益は人間として生存する以上当然に認められるべき本質的なものであって，これを権利として構成するのに何らの妨げはなく，さらには，環境汚染が法によってその抑止，軽減を図るべき害悪であることは，公害対策基本法等の実定法上も承認されていると解されることから，良い環境を享受し得る権利としての環境権は，憲法第13条によって保障されていると解すべきである。

1．判例は，学籍番号および氏名などは，秘匿されるべき必要性が必ずしも高いものではないにせよ，プライバシーに係る情報として法的保護に値し，本人の意思に基づかずに，みだりにこれを他者に開示することは許されないとする（最判平15・9・12)。

2．妥当である（最判平24・2・2)。

3．判例は，本肢（これは上告人の主張）のようには判示しておらず，被上告人の運行する地下鉄の列車内における本件商業宣伝放送を違法ということはできず，被上告人である鉄道会社は不法行為および債務不履行の各責任を負わないとした（最判昭63・12・20)。

4．判例は，患者が，輸血を受けることは自己の宗教上の信念に反するとして，輸血を伴う医療行為を拒否するとの明確な意思を有している場合には，このような意思決定をする権利は，人格権の一内容として尊重されなければならないとする（最判平12・2・29)。

5．環境権が憲法13条によって保障されているとした判例はない。

正答 2

国家一般職
[大卒]
No.
12
専門試験
憲法　参政権　令和2年度

参政権に関するア～オの記述のうち，判例に照らし，妥当なもののみを全て挙げているのはどれか。

ア．憲法第15条の規定は，国外に居住していて国内の市町村の区域内に住所を有していない在外国民の選挙権を保障するものではないから，在外国民に衆参両議院の比例代表選出議員の選挙についてだけ投票を認め，衆議院小選挙区及び参議院選挙区選出議員の選挙については投票を認めないこととしても，違憲ということはできない。

イ．憲法は，国会の両議院の議員を選挙する制度の仕組みの具体的決定を原則として国会の裁量に委ねているのであるから，投票価値の平等は，憲法上，選挙制度の決定のための唯一，絶対の基準となるものではなく，原則として，国会が正当に考慮することのできる他の政策的目的ないしは理由との関連において調和的に実現されるべきものと解さなければならない。

ウ．政治上の表現の自由は民主政治の根幹を成すものであって，政見放送の事前抑制は認められないから，政見放送において，その使用が社会的に許容されないことが広く認識されているいわゆる差別用語を使用した部分が公職選挙法の規定に違反するとして，当該部分の音声を削除して放送することは，憲法第21条に違反する。

エ．戸別訪問の禁止は，意見表明そのものの制約を目的とするものではなく，意見表明の手段方法のもたらす弊害を防止して，選挙の自由と公正を確保することを目的としているところ，その目的は正当であり，戸別訪問を一律に禁止することと禁止目的との間には合理的な関連性がある。また，選挙の自由と公正の確保という戸別訪問の禁止によって得られる利益は失われる利益に比してはるかに大きいといえるから，戸別訪問を一律に禁止している公職選挙法の規定は，憲法第21条に違反しない。

オ．公職選挙法が，同法所定の組織的選挙運動管理者等が買収等の所定の選挙犯罪を犯し禁錮以上の刑に処せられた場合に，公職の候補者であった者の当選を無効とし，かつ，これらの者が一定期間当該選挙に係る選挙区において行われる当該公職に係る選挙に立候補することを禁止する旨を定めていることは，いわゆる連座の対象者の範囲を必要以上に拡大し，公明かつ適正な公職選挙の実現という立法目的を達成するための手段として妥当性を欠いており，憲法第15条に違反する。

1　ア，ウ
2　ア，エ
3　イ，エ
4　イ，オ
5　ウ，オ

解説

ア：妥当でない。判例は，衆議院小選挙区選出議員の選挙および参議院選挙区選出議員の選挙について在外国民に投票をすることを認めないことについて，やむをえない事由があるということはできず，公職選挙法の規定のうち，在外選挙制度の対象となる選挙を当分の間両議院の比例代表選出議員の選挙に限定する部分は，憲法15条１項および３項，43条１項ならびに44条ただし書に違反するものといわざるをえないとする（最大判平17・９・14）。

イ：妥当である（最大判昭51・４・14）。

ウ：妥当でない。判例は，政見放送において，その使用が社会的に許容されないことが広く認識されているいわゆる差別用語を使用した部分が公職選挙法の規定に違反するとして，当該部分の音声を削除して放送することは，憲法21条に違反しないとする（最判平２・４・17）。

エ：妥当である（最判昭56・６・15）。

オ：妥当でない。判例は，公職選挙法所定の組織的選挙運動管理者等が買収等の所定の選挙犯罪を犯し禁錮以上の刑に処せられた場合に，公職の候補者であった者の当選を無効とし，かつ，これらの者が一定期間当該選挙に係る選挙区において行われる当該公職に係る選挙に立候補することを禁止することは，憲法15条に違反しないとする（最判平９・３・13）。

以上から，妥当なものはイとエであり，**3**が正答となる。

正答　3

国家一般職［大卒］ No. 13 専門試験

憲法　経済的自由権　令和2年度

経済的自由権に関するア～オの記述のうち，判例に照らし，妥当なもののみを全て挙げているのはどれか。

ア．薬局の開設に適正配置を要求する規制は，国民の生命・健康に対する危険の防止という消極目的の規制であり，適正配置規制を行わなければ，薬局等の偏在や乱立により医薬品の調剤供給に好ましからざる影響を及ぼすため，その必要性と合理性は認められるが，その立法目的は，より緩やかな規制手段によっても十分に達成できることから，憲法第22条第1項に違反する。

イ．一般に許可制は，職業の自由に対する強力な制限であるから，その合憲性を肯定し得るためには，原則として，重要な公共の利益のために必要かつ合理的な措置であることを要するところ，租税の適正かつ確実な賦課徴収を図るという国家の財政目的のための職業の許可制による規制については，その必要性と合理性についての立法府の判断が，立法府の政策的，技術的な裁量の範囲を逸脱するもので，著しく不合理なものでない限り，憲法第22条第1項に違反しない。

ウ．憲法第29条が規定する財産権の保障とは，個人が現に有している具体的な財産上の権利の保障を意味するものであって，個人が財産権を享有し得る法制度としての私有財産制を保障するものではない。

エ．財産上の権利につき使用，収益，処分の方法に制約を加えることは，公共の福祉に適合する限り，当然になし得るが，私有財産権の内容に規制を加えるには，法律によらなければならないため，ため池の堤とうに農作物を植える行為等を条例によって禁止することは，憲法第29条第2項に違反する。

オ．憲法第29条第1項は，「財産権は，これを侵してはならない。」と規定しているが，同条第2項は，「財産権の内容は，公共の福祉に適合するやうに，法律でこれを定める。」と規定している。したがって，法律で一旦定められた財産権の内容を事後の法律で変更しても，それが公共の福祉に適合するようにされたものである限り，これをもって違憲の立法ということはできない。

1　ア，イ
2　ア，ウ
3　イ，オ
4　ウ，エ
5　エ，オ

解説

ア：妥当でない。判例は，薬局の開設等の許可基準の一つとして地域的制限を定めた薬事法の規定は，不良医薬品の供給の防止等の目的のために必要かつ合理的な規制を定めたものということができないから，憲法22条1項に違反し，無効であるとする（最大判昭50・4・30）ので，本記述は，「その必要性と合理性は認められる」としている点が誤り。

イ：妥当である（最判平4・12・15）。

ウ：妥当でない。判例は，憲法29条は，私有財産制度を保障しているのみでなく，社会的経済的活動の基礎をなす国民の個々の財産権につきこれを基本的人権として保障するとする（最大判昭62・4・22）。

エ：妥当でない。判例は，ため池の破損，決壊の原因となるため池の堤とうの使用行為は，憲法でも，民法でも適法な財産権の行使として保障されていないものであって，憲法，民法の保障する財産権の行使のらち外にあるものというべく，したがって，これらの行為を条例をもって禁止，処罰しても憲法および法律に牴触またはこれを逸脱するものとはいえないとする（最大判昭38・6・26）。

オ：妥当である（最大判昭53・7・12）。

以上から，妥当なものはイとオであり，**3**が正答となる。

正答 3

国家一般職［大卒］ No. 14 専門試験

憲法　国会　令和2年度

国会に関する次の記述のうち，妥当なのはどれか。

1　両議院は，各々その議員の資格に関する争訟を裁判するが，当該裁判により議員の資格を失うこととなった者は，これに不服がある場合，その結論を司法裁判所で争うことができる。

2　憲法に基づく両議院の議員懲罰権は，議院内部の秩序を乱した議員の懲罰を目的とするものであるから，議場外の行為で会議の運営とは関係のない個人的行為は懲罰の事由とはならない。

3　憲法上，予算先議権など衆議院のみに認められた権能がある一方で，参議院のみに認められた権能はない。

4　法律案について，衆議院で可決し，参議院でこれと異なる議決をした場合，必ず両院協議会を開かなければならず，両院協議会で意見が一致しないときは，衆議院で総議員の３分の２以上の多数で再び可決すれば，法律となる。

5　国会の会期中に議決に至らなかった案件は，原則として後会に継続しない。これを会期不継続の原則といい，憲法上，明文で規定されている。

解説

1．両議院は，おのおのその議員の資格に関する争訟を裁判する。そして，議員の議席を失わせるには，出席議員の３分の２以上の多数による議決を必要とする（憲法55条）。当該裁判により議員の資格を失うこととなった者は，これに不服がある場合であっても，その結論を司法裁判所で争うことはできない。

2．妥当である。両議院は，院内の秩序を乱した議員を懲罰することができる（憲法58条２項）。

3．憲法上，予算先議権（憲法60条１項）など衆議院のみに認められた権能と，参議院の緊急集会（同54条２項・３項）のように，参議院のみに認められた権能がある。

4．衆議院で可決し，参議院でこれと異なった議決をした法律案は，衆議院で出席議員の３分の２以上の多数で再び可決したときは，法律となる（憲法59条２項）。この場合，法律の定めるところにより，衆議院が，両議院の協議会を開くことを求めることを妨げない（同条３項）。したがって，必ず両院協議会を開かなければならないわけではない。

5．国会の会期中に議決に至らなかった案件は，原則として後会に継続しない。これを会期不継続の原則というが，憲法上は，明文で規定されておらず，国会法68条で規定されている。

正答　2

No. 15 専門試験

憲法　司法権　令和2年度

司法権に関するア～オの記述のうち，妥当なもののみを全て挙げているのはどれか。

ア．法律上の争訟は，当事者間の具体的な権利義務ないし法律関係の存否に関する紛争であって，かつ，それが法律を適用することにより終局的に解決することができるものに限られるため，具体的事件性を前提とせずに出訴できる制度を法律で設けることはできない。

イ．特定の者の宗教法人の代表役員たる地位の存否の確認を求める訴えは，その者の宗教活動上の地位の存否を審理，判断するにつき，当該宗教団体の教義ないし信仰の内容に立ち入って審理，判断することが必要不可欠である場合であっても，法律上の争訟に当たるとするのが判例である。

ウ．法律が両院において議決を経たものとされ適法な手続により公布されている場合，裁判所は両院の自主性を尊重すべきであり，同法制定の議事手続に関する事実を審理してその有効無効を判断すべきではないとするのが判例である。

エ．衆議院の解散は，極めて政治性の高い国家統治の基本に関する行為であり，その法律上の有効無効を審査することは，当該解散が訴訟の前提問題として主張されている場合においても，司法裁判所の権限の外にあるとするのが判例である。

オ．自律的な法規範を持つ社会ないし団体にあっては，当該規範の実現を内部規律の問題として自主的措置に任せるのが適当であるから，地方公共団体の議会の議員に対する懲罰議決の適否については，それが除名処分である場合も含めて，裁判所の審査権の外にあるとするのが判例である。

1　ア，イ　　**2**　ア，オ　　**3**　イ，ウ　　**4**　ウ，エ　　**5**　エ，オ

解説

ア：妥当でない。具体的事件性を前提とせずに出訴できる制度を法律で設けることはできる。公職選挙法や地方自治法が定める民衆訴訟などが，その具体例である（公職選挙法203条，204条，地方自治法242条の2）。

イ：妥当でない。判例は，特定の者の宗教法人の代表役員たる地位の存否の確認を求める訴えは，その者の宗教活動上の地位の存否を審理，判断するにつき，当該宗教団体の教義ないし信仰の内容に立ち入って審理，判断することが必要不可欠である場合には，法律上の争訟に当たらないとする（最判平5・9・7）。

ウ：妥当である（最大判昭37・3・7）。

エ：妥当である（最大判昭35・6・8）。

オ：妥当でない。判例は，自律的な法規範を持つ社会ないしは団体にあっては，当該規範の実現を内部規律の問題として自治的措置に任せ，必ずしも，裁判にまつを適当としないが，地方議会議員の除名処分は，議員の身分の喪失に関する重大事項で，単なる内部規律の問題にとどまらないとする（最大判昭35・10・19）。したがって，除名処分には，裁判所の審査権が及ぶことになる。なお，判例は，出席停止の懲罰が科されると，当該議員はその期間，会議および委員会への出席が停止され，議事に参与して議決に加わるなどの議員としての中核的な活動をすることができず，住民の負託を受けた議員としての責務を十分に果たすことができなくなる。議員の権利行使の一時的制限にすぎないものとして，その適否がもっぱら議会の自主的，自律的な解決に委ねられるべきであるということはできない。出席停止の懲罰は，議会の自律的な権能に基づいてされたものとして，議会に一定の裁量が認められるべきであるものの，裁判所は，常にその適否を判断することができるというべきであり，普通地方公共団体の議会の議員に対する出席停止の懲罰の適否も，司法審査の対象となるとする（最大判令2・11・25）。

以上から，妥当なものはウとエであり，**4**が正答となる。

正答　4

国家一般職［大卒］ 専門試験

No. 16 行政法 行政行為 令和2年度

行政行為に関するア～オの記述のうち，妥当なもののみを全て挙げているのはどれか。ただし，争いのあるものは判例の見解による。

ア．行政処分は，たとえ違法であっても，その違法が重大かつ明白で当該行為を当然無効ならしめるものと認めるべき場合を除いては，適法に取り消されない限り完全にその効力を有する。

イ．行政処分が金銭を納付させることを直接の目的としており，その違法を理由とする国家賠償請求を認容したとすれば，結果的に当該行政処分を取り消した場合と同様の経済的効果が得られるという場合には，当該行政行為が違法であることを理由として国家賠償請求をするに際して，事前に当該行政行為について取消し又は無効確認の判決を得なければならない。

ウ．行政行為によって命じられた義務を私人が履行しない場合には，強制執行自体についての独自の根拠法がなくとも，裁判所の関与なしに，行政庁が自ら義務者に強制執行し，義務内容を実現することができる。

エ．行政行為の成立時には瑕疵がなく，その後の事情の変化により，その行政行為から生じた法律関係を存続させることが妥当でなくなった場合であっても，法令上，撤回について直接明文の規定がないときは，当該行政行為を撤回することはおよそ許されない。

オ．負担とは，行政行為を行うに際して，法令により課される義務とは別に課される作為又は不作為の義務であり，附款の一種であるが，行政行為の相手方が負担によって命じられた義務を履行しなかった場合には，当該行政行為の効果は当然に失われる。

1 ア
2 オ
3 ア，イ
4 ウ，エ
5 エ，オ

解説

ア：妥当である。判例は,「行政処分は, たとえ違法であつても, その違法が重大かつ明白で当該処分を当然無効ならしめるものと認むべき場合を除いては, 適法に取り消されない限り完全にその効力を有するものと解すべき」であるとしている（最判昭30・12・26)。このような行政行為の効力を, 公定力という。

イ：妥当でない。判例は,「行政処分が違法であることを理由として国家賠償請求をするについては, あらかじめ当該行政処分について取消し又は無効確認の判決を得なければならないものではない」とし,「このことは, 当該行政処分が金銭を納付させることを直接の目的としており, その違法を理由とする国家賠償請求を認容したとすれば, 結果的に当該行政処分を取り消した場合と同様の経済的効果が得られるという場合であっても異ならないというべきである」としている（最判平22・6・3)。

ウ：妥当でない。行政行為には自力執行力があり, 行政行為によって命じられた義務を私人が履行しない場合には, 行政庁が, 裁判所の判決を得ることなく強制執行を行い, 義務の内容を自ら実現することができる。ただし, このような自力執行力が認められるためには, 行政行為の根拠となる法律規定とは別に, 強制執行を許容する独自の根拠となる法律規定が必要となる。このような法律規定を設けている根拠法の例として, 行政代執行法が挙げられる。

エ：妥当でない。判例は, 医師会が, 実子あっせん行為を行った医師に対する指定医師の指定を撤回した事案において,「指定医師の指定の撤回によつて上告人の被る不利益を考慮しても, なおそれを撤回すべき公益上の必要性が高いと認められるから, 法令上その撤回について直接明文の規定がなくとも, 指定医師の指定の権限を付与されている被上告人医師会は, その権限において上告人に対する右指定を撤回することができる」としている（最判昭63・6・17)。

オ：妥当でない。負担とは, 行政行為に付随して相手方に特別の義務を負わせる意思表示のことであり, 附款の一種である。行政行為の相手方が負担を履行しない場合でも, 当該行政行為の効果が当然に失われることはなく, 行政庁が負担の履行を強制したり, 当該行政行為を取り消したりするなどの対応を行うことになる。

以上から妥当なものはアのみであり, **1**が正答となる。

正答 1

政治学
行政学
憲法
行政法
民法
経済理論
財政学

国家一般職［大卒］ No. 17 専門試験

行政法　情報公開法　令和2年度

行政機関の保有する情報の公開に関する法律（以下「情報公開法」という。）に関する次の記述のうち，妥当なのはどれか。

1　行政機関の長は，開示請求に係る行政文書に不開示情報（行政機関非識別加工情報など情報公開法で定められている情報を除く。）が記録されている場合であっても，公益上特に必要があると認めるときは，開示請求者に対し，当該行政文書を開示することができる。

2　開示請求に対し，当該開示請求に係る行政文書が存在しているか否かを答えるだけで，不開示情報を開示することとなるときは，行政機関の長は，当該行政文書の存否を明らかにしないで，当該開示請求を拒否することができ，その理由を提示する必要もない。

3　開示請求に係る行政文書の開示又は不開示の決定は，開示請求があった日から30日以内にしなければならないが，行政機関の長は，正当な理由があるときは，この期間を30日以内に限り延長することができる。この場合，事情のいかんにかかわらず，当該延長期間内に開示請求に係る全ての行政文書の開示又は不開示の決定を行わなければならない。

4　情報公開法は，行政文書の開示を請求する者に対しては，開示請求に係る手数料を徴収することとしているが，行政文書の開示を受ける者に対しては，情報公開制度の利用を促進する政策的配慮から，開示の実施に係る手数料を徴収してはならないこととしている。

5　情報公開法は，その対象機関に地方公共団体を含めていないが，全ての地方公共団体に対し，同法の趣旨にのっとり，その保有する情報の公開に関する条例の制定を義務付けている。

1．妥当である。行政機関の長は，開示請求に係る行政文書に不開示情報が記録されている場合であっても，公益上特に必要があると認めるときは，開示請求者に対し，当該行政文書を開示することができるとされている（情報公開法７条）。

2．開示請求に対し，当該開示請求に係る行政文書が存在しているか否かを答えるだけで，不開示情報を開示することとなるときは，行政機関の長は，当該行政文書の存否を明らかにしないで，当該開示請求を拒否することができる（情報公開法８条）。これは，グローマー拒否と呼ばれる。ただし，このように行政文書の存否を明らかにしないで開示請求を拒否する決定も，申請に対する処分の一つであるので，処分の理由を示す必要がある（行政手続法８条）。

3．開示請求に係る行政文書の開示または不開示の決定は，開示請求があった日から30日以内にしなければならないが，行政機関の長は，正当な理由があるときは，この期間を30日以内に限り延長することができる（情報公開法10条１項・２項）。しかし，開示請求に係る行政文書が著しく大量であるため，開示請求があった日から60日以内にそのすべてについて開示決定等をすることにより事務の遂行に著しい支障が生ずるおそれがある場合には，行政機関の長は，開示請求に係る行政文書のうちの相当の部分につき当該期間内に開示決定等をし，残りの行政文書については相当の期間内に開示決定等をすれば足りるとされている（同11条）。

4．開示請求をする者または行政文書の開示を受ける者は，政令で定めるところにより，それぞれ，実費の範囲内において政令で定める額の開示請求に係る手数料または開示の実施に係る手数料を納めなければならないとされている（情報公開法16条１項）。したがって，行政文書の開示を受ける者も手数料を徴収される。

5．情報公開法の適用対象機関は国の行政機関であり，地方公共団体は含まれていない（情報公開法２条１項）。また，情報公開法は，地方公共団体に対し，情報公開条例の制定を義務づけてはいない。

正答　1

国家一般職［大卒］

No. 18 専門試験

行政法　行政不服審査法　令和2年度

行政不服審査法に関するア～オの記述のうち，妥当なもののみを全て挙げているのはどれか。

ア．行政庁の処分に不服がある者は，行政不服審査法の定めるところにより，審査請求をすることができるが，同法は，同法による審査請求をすることができない処分については，別に法令で当該処分の性質に応じた不服申立ての制度を設けなければならないとしている。

イ．法令に基づき行政庁に対して処分についての申請をした者は，当該申請から相当の期間が経過したにもかかわらず，行政庁の不作為がある場合には，行政不服審査法の定めるところにより，当該不作為についての審査請求をすることができるが，当該不作為についての再調査の請求をすることはできない。

ウ．行政庁の処分についての審査請求の裁決に不服がある者は，個別の法律に再審査請求をすることができる旨の定めがない場合であっても，行政不服審査法の定めるところにより，再審査請求をすることができる。

エ．審査請求は，代理人によってすることができ，代理人は，審査請求人のために，当該審査請求に関する行為をすることができる。ただし，審査請求の取下げは，いかなる場合であっても，代理人がすることはできない。

オ．行政不服審査法は，処分（事実上の行為を除く。）についての審査請求に理由がある場合（事情裁決をする場合を除く。）には，処分庁の上級行政庁又は処分庁である審査庁は，裁決で，当該処分の全部若しくは一部を取り消し，又はこれを変更することとしている。

1　ア，イ
2　ア，エ
3　イ，オ
4　ウ，エ
5　ウ，オ

解説

ア：妥当でない。行政庁の処分に不服がある者は，行政不服審査法の定めるところにより，審査請求をすることができるが，同法は，同法により審査請求をすることができない処分または不作為につき，別に法令で当該処分または不作為の性質に応じた不服申立ての制度を設けることを妨げないとしている（行政不服審査法8条）。すなわち，そのような不服申立ての制度を設けなければならないとしているわけではない。

イ：妥当である。法令に基づき行政庁に対して処分についての申請をした者は，当該申請から相当の期間が経過したにもかかわらず，行政庁の不作為がある場合には，当該不作為についての審査請求をすることができる（行政不服審査法3条）。しかし，当該不作為についての再調査の請求をすることはできない。不作為をしている処分庁に対して再調査の請求をしても，実効性がないと考えられるためである。

ウ：妥当でない。行政庁の処分につき法律に再審査請求をすることができる旨の定めがある場合には，当該処分についての審査請求の裁決に不服がある者は，再審査請求をすることができる（行政不服審査法6条1項）。したがって，再審査請求をするためには，個別の法律の定めが必要である。

エ：妥当でない。審査請求は，代理人によってすることができ，代理人は，各自，審査請求人のために，当該審査請求に関する一切の行為をすることができる。ただし，審査請求の取下げは，特別の委任を受けた場合に限り，することができるとされている（行政不服審査法12条1項・2項）。

オ：妥当である。処分（事実上の行為を除く）についての審査請求に理由がある場合（事情裁決をする場合を除く）には，審査庁は，裁決で，当該処分の全部もしくは一部を取り消し，またはこれを変更する。ただし，審査庁が処分庁の上級行政庁または処分庁のいずれでもない場合には，当該処分を変更することはできないとされている（行政不服審査法46条1項）。したがって，処分庁の上級行政庁または処分庁である審査庁は，処分の取消し，変更をすることができる。

以上から，妥当なものはイとオであり，**3**が正答となる。

正答 3

国家一般職［大卒］ No. 19 専門試験

行政法　抗告訴訟の処分性　令和2年度

行政事件訴訟法上の抗告訴訟における処分性に関するア〜エの記述のうち，判例に照らし，妥当なもののみを全て挙げているのはどれか。

ア．住民票に特定の住民の氏名等を記載する行為は，その者が市町村の選挙人名簿に登録されるか否かを決定付けるものであって，その者は選挙人名簿に登録されない限り原則として投票をすることができないのであるから，これに法的効果が与えられているということができる。しかし，住民票に特定の住民と世帯主との続柄がどのように記載されるかは，その者が選挙人名簿に登録されるか否かには何らの影響も及ぼさないことが明らかであり，住民票に当該続柄を記載する行為が何らかの法的効果を有すると解すべき根拠はないから，住民票に世帯主との続柄を記載する行為は，抗告訴訟の対象となる行政処分に当たらない。

イ．食品等を輸入しようとする者が検疫所長から食品衛生法に違反する旨の通知を受けた場合，検疫所長から食品等輸入届出済証の交付を受けることができなくなるが，当該通知は，法令に根拠を置くものではなく，当該者の採るべき措置を事実上指導するものにすぎない上，当該者は，科学的な検査結果等をもって同法違反がないことを証明し，輸入に関する検査又は条件の具備についての税関長の確認を得ることができるのであるから，当該通知は，抗告訴訟の対象となる行政処分に当たらない。

ウ．土地区画整理事業の事業計画の決定は，当該土地区画整理事業の基礎的事項を一般的，抽象的に決定するものであって，これによって利害関係者の権利にどのような変動を及ぼすかが必ずしも具体的に確定されているわけではなく，また，事業計画が公告されることによって生ずる建築制限等は土地区画整理法が特に付与した公告に伴う付随的効果にとどまるものであるから，抗告訴訟の対象となる行政処分に当たらない。

エ．全国新幹線鉄道整備法に基づく運輸大臣（当時）の工事実施計画の認可は，いわば上級行政機関としての運輸大臣が下級行政機関としての日本鉄道建設公団（当時）に対しその作成した工事実施計画の整備計画との整合性等を審査してなす監督手段としての承認の性質を有するもので，行政機関相互の行為と同視すべきものであり，行政行為として外部に対する効力を有するものではなく，また，これによって直接国民の権利義務を形成し，又はその範囲を確定する効果を伴うものではないから，抗告訴訟の対象となる行政処分に当たらない。

1　ア，イ
2　ア，エ
3　イ，ウ
4　イ，エ
5　ウ，エ

解説

ア：妥当である。判例は，「市町村長が住民基本台帳法７条に基づき住民票に同条各号に掲げる事項を記載する行為は，元来，公の権威をもって住民の居住関係に関するこれらの事項を証明し，それに公の証拠力を与えるいわゆる公証行為であり，それ自体によって新たに国民の権利義務を形成し，又はその範囲を確定する法的効果を有するものではない」としたうえで，「住民票に特定の住民の氏名等を記載する行為は，その者が当該市町村の選挙人名簿に登録されるか否かを決定付けるものであって，その者は選挙人名簿に登録されない限り原則として投票をすることができないのであるから，これに法的効果が与えられているということができる。しかし，住民票に特定の住民と世帯主との続柄がどのように記載されるかは，その者が選挙人名簿に登録されるか否かには何らの影響も及ぼさないことが明らかであり，住民票に右続柄を記載する行為が何らかの法的効果を有すると解すべき根拠はない。したがって，住民票に世帯主との続柄を記載する行為は，抗告訴訟の対象となる行政処分には当たらないものというべきである」としている（最判平11・１・21）。

イ：妥当でない。判例は，「食品衛生法違反通知書による本件通知は，法16条に根拠を置くものであり，厚生労働大臣の委任を受けた被上告人が，上告人に対し，本件食品について，法６条の規定に違反すると認定し，したがって輸入届出の手続が完了したことを証する食品等輸入届出済証を交付しないと決定したことを通知する趣旨のものということができる」としたうえで，通知により，その食品について，関税法70条２項の「検査の完了又は条件の具備」を税関に証明し，その確認を受けることができなくなり，その結果，輸入の許可も受けられなくなるという「法的効力を有するものであって，取消訴訟の対象となると解するのが相当である」としている（最判平16・４・26）。

ウ：妥当でない。判例は，「市町村の施行に係る土地区画整理事業の事業計画の決定は，施行地区内の宅地所有者等の法的地位に変動をもたらすものであって，抗告訴訟の対象とするに足りる法的効果を有するものということができ，実効的な権利救済を図るという観点から見ても，これを対象とした抗告訴訟の提起を認めるのが合理的である。したがって，上記事業計画の決定は，行政事件訴訟法３条２項にいう『行政庁の処分その他公権力の行使に当たる行為』に当たると解するのが相当である」としている（最判平20・９・10）。

エ：妥当である。判例は，このような認可は，いわば上級行政機関としての運輸大臣（当時）が下級行政機関としての日本鉄道建設公団（当時）に対し「その作成した本件工事実施計画の整備計画との整合性等を審査してなす監督手段としての承認の性質を有するもので，行政機関相互の行為と同視すべきものであり，行政行為として外部に対する効力を有するものではなく，また，これによつて直接国民の権利義務を形成し，又はその範囲を確定する効果を伴うものではないから，抗告訴訟の対象となる行政処分にあたらない」としている（最判昭53・12・８）。

以上から妥当なものはアとエであり，**2**が正答となる。

正答　2

国家一般職［大卒］ No. 20 専門試験

行政法　損失補償　令和2年度

損失補償に関するア～オの記述のうち，判例に照らし，妥当なもののみを全て挙げているのはどれか。

ア．主として国の歴史を理解し往時の生活・文化等を知り得るという意味での歴史的・学術的な価値は，特段の事情のない限り，当該土地の不動産としての経済的・財産的価値を何ら高めるものではなく，その市場価格の形成に影響を与えることはないというべきであって，このような意味での文化財的価値なるものは，それ自体経済的評価になじまないものとして，土地収用法上損失補償の対象とはなり得ない。

イ．財産上の犠牲が単に一般的に当然に受忍すべきものとされる制限の範囲を超え，特別の犠牲を課したものである場合であっても，これについて損失補償に関する規定がないときは，当該制限については補償を要しないとする趣旨であることが明らかであるから，直接憲法第29条第3項を根拠にして補償請求をすることはできない。

ウ．警察法規が一定の危険物の保管場所等につき保安物件との間に一定の離隔距離を保持すべきことなどを内容とする技術上の基準を定めている場合において，道路工事の施行の結果，警察違反の状態を生じ，危険物保有者がその技術上の基準に適合するように工作物の移転等を余儀なくされ，これによって損失を被ったときは，当該者はその損失の補償を請求することができる。

エ．火災が発生しようとし，又は発生した消防対象物及びこれらのもののある土地について，消防吏員又は消防団員が，消火若しくは延焼の防止又は人命の救助のために必要がある場合において，これを使用し，処分し又はその使用を制限したときは，そのために損害を受けた者があっても，その損失を補償することを要しない。

オ．国家が私人の財産を公共の用に供するには，これによって私人の被るべき損害を填補するに足りるだけの相当な賠償をしなければならないことはいうまでもないが，憲法は，補償の時期については少しも言明していないのであるから，補償が財産の供与と交換的に同時に履行されるべきことについては，憲法の保障するところではない。

1　ア，オ
2　イ，ウ
3　ア，ウ，エ
4　ア，エ，オ
5　イ，ウ，オ

解説

ア：妥当である。判例は，「例えば，貝塚，古戦場，関跡などにみられるような，主としてそれによつて国の歴史を理解し往時の生活・文化等を知り得るという意味での歴史的・学術的な価値は，特段の事情のない限り，当該土地の不動産としての経済的・財産的価値を何ら高めるものではなく，その市場価格の形成に影響を与えることはないというべきであつて，このような意味での文化財的価値なるものは，それ自体経済的評価になじまないものとして，右土地収用法上損失補償の対象とはなり得ないと解するのが相当である」としている（最判昭63・1・21）。

イ：妥当でない。判例は，旧河川附近地制限令4条2号による制限について，「同条に損失補償に関する規定がないからといつて，同条があらゆる場合について一切の損失補償を全く否定する趣旨とまでは解されず，本件被告人も，その損失を具体的に主張立証して，別途，直接憲法29条3項を根拠にして，補償請求をする余地が全くないわけではない」としている（最判昭43・11・27）。

ウ：妥当でない。判例は，「警察法規が一定の危険物の保管場所等につき保安物件との間に一定の離隔距離を保持すべきことなどを内容とする技術上の基準を定めている場合において，道路工事の施行の結果，警察違反の状態を生じ，危険物保有者が右技術上の基準に適合するように工作物の移転等を余儀なくされ，これによつて損失を被つたとしても，それは道路工事の施行によつて警察規制に基づく損失がたまたま現実化するに至つたものにすぎず，このような損失は，道路法70条1項の定める補償の対象には属しないものというべきである」として，損失補償の請求を否定している（最判昭58・2・18）。

エ：妥当である。判例は，「火災が発生しようとし，または発生した消防対象物およびこれらのもののある土地について，消防吏員または消防団員が，消火もしくは延焼の防止または人命の救助のために必要があるときに，これを使用し，処分しまたはその使用を制限した場合」には，「そのために損害を受けた者があつても，その損失を補償することを要しない」としたうえで，「火災の際の消防活動により損害を受けた者がその損失の補償を請求しうるためには，当該処分等が，火災が発生しようとし，もしくは発生し，または延焼のおそれがある消防対象物およびこれらのもののある土地以外の消防対象物および立地に対しなされたものであり，かつ，右処分等が消火もしくは延焼の防止または人命の救助のために緊急の必要があるときになされたものであることを要する」としている（最判昭47・5・30）。

オ：妥当である。判例は，「国家が私人の財産を公共の用に供するにはこれによつて私人の被るべき損害を填補するに足りるだけの相当な賠償をしなければならないことは言うまでもない。しかしながら，憲法は『正当な補償』と規定しているだけであつて，補償の時期についてはすこしも言明していないのであるから，補償が財産の供与と交換的に同時に履行さるべきことについては，憲法の保障するところではないと言わなければならない」としている（最判昭24・7・13）。

以上から，妥当なものはアとエとオであり，**4**が正答となる。

正答　4

国家一般職［大卒］ 専門試験

No.21 民法（総則及び物権） 権利・行為能力 令和2年度

権利能力及び行為能力に関するア～オの記述のうち，妥当なもののみを全て挙げているのはどれか。

ア．自然人の権利能力は死亡によって消滅するため，失踪者が，失踪宣告によって死亡したものとみなされた場合には，その者が生存していたとしても，同宣告後その取消し前にその者がした法律行為は無効である。

イ．未成年者は，法定代理人が目的を定めて処分を許した財産については，法定代理人の同意を得なくとも，その目的の範囲内において自由に処分することができるが，法定代理人が目的を定めないで処分を許した財産については，個別の処分ごとに法定代理人の同意を得なければ処分することはできない。

ウ．未成年者が法定代理人の同意を得ずに土地の売買契約を締結した場合，当該契約の相手方は，当該未成年者が成人した後，その者に対し，1か月以上の期間を定めて，その期間内に当該契約を追認するかどうかを確答すべき旨の催告をすることができ，その者がその期間内に確答しなかったときは，追認したものとみなされる。

エ．成年被後見人は，日用品の購入その他日常生活に関する行為を単独で確定的に有効になすことができるが，これ以外の法律行為については，成年後見人の同意を得ても，単独で確定的に有効になすことはできない。

オ．被保佐人が，保佐人の同意を得ずに，同意が必要とされる行為をした場合，被保佐人自身のほか，保佐人も当該行為を取り消すことができる。

1 ア，イ　**2** エ，オ　**3** ア，ウ，オ
4 イ，ウ，エ　**5** ウ，エ，オ

解説

ア：妥当でない。自然人の権利能力は死亡によって消滅するが，失踪者が，失踪宣告によって死亡したものとみなされた場合でも，その者が生存していたとすれば，同宣告後その取消し前にその者がした法律行為は有効である。

イ：妥当でない。法定代理人が目的を定めて処分を許した財産は，その目的の範囲内において，未成年者が自由に処分することができる。目的を定めないで処分を許した財産を処分するときも，同様とされる（民法5条3項）。よって，後半が誤り。

ウ：妥当である（民法20条1項）。

エ：妥当である（民法9条）。

オ：妥当である（民法13条4項，120条1項）。

以上から，妥当なものはウとエとオであり，**5**が正答となる。

正答 5

国家一般職［大卒］

No. 22　専門試験

民法（総則及び物権）　意思表示　令和2年度

意思表示に関するア～オの記述のうち，妥当なもののみを全て挙げているのはどれか。ただし，争いのあるものは判例の見解による。

ア．意思表示は，その通知が相手方に到達した時からその効力が生じるところ，内容証明郵便を送付したが，相手方が仕事で多忙であるためこれを受領することができず，留置期間経過後に差出人に返送された場合には，相手方が不在配達通知書の記載等により内容証明郵便の内容を推知することができ，受取方法を指定すれば容易に受領可能であったとしても，その通知が相手方に到達したとはいえず，意思表示の効果が生じることはない。

イ．A所有の不動産について，BがAの実印等を無断で使用して当該不動産の所有権登記名義をBに移転した場合において，Aが当該不動産につき不実の登記がされていることを知りながらこれを明示又は黙示に承認していたときであっても，AB間に通謀による虚偽の意思表示がない以上，その後にBから当該不動産を購入した善意のCが保護されることはない。

ウ．錯誤は，表意者の重大な過失によるものであった場合は，取り消すことができないが，偽物の骨董品の取引において当事者双方が本物と思っていた場合など，相手方が表意者と同一の錯誤に陥っていたときは，取り消すことができる。

エ．詐欺とは，人を欺罔して錯誤に陥らせる行為であるから，情報提供の義務があるにもかかわらず沈黙していただけの者に詐欺が成立することはない。

オ．相手方に対する意思表示について第三者が強迫を行った場合，相手方が強迫の事実を知らなかったとしても，その意思表示を取り消すことができるが，相手方に対する意思表示について第三者が詐欺を行った場合において，相手方が詐欺の事実を知らず，かつ，知ることもできなかったときは，その意思表示を取り消すことはできない。

1　ア，イ　　**2**　ア，エ　　**3**　イ，ウ
4　ウ，オ　　**5**　エ，オ

解説

ア：妥当でない。意思表示は，その通知が相手方に到達した時からその効力を生じる（民法97条1項）ところ，本記述の場合には，判例は，社会通念上，了知可能な状態に置かれ，遅くとも留置期間が満了した時点で受取人に到達したものと認められるとする（最判平10・6・11）。

イ：妥当でない。本記述の場合には，判例は，AB間に通謀による虚偽の意思表示がなくても，民法94条2項を類推適用して，その後にBから当該不動産を購入した善意のCは保護されるとする（最判昭45・9・22）。

ウ：妥当である（民法95条3項2号）。

エ：妥当でない。詐欺とは，人を欺罔して錯誤に陥らせる行為であり，情報提供の義務があるにもかかわらず沈黙していただけの者にも詐欺が成立すると解されている。

オ：妥当である（民法96条1項・2項）。

以上から，妥当なものはウとオであり，**4**が正答となる。

正答　4

国家一般職［大卒］ No. 23 専門試験 民法（総則及び物権） **動産の物権変動** 令和2年度

動産の物権変動に関するア～オの記述のうち，妥当なもののみを全て挙げているのはどれか。ただし，争いのあるものは判例の見解による。

ア．債務者が動産を譲渡担保に供し引き続きこれを占有する場合，債権者は，譲渡担保契約の成立と同時に，占有改定により当該動産の占有権を取得し，その引渡しを受けたことになるので，その所有権の取得を第三者に対抗することができる。

イ．法人A所有の動産がBに譲渡され，AからBに引き渡されたとしても，その後，当該動産がCにも譲渡され，動産譲渡登記ファイルにAからCへの譲渡の登記がされた場合，Bは，Cに対し，その所有権の取得を対抗することはできない。

ウ．A所有の動産をBが占有していたところ，Bが死亡してBの相続人Cが相続財産の包括承継により善意・無過失で当該動産を占有した場合には，Cは当該動産を即時取得する。

エ．即時取得の対象となるのは動産の所有権のみであり，質権は即時取得の対象とならない。

オ．A所有の動産がBに盗まれ，その後，BからCに譲渡された場合には，Cが善意・無過失であったとしても，Aは，盗難の時から2年間，Cに対して当該動産の回復を請求することができる。

1 ア，イ
2 ア，オ
3 イ，ウ
4 ウ，エ
5 エ，オ

解説

ア：妥当である（最判昭30・6・2）。

イ：妥当でない。法人が動産を譲渡した場合において，当該動産の譲渡につき動産譲渡登記ファイルに譲渡の登記がされたときは，当該動産について，民法178条の引渡しがあったものとみなされる（動産及び債権の譲渡の対抗要件に関する民法の特例等に関する法律3条1項)。そして，動産に関する物権の譲渡は，その動産の引渡しがなければ，第三者に対抗することができないとされるので（民法178条)。本記述の場合，Bは，Cに対し，その所有権の取得を対抗することができる。

ウ：妥当でない。即時取得の制度は，動産取引の安全を図るものであるから，取引きによる動産取得の場合に適用される。相続の場合には適用されないので，本記述の相続人Cは当該動産を即時取得しない。

エ：妥当でない。即時取得の対象となるのは動産の所有権のみではなく，質権も即時取得の対象となると解されている。

オ：妥当である（民法192条，193条)。

以上から，妥当なものはアとオであり，**2**が正答となる。

正答 2

国家一般職［大卒］ No. 24 専門試験

民法（総則及び物権） 担保物権の性質・効力 令和2年度

担保物権の性質及び効力に関するア～オの記述のうち，妥当なもののみを全て挙げているのはどれか。

ア．担保物権には，被担保債権が発生しなければ担保物権も発生せず，被担保債権が消滅すれば担保物権も消滅するという性質がある。この性質は，担保物権が債権の強化のために存在するものであることから，全ての担保物権に共通して当然に認められるものである。

イ．担保物権には，被担保債権の全部の弁済を受けるまでは，目的物の全部についてその権利を行使することができるという性質がある。この性質は，留置権，先取特権及び質権には認められるが，抵当権については，目的物の一部に対して実行することも可能であるから，認められない。

ウ．担保物権には，目的物の売却，賃貸，滅失又は損傷によって債務者が受けるべき金銭その他の物に対しても行使することができるという性質がある。この性質は，担保の目的物を留置することによって間接的に債務の弁済を促そうとする留置権には認められない。

エ．担保物権には，担保権者が被担保債権の弁済を受けるまで目的物を留置することができるという効力がある。この効力は，留置権にのみ認められるもので，その他の担保物権には認められない。

オ．担保物権には，担保権者が目的物の用法に従いその使用及び収益をすることができるという効力がある。この効力が認められるものとして，不動産質権が挙げられる。

1 ア，イ
2 ア，エ
3 イ，ウ
4 ウ，オ
5 エ，オ

解説

ア：妥当でない。被担保債権が発生しなければ担保物権も発生せず，被担保債権が消滅すれば担保物権も消滅するという性質を附従性という。担保物権の中で，根抵当権は，元本が確定するまでは附従性を有しないので，誤り。

イ：妥当でない。被担保債権の全部の弁済を受けるまでは，目的物の全部についてその権利を行使することができるという性質を不可分性という。この性質は，留置権，先取特権，質権に認められる（民法296条，305条，350条）のみでなく，抵当権にも認められる（同372条）。

ウ：妥当である。物上代位性（民法304条，350条，372条）に関する記述である。

エ：妥当でない。担保権者が被担保債権の弁済を受けるまで目的物を留置することができるという効力を留置的効力という。この効力は，留置権と質権に認められる。

オ：妥当である。不動産質権の収益的効力（民法356条）に関する記述である。

以上から，妥当なものはウとオであり，**4**が正答となる。

正答 4

国家一般職[大卒] No. 25 専門試験

民法（総則及び物権） 根抵当権 令和2年度

根抵当権に関するア～オの記述のうち，妥当なもののみを全て挙げているのはどれか。

ア．根抵当権とは，一定の範囲に属する不特定の債権を極度額の限度において担保する抵当権のことである。例えば，継続的な売買取引に基づき発生する代金債権を担保するため，買主所有の不動産に対し，極度額の限度で抵当権を設定する場合がこれに当たる。

イ．根抵当権の極度額の増額は，後順位の抵当権者等の利害関係者に重大な不利益を及ぼす可能性がある。したがって，その増額分については新たな根抵当権を設定すべきであり，利害関係者の承諾を得たとしても，極度額を増額することはできない。

ウ．根抵当権の担保すべき元本について，その確定すべき期日を定めた場合は，後順位の抵当権者その他の第三者の承諾を得なければ，その期日を変更することができない。

エ．根抵当権の担保すべき債権の範囲は，元本の確定前であれば変更することができる。ただし，被担保債権を追加する変更を行う場合には，後順位の抵当権者その他の第三者に不利益を及ぼす可能性があることから，これらの者の承諾を得なければならない。

オ．元本の確定前に根抵当権者から債権を取得した者は，その債権について根抵当権を行使することができない。

1 ア，イ
2 ア，オ
3 イ，ウ
4 ウ，エ
5 エ，オ

解説

ア：妥当である（民法398条の2第1項・2項）。

イ：妥当でない。根抵当権の極度額の変更は，利害関係を有する者の承諾を得なければ，することができない（民法398条の5）。したがって，利害関係者の承諾を得れば，極度額を増額することができる。

ウ：妥当でない。元本確定期日の変更をするには，後順位の抵当権者その他の第三者の承諾を得ることを要しない（民法398条の6第2項，398条の4第2項）。

エ：妥当でない。元本の確定前においては，根抵当権の担保すべき債権の範囲の変更をすることができる。この変更をするには，後順位の抵当権者その他の第三者の承諾を得ることを要しない（民法398条の4第1項前段・2項）。

オ：妥当である（民法398条の7第1項前段）。

以上から，妥当なものはアとオであり，**2**が正答となる。

正答 2

詐害行為取消権

詐害行為取消権に関するア～オの記述のうち，妥当なもののみを全て挙げているのはどれか。

ア．債権者は，その債権が詐害行為の前の原因に基づいて生じたものである場合に限り，詐害行為取消請求をすることができる。

イ．債務者が，その有する財産を処分する行為をした場合には，受益者から相当の対価を取得しているときであっても，その財産を隠匿する意思があったと直ちにみなされるため，債権者は，その行為について詐害行為取消請求をすることができる。

ウ．債権者は，受益者に対する詐害行為取消請求において財産の返還を請求する場合であって，その返還の請求が金銭の支払又は動産の引渡しを求めるものであるときは，受益者に対して，その支払又は引渡しを自己に対してすることを求めることはできない。

エ．詐害行為取消請求を認容する確定判決は，債務者及びその全ての債権者に対してもその効力を有する。

オ．詐害行為取消請求に係る訴えは，債務者が債権者を害することを知って行為をした時から１年を経過したときは，提起することができない。

1　ア，イ　　**2**　ア，エ　　**3**　イ，オ
4　ウ，エ　　**5**　ウ，オ

解説

ア：妥当である（民法424条３項）。

イ：妥当でない。債務者が，その有する財産を処分する行為をした場合において，受益者から相当の対価を取得しているときは，債権者は，①その行為が，不動産の金銭への換価その他の当該処分による財産の種類の変更により，債務者において隠匿，無償の供与その他の債権者を害することとなる処分（隠匿等の処分）をするおそれを現に生じさせるものであること，②債務者が，その行為の当時，対価として取得した金銭その他の財産について，隠匿等の処分をする意思を有していたこと，③受益者が，その行為の当時，債務者が隠匿等の処分をする意思を有していたことを知っていたこと，のいずれにも該当する場合に限り，その行為について，詐害行為取消請求をすることができる（民法424条の２）。したがって，債務者に，その財産を隠匿する意思があったと直ちにみなされるわけではない。

ウ：妥当でない。債権者は，受益者に対する詐害行為取消請求において財産の返還を請求する場合において，その返還の請求が金銭の支払いまたは動産の引渡しを求めるものであるときは，受益者に対してその支払いまたは引渡しを，自己に対してすることを求めることができる（民法424条の９第１項前段）。

エ：妥当である（民法425条）。オ：詐害行為取消請求に係る訴えは，債務者が債権者を害することを知って行為をしたことを債権者が知った時から「２年」を経過したときは，提起することができない（民法426条前段）。

以上から，妥当なものはアとエであり，**2**が正答となる。

正答　2

政治学
行政学
憲法
行政法
民法
経済理論
財政学

国家一般職［大卒］ No.27 専門試験

民法（債権，親族及び相続） 債権譲渡 令和2年度

債権譲渡に関する次の記述のうち，妥当なのはどれか。ただし，争いのあるものは判例の見解による。

1 Aは，自らの肖像を画家Bに描かせる債権を，Cに譲渡することができる。

2 債権者Aと債務者Bが債権の譲渡を禁止し，又は制限する旨の意思表示をしていたにもかかわらず，AがCにその債権を譲渡した場合には，その譲渡の効力は生じない。

3 医師Aが，社会保険診療報酬支払基金から将来支払を受けるべき診療報酬債権をBに譲渡したとしても，その譲渡の効力が生じることはない。

4 債権者Aは，債務者Bに対して有する債権をCに譲渡し，その旨を2020年5月1日の確定日付のある証書によってBに通知したところ，この通知は，同月7日にBに到達した。また，Aは，同じ債権をDにも譲渡し，その旨を2020年5月2日の確定日付のある証書によってBに通知したところ，この通知は，同月5日にBに到達した。この場合，Bは，Cから債務の履行を求められたときは，これに応じなければならない。

5 債権者Aは，債務者Bに対して有する債権をCに譲渡し，その旨を確定日付のある証書によってBに通知したが，Bは，その通知がなされる前にAに対する債権を取得していた。この場合，Bは，Cから債務の履行を求められたときは，Aに対する債権による相殺をもってCに対抗することができる。

解説

1．債権は，譲り渡すことができるが，その性質がこれを許さないときは，この限りでない（民法466条1項）。したがって，Aは，自らの肖像を画家Bに描かせる債権を，Cに譲渡することができない。

2．当事者が債権の譲渡を禁止し，または制限する旨の意思表示をしたときであっても，債権の譲渡は，その効力を妨げられない（民法466条2項）。

3．債権の譲渡は，その意思表示の時に債権が現に発生していることを要しない。債権が譲渡された場合において，その意思表示の時に債権が現に発生していないときは，譲受人は，発生した債権を当然に取得する（民法466条の6第1項・2項）。したがって，本肢においても譲渡の効力は生じる。

4．判例は，譲受人相互の間の優劣は，通知に付された確定日付の先後によって定めるべきではなく，確定日付のある通知が債務者に到達した日時の先後によって決すべきであるとする（最判昭49・3・7）。したがって，本肢の場合，Bは，Cから債務の履行を求められたときであっても，これに応じる必要はない。

5．妥当である（民法469条1項）。

正答 5

No. 28 民法（債権，親族及び相続） 賃貸借 令和2年度

賃貸借に関するア～オの記述のうち，妥当なもののみを全て挙げているのはどれか。

ア．賃貸人が賃借人の意思に反して保存行為をしようとする場合において，そのために賃借人が賃借をした目的を達することができなくなるときは，賃借人は，当該行為を拒むことができる。

イ．賃借人は，賃借物について有益費を支出したときは，賃貸人に対し，直ちにその償還を請求することができる。

ウ．賃借物の全部が滅失その他の事由により使用及び収益をすることができなくなった場合には，賃貸借は，これによって終了する。

エ．当事者が賃貸借の期間を定めなかったときは，各当事者は，いつでも解約の申入れをすることができるところ，動産の賃貸借については，解約の申入れの日から３か月を経過することによって終了する。

オ．賃借人が賃貸借に基づいて生じた金銭の給付を目的とする債務を履行しないときは，賃貸人は敷金をその債務の弁済に充てることができるが，賃借人が，賃貸人に対し，敷金をその債務の弁済に充てることを請求することはできない。

1　ア，ウ
2　ア，オ
3　イ，ウ
4　イ，エ
5　ウ，オ

解説

ア：妥当でない。賃貸人が賃借人の意思に反して保存行為をしようとする場合において，そのために賃借人が賃借をした目的を達することができなくなるときは，賃借人は，契約の解除をすることができる（民法607条）。賃借人は，当該行為を拒むことはできない。

イ：妥当でない。賃借人は，賃借物について賃貸人の負担に属する必要費を支出したときは，賃貸人に対し，直ちにその償還を請求することができる（民法608条１項）。これに対して，賃借人が賃借物について有益費を支出したときは，賃貸人は，賃貸借の終了の時に，その償還をしなければならない（同条２項本文）。

ウ：妥当である（民法616条の２）。

エ：妥当でない。当事者が賃貸借の期間を定めなかったときは，各当事者は，いつでも解約の申入れをすることができるところ，動産の賃貸借については，解約の申入れの日から１日を経過することによって終了する（民法617条１項３号）。なお，建物の賃貸借は，解約申入れ日から３か月経過によって終了する（同条項２号）。

オ：妥当である（民法622条の２第２項）。

以上から，妥当なものはウとオであり，**5**が正答となる。

正答　5

国家一般職［大卒］ No. 29 専門試験

民法（債権，親族及び相続） 不法行為 令和2年度

不法行為に関するア～オの記述のうち，判例に照らし，妥当なもののみを全て挙げているのはどれか。

ア．契約の一方当事者が，当該契約の締結に先立ち，信義則上の説明義務に違反して，当該契約を締結するか否かに関する判断に影響を及ぼすべき情報を相手方に提供しなかった場合には，当該一方当事者は，相手方が当該契約を締結したことにより被った損害につき，不法行為による賠償責任のみならず，当該契約上の債務の不履行による賠償責任も負う。

イ．良好な景観の恵沢を享受する利益を侵害した者は，その侵害行為が刑罰法規や行政法規の規制に違反するものであったり，又は公序良俗違反や権利の濫用に該当するものであるなど侵害行為の態様や程度の面において社会的に容認された行為としての相当性を欠くか否かにかかわらず，不法行為による損害賠償責任を負う。

ウ．建物の建築に携わる設計者，施工者及び工事監理者が，建物の建築に当たり，当該建物に建物としての基本的な安全性が欠けることがないように配慮すべき注意義務を怠ったために，建築された建物に建物としての基本的な安全性を損なう瑕疵があり，それにより居住者等の生命，身体又は財産が侵害された場合には，設計者，施工者及び工事監理者は，不法行為の成立を主張する者が当該瑕疵の存在を知りながらこれを前提として当該建物を買い受けていたなど特段の事情がない限り，これによって生じた損害について不法行為による賠償責任を負う。

エ．責任能力のない未成年者の親権者は，直接的な監視下にない子の行動についても日頃から指導監督を確実に行うべきであるから，子が，通常は人身に危険が及ぶものとはみられない行為によってたまたま人身に損害を生じさせた場合であっても，子に対する監督義務を尽くしていなかったことを理由として，常に民法第714条に基づく損害賠償責任を負う。

オ．法定の監督義務者に該当しない者であっても，責任無能力者との身分関係や日常生活における接触状況に照らし，第三者に対する加害行為の防止に向けてその者が当該責任無能力者の監督を現に行いその態様が単なる事実上の監督を超えているなどその監督義務を引き受けたとみるべき特段の事情が認められる場合には，その者に対し民法第714条に基づく損害賠償責任を問うことができる。

1 ア，イ
2 ア，エ
3 イ，ウ
4 ウ，オ
5 エ，オ

解説

ア：妥当でない。判例は，本記述の場合には，当該一方当事者は，相手方が当該契約を締結したことにより被った損害につき，不法行為による賠償責任を負うことはあっても，当該契約上の債務の不履行による賠償責任を負うことはないとする（最判平23・4・22)。

イ：妥当でない。判例は，ある行為が景観利益に対する違法な侵害に当たるといえるためには，少なくともその侵害行為が刑罰法規や行政法規の規制に違反するものであったり，公序良俗違反や権利の濫用に該当するものであるなど，侵害行為の態様や程度の面において社会的に容認された行為をしての相当性を欠くことが求められるとする（最判平18・3・30)。

ウ：妥当である（最判平19・7・6)。

エ：妥当でない。判例は，責任能力のない未成年者の親権者は，直接的な監視下にない子の行動について，子が，通常は人身に危険が及ぶものとはみられない行為によってたまたま人身に損害を生じさせた場合には，民法714条に基づく損害賠償責任を負わないとする（最判平27・4・9)。

オ：妥当である（最判平28・3・1)。

以上から，妥当なものはウとオであり，**4**が正答となる。

正答 4

政治学 行政学 憲法 行政法 民法 経済理論 財政学

国家一般職［大卒］ No. 30 専門試験

民法（債権，親族及び相続） 相続の放棄 令和2年度

相続の放棄に関するア～エの記述のうち，妥当なもののみを全て挙げているのはどれか。

ア．相続の放棄をしようとする者は，相続の開始前においては，その旨を家庭裁判所に申述しなければならないが，相続の開始後においては，その意思を外部に表示するだけで足りる。

イ．相続の放棄をした者は，その放棄によって相続人となった者が相続財産の管理を始めることができるまで，善良な管理者の注意をもって，その財産の管理を継続しなければならない。

ウ．被相続人の子が相続の放棄をしたときは，その者の子がこれを代襲して相続人となることはない。

エ．一旦行った相続の放棄は，自己のために相続の開始があったことを知った時から3か月以内であっても，撤回することができない。

1 ア，イ
2 ア，ウ
3 イ，ウ
4 イ，エ
5 ウ，エ

政治学 行政学 憲法 行政法 民法 経済理論 財政学

解説

ア：妥当でない。相続の放棄をしようとする者は，相続開始後にその旨を家庭裁判所に申述しなければならない（民法938条）。すなわち，相続の放棄は相続の開始前にはできない。

イ：妥当でない。相続の放棄をした者は，その放棄によって相続人となった者が相続財産の管理を始めることができるまで，自己の財産におけるのと同一の注意をもって，その財産の管理を継続しなければならない（民法940条１項）。

ウ：妥当である。相続の放棄は，代襲原因ではない（民法887条２項参照）。

エ：妥当である（民法919条１項，915条１項）。

以上から，妥当なものはウとエであり，**5**が正答となる。

正答　5

国家一般職［大卒］ No. 31 専門試験

ミクロ経済学 課税方式の違いと効用水準の比較 令和2年度

財1，財2の二つの財が存在する完全競争市場を考える。財1の価格は2，財2の価格は3である。合理的な消費者は以下の効用関数を持ち，効用水準を最大化するものとする。また，所得水準は180である。

$u=x_1x_2$（u：効用水準，x_1：財1の消費量，x_2：財2の消費量）

このとき，政府が財1に1単位当たり4だけの間接税を課したときの効用水準をu_Aとする。それに対して，間接税を課す代わりに，間接税で得られる税収と同額の税収が得られるように，この消費者に一定額の直接税を課した場合の効用水準をu_Bとする。このとき，u_Aとu_Bの関係に関する次の記述のうち，妥当なのはどれか。

1 u_Bはu_Aより150だけ大きい。
2 u_Bはu_Aより100だけ大きい。
3 u_Bはu_Aより100だけ小さい。
4 u_Bはu_Aより150だけ小さい。
5 u_Bはu_Aと等しい。

効用関数がコブ＝ダグラス型効用関数 $u=x_1^a x_2^b$ の形をしているため，需要関数の公式によって最適な消費量を求めることができる。

財１に数量１単位当たり４の間接税が課された場合，財１の価格 p_1 は $p_1=2+4=6$ となる。また，設問より財２の価格 p_2 は $p_2=3$，所得 I は $I=180$，$a=1$，$b=1$ となる。したがって，間接税が課されたときの財１，財２の最適な消費量は，需要関数の公式より，

$$x_1=\frac{a\times I}{p_1(a+b)}=\frac{180}{6(1+1)}=15 \qquad x_2=\frac{b\times I}{p_2(a+b)}=\frac{180}{3(1+1)}=30$$

となる。これより間接税を課したときの効用水準 u_A は $u_A=15\times30=450$，間接税 T の税収は $T=4\times15=60$ となる。

間接税と同額の直接税が課されたとすると，財の購入に充てられる可処分所得が $I=180-60=120$ となる。したがって，直接税が課されたときの財１，財２の最適な消費量は，需要関数の公式より，

$$x_1=\frac{a\times I}{p_1(a+b)}=\frac{120}{2(1+1)}=30 \qquad x_2=\frac{b\times I}{p_2(a+b)}=\frac{120}{3(1+1)}=20$$

となる。これより直接税を課したときの効用水準は $u_B=30\times20=600$ となる。これより u_B は u_A より150（$=600-450$）だけ大きいことがわかる。

したがって，正答は**1**となる。

正答　1

国家一般職［大卒］ No.32 専門試験

ミクロ経済学　2財消費者の効用関数と市場全体の需要関数　令和2年度

財1，財2の二つの財を消費する消費者の効用関数が，

$u=x_1^2x_2^3$（u：効用水準，x_1：財1の消費量，x_2：財2の消費量）

で与えられている。また，この消費者は，財1の価格が $p_1(>0)$，財2の価格が $p_2(>0)$，所得が I の下で，効用を最大化しているものとする。このとき，この消費者と同じ効用関数を持つ消費者が100人いたときの市場全体の財1の需要関数として妥当なのはどれか。

ただし，X_1は市場全体の需要量であるとする。

1 $X_1=\dfrac{40I}{p_1}$

2 $X_1=\dfrac{5I}{2p_1}$

3 $X_1=\dfrac{I}{p_1}$

4 $X_1=\dfrac{2I}{5p_1}$

5 $X_1=\dfrac{I}{40p_1}$

解説

効用関数がコブ=ダグラス型効用関数 $u=x_1^ax_2^b$の形をしているため，需要関数の公式によって最適な消費量を求めることができる。設問から $a=2$，$b=3$であるため，この消費者の財1の最適な消費量は，

$$x_1=\frac{a\times I}{p_1(a+b)}=\frac{2I}{p_1(2+3)}=\frac{2I}{5p_1}$$

となる。同じ効用関数を持つ消費者が100人いた場合は価格 p_1のもとでの市場全体の財1の需要量 X_1は$100\times x_1$となる。したがって，

$$X_1=100\times x_1=100\times\frac{2I}{5p_1}=\frac{40I}{p_1}$$

となる。

したがって，正答は**1**となる。

正答　1

国家一般職［大卒］

専門試験

No. 33 ミクロ経済学 長期均衡価格下での企業数 令和2年度

価格をp，需要量をXとしたとき，市場の需要関数が$X=100-p$で表されているとする。また，生産量を$y(>0)$，企業の総費用をCとしたとき，企業の費用関数が$C=y^2+25$であるとする。ただし，固定費用はサンク費用ではなく，全て回収できるものとする。また，市場が完全競争的であり，企業は利潤を最大化しているとする。さらに，どの企業も同じ費用関数を持っている。このとき，各企業の市場への参入や市場からの退出が自由な長期において，市場に存在する企業の数はいくつか。

1 10
2 12
3 15
4 18
5 20

解説

参入，退出が自由な市場では利潤が正である限り参入が生じるため，長期では各企業の利潤がゼロとなる。したがって，長期均衡価格では，平均費用AC＝限界費用MCが成り立つ。平均費用は費用関数を生産量yで割ったもの，限界費用は費用関数を生産量yで微分したものであることから，

$$AC=MC$$

$$y+\frac{25}{y}=2y$$

$$y^2=25$$

生産量yは正の値であることから，$y=5$となる。完全競争市場での利潤最大化条件は価格pと限界費用MCが等しくなることであるから，

$$p=MC$$

$$p=2y$$

$$p=2\times5=10$$

となる。市場の需要量は市場の需要関数より，

$$X=100-p=90$$

となる。長期均衡における企業数をnとすると，

$$X=n\times y$$

$$90=5n$$

$$n=18$$

となる。

したがって，正答は**4**となる。

正答 4

国家一般職［大卒］ No. 34 専門試験

ミクロ経済学　効用関数と効用フロンティア　令和2年度

消費者Aと消費者Bの二人の消費者，そしてX財とY財の二つの財から成る経済を考える。消費者AによるX財の消費量をx_A，Y財の消費量をy_A，消費者BによるX財の消費量をx_B，Y財の消費量をy_Bとすると，消費者A，Bの効用関数は，それぞれ

$u_A=4x_Ay_A$，$u_B=9x_By_B$

である。ただし，$x_A>0$，$x_B>0$，$y_A>0$，$y_B>0$とする。また，X財の総量が16，Y財の総量が9であり，それらを二人で配分するものとする。

この経済の効用フロンティア（パレート最適な状態における二人の消費者の効用水準の組合せ）を表す式として妥当なのはどれか。

1　$3\sqrt{u_A}+2\sqrt{u_B}=24$
2　$3\sqrt{u_A}+2\sqrt{u_B}=36$
3　$3\sqrt{u_A}+2\sqrt{u_B}=72$
4　$5\sqrt{u_A}+3\sqrt{u_B}=24$
5　$5\sqrt{u_A}+3\sqrt{u_B}=36$

政治学 行政学 憲法 行政法 民法 経済理論 財政学

解説

パレート最適な状態では消費者Aと消費者Bの限界代替率MRS_i（i=A，B）が等しくなる。つまり，

$MRS_A=MRS_B$　……①

が成立する。

①に，消費者Aの限界代替率$MRS_A=\frac{\partial u_A/\partial x_A}{\partial u_A/\partial y_A}=\frac{y_A}{x_A}$と消費者Bの限界代替率$MRS_B=\frac{\partial u_B/\partial x_B}{\partial u_B/\partial y_B}=\frac{y_B}{x_B}$を代入すると，

$\frac{y_A}{x_A}=\frac{y_B}{x_B}$　……②

となる。

②を変形した$y_A=\frac{y_B}{x_B}x_A$に，X財の資源制約式$x_A+x_B=16$とY財の資源制約式$y_A+y_B=9$を代入して，x_Bとy_Bを消去すると，$y_A=\frac{9-y_A}{16-x_A}x_A$より，

$y_A=\frac{9}{16}x_A$　……③（消費者Aの原点から見た契約曲線）

となる。そして，消費者Aの効用関数$u_A=4x_Ay_A$に③を代入してy_Aを消去すると，

$x_A=\frac{2}{3}\sqrt{u_A}$　……④

を得る。

②を変形した$y_B=\frac{y_A}{x_A}x_B$に，X財の資源制約式$x_A+x_B=16$とY財の資源制約式$y_A+y_B=9$を代入して，x_Aとy_Aを消去すると，$y_B=\frac{9-y_B}{16-x_B}x_B$より，

$y_B=\frac{9}{16}x_B$　……⑤（消費者Bの原点から見た契約曲線）

となる。そして，消費者Bの効用関数$u_B=9x_By_B$に⑤を代入してy_Bを消去すると，

$x_B=\frac{4}{9}\sqrt{u_B}$　……⑥

を得る。

最後に，X財の資源制約式$x_A+x_B=16$に，④と⑥を代入してx_Aとx_Bを消去すると，この経済の効用フロンティアは，

$3\sqrt{u_A}+2\sqrt{u_B}=72$

となる。

したがって，正答は**3**となる。

正答　3

ミクロ経済学　戦略型ゲームによるナッシュ均衡と部分ゲーム完全均衡　令和2年度

企業Aは，企業Bが独占している市場に新規参入すべきか検討しており，以下のゲーム・ツリーで表される展開型ゲームを考える。Aが「不参入」を選べば，Aの利得は0，独占を維持できるBの利得は8である。また，Aが「参入」を選んだ場合は，Bが協調路線をとればAの利得が3でBの利得が4になり，BがAに対抗して価格競争を仕掛ければAの利得が -2 でBの利得が0になる。この展開型ゲームについて，戦略型ゲームによるナッシュ均衡と部分ゲーム完全均衡を考える。次の記述のうち，妥当なのはどれか。ただし，純粋戦略を考えるものとする。

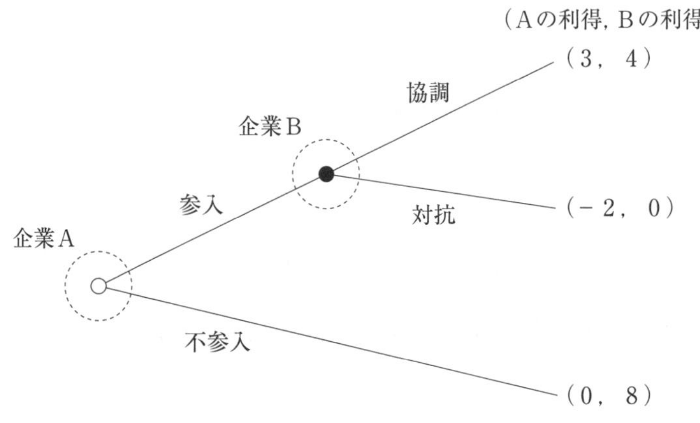

1　戦略型ゲームによるナッシュ均衡は存在しない。部分ゲーム完全均衡は「Aは参入，Bは協調」のみである。

2　戦略型ゲームによるナッシュ均衡は「Aは参入，Bは協調」のみである。部分ゲーム完全均衡は存在しない。

3　戦略型ゲームによるナッシュ均衡は「Aは参入，Bは協調」のみである。部分ゲーム完全均衡は「Aは参入，Bは協調」のみである。

4　戦略型ゲームによるナッシュ均衡は「Aは参入，Bは協調」のみである。部分ゲーム完全均衡は「Aは不参入，Bは対抗」と「Aは参入，Bは協調」である。

5　戦略型ゲームによるナッシュ均衡は「Aは不参入，Bは対抗」と「Aは参入，Bは協調」である。部分ゲーム完全均衡は「Aは参入，Bは協調」のみである。

解説

戦略型ゲームでは企業Aの戦略は［参入，不参入］であり，企業Bの戦略は［協調，対抗］となる（図参照）。ナッシュ均衡は最適反応どうしの戦略の組となるので，最適反応を求める。企業Aが「参入」を選択したとすると企業Bは「協調」なら4，「対抗」なら0の利得となるため，「協調」を選ぶことが最適反応となる。企業Aが「不参入」を選択したとすると企業Bは「協調」でも「対抗」でも利得は8となるため，「協調」と「対抗」どちらも最適反応となる。

企業Bが「協調」を選択したとすると，企業Aは「参入」を選択すると3，「不参入」を選択すると0の利得となるため，「参入」が最適反応となる。企業Bが「対抗」を選択したとすると，企業Aが「参入」を選択すると−2，「不参入」を選択すると0の利得となるため，「不参入」が最適反応となる。

よって，「Aは参入，Bは協調」と「Aは不参入，Bは対抗」が戦略型ゲームによるナッシュ均衡となる（**1**，**2**，**3**，**4**は誤り）。

部分ゲーム完全均衡はすべての部分ゲームから始まる展開型ゲームにおいてすべてのプレイヤーの選択が最適となっている必要がある。企業Bの選択から始まる部分ゲームでは企業Bが「協調」を選択すると4，「対抗」を選択すると0が企業Bの利得となるため，この部分ゲームにおいて企業Bは「協調」を選択する。企業Aの選択から始まる部分ゲーム（全体ゲーム）では企業Bの選択では「協調」が選択されるので，企業Aが「参入」を選択すると3，「不参入」を選択すると0の利得となるため企業Aは「参入」を選択する。これより部分ゲーム完全均衡は「Aが参入，Bが協調」のみである（**2**，**4**は誤り）。

		B	
		協調	対抗
A	参入	(③，④)	(−2，0)
	不参入	(0，⑧)	(⓪，⑧)

したがって，正答は**5**となる。

正答　5

マクロ経済学　政府支出増と買いオペ後の均衡国民所得の増加　令和2年度

ある国のマクロ経済が，次のように示されるとする。

$Y=C+I+G$

$C=60+0.6Y$

$I=180-4r$

$\frac{M}{P}=L=2Y-10r$

［Y：国民所得，C：消費，I：投資，G：政府支出，r：利子率
M：名目貨幣供給量，P：物価水準，L：貨幣需要］

ここで，政府支出が120，名目貨幣供給量が1200，物価水準が1でこの国の財市場，貨幣市場はともに均衡している。このとき，政府が政府支出を50増加させると同時に，中央銀行が5の買いオペレーションを行った。貨幣乗数を20とするとき，新たな均衡におけるYの増加分はいくらか。

1　25
2　50
3　75
4　100
5　125

解説

まずは変化前のYの値を求める。設問よりIS曲線の式は,

$Y=60+0.6Y+180-4r+120$

$4r=-0.4Y+360 \quad \cdots\cdots(IS)$

となる。LM曲線の式は設問より,

$10r=2Y-1200 \quad \cdots\cdots(LM)$

となる。$(IS)\times5-(LM)\times2$としてrを消すと,

$6Y=4200$

$Y=700$

となる。次に変化後のY'の値を求める。IS曲線の式は,

$Y'=60+0.6Y'+180-4r'+170$

$4r'=-0.4Y'+410 \quad \cdots\cdots(IS')$

となる。中央銀行が買いオペを5行い,貨幣乗数が20ということは名目貨幣供給量の増加分は$5\times20=100$となる。これよりLM曲線の式は,

$10r'=2Y'-1300 \quad \cdots\cdots(LM')$

となる。$(IS')\times5-(LM')\times2$として$r'$を消すと,

$6Y'=4650$

$Y'=775$

となる。よって,Yの増加分は,

$Y'-Y=775-700=75$

となる。

したがって,正答は**3**となる。

正答 3

国家一般職［大卒］

No. 37

専門試験

マクロ経済学　政府支出，租税，国民所得と実質貨幣供給量　令和2年度

海外部門との取引がない閉鎖経済における財市場と貨幣市場を考える。Yを国民所得，Cを消費，Iを投資，Gを政府支出とすると，財市場では，$Y=C+I+G$が成立し，ケインズ型消費関数が$C=120+0.8(Y-T)$で与えられているとする。ここで，Tは租税である。また，当初，政府支出が80，租税も80であるとする。さらに，投資関数は，$I=50-4r$で与えられているとする。ここで，rは利子率である。

一方，貨幣市場では，実質貨幣供給量が800で，それに対する実質貨幣需要をLとすると，$L=Y-6r$である。いま，政府が，財政収支を均衡させたまま，均衡における国民所得を50だけ増加させようとして，財政拡大政策と金融緩和政策の両方を用いたとする。政府支出を80から90へ，租税も80から90へ，それぞれ10ずつ増加させたとき，実質貨幣供給量を800の水準からいくら増加させる必要があるか。

1　42
2　62
3　84
4　124
5　156

政治学　行政学　憲法　行政法　民法　経済理論　財政学

解説

政府支出 G，租税 T および実質貨幣供給量 M を変化させ国民所得を50増加させたいため G（財政収支均衡より $=T$），M は記号のまま均衡国民所得を求める。

IS 曲線は設問より，

$$Y=120+0.8(Y-T)+50-4r+G$$

$T=G$ を用いて整理すると，

$$0.2Y=170+0.2G-4r \quad \cdots\cdots①$$

となる。次に LM 曲線は，

$$M=Y-6r$$

$$Y=M+6r \quad \cdots\cdots②$$

となる。①×3と②×2を足し合わせ，r を消すと，

$$2.6Y=510+0.6G+2M$$

$$Y=\frac{510}{2.6}+\frac{3}{13}G+\frac{10}{13}M$$

となる。これを変化量の式として書き換えると，

$$\varDelta Y=\frac{3}{13}\varDelta G+\frac{10}{13}\varDelta M$$

となる。$\varDelta G=10$，$\varDelta Y=50$ より，

$$50=\frac{30}{13}+\frac{10}{13}\varDelta M$$

$$\varDelta M=65-3=62$$

が求まる。

したがって，正答は**2**となる。

正答 2

政治学 行政学 憲法 行政法 民法 経済理論 財政学

政治学
行政学
憲法
行政法
民法
経済理論
財政学

国家一般職［大卒］

No. 38

専門試験

マクロ経済学　経常収支を均衡させる税の財政収支　令和2年度

ある国のマクロ経済が，次のように示されるとする。

$Y=C+I+G+X-M$

$C=40+0.8Y-T$

$I=50$

$G=150$

$X=60$

$M=0.1Y$

（Y：国民所得，C：消費，I：投資，G：政府支出，X：輸出，M：輸入，T：税）

なお，投資，政府支出，輸出の大きさは一定であるとする。また，$T=tC$（tは定数で$0<t<1$）という関係が成立しているものとする。いま，政府が経常収支（輸出－輸入）を均衡させるようにtを決定した場合，財政収支（税－政府支出）に関する次の記述のうち，妥当なのはどれか。

1　均衡する。

2　15の黒字になる。

3　30の黒字になる。

4　15の赤字になる。

5　30の赤字になる。

解説

経常収支が均衡することより，

$$60=0.1Y$$
$$Y=600$$

となる。設問より消費関数は，

$$C=40+0.8Y-tC$$

となり，$Y=600$を代入して，

$$C=\frac{520}{1+t}$$

となる。

マクロ経済の式は設問と$Y=600$，$C=\frac{520}{1+t}$より，

$$600=\frac{520}{1+t}+50+150+60-60$$
$$400+400t=520$$
$$400t=120$$
$$t=0.3$$

となる。これより消費は，

$$C=\frac{520}{1.3}=400$$

となるため，税Tは$0.3\times400=120$となる。これより財政収支は，

$$T-G=120-150=-30$$

となるため，30の財政赤字が生じていることがわかる。

したがって，正答は**5**となる。

正答 5

国家一般職
[大卒]

専門試験

No. 39 マクロ経済学 ライフサイクル仮説に基づく個人の転職後の消費水準 令和2年度

ある人は，ライフサイクル仮説に基づき行動し，稼得期以降の生涯を通じて消費を平準化するものとする。この人は，稼得期の初期時点に1000万円の資産を持っており，稼得期の40年間に毎年250万円ずつの労働所得を得る。また，この人は引退してから20年後に死亡するが，引退後の所得は0であり，死後，子孫に2000万円を残すことを予定している。なお，利子率は0とする。

ここで，稼得期30年目の終わりにこの人が突然転職を決め，31年目以降の残り10年間の労働所得が250万円から400万円に増加するものとする。このとき，この人は30年目の終わりに31年目以降の消費計画を立て直すものとする。この場合，この人の31年目以降の残り30年間の各年の消費水準はいくらになるか。

1 100万円
2 150万円
3 175万円
4 200万円
5 250万円

解説

この人の当初の消費計画では，

(1000万＋250万×40－2000万)÷(40＋20)

＝9000万÷60

＝150万〔円〕

を毎年消費する。したがって稼得期には毎年100万（＝250万－150万）円貯蓄をすることがわかる。30年間この生活を行うと，31年目の初めには1000万＋100万×30＝4000万〔円〕の貯蓄がある。これから10年間で400万円ずつ稼ぎ，その後20年間所得なしの生活を送り，子孫に2000万円残すために消費を平準化すると，

(4000万＋400万×10－2000万)÷(10＋20)

＝200万〔円〕

となる。

したがって，正答は**4**となる。

正答　4

国家一般職［大卒］ 専門試験

No. 40 マクロ経済学 ソロー・モデルでの労働人口1人当たりの産出量 令和2年度

ソロー・モデルの枠組みで考える。t 期の産出量を Y_t，資本ストックを K_t，労働人口を L_t として，マクロ的生産関数が，

$$Y_t = K_t^{0.5} L_t^{0.5}$$

で与えられているとする。また，労働人口は0.02の成長率で増加する。一方，資本ストックは t 期の投資を I_t とすると，

$$K_{t+1} = K_t + I_t$$

で示される。ここでは，資本減耗率はゼロであるとする。さらに，各期では財市場が均衡し，貯蓄率を s として，

$$I_t = sY_t$$

となり，この経済では，貯蓄率は一定で0.4であるとする。このとき，定常状態における労働人口１人当たりの産出量はいくらか。

1 10
2 15
3 20
4 25
5 30

解説

t 期から（$t+1$）期への資本ストックの変化量をΔK_{t+1}として表し，１人当たり資本ストックを $k_t=\dfrac{K_t}{L_t}$として表すと，Δk_{t+1}は，

$$\Delta k_{t+1}=k_{t+1}-k_t$$

$$=\frac{K_{t+1}}{L_{t+1}}-\frac{K_t}{L_t}$$

となる。設問より $K_{t+1}=K_t+I_t=K_t+sY_t=K_t+0.4K_t^{0.5}L_t^{0.5}$，かつ $L_{t+1}=(1+0.02)L_t$ より，

$$\Delta k_{t+1}=\frac{K_t+0.4K_t^{0.5}L_t^{0.5}}{1.02L_t}-\frac{K_t}{L_t}$$

$$=\frac{0.4k_t^{0.5}-0.02k_t}{1.02}$$

となる。定常状態では$\Delta k_{t+1}=0$となるため，左辺をゼロとして整理すると，

$$k_t^{0.5}=\frac{0.4}{0.02}$$

$$=20$$

これより，労働人口１人当たりの算出量 y_t は，

$$y_t=\frac{Y_t}{L_t}=\frac{K_t^{0.5}L_t^{0.5}}{L_t}=k_t^{0.5}=20$$

となる。

したがって，正答は**3**である。

［別解］ ソロー方程式を知っていれば代入して求めることができる。ソロー方程式は，

$$\Delta k_{t+1}=sy_t-nk_t$$

［k_t：１人当たり資本ストック$\left(\dfrac{K_t}{L_t}\right)$，$\Delta k_{t+1}$：$k$ の変化量（$k_{t+1}-k_t$），y_t：１人当たり産出量$\left(\dfrac{Y_t}{L_t}\right)$，$n$：労働人口の成長率］

である。定常状態では$\Delta k_{t+1}=0$となることから，

$$nk_t=sk_t^{0.5}$$

$$\left[\, y_t=\frac{Y_t}{L_t}=\frac{K_t^{0.5}L_t^{0.5}}{L_t}=\left(\frac{K_t}{L_t}\right)^{0.5}=k_t^{0.5}\,\right]$$

$$k_t^{0.5}=\frac{s}{n}=\frac{0.4}{0.02}$$

$$=20$$

これより $y_t=k_t^{0.5}=20$となる。

したがって，正答は**3**である。

正答 3

国家一般職［大卒］ 専門試験

No.41 財政学 財政制度 令和2年度

我が国等の財政制度に関する次の記述のうち，妥当なのはどれか。

1 我が国の会計年度については，財政法において4月1日から翌年3月31日までの1年間である旨を規定しているが，諸外国においては，例えば，英国，フランスは1月から，ドイツは我が国と同じく4月から，米国は10月からとされており，会計年度の始期は国によって異なっている。

2 財政法第5条は，戦前・戦中に大量の国債発行が日本銀行引受けによって賄われた結果，激しいインフレーションを引き起こしたことへの反省に基づき，日本銀行による公債引受けを原則として禁じている。一方，同条ただし書において，特別の事由がある場合においては，国会の議決を経なくとも日銀の公債引受けが可能であるとされており，財務省証券や一時借入金などの短期の資金繰りが，この「特別の事由」として認められている。

3 完成までに複数会計年度かかるような事業は，その経費の総額や年度ごとの支出額を見積もり，あらかじめ国会の議決を経た上で支出することになっている。このような経費を継続費といい，その年限は原則5か年度以上と定められている。現在，継続費の制度は公共事業などの予算に広く用いられている。

4 年度開始までに本予算が成立しない場合，本予算が成立するまでの間の必要な経費の支出のために暫定的な予算が必要となるが，これを暫定予算という。暫定予算は，その性質上，必要最小限度の支出に限られ，本予算が成立すれば失効し，本予算に吸収される。また，暫定予算も本予算同様国会の議決を必要とする。

5 政府関係機関とは，特別の法律により設立された法人で，その資本金の一部が政府出資である機関を指し，現在，13機関から成る。これらの機関は公共の利益を目的とした事業を行っていることから，それらの予算については国の予算と同様，国会に提出され議決を受けることとなっている。

解説

1．前半の記述は正しい（財政法11条）。イギリスの会計年度の始期は4月から，ドイツは1月からである。

2．前段の記述は正しい。財務省証券や一時借入金は「特別の事由」として認められているのではなく，短期の資金繰りを目的とするものであることを考慮すると，国債の市中消化の原則の趣旨に反しないため，同条の規定は適用されないこととされている。

3．継続費によって債務負担を行う年度は初年度に限らず，5か年度以内にわたることも可能とされている。また，現在，継続費の制度は，防衛省の警備艦および潜水艦の建造のみに用いられている。

4．妥当である。

5．政府関係機関は特別の法律によって設立された法人で，その資本金が全額政府出資であり，予算について国会の議決を必要とする機関である。また，令和元年度において政府関係機関は4機関（沖縄振興開発金融公庫，株式会社日本政策金融公庫，株式会社国際協力銀行，独立行政法人国際協力機構有償資金協力部門）ある。後段の記述は正しい。

正答　4

国家一般職［大卒］ No. 42 専門試験

財政学　日本の財政状況　令和2年度

我が国の財政の状況に関する次の記述のうち，妥当なのはどれか。ただし，令和元年度の一般会計当初予算については，消費税引上げに伴う「臨時・特別の措置」を含むものとする。

1　一般会計当初予算の規模についてみると，令和元年度は平成29年度，平成30年度に引き続き100兆円を超えている。また，令和元年度の一般会計当初予算における租税及び印紙収入は，前年度当初予算のそれよりも減少したものの，60兆円を上回っている。

2　令和元年度の一般会計当初予算の歳出のうち，基礎的財政収支対象経費が7割弱を占めており，当該基礎的財政収支対象経費に占める社会保障関係費の割合は50％を超えている。また，社会保障関係費は，前年度当初予算のそれよりも減少している。

3　令和元年度の一般会計当初予算の歳入についてみると，特例公債発行額は4条公債発行額の3倍を超えている。また，公債発行額を一般会計歳出総額で除した値である公債依存度は，令和元年度当初予算においては30％を超えている。

4　令和元年度の一般会計当初予算の歳出における国債費をみると，利払い費が15兆円程度であり，債務償還費が9兆円程度となっている。また，国債金利（10年債）についてみると，公債発行額の増加に伴い，平成20年から平成30年まで2％を上回る水準となっている。

5　租税負担額及び社会保障負担額の国民所得（NI）に対する比率である国民負担率は，平成24年度（実績）から平成30年度（実績見込み）まで50％を若干上回る水準で推移している。また，平成30年度（実績見込み）においては，社会保障負担率が租税負担率よりも大きい。

1．平成29年度と平成30年度の一般会計当初予算はそれぞれ97兆4,547億円，97兆7,128億円であり，100兆円を超えたのは令和元年度（臨時・特別の措置を含む）からである。また，令和元年度一般会計当初予算における租税及び印紙収入は前年度当初予算より３兆4,160億円増加している。

2．令和元年度一般会計当初予算（臨時・特別の措置を含む）において，基礎的財政収支対象経費が歳出予算に占める割合は76.8％，社会保障関係費が基礎的財政収支対象経費に占める割合は43.7％である。また，社会保障関係費は前年度当初予算より１兆710億円増加している。

3．妥当である。ちなみに，令和元年度一般会計当初予算（臨時・特別の措置を含む）において，４条公債発行予定額は６兆9,520億円，特例公債発行予定額は25兆7,085億円，公債依存度は32.2％である。

4．令和元年度一般会計当初予算（臨時・特別の措置を含む）の国債費のうち，利払費等は８兆8,502億円，債務償還費は14兆6,580億円である。また，平成20年以降の国債金利は１％台前半となっている。

5．平成24年度（実績）から平成30年度（実績見込み）の国民負担率は50％を超えていない。平成30年度（実績見込み）の国民負担率は42.8％であり，租税負担率25.3％が社会保障負担率17.5％より大きい。

データ出所：令和元年度版『図説　日本の財政』，令和元年度版『図説　日本の税制』

正答　3

国家一般職［大卒］ No. 43 専門試験

経済事情　日本の経済動向　令和2年度

我が国の経済の動向に関する次の記述のうち，妥当なのはどれか。

1　2018年度の実質 GDP 成長率（対前年度比）は，1％に達しておらず，2017年度の2％程度と比べて成長率が鈍化した。2018年度の実質 GDP 成長率を需要項目別にみると，高水準にある企業収益を背景に，民間企業設備がプラスに寄与した。

2　名目 GDP の産業別構成比をみると，製造業は1994年に5割程度を占めていたが，2017年には4割程度に低下している。他方で，非製造業については，卸売・小売業などの割合が当該期間において増加し，2017年には非製造業全体で名目 GDP の6割弱のシェアとなっている。

3　家計最終消費支出の動向（対前年度比）をみると，2000年度から2007年度までの各年度の増加率の平均が名目で1.2％，実質で0.5％と，インフレにより実質消費の伸びが弱くなっていた。2014年の消費税引上げ以降も消費は力強さを欠いており，2017年度の家計最終消費支出の対前年度増加率は実質で0.5％に達しなかった。

4　ハローワークにおける求人数に対してどの程度求職者がいるかを示す指標である有効求人倍率（季節調整値）の動向をみると，2013年以降上昇傾向が続き，2019年には2.0倍を上回る水準となっている。一方，非製造業の新規求人数（季節調整値）については2017年初めから2019年初めにかけて減少傾向で推移している。

5　日本銀行は，金融緩和強化のための持続性の高い新しい政策枠組みとして，2016年9月に政策金利のフォワードガイダンスを導入した。また，2018年7月には「長短金利操作付き量的・質的金融緩和」を導入し，短期政策金利をゼロ％とし，10年物国債金利がマイナス0.1％程度で推移するよう長短金利操作（イールドカーブ・コントロール）を行うこととした。

1．妥当である。ちなみに，2018年度実質 GDP 成長率に対して，個人消費はプラスに寄与，純輸出はマイナスに寄与した。

2．名目 GDP の産業別構成比において，製造業の占める割合は1994年23.5％，2017年20.7％である。また，卸売・小売業の占める割合は1994年13.7％，2017年13.9％である。さらに，2017年の非製造業全体の名目 GDP に占める割合はおよそ 8 割となっている。

3．2000年度から2007年度までの家計最終消費支出の平均成長率は名目で0.5％，実質で1.2％程度となっており，デフレによって名目消費の伸びが弱くなっている。また，2017年度の家計最終消費支出の対前年度増加率は実質で1.1％となった。

4．有効求人倍率はいわば求職者 1 人当たりの求人数であり，求職者数に対する求人数の比である。有効求人倍率（季節調整値）が2013年以降上昇傾向にある点は正しいが，2019年は2.0倍を超えておらず，1.6倍台であった。また，非製造業の新規求人数（季節調整値）の推移を見ると2017年は増加傾向，2018年からは横ばい圏内で推移している。

5．フォワードガイダンスを導入したのは2018年 7 月である。長短金利操作付き量的・質的金融緩和政策を導入したのは2016年 9 月であり，イールドカーブ・コントロールでは，短期政策金利（日本銀行当座預金のうち政策金利残高）に－0.1％のマイナス金利を適用するとともに，10年物国債金利がゼロ％程度で推移するように長期国債の買入れを行うとした。

データ出所：令和元年版『経済財政白書』，「日本経済2018－2019」（内閣府）

正答　1

国家一般職［大卒］
No. 44 専門試験

経済事情　日本の経済動向　令和2年度

我が国の経済の動向に関する次の記述のうち，妥当なのはどれか。

1　内閣府「経済財政白書」(令和元年度）により，経済全体の需給の状況を示すGDPギャップ（四半期別）の動向をみると，2000年代に入ってから2019年前半まで，ほぼ一貫してプラスで推移しているが，2000年代後半の世界経済危機以降は，プラス幅が縮小傾向で推移している。

2　内閣府「経済財政白書」(令和元年度）により，民間企業設備（四半期別，実質季節調整系列）の動向をみると，2010年から2015年頃までは減少傾向で推移していたが，その後，増加傾向に転じた。しかし，2018年後半の民間企業設備の水準は2010年のそれの6割程度となっている。

3　為替レートの動向（対ドル）をみると，2016年の初めから急速に円安方向へ進み2016年半ばには1ドル120円程度となった。その後，円高方向へ動いたが，2017年初めから2018年後半にかけては，米国の政策金利の据え置きを背景に95円～100円の安定した水準で推移した。

4　内閣府「経済財政白書」(令和元年度）により，世帯主（二人以上の世帯のうち勤労者世帯）の年齢階層別の平均消費性向をみると，「39歳以下」，「40～49歳」，「50～59歳」のいずれも，2012年から2018年にかけて上昇傾向にある。また，2018年についてみると，「39歳以下」の平均消費性向は，「40～49歳」，「50～59歳」の平均消費性向よりも高い。

5　2012年と2018年の就業者数を比較すると，生産年齢人口が減少する中，女性や高齢者の就業者の増加に伴い，就業者数全体も増加した。また，2018年の就業者数は，前年のそれよりも100万人以上増加した。

解説

1．2000年代に入ってから2019年前半までのGDPギャップを見ると，大半がマイナスで推移している。また，2000年代後半の世界経済危機以降は，マイナス幅が縮小する傾向で推移しており，2017年以降はおおむねプラスで推移している。

2．民間企業設備（四半期別，実質季節調整系列）は，2010年以降2015年頃まで増加傾向で推移し，その後2016年前半にかけて減少したものの，2016年後半からは増加基調となっている。また，2016年後半以降の民間企業設備の水準は1990年代初め以来の高水準となっている。

3．対ドル為替レートの動向を見ると，2016年の初めから半ばにかけて円高ドル安方向へと動き，2016年半ばには1ドル100円近くになった。その後，円安ドル高方向に推移し，2017年から2018年初頭にかけて1ドル110円前後で少ない変動で推移したが，2018年半ば以降はアメリカの利上げもあり円安ドル高方向で推移した。

4．世帯主（2人以上の世帯のうち勤労者世帯）の年齢階層別の平均消費性向を見ると，「39歳以下」，「40～49歳」，「50～59歳」のいずれも，2012年から2018年にかけて低下傾向にある。また，2018年の「39歳以下」の平均消費性向は，「40～49歳」や「50～59歳」に比べて低い。

5．妥当である。ちなみに，就業者数は2012年から2018年までの累積で384万人増加した。
データ出所：令和元年版『経済財政白書』

正答　5

国家一般職［大卒］

No. 45 専門試験

経済事情　世界経済の状況　令和2年度

世界経済の状況に関する次の記述のうち，妥当なのはどれか。

1　2018年前半の米国の長期金利の動向についてみると，原油高によるインフレ期待などを背景に，10年債の金利が３％台に上昇した時期があった。一方，２年債と５年債の利回りは，2018年末に逆転する局面があった。

2　2018年のユーロ圏全体の実質 GDP 成長率（前期比，季節調整済）をみると，前年のマイナス基調から，第１四半期にプラスへと転じ，それ以降，第４四半期までプラスで推移した。また，2018年のドイツの実質 GDP 成長率（前期比，季節調整済）をみると，第１四半期のマイナスから第３四半期には年率で４％を超えるプラスとなった。

3　英国の消費者物価上昇率（総合，前年同月比）の推移をみると，2016年半ばの EU 離脱をめぐる国民投票後，2017年末まで鈍化傾向で推移し，それ以降2019年７月現在まで上昇率が拡大して推移している。また，英国の実質賃金上昇率（前年同月比）をみると，2017年末以降2019年４月現在までマイナスで推移している。

4　中国の非金融企業における債務残高（対 GDP 比）の推移をみると，2010年初め以降2016年末まで，減税の実施などの景気拡大政策に支えられ，低下傾向で推移していた。一方，2017年以降2018年末時点まで，中国経済の減速に伴い，上昇傾向で推移している。

5　中国の実質 GDP 成長率（前年同期比）を需要項目別にみると，2010年以降2017年までは，純輸出の寄与が総資本形成の寄与を大きく上回っていた。しかし，2018年は，米中貿易摩擦の影響により対米輸出が前年同月比マイナスで推移した結果，2018年の実質 GDP 成長率に対する純輸出の寄与はマイナスとなった。

解説

1．妥当である。

2．2018年のユーロ圏全体の実質 GDP 成長率は，2017年より鈍化したものの，４期すべてでプラス成長であった。また，ドイツの2018年第１四半期および第２四半期の実質 GDP 成長率は0.4％程度で推移していたが，第３四半期にマイナスとなり，第４四半期はおおむね０％となった。

3．イギリスの消費者物価上昇率（総合，前年同月比）は，2016年半ばの EU 離脱を巡る国民投票後上昇したが，2017年末をピークに鈍化している。また，実質賃金上昇率（前年同月比）については2017年末以降上昇傾向となり，2018年初からはプラスで推移している。

4．中国の非金融企業における債務残高（対 GDP 比）は，2012年から2016年頃まで上昇傾向にあった。この事態を重く見た中国政府が民間債務の削減を重点政策として進めたことから，2017年以降2018年まで低下傾向にある。

5．中国の実質 GDP 成長率（前年同期比）を需要項目別に見ると，総資本形成がプラスに大きく寄与しているのに対して，純輸出の寄与率は０％からマイナス域内で推移している。2018年の純輸出のマイナス寄与は正しいが，2018年の対米輸出（前年同期比）は３月と12月を除いてプラスであった。

データ出所：『通商白書2019』

正答　1

国家一般職
［大卒］
No.
46
専門試験

経営学　企業戦略　令和2年度

企業の戦略に関する次の記述のうち，妥当なのはどれか。

1　R.P.ルメルトは，米国企業の多角化戦略を分析し，非関連事業の分野に多角化した企業は，既存事業と関連する分野に多角化した企業より，業績が高い傾向にあるとした。これを受けて，H.I.アンゾフは，成長ベクトルのマトリックスを提唱し，新技術を活用した新製品を現在の市場に展開し新しい需要を喚起するものである非関連多角化を，四つの成長ベクトルのうち最上位に位置付けた。

2　ボストン・コンサルティング・グループが開発したPPMとは，経験効果と製品ライフサイクル仮説の二つの経験則を基礎とした分析ツールである。これは，例えば，相対的市場シェアが低く，市場成長率は高い「問題児」に属する事業には，その事業が有望か否かを分析するという課題を課すなど，各事業の状況に応じて異なる課題・役割を課すことで，多角化事業を管理しようとするものである。

3　コモディティ化とは，ある製品やサービス，規格について，国際的な業界標準とは異なるため国内でしか通用しない状態となることをいう。一旦コモディティ化すると，その製品やサービスに国内の人気が集中し，その結果，ますますコモディティ化が進展するため，国際的な業界標準に合わせることは難しいとされる。

4　SWOT分析とは，自社の強み（Strength）や弱み（Weakness）に応じて，自社の組織（Organization）や戦術（Tactic）が最適に設計されているかを判断するためのものである。企業固有のものである自社の強みや弱みに焦点を当てることができるものの，外部環境の変化は分析の対象になっていないという欠点が指摘されている。

5　J.B.バーニーは，企業の競争優位の源泉を人的資源や生産設備などの経営資源に求めるRBV（Resource Based View）の戦略論を唱えた。この戦略の欠点として，特許などの知財が考慮されていないことが挙げられ，これを補うものとして，C.K.プラハラッドとG.ハメルは，VRIOフレームワークを提唱した。

1．ルメルトは，経済誌『フォーチュン』の上位500社ランキングに載ったアメリカ企業を対象に多角化戦略の分類を行い，各戦略と業績の関係を分析した。その結果，中核となる技術を持ち，既存事業と関連する分野に多角化した企業は，非関連事業の分野に多角化した企業よりも業績が高い傾向にあることを示した。また，アンゾフが唱えた成長ベクトルは，ルメルトの分析より以前に提唱された概念である。成長ベクトルの中で，新製品を現在の市場に展開するのは製品開発であり，「非関連多角化」ではない。さらに，「四つの成長ベクトルのうち最上位に位置付けた」も誤り。アンゾフは4種類の成長ベクトルに序列を設けてはいない。

2．妥当である。ボストン・コンサルティング・グループが考案したPPM（プロダクト・ポートフォリオ・マネジメント）は，既存の諸事業に経営資源を効率的に配分するための分析ツールである。

3．ある製品やサービス，規格が「国際的な業界標準とは異なるため国内でしか通用しない状態」は，いわゆるガラパゴス化である。コモディティ化とは，ある企業の製品やブランドが広く普及することによって，ありふれた「日用品」となり，常に価格競争にさらされる状態を意味する。製品がコモディティ化すると，他社に模倣され，価格競争が激化し，自社が築いた顧客基盤が奪われる危険性が高まる。そのため，ブランド構築を強化し，製品差別化を図ることで他社の模倣を防ぎ，安定した顧客基盤を確保する必要が生じる。

4．「自社の組織（Organization）や戦術（Tactic）」「外部環境の変化は分析の対象になっていない」が誤り。SWOT分析は，自社の内部環境における強み（Strength）と弱み（Weakness），自社を取り巻く外部環境における機会（Opportunity）と脅威（Threat）を検討し，適切な戦略を策定する分析手法である。

5．RBVでは，特許などの知財（知的財産権）も競争優位を生み出す経営資源に含まれる。また，VRIOフレームワークはバーニーが提唱した理論枠組みであり，ある経営資源が持続的な競争優位をもたらすか否かは，経済価値（Value），希少性（Rareness, Rarity），模倣可能性（Imitability，模倣困難性とも訳される），経営資源を活用する組織（Organization）で決まると考える。なお，プラハラッドとハメルはコア・コンピタンスの概念を示した。コア・コンピタンスとは，顧客に利益をもたらす技術やスキル，知識，経験の集合体を意味する。VRIOフレームワークとコア・コンピタンスは，RBVの代表的な学説である。

正答　2

国家一般職［大卒］ No. 47 専門試験

経営学　国際経営　令和2年度

国際経営に関する次の記述のうち，妥当なのはどれか。

1　J. D. トンプソンは，1960年代までの米国の多国籍企業の海外展開に基づき，企業の国際化に関するプロダクトサイクル仮説を提唱した。それによれば，最初に米国で開発された新製品に対する需要が発展途上国において拡大することによって，現地生産は行われないまま米国において当該製品の生産が急増し，米国から発展途上国へ大量に輸出が行われるとされている。

2　J. バーキンショーとN. フッドは，海外子会社の役割を決める要因として，「本社からの役割の付与」「現地従業員の知識レベル」「現地環境による影響」「現地市場における自社のシェア」の四つを挙げた。これらのうち，「本社からの役割の付与」が最も大きな影響を与えてしまうため，海外子会社のマネジャーによる役割決定の余地はないとした。

3　J. M. ストップフォードとL. T. ウェルズは，海外進出のフェーズに応じて企業が採り得る組織形態として，「国際事業部」「世界的製品別事業部制」「地域別事業部制」「グリッド構造」を挙げた。これらのうち，海外製品多角化度と海外売上高比率の双方とも高い水準にある企業が採る組織形態が「グリッド構造」である。

4　C. A. バートレットとS. ゴシャールは，グローバル・イノベーションのパターンを四つに分類した。それらのうち，「センター・フォー・グローバル型」イノベーションとは，海外子会社で生まれた新たな技術や知識が他の国にも適用されることにより，グローバルな利益をもたらすものであり，これは，主に「マルチナショナル型」の多国籍企業において採られるイノベーションのパターンである。

5　企業が国際化する際の進出形態は，取引による進出と直接投資による進出に大別される。前者として「合弁」と「完全所有子会社」があり，後者として「輸出」と「ライセンス供与」がある。これら四つの形態のなかで，自社からの資源のコミットメントが最も大きく，国際化の最終段階とされるのが「ライセンス供与」である。

解説

1．企業の国際化に関するプロダクトサイクル仮説を示したのはR.バーノンであり，後半の記述も誤り。この仮説によれば，アメリカで開発された新製品は最初に国内で生産され，やがてアメリカでの需要を満たすと他の先進諸国に向けて輸出が行われるようになる。また，トンプソンは，経営資源を組み合わせて製品やサービスを供給するという組織における技術的変換の中核を担う「テクニカル・コア」の概念を示した。

2．バーキンショーとフッドは，海外子会社の役割を決める要因として，「本社からの役割の付与」「海外子会社自身の選択」「現地環境による影響」の3つを挙げた。伝統的な多国籍企業論では「本社からの役割の付与」を重視したが，バーキンショーらは海外子会社が率先して独自に担う役割に着目し，海外子会社の活動が本社や現地環境に影響を与えることを指摘した。

3．妥当である。ストップフォードとウェルズは，アメリカ多国籍企業に関する調査から，これらの企業が海外進出に伴って組織構造をどのように変革したかを示した。その過程は，フェーズ1：海外子会社の設置，フェーズ2：海外事業を一括して管理する国際事業部の設置，フェーズ3：世界的製品別事業部制あるいは地域別事業部制への移行，フェーズ4：グリッド構造（グローバル・マトリックス制）への移行という4段階を経るとした。

4．「センター・フォー・グローバル型」の説明が誤り。バートレットとゴシャールはグローバル・イノベーション（企業の国際化に伴う革新）のパターンを，イノベーションの成果を本社と海外子会社，あるいは海外子会社間でどのように共有するかという基準によって，①センター・フォー・グローバル型，②ローカル・フォー・ローカル型，③ローカル・フォー・グローバル型，④グローバル・フォー・グローバル型の4種類に分類した。①は本社がイノベーションの主体となり，その成果を海外子会社に適用するパターン，②は各国の海外子会社がイノベーションの主体となり，その成果も個別の海外子会社の中で活用するパターンであり，主に「マルチナショナル型」の多国籍企業で採用される。③は各国の海外子会社がイノベーションの主体となり，その成果は他国の海外子会社にも適用され，グローバルな利益をもたらすパターンである。④は本社や海外子会社を問わずイノベーションが展開され，そのための経営資源やイノベーションの成果もネットワーク状に共有されるパターンである。

5．取引による進出と直接投資による進出の説明が逆である。一般に海外進出の形態には，「輸出」や「ライセンス供与（自社が持つ特許や商標，技術などの使用を他社に一定期間認める契約）」などの取引による進出と，「合弁（自社と現地企業，もしくは現地国以外の企業が共同出資によって所有する企業）」や「完全所有子会社」などの直接投資による進出がある。これらの中で，本社による資源のコミットメント（経営資源を配分する度合い）が最も大きい進出形態は「完全所有子会社」である。なお，企業が海外進出を行う際にどのような形態をとるかは，産業特性や当該企業の戦略によって異なる。

正答 3

経営学　イノベーション　令和2年度

イノベーションに関する次の記述のうち，妥当なのはどれか。

1　E. V. ヒッペルは，企業が主体的にユーザーのニーズに関する調査を詳細に行った上で，そのデータ分析を行い，そこから製品のアイデアを練り上げてゆくことをユーザー・イノベーションと呼んだ。ユーザー・イノベーションにおいては，ユーザーが製品開発上の問題を解決することは行わないものの，企業に対して情報提供を積極的に行う。

2　C. M. クリステンセンは，かつてはイノベーターであり新技術の開発にも積極的であった既存大企業が，製品の優位性に信頼を置くあまり顧客の評価を徐々に軽視するようになり，やがて持続的イノベーションに優位性をもつ新興企業に取って代わられ衰退してしまう現象をイノベーターのジレンマと呼んだ。

3　ある産業において，流動期を経て大方のユーザーの要求を満足させるドミナント・デザインが一旦確立した後は，産業の成熟化が進む。W. アバナシーらは，成熟化は不可逆的な性質を有するため，成熟した産業は再び流動期に戻ることはなく，成熟化の期間を一定期間経た後は，必然的に衰退期に移行するとした。

4　イノベーションを生み出す誘因について，テクノロジー・プッシュとは技術の進歩が新しい製品の開発を刺激し，結果としてイノベーションが生じるとする考え方であり，ディマンド・プルとは市場のニーズが端緒となって研究・技術開発活動が刺激され，その結果としてイノベーションが生じるとする考え方である。

5　E. M. ロジャーズは，新製品を採用するまでの時間に応じて顧客を五つのカテゴリーに分類した。このうち，初期少数採用者と定義される，新製品を採用する時期が最も早い顧客は，周りの人々の購買行動に大きな影響を与えるオピニオンリーダーとしての性格を有する者であり，全体の約25％を占めている。

解説

1. ヒッペルによれば，ユーザー・イノベーションとは，製品のニーズを識別し，そのための技術的な改良案を示し，試作品を制作・テストするというイノベーションのプロセスを製品のユーザーが担うことである。したがって，ユーザー・イノベーションでは，ユーザーが企業に情報提供を積極的に行うだけでなく，製品開発上の問題解決にも関与することになる。

2. クリステンセンによれば，イノベーターのジレンマとは，環境に対する優れた適応が成功の基盤であると同時に，新たな変化への適応を阻む障害になることを意味する。具体的には，ある業界のリーダー企業が主要な顧客のニーズを重視し，積極的に製品開発を行うことで持続的な技術革新に成功しつつも，分断的技術を持つ新規参入企業にその地位を奪われる現象である。分断的技術とは，当初は機能面で既存の主流技術に劣り，「おもちゃ扱い」されるレベルだが，低価格，単純，小型，使い勝手がよいなどの特徴から顧客の支持を得るようになり，やがて既存の価値ネットワークを覆す技術を意味する。

3. 「成熟化は不可逆的な性質を有するため」以降の記述が誤り。アバナシーらは，ある産業において成熟化が進んだ後に，状況を一新する技術革新を生み出し，新たな需要を創造することで再び流動期に戻ることを脱成熟（脱成熟化）と呼んだ。時計産業における機械式からクオーツ式への転換や，フィルム式カメラからデジタル・カメラへの転換などが脱成熟の代表的な事例である。

4. 妥当である。イノベーションを生み出す主な誘因は，テクノロジー・プッシュとディマンド・プル（マーケット・プル）に大別される。

5. 「新製品を採用する時期が最も早い顧客」は革新的採用者（イノベーター）である。初期少数採用者は「周りの人々の購買行動に大きな影響を与えるオピニオンリーダーとしての性格」を持つ。ロジャーズは，製品の普及過程をモデル化し，製品の購入時期が早い順から顧客を，①革新的採用者（2.5％），②初期少数採用者（13.5％），③前期多数採用者（34％），④後期多数採用者（34％），⑤採用遅滞者（16％）の５つのカテゴリーに分類した（カッコ内の数字は顧客全体に占める各カテゴリーの割合）。ロジャーズは，①と②を合わせた顧客層に普及した段階（16％を超えた時点）から，製品の普及率が一気に増加するとした。

正答 4

国家一般職
[大卒]
No.
49
専門試験

経営学　経営組織　令和2年度

経営組織に関する次の記述のうち，妥当なのはどれか。

1　M. ヴェーバーは，官僚制の特徴として，職務の専門化・分業化，個人的な経験やノウハウに基づく職務権限の設定，文書を媒介とする職務遂行，ヒエラルキーの排除などを挙げ，官僚制により大規模化・複雑化した組織を運営すると，仕事の遂行が正確ではあるものの遅くなるため，他の組織形態と比較して効率性が低くなるとした。

2　企業組織を開発や生産，営業などの機能を担当する部門別に編成する形態のことを事業部制組織と呼ぶ。事業部制組織では，事業部ごとの利益成果が明確であるため事業部どうしが良好な協力関係を保つことができ，各事業部は短期的な成果を気にすることなく長期的な成果を追求できる。そのため，事業部で共通している技術や製品を見つけ出しやすいという利点がある。

3　J. フェッファーとG. サランシックが提唱した資源依存理論では，組織の集合である個体群の組織形態はスペシャリスト組織とジェネラリスト組織の二つに分類される。スペシャリスト組織は，環境変化が少なく安定している場合にはジェネラリスト組織よりも適合度が高く，ジェネラリスト組織は，似ていない環境への変化が頻繁に起こる場合にはスペシャリスト組織よりも適合度が高い。

4　制度的環境への適応の結果として組織が似通ってくる現象は制度的同型化と呼ばれ，P. J. ディマジオとW. W. パウエルは，そのメカニズムとして，①強制的同型化，②模倣的同型化，③規範的同型化の三つを挙げた。大学などで類似の教育を受けた専門家が組織を超えてネットワークを形成することにより生じる同型化は規範的同型化の例である。

5　J. バーンズとG. M. ストーカーは，生産システムを歴史的な発展順序と技術の複雑さに従い，単品・小バッチ生産，大バッチ・大量生産，装置生産の三つのタイプに分類した。これら三つのタイプを比較すると，大バッチ・大量生産は，熟練労働者の割合が高いことや文書よりも口頭でのコミュニケーションが多いなどの特徴を有する。

1．「個人的な経験やノウハウに基づく職務権限の設定」および「ヒエラルキーの排除」が誤り。ヴェーバーは，官僚制の特徴として，職務の専門化・分業化，個人的な感情に左右されない職務権限の設定，文書を媒介とする職務遂行（文書主義），ヒエラルキーに基づく権限の行使などを挙げた。ヴェーバーは，このような特徴を持つ官僚制は仕事の正確さや早さの点で効率的な組織であると評価した。

2．「企業組織を開発や生産，営業などの機能を担当する部門別に編成する形態」は，職能別部門組織（職能別組織）である。事業部制組織では，各事業部が自律的な事業単位であることから，事業部間の協力関係は希薄であり，複数の事業部が関与する技術革新や製品開発にはうまく対応できないという短所がある。また，各事業部は本社から，各年度あるいは半期，四半期のように短期的な成果を求められるため，長期的な成果の追求には適していない。

3．M. T. ハナンとJ. フリーマンが唱えた個体群生態学の説明である。ハナンらによれば，スペシャリスト組織は限られた範囲の環境で余分な能力を持たずに専門化している組織群であり，ジェネラリスト組織はより幅広い顧客層を対象とする組織群である。環境変化が少なく安定している場合は，ジェネラリスト組織よりも特定の顧客層を対象とするスペシャリスト組織が適している。また，似通った環境変化が起こる場合は，広範囲の顧客層を対象とするジェネラリスト組織が適しているが，まったく異なる環境変化が頻繁に起こる場合は，スペシャリスト組織が適していると指摘した。したがって，「ジェネラリスト組織は，（中略）スペシャリスト組織よりも適合度が高い」とする記述も誤りである。なお，フェッファーとサランシックが提唱した資源依存理論は，組織間関係論の代表的な理論枠組みであり，組織間の経営資源の依存度に基づいて組織の行動を分析した。

4．妥当である。ディマジオとパウエルは，「組織はそれぞれ異なる環境で活動しているにもかかわらず，なぜ似た構造を持つのか」という観点から組織の同型化について分析し，制度的同型化のメカニズムを，①強制的同型化，②模倣的同型化，③規範的同型化に分類した。①では，政府の規制によって類似の制度や部署が企業に導入される例が挙げられる。②では，不確実性の高い環境で成功している先発企業の組織編成を他社が模倣する例が該当する。

5．J. ウッドワードの学説に関する説明である。ウッドワードはイギリス企業100社を対象とした調査から，生産技術と組織構造の適合性を分析した。その結果，単品・小バッチ生産と装置生産では有機的組織が有効であり，大バッチ・大量生産では機械的組織が有効であることを示した。また，「大バッチ・大量生産は」以降の記述も誤り。「熟練労働者の割合が高いことや文書よりも口頭でのコミュニケーションが多い」のは，単品・小バッチ生産と装置生産であった。ここでの「バッチ」とは，一度に生産する部品や製品の数量を意味する。なお，バーンズとストーカーはスコットランド企業20社の調査から，需要の変動や技術革新が激しい環境では有機的組織が有効であり，安定的な環境では機械的組織が有効であることを示した。

正答　4

国家一般職［大卒］ No. 50 専門試験

経営学　組織行動　令和2年度

組織行動に関する次の記述のうち，妥当なのはどれか。

1　J. G. マーチは，凝集性の高い集団（グループ）では，多様な意見の表出が抑えられ，情報も一元化されてノイズが低減されるため，メンバーの意見を早期に一本化することができる「グループシンク」が最適な意思決定をするための思考様式であるとした。

2　F. E. フィードラーは，①リーダーとフォロワーとの関係，②タスクが構造化されている程度，③リーダーの職位に基づく権限の強さという三つの要因の組合せによって状況好意性が決まるとし，その程度とリーダーシップ・スタイルとの関係を研究した結果，状況好意性が高いとき及び低いときに高い成果となるリーダーシップ・スタイルと，中程度のときに高い成果となるリーダーシップ・スタイルが異なるとした。

3　V. H. ブルームの期待理論においては，「行為→成果（一次の成果）→報酬（二次の成果）」という関係が想定されている。この理論では，職務に対する動機づけの強さは，①ある行為からどのような成果が得られるのかに関する客観的確率である「手段性」，②ある成果からどのような報酬が得られるのかに関する客観的確率である「期待」，③得られる報酬の魅力度を金銭額で表した「誘意性」という三つの変数の和によって決まる。

4　ミシガン研究では，リーダーシップ・スタイルを，部下が目標の達成に向けて効率的に職務を遂行できるような環境を整える「構造づくり」と，仕事上の相互信頼の醸成や部下の気持ちへの気配りによって特徴付けられる「配慮」の2次元で捉え，「配慮」の実施には長期間を要するため低水準の達成にとどめつつ，「構造づくり」を高水準で達成するようなリーダーシップ・スタイルが最も高い成果をあげることが示された。

5　H. A. サイモンは，意思決定に関する二つの人間観を対比した。一つは，全ての代替案の中から最も良いものを選ぶのではなく，あらかじめ決められた基準を満足する代替案があれば，それを選択することにより利益を最大化しようとする「経済人」モデルである。もう一つは，全ての利用可能な代替案を挙げて，それら全てについて過去の経験と知識に基づいて評価することにより最適な代替案を選択しようとする「経営人」モデルである。

経済事情
経営学
国際関係
社会学
心理学
教育学
英語(基礎)
英語(一般)

1．マーチは本肢の学説を唱えていない。また，「最適な意思決定をするための思考様式である」という記述も誤りである。I. L. ジャニスは，キューバ侵攻やベトナム戦争などの事例におけるアメリカ政府の意思決定を分析し，凝集性（メンバーを集団に引きつけ，とどまらせるように作用する力）が高く，自らの集団に対する過信，排他的精神，全会一致への圧力（少数意見を軽視し，多数意見に同調する）などの特性を持つ集団は，誤った判断を下す可能性が高くなることを示し，このような思考様式を「グループシンク（集団浅慮）」と呼んだ。

2．妥当である。フィードラーは，リーダーに対する状況好意性が異なれば，有効なリーダーシップも異なるとするリーダーシップのコンティンジェンシー理論を唱えた。フィードラーは，状況好意性が高いあるいは低い場合，職務中心型のリーダーシップが有効であり，状況好意性が中程度の場合，人間関係中心型のリーダーシップが有効であることを示した。

3．各変数の説明と「三つの変数の和」などの記述が誤り。ブルームの期待理論では，①ある行為からどのような成果が得られるかに関する主観的確率である「期待」，②ある成果からどのような報酬が得られるのかに関する主観的確率である「手段性」，③報酬から得られる効用や満足度を「誘意性」とし，個人の動機づけはこの3つの変数の積で決まるとした。

4．本肢はオハイオ州立大学の研究グループが実施したオハイオ研究に関する説明であり，前半の「構造づくり」と「配慮」の説明は正しいが，後半の記述が誤り。オハイオ研究では，「配慮」と「構造づくり」の双方を高水準で達成するリーダーシップ・スタイルが有効であることが示された。なお，ミシガン研究は，ミシガン大学でR. リッカートが主導したリーダーシップに関する調査・研究である。

5．「経済人」モデルと「経営人」モデルの説明が逆である。サイモンによれば，現実の人間は全知全能の完全な合理性を獲得することは不可能であり，「制約された合理性」の下で意思決定を行う。そのため，実際の意思決定においても，「経済人」モデルのようにすべての代替案を列挙して，その中から最適な代替案を選ぶのではなく，あらかじめ設定した一定の水準を満たす代替案を選択することになる。サイモンは，この人間観を「経営人（管理人）」モデルと呼んだ。

正答　2

国際関係　国際政治史　令和2年度

国際政治史に関する次の記述のうち，妥当なのはどれか。

1　フランス革命への列強の干渉は，ナポレオンの台頭を招き，かえってフランスの領土の拡張を引き起こした。長く続いたフランスとの王位継承戦争を勝ち抜いたヨーロッパ諸国は，勢力均衡の原理に基づくヨーロッパの秩序の回復を目指した外交会議を，ウェストファリアで開催した。

2　第一次世界大戦によって，勢力均衡による19世紀のヨーロッパの秩序は終焉した。米国のT. ローズベルト大統領は，戦争の違法化を提唱するとともに，国際共同体が団結して侵略者に対抗するための民族自決の原理を取り入れた国際連盟の設立を主導した。

3　20世紀後半に脱植民地化の運動が進み，多くの新興独立国が生まれると，国際的な経済格差の問題が顕在化し，開発援助が活発になった。2000年には国際連合ミレニアム開発目標（MDGs）が設定され，現在では持続可能な開発目標（SDGs）に引き継がれている。

4　1945年の国連憲章で明文化された主権平等の考え方は，その後の様々な地域的な安全保障制度の根拠となった。典型例は，北大西洋条約機構（NATO）やワルシャワ条約機構（WTO）のような地域機構である。冷戦終焉後，NATO は消滅し，WTO は拡大した。

5　経済的な交流が深まり，諸国が相互に依存する状態が生まれると，軍事的な衝突の可能性は低下するという考え方を，覇権安定論といい，20世紀後半に盛んになった。これに対してリベラリズムの見方では，相互依存は，かえって利益の獲得を目指す国家間の紛争の可能性を高めるとされている。

解説

1．ナポレオンの台頭とフランスのヨーロッパ支配に対抗し，イギリスの主導する対仏同盟の下でナポレオン戦争（1796～1815年）に勝利したヨーロッパ諸国は，オーストリアのウィーンで会議を開催し，勢力均衡原理に基づく革命前の旧秩序の回復をめざした。「王位継承戦争」および「ウェストファリア」が誤りである。

2．第一次世界大戦までのヨーロッパによる勢力均衡原理を主体とした国際秩序を旧外交として否定し，新外交として民族自決や民主公開外交の重要性を説き，世界平和実現のための普遍的な国際機構として国際連盟の創設に尽力したのはアメリカのローズベルトではなく，W. ウィルソン大統領である。

3．妥当である。第二次世界大戦後，アジア・アフリカの植民地は独立を果たし，宗主国の従属国に対する支配・搾取の関係に代わり，先進国の新興独立国に対する援助のあり方が国際関係の新たなテーマとして登場した。そして1970年代以降になると，それまでの経済発展重視の開発路線が見直され，個々人の生活や社会そのものに焦点を合わせる開発観が台頭し，「人間開発」や「社会開発」の概念が提唱されるようになった。これを受け2000年には国連ミレニアムサミットが開かれ，採択された国連ミレニアム宣言をもとに，貧困と飢餓の撲滅，初等教育の完全普及達成，乳幼児死亡率削減，ジェンダー平等推進と女性の地位向上等2015年までに達成すべき８つの目標がミレニアム開発目標（MDGs）として明示された。この目標は2015年９月の国連サミットで採択された2030年までの「持続可能な開発目標（SDGs）」に継承・発展された。

4．第二次世界大戦戦後に誕生した地域的な安全保障制度の根拠となったのは，主権平等の考え方ではなく，国連憲章51条が明記した個別的および集団的自衛権の考え方である。北大西洋条約や日米安全保障条約などでは，国連憲章51条の規定を集団防衛の法的根拠として引用明記している。冷戦終焉後，消滅したのはWTO（ワルシャワ条約機構）であり，NATO（北大西洋条約機構）は加盟国を拡大させ，現在も存続している。

5．覇権安定論とリベラリズムの説明が逆である。世界を管理する覇権国家が存在しなくとも，経済的な交流や相互依存が進展すると，国際協調が実現され，軍事的な衝突の危険が低下するという考え方は，リベラリズムに属する相互依存論である。相互依存論を説いたR. コヘインとJ. ナイは，国家間の相互依存の度合いが対照的な場合ほど安定した協力関係が維持されやすいと説いた。他方，一国が単独で他国が追随できないほどの軍事力や経済力，すなわち覇権を持っていると，すべての国が覇権国家に追随するので国際社会が安定するという覇権安定論を説いたのは，C. キンドルバーガーやR. ギルピンである。

正答　3

国家一般職［大卒］

No. 52 専門試験

国際関係　国際社会の法規範　令和2年度

国際社会の法規範に関する次の記述のうち，妥当なのはどれか。

1　ハーグ陸戦条約の成立によって国際社会に導入された戦争違法化の流れは，1928年のワシントン海軍軍縮条約によって更に進展し，1945年の国際連合憲章第2条第4項で「武力行使」の禁止という形で確立された。国連憲章は，加盟国に対する武力攻撃が発生した場合の対抗措置として，自衛権と集団安全保障を認めている。

2　国際連盟によって国際法でも個人の権利を保障する動きが始まり，一般的に自由権規約といわれる「経済的，社会的及び文化的権利に関する国際規約」や，一般的に社会権規約といわれる「市民的及び政治的権利に関する国際規約」の成立は，国際人権法を進展させた。今日では，国連や地域機構に多くの人権保障機関が設置されている。

3　国際海洋法は，公海上にあっても人間を保護するための規範を定めた国際法であり，ジュネーブ四条約やジュネーブ諸条約追加議定書などから構成される。国際海洋法に違反した者を裁く国際機関として国際刑事裁判所が2002年に設置された。

4　核・生物・化学兵器は大量破壊兵器（WMD）といわれ，核兵器は核兵器不拡散条約（NPT）によって，化学兵器は化学兵器禁止条約（CWC）によって，開発が制限されている。NPTでは，1967年初めまでに核兵器を製造しかつ爆発させた国を核兵器国とし，これらの国には核兵器の保有が認められている。

5　「国際の平和及び安全の維持に関する主要な責任」を持つ国連安全保障理事会は，国際の平和と安全への脅威を認定し，加盟国に対応を勧告することができる。1991年の湾岸戦争は安保理決議の授権がなかったが，2003年のイラク戦争には軍事行動を裏付ける明示的な安保理決議があった。

1. オランダのハーグで開催された第1回万国平和会議で採択されたハーグ陸戦条約（1899年）は，無差別戦争観の下で戦争法規の規定整備を進めたものである。戦争違法化の流れは，ハーグで開催された第2回万国平和会議（1907年）で採択された契約債務回収目的の戦争を禁じるポーター条約がその嚆矢とされ，第一次世界大戦後に制定された国際連盟規約がその前文で「締約国は戦争に訴えざるの義務を受諾する」ことを明記したことによって明確化された。さらに1928年の不戦条約によって進展し，第二次世界大戦後に制定された国連憲章が「武力による威嚇又は武力の行使」を慎むべきこと（国連憲章2条4項）とする形で確立された。ワシントン海軍軍縮条約は，1922年に制定された日米英仏伊5か国の主力艦の総トン数比率を定めたもので，戦争違法化の動きとは直接の関係はない。

2. 国際法で個人の権利を保障する動きが始まったのは，国際連盟ではなく国際連合が創設された第二次世界大戦後のことである。また，自由権規約と社会権規約が逆である。1966年の国連総会で採択された「市民的及び政治的権利に関する国際規約」は自由権規約と呼ばれ，身体の自由と安全，移動の自由，思想・良心の自由，差別の禁止，法の下の平等などの市民的・政治的権利（自由権）を保障している。同じく1966年の国連総会で採択された「経済的，社会的及び文化的権利に関する国際規約」は社会権規約と呼ばれ，労働・社会保障・生活・教育などの経済的・社会的・文化的権利（社会権）を保障している。

3. 国際海洋法とは，領海の幅，大陸棚の資源利用，公海の利用に関することなど海洋にかかわる国際法規の総称であり，国際人道法規であるジュネーブ4条約などとは関係がない。また，2003年に設置された国際刑事裁判所は，国際社会にとって重大な罪を犯した個人の刑事責任を問う常設国際法廷であり，国際海洋法違反者を裁く国際機関ではない。

4. 妥当である。大量破壊兵器（WMD）と呼ばれる核・生物・化学兵器の保有や開発を規制する条約として，核兵器については核兵器不拡散条約（NPT），生物兵器に対しては生物兵器禁止条約（BWC），化学兵器に対しては化学兵器禁止条約（CWC）が存在している。NPTは，1967年1月1日の時点ですでに核兵器を保有している国を核保有国（米露英仏中の5か国），それ以外の加盟国を非核保有国と区分し，核保有国に対しては核兵器の保有を認めるとともに，核兵器の他国への譲渡を禁止し，核軍縮のために誠実に核軍縮交渉を行う義務を定めている。また非核保有国に対しては，核兵器の製造・取得を禁止し，国際原子力機関（IAEA）による補償措置を受け入れることが義務づけられている。25年の期限付きだったNPTは1995年に無期限に延長し，5年ごとに運用再検討会議を開催することとされた。

5. 国連安全保障理事会の役割は，平和に対する脅威，平和の破壊または侵略行為の存在を決定し，平和と安全の維持と回復のために勧告を行うこと，経済制裁などの非軍事的強制措置および軍事的強制措置を決定すること等である。1991年の湾岸戦争に際しては，アメリカが主導して編成された多国籍軍に対して，武力行使を容認する安保理決議678が出されている。これは，イラクのクウェート侵攻に対してクウェートからの無条件撤退を求めるとともに，イラクがこれを拒否した場合には国連加盟国に対して武力行使を容認する内容であった。他方，2003年のイラク戦争の際には，多国籍軍に対して武力行使を容認する明確な安保理決議は付与されなかった。

正答　4

国家一般職［大卒］

専門試験

No. 53

国際関係　武力紛争と国際平和活動　令和2年度

武力紛争と国際平和活動に関する次の記述のうち，妥当なのはどれか。

1　冷戦終焉後の国際社会では，人道的な危機に対応するための軍事制裁の事例が数多くみられるようになった。ある国の政府が，自国民を保護する能力又は意思を欠いている場合には，国際社会が介入する法的義務を負う，という「保護する義務」の考え方も生まれた。

2　国際連合平和維持活動（PKO）は，冷戦時代に，中立性を標榜して紛争当事者を監視する任務を持つ活動として生み出された。しかし，冷戦終焉後には，文民保護，行政支援，武装解除などの多岐にわたる活動を行うようになってきている。

3　冷戦中にコソボとコンゴにおける国際的な平和活動の担い手として，ヨーロッパの北大西洋条約機構（NATO）や欧州安全保障協力機構（OSCE），さらにはアフリカの地域機構が活躍した。冷戦終焉後の時代には国連が台頭してきた。

4　第二次世界大戦以降，国家間で起こる武力紛争は世界各地で年々増加している。一方，国家の内部で起こる内戦は一貫して減少している。これに伴って武力紛争の当事者の中で，国家以外の反政府組織やテロリスト組織などの多様な非国家アクターは減少してきている。

5　1993年に米国東部で発生した同時多発テロに対して，米国はソマリアへの攻撃を行った。米国はそれを「テロとの戦い」だとして正当化を図った。しかし，その後も世界各地でテロ組織による攻撃は多発し，テロ組織の国際的なネットワークも広がっている。

1．冷戦後，人道的な危機に対するために国際機関が他国に軍事介入や制裁を加える事例が数多く見られるようになった。その過程で形成されたのが，「保護する責任（Responsibility to Protect)」の概念である。これは，自国民の保護という国家の基本的な義務を果たす能力のない，あるいは果たす意志のない国家に対し，国際社会が当該国家の保護を受けるはずの人々について保護する責任を負うという新たな考え方である。2005年９月の国連首脳会合成果文書において認められ，2006年４月の国連安保理決議1674号において再確認されている。

2．妥当である。国連平和維持活動（PKO）は，冷戦のために国連安全保障理事会が機能まひに陥った事態に対処するため，実行処理の中で編み出された紛争解決のアプローチである。それは関係国の同意の下に，紛争地域に国連加盟国の軍隊や兵員を派遣駐留させ，これら組織に第三者的・中立的役割の下で停戦や軍隊撤退の監視，治安の維持などの任務を行わせ，事態の平和的収拾を図ることを目的とした国連活動と理解されている。しかし冷戦後，平和維持活動の任務は拡大・多様化し，停戦の維持・監視等にとどまらず，国家再建のための行政支援や武装解除，文民保護などを担う多機能型のPKOが登場するようになった。

3．冷戦の時代には，スエズやコンゴ動乱などの地域紛争に対して，国連が編成した国連平和維持活動（PKO）が活躍したが，コソボ紛争は冷戦後の地域紛争である。冷戦の終焉後には，任務が拡大・多様化した国連の平和維持活動に加えて，北大西洋条約機構（NATO）や欧州安全保障協力機構（OSCE）が旧ユーゴのボスニアやコソボ紛争の解決に貢献し，またアフリカの地域協力機構であるアフリカ連合（AU）がスーダンのダルフール紛争の解決に関与するなど地域協力機構が地域紛争の解決に取り組んでいる。

4．冷戦の終焉後，国家間で起こる武力紛争は減少している。一方，国家の内部で起こる内戦（内戦型紛争）は増加傾向にある。これに伴って武力紛争の当事者の中で，国家以外の反政府組織やテロリスト組織などの非国家アクターが増加している。

5．アメリカ東部で同時多発テロが発生したのは2001年９月である。ニューヨークの世界貿易センタービルに民間機が激突，また，バージニア州の国防総省にも民間機が激突した。国際的なテロ活動を繰り返しているイスラム過激派組織アルカイダの犯行で，アメリカのブッシュ大統領は「対テロ戦争」を発動し，同年10月には，アルカイダの首謀者であるウサマ＝ビン＝ラディンの身柄引き渡しを拒否したアフガニスタンに対する軍事作戦に踏み切り，タリバン政権を崩壊させた（アフガニスタン戦争）。なお，アルカイダは1993年にも世界貿易センタービルを爆破しているが，同時多発テロと呼ばれるのは2001年の同ビル爆破事件である。

正答　2

国家一般職［大卒］ No. 54 専門試験

国際関係 地球環境問題 令和2年度

地球環境問題に関する次の記述のうち，妥当なのはどれか。

1 1972年，スウェーデンのストックホルムで国連人間環境会議が開催され，同会議の行動計画を実施する組織として国際自然保護連合（IUCN）が設立された。一方で，環境保護に懐疑的な見方も根強く，同年にローマ・クラブが報告書『成長の限界を超えて』を発表し，このまま人口増加や経済成長が続いても人類は科学技術により環境問題を克服して成長を続けられると論じた。

2 湿地の環境を保全して水鳥や湿地帯の生態系を守ることを目的とするワシントン条約が1971年に採択され，絶滅のおそれのある野生動物を守るために，それらの国際取引を規制するラムサール条約が1973年に採択された。日本は，1980年に両条約を締結したものの，2019年，商業捕鯨を再開するためにラムサール条約から脱退した。

3 オゾン層の保護については，気候変動に関する政府間パネル（IPCC）の報告書に基づき，オゾン層を破壊するおそれのあるメタンの生産を全面的に禁止するモントリオール議定書が1987年に採択された。しかし，米国はメタン削減の必要性が科学的に立証されていないとして同議定書に参加しなかった。

4 1992年にブラジルのリオデジャネイロで開催された国連環境開発会議（地球サミット）では，将来世代のニーズを満たす能力を損なうことなく，今日の世代のニーズを満たす開発と定義される「持続可能な開発」が国際社会が目指すべき重要な目標の一つとして掲げられた。この会議では，国連気候変動枠組条約，生物多様性条約及び森林原則声明が採択された。

5 温室効果ガスの削減を目的として1997年に採択された京都議定書では，先進国に加えて開発途上国のうち中国とインドは温室効果ガス排出量を削減する義務を負うことになった。また，米国は2001年に京都議定書への不参加を表明したものの，2016年，B.オバマ政権の下，京都議定書の後継となるパリ協定は批准し，この方針はD.トランプ政権においても引き継がれた。

1．1972年に国連人間環境会議が開催され，同会議で採択された「人間環境宣言（ストックホルム宣言）」および同行動計画を実施に移すための常設機関として，同年の国連総会決議で設立されたのは，国際自然保護連合（IUCN）ではなく，国連環境計画（UNEP）である。IUCNは1948年に設立されている。1972年にローマ・クラブが発表した報告書は『成長の限界』であり，人口は幾何学級数的に増加するが，食料は算術級数的にしか増加しないとし，このまま人口増加や環境汚染などの傾向が続けば，100年以内に地球上の成長は限界に達すると警鐘を鳴らした。

2．ワシントン条約とラムサール条約の説明が逆である。水鳥の生息地として国際的に重要な湿地やそこに生息・生育する動植物を保全し，湿地の適正な利用を進めることを目的として1971年に採択されたのがラムサール条約である。他方，絶滅のおそれのある野生動植物の国際取引を規制するのが1973年に採択されたワシントン条約である。日本は1980年に両条約を締結している。2019年に日本は商業捕鯨を再開するために国際捕鯨委員会（IWC）から脱退したが，同年ラムサール条約から脱退した事実はない。

3．オゾン層の保護については，オゾン層の保護のためのウィーン条約に基づき，オゾン層を破壊するおそれのある物質を指定し，これらの物質の製造，消費および貿易を規制することを目的として，1987年にオゾン層を破壊する物質に関するモントリオール議定書が採択された。この議定書により，特定フロン，ハロン，四塩化炭素などを先進国では1996年までに，開発途上国では2015年までに全廃することが求められた。メタンは同議定書が対象とする物質には含まれていない。アメリカは1987年に同議定書に署名し，1988年に批准している。同議定書に参加しなかったというのは誤りである。

4．妥当である。国連人間環境会議20周年に当たる1992年に，ブラジルのリオデジャネイロで国連環境開発会議（地球サミット）が開催された。会議は，将来世代のニーズを満たす能力を損なうことなく，今日の世代のニーズを満たす開発と定義される「持続可能な開発」を基本理念に据えて進められ，地球環境を保護する憲法的な存在である「環境と開発に関するリオ宣言」および同宣言を実行に移す行動計画「アジェンダ21」が採択された。また，この会議では，気候変動枠組条約や生物多様性条約が採択されたほか，「森林原則声明」が発表された。

5．京都議定書は1997年に京都で行われた気候変動枠組条約の第３回締約国会議（COP３）で採択され，2005年に発効した。先進国に温室効果ガスの排出削減を義務づけ，08年から12年までに1990年比で日本は６％，ヨーロッパ諸国は８％の排出削減が求められた。しかし，中国やインドは途上国とみなされ，温室効果ガスの削減義務を負わなかった。アメリカは京都議定書に参加し７％の削減義務を負ったが，ブッシュ政権が誕生した2001年に京都議定書から離脱した。また，アメリカのオバマ政権は2016年９月に京都議定書の後継となるパリ協定を批准したが，2017年６月，トランプ大統領はパリ協定からの離脱を表明した。

正答　4

国家一般職［大卒］ 専門試験

No. 55 国際関係 わが国の主権回復を果たした条約 令和2年度

次の英文は，我が国がこれまでに締結した条約の一部である。1951年に締結され，我が国の主権回復を果たした条約として妥当なのはどれか。

1 The High Contracting Parties solemly declare in the names of their respective peoples that they condemn recourse to war for the solution of international controversies, and renounce it, as an instrument of national policy in their relations with one another.

2 Japan and the United States of America,
Desiring to strengthen the bonds of peace and friendship traditionally existing between them, and to uphold the principles of democracy, individual liberty, and the rule of law, Desiring further to encourage closer economic cooperation between them and to promote conditions of economic stability and well-being in their countries,
Reaffirming their faith in the purposes and principles of the Charter of the United Nations, and their desire to live in peace with all peoples and all governments,
Recognizing that they have the inherent right of individual or collective self-defense as affirmed in the Charter of the United Nations,

3 Japan and the Republic of Korea,
Considering the historical background of relationship between their peoples and their mutual desire for good neighborliness and for the normalization of their relations on the basis of the principle of mutual respect for sovereignty;

4 THE HIGH CONTRACTING PARTIES,
In order to promote international co-operation and to achieve international peace and security
by the acceptance of obligations not to resort to war,
by the prescription of open, just and honourable relations between nations,
by the firm establishment of the understandings of international law as the actual rule of conduct among Governments, and
by the maintenance of justice and a scrupulous respect for all treaty obligations in the dealings of organised peoples with one another,

5 Whereas the Allied Powers and Japan are resolved that henceforth their relations shall be those of nations which, as sovereign equals, cooperate in friendly association to promote their common welfare and to maintain international peace and security, and are therefore desirous of concluding a Treaty of Peace which will settle questions still outstanding as a result of the existence of a state of war between them;

英文の全訳は次のとおり。

1 締約国は，国際紛争解決のため戦争に訴えることを非とし，かつその相互関係において国家の政策の手段としての戦争を放棄することをその各国の人民の名において厳粛に宣言する。

2 日本国およびアメリカ合衆国は，両国の間に伝統的に存在する平和および友好の関係を強化し，ならびに民主主義の諸原則，個人の自由および法の支配を擁護することを希望し，また，両国の間の一層緊密な経済的協力を促進し，ならびにそれぞれの国における経済的安定および福祉の条件を助長することを希望し，国際連合憲章の目的および原則に対する信念ならびにすべての国民およびすべての政府とともに平和のうちに生きようとする願望を再確認し，両国が国際連合憲章に定める個別的または集団的自衛の固有の権利を有していることを確認する。

3 日本国および大韓民国は，両国民間の関係の歴史的背景と，善隣関係および主権の相互尊重の原則に基づく両国間の関係の正常化に対する相互の希望とを考慮する。

4 締約国は，国際協力を促進し，かつ各国間の平和安寧を達成するため，戦争に訴えざるの義務を受諾し，各国間における公明正大なる関係を規律し，各国政府間の行為を律する現実の基準として国際法の原則を確立し，組織ある人民の相互の交渉において正義を保持しかつ厳に一切の条約上の義務を尊重する。

5 連合国および日本国は，両者の関係が，今後，共通の福祉を増進し，かつ国際の平和および安全を維持するために主権を有する対等のものとして友好的な連携の下に協力する国家の間の関係でなければならないことを決意し，よって，両者の間の戦争状態の存在の結果として今なお未決である問題を解決する平和条約を締結することを希望する。

＊　＊　＊

1. 不戦条約（1928年 8 月署名）の 1 条である。
2. 日米安全保障条約（1960年 1 月署名）の前文である。
3. 日韓基本条約（1965年 6 月署名）の前文である。
4. 国際連盟規約（1919年 6 月署名）の前文である。
5. 妥当である。対日平和条約（1951年 9 月署名）の前文である。

正答　5

専門試験

No. 56 社会学　相互作用　令和2年度

相互作用に関する次の記述のうち，妥当なのはどれか。

1　M.オルソンは，大規模な集団において問題解決のための社会的コスト（社会運動への参加など）を支払わず，成果だけを得ようとするフリーライダーが発生すると主張したG.C.ホマンズの合理的選択理論を，人間関係における互酬性を重視する交換理論の立場から批判した。

2　A.シュッツは，理解社会学の観点から現象学を否定し，人間行為を解明するには現象の背後にある行為の動機の理解が不可欠であるという立場から，目的合理的行為，価値合理的行為，感情的行為，伝統的行為という社会的行為の四類型を提示した。

3　エスノメソドロジーとは，人々の日常会話の中で語られる集団の神話や歴史を分析することを意味し，その創始者であるレヴィ=ストロースは，M.モースの贈与論に示唆を得て，子供の交換を通して親族関係が生成し，維持されるメカニズムを明らかにした。

4　G.ジンメルは，相互作用を内容と形式に分離し，形式を社会学の対象とする形式社会学の立場を批判した上で，相互作用の内容（目的・意図・関心など）を他者との合意形成とするコミュニケーション的行為の理論を提唱した。

5　E.ゴフマンは，日常生活における対面的な相互作用を研究対象とし，偶然その場に居合わせた人々が他者の存在を認知しながらも，礼儀として相手に過剰な注意を払わない作法を儀礼的無関心と呼んだ。

1. 合理的選択理論の立場からフリーライダー問題を指摘したのはオルソンであり，「人間関係における互酬性を重視する交換理論」を展開したのがホマンズである。

2. 「人間行為を解明するには」以降の文章はM. ヴェーバーに関する記述である。ヴェーバーは，行為者の動機理解を重視する理解社会学の立場に立つ。シュッツは，E. フッサールの現象学を社会学に応用した「現象学的社会学」の提唱者である。

3. エスノメソドロジーは，日常会話の分析などを通じて，人々がどのようにして日常の社会生活を構成，維持しているかを探求する学派であり，この学派の創始者はH. ガーフィンケルである。レヴィ＝ストロースは，構造主義の立場に立つ人類学者であり，女性の交換（子どもの交換ではない）を通じて親族関係が生成し，維持されるメカニズムを明らかにした。

4. ジンメルは，相互作用の形式を社会学の対象とする形式社会学を展開した。対話を通じて他者との合意形成をめざすという，コミュニケーション的行為の理論を展開したのはJ. ハーバーマスである。

5. 妥当である。

正答　5

国家一般職［大卒］ 専門試験

No. 57 社会学 家族社会学等 令和2年度

家族社会学等に関する次の記述のうち，妥当なのはどれか。

1 P. アリエスは，古代から近代に至るあらゆる社会の家族形態を研究し，ヨーロッパでは15世紀以前から既に「子供」は大人と比べて身体が小さく，能力的に劣る存在と考えられたために教育的配慮や愛情の対象として扱われていたと結論付けた。

2 平成29年における我が国の女性の就業率（15歳～64歳）はドイツや英国よりも高いが，年齢階級別にみた女性の労働力率は，30歳代に落ち込みが見られるM字カーブを描いており，平成10年から平成30年にかけては，不景気の影響からM字の底に当たる労働力率は低下し，落ち込み傾向が年々強くなっている。

3 T. パーソンズは，核家族を子供の社会化と成人のパーソナリティの安定化を基本的な機能とする一つのシステムとみなし，その中で，男性は職業に従事することで家族に収入をもたらし，女性は子育てや家族の世話に当たるとした。

4 合計特殊出生率とは，15歳から60歳の女性の年齢別出生率を合計したものである。合計特殊出生率は，我が国においては，1989年には戦後の最低記録であった1.58を下回る1.57にまで落ち込んだものの，以降はリーマンショックの翌年となる2009年を除き，一貫して2を超えている。

5 E. W. バージェスとH. J. ロックは，『社会構造――核家族の社会人類学』において250の社会の家族を分析し，ヨーロッパでは時代とともに，メンバー相互の情緒的結合によって成り立つ家族から制度としての家族へと変化したことを明らかにした。

経済事情 経営学 国際関係 社会学 心理学 教育学 英語(基礎) 英語(一般)

解説

1．アリエスは，『〈子供〉の誕生』において，中世から近代までのヨーロッパ社会の家族を中心に研究し，中世までは，「子ども」という観念は存在せず，「小さな大人」とみなされており，子どもが教育的配慮や愛情の対象として扱われるようになるのは近代になってからだと結論づけた。

2．平成29年におけるわが国の女性の就業率は67.4％であり，ドイツ（71.5％）やイギリス（70.4％）を下回っている。また年齢階級別に見た女性の労働力率は，確かにM字カーブを描いているが，平成10年から平成30年にかけては，M字の底に当たる労働率は上昇し，落ち込み傾向は年々弱まっている。

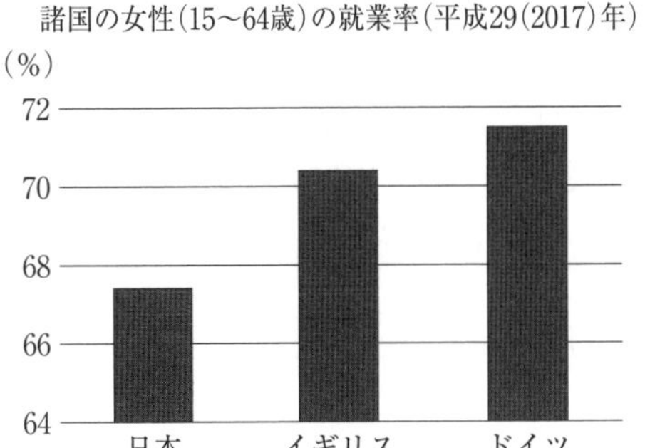

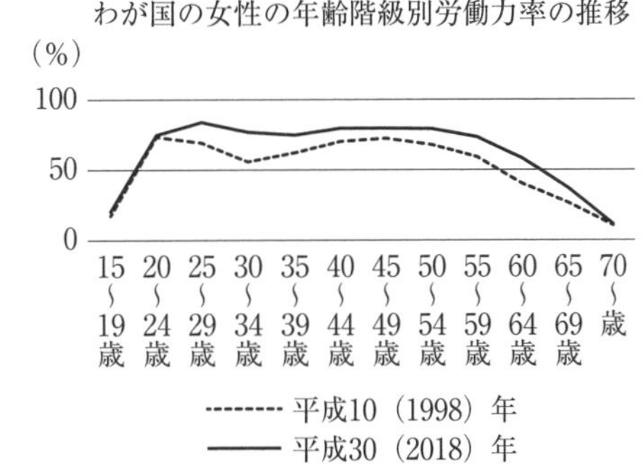

3．妥当である。

4．合計特殊出生率は15歳から49歳までの女性の年齢別出生率を合計したものである。わが国の戦後の最低記録は2005年の1.26であり，1975年に2を下回って以来，一度も2を超えたことはない。

5．バージェスとロックは，『家族――制度から友愛へ』において，家族が時代とともに，制度としての家族から，情緒的結合に基づく友愛家族へと変化したと論じた。250の社会の家族の分析に基づいて『社会構造――核家族の社会人類学』を著したのはG. P. マードックである。

データ出所：令和元年版「男女共同参画白書」（内閣府）

正答　3

国家一般職［大卒］ No. 58 専門試験

社会学　宗教・文化　令和2年度

宗教や文化に関する次の記述のうち，妥当なのはどれか。

1 M.ヴェーバーは，中世の東洋において，近代資本主義の精神が生み出されたのは，仏教における輪廻転生の思想により，来世の幸福のために現世において職業に励み，全面的に規律化した生活態度を保持することが徹底されたためと考えた。

2 É.デュルケムは，自殺率は個人の所属する集団の統合度の強さに反比例すると考えた。例えば，宗教生活と自殺との関係について，カトリックとプロテスタントを比較し，宗派によって異なる集団の統合度が，自殺率に影響していると分析した。

3 T.ルックマンは，現代社会における宗教の変動を考察し，世俗化に伴って宗教は衰退してしまった結果，教会志向型の組織化された宗教だけでなく，個人の内面においても宗教意識は見られなくなったとして，それを「見えない宗教」と呼んだ。

4 中根千枝は，日本の文化は，根底に共通して存在している宗教思想から派生し発展していると論じ，その文化の型を「ササラ型」と表現した。一方，西欧の文化は分野ごとに独立して没交渉であるとして「タコツボ型」と名付けた。

5 R.ベネディクトは，西欧の文化は，集団の和合を重んじ，他者からどのように見られるかを重視する「恥の文化」であるのに対し，日本の文化は，仏教の倫理観に基づく個人の良心を重視する「罪の文化」であると論じた。

解説

1. ヴェーバーは，『プロテスタンティズムの倫理と資本主義の精神』において，中世末期のヨーロッパにおいて，なぜ近代資本主義の精神が生み出されたのかと問い，この精神と，キリスト教プロテスタンティズムの予定説や天職，世俗内禁欲といった教えとの関連を探求した。

2. 妥当である。

3. ルックマンは，世俗化と呼ばれる傾向が，宗教の衰退や宗教意識の衰退を意味しているのではなく，宗教が，教会志向型の組織化されたものから私事的なものへと移行しているためだとして，それを「見えない宗教」と呼んだ。

4. 「ササラ型」,「タコツボ型」は，丸山眞男が用いた概念である。なお丸山は，日本の文化を「タコツボ型」，西欧の文化を「ササラ型」とした。中根千枝は，日本社会を「タテ社会」の概念を用いて分析したことで有名な人類学者である。

5. ベネディクトは，日本の文化を，集団の和合や体面を重んじる「恥の文化」，西欧の文化をキリスト教的倫理観に基づく「罪の文化」とした。

正答 2

専門試験

No.59 社会学 逸脱 令和2年度

逸脱に関する次の記述のうち，妥当なのはどれか。

1 E.H.サザーランドは，犯罪に関与するのは下層の人々に集中するというそれまでの通説を否定し，上・中層の組織的犯罪の顕著さを指摘した。そして，「名望ある社会的地位の高い人物が職業上犯す犯罪」というホワイトカラー犯罪の概念を提唱した。

2 W.F.ホワイトは，社会集団は逸脱に関する規則を設け，この規則から外れた者に対して，負の烙印（スティグマ）を与えることによって，その者の危険性や劣等性が正当化されることで，差別や偏見が生じることを指摘した。

3 T.ハーシは，犯罪や逸脱の生成に関して，家族や友人といった親しい間柄にある人々との軋轢（あつれき）に端を発するものを「第一次的逸脱」，会社などの組織において価値観の相違や他者からの批判などに端を発するものを「第二次的逸脱」と名付けた。

4 C.ロンブローゾは，犯罪者は生まれつき精神的，身体的な一定の特徴を持っているとする生来性犯罪者説を否定した。彼は，犯罪者の生活環境に関する調査の結果，貧困家庭出身者が多かったことから，生育環境によって犯罪者が生まれるとした。

5 A.K.コーエンは，逸脱とは行為そのものの本来的な性質ではなく，特定の行為や行為者を逸脱とみなし，それらにラベルを付与することによって，その人が実際に犯罪や逸脱行動をしにくくなっていくとするラベリング理論を提唱した。

解説

1．妥当である。

2．社会集団が規則を設け，その規則から外れたものに逸脱者のラベルを貼ることで逸脱を生み出す，というのはH.ベッカーらのラベリング理論の骨子。また，負の特徴を持つ特定の者に烙印（スティグマ）を与えることで，その者の危険性や劣等性が正当化される，というのは，E.ゴフマンのスティグマ論の骨子である。ホワイトは『ストリート・コーナー・ソサエティ』において，ギャングに関する参与観察研究を行ったことで有名である。

3．個人的・状況的諸要因によって，自覚されずに犯してしまう逸脱が「第一次的逸脱」，逸脱したことへの否定的な社会的反作用が本人を変化させ，逸脱と自覚しつつ犯してしまう逸脱が「第二次的逸脱」である。この区別を行ったのは，ハーシではなく，E.M.レマートである。ハーシは「社会的絆論」を提唱した。

4．ロンブローゾは生来性犯罪者説の提唱者である。

5．ラベリング理論の説明自体は正しいが，これを主張したのはH.ベッカーらである。コーエンは，中流階級に対する反動文化として形成される価値観や行動様式が，非行集団の中で共有されるとする「非行下位文化論」を提唱した。

正答 1

国家一般職［大卒］ No. 60 専門試験

社会学　社会調査　令和2年度

社会調査に関する次の記述のうち，妥当なのはどれか。

1　一般に，個別面接調査，留置調査，郵送調査，電話調査の四つの調査法を回収率とコストの観点から比較した場合，最も高い回収率が期待できるのは郵送調査だが，郵送料が必要となるため，コストの面では他の三つの調査法と比べて高くなる。

2　キャリー・オーバー効果とは，一つの質問文に複数の意味が存在することによって，調査対象者に困難や誤解をもたらすことをいう。例えば，「アルコールの摂取は健康に害をもたらすので，やめるべきであると思うか」という質問文がこれに該当する。

3　ダブル・バーレルとは，一つの調査票の中で前に置かれた質問の回答が後に置かれた質問の回答に影響を与えることを意味するが，調査票の構成や項目の順序を変えることにより，こうした影響を完全に排除することができる。

4　統計的調査には，母集団全員に調査を行う全数調査（悉皆（しっかい）調査）と，母集団から一部を取り出し全体の特徴を推定する標本調査があり，標本調査の優れた点としては，調査に伴うコストを低く抑えたり，誤答，誤記入，入力ミス等から生じる誤差（非標本誤差）を小さくしたりすることができることが挙げられる。

5　無作為抽出とは，調査者が調査対象者を偶然によって無秩序に選ぶ抽出法で，例えば，日本全国の高校生の政治的態度を明らかにするために，原宿駅前を通りかかった高校生から偶然見つけた100人を選ぶ場合，これを無作為抽出と呼ぶことができる。

解説

1．郵送調査は，返送が対象者の意志に任されるため，その場で回答が得られる個別面接調査や電話調査，調査員が回収に出向く留置調査などと比べた場合に回収率が低い。費用の面では，調査員などの手配を要するような他の調査法に比べて低コストで済むというのが，郵送調査の特徴とされている。

2．キャリー・オーバー効果とは，前の質問への回答が，後の質問の回答に影響を及ぼしてしまう事態をいう。調査者は質問紙作成の際，質問の順番や質問の間隔を調整することで，キャリー・オーバー効果が生じないようにする必要がある。また，記述にある「アルコールの摂取は～」の質問文は，偏った表現によって回答を誘導する，誘導質問の例である。

3．１つの質問に，２つ以上の論点が存在するような質問をダブル・バーレル質問という。本肢はキャリー・オーバー効果に関する記述であるが，調査票の構成や項目の順序を変えてもキャリー・オーバー効果を「完全に排除する」とまではいいきれない。

4．妥当である。

5．無作為抽出とは，確率論に基づいて，母集団のすべての単位に一定の抽出確率を与えて標本を選ぶ方法である。本肢にある方法は確率論に基づいていないため，無作為抽出とは呼べない。

正答　4

国家一般職［大卒］

No. 61

専門試験

心理学　知覚・認知　令和2年度

知覚や認知に関するA～Dの記述のうち，妥当なもののみを全て挙げているのはどれか。

A．顔写真の上下を逆にすると顔つきや表情が分かりにくくなり，その目と口の部分だけを更に逆に加工しても，さほど違和感は感じない。このように，顔が倒立した状態で提示された場合に，その知覚が影響を受ける現象は，顔の倒立効果と呼ばれる。

B．脳の局所的な損傷により，そのものは見えているにもかかわらず，それが何であるかを理解できず，その名前を答えることができない症状が生じることがある。これは失語症と呼ばれ，脳の言語機能が障害を受けた症状である。

C．同一の図形や絵が，提示される文脈の違いによって全く異なるものに見えることがある。これは，文脈に基づく知覚者の期待や構えが刺激の知覚に影響を及ぼすことを示しており，このような刺激の処理様式は，トップダウン処理と呼ばれる。

D．静かな環境では聞き取れる声であっても，パーティ会場のように喧騒（けんそう）な環境では聞き取ることが困難になる。このように，単独では聞こえる音が，他の音が同時に提示されることによって聞こえなくなる現象は，カクテルパーティ効果と呼ばれる。

1　A，B
2　A，C
3　B，C
4　B，D
5　C，D

A：妥当である。顔写真を逆さにし，さらに目と口を逆さにしても，顔が正立しない限り，目と口の部分の変化はわかりにくい。顔が倒立した状態では，目や口といった部位の位置・特徴がゆがめられるので，顔処理の知覚が影響を受ける。イギリスの首相，マーガレット＝サッチャーの写真で発見されたことにちなみ，サッチャー錯視ともいう。

B：妥当でない。失語症ではなく，失認症である。失語症は，脳の言語中枢の損傷により，言語活動が困難になった状態をいう。脳の損傷による障害全般を高次脳機能障害といい，失語症・失認症はこの中に含まれる。

C：妥当である。たとえばある記事の絵・写真・グラフにしても，記事のタイトルや趣旨を知っているか否かで，違ったものに見えてくる。知覚は，すでに持っている期待や構えに影響される。これがトップダウン処理である。逆に，個々の部分（パーツ）から全体を構成することをボトムアップ処理という。前者は「全体から部分」，後者はその逆である。情報処理の対極的な2種類として，D. ノーマンらが提唱した。

D：妥当でない。カクテルパーティ効果ではなく，マスキング効果である。感覚の相互作用によるもので，聴覚のみならず，嗅覚・味覚・視覚などでも生じる。カクテルパーティ効果は，喧噪な環境の中でも選択的注意によって必要な情報は聞き取れることである。

以上から，妥当なものはAとCであり，**2**が正答となる。

正答　**2**

国家一般職[大卒] 専門試験

No. 62 心理学 パーソナリティ検査 令和2年度

次のA，B，Cは，パーソナリティ検査（性格検査）の具体例と，その長所及び短所に関する記述であるが，それぞれの検査法の分類名の組合せとして妥当なのはどれか。

A．主題統覚検査（TAT）は，20枚程度の図版を提示し，そこに描かれた人物に関する物語を被検査者に自由に作らせ，その物語の内容から性格を知ろうとする検査である。被検査者が意図的に結果を操作することが難しいという長所があるが，結果の解釈には熟練を要する上に，検査者によって解釈が異なりやすいという短所がある。

B．内田=クレペリン精神検査は，一列に並んだ一桁の数字の連続加算を，一行当たり1分で前半・後半の15分ずつ行わせ，各行の到達量，加算の誤り，飛び越しの有無などを総合的に評定することにより性格を知ろうとする検査である。被検査者が検査目的を察知できない長所があるが，限られた側面のパーソナリティしか測定できないという短所がある。

C．矢田部=ギルフォード（YG）性格検査は，「抑うつ性」，「劣等感」，「神経質」などを含む12特性によって構成され，それらを評定することにより性格を知ろうとする検査である。手軽に実施でき多面的な診断が可能であるという長所があり，広く用いられている反面，被検査者の意図的な反応歪曲（わいきょく）に弱いという短所がある。

	A	B	C
1	面接法	作業検査法	質問紙法
2	作業検査法	投影法（投映法）	質問紙法
3	作業検査法	投影法（投映法）	面接法
4	投影法（投映法）	質問紙法	面接法
5	投影法（投映法）	作業検査法	質問紙法

A：「投影法（投映法)」に分類される。投影法は，曖昧な刺激に対する反応をもとに，性格特性を把握する検査である。意味が明確でない絵などを見せられたときの反応には，個人の性格特性や無意識的な心理状態が反映されるであろう，という前提に立つ。投影法による性格検査としては，主題統覚検査（TAT）のほか，ロールシャッハテスト，文章完成テスト（SCT)，絵画フラストレーションテスト（PF スタディ）などがある。

B：「作業検査法」に分類される。特定の作業を課し，その結果や反応様式を手がかりに，性格特性を把握する検査である。被験者にテストの意味や意図がわかりにくいので，反応が意識的に歪曲されることが少ない，という利点がある。作業検査法による性格検査には，内田=クレペリン精神検査のほか，ベンダーゲシュタルトテストがある。

C：「質問紙法」に分類される。性格特性に関する質問を盛り込んだ質問紙に回答してもらう方法で，個人の性格特性を大まかにとらえることができる。統計的な処理ができるよう，いくつかの選択肢を設けて，該当するものを選んでもらう形式が多い。検査の意図を悟られないよう，質問の配列などを工夫する必要がある。

以上から，**5**が正答となる。

正答　5

心理学　心理学実験　令和2年度

次のA，B，Cは，心理学における思考や問題解決の実験に関する記述であるが，それぞれの実験と関連の深い用語の組合せとして妥当なのはどれか。

A．トヴェルスキーとカーネマンの実験（Tversky, A. & Kahneman, D., 1973）では，「k」や「r」などの英文字について，その文字から始まる3文字以上の英単語と，その文字が3番目にくる英単語のどちらが多いかが質問された。実際には，それらの文字から始まる英単語よりも，それらが3番目にくる英単語の方が多いにもかかわらず，多くの参加者は，後者より前者の方が多いと答えた。

B．ウェイソンの実験（Wason, P. C., 1966）では，片面に英文字，もう片面に数字が書かれた4枚のカードが，それぞれ「E」，「K」，「4」，「7」を表側にして提示された。これらのカードについて，必要最小限の枚数を選んで裏返し，「片面が母音なら，もう片面は偶数である」という規則が成り立っているかどうか調べることを求められると，「E」と「7」が正解であるにもかかわらず，多くの参加者が「7」を選ばなかったり，誤って「4」を選んだりした。

C．ドゥンカーの実験（Duncker, K., 1945）では，テーブル上にロウソク，マッチ，押しピンがそれぞれ紙の箱に入れて置かれ，参加者は，テーブルの上にあるものを使って3本のロウソクを木製のドアの壁面に立てることを求められた。正解は，それぞれの箱を押しピンでドアに取り付けて平らな台を作り，その上にロウソクを立てるというものであったが，多くの参加者が箱を台として利用することに気付かず，問題を解くことができなかった。

	A	B	C
1	代表性ヒューリスティック	確証バイアス	機能的固定
2	代表性ヒューリスティック	アルゴリズム	素朴理論
3	利用可能性ヒューリスティック	確証バイアス	素朴理論
4	利用可能性ヒューリスティック	確証バイアス	機能的固定
5	利用可能性ヒューリスティック	アルゴリズム	素朴理論

A：「利用可能性ヒューリスティック」が当てはまる。ヒューリスティックとは，必ずしも成功するわけではないが，問題解決の時間や手間を減らせる方法をいう。利用可能性ヒューリスティックはその一つで，思い出しやすい，ないしはすぐ手に取れる情報に頼って判断することである。「k」や「r」などで始まる英単語はいろいろ想起でき，そういう手軽に利用できる情報に依拠して参加者は回答したとみられる。代表性ヒューリスティックは，ありがちと思われることの確率を過大評価することである。

B：「確証バイアス」が当てはまる。仮説を支持する情報に目がいき，不利な情報は無視されやすい傾向をいう。多くの参加者が，反例となりうる「4」を選び，裏面を確認することを思いつかなかったとみられる。これは，確証バイアスによるものである。アルゴリズムは，問題解決の方法や手順である。

C：「機能的固定」が当てはまる。箱の機能は「モノを入れること」と固定してとらえることで，別の用途を思いつかなかったとみられる。ロウソク・マッチ・押しピンを箱に入れないで提示された場合，正解率は高かったという。素朴理論は，机上の理論や科学ではなく，日常生活での経験や観察から概念を形成することである。

以上から，**4**が正答となる。

正答 4

経済事情 経営学 国際関係 社会学 心理学 教育学 英語(基礎) 英語(一般)

No. 64 専門試験 心理学 エリクソンの発達理論 令和2年度

次はエリクソン（Erikson, E. H.）の発達理論に関する図である。図中のA，B，Cに当てはまるものの組合せとして妥当なのはどれか。

段階	A							
Ⅷ 老年期 （成熟期）								B
Ⅶ 成人期							世代性 対 自己陶酔	
Ⅵ 初期 成人期						親密性 対 孤立		
Ⅴ 青年期 （思春期）					C			
Ⅳ 学童期				勤勉性 対 劣等感				
Ⅲ 幼児後期			自発性 対 罪悪感					
Ⅱ 幼児前期		自律性 対 恥・疑惑						
Ⅰ 乳児期	信頼感 対 不信感							

	A	B	C
1	心理・社会的危機	統合性 対 絶望	アイデンティティ 対 アイデンティティ拡散
2	心理・社会的危機	時間的展望 対 時間的拡散	アイデンティティ 対 アイデンティティ拡散
3	心理・社会的危機	時間的展望 対 時間的拡散	アイデンティティ 対 早期完了
4	イデオロギー	統合性 対 絶望	アイデンティティ 対 アイデンティティ拡散
5	イデオロギー	時間的展望 対 時間的拡散	アイデンティティ 対 早期完了

A：「心理・社会的危機」が当てはまる。エリクソンは人生を 8 つの段階に分け，各段階で達成すべき課題と，それに失敗することで訪れる危機を提示している。図中，対になっている語の上段が課題達成で得られる資質で，下段はその失敗による危機である。「イデオロギー」とは，ある集団や制度を正当化する価値や信念の体系である。

B：「統合性　対　絶望」が当てはまる。老年期の課題は，自分のこれまでの人生を回顧し，受け入れること（自我の統合）である。これに失敗すると，絶望という危機に陥る。

C：「アイデンティティ　対　アイデンティティ拡散」が当てはまる。アイデンティティとは，自分が何者であるかを知り，社会の中でどのように機能すべきかを知りえている状態で，自我同一性と訳される。青年期では，このように社会における立ち位置（役割）を明確にすること，つまりアイデンティティの確立が課題となる。近年では，この課題を達成できず，アイデンティティ拡散の状態に陥る青年が少なくない。早期完了とは，エリクソンの理論をもとに J. E. マーシャが提唱した 4 つの同一性地位の 1 つ。自分が何物か探索はしていないが，他人から与えられた目標に傾倒している状態。

以上から，**1** が正答となる。

正答　1

経済事情
経営学
国際関係
社会学
心理学
教育学
英語（基礎）
英語（一般）

国家一般職［大卒］
No. 65 専門試験

心理学 マスメディアの影響 令和2年度

マスメディアによる影響に関するA～Dの記述のうち，妥当なもののみを全て挙げているのはどれか。

A．選挙の直前に，政治家がある施設を訪れ，子供を激励したという話が報道されることがある。このとき，政治家としての資質を判断する上で，それが些末（さまつ）な情報だとしても，受け手はそれを思い出しやすいため，判断がそれに影響される傾向がある。このように，マスメディアによる情報提供を受けて，多くの人が同じような情報にアクセスしやすくなるため，その情報が受け手の判断を方向付けるという現象のことをスリーパー効果と呼ぶ。

B．ドラマのようなフィクションでは，殺人や犯罪，愛憎や権力闘争といったテーマが頻繁に描かれている。そうしたドラマを見続けても，人々はそれをフィクションであると分かっているので，社会は危険にあふれているといった考えをもつことはない。むしろふだんの生活との対比から，社会は平和であると思いやすい。こうした現象を説明する理論に培養理論がある。

C．ある地域の有権者を対象とした研究では，選挙の際にマスメディアが強調していた争点の順位と，有権者が重視していた争点の順位とを比較したところ，高い正の相関が見られた。このように，マスメディアによって，ある話題や争点が繰り返し報道されたり強調されたりすることで，受け手が実際にその話題や争点を重要なものと認知する現象を議題設定効果と呼ぶ。

D．選挙予測や流行等についてマスメディアで情報が伝えられることで，優勢と伝えられる候補者への支持率が高まったり，流行が更に多くの人に取り入れられたりすることがある。このように，それまで支持する候補者がいなかったり流行を取り入れていなかったりする人が，世の中の多くの人と同じ選択をするという現象を外集団均質化効果と呼ぶ。

1 A
2 C
3 A，B
4 B，D
5 C，D

A：妥当でない。スリーパー効果ではなく，強力効果説である。マスメディアが，受け手の判断に及ぼす影響は大きいとみなす。スリーパー効果とは，信頼性の高い情報源からの情報でもコミュニケーションによる意識変化が，時間の経過とともに大きくなる現象をさす。

B：妥当でない。培養理論ではなく，限定効果説である。人々の考えを形成するに当たって，メディアの効果は限定的で，既存の考えを強化することもあるとみなす。それがどれほど起きるかは，受け手の条件（メディアの内容について，コミュニケーションを取れる人の量など）に左右される。培養理論とは，マスメディアを繰り返し視聴することで，社会の現実についての感覚が培われる（培養される）ことをいう。テレビの視聴時間が長い人は，暴力や犯罪に巻き込まれる可能性を過大評価する傾向がある（G. ガーブナー）。

C：妥当である。情報源の大半をマスメディアに依存している社会では，こうした議題設定効果は強くなる。

D：妥当でない。外集団均質化効果ではなく，バンドワゴン効果である。マスメディアの報道により，優勢とされる候補者の支持率がさらに高まることをバンドワゴン効果という。反対に有権者の同情などから，劣勢とされる候補者の支持率が高まることをアンダードッグ効果という。外集団均質化効果は，自分が属する集団（内集団）は多様性があるが，それ以外の外集団は皆同じようにみなす傾向をいう。「低学歴の人は＊＊だ，黒人は＊＊だ」というような，ステレオタイプの原因になりやすい。

以上から，妥当なものはCのみであり，**2**が正答となる。

正答　2

国家一般職
[大卒]

No. 66

専門試験

教育学　江戸時代以降の教育　令和2年度

江戸時代以降の我が国における教育に関するア～エの記述のうち，妥当なもののみを全て挙げているのはどれか。

ア．寺子屋は，18世紀以降に普及した民間の教育機関で，武士，僧侶，神官，医者などが師匠となり，主に庶民の子弟を生徒（寺子）として，読み・書き・算といった初歩教育を行った。ただし，寺子屋の師匠は男性に限られ，寺子も男児に限られていた。

イ．藩校は，江戸時代から廃藩置県までの間に，諸藩が藩士の教育のために設立した教育機関である。藩校では，藩士の全てを入学させることが前提とされ，儒学を基本とする漢学の学習や，武芸の修練などが行われた。

ウ．18世紀半ば以降，読み書き教育の大衆化や出版業の隆盛によって，庶民が文字に親しむ機会が増えた。また，俳句は，当時の代表的な文字文化として庶民に広く普及し，俳句の結社が各地に生まれて句会を開いた。

エ．二宮尊徳は，幕末期に私塾の松下村塾を開き，平等主義的な思想に基づいて，幕末維新期に活躍した人材を多く育てた。また，彼の子である二宮金次郎は，幼少期から勉学に励んだことから近代の勤勉の象徴とされ，多くの学校の校庭に二宮金次郎像が建てられた。

1　ア，イ
2　ア，ウ
3　ア，エ
4　イ，ウ
5　ウ，エ

ア：妥当でない。寺子屋の師匠が男性，寺子が男児に限られていたという箇所は誤り。性別の制限はなかった。男子に比べて少なかったが，女子の就学者もいた。ただ女子の場合，教育内容は裁縫・茶の湯・礼儀作法など，男子と区別されることが多かった。

イ：妥当である。寺子屋は庶民の子弟，藩校は藩士の子弟を対象とした教育機関であった。藩校の支校・分校的なものとして郷学もあり，寺子屋と藩校の中間的な教育機関とみなされていた。

ウ：妥当である。句会とは，複数の人が自作の俳句を出し評価し合う場のことで，教育的な機能も併せ持っていた。

エ：妥当でない。松下村塾を開いたのは玉木文之進で，甥の吉田松陰がこれを継いだ。二宮金次郎は二宮尊徳の通称で，同一人物である。貧しいながらも勉学に励み，小田原藩をはじめ，烏山，下館，相馬などの諸藩の農村復興を成功させ名声を得た。薪を背負いながら読書をする金次郎の像は，各地の小学校などでよく見受けられる。

以上から，妥当なものはイ，ウであり，**4**が正答となる。

正答　4

国家一般職［大卒］ 専門試験

No. 67 教育学 ドーアの『学歴社会』 令和2年度

次は，R. P. ドーアの『学歴社会』に関する記述であるが，A，B，Cに当てはまるものの組合せとして妥当なのはどれか。

第二次世界大戦後に独立した第三世界の開発途上国は，先進諸国に倣って，近代化・産業化の推進に不可欠の装置として，学校教育システムの創出と発展に努めてきた。しかし，1970年代に入る頃から，近代化・産業化の進度や構造に関わりなく，上級学校への進学者の急増と職業の世界での学歴［　A　］化が進み，その結果として，人間形成よりも試験合格と学歴取得が自己目的化するという，教育の「学歴稼ぎ」化が顕著となった。

ドーアは，それを産業社会の「文明病」とみなし，病理現象が開発途上国に先鋭な形で顕在化するのは，産業化の［　B　］のゆえであるとした。

その打開策として，ドーアは，I. イリイチに代表される［　C　］を批判した上で，学校教育システムの持つ社会的選別機能の縮小又は排除を提言した。このドーアの提言の特徴は，個人の才能に生得的な差異が存在することを前提とし，しかも，その才能と威信，権力，富などの社会的資源との対応的な配分関係を断ち切り，社会的に操作する必要があることを認めている点にある。

	A	B	C
1	インフレーション	後発効果	脱学校論
2	インフレーション	後発効果	文化的再生産論
3	インフレーション	ハロー効果	文化的再生産論
4	デフレーション	後発効果	文化的再生産論
5	デフレーション	ハロー効果	脱学校論

解説

A：「インフレーション」が当てはまる。高度経済成長期にかけてわが国の大学・短大進学率は上昇し，1976年には同世代の38.6％（約４割）に達した。大学卒業者が多くなり，大卒学歴の価値が下落し，貨幣の価値が下がるインフレーションになぞらえて，学歴インフレと言われた。

B：「後発効果」が当てはまる。遅れて産業化を開始した社会では，効率的に人材を配置しないといけないため，入職や入社に際して（手っ取り早いシグナルとしての）学歴が重視されやすい。その結果，「学歴稼ぎ」の競争が起きやすくなる。ドーアはこれを後発効果と名づけた。ハロー効果とは，相手がある優れた特徴を持っている場合，それに引きずられて，他の部分についても（不当に）高く評価してしまう心理的傾向である。

C：「脱学校論」が当てはまる。現代学校は，３つの悪しき機能（保護管理，教化，社会的選抜）を果たしており，このような病んだ制度に代わって，人々の自発学習を促す学習ネットワークを構築すべきと説く。文化的再生産論はP.ブルデューの説で，家庭の蔵書といった文化資本が子どもの教育達成に影響し，親から子へと地位が再生産される，というものである。

以上から，**1**が正答となる。

正答　1

経済事情 経営学 国際関係 社会学 心理学 教育学 英語(基礎) 英語(一般)

教育職員

我が国における社会教育・生涯学習及び特別支援教育に携わる職員に関するア～エの記述のうち，妥当なもののみを全て挙げているのはどれか。

ア．社会教育主事は，社会教育法に基づく専門的職員であり，市町村の公民館に配置が義務付けられている。社会教育主事は，市町村の社会教育事業の企画・立案・実施などを行うとともに，社会教育を行う者に命令及び監督を行う。

イ．司書は，生涯学習振興法*に基づき，図書館において専門的な職務に従事する職員であり，司書補は，同法に基づき，司書の職務を助ける職員である。同法において，図書館及び学校図書館には，司書及び司書補の配置が義務付けられている。

ウ．学芸員は，博物館法に基づく専門的職員であり，博物館資料の収集，保管，展示や調査研究などの専門的事項をつかさどる。同法に従って教育委員会に登録された登録博物館には，学芸員の配置が義務付けられている。

エ．特別支援教育支援員は，幼稚園，小・中学校，高等学校において，障害のある幼児児童生徒に対し，学校教育活動上の日常生活の介助や学習活動上のサポートなどを行う。特別支援教育支援員は，従来の特殊教育から特別支援教育への転換後，地方財政措置によって配置されている。

＊　生涯学習の振興のための施策の推進体制等の整備に関する法律

1　ア，イ
2　ア，エ
3　イ，ウ
4　イ，エ
5　ウ，エ

ア：妥当でない。社会教育主事は公民館ではなく，都道府県や市町村の教育委員会事務局に置かれる（社会教育法9条の2第1項）。公民館に置かれる専門職員は，公民館主事である。社会教育主事は，社会教育を行う者に専門的技術的な助言や指導を与えることはできるが，命令および監督はできない（同9条の3第1項）。

イ：妥当でない。司書の法的根拠は生涯学習振興法ではなく，図書館法である。図書館や学校図書館に，司書・司書補の配置は義務づけられていない。ただし学校図書館には司書教諭を置かなければならず（学校図書館法5条1項），学校司書を置くよう努めることとされる（同6条1項）。

ウ：妥当である。博物館は登録博物館，博物館相当施設，博物館類似施設に分かれるが，登録博物館には学芸員を置かなければならない（博物館法4条3号）。博物館相当施設には，学芸員に相当する職員の配置が義務づけられている。

エ：妥当である。「支援員等の活用に当たっては，校内における活用の方針について十分検討し共通理解のもとに進めるとともに，支援員等が必要な知識なしに幼児児童生徒の支援に当たることのないよう，事前の研修等に配慮すること」とされる（2007年4月，文部科学省通知）。

以上から，妥当なものはウ，エであり，**5**が正答となる。

正答 5

経済事情 経営学 国際関係 社会学 心理学 教育学 英語(基礎) 英語(一般)

国家一般職［大卒］ 専門試験

No.69 教育学 学校・地域社会の連携 令和2年度

我が国における学校と地域社会との連携に関する次の記述のうち，妥当なのはどれか。

1 PTA は，第二次世界大戦後に導入された組織で，学校長を組織の長として保護者と教師で構成される。PTA は，地域住民が学校運営に参加・協力するための学校後援会的な役割を担うことを理念とする組織であり，学校ごとに設置が義務付けられている。

2 生涯学習審議会は，平成 8 年の答申「地域における生涯学習機会の充実方策について」において，学校教育と社会教育が一体となって子供たちの教育に取り組む「学社連携」の理念の下，学校内外の組織の連携を目指す「チーム学校」を提唱した。この「学社連携」は，従来の「学社融合」の理念をより深化させたものである。

3 地域のニーズを学校運営に的確に反映させる仕組みとして，学校運営協議会制度（コミュニティ・スクール）が導入されている。同協議会は，学校ごとに置かれる合議制の機関で，地域住民や保護者などが委員として任命される。

4 平成29年の教育基本法改正により，部活動において技術的な指導に従事する外部指導者として，「部活動指導員」が制度化された。これにより，部活動の外部指導者の名称及び職務が明確に規定されたが，部活動指導員だけで校外の大会等に生徒を引率することは，同法改正前と変わらず，できないままとされた。

5 いわゆる夜間中学は，義務教育未修了者に対して夜間に授業をしている学校であり，全ての市町村において設置されている。夜間中学は，地域社会において義務教育の機会を保障する役割を担っているが，外国籍の住民には入学資格がない。

1．PTAの長が学校長という規定はない。PTAは保護者と教職員が対等の立場で協力し合う組織で，学校後援会的な役割を理念とはしていない。またPTAは，学校ごとに設置が義務づけられてはいない。

2．平成8年の生涯学習審議会答申は「学社融合」を理念として掲げた。学社融合は「学校教育と社会教育がそれぞれの役割分担を前提とした上で，そこから一歩進んで，学習の場や活動など両者の要素を部分的に重ね合わせながら，一体となって子供たちの教育に取り組んでいこうという考え方」（同答申）で，「学社連携」を進めたものである。「チーム学校」という箇所も誤り。「チーム学校」は平成27年の中央教育審議会答申で示された理念で，「校長のリーダーシップの下，カリキュラム，日々の教育活動，学校の資源が一体的にマネジメントされ，教職員や学校内の多様な人材が，それぞれの専門性を生かして能力を発揮し，子供たちに必要な資質・能力を確実に身に付けさせることができる学校」をいう。現在ではこの理念の下，心理・福祉のスタッフ，授業の支援スタッフ，部活動の専門スタッフなど，多様な人材が学校に出入りしている。

3．妥当である。法的根拠は地方教育行政法47条の5で，学校運営協議会の委員は当該学校の運営について教育委員会や校長に意見を述べることができる。2019年5月時点で見ると，学校運営協議会を設置している公立学校は7601校で，全学校の21.3％に相当する（文部科学省調べ）。

4．教育基本法ではなく，学校教育法施行規則である。同規則78条の2により，部活動指導員が制度化された。部活動指導員は，校外の大会等の生徒引率も単独でできる。

5．夜間中学の対象は義務教育未修了者に限られない。希望する既卒者も入学できる。夜間中学は，すべての市町村に設置されてはいない。2020年の文部科学省データを見ると，10都府県に34校が設置されているだけである。また夜間中学には外国籍の人も入学できる。実態としては外国籍の人が多数で，全生徒の8割を占めている（2017年度，文部科学省調べ）。

正答　3

国家一般職［大卒］
専門試験

No.70 教育学 ドルトン・プラン 令和2年度

ドルトン・プランに関する次の記述のうち，妥当なのはどれか。

1 R.シュタイナーが考案した教育方法である。この方法は，人間は7年周期で大きな発達段階を迎えるという考えに基づき，教科書を使わない，点数を付けるためのテストは行わない，毎日2時間同じ科目を4週間ほど教える短期集中授業方式を用いるなどの特徴を持っていた。

2 H.パーカーストが考案した教育方法である。この方法では，自由と協同を根本原理としており，教科を主要教科と副次教科に分けた上で，主要教科については，教師が課す「アサインメント（学習割当）」を生徒が「契約仕事」として引き受ける形で行った。

3 J.F.ヘルバルトが考案した教育方法である。この方法では，教育の目的は倫理学から，教育の方法は心理学から導き出すべきであるとして，教育作用を「管理」，「教授」，「訓練」の3段階に分けた上で，教授の一般段階を「明瞭」，「連合」，「系統」，「方法」の4段階とした。

4 C.W.ウォッシュバーンが考案した教育方法である。この方法では，画一的な一斉教授の弊害を打開して個人差に応じた教育を実現するために，個別学習を行う「共通必修科目」と，集団活動を展開する「集団的・創造的活動」の二つからカリキュラムを構成した。

5 J.デューイが考案した教育方法である。この方法では，現実の生活の中で生じる問題について，生徒が「反省的思考」を基に主体的に解決することを重視し，その過程を，「困惑」，「知的整理」，「仮説」，「推論」，「検証」の5段階とした。

解説

1. シュタイナーが，自身が創設した学校で実践した教育方法に関する記述である。シュタイナー学校は，初等中等教育を一貫して行う12学年制の学校で，「オイリュトミー」や「フォルメン」という独自の教科が必修科目として課されていた。

2. 妥当である。ドルトン・プランは，アメリカのマサチューセッツ州のドルトン町のハイスクールで，パーカーストが実践した教育方法である。生徒は，教師と学習の契約を結び，遂行すべき学習の配当表（アサインメント）に依拠して，自分のペースで学習する。

3. ヘルバルトの教授段階説に関する記述である。明瞭は学ぶことを明瞭にすること，連合はそれを既習の事物と結びつけること，系統はそれらを体系化すること，方法は体系化した事物（系統）を応用可能にすることをさす。ヘルバルトの４段階説は，弟子のT.ツィラーやW.ラインによって５段階説に修正されている。

4. ウォッシュバーンのウィネトカ・プランに関する記述である。個別学習で基礎的な知識（3R's など）や技能の訓練をし，集団活動で集団精神や自己表現能力の育成を図る。個別学習と集団活動が巧みに組み合わされている。

5. デューイの問題解決学習に関する記述である。問題解決の過程は，文中で言われている「困惑」，「知的整理」，「仮説」，「推論」，「検証」という５段階の反省的思考の系列ととらえられる。

正答　2

Select the statement which best corresponds to the content of the following passage.

An intriguing new theory suggests that the arrival of mobile phones made holding territory less important, which reduced intergang conflict and lowered profits from drug sales.

Lena Edlund, a Columbia University economist, and Cecilia Machado, of the Getulio Vargas Foundation, lay out the data in a new National Bureau of Economic Research working paper. They estimate that the diffusion of phones could explain 19 to 29 percent of the decline in homicides seen from 1990 to 2000.

"The cellphones changed how drugs were dealt," Edlund told me. In the 1980s, turf-based drug sales generated violence as gangs attacked and defended territory, and also allowed those who controlled the block to keep profits high.

The cellphone broke the link, the paper claims, between turf and selling drugs. "It's not that people don't sell or do drugs anymore," Edlund explained to me, "but the relationship between that and violence is different."

Edlund and Machado used Federal Communications Commission data on cellular-infrastructure deployment and matched it against the FBI's (admittedly spotty) database on homicides across the country. They demonstrated a negative relationship that was even stronger for black and Latino populations. The title of their paper suggests that a crucial aspect of understanding declining crime has been hiding in plain sight for years: "It's the Phone, Stupid: Mobiles and Murder."

Their theory is the latest entry in a series of attempts to explain the components of the long-term decline in crime that began in the early 1990s. The rise and fall of crime in the late 20th century (and into the 21st) is one of the great mysteries of social science. No one has come up with an explanation that fully — and incontestably — accounts for the falling crime rates. Many have tried, and shown substantial initial results, only to have their findings disputed.

Edlund and Machado are not the first to suggest that phones could have played a role in the decline. Among others, the criminologists Erin Orrick and Alex Piquero were able to show that property crime fell as cellphone-ownership rates climbed. The first paper on the cellphone-crime link suggested that phones were an "underappreciated" crime deterrent, as mobile communications allow illegal behavior to be reported more easily and quickly.

But cellphones are far from the only possible explanation. Any measurement that was going up in the '90s correlates with the decline of violence. Thus, there are probably too many theories out there, each with limited explanatory power. One commonsense argument that's been made is that certain police tactics (say, stop-and-frisk or the "broken windows" approach) or the explosion of incarceration rates must have been responsible for the decline, but most careful reviews have found little evidence to suggest that they had more than a marginal impact.

1 Due to the arrival of mobile phones, the number of homicides during the years between 1990 and 2000 dropped by as much as 19 to 29 percent.

2 Lena Edlund, a Columbia University economist, told the author that cellphones had little impact on how drug trafficking took place or on gang violence.

3 Edlund and Machado argue that even though cellphones make people more stupid, they are a crucial aspect of declining crime.

4 Some people had suggested, even before Edlund and Machado did, that there was a relationship between the spread of cellphones and a decline in crime rates.

5 The theory that cellphones are the only reason for the decline in crimes offers an explanation that has proven to be true.

経済事情
経営学
国際関係
社会学
心理学
教育学
英語(基礎)
英語(一般)

解説

〈全訳〉 次の文の内容に最も合致する記述を選びなさい。

好奇心をそそるような新理論だが，それによると，携帯電話の到来によって領域を保持することの重要性が薄れ，それによってギャング間の抗争が減り麻薬の販売から得られる利益が減少したというのだ。

コロンビア大学の経済学者であるレナ＝エドランド氏と，ジェトゥリオヴァルガス財団（訳注：ブラジルに本部を置く学究機関）のセシリア＝マシャド氏は，全米経済研究所による最新の調査報告の中で詳細にデータを説明している。彼らの見積もりによると，1990年から2000年の間に見られた殺人事件の減少のうち19～29％は，携帯電話の普及によって説明できる可能性があるとのことだ。

「携帯電話は麻薬取引のあり方を変えました」とエドランド氏は私に語った。1980年代，縄張りを単位として行われた麻薬販売は，ギャングが領域を攻撃したり防御したりする中で暴力を発生させ，同時に街区を掌握する者たちの利益を高止まりさせた。

調査報告の主張によると，携帯電話がこの，縄張りと麻薬販売とのつながりを断ち切った。「人々がもはや麻薬を売ったりやったりしていない，ということではありません」とエドランド氏は私に説明した。「取引きと暴力との関係が異なっているのです」

エドランド氏とマシャド氏は，携帯インフラ整備についての連邦通信委員会のデータを用い，それをFBIが持つ全国の殺人事件に関する（明らかに漏れのある）データベースと照合した。2人はそれが負の相関関係にあることを論証し，それが黒人や中南米系の人たちの間ではさらに強まることを示した。犯罪の減少を理解するうえで欠かせない側面が，何年もの間丸見え状態で潜んでいたということを，彼らの調査報告のタイトルが示している。『電話のせいだよ，ボケ。携帯と殺人の関係』というタイトルがそれだ。

彼らの理論は，1990年代前半に始まった犯罪の長期減少傾向の構成要素を説明しようとする一連の試みの最新作だ。20世紀後半（および21世紀にかけての）犯罪の増減は，社会科学の最大の謎の一つである。犯罪率の低下の理由を十分に，かつ議論の余地なく解き明かしてくれるような説明を考えついた者はこれまで誰もいない。これまで多くの人が試み，当初は相当の成果を示しながらも，後にその知見は反論の的となってきた。

この減少に電話が貢献した可能性があることを示したのは，エドランド氏とマシャド氏が最初ではない。数ある中で，犯罪学者のエリン＝オリック氏とアレックス＝ピケーロ氏は，携帯電話の所有率の上昇に伴って窃盗事件が減ったことを示してみせた。携帯電話と犯罪の関連についての最初の論文は，移動通信によって不法行為をより簡単かつ速やかに報告できるようになっている中，電話は犯罪を抑制するものとして「過小評価されている」ことに言及していた。

しかし，携帯電話が唯一可能な説明理由とするにはまだ程遠い。90年代に上昇を示していたどんな測定データであっても，暴力の減少と相関関係を示すからだ。そのため，今は世の中にたぶん多すぎるくらいの理論があり，そのどれもが説得力に欠けるものとなっている。これまでにあった常識的な議論の一つに，ある特定の警察の戦略（たとえば，路上所持品検査や「割れ窓理論」方策〔訳注：軽微な犯罪の徹底的な取り締まり〕），あるいは収監率の急増が，犯罪が減少した理由に違いない，というものがあるが，綿密な調査検討を重ねた結果，それらが微々たる影響以上のものを与えたことを示す証拠はほとんど見つからなかった。

1　携帯電話の到来によって，1990年から2000年の間の殺人事件の件数は，19～29％も減少した。

2　コロンビア大学の経済学者であるレナ＝エドランド氏は筆者に対して，携帯電話は麻薬の密売買の実態やギャングの抗争にはほとんど影響を与えていないと語った。

3　エドランド氏とマシャド氏は，携帯電話は人をより愚かにするものの，犯罪の減少の欠かせない側面であると主張している。

4　エドランド氏とマシャド氏以前にも，携帯電話の普及と犯罪率の低下の間に関係があることを示した人たちはいた。

5　携帯電話が犯罪の減少の唯一の理由であるとする理論においては，結果として正しいと証明された説明がなされている。

＊　＊　＊

1．誤り。殺人事件の件数が19～29％減少したのではなく，同期間における殺人事件の減少のうち19～29％が携帯電話の普及によって説明できる可能性がある，とする調査報告が発表されたと述べられている。

2．誤り。氏は筆者に対して，携帯電話は麻薬取引のあり方を変えたと語ったことが述べられている。

3．誤り。携帯電話は犯罪の減少の欠かせない側面であると主張していることは述べられているが，「人を愚かにする」といった主張は述べられていない。

4．妥当である。

5．誤り。筆者は，今回の調査報告を紹介したうえで，携帯電話を犯罪の減少の唯一の理由とするにはまだ程遠いと述べている。

正答　4

国家一般職[大卒] No. 72 専門試験 英語(基礎) 内容把握 令和2年度

Select the statement which best corresponds to the content of the following passage.

If you've ever been romantically rejected by someone who just wanted to be friends, you may have delivered a version of this line: "I've got enough friends already." Your implication, of course, being that people only have enough emotional bandwidth for a certain number of buddies.

It turns out that's not just an excuse. There are well-defined limits to the number of friends and acquaintances the average person can retain. But the question about whether these limits are the same in today's digital world — one in which it's common to have social media profiles, or online forums, with thousands of followers — is more complicated.

According to British anthropologist Robin Dunbar, the "magic number" is 150. Dunbar became convinced that there was a ratio between brain sizes and group sizes through his studies of non-human primates. This ratio was mapped out using neuroimaging and observation of time spent on grooming, an important social behaviour of primates. Dunbar concluded that the size, relative to the body, of the neocortex — the part of the brain associated with cognition and language — is linked to the size of a cohesive social group. This ratio limits how much complexity a social system can handle.

Dunbar and his colleagues applied this basic principle to humans, examining historical, anthropological and contemporary psychological data about group sizes, including how big groups get before they split off or collapse. They found remarkable consistency around the number 150.

Thus far, the research of Dunbar and colleagues on online relationships suggests that these are similar to offline relationships in terms of numerical restrictions. "When people look at the structure of the online gaming world, they get virtually the same layers as we get in all of the other contexts," he says. "And it just looks as though it's the same design features of the human mind that are imposing constraints on the number of individuals you can kind of work with mentally at any one time."

Dunbar and colleagues also have performed research on Facebook, using factors like the number of groups in common and private messages sent to map the number of ties against the strength of those ties.

When people have more than 150 friends on Facebook or 150 followers on Twitter, Dunbar argues, these represent the normal outer layers of contacts (or the low-stakes connections) : the 500 and 1500. For most people, intimacy may just not be possible beyond 150 connections. "These digital media — and I'm including telephones in there — are really just providing you with another mechanism for contacting friends," Dunbar says.

Even the possibility of anonymity online doesn't seem to Dunbar to be substantially different to the offline world. He compares anonymous internet interactions to the use of confessionals in the Catholic church. It isn't a close relationship, but it is one that recognises the benefits of confidentiality among quasi-strangers.

"It's extremely hard to cry on a virtual shoulder," Dunbar deadpans. "Having a conversation isn't like a lighthouse; it is not just blinking away out there and maybe someone is listening, and maybe somebody is not."

1 Robin Dunbar is an anthropologist, who is also interested in magic, numbers, and non-human primates.

2 Through his studies of non-human primates, Dunbar found out that there was a connection between brain sizes and group sizes, but no such relationship could be found in humans.

3 The study by Dunbar and his colleagues is not relevant to relationships in today's digital societies.

4 According to Dunbar's study, intimacy for most people may be possible beyond 150 connections if they use digital media.

5 Dunbar sees similarities between anonymous internet interactions and the use of confessionals in the Catholic church.

解説

〈全訳〉 次の文の内容に最も合致する記述を選びなさい。

もしあなたが誰かに告白して，ただの友達でいたいと思っていた相手に断られた経験があるなら，この種のせりふを投げつけたかもしれない。「友達ならもう足りてるよ」と。その言外の意味は，当然のことだが，人は一定数の仲間に見合うだけの感情の許容幅しか持たないということだ。

実のところ，これはただの言い訳ではない。普通の人間が保持できる友人や知り合いの数には，はっきりした限界があるのだ。ただ，こうした限界が今日のデジタル世界，つまりソーシャルメディアのプロフィールやオンラインフォーラムに何千人ものフォロワーがつくのが一般的である世界でも同じであるかどうかということになると，問題はもっと複雑なものになる。

イギリスの人類学者ロビン＝ダンバー氏によれば，「鍵となる数字」は150人だ。ダンバー氏は，人間以外の霊長類に関する自身の研究を通じて，脳の大きさと集団の大きさには比率が存在するとの確信に至った。この比率は，神経画像処理（脳の活動を画像で計測すること）と，霊長類の重要な社会的行動である毛づくろいに費やされる時間の観察を用いて図に示された。ダンバー氏は，脳の認知や言語に関係する部分である新皮質の，体と比較した大きさが，結束した社会的集団の大きさに関連しているとの結論を得た。この比率が，ある社会システムがどれほどの複雑さを処理できるかの限界を規定しているのだ。

ダンバー氏と同僚たちはこの基本原理を人間に応用し，集団の大きさに関して歴史学，人類学および現代心理学から得られるデータを，集団がどれほど大きくなると分裂または崩壊するのかも含めて検討した。そして彼らは150前後という，驚くべき一貫性を発見したのだ。

これまでの成果では，オンラインの（ネット上の）関係についてのダンバーと同僚たちの研究は，数字の制約という点ではオフラインの（ネット以外での）関係と似ていることを示している。「オンラインゲームの世界の構造に目を向けると，他の状況のすべてで見られるのと実質的に同じような階層が見られます」と彼は語る。「それはちょうど，まるで人間の心に同一の設計上の特性があって，それがいつの時点においても，心に思い浮かべてある種の共同作業

経済事情
経営学
国際関係
社会学
心理学
教育学
英語(基礎)
英語(一般)

ができる人の数に制約を課しているかのようです」

ダンバー氏と同僚たちはフェイスブックについても研究を行い，共通するグループの数や送られた個人のメッセージのような要素を用いて，つながりの数と，それらのつながりの強さとを比べた図を作成した。

ダンバー氏の主張によれば，人がフェイスブックで150人を超える友人を，あるいはツイッターで150人を超えるフォロワーを有しているとき，その数は，外側のつきあいの階層（つまり，低リスクのつながり）の標準的な数字に相当する。すなわち，それは500人，および1,500人という階層である（訳注：ダンバー氏は実社会の人間関係について，150人の集団をfriendship group，500人の集団をtribe，1,500人の集団をcommunityと呼んでいる）。大多数の人にとっては，つながりが150人を超えれば親密さを保つのはとうてい不可能であるかもしれない。「こうしたデジタルメディアは，電話も含めてですが，単に友人づきあいの別の枠組みを与えているにすぎません」とダンバー氏は語る。

オンラインの匿名性が持つ可能性についても，ダンバー氏はオフラインの世界と実質的に変わりがないと考えているようだ。彼は，インターネット上の匿名のやり取りを，カトリック教会での告白室の利用にたとえている。それは緊密な関係ではなく，半ば見ず知らずの者どうしの間で内密を装うことの利点を認め合う関係である。

「バーチャルな人間に慰めを求めるのは，非常に難しいことなのです」とダンバー氏は真顔で語る。「人との会話は，灯台のようなものではありません。ただ外に向けて光を点滅させ，誰か聞いているかも，聞いていないかも，といったこととは違うのです」

1 ロビン＝ダンバー氏は人類学者だが，魔法や数字や，人間以外の霊長類にも興味を持っている。

2 人間以外の霊長類の研究を通じて，ダンバー氏は脳の大きさと集団の大きさに関連があることがわかったが，人間ではそのような関係は見つからなかった。

3 ダンバー氏と同僚たちによる研究は，今日のデジタル社会における関係には当てはまらない。

4 ダンバー氏の研究によれば，デジタルメディアを使えば，大多数の人にとって150人のつながりを超えても親密さを保つことは可能かもしれない。

5 ダンバー氏は，インターネットでの匿名の交流と，カトリック教会における告白室の利用の間に類似点を見いだしている。

＊　＊　＊

1．誤り。氏が人間以外の霊長類を研究する人類学者で，数字に興味を持っていることは読み取れるが，魔法に興味を持っていると読み取れる記述はない。本文中のmagic numberとは，「重要な数字，鍵となる数字」の意味である。

2．誤り。霊長類の場合と同様に，人間にもそのような関係がいえることがわかったと述べられている。

3．誤り。研究成果が今日のデジタル社会の関係にそのまま当てはまるかどうかについては，問題はもっと複雑だという記述はあるが，数字の制約という点ではオフラインでの関係と似ていることを示していると述べられており，当てはまらないとはいえない。

4．誤り。氏の研究の結果として，デジタルメディアの世界における人間関係も実社会のそれと実質的に変わらず，大多数の人にとっては，つながりが150人を超えれば親密さを保つのはとうてい不可能であるかもしれないと述べられている。

5．妥当である。

正答　5

内容把握

Select the statement which best corresponds to the content of the following passage.

The ocean covers 70.8% of the Earth's surface. That share is creeping up. Averaged across the globe, sea levels are 20cm higher today than they were before people began suffusing the atmosphere with greenhouse gases in the late 1800s. They are expected to rise by a further half-metre or so in the next 80 years; in some places, they could go up by twice as much — and more when amplified by storm surges like the one that Hurricane Sandy propelled into New York in 2012. Coastal flood plains are expected to grow by 12-20%, or 70,000-100,000 square kilometres, this century. That area, roughly the size of Austria or Maine, is home to masses of people and capital in booming sea-facing metropolises. One in seven of Earth's 7.5bn people already live less than ten metres above sea level; by 2050, 1.4bn will. Low-lying atolls like Kiribati may be permanently submerged. Assets worth trillions of dollars — including China's vast manufacturing cluster in the Pearl river delta and innumerable military bases — have been built in places that could often find themselves underwater.

The physics of the sea level is not mysterious. Seawater expands when heated and rises more when topped up by meltwater from sweating glaciers and ice caps. True, scientists debate just how high the seas can rise and how quickly and politicians and economists are at odds over how best to deal with the consequences — flooding, erosion, the poisoning of farmland by brine. Yet argument is no excuse for inaction. The need to adapt to higher seas is now a fact of life.

Owing to the inexorable nature of sea-swelling, its effects will be felt even if carbon emissions fall. In 30 years the damage to coastal cities could reach $1trn a year. By 2100, if the Paris agreement's preferred target to keep warming below 1.5℃ relative to preindustrial levels were met, sea levels would rise by 50cm from today, causing worldwide damage to property equivalent to 1.8% of global GDP a year. Failure to enact meaningful emissions reductions would push the seas up by another 30-40cm, and cause extra damage worth 2.5% of GDP.

In theory minimising the damage should be simple: construct the hardware (floodwalls), install the software (governance and public awareness) and, when all else fails, retreat out of harm's way. This does not happen. The menace falls beyond most people's time horizons. For investors and the firms they finance, whose physical assets seldom last longer than 20 years, that is probably inevitable — though even businesses should acquaint themselves with their holdings' nearer-term risks (which few in fact do). For local and national governments, inaction is a dereliction of duty to future generations. When they do recognise the problem, they tend to favour multibillion-dollar structures that take years to plan, longer to erect, and often prove inadequate because the science and warming have moved on.

1　The author thinks it is creepy to think that the ocean covers 70.8% of the Earth's surface.

2　According to the article, by 2050, the number of people who will live less than ten metres above sea level will reach 1.4 billion.

3　Despite the physics of the melting of glaciers and ice caps being well-known, scientists have no idea as to why the sea level is rising.

4　Sea-level rise and worldwide damage to the global economy can be avoided if all countries succeed in meeting the target set by the Paris agreement.

5　People do not act to minimise the possible damage that will be caused by sea-level rise because they do not care about what happens beyond the physical horizon.

〈全訳〉 次の文の内容に最も合致する記述を選びなさい。

海は地球の表面の70.8％を覆っているが，その割合はじわじわと上昇している。地球全体で平均すると，今日の海面は，人間が1800年代後半に温室効果ガスを大気に充満させ始める前に比べて20センチ高い。今後80年でさらに50センチ程度上昇すると見込まれており，いくつかの場所ではその２倍，あるいは2012年にニューヨークに押し寄せたハリケーン・サンディーのような高潮によって増幅された場合はそれ以上になることも予想される。沿岸の氾濫原（訳注：洪水時には冠水する，河川の堆積作用で生じた平原）は，今世紀の間に12～20％，すなわち７万～10万平方キロメートル増加することが見込まれている。おおよそオーストリア，あるいはメイン州の広さに相当するその領域には，人々が密集する居住地があり，好景気に沸く海沿いの大都市の中枢が存在する。75億の地球の人口のうち，７人に１人の割合がすでに海抜10メートル未満の土地に住んでいる。2050年までに，その数は14億を数えるだろう。キリバスのような低地の環礁に存在する国は，恒久的に水没してしまうかもしれない。中国の珠江デルタ（訳注：広州，香港，深圳，東莞，マカオを結ぶ三角地帯）にある製造業の巨大集積地や，無数の軍事基地も含めて，数兆ドルに相当する資産が，しばしば水につかる可能性のある土地にこれまで築かれてきた。

海面の物理作用は謎めいたものではない。海水は温められると膨張し，氷河や氷冠の融解による解氷水が注ぎ込むとさらに上昇する。確かに，一体どれほどの高さまで，どれだけ早く海面が上昇する可能性があるかは科学者の間で議論の的であり，政治家や経済学者は，その結果起こる洪水，土地の浸食，潮水による農地の塩害などにどう対処するのが最善策かを巡って論争している。だが，議論は行動しないことの言い訳にはならない。海面上昇に対応する必要性は，今や避けられない現実なのだ。

海面上昇はもはや止めることができないため，その結果は仮に二酸化炭素の排出量が減っても実感されるものとなるだろう。30年後には，沿岸の都市への損害額は年間１兆ドルに達する可能性がある。2100年までに，パリ協定の好ましい目標値である，温暖化を産業革命以前に比べて1.5℃未満の上昇にとどめることが実現できたとしても，海面は現在より50センチ上昇し，世界規模で，１年間の世界のGDPの1.8％に相当する資産に損害が及ぶだろう。このまま意味ある排出量の削減が立法化されなければ，さらに海面は30～40センチ押し上げられ，追加発生する損害額はGDPの2.5％に及ぶだろう。

理論上は，被害を最小化するのは簡単であるはずだ。ハードウェア（防潮壁）を建設し，ソフトウェア（組織運営と一般への注意喚起）をしっかり備えたうえで，他がすべて失敗したときは安全な場所へ退くだけだ。だが，なかなかそれは実現しない。脅威が襲ってくるのは，大概の人にとっての計画対象期間を超えた先の話だ。投資家や，彼らの融資する会社にとっては，自らの有形資産が20年を超えて価値を保つということはまずないため，そう考えるのも無理はないだろう。とはいえ，企業であっても自社の所有財産のより目先のリスクには精通しているべきなのだが（ただ，実際に精通している企業はほとんどない）。だが地方や国の政府にとっては，行動しないことは将来の世代に対する職務怠慢だ。彼らが問題をきちんと認識している場合でも，彼らは計画に何年もかかり，建設にはさらに長くかかる数十億ドル規模の建造物のほうを好む傾向がある。しかも往々にしてそれらは，その間に科学と温暖化が進んだために不十分であることが判明するような代物だ。

1　筆者は，海が地球の表面の70.8％を覆っていると考えるのはぞっとすることだと思っている。

2　記事によれば，2050年までに，海抜10メートル未満の土地に住む人の数は14億人に達するだろう。

3　氷河や氷冠の融解の物理作用はよく知られているにもかかわらず，なぜ海面が上昇しているのかについては科学者は何もわからない。

4　海面上昇とグローバル経済への世界規模の損害は，パリ協定が設定した目標の達成にすべての国が成功することで避けることができる。

5　海面上昇が引き起こすであろう被害の可能性を最小化すべく人々が行動しないのは，物理的な水平線を越えて何が起こるかを彼らが気にしていないからである。

＊　＊　＊

1．誤り。冒頭の文で「海は地球の表面の70.8％を覆っている」という事実が述べられているが，そのことに対する筆者の考えや思いは述べられていない。

2．妥当である。

3．誤り。海面の物理作用について，上昇の理由が第２段落第２文に述べられており，海面が上昇する理由を科学者が知らないとは考えられない。

4．誤り。パリ協定の好ましい目標値が実現できたとしても，海面は現在より50センチ上昇し，世界規模で，１年間の世界のGDPの1.8％に相当する資産に損害が及ぶだろうと述べられている。

5．誤り。被害を最小化するために必要な対策ははっきりしているにもかかわらず，それが実現しないのは，多くの投資家や企業にとって海面上昇がもたらすリスクは自らの投資期間を超えた先の話であるからだと述べられている。

正答　2

国家一般職［大卒］ No. 74 専門試験 英語(基礎) 空欄補充 令和2年度

Select the appropriate combinations of words to fill in the blanks of the following passage.

John had a terrible day yesterday. His girlfriend called him to say she wanted to break (A) with him. After he heard about the news, he broke (B) and cried. He decided to go out for a walk to have a short break (C) from things, but while he was out, a thief broke (D) his house. He decided to visit his girlfriend to talk to her, but his car broke (E) on the way to her house.

	A	B	C	D	E
1	away	out	down	through	up
2	down	away	up	from	over
3	off	out	off	from	away
4	over	under	over	out	through
5	up	down	away	into	down

解説

〈全訳〉 次の文の空欄に入る適切な語句の組合せを選びなさい。

昨日はジョンにとって最悪の日だった。ガールフレンドが彼に電話してきて，彼とA別れたいと言った。その知らせを聞いた後，彼はB取り乱して泣いた。彼は外に散歩に出かけ，嫌なことCから逃れて一息つくことにしたが，外出している間にどろぼうが彼の家にD押し入った。彼はガールフレンドの家に行って彼女に話すことにしたが，彼女の家に向かう途中で彼の車がE故障してしまった。

＊　＊　＊

5つの空欄の直前はいずれも動詞（あるいは名詞）のbreakまたは動詞の過去形brokeで，空欄に入る語の候補は前置詞あるいは副詞であることから，breakを含むさまざまな熟語表現（句動詞）の意味を問う問題になっていることがわかる。さまざまな熟語表現を知らなくても，英文の内容は平易なので，文脈とbreakの語感（壊れる，崩れる，急に現れる，中断する），および前置詞（副詞）自体の持つ意味を手がかりに，自信のある箇所から候補を絞っていくとよい。

A：空欄Aには，break up with ～で「(夫婦や恋人について) ～と別れる」という意味になる**5**のupが最も適切。日本語の「破局を迎える」に相当する表現といえる。くだけた表現としてbreak off with ～も同じ意味で用いられるので，**3**のoffも適切である。また，break away from ～またはbreak away with ～で「～との関係を絶つ」の意味を表し，文脈にも合うので，**1**のawayも適切である。**2**のdownは後のwith himと結びついて意味をなさず，**4**のoverはbreak，withのいずれとも結びつかないので，不適。

B：空欄Bには，break downで「取り乱す」という意味になる**5**のdownが適切。この意味を知らなくても，文字どおり「崩れ落ちる」と考えれば文脈に合うので選ぶのは難しくないだろう。break out「急に発生する」，break away「関係を断つ，逃れる」は文脈に合わないため，**1**～**3**は不適。break under では意味をなさないので，**4**も不適。

C：空欄Cは，直前に a short break とあり，break が名詞として使われていることがわかる。名詞の break は「休憩，小休止，中断」の意味で使われることが多く，後に from things と続いていることから，**5**の away を用いて away from ～「～から離れて」とすれば，「ものごとから離れて短い休憩をとる」となって文脈に合う。down，up，off，over は，いずれも from things と結びついて意味をなさないので，**1**～**4**は不適。

D：空欄Dは，break into ～で「～に侵入する，押し入る」という意味になる**5**の into が適切。break through ～「～を突破する，打ち破る」は文脈に合わないので，**1**は不適。break out は「急に発生する」という意味の自動詞句で his house と結びつかず，**4**は不適。from は break と結びついて句動詞を作らず，break from his house だと break を自動詞と解釈して「彼の家から突然逃げる」といった意味になるが，文脈に合わないので**2**，**3**も不適。

E：空欄Eは，空欄直後の on the way to ～は「～への道中，～へ行く途中で」という意味の熟語なので，空欄には自動詞句を作る副詞が入ることになる。break down は「故障する，動かなくなる」という意味で，文脈にも合うので，**5**の down が最も適切。break up には「ばらばらになる」の意味があり，当てはまらないとは言いきれないが，本文の場面で車がいきなりばらばらになったとは考えにくく，**1**は適切とはいえない。break away「逃げる」，break through「突破する，(隠れていたところから) 現れる，大成功する」は文脈に合わないため，**3**，**4**は不適。over は break と結びついて意味をなさないので，**2**も不適。

以上より，すべての空欄に入りうる語句を含む選択肢は**5**のみである。したがって，**5**が正答となる。

正答 5

Select the sentence which is grammatically correct.

1 We have some important issues that we need to discuss this afternoon.

2 He scheduled the important personnel meeting first thing in Monday morning.

3 She was surprised by how many work she was able to complete during the week.

4 When we were children, my older sister watched up us when our parents were out.

5 He told everyone how exciting he was for this opportunity to show off his programming skills.

文法的に正しい文を選ぶ問題である。

1．妥当である。「私たちは今日の午後，話し合うべき重要な問題がいくつかある」という意味の英文。that は（some important）issues を先行詞とする目的格の関係代名詞で，we から discuss まで（あるいは文末まで）が that の導く節になっている。discuss「～を話し合う，議論する」は他動詞なので，discuss some important issues で「重要な問題を〔について〕話し合う」の意味になる。日本語の「～について話し合う」という言い方に引きずられて，×discuss about some important issues のように about を用いるのは文法的誤りである。

2．誤り。「朝一番に」を表す慣用表現は（the）first thing in the morning で，最初の the は省略されることが多い。ただし，「（特定の日の）朝一番に」という場合，前置詞は in ではなく on を用いるため（曜日や日付の場合と同様），ここでは前置詞 in が誤り。on を用いて first thing on Monday morning とすれば，「彼は重要な職員会議を月曜の朝に行う予定を立てた」という正しい英文になる。なお，会話では前置詞を省略して first thing Monday morning と言うことも多い。

3．誤り。how 以下が前置詞 by の目的語となる名詞節になっている文だが，数を尋ねる how many の後に不可算名詞の work を続けることはできないので，many の部分が誤り。many の代わりに much を用いて how much work she was able to .... とすれば，「どれだけ多くの量の仕事を彼女が…できたか」という正しい形の間接疑問になり，全体では「彼女は，自分が週の間にどれだけ多くの仕事を仕上げることができたかということに驚いた」という意味の英文になる。なお，「～に驚く」は be surprised at［by］～で表し，前置詞は at と by のどちらも用いられるので，この部分は誤りではない。

4．誤り。watch up という熟語表現はないため，watched up us の部分が意味をなさず誤り。watch は「～を注意して（じっと）見る，見つめる，見守る」という意味から，「～の面倒を見る，世話をする」の意味でも使われるため，up を除いて watched us とすれば，「私たちが子どもの頃，両親が外出しているときは姉が私たちの面倒を見た」という正しい英文になる。

5．誤り。exciting は人以外のものごとについて「興奮させる（ような），わくわくさせる（ような），刺激的な」の意味で用いられる形容詞で，人について「興奮して，わくわくして」という場合は形容詞 excited を用いる。ここでは，how exciting he was だと「彼がいかに刺激的な人間であったか」といった意味になり，自然な文にならないため誤り。exciting の代わりに excited を用いれば，「彼はみんなに，自分のプログラミングの技能をこの機会に披露することができてどんなにわくわくしているかを話した」という自然な英文になる。

以上より，正答は**1**となる。

正答　1

Select the statement which best corresponds to the content of the following passage.

The Museum of Fine Arts, Boston is getting ready to open a $24 million center that will allow visitors to watch conservators at work. The Rijksmuseum in Amsterdam has begun a lengthy restoration of Rembrandt's "The Night Watch," which can be seen by visitors at the museum and followed online.

Across the United States and around the world, museums are increasingly using conservation to engage visitors and help expand their understanding of what museums do. In some cases, the public efforts began when pieces were too big to move, leaving conservators no choice but to work in an open gallery.

But now museums are bringing pieces out into public spaces, even if the work could have been done in back rooms the public never sees.

The interest among museumgoers has been fueled in part by technology that has made the conservation process more precise. A highly sophisticated device known as a macro X-ray fluorescence spectrometer (MA-XRF), for example, allowed Yale University Art Gallery to determine that underneath a moonlit night scene by the American painter Ralph Blakelock was another work of a figure with two angels — a scene not at all in the Blakelock tradition. That raised the question of whether he changed his style at one time or borrowed a canvas and painted over it.

The internet has also had a major role in opening the world of conservation to a broader audience. The Boston museum first experienced the public's interest in conservation in 2007, when work on Thomas Sully's 12-by-17-foot "Passage of the Delaware" was done on the floor of the museum as part of the Save America's Treasures grant, recalled Matthew Siegal, the chairman of conservation and collections. "It was a great tease to the building and the new American wing. Its runaway popularity changed our approach," he said. "It made us look at conservation as performance art."

Years later, the museum began regularly posting information about conservation on its social media channels and created #mfaConservation on Twitter and Instagram. Three years ago it posted efforts to clean Vincent van Gogh's "Houses at Auvers" on Facebook; the video has been viewed more than 190,000 times.

Until recently, many museums had been relatively private about conservation. "The mission used to be: display and interpret. Now it is: preserve, display and interpret," Mr. Siegal said.

At the Bard Graduate Center for Decorative Arts, Design History, Material Culture, this type of work has become a popular subject. "Conservation has come out of the dark," said Susan Weber, the center's founder and director. "People like the back story."

Bard now sends summer students to study in the Rijksmuseum's conservation studio, and the school has a part-time scientist with her own lab where students are introduced to the subject.

Julie Lauffenburger, head of conservation and technical research at the Walters Art Museum in Baltimore, linked the rising public interest in conservation to a search for the genuine. “In our virtual world there is a disconnect with what is real,” she said. “Things that are made by humans fascinate people. Conservation offers the chance to be close to the real thing.”

Conservators like Cathie Magee are continually working with new ways to preserve objects. “In paper conservation, they typically use a rigid gel that acts as a microchemical sponge that releases liquid and sucks up the dirt on an object,” she said.

She experimented with a variant of gel that had not been used for parchment before. “This gel is flexible so it can conform to uneven surfaces, and that is good for parchment because it is rarely flat,” she said.

Increasingly, restoration has had cultural implications, and museums have worked with outside groups to do the work.

The American Museum of Natural History in New York, for example, has begun a full-scale renovation of its Northwest Coast Hall, which opened in 1899 and has displayed artifacts acquired during the late 1800s and early 1900s from indigenous communities ranging from southern Alaska into western Canada and Washington State. As part of the project, the museum has teamed up with experts in areas where the objects were found to help with preservation and restoration.

Among the objects are costumes worn during ceremonies in the communities, explained Samantha Alderson, a conservator for the project. “We have several headdresses that are pieces of high status regalia,” she said. “They were worn by the hereditary leader of the nation but are missing inlays of abalone shells. We don’t have the skills to copy them.” The museum reached out to the artist David Boxley, of the Tsimshian tribe in British Columbia. “He obtained abalone, cut it to the piece and we will attach it,” Ms. Alderson said. This three-year effort will eventually be shown across the museum’s digital media channels.

1 Museums have started to move also smaller works that are being conserved into public spaces instead of only the ones that were too large to move.

2 The MA-XRF made it clear that painter Ralph Blakelock changed his style, because he painted over an earlier work that he had done.

3 Restoration of Thomas Sully’s work was carried out publicly at the Boston museum because of the success of its earlier public restorations.

4 The new gel used to restore parchment is not as flexible as the previous gels, making it more suitable for uneven surfaces.

5 The cultural implications of restoration are evident in the headdresses that were returned to the Tsimshian tribe after they were completed.

〈全訳〉 次の文の内容に最も合致する記述を選びなさい。

ボストン美術館は，絵画の保存修復を行う技術者の作業の様子を来館者が見ることのできる，2,400万ドルを投じた修復センターをまもなく公開する。アムステルダム国立美術館では，レンブラントの「夜警」の長期間にわたる修復作業を開始したが，これは来館者が美術館で見ることも，またオンラインで様子を見ることも可能である。

アメリカ全土においても世界においても，美術館が来館者の関心を引きつけるため，また美術館の活動への理解を広げる一助とするために，保存修復作業を活用する機会が増えている。いくつかの例では，作品が大きすぎて動かせないときに公的な尽力がなされるようになった結果，保存修復士が公開のギャラリーで作業するしか選択の余地がなくなったようなケースもある。

だが，今では美術館は，大衆の目に触れることのない密室で作業できたようなものであっても，作品を公開スペースに出して見せるようになっている。

美術館を訪れる人たちの関心は，保存修復の過程をより精密なものにした技術の力によっても高められた。たとえば，マクロ蛍光X線分析装置（MA-XRF）として知られる極めて精巧な装置によって，イェール大学美術館は，アメリカの画家ラルフ＝ブレイクロックが表面に描いた月夜の光景の下に，2人の天使を伴ったある人物という，ブレイクロックの作風にはまったくない別の作品が隠れていることを明らかにすることができた。それによって，彼がある時に作風を変えたのか，それとも人から借りたキャンバスの上に重ねて描いたのかという疑問がわき起こった。

保存修復の世界をより幅広い観客層に向けて公開することに，インターネットも大きな役割を果たしてきた。ボストン美術館が保存修復への大衆の関心を最初に体感したのは2007年のことだった。この年，トマス＝サリーによる「デラウェア川を渡る（デラウェアの通過）」という縦横12×17フィートの作品に対して，「アメリカの宝を守る」（訳注：1998年に設立された連邦政府による助成プログラム）からの助成金による事業の一環として，美術館のフロアで修復作業が行われたと，同館の保存修復および収蔵委員長であるマシュー＝シーガル氏は当時を振り返って語った。「あれには美術館も，新館の（アメリカ作品を展示する）アメリカン・ウィングもさんざん悩まされました。それが降って沸いたような人気になって，私たちは手法を変えることになったのです。保存修復をパフォーマンスアートとしてとらえるようになりました」

何年もたった後，ボストン美術館は自らのソーシャルメディアのチャンネルに保存修復についての情報を定期的に投稿し始め，ツイッターやインスタグラム上に「#ボストン美術館保存修復」というハッシュタグを作った。3年前には，フィンセント＝ファン＝ゴッホの「オーヴェルの家々（オーヴェールの家並）」の汚れを除去する取組みをフェイスブックに投稿し，その動画の閲覧数はこれまでに19万回を超えている。

最近まで，多くの美術館は保存修復に関して比較的オープンではなかった。「美術館の使命は，かつては展示と解説でした。今では，保存，展示と解説になっています」とシーガル氏は語った。

装飾芸術，デザインの歴史，素材文化の研究を行うバード・グラデュエート・センター（訳注：ニューヨークのバード大学と提携関係にある，ギャラリーの併設された大学院）では，この種の作業が人気科目になっている。「保存修復は，闇の世界から抜け出したのです」と，センターの創設者兼ディレクターであるスーザン＝ウェーバー氏は語った。「そこに至るまでの背景にみんな興味を持っています」

バードでは現在，夏休み中に体験研究を希望する学生をアムステルダム国立美術館に派遣して，そこの保存修復スタジオで学ばせている。学校のほうでは非常勤の科学者が自分の研究室を持ち，そこで学生たちがこの科目の導入授業を受けている。

（メリーランド州）ボルティモアのウォルターズ美術館で保存修復および技術研究の主任を務めるジュリー＝ローフェンバーガー氏は，保存修復への大衆の関心の高まりを，本物への探求心に関連づけた。「私たちの仮想世界では，現実にあるものとの断絶があるのです」と彼女は語った。「人間によって作られているものは人を引きつけます。保存修復こそが，まさに実体のあるものに接近する機会を提供してくれるのです」

キャシー＝マギー氏のような保存修復士は，物を保存する新たな方法に絶えず取り組んでいる。「紙の保存修復の場合は，液体を出して物の表面にある汚れを吸い取るマイクロスポンジのような働きをする，硬質ゲルというものを一般的には使います」と彼女は語った。

彼女は，それまで羊皮紙には使われることのなかったタイプのゲルを実験してみた。「このゲルは柔軟性があるので平らでない表面にも適合します。羊皮紙は平らであることがめったにないため，それがちょうどよいのです」と彼女は語った。

だんだんと，修復作業は文化的な意味合いを持つようになってきており，美術館や博物館はその作業をするために外部のグループと共同作業をするようになっている。

たとえば，ニューヨークにあるアメリカ自然史博物館では，1899年に公開され，アラスカ南部からカナダ西部そしてワシントン州にかけて広がっていた先住民の社会から1800年代末と1900年代初頭の間に得た人工の遺物を展示してきた，北西部沿岸ホールの全面改修を始めた。プロジェクトの一環として，博物館は保存や修復に役立つよう，その遺物が見つかった地域の専門家と共同して作業を進めている。

遺物の中には，その社会において儀式の際に着用された衣装があると，プロジェクトの保存修復士であるサマンサ＝オルダーソン氏は説明した。「館には，高位の人の正装の一部である頭飾りがいくつかあります」と彼女は語った。「これは，部族の世襲のリーダーが着用していたものですが，アワビの貝殻をはめ込んだ装飾部分がなくなっています。私たちにはそれを模造する技術はありません」。そこで博物館は，（カナダの）ブリティッシュコロンビア州に住む，チムシアン族の芸術家デイヴィッド＝ボックスリー氏に助力を求めた。「彼はアワビをとり，貝を割って装飾品にしてくれました。私たちはそれを取り付けるのです」とオルダーソン氏は語った。３年に及ぶこの努力は，最終的に博物館が持つ複数のデジタルメディアチャンネルを通じて公開されるだろう。

1　博物館〔美術館〕は，大きすぎて動かせなかった作品のみにとどまらず，より小さな保存修復中の作品も，一般公開スペースに移動させるようになっている。

2　MA-XRF によって，画家のラルフ＝ブレイクロックは，過去の自分の作品の上に重ねて描いたという事実から，自らの作風を変えていたことが明らかになった。

3　ボストン美術館でトマス＝サリーの作品の修復が公開で行われたのは，それ以前の公開修復作業が成功したためである。

4　羊皮紙の修復に使われている新しいゲルは，それまでのゲルと比べて柔軟性に欠けるため，平らでない表面により適合するものとなっている。

5　修復の持つ文化的な意味合いは，完成した後にチムシアン族に返還された髪飾りの中に明白に表れている。

＊　＊　＊

1．妥当である。

2．誤り。そのような事実が判明したことによって，彼がある時に作風を変えたのか，それとも人から借りたキャンバスの上に重ねて描いたのかという疑問がわき起こったと述べられており，どちらか断定するような結論は述べられていない。

3. 誤り。2007年に行われたトマス＝サリーの作品の修復は，ボストン美術館が修復作業を公開で行うようになった始まりであることが述べられている。

4. 誤り。新しいゲルは柔軟性があるため，平らでない表面に適合すると述べられている。

5. 誤り。頭飾りがチムシアン族に返還されたという内容は述べられていない。本文では，頭飾りの修復に当たって，それが使われていた現地の部族の末えいに助力を依頼した博物館の事例が紹介され，このような外部との共同作業が，修復作業が次第に文化的な意味合いを持つようになったことの表れであると述べている。

正答　1

専門試験

英語(一般)　内容把握　令和2年度

Select the statement which best corresponds to the content of the following passage.

The modern age of international law is said to have been inaugurated with the 1648 Peace of Westphalia, which ended the Thirty Years War by acknowledging the sovereign authority of various European Princes. During the next three hundred years, up until World War Ⅱ, there were four major schools of thought regarding the obligation to comply with international law. The first was "an Austinian positivistic realist strand," which held that nations never obey international law because it is not really law. The second was a "Hobbesian utilitarian, rationalistic strand," which held that nations sometimes follow international law, but only when it serves their self-interest to do so. The third was a "Kantian liberal strand," which held that nations generally obey international law out of a sense of moral and ethical obligation derived from considerations of natural law and justice. The fourth was a Bentham "processed-based strand," which held that nations are induced to obey from the encouragement and prodding of other nations through a discursive legal process. The modern debate has its roots in these four theoretical approaches.

In the aftermath of World War Ⅱ, the victorious Allies sought to establish a "new world order," replacing the "loose customary web of state-centric rules" with a rules-based system, built on international conventions and international institutions, such as the United Nations Charter, which created the Security Council, the General Assembly, and the International Court of Justice; the Bretton Woods Agreement, which established the World Bank and the International Monetary Fund; and the General Agreement on Tariffs and Trade, which ultimately led to the creation of the World Trade Organization (WTO). The new system reflected a view that international rules would promote Western interests, serve as a bulwark against the Soviet Union, and emphasize values to be marshaled against fascist threats.

Yet, the effectiveness of the new system was immediately undercut by the intense bipolarity of the Cold War. In the 1940s, political science departments at U.S. universities received from the German refugee scholars, "an image of international law as Weimar law writ large: formalistic, moralistic, and unable to influence the realities of international life." With fear of communist expansion pervading the debate, the positivistic, realist strand came to dominate Western scholarly discourse on the nature of international obligation. Thus, one of America's leading postwar international relations theorists, George F. Kennan, attacked the Kantian approach as anathema to American foreign policy interests, saying, "the belief that it should be possible to suppress the chaotic and dangerous aspirations of governments in the international field by the acceptance of some system of legal rules and restraints" is an approach that "runs like a red skein through our foreign policy of the last fifty years."

Even during the height of the Cold War, however, international law had its defenders, and within the community of American legal scholars, a new school of thought arose with roots in the Bentham strand, based on notions of legal process.

The end of the Cold War and the collapse of the Soviet Union in 1989 had a significant affect on compliance scholarship. With the dismantling of the Berlin Wall, the end of Apartheid in South Africa, the United Nation's defeat of Saddam Hussein in Operation Desert Storm, the 1990s were a period of unparalleled optimism about the prospects of international law and international institutions. At the same time, conflict in failed States, such as Somalia and Haiti, the violent break-up of the former Yugoslavia, and the tribal carnage in Rwanda presented new challenges that severely tested the efficacy of international rules and institutions. Meanwhile, the status of the United States as the "sole remaining superpower" encouraged triumphalism, exceptionalism, and an upsurge of U.S. provincialism and isolationism, as well as a preference to act unilaterally rather than multilaterally.

1 In the author's view, nations never obey international law because it is not really law, unless it serves their self-interest.

2 After the end of World War Ⅱ, the Western States believed that a rules-based international order would serve to benefit their interests.

3 During the Cold War, due to the intense bipolarity, international law was universally criticized, despite being so effective.

4 The modern debate on the obligation of States to comply with international law is based on theoretical approaches which are not related to what happens in the real world.

5 The end of the Cold War brought a period of unparalleled optimism about international law and institutions, and dispelled any belief that the U.S. should act unilaterally.

解説

〈全訳〉 次の文の内容に最も合致する記述を選びなさい。

近現代の国際法は，各地のヨーロッパ諸侯の主権を認めることで三十年戦争を終わらせた，1648年のウェストファリア条約とともに始まったといわれている。第二次世界大戦に至るまでの続く300年の間，国際法を遵守する義務に関して4つの主な思想の流れがあった。1つ目は，「オースティン（訳注：ジョン＝オースティン。19世紀イギリスの法哲学者）流の実証主義的現実主義者の潮流」で，国際法は法律とはいえないので，国家はまったく従う必要はないと考えた。2つ目は，「ホッブズ流の功利主義的，合理主義的な潮流」で，国家は時には国際法に従うべきだが，それはそうすることが自国の利益にかなう場合に限られると考えた。3つ目は，「カント流の自由主義的な潮流」で，国家は自然法と正義に由来する道徳的・倫理的な義務感から，一般的に国際法に従うべきであると考えた。4つ目は，ベンサムの「プロセス重視の潮流」で，多方面にわたる法的手続きを通じた他国からの奨励や突き動かしによって，国家が従う気になるようにすべきだと考えた。現代の議論は，これら4つの理論的アプローチに根ざしている。

第二次世界大戦の余波の中，勝利した連合国は，「新世界秩序」を樹立し，「国家中心的なルールを集めた，緩やかな慣習法の網」を，国際協定や国際的機関のもとに築かれた，ルールに基づいた体系に置き換えようと努めた。たとえば，国連安全保障理事会や国連総会，国際司法裁判所を創設した国連憲章，世界銀行や国際通貨基金（IMF）を創設したブレトン・ウッズ協定，最終的に世界貿易機関（WTO）の創設につながった，関税と貿易に関する一般協定（GATT）といったものがそれである。新たな体系は，国際的なルールが西側諸国の利益を増進し，ソビエト連邦に対する防波堤として機能し，価値観が全体主義の脅威に対抗すべく整えられることを重視するだろうとの考え方を反映していた。

だが，新たな体系は程なく，冷戦の激しい二極構造によって有効性を失うことになった。1940年代，アメリカ各地の大学の政治学部は亡命してきたドイツ人学者たちを通じて，「国際法について，ワイマール憲法を大書したようなもの，すなわち，形式主義的で道徳主義的であり，国際社会の営みの現実に影響を与えることは不可能であるとのイメージ」を受け取った。共産主義者の拡大へのおそれが議論に充満するようになると，実証主義的現実主義者の潮流が，国際的な責務という形をとって西側の学者の言論を支配するようになった。それゆえに，アメリカの戦後を代表する国際関係論者の１人であるジョージ＝F＝ケナンは，カント流のアプローチをアメリカの外交政策上の利益とは相いれないものとして攻撃し，「どこかの政府の国際分野における無秩序で危険な願望を，なんらかの法的なルールや規制の体系を受容させることで鎮圧できるはずだという信念」は，「ここ50年間のわが国の外交政策を通して縫うように伸びている赤い糸かせ（糸の束）のような」アプローチである，と語ったのである。

しかしながら，冷戦が最高潮だった時代にも国際法の擁護者たちは存在し，アメリカの法学者の学界では法的手続きという概念に基づく，ベンサムの潮流に根ざした新たな思想の流れが生まれた。

1989年に起こった冷戦の終了とソビエト連邦の崩壊は，法令遵守に関する学問に多大な影響を与えた。ベルリンの壁の解体，南アフリカ共和国でのアパルトヘイト（人種隔離政策）の終焉，サダム＝フセイン（元イラク大統領）に対する「砂漠の嵐作戦」での国連の勝利（訳注：1990年のイラクによるクウェート侵攻に対して，翌年１月，国連が多国籍軍を編成して行ったイラク空爆の際の作戦名。湾岸戦争の発端となった）といった出来事によって，1990年代は国際法と国際機関の将来の見通しについての楽観論がかつてないほど広がった時代となった。しかし同時に，ソマリアやハイチのような国家の失敗による争乱，かつてのユーゴスラビアの分裂に伴う戦乱，ルワンダでの民族大虐殺といった出来事は，国際的なルールと国際機関の実効性が厳しく試されるような新たな課題をも提示した。そうしている間に，アメリカの「唯一現存する超大国」としての地位は勝利至上主義と一国例外主義を助長し，ひいてはアメリカの偏狭さや孤立主義の急激な高まりとともに，多国間で歩みをそろえるより単独で行動する傾向を助長するようになった。

1　筆者の考えでは，国際法は法とはいえないため，国家は自らの利益にかなうものでない限り，まったく従うことはない。

2　第二次世界大戦後，西側諸国は，ルールに基づいた国際秩序が自国の利益の増進に資するだろうとの信念を持っていた。

3　冷戦の間，激しい二極構造のために，国際法は非常に有効なものであるにもかかわらず，万人に批判された。

4　国際法を遵守する国家の責務についての現代の議論は，実世界で起きていることとは関係のない理論的アプローチに基づいている。

5　冷戦の終了によって，国際法と国際機関についてかつてないほどの楽観論の時代がもたらされ，アメリカは単独で行動すべきとのあらゆる信念は一掃された。

＊　＊　＊

経済事情
経営学
国際関係
社会学
心理学
教育学
英語(基礎)
英語(一般)

1．誤り。国際法に対するこのような見方は，本文で述べられている4つの思想の流れのうち「オースティン流の潮流」あるいは「ホッブズ流の潮流」に対応するものだが，筆者はそれらに対する個人的評価を述べておらず，筆者の考えであるとはいえない。

2．妥当である。

3．誤り。冷戦が最高潮だった時代にも国際法の擁護者たちは存在し，アメリカの法学者の間では，ベンサムの潮流に根ざした新たな思想の流れが生まれたと述べられている。

4．誤り。このような内容は述べられていない。筆者はむしろ，第二次世界大戦以後の西側諸国の国際法に対する姿勢は，実世界の動きと密接に関連していたことを述べている。また，国際法を擁護する人たちの間でも現実的なアプローチが試みられ，現在に至っていることが読み取れる。

5．誤り。冷戦の終了とそれに続くいくつかの歴史的な出来事により，1990年代は国際法と国際機関の将来の見通しについて楽観論が広がった時代であったことは述べられているが，同時にその実効性が問われるような歴史的な出来事も述べられ，それがアメリカの単独行動の傾向を助長することにつながったと述べられている。一時的にでも，アメリカは単独で行動すべきとの信念が一掃されたと読み取れる記述はない。

正答　2

Select the statement which best corresponds to the content of the following passage.

When Adrian Serini proposed to his partner, Monika, at their favourite harbour beach in Sydney there was a beautiful sunny day, a picnic set-up — decorated with flowers and pictures of the couple — and, of course, the ring. Oh, and there was also a drone.

"It's a moment my wife dreamt of her whole life, but [it was] over in less than a few minutes," says Mr Serini, 28. "The drone video captured her favourite location, the dream set up and the magical moment perfectly. [It is] a video we can one day show our kids."

Adrian Serini hired a drone and secret photographers to document his proposal to his partner, Monika. Mrs Serini, 33, says the experience, captured by professional photographers hidden from sight, made her feel like she was being wooed as the winner on the final episode of The Bachelor. "I was shocked that my fiancé pulled off something so incredible ... it was such a special moment to capture for life."

While having a drone fly over your "will you marry me?" might seem like the domain of Instagram influencers, with social media becoming the most common way couples let their family and friends know they are due to be wed, more people are turning to professional photographers to covertly capture their proposal.

Tania Saad, co-founder of my proposal co., the proposal planning service which staged the Serinis' proposal, says 90 per cent of her clients request a secret photographer. "The most important reason behind hiring a photographer is to capture the moment they surprise their partner and drop down on one knee — this moment and their partner's reaction to it is something they will never want to forget and it goes by really quickly," Ms Saad says. "Many of our clients are too shocked to realise what is going on."

Since opening shop in 2015, my proposal co. has planned over 500 proposals for couples who spend anywhere from $1,500 to $15,000 for the service, depending on the amount of help they need and the scale of their plans. To keep things a surprise for the person being proposed to, her photographers go to extreme lengths: dressing up as waiters in restaurants, hiding up trees and, yes, sometimes operating drones.

"Last week we had a client who convinced his girlfriend to enter a fake couples photoshoot giveaway on Instagram — our photographer even contacted her letting her know she had won the prize and planned all the logistics with her directly," says Ms Saad. "She had no idea that the whole time, this was a part of an elaborate proposal plan and that her boyfriend would be proposing to her during the photoshoot."

Rachael Bentick, director at Sydney's Inlighten Photography, first received a request for a proposal shoot 10 years ago. Now, the company can book five a year, with photographers also donning disguises and using long lenses in bushes to make sure their client's partner doesn't suspect a thing. "As [people] put more and more effort into the big proposal, I think that's why it's increasing in popularity," she says. "And they know their fiancée will want to share on social media."

For those wanting to post pictures of the event ASAP, Bentick's team sends the candid snaps plus some portraits taken once the proposal is done ("we make ourselves known and let the bride know that her future husband was wonderful enough to plan to have the moment captured") over wifi at the site.

Although she agrees social media has contributed to the demand for her service, Ms Saad says there is something nice about commemorating a proposal as an important life event, regardless of whether it is going on the Instagram. "People take photos of birthdays, weddings and other special events, so why not proposals too?"

But, although they can result in some incredible shots, neither Ms Bentick or Ms Saad are particularly keen to use drones when photographing in secret for one important reason.

"They are so noisy!" Ms Bentick says. "Definitely not secret."

1 Because most people notify their friends and family of their engagement through social media, they are becoming less likely to use professional photographers.

2 In order to take the photographs secretly, photographers sometimes will take measures such as dressing up like waiters in restaurants.

3 Tania Saad's company contacted its client's girlfriend directly to let her know that she would be photographed for her marriage proposal.

4 Inlighten Photography is using drones to secretly capture important moments like marriage proposals, and no-one will notice that they are there.

5 Rachael Bentick's company posts all the photographs of marriage proposals to social media as soon as the proposals are finished.

解説

〈全訳〉 次の文の内容に最も合致する記述を選びなさい。

エイドリアン＝セリーニが彼の恋人であるモニカに，シドニーにある 2 人のお気に入りの港の浜辺で結婚の申し込みをしたとき，そこはすばらしい快晴で，花や 2 人の写真で飾り付けされた，ピクニックのような舞台設定がされていた。そしてもちろん，指輪が贈られた。それと，そこにはドローンも飛んでいた。

「妻がそれまでの人生でずっと夢見ていた瞬間だからね。でも，数分もしないで終わってしまったよ」と，28歳のセリーニ氏は語る。「ドローンの動画は，彼女のお気に入りの場所と夢の舞台設定，そして魔法の瞬間を完璧に収めたんだ。いつか子どもたちに見せられるような動画を撮ろうってね」

エイドリアン＝セリーニは，恋人のモニカへのプロポーズを記録するために，1台のドローンと秘密の写真家たちを雇った。33歳のセリーニ夫人は，見えない場所からプロの写真家に撮られるという今回の経験で，まるで自分が「ザ・バチェラー」(訳注：2002年から全米で放送されている恋愛リアリティ番組) の最終話で勝者として口説かれているような気分になった，と語る。「私の彼氏が，こんなすごいことをやっちゃうなんて，もうびっくりしちゃって。永久保存ものの，特別な瞬間だったわ」

「僕と結婚してくれる？」と言っている上空でドローンを飛ばすというのは，インスタグラム上のインフルエンサー（社会に大きな影響を与える人）の領分のように思われるかもしれないが，カップルが結婚の予定を家族や友人に知らせる手段としてソーシャルメディアが最も身近なものになっている今では，プロポーズの場面をこっそり撮影してくれるようプロの写真家を頼る人が増えている。

セリーニ夫妻のプロポーズを演出した求婚プランニングサービス会社である，「私のプロポーズ社」の共同創設者の１人であるタニア＝サード氏によると，依頼者の90％が秘密の写真家を要請するとのことだ。「写真家を雇う最も重要な理由は，恋人を驚かせてからひざまずく瞬間を記録することです。この瞬間と，それに対する恋人の反応が，お客様が決して忘れたくないものなのですが，それはあっという間に過ぎ去ってしまうものです」とサード氏は語る。「お客様の多くは，あまりに突然の驚きで何が起きているのか実感できないくらいですから」

2015年に開店して以来，「私のプロポーズ社」はこれまで500組を超えるカップルのプロポーズのプランを作成してきた。サービスの料金は，依頼者が必要とする援助の度合いとプランの規模によって，1,500ドルから１万5,000ドルまでまちまちである。求婚相手には内緒にしておくために，写真家たちはレストランのウェイターのかっこうをしたり木によじ登って隠れたり，そう，時にはドローンも操縦したりと，どんなことでもする。

「先週はこんなお客様がいらっしゃいました。その方はガールフレンドに，インスタグラムで架空のカップル写真撮影のギブアウェイ（インスタグラム上のプレゼントキャンペーン）に登録するよう説得したのです。そして私どもの写真家が彼女に連絡を取り，賞が当たりましたと言って，撮影の段取りをすべて彼女と直接やり取りして整えることまでしたのです」とサード氏は語る。「彼女はその間ずっと，これは手の込んだプロポーズ計画の一部で，撮影の間にボーイフレンドが彼女に告白することになるなんて思いもしなかったのです」

シドニーのインライトン・フォトグラフィー（訳注：ブライダル写真の撮影スタジオ）社長のレイチェル＝ベンティック氏は，約10年前に初めてプロポーズの写真撮影の依頼を受けた。現在，会社は年間５件の予約が可能で，ここでも写真家は変装したり茂みに潜んで望遠レンズを使ったりして，依頼者のパートナーが少しも疑いを抱かないようにしている。「プロポーズの大舞台に向けて費やされる努力はどんどん増していますから，それで人気が上がっているんだと思います」と彼女は語る。「それに，フィアンセが（写真を）きっとソーシャルメディアで共有したがることはわかっていますから」

そのイベントの写真をすぐにでも投稿したいと思う人向けに，ベンティック氏のチームはこっそり撮ったスナップ写真に加えて，プロポーズが成就した後に（「私どもは正体を明かし，花嫁に対して，あなたの夫となる方はその瞬間を記録しようと計画するくらいすばらしい方なのですよと伝えます」）撮った何枚かの肖像写真を，ワイファイを通じてウェブサイトに送っている。

サード氏は，自社のサービスへの需要増加にソーシャルメディアが貢献していることには同意するが，インスタグラムに投稿されるかどうかにはかかわらず，プロポーズを重要な人生のイベントとして記念することはすてきなことだと語る。「誕生日や結婚式や，他の特別なイベントではみんな写真を撮るでしょう。だったらプロポーズもありじゃないですか」

だが，見事な写真に仕上がる可能性があるとしても，ひそかに撮影するときにドローンを使うことについては，ある１つの理由により，ベンティック氏もサード氏も，それほど乗り気ではない。

「とってもうるさいんです！」とベンティック氏は語る。「秘密どころじゃありません」

1 たいていの人は自分の婚約について友人や家族にソーシャルメディアを通じて知らせるため，プロの写真家を使う人は減少傾向にある。

2 内緒で写真を撮るために，写真家は時にはレストランのウェイターに扮するなどの手段をとるだろう。

3 タニア＝サード氏の会社は，依頼者のガールフレンドに直接連絡を取って，彼女が結婚のプロポーズで撮影されることになるだろうと伝えた。

4 インライトン・フォトグラフィーでは，結婚のプロポーズのような大切な瞬間を内緒で記録するためにドローンを利用しており，彼らがそこにいることには誰も気づかないだろう。

5 レイチェル＝ベンティック氏の会社では，結婚のプロポーズの際のすべての写真を，プロポーズが終わるとすぐソーシャルメディアに投稿する。

＊　＊　＊

1．誤り。本文では，カップルが結婚の予定を家族や友人に知らせる手段としてソーシャルメディアが最も身近なものになっている今では，プロポーズの場面をこっそり撮影してくれるようプロの写真家を頼る人が増えていると述べられており，本肢のような内容および因果関係は述べられていない。

2．妥当である。

3．誤り。本文で述べられている依頼者の例では，ガールフレンドに直接連絡を取ったのは，架空のプレゼントキャンペーンに当選したことにするという依頼者の希望に沿った行動であって，プロポーズがあるだろうということは伝えていない。

4．誤り。最後の2段落から，ドローンを使った撮影は音がうるさく秘密にならない可能性があるので，写真家を派遣する会社もそれほど乗り気ではないと述べられている。冒頭で述べられているドローンを使った撮影は，インライトン・フォトグラフィーではなく，サード氏の会社である「私のプロポーズ社」によるものである。

5．誤り。本文では，プロポーズの際のスナップ写真だけでなく，プロポーズが成就した後に依頼者のパートナーに事情を伝え，正式に撮った肖像写真ともに，ワイファイ経由で社のウェブサイトに送ることで，すぐにでもソーシャルメディアに写真を投稿したい依頼者カップルの希望に応えていると述べられている。会社がプロポーズの後すぐにソーシャルメディアに投稿するわけではない。

正答　2

国家一般職［大卒］No.79 専門試験 英語(一般) 内容把握 令和2年度

Select the statement which best corresponds to the content of the following passage.

Are you exceptionally fond of your face?

More specifically: Are you so fond of your face that you would like to see it plastered on a global fleet of humanoid robots for years to come?

If you answered "yes" to both questions — which would hardly be surprising in the "selfie" era — a British engineering and manufacturing firm wants to hear from you. That firm, Geomiq, claims it has been hired by a mysterious robotics company to put out a call for photo submissions. The reason: Said company has developed a humanoid robot that is nearing completion but is still in need of the right visage.

The line between an epic ego boost and a nightmare from a "Black Mirror" episode, it seems, has never been thinner.

In a statement posted online, Geomiq says the robotics company — which remains unnamed because of an apparent nondisclosure agreement — is not looking for just any old face, but a "kind and friendly" one that may be reproduced "on potentially thousands of versions of the robots worldwide," according to the statement.

The blog post does not specify whether designers are seeking a particular age or gender for their robotic face.

Geomiq notes that theirs is a "unique request." As if trying to outdo that understatement, the company points out that licensing one's face to a humanoid robotic project of unknown origin is, after all, "potentially an extremely big decision."

Potentially, indeed.

But, they add, a nearly $130,000 enticement awaits the bold individual who agrees to let the robotics company license their visage, likely altering the course of their life forever.

Because the Internet is an unregulated house of mirrors patrolled by piratical tricksters who traffic in flimflam, it is unclear whether Geomiq's request is a daring social experiment, a prank or a legitimate plea for assistance. The firm's statement includes a semi-detailed explanation for their client's secrecy.

"The company is privately-funded and says the robots' purpose will be to act as a 'virtual friend'for elderly people, and is set to go into production next year," the statement says. "The designer has said that the project has been in development for five years, and has since taken on investment from a number of independent venture capitals as well as a top fund based in Shanghai."

"The company says the need for anonymity is due to the 'secretive'nature of the project, however it believes the robot will soon be 'readily available'to the public and hopes the campaign will create extra buzz ahead of its eventual release," the statement adds.

The company claims candidates whose faces advance to the next phase of the selection process can expect full transparency about the nature of the robotics project.

Not sure if your face is worthy of gracing a robot army? Don't fret. There is already a seemingly endless variety of robot faces on the market today, their design often reflective of the machine's purpose and expected location. Some robots, like the $1 million robotic Buddhist priest, Mindar, have humanlike faces, though they are not always equipped to carry out realistic human expressions.

In Thailand, one hospital has introduced robotic nurses whose faces consist largely of two blazing red eyes — each one massive and ghoulish — which glare from behind a darkened pane of transparent plastic like a demonic predator lurking in the dark. The robotic assistant known as Pepper, meanwhile, has a nonthreatening face with cartoonishly large eyes that are designed to put people at ease.

In recent years, a growing number of robots have been developed with faces rendered on a screen, offering designers more flexibility in how they define a robot's personality. Last year, roboticists from the University of Washington in Seattle identified 157 different robots with rendered faces. Researchers categorized the faces according to dozens of attributes and then surveyed people about their reaction to different robotic facial styles.

In their paper, "Characterizing the Design Space of Rendered Robot Faces," researchers report that the plurality of robot faces are black (34.4 percent) and most (65.6 percent) include a mouth, but less than half have eyebrows and even fewer have a nose. Less than one in 10 robots have hair and even fewer have ears. Most robot eyes are white and circular and generally feature pupils.

Though seemingly innocuous, a robot's facial features can have an enormous impact on how they are received by humans, who are hard-wired to recognize and closely read faces.

"Faces are critical in establishing the agency of social robots; however, building expressive mechanical faces is costly and difficult," the paper states.

"We find that participants preferred less realistic and less detailed robots in the home, but highly detailed yet not exceedingly realistic robots for service jobs," the paper adds. "The lack of key features like pupils and mouths resulted in low likability ratings and engendered distrust, leading participants to relegate them to security jobs."

1 British firm Geomiq is looking for people to submit photographs to use as the face of the new robots that it is developing.

2 Details of the new robot will be kept even from the candidates whose faces are chosen for the next phase of the selection process.

3 Some robots like Mindar have faces that resemble human faces and portray very realistic human facial expressions.

4 The robots in the hospital in Thailand are considered by the author as frightening because of their extremely large red eyes.

5 According to research from the University of Washington, most robots they studied had a mouth, a nose, and eyebrows.

〈全訳〉 次の文の内容に最も合致する記述を選びなさい。

あなたは，自分の顔が特別に好きだろうか。

もっと厳密にいえば，あなたは自分の顔が大好きで，この先何年もの間，世界中の人間型ロボット全部に自分の顔が貼りつけてあるのを見たいと思うほどだろうか。

あなたがもし両方の質問に「イエス」と答えたなら（それは現在の「自撮り写真」の時代においては驚くには当たらないことだが），イギリスにある工学技術メーカーがあなたと連絡を取りたがっている。ジオミックというその会社の主張によると，同社は謎のロボティクス（ロボット工学）企業に雇われ，写真提出の募集をかけるように言われた。その理由は，当の企業は人間型ロボットを開発し完成が近いが，今も適切な顔だちを必要としているから，とのことだ。

けた違いのエゴブースト（自己顕示欲を満たしてくれるもの）となるか，はたまた「ブラック・ミラー」（訳注：イギリスで2011年から放送されている，毎回１話完結のSFテレビドラマシリーズ）に登場するぞっとするようなエピソードになってしまうのか。その境目は紙一重，それもかつてないほどの紙の薄さのように思われる。

オンライン上に投稿されたジオミック社の声明では，そのロボティクス企業（おそらくは秘密保持契約によって，その名は伏せられたままだ）が求めているのは，今までにあったような顔にとどまらない，声明によれば「親しげで人懐こく」「可能性として世界中にある数千種のロボットにも」複製されるような顔とのことだ。

ロボットの顔について，設計者が特定の年代や性別を求めているかどうかについては，このブログ投稿は明確にしていない。

ジオミック社は彼らの要請について，「非常に珍しいお願い」だと記している。そんな控えめな表現とは裏腹に，その企業は，正体不明の人間型ロボット計画に対して顔の使用許可を与えることは，結局のところ「可能性として非常に大きな決断となる」と指摘している。

可能性として，とはよく言ったものだ。

だが，ジオミック社では，このロボティクス企業に自分の顔の使用許可を与える勇敢な個人を待ち受けているのは13万ドル近くの誘惑であり，おそらくその人の人生の進路を永遠に変えることになるだろう，と付記している。

インターネットに規制がなく，いんちき商売で稼ぐ海賊まがいのぺてん師が徘徊する鏡の迷宮のような状態になっているため，ジオミック社の要請が斬新な社会実験なのか，ただの悪ふざけなのか，それとも正当な援助の嘆願なのかは定かでない。会社の声明には，彼らの依頼企業の秘密保持に関するやや詳しい説明も書かれている。

「この企業は個人が出資しており，ロボットの目的はお年寄りの『仮想の友達』として振る舞うことにある，としている。来年には量産が始まる態勢を整えている。設計者は，この計画は５年前から進められ，それ以来，上海を拠点とする大手ファンドや数々の独立系ベンチャーキャピタルから出資を受けていると語っている」と声明には書かれている。

さらに，「この企業は，計画が『秘密裏に』進められている都合上，匿名にする必要があるものの，ロボットは近々一般にも『容易に入手できる』ようになると確信しており，最終的な発表に先立ってキャンペーンがさらに話題性を作り出すことを望む，と語っている」とも書かれている。

経済事情
経営学
国際関係
社会学
心理学
教育学
英語(基礎)
英語(一般)

その企業の主張では，（送付した写真の）顔が選考過程の次の段階に進んだ候補者には，ロボティクス計画の特性について全貌を明らかにすることができるとしている。

自分の顔が，ロボットの大群の顔面を飾るほどの価値があるか自信がないって？　心配無用だ。今日すでに世間には無限とも思えるほどの種類のロボットの顔が存在し，その設計はしばしばロボットの目的や使用が期待される場所を反映したものになっている。なかには100万ドルをかけた仏教僧ロボットのミンダーのように，人間らしい顔をしたものもあるが，必ずしも人間の写実的な表情を伝えるような顔を備えているわけではない。

タイでは，ある病院がロボット看護師を導入したが，その顔は主として２つの燃えるように赤い目で成り立っており（それぞれが巨大で鬼の目のようだ），それが明かりのない透明プラスチックの型枠の後ろから，まるで暗闇に潜む残忍な捕食者のようにぎらぎらと光っている。一方，ペッパーとして知られるアシスタントロボットは漫画風の大きな目を持った威圧感のない顔をしており，人々の気持ちを落ち着かせるような設計になっている。

近年では，スクリーンに顔がついたロボットの開発が増えており，設計者がロボットの性格をどう設定するかに当たってより柔軟性を発揮できるようになっている。昨年，（ワシントン州）シアトルにあるワシントン大学のロボティクス研究者たちによって，顔がついた157種類の異なるロボットが確認された。研究者たちはそれらの顔を何十もの特徴を基準に分類し，さまざまなロボットの顔型に対する人々の反応を調査した。

「顔がついたロボットの顔の設計空間の特徴をとらえる」と題された彼らの論文での研究者の報告によると，比較的多数のロボットの顔は黒色で（34.4％）大多数には口がある（65.6％）が，眉を持つものは半数に満たず，鼻を持つものはさらに少ない。髪の毛を持つロボットの割合は10体のうち１体を下回り，耳を持つものはさらに少ない。大多数のロボットの目は丸い白色で，瞳があるものがほとんどだ。

一見無害なもののように見えても，ロボットの顔の特徴は，それが人間にどう受け取られるかに多大な影響を与える可能性がある。人間は顔を認識し表情を微細に読み取るよう生まれついているのだ。

「ソーシャルロボット（人間とのコミュニケーションを主眼としたロボット）の行為主体性を確立するに当たって，顔は決定的に重要である。だが，表情豊かな機械の顔を成形することは費用もかかり，困難である」と論文では述べられている。

「今回わかったことは，（調査の）参加者は，家庭においてはそれほど写実的でなく細部のこだわりがないロボットのほうを好んだが，サービス業務に関しては，細部にまでこだわった，それでいて極端に写実的すぎないロボットのほうを好んだということだ」と論文はさらに続ける。「瞳や口といった主要な特徴を欠くロボットは好感度の低さと不信感を生むことになり，せいぜい警備業務向きだと参加者が敬遠する結果につながった」

1　イギリスの会社ジオミックは，同社が開発中の新しいロボットの顔として使用するための写真を提出してくれる人を探している。

2　新しいロボットの詳細については，その顔が選考過程の次の段階に選ばれた候補者にも隠されたままだろう。

3　ミンダーのような一部のロボットは，人間の顔に似ていて，かつ非常に写実的な人間の表情をかたどった顔を持っている。

4　タイの病院に備えられているロボットは，その極端に大きな赤い目のために，筆者は怖いものだと考えている。

5 ワシントン大学の研究によると，彼らが研究した大多数のロボットには口と鼻と眉があった。

＊　＊　＊

1．誤り。ジオミック社がロボットの顔に使用する写真を提出してくれる人を募集していることは正しいが，同社が開発中のロボットのためではなく，あるロボティクス企業が開発中のロボットについて，その企業から委託を受けた仕事であることが述べられている。

2．誤り。その顔が選考過程の次の段階に進んだ候補者には，ロボティクス計画の特性について全貌を明らかにすることができる，とするロボティクス企業の主張が述べられている。

3．誤り。仏教僧ロボットのミンダーについては，人間らしい顔をしているが，必ずしも人間の写実的な表情を伝えるような顔を備えているわけではないと述べられている。

4．妥当である。

5．誤り。大多数には口があったが，眉を持つものは半数に満たず，鼻を持つものはさらに少ないと述べられている。

正答 4

Select the statement which best corresponds to the content of the following passage.

Six scientists have completed a year-long simulation of a Mars mission, during which they lived in a dome in near-isolation. The group lived in the dome on a Mauna Loa mountain in Hawaii and were only allowed to go outside if wearing spacesuits. On Sunday the simulation ended and the scientists emerged. Previous simulations in the Mauna Loa dome, which is almost 11 metres (36 feet) in diameter and 6 metres (20 feet) tall, have lasted four to eight months. Mauna Loa soil is similar to what would be found on Mars. The area's high elevation means there is almost no plant growth.

The group included a French astrobiologist, a German physicist and four Americans — a pilot, an architect, a doctor/journalist and a soil scientist. They managed limited resources while conducting research and working to avoid personal conflicts. After walking out of the dome crew members reflected on the experience and what it meant for the future of space travel.

Cyprien Verseux, a crew member from France, said the simulation showed a mission to Mars could succeed. "I can give you my personal impression which is that a mission to Mars in the close future is realistic. I think the technological and psychological obstacles can be overcome," Verseux said.

Christiane Heinicke, a crew member from Germany, said the scientists were able to find their own water in a dry climate. "Showing that it works, you can actually get water from the ground that is seemingly dry. It would work on Mars and the implication is that you would be able to get water on Mars from this little greenhouse construct," she said.

Crew member Sheyna Gifford wrote a blog post just before leaving about the future of space travel alluding to NASA's plans to send humans to Mars by 2030. She said: "Given what it takes to keep people alive in the void — to keep them healthy on Mars for just a year — I can basically promise that by going to space we'll learn what it takes to keep people healthy in places with heat, light, and gravity. We've already started. We've been at it for decades. I've been at it for 12 months straight, been on call for almost 365.25 days."

She also talked about her immediate plans upon leaving the dome. "I know what lies ahead for me, to some extent. My husband Ben is just outside the door, along with my mother, brother (also, Ben), and all of you."

"What now? ... For me, for now — I'm going on vacation."

An earlier blog alluded to the limited contact the team have had with the outside world. She joked: "In the last 24 hours, I've even contemplated having a business card made up that reads: 'Recently returned from Mars. Please speak slowly. My sincerest apologies for knowing nothing about that song/movie/candidate for high political office/celebrity's latest spouse/kid/dog/tattoo/ "wardrobe malfunction". For best results, avoid cultural references and make no sudden moves.'"

Kim Binsted, principal investigator for the Hawaii Space Exploration Analog and Simulation, said the researchers were looking forward to jumping into the ocean and eating fresh produce and other foods that were not available in the dome.

NASA funded the study, which was run through the University of Hawaii. Binsted said the simulation was the second-longest of its kind, after a Russian mission that lasted 520 days.

1 This mission in the Mauna Loa dome was longer than any of the previous attempts to simulate living on Mars.

2 Cyprien Verseux believes that travel to Mars could be successful both technologically and psychologically, but that it will take a long time.

3 The research carried out in the Mauna Loa dome showed that even when the soil appears to be dry, it can contain water.

4 Sheyna Gifford believes that sending humans to Mars will help people in the future to be able to live without heat, light, and gravity.

5 The participants only had limited access to information about music, politics, and celebrities while they were on the mission to Mars.

解説

〈全訳〉 次の文の内容に最も合致する記述を選びなさい。

6人の科学者が，火星探査ミッションの1年にわたる模擬実験を完了した。その期間，彼らはドーム型の施設で，ほぼ隔離状態で生活した。一団は，ハワイのマウナロア山中にあるドームで暮らし，外出するときは宇宙服を着てでないと許可されなかった。先の日曜日，模擬実験は終了し，科学者たちは下界に出てきた。直径ほぼ11メートル（36フィート），高さ6メートル（20フィート）のマウナロア・ドームでのこれまでの予行演習は，4～8か月間の長さだった。マウナロアの土壌は火星の表面で見つかるであろう土壌に似ている。その地域が標高の高いところにあるということは，ほぼ植物が育たないということを意味する。

一団の中には，フランス人の宇宙生物学者，ドイツ人の物理学者に加えて4人のアメリカ人がおり，その4人はそれぞれパイロット，建築家，医師兼ジャーナリスト，そして土壌学者だった。彼らは限りある資源をやり繰りしながら研究を行い，人間どうしのいさかいを避けるよう努めた。ドームから歩み出た後，乗組員たちはその体験について振り返り，将来の宇宙飛行に向けてそれが意味することは何かを熟考した。

フランス出身の乗組員シプリアン＝ヴェルソーは，模擬実験はミッションが成功する可能性を示していると語った。「私の個人的な印象で言うと，近い将来の火星へのミッションは実現可能です。技術的および心理的な障害は克服できます」とヴェルソーは語った。

ドイツ出身の乗組員クリスティアン＝ハイニッケは，科学者たちは乾燥した気候で自分が飲む水を見つけることができたと語った。「それがうまくいくと示せば，一見乾いているように見える土からも実際に水を得ることができるようになります。火星でもうまくいくでしょう。ということは，火星でもこの温室構造から水を得ることができるだろうということです」

乗組員のシェイナ＝ギフォードはドームを去る直前，宇宙飛行の将来についてブログに投稿し，2030年までに人間を火星に送るNASA（アメリカ航空宇宙局）の計画をほのめかしながら次のように語った。「真空状態で人が生き続けられる——火星でほんの1年の間健康でいられる——のに必要な条件がわかると，最低限自信を持って言えることは，私たちは宇宙に行くことで，熱と光と重力がある場所で健康でいられるのに必要な条件を知ることになる，ということだ。私たちはすでに取組みを始めて，数十年の間励んでいる。私も12か月連続で励んでいる。ほぼ365.25日，いつも待機状態だ」

彼女はまた，ドームを去るに当たっての直近の計画についても語った。「この先何が待っているか，ある程度はわかる。夫のベンがドアのすぐ外にいて，それから母と，兄と（彼の名前もベンだけど），そしてみんなも」

「それからなんだろう？　私はといえば，今は——休暇を取って出かけようかな」

それ以前に書いたブログでは，チームの下界との接触が制限されていたことをほのめかしながら，彼女は冗談めかして次のように語っていた。「この24時間，私はつらつらと，こんな名刺をこしらえてもらうことまで考えていた。『最近火星から戻ったばかり。ゆっくり話してくださいね。その歌・映画・高い地位につきそうな政治家・セレブの最新の配偶者や子どもや犬やタトゥーや「洋服がずれてチラリ事件」のネタを全然知らないことについては心からおわびします。一番いいのは，文化的レファレンス（特定の集団でのみ通じるような話題）は避けて，急に動いたりしないことですよ』」

ハワイ宇宙探査アナログシミュレーション（訳注：マウナロア山にあるドーム型施設の名称）のキム＝ビンステッド主席調査官は，模擬実験の研究者たちは海に飛び込んだり，ドームの中では手に入らなかった新鮮な産品などの食べ物を食べるのを心待ちにしていると語った。

この研究にはNASAが資金を出し，ハワイ大学を通じて運用された。ビンステッド氏によると，今回の模擬実験は，この種のものの中では520日続いたロシアのミッションに次いで2番目に長いものになったとのことだ。

1　マウナロア・ドームでの今回のミッションは，火星上の生活を模擬実験した過去のどの試みよりも長かった。

2　シプリアン＝ヴェルソーは，火星への飛行は技術的にも心理的にも可能になるだろうが，それには長い時間がかかると考えている。

3　マウナロア・ドームで行われた研究で示されたことは，土壌が乾いているように見えるときでも，水を含んでいる可能性があるということだ。

4　シェイナ＝ギフォードは，人類を火星に送ることで，将来の人々が熱，光，重力がなくても生活できるようになると考えている。

5　参加者は火星へのミッションに従事している間，音楽や政治や有名人に関する情報に接する機会が限られていた。

＊　＊　＊

1. 誤り。第1段落より，マウナロア・ドームで行われた模擬実験としては過去最長となったことが読み取れるが，最終段落より，他の場所で行われたものを含めると，ロシアのミッションに次いで2番目の長さだったことがわかる。

2. 誤り。本文には，ヴェルソー氏の発言として「近い将来の火星へのミッションは実現可能」とあり，長い時間がかかるとは述べていない。また，「技術的および心理的な障害は克服できる」という発言はあるが，火星への飛行が心理的に可能になるといった趣旨の発言はない。

3. 妥当である。

4. 誤り。本文には，ギフォード氏の発言として「宇宙に行くことで，熱と光と重力がある場所で健康でいられるのに必要な条件を知ることになる」と述べられており，熱と光と重力がなくても生活できるといった趣旨の発言はない。

5．誤り。「参加者」が従事していたのは火星へのミッションではなく，その模擬実験である。また，１年にわたる実験の間，参加者は下界とはほぼ隔離状態で生活したことが述べられており，ギフォード氏がブログに載せた文章の引用に「その歌・映画・高い地位につきそうな政治家・セレブの最新の…ネタを全然知らないことについては心からおわびします」とあるとおり，そうした情報とは無縁の生活を送っていたと考えられる。したがって，「…情報に接する機会が限られていた」という後半部分も不適である。

正答　3

令和２年度　一般論文試験

行政区分の一次試験で行われる。
出題数１題。
答案用紙はB4サイズで1,600字見当。
解答時間は１時間。

我が国では，2040年頃には，いわゆる団塊ジュニア世代が高齢者となり，高齢者人口がピークを迎える一方，現役世代が急激に減少する。そこで，2018年10月に設置された「2040年を展望した社会保障・働き方改革本部」の取りまとめにおいて，「健康寿命延伸プラン」が作成され，2016年時点において男性では72.14年，女性では74.79年となっている健康寿命を，2040年までに男女ともに３年以上延伸し，75年以上にすることが目標として掲げられた。なお，健康寿命とは，平均寿命から寝たきりや認知症など介護状態の期間を差し引いた期間である。

このような状況に関して，以下の図①，②，③を参考にしながら，次の⑴，⑵の問いに答えなさい。

⑴　我が国が健康寿命の延伸に取り組む必要性について，あなたの考えを述べなさい。
⑵　健康寿命の延伸を阻害する要因は何か，また，健康寿命を延伸するために国としてどのような取組が必要となるか。あなたの考えを具体的に述べなさい。

図①　健康寿命と平均寿命の推移

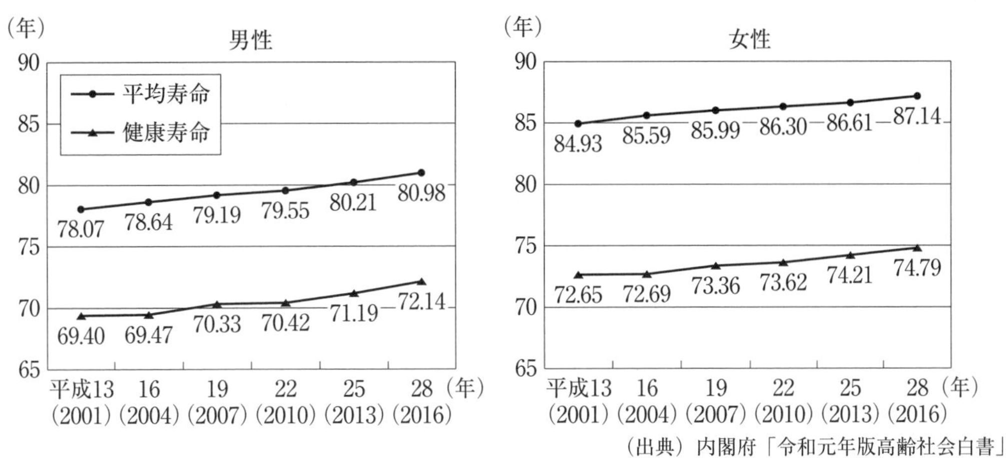

（出典）内閣府「令和元年版高齢社会白書」

図②　あなたは，何歳頃まで収入を伴う仕事をしたいですか（2014年）

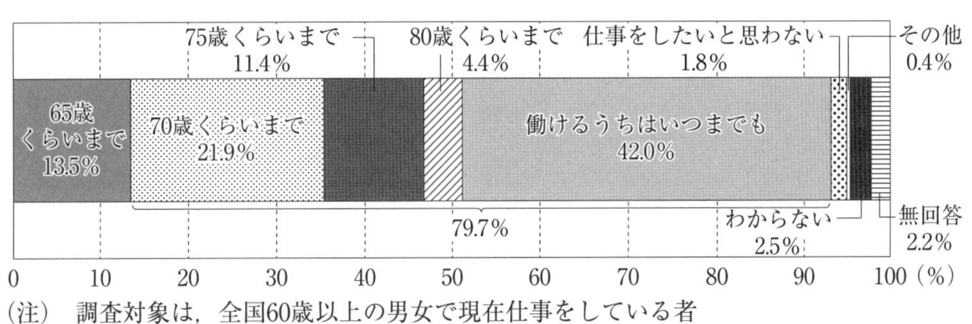

（注）　調査対象は，全国60歳以上の男女で現在仕事をしている者

（出典）内閣府「令和元年版高齢社会白書」を基に作成

図③　65歳以上の要介護者等の介護が必要となった主な原因（2016年）

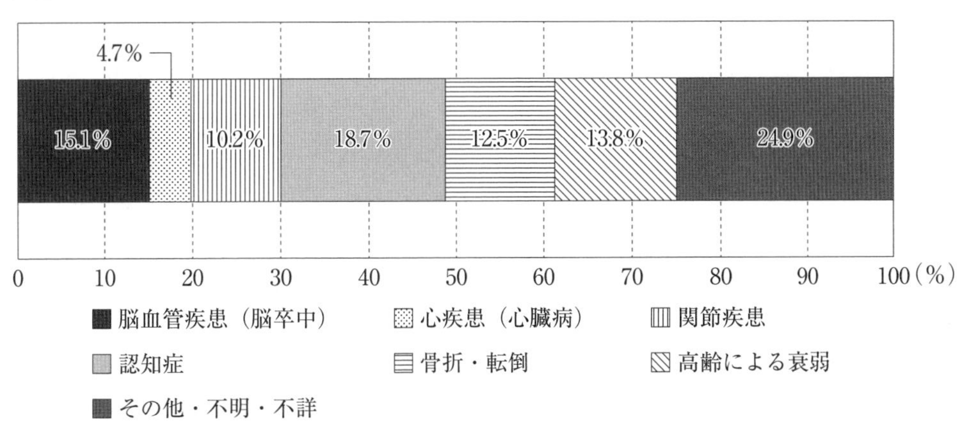

（出典）内閣府「令和元年版高齢社会白書」を基に作成

令和元年度試験出題例

出題内訳表

令和元年度　専門試験〈行政〉

No.	科目	出題内容	難易度	No.	科目	出題内容	難易度
択一式（16科目80題中８科目40題選択解答）							
1		平等（ロールズ，ノージック，サンデル，マルクス，セン）	B	41	財政学・経済事情　財政学	日本の財政制度等（国債発行，補正予算，公債の日銀引受け等）	B
2		ネイションとナショナリズム（ゲルナー，ホブスボーム等）	A	42		日本の財政事情（平成30年度一般会計，国債残高，社会保障関係費等）	B
3	政治学	政治心理（アーモンドとヴァーバ，イングルハート，フロム等）	B	43		日本経済事情（実質GDP成長率，民間最終消費支出，金融政策等）	B
4		議会と立法過程（ポルスビー，ブロンデル，アバーバック等）	B	44	経済事情	日本の労働市場（完全失業率と有効求人倍率，生産年齢人口，M字カーブ等）	B
5		戦後日本の政党政治（55年体制，革新自治体，細川政権等）	B	45		世界経済（先進国と新興国等の成長率，各国の金融政策等）	B
6		行政組織（３要素，コンティンジェンシー理論，鉄格子効果等）	B	46		経営組織（バーナード，テイラー，ファヨール，マーチとオルセン）	B
7		アメリカ行政学（グッドナウ，アップルビー，新行政学運動等）	B	47		企業の戦略（創発的戦略，取引コスト理論，製品ライフサイクル等）	B
8	行政学	日本の行政のあり方の見直し（PFI，指定管理者制度，パブリックコメント等）	B	48	経営学	技術経営（ゲート・キーパー，オープン・イノベーション等）	A
9		地方自治（道州制，地方自治の本旨，米国の市会・市支配人制等）	C	49		国際経営（標準化と現地化，OLIパラダイム，海外子会社の役割等）	A
10		行政活動の能率と評価（行政相談，政策評価，PPBS等）	B	50		動機づけ（メイヨー，マズロー，ハーズバーグ，マグレガー，デシ）	B
11		思想および良心の自由（強制的な調査，企業，君が代，謝罪広告等）	C	51		国際関係理論（リベラリズム，相互依存論，民主的平和論等）	B
12		表現の自由（著作者と公立図書館，職業の秘密，インターネット等）	B	52		外交史（ウィーン体制，ヴェルサイユ体制，ヤルタ会談等）	B
13	憲法	労働基本法（社会権・自由権としての意味，ユニオン・ショップ協定等）	B	53	国際関係	国際機構と国際的枠組み（安全保障理事会，PKO，MDGs等）	C
14		国会（会期の決定，会期の延長，特別会の招集，会期不継続の原則等）	B	54		人道的介入（ソマリア，ボスニア・ヘルツェゴビナ，コソボ等）	B
15		最高法規性（基本的人権，投票価値の不平等，国務行為，条約等）	B	55		国際人権法の発展の礎となった条約（英文）	B
16		行政契約（随意契約，給水契約，廃棄物の処分，指名競争入札等）	A	56		都市と地域社会（バージェス，カステル，フィッシャー等）	B
17		行政上の義務履行確保（農業共済組合の強制徴収，執行責任者等）	B	57		国家（テンニース，ウォーラーステイン，ハーバーマス等）	B
18	行政法	行政事件訴訟法上の出訴期間（出訴期間の長さ，取消訴訟等）	B	58	社会学	マートンの理論（予期的社会化，中範囲の理論，顕在的機能等）	B
19		取消訴訟の判決（請求の棄却，事情判決，効力，申請に対する処分等）	B	59		情報伝達（リップマン，モラン，マコームズとショー等）	B
20		国家賠償（職務上の行為の過程，国会議員が国会で行った質疑等）	B	60		社会変動（コント，スペンサー，オグバーン，パレート，ベル）	B
21		法人（権利能力のない社団の資産，政党への政治資金の寄附等）	A	61		人間の記憶（フラッシュバック，健忘症，環境的文脈，事後情報効果）	S
22		代理（復代理人，意思表示，本人の追認，代理権の消滅等）	B	62		情動や感情（ジェームズとランゲ，シャクター，トムキンス等）	A
23	民法（総則及び物権）	占有権（代理人の占有，収取した果実，相続財産，所有権者等）	B	63	心理学	学習理論（レスポンデント条件付け，系統的脱感作法，学習の転移等）	B
24		抵当権（消滅時効，抵当権の実行，物上代位権，抵当不動産等）	A	64		子どもの定型的な発達（対象の永続性，心の理論，アタッチメント等）	A
25		法定地上権	A	65		承諾を得るための要請法（ロー・ボール法，ドア・イン・ザ・フェイス法等）	B
26		保証（時効の中断，時効の援用，求償，保証債務の成立）	B	66		子どもの権利条約（空欄補充）	C
27		相殺（保証人，不法行為に基づく債権，消滅の効力，意思表示等）	A	67		第二次世界大戦後の日本の教育改革における男女平等	B
28	民法（債権，親族及び相続）	契約の解除（履行の催告，解除権の消滅，所有権移転等）	B	68	教育学	日本の子ども・若者の現状（白書等のデータ）	A
29		委任（報酬の支払い請求，成立，解除，受任者等）	A	69		日本における児童等に加える懲戒および体罰（法規定，解釈）	C
30		親子（非嫡出子の親子関係，父子関係不存在確認の訴え，利益相反行為等）	A	70		日本における学力観および教育課程の変遷	A
31		価格変更後に元の効用水準を実現するのに必要な最小所得（計算）	B	71		内容把握（携帯端末普及による悪影響）	B
32		労働供給関数（計算）	B	72		内容把握（助産婦の減少による自宅出産の減少）	B
33	ミクロ経済学	環境被害をもたらす企業の利潤最大化生産量と社会的最適な生産量（計算）	B	73	英語（基礎）	内容把握（植物が地上にもたらす水分量）	B
34		外部不経済に関して交渉する場合としない場合の２企業の利潤総額（計算）	B	74		空欄補充（太陽エネルギーと環境問題）	C
35		期待効用（豊作または不作に直面する農家の就業選択）（計算）	B	75		文法	B
36		GDPギャップ（計算）	C	76		内容把握（ヨーロッパにおける軍事同盟の重要性）	A
37		予想インフレ率を含んだマクロ経済モデルの均衡国民所得（計算）	B	77		内容把握（オーストラリアのリサイクル問題）	B
38	マクロ経済学	２期間消費モデル（２期目の所得増を予想時の１期目の消費の変化）（計算）	B	78	英語（一般）	内容把握（コンピュータによる小説執筆補助）	B
39		新古典派投資理論（利子率変更時の粗投資量）（計算）	A	79		内容把握（メスのみのシロアリコロニーの発見）	B
40		ソロー成長モデルにおける資本労働比率の収束値（計算）	B	80		内容把握（気候変動が地中海沿岸の世界遺産に与える危機）	B

※難易度：S＝特に難しい，A＝難しい，B＝普通，C＝易しい。

国家一般職
[大卒]
No. 1
専門試験
政治学　平　等　令和元年度

平等に関する次の記述のうち，妥当なのはどれか。

1　J. ロールズは，『正義論』において，正義の第一原理として「平等な自由の原理」，第二原理として「格差原理」を示した。このうち，第一原理における自由とは，最低限の市民的・政治的自由に限られず，自由一般を指す。また，第二原理においては，全ての市民の間に絶対的な平等を達成することが求められると主張した。

2　R. ノージックは，警察・国防業務と私的な契約の執行のみを担う最小国家の構想を批判した。そして，国家が再分配政策を用いて，富裕層の保有資源を貧困層に移転することは，富裕層の合理的な意思に基づくものであるとして，正当化されるとした。

3　M. サンデルは，国家が行う様々な政治活動を，他者と共有する共通善の実現活動として捉える考え方を批判した。そして，平等で正義にかなった意思決定を行うためには，共同体の規範とは独立した目的や独自の善悪の観念を持ち，何の負荷も課されていない自己として思考することが条件であると主張した。

4　K. マルクスは，資本主義社会においては，個々の資本家と労働者は法的に自由で対等な個人として契約を結ぶことができないと主張した。したがって，資本家階級と労働者階級の間の不平等を解消するため，私的財産制度を存続させつつ計画経済を軸とする共産主義社会に移行しなければならないとした。

5　A. センは，単に資源配分の平等性だけでなく，人間が現実に享受する「福利」の平等を保障すべきであるとした。また，各人が多様な資源を活用して自らの生の質を高め福利を実現するための能力を「潜在能力」と呼び，この能力の平等化を目指すべきと主張した。

1．ロールズは，正義の第一原理として「平等な自由の原理」，第二原理として「機会均等原理」と「格差原理」を示した。第一原理における自由とは，自由一般ではなく，最低限の市民的・政治的自由（投票権や言論・出版の自由など）をさす。また，第二原理においては，社会的・経済的不平等は，機会均等が保障され，かつ，最も不遇な人々の最大の便益に資する限りにおいて認められると主張した。したがって，ロールズは，すべての市民の間で絶対的な平等が達成されるべきだと主張したわけではなく，第二原理が妥当する範囲内で一定の格差が生じることは認めていたといえる。

2．ノージックは，警察・国防業務と私的な契約の執行のみを担う最小国家の構想を掲げた。そして，国家が再分配政策を用いて，富裕層の保有資源を貧困層に移転することは，富裕層の権原（＝ある行為を法的に正当化する法律上の原因）の侵害に当たるとして，福祉国家を正当化したロールズを批判した。

3．サンデルは，国家が行うさまざまな政治活動を，他者と共有する共通善の実現活動としてとらえた。そして，共同体の規範とは独立した目的や独自の善悪の観念を持ち，何の負荷も課されていない個人（「負荷なき自己」）など存在しないとして，負荷なき自己を想定するロールズなどの自由主義を批判した。

4．マルクスは，資本家階級と労働者階級の間の不平等を解消するためには，労働者による革命を通じて私的財産制度（私有財産制度）を廃止し，計画経済を軸とする共産主義社会に移行しなければならないとした。

5．妥当である。現代平等論は，「資源主義」と「福利主義」に大別される。「資源主義」とは，資源配分の平等性を重視する立場を意味しており，ロールズやR. ドゥオーキンが代表的論者とされる。これに対して，「福利主義」とは，資源を利用して得られる福利の平等を重視する立場を意味しており，センが代表的論者とされる。センは，資源を活用して福利を実現するための能力を「潜在能力（ケイパビリティ）」と呼び，その重要性を指摘した。そのアイデアは国連開発計画（UNDP）の人間開発指数（HDI）にも生かされている。

正答 5

国家一般職［大卒］ No. 2 専門試験

政治学 ネイションとナショナリズム 令和元年度

ネイションとナショナリズムに関する次の記述のうち，妥当なのはどれか。

1 E. ルナンは，ネイションの形成に関して，言語，慣習，宗教といった，客観的とみなされる固有の文化的属性に専ら着目する立場をとった。そして，ネイションは政治共同体の構成員の選択と同意によって作られる，とする考え方を批判した。

2 E. ゲルナーは，ナショナリズムを「政治的な単位と文化的な単位の一致を求める政治原理」と定義した。その上で，産業化によって均質な労働力が大量に必要とされ，社会の中で平準化が進み，人々はネイションへの帰属意識を持つようになったと主張した。

3 B. アンダーソンは，ネイションとは，あくまで相互に直接対面可能な範囲で居住する他者との間でのみ成立するものであるとした。そして，新聞・書籍等の印刷物が普及して以降は，「想像の共同体」としてネイションが作られることはないと主張した。

4 E. ホブスボームは，ネイションの伝統は，古代から自然発生的に存在していたものを基礎とするのであり，国家によって新たに発明される性質のものではないとした。その上で，人々は捏造された政治的シンボルを伝統として引き継ぐことはないとした。

5 A. スミスは，ネイションとは，工業化や産業の発展等によって近代に構築されたエスニックな共同体である「エトニー（エスニー）」を基礎としているとした。そして，このエトニーは，祖先に関する神話，同質的な文化等の前近代の伝統と関わりなく確立したと主張した。

1．ルナンは，ネイションの形成に関して，言語，慣習，宗教といった，客観的とみなされる固有の文化的属性に注目する立場を批判し，ネイションは政治共同体の構成員の選択と同意によって作られると主張した。「国民の存在は日々の人民投票である」というルナンの言葉は，これを物語っている。

2．妥当である。ゲルナーは，ナショナリズムを近代に特有の現象ととらえ，産業化によって社会の平準化が進むとともに，ナショナリズムが勃興したと主張した。

3．アンダーソンは，ネイションとは，家族などとは異なり，相互に直接対面可能な範囲を越えて成立するものであるとした。そして，出版資本主義が勃興し，新聞・書籍等の印刷物が普及して以降は，「想像の共同体」としてネイションが作られるようになったと主張した。

4．ホブスボーム（ホブズボーム）は，ネイションの伝統は，近代以前の歴史的記憶や文化要素をもとに，国家によって新たに発明されたものであるとした。そして，ねつ造された政治的シンボルは，教育等を通じて反復されていくことで自然化し，伝統として引き継がれていくとした。

5．スミスは，ネイションとは，近代以前に構築されたエスニックな共同体である「エトニー（エスニー）」を基礎としているとした。そして，このエトニーは，祖先に関する神話，同質的な文化等の前近代の伝統と密接に結びつきながら確立したと主張した。

正答　2

政治学
行政学
憲法
行政法
民法
経済理論
財政学

国家一般職［大卒］
専門試験

No. 3 政治学 政治心理 令和元年度

政治心理に関する次の記述のうち，妥当なのはどれか。

1　G. アーモンドと S. ヴァーバは，1960年代に米国，英国，西ドイツ，イタリア，メキシコの5か国で参与観察を行い，政治文化の比較を行った。彼らは，政治文化を未分化型，臣民型，参加型の3タイプに分類したうえで，これら三つが混在した状態は民主政治の不安定化につながると説いた。

2　R. イングルハートは，第二次世界大戦後から1970年代という経済的繁栄と平和の時代に，先進産業諸国の国民に価値観の変化が生じたと主張している。彼の議論によると，この時期に幼年期を過ごした世代では，それまでの世代に比べ，自己実現といった非物質的価値を重視する「脱物質主義的価値観」が強い。

3　E. フロムは，『自由からの逃走』において，世論調査データの分析結果から，ドイツ人が自由主義的性格を強く持った民族であると主張した。この研究を批判した T. アドルノは，精神分析的手法を用いてドイツ社会を考察し，ナチズムの心理的基盤となった，ドイツ人の権威主義的性格について指摘した。

4　自分が政治から影響を受けているという有権者の感覚を「政治的有効性感覚」と呼ぶ。政治的有効性感覚は，有権者自身が政治の動きを理解できるといった自己能力に関する「外的有効性感覚」と，政治家や議会などが有権者の期待に応えてくれるかに関する「内的有効性感覚」に分類できる。

5　三宅一郎は，「政党支持の幅」という概念を用いて，日本人の政党支持態度の特徴を説明した。彼によると，日本の有権者は，特定の政党を安定的に支持し続ける傾向があるという点で，支持の幅が狭い。三宅はまた，我が国では，絶対に支持したくないという「拒否政党」を持つ有権者が存在していないと主張した。

1. アーモンドとヴァーバは，未分化型，臣民型，参加型という３つの政治文化が混在した状態こそが民主政治の安定化につながるとして，これを市民文化と呼んだ。

2. 妥当である。イングルハートは，脱物質主義的価値観を持つ新しい世代が登場してきており，それに伴って新しい社会運動や政治状況の変化がもたらされつつあると主張した（『静かなる革命』）。

3. フロムは，精神分析的手法を用いてドイツ社会を考察し，ナチズムの心理的基盤となった，ドイツ人の権威主義的性格について指摘した（『自由からの逃走』）。これに対して，アドルノは，人々がどの程度権威主義的であるかを測定するための「Ｆ尺度」を開発するとともに，大規模な世論調査を実施し，権威主義的性格の特徴を明らかにした（『権威主義的パーソナリティ』）。

4. 政治的有効性感覚は，有権者自身が政治の動きを理解できるといった自己能力に関する「内的有効性感覚」と，政治家や議会などが有権者の期待に応えてくれるかに関する「外的有効性感覚」に分類できる。

5. 三宅一郎によると，日本の有権者は，特定の政党を安定的に支持し続けるよりも，一定の幅を持って，複数の政党の中から投票先を決定する傾向が強い（「政党支持の幅」）。三宅はまた，わが国では，絶対に支持したくないという「拒否政党」を持つ有権者が数多く存在していると主張した。

正答　2

政治学
行政学
憲法
行政法
民法
経済理論
財政学

国家一般職［大卒］ No. 4 専門試験

政治学　議会と立法過程　令和元年度

議会と立法過程に関する次の記述のうち，妥当なのはどれか。

1　N. ポルスビーは各国の議会を類型化した。米国連邦議会を典型とする「変換型議会」は，社会の様々な要求を実質的に法律に変換する機能を果たす。これに対して，英国議会を典型とする「アリーナ型議会」は，与野党が次回の選挙を意識しながら，争点や各政党の政策の優劣を争う場として機能する。

2　J. ブロンデルは議会の「粘着性（ヴィスコシティ）」という概念を提唱した。これは，野党が様々な手段を用いて，議員提出法案の成立を促すという議会の能力を指す。M. モチヅキによると，我が国の国会は，二院制，委員会制，会期制を採っているなどの理由で審議時間が十分に確保されており，粘着性が高い。

3　英国議会では，三回の読会を通して法案審議が行われる。最も実質的な審議が行われる第二読会では，バックベンチャーと呼ばれる政府と野党の有力議員が議場で向かい合い，法案の原則等について討論する。この審議は全て委員会の場で行われるため，英国議会の在り方は委員会中心主義と呼ばれる。

4　J. アバーバックらは，欧米各国の政治家と官僚に質問調査を行い，立法過程の解明を試みた。その結果，多くの国で，政治家と官僚の役割は明確に区別されていることが明らかとなった。官僚の業務は政策の実施に限定されており，政策の立法化や利害の調整を行うのは専ら政治家の役割であることが示された。

5　戦後日本における法案の作成過程では，与野党による事前審査が大きな役割を果たしてきた。この仕組みの下では，内閣提出法案は全て，与野党の国会対策委員会の間の折衝によって内容が決められたのち，国会に提出されていた。しかしこの仕組みは，2000年代の小泉純一郎内閣の時期に全廃された。

1. 妥当である。ポルスビー（ポルズビー）は「変換型議会」と「アリーナ型議会」を対比し，それぞれの特徴を明らかにした。

2. ブロンデルのいう「粘着性（ヴィスコシティ）」とは，野党がさまざまな手段を用いて，政府提出法案の成立を妨げるという議会の能力をさす。モチヅキによると，わが国の国会の粘着性は高いが，その理由としては，会期制と会期不継続の原則をとっていることで審議時間が必ずしも十分に確保されていないこと，二院制や委員会制をとっていることで野党が参議院や特定の委員会を抵抗の拠点としうること，などが挙げられている。

3. 英国議会では，本会議が３回に分けて開催され，法案の朗読（第１読会），実質的な審議（第２読会），採決（第３読会）が順次行われている。これを三読会制という。第２読会と第３読会の間で委員会も開催されるが，技術的観点から細かな修正が施されるにすぎず，法案の審議・採決はあくまでも本会議において行われる。こうした点から，英国議会のあり方は本会議中心主義と呼ばれている。また，第２読会において討論を行うのは，フロントベンチャーと呼ばれる政府と野党の有力議員である。バックベンチャーとはいわゆる陣笠議員（＝一般議員）のことであり，討論で重要な役割を果たすことはない。

4. アバーバックらは，官僚の役割が次第に拡大し，従来は政治家に固有の役割とされてきた領域にまで浸透していると主張した。たとえば，政策の立法化や利害の調整は，もともと政治家に固有の役割とされていたが，現在では政治家と官僚がともにこれらを果たすように変化してきたとされる。

5. 戦後日本（特に55年体制の成立以降）における法案の作成過程では，「与党」による事前審査が大きな役割を果たしてきた。こうした慣行が形成されたのは，国会において法案を成立させるうえで，国会（特に衆議院）で過半数を占める与党議員の賛成が必要なためである。与野党の国会対策委員会は，国会の審議日程等を非公式に調整する役割等を担うものであり，法案の事前審査を行うことはない。また，与党による法案の事前審査は，2000年代以降，自民党の小泉内閣や民主党の鳩山内閣の下で一時行われなくなったが，その後復活して今日に至っている。

正答　1

政治学
行政学
憲法
行政法
民法
経済理論
財政学

国家一般職［大卒］ 専門試験

No. 5 政治学 戦後日本の政党政治 令和元年度

戦後日本の政党政治に関する次の記述のうち，妥当なのはどれか。

1 1955年に，それまで左派と右派に分裂していた日本社会党が統一された。この動きに対抗して，同年に，保守政党の側でも日本民主党と自由党が合併し，自由民主党が結成された。国会における自由民主党と日本社会党の議席数の割合から，当時の政党システムは「1か2分の1政党制」と称された。

2 1960年代になると，自由民主党が国会における議席数を漸減させた一方，民主社会党（後に民社党と改称）や公明党といった中道政党が進出したことで，与党陣営の多党化が進んだ。他方この時期，日本社会党に対する支持は高まる傾向にあり，1970年代には，国会における野党の議席数が，全体として与党の議席数と伯仲するようになった。

3 1960年代から1970年代にかけて，農村部の地方自治体を中心に，日本社会党や日本共産党に支援された革新系首長が次々に誕生した。こうした地方自治体は「革新自治体」と呼ばれる。多くの革新自治体では，老人医療費への補助が減額されるなど福祉政策の見直しが進められ，自治体財政の再建が実現された。

4 1980年代には，バブル崩壊後の深刻な経済的停滞を背景として，多くの有権者が安定政権を志向するようになり，自由民主党の支持率が回復した。この現象を「保守回帰」という。1986年の衆議院議員総選挙及び1989年の参議院議員通常選挙に大勝した結果，自由民主党は衆参両院で総議席数の3分の2以上を占めるに至った。

5 1993年に，消費税導入の是非を巡って，自由民主党が分裂し，新党が結成された。その直後に行われた衆議院議員総選挙の結果，自由民主党は衆議院の過半数の議席を確保できなかったため，自由民主党・日本新党・新党さきがけ三党の連立政権が組まれることとなった。新政権の首班には，新党さきがけ党首の細川護煕が就いた。

1．妥当である。1955年以降，「自由民主党」対「日本社会党」という対立図式の下で，わが国の政治は展開されることとなった。これを55年体制という。55年体制においては，当初，自由民主党と日本社会党の議席数が約２対１であったことから，升味準之輔はこれを「１か２分の１政党制」（今日の表現では「１と２分の１政党制」）と呼んだ。

2．1960年代になると，自由民主党が国会における議席数を漸減させた一方，日本社会党から分派した民主社会党（後に民社党と改称）や宗教団体の創価学会を支持母体とする公明党が国会に進出したことで，野党陣営の多党化が進んだ。その結果，日本社会党への支持は減少するようになったが，1970年代には，田中角栄元首相が賄賂を受け取ったとして起訴されたロッキード事件の影響もあって，国会における自民党の議席数が大きく減少し，与野党伯仲の状況が生まれた。

3．1960年代から70年代にかけて，高度経済成長のゆがみが顕在化してきた都市部の自治体を中心に，日本社会党や日本共産党に支持された革新系首長が次々に誕生した。こうした自治体（「革新自治体」）では，福祉水準の向上が図られたため，しばしば財政状況が悪化した。なお，この時期の農村部は，農業者が政府補助金の恩恵を受けたことなどもあって，自由民主党の地盤となっていた。

4．1980年代後半には，ロッキード事件の影響が薄れるとともに，バブル経済につながる好景気が続いたことから，自由民主党の支持率が回復した（「保守回帰」）。また，自由民主党は，1986年の衆議院議員総選挙では500議席中304議席（追加公認を含む）を獲得して圧勝したが，1989年の参議院議員通常選挙では改選第１党の座を日本社会党に奪われ，惨敗した。いずれも，自由民主党の議席数は総議席数の３分の２に達していない。

5．1993年には，宮沢喜一内閣による政治改革を巡って自由民主党が分裂し，新党さきがけや新生党が結成された。その直後に行われた衆議院議員総選挙の結果，自由民主党が第１党となったものの，過半数の議席を確保できず，日本社会党・新生党・公明党・日本新党・民社党・新党さきがけ・社会民主連合・民主改革連合による非自民・非共産連立内閣が誕生した。新政権の首班には，日本新党党首の細川護熙が就いた。

正答　1

国家一般職［大卒］ No. 6 専門試験

行政学 行政組織 令和元年度

行政組織に関する次の記述のうち，妥当なのはどれか。

1 現代組織論は，ライン・スタッフ理論を提唱し，ライン系統の組織の管理者を補佐するためには，それとは別系統のスタッフによる組織の必要性を指摘し，原則として，スタッフ系統組織はライン系統組織に対して命令を行うべきであるとした。

2 C.I.バーナードは，組織が成立するためには，相互に意思を伝達できる人々がおり，それらの人々が行動により貢献しようとする意欲があり，共通目的の達成を目指すという三つの要素が必要であるとした。

3 コンティンジェンシー理論によれば，安定的な環境では，規則や手続を整備することなく責任の所在が明確な非官僚制的組織となる一方，不確実性の高い環境では，規則や手続を整備することで臨機応変な対応が可能な官僚制的組織となる。

4 英国では，議会制民主主義を重視し，伝統的に，行政組織の編制を変更する場合には，議会制定法である行政組織法の改正が必要であり，内閣が裁量によって行政組織の編制を決定することは認められておらず，行政組織の編制は1970年代以降安定している。

5 西尾勝は，日本の中央省庁の組織編制の決定と管理が，自治基本条例によって厳格に管理されている一方，国家公務員の定員は総定員法や定員審査の下で増員が容易に行われていることを，鉄格子効果と名付けた。

解説

1. ライン・スタッフ理論は，命令系統の一元化に基づいて意思決定を行うライン系統組織の管理者を補佐する者の必要性を説いており，これらの議論は，現代組織論ではなく，古典的組織論に位置づけられる。原則として，スタッフ系統組織は，ライン系統組織に助言を行うのであり，命令を行うことが役割ではない。

2. 妥当である。

3. コンティンジェンシー理論では，安定的な環境では，事態を予測して規則や手続きが整備されるため，責任の所在が明確な官僚制的組織が適合的である。それに対して，不確実性の高い環境では，事態の予測が難しいため，規則や手続きを整備することができず，状況に応じて臨機応変な対応が必要となる。そのため，官僚制的組織ではなく，非官僚制的組織が適合的となる。

4. イギリスの行政組織の編制は，議会制定法ではなく，内閣の裁量による枢密院令で定められている。内閣の交代によって，行政組織の編制は変更されることが一般的であり，安定しているとはいえない。

5. 西尾勝によれば，日本の中央省庁の組織編成の決定と管理は，国家行政組織法によって厳格に管理されている。さらに，国家公務員の定員も，総定員法や定員審査の下で容易に増員ができないようになっており，組織と定員の両面で環境変化に応じた変更が難しい状況を，鉄格子効果と呼んだ。

正答 2

国家一般職
［大卒］ No. 7 専門試験

行政学　アメリカ行政学　令和元年度

アメリカ行政学の学説に関する次の記述のうち，妥当なのはどれか。

1　後に第28代米国大統領となるW.ウィルソンは，論文「行政の研究」の中で，行政の領域を司法固有の領域の外にある「政治の領域」として捉え，司法から切り離された行政と猟官制を確立する必要性を説いた。

2　F.グッドナウは，『政治と行政』で，政治と行政の関係性を考える中で，政治を住民意思の表現，行政を住民意思の執行であるとして，民主政治の下では住民意思の執行である行政に対する政治的統制は，いかなる場合においても行われるべきではないとした。

3　P.アップルビーは，行政とは政策形成であり，一連の政治過程の一つとしていたが，ベトナム戦争での行政官としての職務経験から，政治と行政の断絶性を指摘するようになり，後に政治行政二分論を唱えた。

4　L.ギューリックは，W.タフト大統領による節約と能率に関する大統領委員会に参画した際，組織管理者の担うべき機能として，忠誠心，士気，意思疎通という三つが行政管理において重要であるとし，それらの頭文字によるPOSDCoRBという造語を示した。

5　新行政学運動は，既存の行政学の関心は検証可能な科学的知識にあると捉え，それに対し，これからの行政学にとって重要なのは，より社会に対して有意な指針となる規範的な知識や，社会的公正（公平）という価値への関与であるとする運動である。

解説

1．ウィルソンは，原則として政治と行政の関係性を問題としたのであり，政治・行政と司法との関係性ではない。行政の領域を，政治固有の領域の外にある「ビジネスの領域」としてとらえ，政治から切り離された行政とそれを支えるメリット・システム（資格任用制）を確立する必要性を説いた。

2．グッドナウは，政治を国家意思の表現，行政を国家意思の執行であるとした。ウィルソン同様に，政治と行政の分離を説いたが，民主政治の下では，行政に対する政治的統制は，必要な限度において行われるべきであるとした。

3．アップルビーは，行政とは政策形成であり，一連の政治過程の一つであるとして，政治行政融合論を唱えた。当時，アメリカで行政官としてニューディール政策に参画した経験に基づき，それまでの政治行政二分論に代えて，より現実を反映した理論として提唱するようになった。

4．ギューリックが参画したのは，フランクリン＝ローズヴェルト大統領が設置した「行政管理に関する大統領委員会」（ブラウンロー委員会）であった。その中で，組織管理者の担うべき機能として，企画，組織，人事，指揮監督，調整，報告，予算の７つの機能を指摘した。POSDCoRBは，これらの頭文字をとった造語である。

5．妥当である。

正答　5

国家一般職 [大卒] No. 8 専門試験

行政学 日本の行政のあり方の見直し 令和元年度

我が国における行政の在り方の見直しに関する次の記述のうち，妥当なのはどれか。

1 三位一体改革の一つとして導入されたPFIは，国の行政に関わる事業のみを対象とし，道路，空港，水道等の公共施設や，庁舎や宿舎等の公用施設の建設と維持管理について，民間事業者に委ねるものである。今後，地方公共団体の事業にPFIを導入することが課題となっている。

2 「行政機関の保有する情報の公開に関する法律」の制定により，国民主権の理念に基づいて，日本国民に限って行政機関が保有する行政文書に対する開示請求が可能となった。ただし，電磁的記録は，開示請求の対象とはされていない。

3 民間委託は，施設の運営をはじめとして，窓口業務，清掃，印刷等の地方公共団体における様々な業務に広く導入されている。平成15（2003）年には，指定管理者制度が導入され，民間事業者やNPO法人等に対し，包括的に施設の管理や運営を代行させることが可能となった。

4 市場化テストとは，毎年度，経済産業省が中心となって対象事業を選定し，官民競争入札等監理委員会の審議を経て実施されているものである。この市場化テストは，民間事業者が事業を落札することを前提に運営されているため，政府機関が入札に参加することはできない。

5 政令や府省令等の制定・改正を必要とする行政施策を決定する前に，広く一般の意見を聴取する意見公募手続（パブリックコメント）が行われている。これは，政策に利害関係を有する個人が施策決定前に意見を表明できる機会であり，書面の持参による提出のみが認められている。

解説

1．三位一体の改革は，国と地方公共団体の間の税や交付金の仕組みに関する改革であり，PFIとの関係はない。PFIは，1999年に制定されたPFI法（民間資金等の活用による公共施設等の整備等の促進に関する法律）に基づいて国と地方公共団体双方に導入された。

2．情報公開法は，日本国民に限らず，「何人も」開示請求が可能であるとする。また，電磁的な記録も開示請求の対象とされている。

3．妥当である。

4．市場化テストを推進しているのは，内閣府であり，対象事業の選定も内閣府が中心となって行っている。民間事業者のみならず，政府機関も入札に参加することができる。

5．パブリックコメントは，政策に利害関係を有する個人だけではなく，広く一般国民が意見を表明することができる。一般的には，インターネット上のフォームへの入力，電子メール，郵送，FAXにより提出する。地方公共団体では，書面の持参も認められていることが多い。

正答 3

No. 9 専門試験 行政学 地方自治 令和元年度

地方自治に関する次の記述のうち，妥当なのはどれか。

1　平成の大合併では，「民主化」政策において，地方分権を進めるためには，おおむね中学校一つの運営規模に当たる8,000人を人口の基準として，市町村を構成する必要があるとされ，その結果として，市町村の数は約3,200から約1,800に減少した。

2　道州制とは，北海道に現在と同じ「道」，日本国内の一定規模以上の地域に「州」を設置し，都道府県よりも広域的な行政を行おうとする仕組みであり，第三次安倍晋三内閣の重要政策として，平成29（2017）年に一億総活躍国民会議が，現在の都道府県を統廃合した道州制案を提案した。

3　大阪市は東京市，京都市，千葉市とともに府県からの独立を求めて，特別市制運動を展開していた。しかし，第二次世界大戦中に都市の防衛が課題になるにつれ，大阪府と大阪市の二重行政の解消が課題となったことから，大阪市を廃止し，これを大阪府に吸収合併して，新たな大阪府を創設した。

4　日本国憲法に定められた地方自治の本旨とは，住民自治と団体自治の原理であり，前者は地域住民の自律的な意思に基づいて地域の統治が行われること，後者は国内の一定地域の公共団体が中央政府から組織的に独立し，その地域を自主的に運営することと一般的に理解されている。

5　米国の地方自治における市会・市支配人制は，議会の議員と市支配人（シティーマネージャー）がそれぞれ住民の選挙で選出され，議会が政策の立案，市支配人が政策の執行に当たる仕組みであり，市支配人は，議会ではなく住民に対して行政の運営の責任を負っている。

解説

1．「民主化」政策に基づいて地方分権を進めようとしたのは，戦後改革においてである。中学校一つの運営規模に当たる8,000人を人口の基準として市町村合併を進めようとしたのは，昭和の大合併であり，それぞれ，2000年代に行われた平成の大合併とは時期が異なる。

2．道州制は，戦前よりさまざまに議論されてきているが，第３次安倍政権の重要政策ではない。近年では，小泉純一郎内閣で議論されており，2006年に第28次地方制度調査会が道州制案を示し，続く第１次安倍内閣では，道州制担当大臣が置かれるなどした。

3．特別市制運動は，東京市が東京府からの独立を求め，同様に大都市であった京都市，大阪市の３大市，さらには，名古屋市，横浜市，神戸市の６大市が展開した運動である。第二次世界大戦中には，東京府と東京市の二重行政の解消が課題となり，東京市を廃止し，東京府に吸収合併し，新たな東京都が創設された。戦後，政令指定都市制度が作られることでその他の市はそれに移行した。千葉市は，これらよりも遅く，1992年に政令指定都市に移行した。

4．妥当である。

5．市支配人制は，選挙によって選出された議員が，議員以外の人材を市支配人（シティーマネージャー）として任命する制度である。市支配人は，任命者である議会に対して責任を負う。

正答　4

国家一般職［大卒］ No. 10 専門試験

行政学 行政活動の能率と評価 令和元年度

行政活動の能率と評価に関する次の記述のうち，妥当なのはどれか。

1 行政相談は，総務大臣から委嘱された行政相談委員が，国民から国の行政全般についての苦情や意見，要望を受け付け，中立・公正の立場から関係行政機関に必要なあっせんを行い，その解決や実現を促進し，それらを通じて行政の制度と運用の改善を図るための仕組みである。

2 政策評価制度は，市町村レベルでの導入が先行して進められ，三重県津市の事務事業評価システム，北海道札幌市の政策アセスメント，静岡県静岡市の業務棚卸表等が知られている。そうした実践を受けて，平成29（2017）年に国レベルで政策評価制度を導入する「行政機関が行う政策の評価に関する法律」が成立した。

3 政策評価では，投入した費用であるインプット，行政の活動量を示す結果であるアウトカム，実際に社会が変化したかという成果であるアウトプットが主な指標となっている。結果であるアウトカムは，経済情勢等の要因も影響して変化するため，政策によるものかどうかの判断が難しいとの指摘がある。

4 G. W. ブッシュ政権下の米国連邦政府では，D. ラムズフェルド国防長官の就任に伴って，年々の予算編成過程で費用便益分析（費用効果分析）の手法を活用しようとする計画事業予算制度（PPBS: Planning, Programming, and Budgeting System）が導入された。

5 C. リンドブロムは，問題を根本的に解決する政策案の検討が重要であり，実現可能性の有無にかかわらず，政策案を網羅的に比較し，検討する必要性があるとする増分主義（インクリメンタリズム）を提唱し，その中から最適なものを選択すると，政策実施後の評価が最小限の費用や時間で行われるとした。

1．妥当である。

2．政策評価制度は，当初，都道府県レベルでの導入が先行して進められた。具体的には，三重県の事務事業評価システム，北海道の政策アセスメント，静岡県の業務棚卸表等が知られている。その影響を受けて，2001年に，国レベルで政策評価制度を導入する法律（行政機関が行う政策の評価に関する法律：政策評価法）が制定された。

3．行政の活動量を示す結果を意味するのは，アウトプットであり，それが実際に社会を変化させたかという成果は，アウトカムである。成果であるアウトカムは，その行政の活動だけではなく，経済情勢等の要因も影響して変化するため，政策による影響を判断することは難しい。

4．PPBSは，1961年にR. マクナマラ国防長官の下で，国防省に導入された手法である。1965年にジョンソン大統領が就任した後に，他省庁にも採用され，予算の効率化が図られた。

5．リンドブロムは，問題を根本的に解決する政策案の検討は，政策案の実現可能性が低い場合や，政策案を検討するのに必要となる時間等を考慮して難しいと考えた。また，政策案を網羅的に比較することも難しい。それゆえ，実際には，実現可能性が高く，問題を当面解決する政策案をいくつか立案して，比較し，現状を徐々に解決していくことが現実的であるとする増分主義（インクリメンタリズム）を提唱した。

正答　1

国家一般職［大卒］ No. 11 専門試験

憲法　思想・良心の自由　令和元年度

思想及び良心の自由に関する次の記述のうち，妥当なのはどれか。ただし，争いのあるものは判例の見解による。

1　国家権力が，個人がいかなる思想を抱いているかについて強制的に調査することは，当該調査の結果に基づき，個人に不利益を課すことがなければ，思想及び良心の自由を侵害するものではない。

2　企業が，自己の営業のために労働者を雇用するに当たり，特定の思想，信条を有する者の雇入れを拒むことは許されないから，労働者の採否決定に当たり，その者から在学中における団体加入や学生運動参加の有無について申告を求めることは，公序良俗に反し，許されない。

3　市立小学校の校長が，音楽専科の教諭に対し，入学式における国歌斉唱の際に「君が代」のピアノ伴奏を行うよう命じた職務命令は，そのピアノ伴奏行為は当該教諭が特定の思想を有するということを外部に表明する行為と評価されることから，当該教諭がこれを明確に拒否している場合には，当然に思想及び良心の自由を侵害するものであり，憲法第19条に違反する。

4　特定の学生運動の団体の集会に参加した事実が記載された調査書を，公立中学校が高等学校に入学者選抜の資料として提供することは，当該調査書の記載内容によって受験者本人の思想や信条を知ることができ，当該受験者の思想，信条自体を資料として提供したと解されることから，憲法第19条に違反する。

5　他者の名誉を毀損した者に対して，謝罪広告を新聞紙に掲載すべきことを裁判所が命じることは，その広告の内容が単に事態の真相を告白し陳謝の意を表明するにとどまる程度のものであれば，その者の良心の自由を侵害するものではないから，憲法第19条に違反しない。

1．国家権力が，個人がいかなる思想を抱いているかについて強制的に調査することは，思想・良心の自由に含まれる沈黙の自由を侵害するものであり，当該調査の結果に基づき，個人に不利益を課すことがなくても，思想および良心の自由を侵害する。

2．判例は，企業が，自己の営業のために労働者を雇用するに当たり，特定の思想，信条を有する者の雇入れを拒んでもそれを当然に違法とすることはできないから，労働者の採否決定に当たり，その者から在学中における団体加入や学生運動参加の有無について申告を求めることは，公序良俗に反しないので，許されるとする（最大判昭48・12・12）。

3．判例は，市立小学校の校長が，音楽専科の教諭に対し，入学式における国歌斉唱の際に「君が代」のピアノ伴奏を行うよう命じた職務命令は，そのピアノ伴奏行為は当該教諭が特定の思想を有することを強制したり禁止したりするものではなく，その目的および内容において不合理とはいえないから，当該教諭の思想および良心の自由を侵害するものとして，憲法19条に違反するとはいえないとする（最判平19・2・27）。

4．判例は，特定の学生運動の団体の集会に参加した事実が記載された調査書を，公立中学校が高等学校に入学者選抜の資料として提供することは，当該調査書の記載内容によって受験者本人の思想や信条そのものを了知させるものではなく，当該受験者の思想，信条自体を資料として提供したものではないから，憲法19条に違反しないとする（最判昭63・7・15）。

5．妥当である。謝罪広告事件の判例である（最大判昭31・7・4）。

正答　5

国家一般職［大卒］ No. 12 専門試験

憲法 表現の自由 令和元年度

表現の自由に関するア〜オの記述のうち，判例に照らし，妥当なもののみを全て挙げているのはどれか。

ア．著作者は，自らの著作物を公立図書館が購入することを法的に請求することができる地位にあるとは解されないし，その著作物が公立図書館に購入された場合でも，当該図書館に対し，これを閲覧に供する方法について，著作権又は著作者人格権等の侵害を伴う場合は格別，それ以外には，法律上何らかの具体的な請求ができる地位に立つものではない。

イ．民事訴訟法は，職業の秘密に関する事項について尋問を受ける場合には，証人は証言を拒むことができると規定しているところ，ここにいう「職業の秘密」とは，その事項が公開されると，当該職業に深刻な影響を与え，以後その遂行が困難になるものをいう。もっとも，ある秘密が，このような意味での職業の秘密に当たる場合においても，そのことから直ちに証言拒絶が認められるものではなく，そのうち保護に値する秘密についてのみ証言拒絶が認められる。

ウ．少年事件情報の中の加害少年本人を推知させる事項についての報道，すなわち少年法に違反する推知報道かどうかは，その記事等により，不特定多数の一般人がその者を当該事件の本人であると推知することができるかどうかを基準にして判断するのではなく，本人と面識があり，又は本人の履歴情報を知る者が，その知識を手掛かりに当該記事等が本人に関するものであると推知することができるかどうかを基準に判断すべきである。

エ．インターネットの個人利用者による表現行為の場合においても，他の方法による表現行為の場合と同様に，行為者が摘示した事実を真実であると誤信したことについて，確実な資料，根拠に照らして相当の理由があると認められるときに限り，刑法に規定する名誉毀損罪は成立しないものと解するのが相当であって，より緩やかな要件で同罪の成立を否定すべきではない。

オ．表現の自由が自己実現及び自己統治の価値に資する極めて重要な権利であることに鑑み，出版物の頒布等の事前差止めは，その対象である評価・批判等の表現行為が公務員又は公職選挙の候補者に対するものであるか私人に対するものであるかにかかわらず，当該表現内容が真実でない場合又は専ら公益を図る目的でないことが明白である場合を除き，許されない。

1 ア，エ
2 ア，オ
3 イ，ウ
4 イ，エ
5 ウ，オ

ア：妥当でない。判例は，公立図書館の職員が閲覧に供されている図書を著作者の思想や信条を理由とするなど不公正な取扱いによって廃棄することは，当該著作者が著作物によってその思想，意見等を公衆に伝達する利益を不当に損なうものであり，著作者が有するこの利益は，法的保護に値する人格的利益であるとする（最判平17・7・14）。したがって，著作者は，当該図書館に対し，法律上具体的な請求ができる地位に立つものである。

イ：妥当である（最決平18・10・3）。

ウ：妥当でない。判例は，少年法61条に違反する推知報道かどうかは，その記事等により，不特定多数の一般人がその者を当該事件の本人であると推知することができるかどうかを基準にして判断すべきであるとする（最判平15・3・14）。

エ：妥当である（最決平22・3・15）。

オ：妥当でない。判例は，出版物の頒布等の事前差止めは，とりわけ，その対象が公務員または公職選挙の候補者に対する評価，批判等の表現行為に関するものである場合には，当該表現行為に対する事前差止めは，原則として許されないものといわなければならない。ただ，このような場合でも，その表現内容が真実でなく，またはそれがもっぱら公益を図る目的のものでないことが明白であって，かつ，被害者が重大にして著しく回復困難な損害を被る虞があるときは，かかる実体的要件を具備するときに限って，例外的に事前差止めが許されるものとする（最大判昭61・6・11）。

以上から，妥当なものはイとエであり，**4**が正答となる。

正答 4

国家一般職［大卒］ 専門試験 No. 13

憲法　労働基本法　令和元年度

労働基本権に関する次の記述のうち，妥当なのはどれか。ただし，争いのあるものは判例の見解による。

1　労働基本権の権利主体は勤労者であり，勤労者とは，労働組合法上の労働者，すなわち職業の種類を問わず，賃金，給料その他これに準ずる収入によって生活する者を指す。したがって，公務員は勤労者に含まれるが，現に職を持たない失業者は勤労者に含まれない。

2　労働基本権は，社会権として，国に対して労働者の労働基本権を保障する立法その他の措置を要求する権利であると同時に，自由権として，団結や争議行為を制限する立法その他の措置を国に対して禁止するという意味を持つ。また，労働基本権は私人間の関係にも直接適用される。

3　労働協約により，労働組合に加入しない労働者又は組合員でなくなった労働者の解雇を使用者に義務付けるユニオン・ショップ協定は，労働者の団結しない自由を侵害するものであるから，有効なものとはなり得ない。

4　憲法第28条による労働者の団結権保障の効果として，労働組合は，その目的を達成するために，組合員に対する統制権を有しているが，この統制権が及ぶのは，労働組合の経済的活動の範囲内に限られており，労働組合の政治的・社会的活動には及ばない。

5　憲法第28条は団体行動をする権利を保障しており，団体行動とはストライキその他の争議行為をいう。労働組合が同条によって保障される正当な争議行為を行った場合，刑事責任は免責されるが，民事上の債務不履行責任や不法行為責任は免責されない。

解説

1．前半は正しい。この「勤労者」の意味は労働組合法３条の労働者と同義である。したがって，公務員も勤労者に含まれる（最大判昭40・７・14）。しかし，現に職を持たない失業者も勤労者に含まれるので，最後の部分が誤り。

2．妥当である。

3．団結権の保障は，一定の限度で労働者に団結体への加入を強制する組織強制の許容をも含むものである。判例は，ユニオン・ショップ協定によって，特定の労働組合への加入を強制することは，「それが労働者の組合選択の自由及び他の労働組合の団結権を侵害する場合には許されない」と判示して（最判平元・12・14），それに反しない場合のユニオン・ショップ協定の有効性を認めている。

4．前半は正しいが，後半が誤り。労働組合の活動の範囲は，「本来の経済的活動の域を超えて政治的活動，社会的活動，文化的活動など広く組合員の生活利益の擁護と向上に直接間接に関係する事項にも及び」，また，「個々の場合に組合の決定した活動に反対の組合員であつても，原則的にはこれに対する協力義務を免れない」として，判例は，一定範囲でこれらについても組合の統制権が及ぶことを認めている（最判昭50・11・28）。

5．前半は正しいが，後半が誤り。労働組合が憲法28条によって保障される正当な争議行為を行った場合，刑事責任だけでなく，民事上の債務不履行責任や不法行為責任も免責される（労働組合法１条２項，８条）。

正答　2

国家一般職［大卒］

No. 14 専門試験

憲法　国　会　令和元年度

国会に関する次の記述のうち，妥当なのはどれか。

1　常会，臨時会及び特別会の会期は，それぞれ召集の都度，両議院一致の議決で定めなければならない。

2　常会，臨時会及び特別会の会期は，両議院一致の議決で延長することができるが，いずれの場合も，会期の延長ができる回数についての制限はない。

3　特別会は，衆議院の解散による総選挙の日から30日以内に召集されるが，その召集の時期が常会の召集時期と重なる場合には，常会と併せて召集することができる。

4　国会の会期中に議決に至らなかった案件は，原則として後会に継続しない。これを会期不継続の原則といい，憲法上明文で規定されている。

5　国会は，会期が満了すれば閉会となり，会期中に期間を定めて一時その活動を休止することはあっても，会期の満了を待たずに閉会することはない。

解説

1．常会の会期は，国会法が，原則として150日間とすると規定している（同10条）ので，誤り。臨時会と特別会については正しい（同11条）。

2．前半は正しい（国会法12条１項）が，後半が誤り。会期の延長ができる回数は，常会は１回，臨時会と特別会は２回を超えてはならない（同12条２項）。

3．妥当である。前半は憲法54条１項，後半は国会法２条の２。

4．会期不継続の原則は，憲法ではなく，国会法68条に明文で規定されている。

5．国会は，会期の満了を待たずに閉会することもある（憲法54条２項本文，国会法10条ただし書）。

正答　3

政治学 行政学 憲法 行政法 民法 経済理論 財政学

国家一般職［大卒］ No. 15 専門試験

憲法　最高法規性　令和元年度

憲法の最高法規性に関するア〜オの記述のうち，妥当なもののみを全て挙げているのはどれか。

ア．憲法が日本国民に保障する基本的人権は，人類の多年にわたる自由獲得の努力の成果であって，これらの権利は，過去幾多の試錬に堪え，現在及び将来の国民に対し，侵すことのできない永久の権利として信託されたものであることを，憲法は明文で規定している。

イ．憲法第98条第1項により，憲法に違反する法律は，原則として当初から無効であり，また，これに基づいてされた行為の効力も否定されるべきものであると解されるため，投票価値の不平等が憲法の選挙権の平等の要求に反する程度となっていた議員定数配分規定の下における選挙は無効であるとするのが判例である。

ウ．憲法第98条第1項にいう「国務に関するその他の行為」とは，国の行う全ての行為を意味し，国が行う行為であれば，私法上の行為もこれに含まれるのであって，国が私人と対等の立場で行った売買契約も「国務に関するその他の行為」に該当するとするのが判例である。

エ．我が国が締結した条約が，主権国としての我が国の存立の基礎に極めて重大な関係を持つ高度の政治性を有する場合，その合憲性の判断は，純司法的機能をその使命とする司法裁判所の審査にはなじまない性質のものであり，裁判所の司法審査の対象とはなり得ないとするのが判例である。

オ．憲法は，憲法の最高法規としての性格に鑑み，天皇又は摂政並びに国務大臣，国会議員，裁判官その他の公務員及び一般国民について，憲法を尊重し擁護する義務を負うことを明文で規定している。

1　ア
2　エ
3　ア，オ
4　イ，ウ
5　ウ，エ

（参考）　日本国憲法

第98条　この憲法は，国の最高法規であつて，その条規に反する法律，命令，詔勅及び国務に関するその他の行為の全部又は一部は，その効力を有しない。

（第2項略）

解説

ア：妥当である（憲法97条）。

イ：妥当でない。投票価値の不平等が憲法の選挙権の平等の要求に反する程度となっていた議員定数配分規定の下における選挙は，違法と宣言するにとどめ，無効としないとするのが判例である（最大判昭51・4・14，同昭60・7・17）。

ウ：妥当でない。憲法98条1項にいう「国務に関するその他の行為」には，国が行う私法上の行為は含まれないので，国が私人と対等の立場で行った売買契約は「国務に関するその他の行為」に該当しないとするのが判例である（最判平元・6・20）。

エ：妥当でない。わが国が締結した条約が，主権国としてのわが国の存立の基礎に極めて重大な関係を持つ高度の政治性を有する場合，その合憲性の判断は，純司法的機能をその使命とする司法裁判所の審査には原則としてなじまない性質のものであり，一見極めて明白に違憲無効と認められない限りは，裁判所の司法審査権の範囲外にあるとするのが判例である（最大判昭34・12・16）。したがって，裁判所の司法審査の対象とはなりえないとはしていないので，誤り。

オ：妥当でない。憲法99条は，「天皇又は摂政及び国務大臣，国会議員，裁判官その他の公務員は，この憲法を尊重し擁護する義務を負ふ。」と明文で規定している。したがって，一般国民には憲法尊重擁護義務は課されていない。

以上から，妥当なものはアのみであり，**1**が正答となる。

正答　1

国家一般職［大卒］ No.16 専門試験

行政法　行政契約　令和元年度

行政契約に関する次の記述のうち，妥当なのはどれか。

1　随意契約によることができる場合として法令に列挙された事由のいずれにも該当しないのに随意契約の方法により締結された契約は，違法というべきことが明らかであり，私法上も当然に無効になるとするのが判例である。

2　給水契約は，水道事業者である行政主体が私人と対等の地位において締結する私法上の契約であることから，行政主体は，契約自由の原則に基づき，自らの宅地開発に関する指導要綱を遵守させるための手段として，水道事業者が有している給水の権限を用い，当該指導要綱に従わない建設会社らとの給水契約の締結を自由に拒むことができるとするのが判例である。

3　廃棄物の処理及び清掃に関する法律に基づく都道府県知事の許可を受けた処分業者が，公害防止協定において，協定の相手方に対し，その事業や処理施設を将来廃止する旨を約束することは，処分業者自身の自由な判断で行えることであり，その結果，許可が効力を有する期間内に事業や処理施設が廃止されることがあったとしても，同法に何ら抵触するものではないとするのが判例である。

4　指名競争入札を実施するに当たり，地方公共団体である村が，法令の趣旨に反する運用基準の下で形式的に村外業者に当たると判断した事業者を，そのことのみを理由として，他の条件いかんにかかわらず，およそ一切の工事につき指名せず指名競争入札に参加させない措置を採ったとしても，社会通念上著しく妥当性を欠くものとまではいえず，裁量権の逸脱又は濫用があったとはいえないとするのが判例である。

5　公共施設等を効率的かつ効果的に整備するとともに，国民に対する低廉かつ良好なサービスの提供を確保するため，行政機関は，公共施設等に係る建設，製造，改修，維持管理，運営などの事業を民間事業者に実施させることができるが，これらの事業を特定の事業者に一括して委ねることは認められておらず，各事業ごとに事業者を選定し，個別に契約を締結する必要がある。

解説

1. 判例は，普通地方公共団体が，法令に違反して結んだ随意契約は，法令で列挙されている随意契約の事由（地方自治法施行令167条の２第１項）のどれにも該当しないことが誰が見ても明らかな場合や，契約の相手方が，その契約を随意契約ではできないことを知っていたか，または知ることができた場合など，その契約を無効にする必要がある「特段の事情」が認められる場合に限って，私法上無効となるとしている（最判昭62・５・19）。当然に無効とするわけではない。

2. 判例は，行政主体が，自らの指導要綱を遵守させるための圧力手段として，水道事業者が有している給水の権限を用い，指導要綱に従わない建設会社らとの給水契約の締結を拒んだ場合，その給水契約を締結して給水することが公序良俗違反を助長することとなるような事情もなかったというのであれば，水道事業者としては，たとえ指導要綱に従わない事業主らからの給水契約の申込みであっても，その締結を拒むことは許されないというべきであるとしている（最判平元・11・８）。

3. 妥当である。判例は，廃棄物の処理及び清掃に関する法律の規定は，「知事が，処分業者としての適格性や処理施設の要件適合性を判断し，産業廃棄物の処分事業が廃棄物処理法の目的に沿うものとなるように適切に規制できるようにするために設けられたものであり」，同法による「知事の許可が，処分業者に対し，許可が効力を有する限り事業や処理施設の使用を継続すべき義務を課すものではないことは明らかである」としたうえで，「処分業者が，公害防止協定において，協定の相手方に対し，その事業や処理施設を将来廃止する旨を約束することは，処分業者自身の自由な判断で行えることであり，その結果，許可が効力を有する期間内に事業や処理施設が廃止されることがあったとしても，同法に何ら抵触するものではない」としている（最判平21・７・10）。

4. 判例は，村の発注する公共工事の指名競争入札に昭和60年頃から平成10年度まで指名を受けて継続的に参加し工事を受注してきていた建設業者に対し，村が，村外業者に当たること等を理由に，平成12年度以降まったく指名せず入札に参加させない措置をとったという事例において，地方公共団体が指名競争入札に参加させようとする者を指名するに当たり，①工事現場等への距離が近く現場に関する知識等を有していることから契約の確実な履行が期待できることや，②地元の経済の活性化にも寄与することなどを考慮し，地元企業を優先する指名を行うことについては，その合理性を肯定することができるとしたうえで，指名についての運用とその建設業者が村外業者に該当するという判断が合理的で，そのことのみを理由として参加させない措置をとったのは違法であるとしている（最判平18・10・26）。

5. 公共施設等を効率的かつ効果的に整備し，国民に対する低廉かつ良好なサービスの提供を確保するため，行政機関は，公共施設等に係る建設，製造，改修，維持管理，運営などの事業を特定の民間事業者に実施させることも認められている。各事業ごとに個別に契約を締結する必要はない。

正答　3

国家一般職［大卒］

専門試験

No. 17 行政法 行政上の義務履行確保 令和元年度

行政上の義務履行確保に関するア〜オの記述のうち，妥当なもののみを全て挙げているのはどれか。

ア．直接強制は，行政上の義務者の身体又は財産に直接強制力を行使して義務の履行があった状態を実現するものであり，その性質上，法令の根拠が必要であるが，条例は住民の代表機関である議会によって制定されたものであるから，条例を根拠として直接強制を行うことができると一般に解されている。

イ．執行罰は，行政上の義務者に一定額の過料を課すことを通告して間接的に義務の履行を促し，なお義務を履行しない場合にこれを強制的に徴収するものであるが，相手方が義務を履行するまで反復して執行罰を課すことは，二重処罰を禁止した憲法の趣旨に照らし，許されない。

ウ．農業共済組合が，法律上特に独自の強制徴収の手段を与えられながら，この手段によることなく，一般私法上の債権と同様，訴えを提起し，民事執行の手段によって債権の実現を図ることは，当該法律の立法趣旨に反し，公共性の強い農業共済組合の権能行使の適正を欠くものとして，許されないとするのが判例である。

エ．行政代執行をなし得るのは，原則として代替的作為義務であるが，非代替的作為義務であっても，他の手段によって履行を確保することが困難であり，かつ，不履行を放置することが著しく公益に反すると認められるときは，例外的に行政代執行をなし得ることが行政代執行法上定められている。

オ．行政代執行のために現場に派遣される執行責任者は，その者が執行責任者本人であることを示すべき証票を携帯し，要求があるときは，いつでもこれを呈示しなければならない。

1 ア，イ
2 ア，ウ
3 イ，エ
4 ウ，オ
5 エ，オ

ア：妥当でない。直接強制は行政上の義務の履行確保の手段の一つであり，行政代執行法１条で「行政上の義務の履行確保に関しては，別に法律で定めるものを除いては，この法律の定めるところによる」とされているところから，直接強制を行うには法律の根拠が必要と解されており，条例を根拠として行うことはできない。

イ：妥当でない。執行罰は罰という名称が付されているが，それは行政罰ではなく行政上の強制執行の一手段である。したがって，執行罰として課される過料は刑罰ではない。憲法に定められた二重処罰禁止の原則は，刑罰を二重に科すことを禁止するものであるから，義務を履行するまで反復して執行罰を課すことは，二重処罰禁止の原則に反しない。

ウ：妥当である。判例は，農業共済組合には，農業災害補償法により一定の場合に独自の強制徴収の手段を与えられていることを述べたうえで，「農業共済組合が，法律上特にかような独自の強制徴収の手段を与えられながら，この手段によることなく，一般私法上の債権と同様，訴えを提起し，民訴法上の強制執行の手段によつてこれら債権の実現を図ることは，前示立法の趣旨に反し，公共性の強い農業共済組合の権能行使の適正を欠くものとして，許されないところといわなければならない」としている（最判昭41・２・23）。

エ：妥当でない。行政代執行をなしうるのは代替的作為義務のみであり，非代替的作為義務について，本記述のような例外は認められていない（行政代執行法２条）。

オ：妥当である。「代執行のために現場に派遣される執行責任者は，その者が執行責任者たる本人であることを示すべき証票を携帯し，要求があるときは，何時でもこれを呈示しなければならない」とされている（行政代執行法４条）。

以上から，妥当なものはウとオであり，**4**が正答となる。

正答 4

No. 18 行政法 行政事件訴訟法上の出訴期間 令和元年度

行政事件訴訟法上の出訴期間に関する次の記述のうち，妥当なのはどれか。

1 出訴期間の制度は，行政法関係の早期安定の要請に基づくものであり，その期間をどのように定めるかは立法者の幅広い裁量に委ねられているので，具体的な出訴期間の長さが憲法上問題となることはないとするのが判例である。

2 取消訴訟は，処分又は裁決があったことを知った日から６ヶ月を経過したときは提起することができず，処分又は裁決の日から１年を経過したときも同様である。ただし，いずれの場合においても，正当な理由があるときは，出訴期間経過後の訴えの提起が認められる。

3 出訴期間を徒過し，取消訴訟を提起することができなくなった場合，これにより法律関係が実体的に確定するので，その後に処分庁である行政庁が職権により処分又は裁決を取り消すことはできない。

4 行政事件訴訟法の出訴期間の規定における「正当な理由」には，災害，病気，怪我等の事情のほか，海外旅行中や多忙であったといった事情も含まれると一般に解されている。

5 行政処分の告知が個別の通知ではなく告示によることが法律上定められている場合であっても，出訴期間は，告示が適法になされた日ではなく，当事者が処分があったことを現実に知った日から計算される。

1．判例は，出訴期間の制度は，行政法関係の早期安定の要請と私人の権利利益の救済の要請の観点から定められるものであり，その期間をどのように定めるかについては立法府の裁量が認められるが，憲法32条が保障する「裁判を受ける権利」を侵害するような短期の出訴期間を定めることは違憲になるとしている（最判昭24・5・18）。

2．妥当である。「取消訴訟は，処分又は裁決があつたことを知つた日から６箇月を経過したときは，提起することができない。ただし，正当な理由があるときは，この限りでない」（行政事件訴訟法14条１項）。また，「処分又は裁決の日から１年を経過したときは，提起することができない。ただし，正当な理由があるときは，この限りでない」（同条２項）。

3．出訴期間を徒過した場合，もはや取消訴訟を提起することはできなくなる。いわゆる不可争力であるが，その趣旨は争う期間を限定することで法律関係を早期に安定させることにある。したがって，これによってその法律関係が実体的に確定するわけではないので，その後に処分庁である行政庁が職権により処分・裁決を取り消すことはできると解されている。

4．出訴期間の規定における「正当な理由」とは，災害，病気，けが，交通の遮断等の，出訴することが困難な客観的事情をいうものであり，海外旅行中や多忙であったといった個人的な都合は含まれないと解されている。

5．判例は，行政処分が個別の通知ではなく告示をもって多数の関係権利者等に画一的に告知される場合には，そのような告知方法がとられている趣旨にかんがみて，「処分があったことを知った日」というのは，告示があった日をいうと解するのが相当であるとしている（最判平14・10・24）。当事者が処分があったことを現実に知った日ではない。

正答　2

国家一般職［大卒］ No. 19 専門試験

行政法　取消訴訟の判決　令和元年度

取消訴訟の判決に関するア～オの記述のうち，妥当なもののみを全て挙げているのはどれか。

ア．取消訴訟については，処分又は裁決が違法ではあるが，当該処分又は裁決を取り消すことにより公の利益に著しい障害を生ずる場合において，原告の受ける損害の程度，その損害の賠償又は防止の程度及び方法その他一切の事情を考慮した上，処分又は裁決を取り消すことが公共の福祉に適合しないと認めるときは，裁判所は請求を棄却することができる。ただし，裁判所は，当該判決の主文において，処分又は裁決が違法であることを宣言しなければならない。

イ．いわゆる事情判決が行われた場合について，行政事件訴訟特例法においては，原告による損害賠償の請求を妨げない旨の定めがあったが，現行の行政事件訴訟法においては，特別の定めはしておらず，損害賠償の請求は認められていない。

ウ．処分又は裁決を取り消す判決が第三者に対して効力を有することとなると，自己の責めに帰することができない理由により訴訟に参加することができず，判決に影響を及ぼすべき攻撃又は防御の方法を提出することができなかった第三者の権利義務を侵害することとなるため，行政事件訴訟法は判決のこのような効力を否定している。

エ．申請に基づいてした処分が，手続に違法があることを理由として判決により取り消されたときは，その処分をした行政庁は，判決の趣旨に従い，改めて申請に対する処分をしなければならない。

オ．土地課税台帳等に登録された基準年度の土地の価格についての審査決定の取消訴訟において，裁判所は，審理の結果，基準年度に係る賦課期日における当該土地の適正な時価等を認定し，固定資産評価審査委員会の認定した価格がその適正な時価等を上回っていることを理由として審査決定を取り消す場合には，納税者がその一部の取消しを求めているときであっても，当該審査決定の全部を取り消す必要があるとするのが判例である。

1　ア，ウ
2　ア，エ
3　イ，エ
4　イ，オ
5　ウ，オ

ア：妥当である。「取消訴訟については，処分又は裁決が違法ではあるが，これを取り消すことにより公の利益に著しい障害を生ずる場合において，原告の受ける損害の程度，その損害の賠償又は防止の程度及び方法その他一切の事情を考慮したうえ，処分又は裁決を取り消すことが公共の福祉に適合しないと認めるときは，裁判所は請求を棄却することができる。この場合には，当該判決の主文において，処分又は裁決が違法であることを宣言しなければならない」（行政事件訴訟法31条１項）。これを事情判決という。

イ：妥当でない。いわゆる事情判決が行われた場合，行政事件訴訟特例法とは異なり，現行の行政事件訴訟法においては，原告による損害賠償の請求を妨げない旨の特別の定めは置かれていないが，原告が国家賠償法による損害賠償の請求をすることは認められると解されている。

ウ：妥当でない。「処分又は裁決を取り消す判決は，第三者に対しても効力を有する」（行政事件訴訟法32条１項）。これを第三者効といい，執行停止の決定またはこれを取り消す決定にも認められている（同条２項）。

エ：妥当である。申請を却下・棄却した処分が判決により取り消されたときは，その処分をした行政庁は，判決の趣旨に従い，改めて申請に対する処分をしなければならない（行政事件訴訟法33条２項）。また，申請に基づいてした処分が判決により手続きに違法があることを理由として取り消された場合も同様に，その処分をした行政庁は，判決の趣旨に従い，改めて申請に対する処分をしなければならない（同条３項）。

オ：妥当でない。判例は，「土地課税台帳等に登録された基準年度の土地の価格についての審査決定の取消訴訟において，裁判所が，審理の結果，基準年度に係る賦課期日における当該土地の適正な時価等を認定し，固定資産評価審査委員会の認定した価格がその適正な時価等を上回っていることを理由として，審査決定を取り消す場合には，納税者が，審査決定の全部の取消しを求めているか，その一部の取消しを求めているかにかかわらず，当該審査決定のうちその適正な時価等を超える部分に限りこれを取り消せば足りるものというべきである」として，全部を取り消す必要はないとしている（最判平17・７・11）。

以上から，妥当なものはアとエであり，**2**が正答となる。

正答　2

No. 20 専門試験

行政法 国家賠償 令和元年度

国家賠償に関するア～オの記述のうち，判例に照らし，妥当なもののみを全て挙げているのはどれか。

ア．公務員が，客観的に職務執行の外形を備える行為によって他人に被害を生ぜしめた場合において，当該公務員が自己の職務権限を行使する意思を有していたときは，国又は公共団体は損害賠償責任を負うが，当該公務員が自己の利を図る意図を有していたにすぎないときは，国又は公共団体は損害賠償責任を負わない。

イ．国又は公共団体の公務員による一連の職務上の行為の過程において他人に被害を生ぜしめた場合において，それが具体的にどの公務員のどのような違法行為によるものであるかを特定することができなくても，一連の行為のうちのいずれかに行為者の故意又は過失による違法行為があったのでなければ被害が生ずることはなかったであろうと認められ，かつ，それがどの行為であるにせよこれによる被害につき行為者の属する国又は公共団体が法律上賠償の責任を負うべき関係が存在するときは，国又は公共団体は，国家賠償法又は民法上の損害賠償責任を免れることができない。

ウ．逮捕状は発付されたが，被疑者が逃亡中のため，逮捕状の執行ができず，逮捕状の更新が繰り返されている時点であっても，被疑者の近親者は，被疑者のアリバイの存在を理由に，逮捕状の請求，発付における捜査機関又は令状発付裁判官の被疑者が罪を犯したことを疑うに足りる相当な理由があったとする判断の違法性を主張して，国家賠償を請求することができる。

エ．国会議員が国会で行った質疑等において，個別の国民の名誉や信用を低下させる発言があったとしても，これによって当然に国家賠償法第１条第１項の規定にいう違法な行為があったものとして国の損害賠償責任が生ずるものではなく，当該責任が肯定されるためには，当該国会議員が，その職務とは関わりなく違法又は不当な目的をもって事実を摘示し，あるいは，虚偽であることを知りながらあえてその事実を摘示するなど，国会議員がその付与された権限の趣旨に明らかに背いてこれを行使したものと認め得るような特別の事情があることが必要である。

オ．都道府県が行った児童福祉法に基づく入所措置によって社会福祉法人の設置運営する児童養護施設に入所した児童に対する当該施設の職員による養育監護行為については，当該施設の職員が都道府県の職員ではない以上，都道府県の公権力の行使に当たる公務員の職務行為と解することはできない。

1 ア，ウ
2 ア，オ
3 イ，ウ
4 イ，エ
5 エ，オ

ア：妥当でない。判例は，国家賠償法１条は，「公務員が主観的に権限行使の意思をもつてする場合にかぎらず自己の利をはかる意図をもつてする場合でも，客観的に職務執行の外形をそなえる行為をしてこれによつて，他人に損害を加えた場合には，国又は公共団体に損害賠償の責を負わしめて，ひろく国民の権益を擁護することをもつて，その立法の趣旨とするものと解すべきである」として，公務員が自己の利を図る意図を有していたにすぎない場合でも，国家賠償法の損害賠償責任を認めている（最判昭31・11・30）。これを外形標準説という。

イ：妥当である。判例は，「国又は公共団体の公務員による一連の職務上の行為の過程において他人に被害を生ぜしめた場合において，それが具体的にどの公務員のどのような違法行為によるものであるかを特定することができなくても，右の一連の行為のうちのいずれかに行為者の故意又は過失による違法行為があつたのでなければ右の被害が生ずることはなかつたであろうと認められ，かつ，それがどの行為であるにせよこれによる被害につき行為者の属する国又は公共団体が法律上賠償の責任を負うべき関係が存在するときは，国又は公共団体は，加害行為不特定の故をもつて国家賠償法又は民法上の損害賠償責任を免れることができない」としている（最判昭57・４・１）。

ウ：妥当でない。判例は，「逮捕状は発付されたが，被疑者が逃亡中のため，逮捕状の執行ができず，逮捕状の更新が繰り返されているにすぎない時点で，被疑者の近親者が，被疑者のアリバイの存在を理由に，逮捕状の請求，発付における捜査機関又は令状発付裁判官の被疑者が罪を犯したことを疑うに足りる相当な理由があったとする判断の違法性を主張して，国家賠償を請求することは許されない」とし，その理由として，その時点で違法性の有無の審理を裁判所に求めることができるとすると，目的・性質に照らし密行性が要求される捜査の遂行に重大な支障をきたす結果となることを掲げている（最判平５・１・25）。

エ：妥当である。判例は，「国会議員が国会で行った質疑等において，個別の国民の名誉や信用を低下させる発言があったとしても，これによって当然に国家賠償法１条１項の規定にいう違法な行為があったものとして国の損害賠償責任が生ずるものではなく，右責任が肯定されるためには，当該国会議員が，その職務とはかかわりなく違法又は不当な目的をもって事実を摘示し，あるいは，虚偽であることを知りながらあえてその事実を摘示するなど，国会議員がその付与された権限の趣旨に明らかに背いてこれを行使したものと認め得るような特別の事情があることを必要とすると解するのが相当である」としている（最判平９・９・９）。

オ：妥当でない。判例は，都道府県による児童福祉法の措置に基づき社会福祉法人の設置運営する児童養護施設に入所した児童を養育監護する施設の職員等による養育監護行為は，都道府県の公権力の行使に当たる公務員の職務行為と解するのが相当であるとしている（最判平19・１・25）。

以上から，妥当なものはイとエであり，**4**が正答となる。

正答　4

法　人

令和元年度

法人に関するア～オの記述のうち，妥当なもののみを全て挙げているのはどれか。

ア．民法は，法人の設立，組織，運営及び管理についてはこの法律の定めるところによると規定しており，法人制度全体の原則規定だけでなく，法人の管理，解散等に係る一般的な規定は全て同法で定められている。

イ．いわゆる権利能力のない社団の資産は，その社団の構成員全員に総有的に帰属しているのであって，社団自身が私法上の権利義務の主体となることはないから，社団の資産たる不動産についても，社団はその権利主体となり得るものではなく，したがって，登記請求権を有するものではないとするのが判例である。

ウ．およそ社団法人において法人とその構成員たる社員とが法律上別個の人格であることはいうまでもなく，このことは社員が一人である場合でも同様であるから，法人格が全くの形骸にすぎない場合，又はそれが法律の適用を回避するために濫用されるような場合においても，法人格を否認することはできないとするのが判例である。

エ．税理士に係る法令の制定改廃に関する政治的要求を実現するため，税理士会が政治資金規正法上の政治団体に金員の寄附をすることは，税理士会は税理士の入会が間接的に強制されるいわゆる強制加入団体であることなどを考慮してもなお，税理士会の目的の範囲内の行為といえるから，当該寄附をするために会員から特別会費を徴収する旨の税理士会の総会決議は無効とはいえないとするのが判例である。

オ．会社による政党への政治資金の寄附は，一見会社の定款所定の目的と関わりがないものであるとしても，客観的，抽象的に観察して，会社の社会的役割を果たすためになされたものと認められる限りにおいては，会社の定款所定の目的の範囲内の行為であるとすることを妨げないとするのが判例である。

1　ア，ウ
2　ア，エ
3　イ，エ
4　イ，オ
5　ウ，オ

ア：妥当でない。民法は，「法人の設立，組織，運営及び管理については，この法律その他の法律の定めるところによる」と規定しており（民法33条２項），そのほとんどは「その他の法律」である一般法人法やＮＰＯ法などに規定をゆだねている。民法の規定事項は外国法人や登記など，ごくわずかである。

イ：妥当である（最判昭47・６・２）。

ウ：妥当でない。法人格がまったくの形骸にすぎない場合，またはそれが法律の適用を回避するために濫用されるような場合には，法人格を認める本来の目的に照らして許すべきでないものとして，法人格を否認すべきであるとするのが判例である（最判昭44・２・27）。

エ：妥当でない。税理士会が政党など政治資金規正法上の政治団体に金員の寄付をすることは，たとえ税理士に係る法令の制定改廃に関する政治的要求を実現するためのものであっても，法で定められた税理士会の目的の範囲外の行為であり，当該寄付をするために会員から特別会費を徴収する旨の決議は無効であるとするのが判例である（最判平８・３・19）。

オ：妥当である。八幡製鉄事件の判例である（最大判昭45・６・24）。

以上から，妥当なものはイとオであり，**4**が正答となる。

正答　4

No. 22は，法改正や制度変更により現在では成立しなくなった問題のため，掲載していません。

政治学
行政学
憲法
行政法
民法
経済理論
財政学

国家一般職［大卒］ No.23 専門試験

民法（総則及び物権） 占有権 令和元年度

占有権に関するア～オの記述のうち，妥当なもののみを全て挙げているのはどれか。ただし，争いのあるものは判例の見解による。

ア．賃貸借契約に基づき，Aが自己の所有物をBに賃貸した場合，BがAの代理人として占有することにより，Aは本人として占有権を取得するが，当該賃貸借契約が無効となったときには，Bの代理権の消滅により，Aの占有権は消滅する。

イ．善意の占有者は，占有物から生ずる果実を取得することができるが，本権の訴えにおいて敗訴した場合は占有開始時から悪意の占有者とみなされるため，占有開始時から収取した果実を返還しなければならない。

ウ．相続人が，被相続人の死亡により相続財産の占有を承継したばかりでなく，新たに相続財産を事実上支配することによって占有を開始し，その占有に所有の意思があるとみられる場合においては，被相続人の占有が所有の意思のないものであったときでも，相続人は，民法第185条にいう新たな権原により当該相続財産の自主占有をするに至ったものと解される。

エ．占有権に基づく訴えに対し，所有権者が防御方法として自己の所有権の主張をすることは認められないが，所有権者が所有権に基づく返還請求の反訴を提起することは認められる。

オ．占有権は占有者が占有物の所持を失うことにより消滅するが，占有者は，占有回収の訴えを提起して勝訴すれば，現実にその物の占有を回復しなくても，現実に占有していなかった間も占有を失わず占有が継続していたものと擬制される。

1 ア，イ
2 ア，ウ
3 ウ，エ
4 ウ，オ
5 エ，オ

（参考） 民法

（占有の性質の変更）

第185条 権原の性質上占有者に所有の意思がないものとされる場合には，その占有者が，自己に占有をさせた者に対して所有の意思があることを表示し，又は新たな権原により更に所有の意思をもって占有を始めるのでなければ，占有の性質は，変わらない。

解説

ア：妥当でない。代理占有は，代理権が消滅しても，そのこと自体によっては当然には消滅しない（民法204条2項)。代理占有は，意思表示における代理権とは異なり事実上の関係であるから，事実上つまり外形的に存在すればよく，賃貸借という契約の消滅で影響を受けない。

イ：妥当でない。善意の占有者は，占有物から生ずる果実を取得することができる（民法189条1項）ので，前半は正しい。しかし，後半が誤り。善意の占有者が本権の訴えにおいて敗訴した場合は，占有開始時ではなく，その訴えの提起の時から悪意の占有者とみなされる(同条2項)。

ウ：妥当である（最判昭46・11・30)。

エ：妥当である（民法202条2項，最判昭40・3・4)。

オ：妥当でない。判例は，占有者が，民法203条ただし書により占有回収の訴えを提起して勝訴し，現実にその物の占有を回復したときは，現実に占有していなかった間も占有を失わず占有が継続していたものと擬制されるとしている（最判昭44・12・2)。

以上から，妥当なものはウとエであり，**3**が正答となる。

正答　3

国家一般職［大卒］

専門試験

No. 24 民法（総則及び物権） 抵当権 令和元年度

抵当権に関するア～オの記述のうち，妥当なもののみを全て挙げているのはどれか。ただし，争いのあるものは判例の見解による。

ア．抵当権は，債務者及び抵当権設定者に対しては，その担保する債権と同時でなければ，時効によって消滅しないが，後順位抵当権者及び抵当目的物の第三取得者に対しては，被担保債権と離れて単独に20年の消滅時効にかかる。

イ．債権者が抵当権を実行する場合において，物上保証人が，債務者に弁済をする資力があり，かつ，債務者の財産について執行をすることが容易であることを証明したときは，債権者は，まず，債務者の財産について執行をしなければならない。

ウ．抵当権は，その目的物の賃貸によって債務者が受けるべき賃料についても行使することができるところ，この「債務者」には抵当権設定・登記後に抵当不動産を賃借した者も含まれると解すべきであるから，抵当権設定・登記後に抵当不動産を賃借した者が賃貸人の同意を得て転貸借を行っていた場合，抵当権者は，抵当不動産を賃借した者が取得すべき転貸賃料債権についても，原則として物上代位権を行使することができる。

エ．抵当権設定・登記後に抵当不動産の所有者から賃借権の設定を受けてこれを占有する者について，その賃借権の設定に抵当権の実行としての競売手続を妨害する目的が認められ，その占有により抵当不動産の交換価値の実現が妨げられて抵当権者の優先弁済請求権の行使が困難となるような状態があるときは，抵当権者は，当該賃貸借契約の賃料相当額の損害が生じたとして，抵当権侵害による不法行為に基づく損害賠償請求をすることができる。

オ．不動産の取得時効完成後，所有権移転登記がされることのないまま，第三者が原所有者から抵当権の設定を受けて抵当権設定登記を完了した場合は，所有権移転登記よりも抵当権設定登記が先になされている以上，当該不動産の時効取得者である占有者が，その後引き続き時効取得に必要な期間占有を継続したとしても，特段の事情がない限り，当該抵当権は消滅しない。

1 ア
2 ウ
3 ア，イ
4 イ，ウ
5 エ，オ

解説

ア：妥当である（民法396条，166条２項，大判昭15・11・26）。

イ：妥当でない。保証人に認められている検索の抗弁（民法453条）と同じものであるが，保証人とは異なり，物上保証人には，このような抗弁権はない。

ウ：妥当でない。判例は，抵当権者は，抵当不動産の賃借人を所有者と同視することを相当とする場合を除き，当該賃借人が取得すべき転貸賃料債権について物上代位権を行使できないとしている（最決平12・４・14）。

エ：妥当でない。判例は，抵当権者は，抵当不動産を自ら使用できず，民事執行法上の手続き等によらずにその使用による利益を取得することもできないから，抵当不動産に対する第三者の占有により賃料相当額の損害を被るものではないので，その賠償を請求することはできないとしている（最判平17・３・10）。

オ：妥当でない。判例は，不動産の取得時効完成後，第三者が原所有者から抵当権の設定を受けてその登記を了した場合，占有者は，抵当権設定登記後引き続き時効取得に必要な期間の占有を継続したときは，抵当権の存在を容認していたなどの事情がない限り，不動産を時効取得し，その結果，抵当権は消滅するとしている（最判平24・３・16）。

以上から，妥当なものはアのみであり，**1**が正答となる。

正答　1

国家一般職［大卒］
No. 25
専門試験
民法（総則及び物権）
法定地上権
令和元年度

法定地上権に関するア～オの記述のうち，判例に照らし，妥当なもののみを全て挙げているのはどれか。

ア．民法第388条は土地又は建物のいずれか一方のみに抵当権が設定された場合を規定するものであり，同一の所有者に属する土地及びその上に存する建物が同時に抵当権の目的となった場合には，同条は適用されず，法定地上権は成立しない。

イ．Aが所有する土地に抵当権が設定・登記された当時，当該土地上に建物が存在せず，更地であった場合には，その後，当該土地上にA所有の建物が築造され，抵当権の実行により当該土地がBに競落されたとしても，原則として，法定地上権は成立しない。

ウ．AとBが共有する土地の上にAの所有する建物が存在する場合において，Aが当該土地の自己の共有持分に抵当権を設定・登記し，これが実行されて当該土地がCに競落されたときは，Bの意思にかかわらず，法定地上権が成立する。

エ．土地の所有者Aが当該土地上の建物をBから譲り受けたが，当該建物の所有権移転登記を経由しないまま当該土地に抵当権が設定・登記された場合において，抵当権の実行により当該土地がCに競落されたときは，法定地上権は成立しない。

オ．Aが所有する土地に一番抵当権が設定・登記された当時，当該土地上の建物をBが所有していた場合には，その後，Aが当該建物をBから譲り受け，当該土地に後順位抵当権が設定・登記されたとしても，一番抵当権が実行され，当該土地がCに競落されたときは，法定地上権は成立しない。

1　ア，イ
2　ア，ウ
3　イ，オ
4　ウ，エ
5　エ，オ

（参考）　民法
（法定地上権）
第388条　土地及びその上に存する建物が同一の所有者に属する場合において，その土地又は建物につき抵当権が設定され，その実行により所有者を異にするに至ったときは，その建物について，地上権が設定されたものとみなす。（以下略）

ア：妥当でない。判例は，土地と建物が同時に抵当権の目的となっている場合にも民法388条の適用があるとしている（最判昭37・9・4）。

イ：妥当である（最判昭36・2・10）。

ウ：妥当でない。判例は，共有地上に建物を有する共有者の1人が自己の共有持分に抵当権を設定した場合には，他の共有者の同意のない限り，この建物のために法定地上権は成立しないとしている（最判昭29・12・23）。したがって，本記述のBの意思にかかわらず，法定地上権が成立するわけではない。

エ：妥当でない。判例は，土地の所有者が当該土地上の建物を譲り受けたが，当該建物の所有権移転登記を経由しないまま当該土地に抵当権が設定・登記された場合でも，抵当権の実行により当該土地が競落されたときは，法定地上権が成立するとしている（最判昭48・9・18）。

オ：妥当である（最判平2・1・22）。

以上から，妥当なものはイとオであり，**3**が正答となる。

正答　3

No. 26・27は，法改正や制度変更により現在では成立しなくなった問題のため，掲載していません。

民法（債権，親族及び相続） 契約の解除 令和元年度

契約の解除に関するア～オの記述のうち，妥当なもののみを全て挙げているのはどれか。ただし，争いのあるものは判例の見解による。

ア．当事者の一方が数人ある場合には，契約の解除は，その一人から又はその一人に対してすることができ，また，解除権が当事者のうちの一人について消滅しても，他の者については消滅しない。

イ．契約又は法律の規定により当事者の一方が解除権を有する場合は，その解除は，相手方に対する意思表示によってするが，解除に条件を付けることは認められないことから，当事者の一方がその債務を履行しないときに，履行の催告をすると同時に，相当の期間内に履行しないならば解除する旨の意思表示を行うことはできない。

ウ．解除権の行使について期間の定めがない場合は，相手方は，解除権を有する者に対し，相当の期間を定めて，その期間内に解除するかどうかを確答すべき旨の催告をすることができ，その期間内に解除の通知を受けないときは，解除権は消滅する。

エ．当事者の一方がその解除権を行使した場合は，各当事者は，その相手方を原状に復させる義務を負う。また，解除前の第三者に対しては，原状回復義務を理由としてその権利を害することはできないが，当該第三者が解除原因を知っているときは保護されない。

オ．不動産を目的とする売買契約に基づき買主に移転した所有権が解除によって遡及的に売主に復帰した場合において，売主は，その所有権取得の登記を了しなければ，その契約解除後に買主から不動産を取得した第三者に対し，所有権の取得を対抗することができない。

1 ア，イ　**2** ア，エ　**3** イ，ウ　**4** ウ，オ　**5** エ，オ

解説

ア：妥当でない。当事者の一方が数人ある場合には，契約の解除は，その全員からまたは全員に対してのみすることができ（民法544条１項），また，解除権が当事者のうちの１人について消滅したときは，他の者についても消滅する（同条２項）。

イ：妥当でない。契約または法律の規定により当事者の一方が解除権を有する場合は，その解除は，相手方に対する意思表示によってする（民法540条１項）ので，前半は正しい。しかし，後半が誤り。判例は，当事者の一方がその債務を履行しないときに，履行の催告をすると同時に，相当の期間内に履行しないならば解除する旨の意思表示を行うことができるとしている（大判明43・12・9）。

ウ：妥当である（民法547条）。

エ：妥当でない。当事者の一方がその解除権を行使した場合は，各当事者は，その相手方を原状に復させる義務を負う（民法545条１項本文）ので，前段は正しい。しかし，後段が誤り。民法は解除について「第三者の権利を害することはできない」と規定するのみで，第三者の善意・悪意を区別していない（民法545条１項ただし書）。したがって，解除原因について悪意の第三者も保護される。

オ：妥当である（最判昭35・11・29）。

以上から，妥当なものはウとオであり，**4**が正答となる。

正答　4

国家一般職［大卒］
No. 29 専門試験
民法（債権，親族及び相続）
委任
令和元年度

委任に関する次の記述のうち，妥当なのはどれか。

1 受任者は，委任者が報酬の支払義務を負わない旨の特約がない限り，委任者に報酬の支払を請求することができるが，原則として，委任事務を履行した後でなければ，報酬の支払を請求することができない。

2 委任は，当事者の一方が法律行為をすることを相手方に委託し，相手方がこれを承諾することによって成立するが，当該承諾は書面によって行わなければならない。

3 委任は，各当事者がいつでもその解除をすることができるが，当事者の一方が相手方に不利な時期に委任の解除をした場合には，やむを得ない事由があっても，その当事者の一方は，相手方の損害を賠償しなければならない。

4 弁護士に法律事務の交渉を委託する委任が解除された場合，受任者である弁護士は，法律事務の交渉の相手方に当該委任が解除された旨を通知しなければならず，その通知をしないときは，委任が解除されたことをその相手方が知るまでの間，委任の義務を負う。

5 受任者が委任者に引き渡すべき金銭や委任者の利益のために用いるべき金銭を自己のために消費した場合は，受任者は，消費した日以後の利息を支払わなければならず，さらに利息以上の損害があるときには，その賠償責任も負う。

解説

1．受任者は，委任者が報酬の支払義務を負う旨の特約がない限り，委任者に報酬の支払いを請求することができない（民法648条１項）ので，前半が誤り。ただし，受任者は，報酬の支払いを受けるべき場合には，原則として，委任事務を履行した後でなければ，報酬の支払いを請求することができない（同条２項）ので，後半は正しい。

2．委任は，当事者の一方が法律行為をすることを相手方に委託し，相手方がこれを承諾することによって成立する（民法643条）が，当該承諾が書面によって行われる必要はない。

3．委任は，各当事者がいつでもその解除をすることができる（民法651条１項）が，当事者の一方が相手方に不利な時期に委任の解除をした場合には，やむをえない事由があったときを除き，その当事者の一方は，相手方の損害を賠償しなければならない（同条２項１号）。

4．委任が解除によって終了した場合には，委任契約の相手方に通知しなければ，これを知らない当該相手方に対抗することができない（民法655条）。しかし，本肢は，委任契約の相手方である委任者ではない，単なる事務交渉の相手方に通知としており，誤り。

5．妥当である（民法647条）。

正答 5

親　子

親子に関するア～オの記述のうち，判例に照らし，妥当なもののみを全て挙げているのはどれか。

ア．嫡出でない子との間の親子関係について，父子関係は父の認知により生ずるが，母子関係は，原則として，母の認知をまたず，分娩の事実により当然発生する。

イ．認知者が，血縁上の父子関係がないことを知りながら，自らの意思に基づいて認知をした後，血縁上の父子関係がないことを理由に当該認知の無効を主張することは，被認知者の地位を不安定にすることから，認められない。

ウ．婚姻前に既に内縁関係にあり，内縁成立後200日を経過している場合であっても，婚姻成立後200日以内に出生した子については，嫡出子としての推定を受けないことから，父が子の嫡出性を争う場合には，嫡出否認の訴えではなく，父子関係不存在確認の訴えによる。

エ．配偶者のある者が未成年者を養子にする場合には，配偶者とともにこれをしなければならないことから，夫婦の一方の意思に基づかない縁組の届出がなされたときには，縁組の意思を有する他方の配偶者と未成年者との間で縁組が有効に成立することはない。

オ．親権者自身が金員を借り受けるに当たり，その貸金債務のために子の所有する不動産に抵当権を設定する行為は，当該借受金をその子の養育費に充当する意図であったとしても，民法第826条にいう利益相反行為に当たる。

1　ア，ウ
2　エ，オ
3　ア，イ，エ
4　ア，ウ，オ
5　イ，ウ，オ

（参考）　民法
（利益相反行為）
第826条　親権を行う父又は母とその子との利益が相反する行為については，親権を行う者は，その子のために特別代理人を選任することを家庭裁判所に請求しなければならない。
（第２項略）

ア：妥当である（民法779条，最判昭37・4・27）。

イ：妥当でない。判例は，認知者は，認知に対する反対の事実を主張できる利害関係人（民法786条）に当たり，血縁上の父子関係がないことを知りながら認知をした場合でも，自らした認知の無効を主張することができるとしている（最判平26・1・14）。

ウ：妥当である（民法772条2項，最判昭41・2・15）。

エ：妥当でない。判例は，夫婦の一方の意思に基づかない縁組の届出がなされた場合でも，その他方と相手方との間に単独でも親子関係を成立させる意思があり，かつ，その成立が，「配偶者のある者が未成年者を養子とするには，配偶者とともにしなければならない」とする民法795条本文の趣旨にもとるものではない特段の事情がある場合には，縁組の意思を欠く当事者の縁組のみを無効とし，他方の配偶者と相手方との間の縁組は有効に成立したと認めうるとしている（最判昭48・4・12）。

オ：妥当である（最判昭37・10・2）。

以上から，妥当なものはア，ウ，オであり，**4**が正答となる。

正答　4

政治学
行政学
憲法
行政法
民法
経済理論
財政学

国家一般職［大卒］

No. 31 専門試験 ミクロ経済学

効用水準と最小所得 令和元年度

効用を最大化する，ある消費者を考える。この消費者は，所得の全てをＸ財とＹ財の購入に充てており，効用関数が以下のように示される。

$u=xy$ （$x\geqq 0$，$y\geqq 0$） （u：効用水準，x：Ｘ財の消費量，y：Ｙ財の消費量）

この消費者の所得は120であり，当初，Ｘ財の価格は3，Ｙ財の価格は15であったとする。いま，Ｙ財の価格は15で変わらず，Ｘ財の価格のみが3から12に上昇したとすると，価格の変化前の効用水準を実現するのに必要な最小の所得はいくらか。

1 200
2 240
3 280
4 320
5 360

政治学 行政学 憲法 行政法 民法 経済理論 財政学

解説

効用関数が $u=x^a y^b$ の形をしているため，需要関数の公式によって最適な消費量を求めることができる。

価格変化前のX財，Y財の最適な消費量は，需要関数の公式より，

$$x=\frac{aM}{P_x(a+b)}=\frac{120}{3(1+1)}=20$$

$$y=\frac{bM}{P_y(a+b)}=\frac{120}{15(1+1)}=4$$

（P_x：X財の価格，P_y：Y財の価格，M：所得）

となる。これより価格変化前の効用水準は $u=20\times4=80$ となる。

X財の価格が15に変化した後の最適な消費量は，需要関数の公式より，

$$x=\frac{I}{12(1+1)}=\frac{I}{24}$$

$$y=\frac{I}{15(1+1)}=\frac{I}{30}$$

となる。ここで I は所得を表す。

効用水準が80となるために必要な所得は，

$$u=\frac{I}{24}\times\frac{I}{30}=80$$

を I について解けば求まる。

$I^2=57600$

$I=240$

したがって，正答は**2**となる。

正答　2

国家一般職［大卒］ 専門試験 No.32 ミクロ経済学 労働供給関数 令和元年度

効用を最大化する，ある個人の効用関数が以下のように示される。

$u=x(24-L)$

（u：効用水準，x：X財の消費量，L：労働時間（単位：時間，$0<L<24$））

この個人は，労働を供給して得た賃金所得と非労働所得の全てをX財の購入に充てるものとし，1日(24時間)を労働時間か余暇時間のいずれかに充てるものとする。

X財の価格を2，非労働所得を60とするとき，この個人の労働供給関数として妥当なのはどれか。ただし，$w(w>0)$は時間当たりの賃金である。

1 $L=\frac{24w}{w+4}$　**2** $L=\frac{24w}{w+6}$　**3** $L=10-\frac{30}{w}$

4 $L=12-\frac{30}{w}$　**5** $L=12-\frac{60}{w}$

解説

効用関数を余暇l（$=24-L$）を使って表すと，

$u=xl$

となる。また，賃金所得と非労働所得のすべてをX財の購入に充てることから，予算制約式は$wL+60=2x$となる。これをlを使って表すと，

$w(24-l)+60=2x$

$24w+60=2x+wl$

となる。つまり所得Mが$24w+60$で，X財の価格P_xが2，l財の価格P_lがwという予算制約となる。

効用関数が$u=x^al^b$の形で表せることより，需要関数の公式を用いて余暇の最適な量を求める。

$$l=\frac{bM}{P_l(a+b)}=\frac{24w+60}{w(1+1)}=12+\frac{30}{w}$$

となる。これより労働Lは，

$$24-L=12+\frac{30}{w}$$

$$L=12-\frac{30}{w}$$

となる。

したがって，正答は**4**となる。

正答 4

No. 33 ミクロ経済学 利潤最大化生産量と社会的最適生産量 令和元年度

ある企業はX財を価格100の下で生産しており，その企業の費用関数は以下のように示される。

$C(x)=2x^2$ （$C(x)$：総費用，x：X財の生産量）

また，この企業はX財を1単位生産するごとに，社会に環境被害として60だけの損害額を生じさせるものとする。

このとき，社会の総余剰を最大にする生産量x_1と，企業の利潤を最大にする生産量x_2の組合せ（x_1，x_2）として妥当なのはどれか。

1 （x_1，x_2）=（8，20）
2 （x_1，x_2）=（8，25）
3 （x_1，x_2）=（10，20）
4 （x_1，x_2）=（10，25）
5 （x_1，x_2）=（12，20）

解説

価格が与えられている下で行動しているため，この企業は完全競争を行っていると考えられる。完全競争時の企業の利潤最大化の条件は価格P=私的限界費用（企業の限界費用）PMCであるため，

$100=4x_2$

$x_2=25$

となる（**1**，**3**，**5**は誤り）。

一方この企業は1単位生産するごとに，社会に環境被害を60与えていることから，社会的限界費用SMC（企業の限界費用＋環境被害の限界費用）は，

$SMC=4x_1+60$

と表すことができる。社会の総余剰最大化のための条件は価格＝社会的限界費用となるため，

$100=4x_1+60$

$x_1=10$

となる。

したがって，正答は**4**となる。

正答 4

国家一般職［大卒］ No. 34 専門試験

ミクロ経済学 外部不経済と利潤総額 令和元年度

X財を生産する企業1とY財を生産する企業2の間には外部性が存在し，企業1の生産活動が企業2に外部不経済を与えているとする。二つの企業の費用関数がそれぞれ以下のように示される。

$c_1=x^2$　　［c_1：企業1の総費用，x：企業1のX財の生産量］

$c_2=y^2+xy$　　［c_2：企業2の総費用，y：企業2のY財の生産量］

いま，X財とY財の市場価格はそれぞれ40と50であり，一定であるものとする。このとき，合理的で利潤を最大化する二企業間で外部不経済に関して交渉が行われないときの二企業の利潤の合計の大きさと，二企業間で外部不経済に関して交渉が行われ，二企業の利潤の合計を最大化するときの二企業の利潤の合計の大きさの差はいくらか。

ただし，交渉が行われる場合において，交渉のための取引費用は一切かからないものとする。

1　75
2　90
3　105
4　120
5　135

解説

二企業間で交渉が行われない場合は企業ごとに利潤最大化問題を解けばよい。

企業1の利潤関数π_1は，

$$\pi_1=40x-x^2$$

であるため，これをxで微分し0とすると利潤を最大にする生産量が求まる。

$$40-2x=0$$
$$x=20$$

企業2の利潤関数π_2は，

$$\pi_2=50y-y^2-xy$$

となる。企業1と同様に求めると，

$$50-2y-x=0$$
$$y=\frac{50-x}{2}$$

となる。xは20であるため，

$$y=15$$

となる。このときの両企業の利潤の合計は，

$$\pi_1+\pi_2$$
$$=(40\times20-20^2)+(50\times15-15^2-20\times15)$$
$$=400+225=625$$

となる。

二企業間で交渉が行われる場合は二企業の合計の利潤を最大化することになる。

二企業合計の利潤をπとすると,

$$\pi=\pi_1+\pi_2=(40x-x^2)+(50y-y^2-xy)$$

と表せる。これをxとyについてそれぞれ偏微分して0とすると,

$$40-2x-y=0$$
$$y=40-2x \quad \cdots\cdots ①$$
$$50-2y-x=0$$
$$x=50-2y \quad \cdots\cdots ②$$

が求まる。①を②に代入してyを消去すると,

$$x=50-2(40-2x)$$
$$3x=30$$
$$x=10$$

となる。①よりyは,

$$y=40-2\times10=20$$

となる。このときの二企業の利潤の合計は,

$$\pi=(40\times10-10^2)+(50\times20-20^2-10\times20)$$
$$=700$$

となる。これより利潤の大きさの差は,

$$700-625=75$$

となる。

したがって,正答は**1**となる。

正答 1

政治学 行政学 憲法 行政法 民法 経済理論 財政学

国家一般職［大卒］ No. 35 専門試験 ミクロ経済学

期待効用

令和元年度

ある個人の効用関数を $U=2\sqrt{w}$（U：効用水準，w：所得）とする。この個人が農業を営む場合，豊作のときは所得が400，不作のときには所得が100となる。また，豊作になる確率と不作になる確率はそれぞれ60％，40％である。

一方，この個人が隣町にある企業で働くと，農業からの所得はゼロになるが，企業から固定給である所得Mをもらえるようになる。

この個人は，Mが最低限いくらよりも大きければ，農業を営むのではなく，企業で働くことを選択するか。

ただし，この個人は期待効用が最大になるように行動するものとする。

1 140
2 225
3 256
4 280
5 324

解説

農業を営んだときの個人の期待効用 $E[U]$ は，

$$E[U]=0.6\times2\sqrt{400}+0.4\times2\sqrt{100}=24+8=32$$

となる。一方で隣町の企業で働くと確実に固定給をもらうことができるため，効用は，

$$U=2\sqrt{M}$$

となる。ここから企業で働くための条件は，

$$2\sqrt{M}\geqq32$$

$$M\geqq256$$

となる。

したがって，正答は**3**となる。

正答 3

国家一般職［大卒］ No. 36 専門試験

マクロ経済学 GDPギャップ 令和元年度

45度線分析の枠組みで考える。ある国のマクロ経済の体系が次のように示されている。

$Y=C+I+G$

$C=60+0.75Y$

（Y：国民所得，C：消費，I：投資，G：政府支出）

この経済の完全雇用国民所得が1040，$I=90$，$G=100$であるとき，経済の需給ギャップに関する次の記述のうち，妥当なのはどれか。

1 10のインフレ・ギャップが存在している。

2 10のデフレ・ギャップが存在している。

3 20のインフレ・ギャップが存在している。

4 20のデフレ・ギャップが存在している。

5 40のデフレ・ギャップが存在している。

解説

需給ギャップを求めるときは国民所得が完全雇用国民所得のときの総需要と総供給の値を計算すればよい。

総需要Y_Dは$Y_D=C+I+G$であるため，設問より，

$Y_D=60+0.75Y+90+100=250+0.75Y$

となる。完全雇用国民所得のときの総需要は，

$Y_D=250+0.75\times1040=1030$

となる。一方で総供給Y_Sは常に国民所得と等しいため，$Y_S=1040$となる。

これより，総供給が総需要より10（$=1040-1030$）だけ大きくなっているため，デフレ・ギャップが10生じていることがわかる。

したがって，正答は**2**となる。

正答 2

国家一般職［大卒］ No. 37 専門試験 マクロ経済学

均衡国民所得 令和元年度

不完全雇用を前提とした以下のようなマクロ経済モデルを考える。

ただし，このマクロ経済モデルでは，海外との取引はない。

$Y=C+I+G$

$C=110+0.8(Y-T)$

$I=60-0.1r$

$M=L=Y-i$

$r=i-\pi^e$

［Y：国民所得，C：消費，I：投資，G：政府支出，T：租税，r：実質利子率
M：貨幣供給量，L：貨幣需要，i：名目利子率，π^e：予想インフレ率］

また，政府支出と租税には，$G=T=65$という関係が成立している。

いま，$M=900$，$\pi^e=6$である。この場合における国民所得の大きさはいくらか。

1 904
2 906
3 908
4 910
5 912

解説

$IS-LM$分析の問題であるため，IS曲線の式とLM曲線の式を作る。

IS曲線は設問より，

$Y=110+0.8Y-0.8\times65+60-0.1r+65$

$0.2Y=183-0.1r$

$r=1830-2Y$ ……①

となる。次にLM曲線は，フィッシャー方程式$r=i-\pi^e$を考慮して，Yとrの関係式に直す。

$900=Y-r-6$

$Y=906+r$ ……②

となる。①を②に代入して，rを消すと，

$Y=906+(1830-2Y)$

$3Y=2736$

$Y=912$

となる。

したがって，正答は**5**となる。

正答 **5**

国家一般職［大卒］ No. 38 専門試験

マクロ経済学　2期間消費モデル　令和元年度

第１期と第２期の２期間のみ生存する家計を考える。この家計は第１期，第２期それぞれにおいてY_1，Y_2の所得を得るとともに，C_1，C_2の消費を行い，また，第１期と第２期の消費が等しくなるように行動する。利子率をr，貯蓄をSとすると，この家計の第１期と第２期の予算制約式は，それぞれ以下のように示される。

$C_1=Y_1-S$

$C_2=Y_2+(1+r)S$

ここで，利子率rは0.2であるとする。

いま，この家計が第１期の消費を行う際に，第２期の所得Y_2だけが当初の予想よりも110だけ増加すると考えた。この場合における家計の第１期の消費C_1の増加分はいくらか。

なお，借入制約は存在しないものとする。

1　40
2　45
3　50
4　55
5　60

解説

２期間のみ生存する家計の予算制約式を貯蓄を消去することで１つの式にまとめると，

$C_2=Y_2+(1+r)(Y_1-C_1)$

$(1+r)Y_1+Y_2=(1+r)C_1+C_2$

となる。設問より利子率rは0.2であり，第１期と第２期の消費は等しい（$C=C_1=C_2$）ことより，

$$C=\frac{1}{2.2}(1.2Y_1+Y_2)$$

となる。両辺の変化分$\varDelta$をとると，

$$\varDelta C=\frac{1}{2.2}(1.2\varDelta Y_1+\varDelta Y_2)$$

設問より，$\varDelta Y_1=0$，$\varDelta Y_2=110$を代入すると，

$$\varDelta C=\frac{1}{2.2}(1.2\times 0+110)$$

$$=\frac{1}{2.2}\times 110$$

$$=50$$

となる。

したがって，正答は**3**となる。

正答　3

政治学 行政学 憲法 行政法 民法 経済理論 財政学

国家一般職
[大卒]
No. 39 専門試験 マクロ経済学

新古典派投資理論

令和元年度

新古典派の投資理論を考える。望ましい資本ストックは，資本の限界生産性と資本の使用者費用が等しくなるように決定される。ある時点 t における資本ストック K_t と資本の限界生産性 MPK との間に，以下の式で示される関係があるものとする。

$$MPK=\frac{2}{\sqrt{K_t}}$$

いま，利子率が0.06，資本減耗率が0.04の下で，ある企業の$(T-1)$期の資本ストック水準が，新古典派の投資理論の望ましい資本ストック水準を達成していたとする。

ここで，T 期に利子率が0.04になったとすると，この企業の T 期の粗投資量はいくらか。

ただし，T 期の望ましい資本ストックも新古典派の投資理論に基づいて決定されるものとし，新古典派の投資理論では，T 期の望ましい資本ストックを $K_T{}^*$，$(T-1)$期の資本ストックを K_{T-1}，資本減耗率を d としたとき，T 期の粗投資量 I_T は，$I_T=K_T{}^*-(1-d)K_{T-1}$となる。

1 225
2 241
3 250
4 384
5 400

解説

資本の使用者費用とは資本ストックを1単位使用するために必要な費用のことであり，資本減耗率と利子率の合計として表せる。ここから（$T-1$）期の資本の使用者費用は$0.06+0.04=0.1$となる。これより，

$$0.1=\frac{2}{\sqrt{K_{T-1}}}$$

$$K_{T-1}=400$$

となる。T 期に利子率が0.04になったとすると資本の使用者費用は0.08となるため，

$$0.08=\frac{2}{\sqrt{K_T}}$$

$$K_T=625$$

となる。ここから T 期の粗投資量 I_T は，

$$I_T=625-(1-0.04)400$$
$$=241$$

となる。

したがって，正答は**2**となる。

正答 2

国家一般職［大卒］ 専門試験

No. 40 マクロ経済学 ソロー成長モデル 令和元年度

ソローの新古典派成長論の枠組みで考える。マクロ生産関数は以下のように示される。

$Y_t = 4\sqrt{K_t L_t}$ （Y_t：t 期の産出量，K_t：t 期の資本ストック，L_t：t 期の労働人口）

労働人口は時間を通じて一定の率で増加し，以下の式で示される。

$\dfrac{L_{t+1}}{L_t} = 1 + n$ （n：労働人口成長率）

一方，資本ストックは，以下の式で示される。

$K_{t+1} = K_t - dK_t + sY_t$ （d：資本減耗率，s：貯蓄率）

また，労働人口成長率が0.02，資本減耗率が0.04，貯蓄率が0.12で，それぞれ一定であるとする。このとき資本・労働比率$\dfrac{K_t}{L_t}$が時間の経過とともに収束していく値はいくらか。

ただし，資本ストックと労働人口の初期値は正であるとする。

1 16
2 32
3 64
4 128
5 256

解説

t 期の一人当たり産出量を $y_t = \dfrac{Y_t}{L_t}$，t 期の資本・労働比率を $k_t = \dfrac{K_t}{L_t}$とすると，マクロ生産関数の式より，

$y_t = 4\sqrt{k_t} = 4k_t^{\frac{1}{2}}$ ……①

となる。k_t が収束していく値は，定常状態の公式「$\varDelta y_t = (n+d)k_t$」を満たすことが知られている。この公式に，$s=0.12$，①，$n=0.02$，$d=0.04$を代入すると，

$0.12 \times 4k_t^{\frac{1}{2}} = 0.06k_t$

$k_t^{\frac{1}{2}} = 8$

$\therefore \quad k_t = 64$

となる。

したがって，正答は**3**である。

正答 **3**

政治学 行政学 憲法 行政法 民法 経済理論 財政学

国家一般職［大卒］
専門試験

No. 41 財政学 日本の財政制度等 令和元年度

我が国の財政制度等に関する次の記述のうち，妥当なのはどれか。

1 国債発行についてみると，建設国債及びその借換えのための借換債については，財政法第4条のただし書において発行が認められている。一方，財源不足分を補うための特例公債については，財政法上発行が予定されたものではないため，発行に際しては，毎年度特例公債法を制定しなくてはならず，公債の発行期間を複数年度とすることは許されない。

2 財政法では，内閣が提出する予算の提出時期について規定はないが，毎年度の政府予算案は，通常，前年度の12月までに国会へ提出されている。また，国会への提出に当たっては，衆議院と参議院のいずれに先に提出してもよいが，慣例として衆議院に先に提出されている。

3 種々の要因により国会が年度開始までに予算を議決することができない場合，本予算が成立するまでの間に必要な支出等を可能にするため，補正予算を提出することができる。しかし，平成20年度以降では年度開始までに本予算が成立しなかった例はない。

4 財政投融資の財源としては，郵便貯金や年金積立金から義務預託された資金のほかに，国が財投債を発行して調達した資金がある。一方，財投機関は自ら債券を発行して金融市場から資金を調達することは禁止されている。

5 公債の発行については，日本銀行による公債の引受けは原則として禁止されている。ただし，特別の事由がある場合においては，国会の議決を経た金額の範囲内で，日本銀行による公債の引受けが認められている。

1．建設国債の発行は財政法4条1項ただし書で認められているが，借換債の発行は財政法4条1項ただし書でなく，特別会計に関する法律46条1項，47条に基づいて認められている。また，特例公債法は一般に1年を想定して制定されているが，平成24年度および平成28年度以降において，複数年度にわたる特例公債の発行が認められた。

2．毎年度の政府予算案は，例年1月の通常国会（常会）で提出されている。また，予算案の国会提出については，憲法60条1項においてまず衆議院に提出され審議を受けなければならないと定められている（衆議院の予算先議権）。

3．前半の記述は補正予算でなく，暫定予算に関するものである。また，平成20年度以降を見ると，平成24，25，27年度において本予算が年度開始までに成立せず，暫定予算が編成された。

4．郵便貯金や年金積立金からの義務預託は，平成13年度の財政投融資改革において廃止された。また，この改革以降，財政投融資の財源については全額自主運用（原則市場運用）されることとなっており，財投機関が自ら債券を発行して金融市場から資金を調達することは禁止されていない。

5．妥当である。

正答　5

国家一般職[大卒] No. 42 専門試験

財政学　日本の財政事情　令和元年度

我が国の財政の現状に関する次の記述のうち，妥当なのはどれか。

1　我が国の一般会計当初予算の規模は，平成30年度は約98兆円で，厳しい歳出削減の努力もあり平成29年度よりも若干減少している。一般会計当初予算の規模は，平成20年度から平成27年度までは100兆円を上回っていたが，平成28年度から平成30年度までは100兆円を下回っておりかつ3年連続で前年度比がマイナスとなっている。

2　平成30年度の一般会計当初予算の歳入についてみると，租税及び印紙収入が約59兆円となっており，このうち所得税が法人税や消費税よりも大きな額を占めている。また，所得税，法人税及び消費税の合計は50兆円を下回っている。

3　平成30年度の一般会計当初予算の歳入のうち公債金は4割を超えており，また，公債金のうち特例公債は4条公債（建設国債）の1.5倍程度の規模となっている。さらに，公債発行額を一般会計歳出総額で除した数値である公債依存度を当初予算ベースでみると，平成25年度から平成30年度まで，前年度比で上昇傾向で推移している。

4　国の普通国債の残高は，平成28年度末（実績）で約830兆円となっており，4条公債（建設国債）の残高と特例公債の残高の比率はおよそ6対4となっている。また，この普通国債残高に特別会計の借入金などを加えた国の長期債務残高と地方債をはじめとする地方の長期債務残高を合計すると，平成28年度末（実績）で1,300兆円を超えている。

5　平成30年度の一般会計当初予算の歳出についてみると，社会保障関係費は平成29年度当初予算と比較して若干のマイナスとなったものの，30兆円を上回る水準となっている。またその内訳をみると，医療給付費が15兆円程度で最も大きな額となっており，年金給付費の2倍以上の水準である。

1．国の平成30年度一般会計当初予算（97兆7,128億円）は，平成29年度の一般会計当初予算（97兆4,547億円）より若干増加している。また，平成20年度から平成30年度までの一般会計当初予算はすべて100兆円を下回っており，この間において前年度比マイナスとなったのは平成24年度のみである。

2．妥当である。

3．平成30年度一般会計当初予算の歳入に占める公債金の割合は34.5％であり，特例公債発行額（27兆5,982億円）は4条公債発行額（6兆940億円）の約4.5倍である。また，平成25年度から平成30年度までの公債依存度を見ると，前年度比で低下が続いており，直近のピークは平成22年度の48.0％である。

4．平成28年度末（実績）における4条公債（建設国債）残高と特例公債残高の比率は，およそ1対2である。また，平成28年度末（実績）における国と地方の長期債務残高は1,056兆円である。

5．平成30年度一般会計当初予算の社会保障関係費は対前年度当初予算比1.5％増となった。また，その内訳を見ると，年金給付費（11兆6,853億円）が最も大きな額であり，医療給付費は年金給付費とほぼ同程度の11兆6,079億円となった。

データ出所：『日本の財政関係資料』（財務省），『債務管理リポート』（財務省），平成30年度版『図説　日本の財政』

正答　2

国家一般職［大卒］

No. 43　専門試験　経済事情　日本の経済事情　令和元年度

我が国の経済の動向に関する次の記述のうち，妥当なのはどれか。

1　実質 GDP 成長率の動きをみると，2013年度は前年度比で２％を超える比較的大きな成長率であったが，翌年度の2014年の４－６月期については消費税率の引上げによる消費の大きな落ち込みがあり前期比（実質，季節調整済）でマイナスとなった。その後，2015年度から2017年度における各年度の実質 GDP 成長率は前年度比でプラスを維持している。

2　我が国の名目 GDP に占める民間最終消費支出は，2017年度では約75％を占めている。また，実質民間最終消費支出の前年度比をみると，2012年度以降2015年度までマイナスとなっていたものの，2016年度及び2017年度については，雇用・所得環境の改善を受けて３％を超えるプラスとなった。

3　民間企業設備投資（名目）の動向をみると，2012年から2014年については前年比マイナスで推移していたが，2015年から2017年については，新製品開発や情報化投資が進んだことから，３年連続で前年比プラスとなった。また，2016年についてみると，民間企業設備投資のうちソフトウェア投資が５割以上を占めている。

4　GDP ギャップは，実際の GDP と潜在 GDP の乖離率として計算される指標であり，景気拡張期にマイナス方向へ推移し，景気後退期にプラス方向へ推移する特徴がある。GDP ギャップを2000年以降についてみると，ほぼプラスで推移していたが2010年以降マイナスに転じ，その後2017年現在まで，マイナス幅が拡大して推移している。

5　日本銀行は，2013年４月に「長短金利操作付き量的・質的金融緩和」を導入して以降，累次の金融緩和政策を行っている。この結果，日本銀行「資金循環統計」でみた国債保有者の構成比は2012年では民間金融機関（預金取扱機関）が４割，日本銀行が１割であったが，2017年では民間金融機関の割合に大きな変化はないものの，日本銀行が２割に上昇した。

1．妥当である。

2．2017年度における日本の名目 GDP に占める民間最終消費支出は約６割である。また，2012年度以降の実質民間最終消費支出の前年度比を見ると，マイナスとなったのは2014年度（▲2.5％）だけであり，2016年度（0.3％）と2017年度（0.9％）はともに３％を下回っている。

3．2011年から2017年までの民間企業設備投資（名目）は前年比増となっている。また，2016年の民間企業設備投資の内訳を見ると，ソフトウェア投資が占める割合は11％である。ちなみに，機械投資の同割合が48％，建設投資の同割合が22％，R&D 投資の同割合が19％となっている。

4．GDP ギャップは，景気拡張期にプラス方向へ推移し，景気後退期にマイナス方向へ推移する特徴がある。また，2000年以降の GDP ギャップは，ほぼマイナスで推移しているもののマイナス幅は縮小傾向となり，2017年以降ではプラス傾向となっている。

5．2013年４月に導入されたのは「量的・質的金融緩和」であり，「長短金利操作付き量的・質的緩和」は2016年９月に導入された。また，2017年の国債保有者の構成比を見ると，民間金融機関の割合は２割弱まで低下しており，日本銀行の割合は４割超となっている。

データ出所：平成30年版『経済財政白書』

正答　1

国家一般職［大卒］ 専門試験

No.44 経済事情 日本の労働市場 令和元年度

最近の我が国の労働市場に関する次の記述のうち，妥当なのはどれか。

1 完全失業率についてみると，2017年度平均で２％を下回り，1993年度以来の低い水準となった。また，有効求人倍率（新規学卒者を除きパートタイムを含む）は2017年度平均で0.9倍であり１倍を下回っているものの，1973年度以来の高い水準となった。

2 厚生労働省「労働経済動向調査」により2017年平均の常用労働者過不足判断 D.I. をみると，産業別では金融業・保険業の人手不足感が運輸・郵便業，医療・福祉，建設業よりも高くなっている。また，日本銀行「全国企業短期経済観測調査」の雇用人員判断 D.I. によると，2018年半ばでは，中小企業よりも大企業で人手不足感が高くなっている。

3 少子高齢化によって我が国の生産年齢人口（15～64歳人口）は2008年をピークに減少を続けている。また，総務省「労働力調査」によると，就業者数は2000年代後半以降減少傾向にあり，2017年においては5,000万人を下回っている。

4 総務省「労働力調査」により，2017年における女性の年齢階級別労働力率をみると，「M字カーブ」を描いているものの，1997年と比較して，M字の谷は浅くなっている。また，M字の底（M字の山と山の間の谷で最も低い部分）となる年齢階級は2017年では35～39歳となっている。

5 総務省「労働力調査」によると，65～69歳の高齢者の労働参加率は，2000年代後半の世界的な景気後退以降，低下を続け，2017年には約70％となった。また，2017年における65～74歳の労働参加率は，OECD 諸国の平均よりも低い水準となっている。

1．2017年度平均の完全失業率（2.7％）は２％を超えている。また，2017年度平均の有効求人倍率は1.54倍であり，１倍を上回っている。

2．2017年平均の常用労働者過不足判断 D. I. を見ると，金融業・保険業の人手不足感は運輸・郵便業，医療・福祉，建設業より低くなっている。また，雇用人員判断 D. I. によると，中小企業の人手不足感が大企業のそれより高くなっている。

3．日本の生産年齢人口は1995年をピークに減少しており，2008年をピークに減少しているのは総人口である。また，高齢者や女性の労働参加が高まるなどして，就業者数は2000年代後半以降増加傾向にあり，2017年は6,500万人を上回った。

4．妥当である。

5．65～69歳の高齢者の労働参加率は，2000年代中頃から上昇傾向に転じ，2012年以降は上昇テンポが加速しており，2017年は男性で56.5％，女性は35.0％となっている。また，2017年における日本の65～74歳の労働参加率（37.7％）はOECD平均（17.2％）を上回っている。

データ出所：平成30年版『経済財政白書』，平成30年版『労働経済白書』）

正答　4

経済事情 経営学 国際関係 社会学 心理学 教育学 英語(基礎) 英語(一般)

国家一般職［大卒］ No. 45 専門試験

経済事情 世界経済 令和元年度

世界経済に関する次の記述のうち，妥当なのはどれか。

1 国際通貨基金（IMF）によると，2017年の実質 GDP 成長率は，新興国及び途上国においては堅調に推移したものの，先進国においてマイナスとなったため，世界全体の成長率もマイナスとなった。また，米国の2018年度予算で組み込まれた，財政政策の規模の縮小や法人税などの増税の影響が今後の先進国経済の GDP の押し下げ要因となると懸念されている。

2 世界貿易機関（WTO）によると，世界の財貿易量の伸び率を実質 GDP 成長率で除した数値は2000年以降，世界金融危機の直前までは1.0以下の水準となるスロートレードの状態が続いてきた。しかし，2009年以降はこの数値が1.0を超える状態が継続しており，2017年の当該数値は，2.0を超える水準となっている。

3 国連貿易開発会議（UNCTAD）及び WTO により，世界の貿易額をみると，2012年以降，サービス貿易額（輸出額ベース）の前年比伸び率は財貿易額（輸出額ベース）の伸び率を大きく下回る状況が続いており，2017年のサービス貿易額の前年比伸び率は２％程度となった。また，2017年のサービス貿易額が貿易額全体に占める割合をみると，50％程度となっており，2008年以降最も低い水準となった。

4 UNCTAD によると，2016年の世界の対内直接投資（国際収支ベース，ネット，フロー）は前年比で５％程度増加して，10兆ドルを上回る水準となった。また，2016年における当該直接投資の地域別構成比を2000年と比較すると，アジアやアフリカに対する投資の割合は減少したのに対し，欧州への投資割合は大きく増加し2016年には全体の50％程度を占めている。

5 2000年代後半の世界金融危機以降，世界各国の中央銀行は大胆な金融緩和政策を実施してきたが，その後，欧米においては徐々に金融政策の正常化の動きがみられた。米国連邦準備制度理事会は2015年12月にゼロ金利政策を解除し，その後，2018年末現在まで，段階的に政策金利を引き上げた。また，欧州中央銀行においても，資産購入プログラム（APP）を2018年内に終了した。

1．2017年の世界の実質 GDP 成長率は，新興国および途上国がプラス4.8％となる中，先進国もプラス2.3％となるなど加速して，世界全体ではプラス成長（3.8％）となった。また，アメリカは2018年度予算で，財政政策の規模の拡大や法人税などの減税を組み込み，これらは今後の先進国経済の GDP の押し上げ要因となるとされている。

2．世界の財貿易量の伸び率を実質 GDP 成長率で除した数値は，2000年以降1.0を超えていたが，2009年から低下し，2011～2016年は1.0以下の水準となるスロートレードの状態となった。しかし，2017年のこの値は1.5となった。

3．世界の貿易額を見ると，2012年以降，サービス貿易額（輸出額ベース）の前年比伸び率は財貿易額（輸出ベース）の伸び率を上回っており，2017年のサービス貿易額の前年比伸び率は7.4％となった。また，2017年のサービス貿易額が貿易額全体に占める割合は23.1％であり，2016年よりわずかに低下したが，2008年以降において高い水準となっている。

4．2016年の世界の対内直接投資（国際収支ベース，ネット，フロー）は前年比で1.6％減少し，1兆7,464億ドルとなった。また，2016年における当該直接投資の地域別構成比を2000年と比較すると，アジアは11.8％から27.9％へ，アフリカは0.8％から3.4％へと大幅に増加しているのに対し，欧州は52.4％から33.2％へ低下した。

5．妥当である。

データ出所：『通商白書2018』

正答　5

No.46 専門試験 経営学 経営組織 令和元年度

経営組織に関するア～エの記述のうち，妥当なもののみを全て挙げているのはどれか。

ア．C.I.バーナードは，成立した組織が存続するための条件として有効性と能率を挙げた。有効性とは組織の共通目的を達成できる程度のことであり，能率とは組織に参加する個人から十分な貢献を確保できる程度のことである。また，個人からの貢献を確保するためには，組織は個人の動機を満たすだけの誘因を提供する必要があるとした。

イ．F.W.テイラーは，米国の工場で問題となっていた自然的怠業に焦点を当てて改善に取り組んだ。彼は，各作業者のモチベーションの維持のためには，各作業者自身に1日で達成する作業量の目標を設定させ，目標を達成できた場合には，見返りとして，名声やより高い職位などの金銭以外の報酬を与えることが必要であるとした。

ウ．J.H.ファヨールは，1960年代に『産業ならびに一般の管理』の中で，管理的職能は，①計画すること（Plan），②行動すること（Do），③評価すること（Check），④改善すること（Action）の四つの要素で構成されるとした。また，彼は上記の管理の要素は①から④の順に繰り返し実施されることを指摘し，このサイクルを「PDCAサイクル」と呼んだ。

エ．J.G.マーチ，J.P.オルセンらは，現実の組織的意思決定を分析する枠組みとして，ゴミ箱モデルを提唱した。このモデルでは解決すべき問題がゴミ箱のような役割を果たし，そこに選択機会や意思決定者のエネルギーなどが順序立てて投げ込まれる。そして，ゴミ箱の容量とは無関係に，解が一つ投げ入れられた時点で意思決定が行われるとした。

1 ア
2 ア，イ
3 イ，ウ
4 ウ，エ
5 ア，ウ，エ

ア：妥当である。バーナードが定義した有効性とは組織目的の達成度であり，能率とは組織が個人から十分な貢献を確保できる程度（個人動機の満足度）を意味する。なお，バーナードは，組織が存続するためには，短期的には有効性と能率のいずれか，長期的には両方を満たす必要があるとした。

イ：妥当でない。「自然的怠業」「各作業者自身に１日で達成する作業量の目標を達成させ」および「名声やより高い職位などの金銭以外の報酬」が誤り。テイラーは20世紀初頭に全米の工場で蔓延していた組織的怠業を解消し，高賃金と低労務費を実現するために科学的管理法を提唱した。科学的管理法は，課業（時間研究と動作研究から導き出された「１日の公正な仕事量」）の設定や，差別的出来高給制度（課業を達成した者には高い賃率を，未達成の者には低い賃率を適用する金銭的な動機づけ策）などから構成される。

ウ：妥当でない。ファヨールの著書『産業ならびに一般の管理』が刊行されたのは1916年である。また，ファヨールは管理的職能を「PDCA サイクル」ではなく，予測（計画），組織，命令，調整，統制という５要素からなる過程と定義した。

エ：妥当でない。「このモデルでは～」以降の記述が誤り。マーチとオルセン，M. D. コーエンが示した意思決定のゴミ箱モデルでは，現実の組織における意思決定の状況は，ある「選択機会」にさまざまな「問題」「解」「参加者」がアトランダムに投げ込まれるゴミ箱にたとえられる。そして，これらの要素が偶発的に結びつくことで，あたかもいっぱいになったゴミ箱を空にするように意思決定が行われるとした。

以上から，妥当なものはアのみであり，**1**が正答となる。

正答　1

国家一般職[大卒] No. 47 専門試験

経営学 企業の戦略 令和元年度

企業の戦略に関する次の記述のうち，妥当なのはどれか。

1 1960年代にH. I. アンゾフは，実現された戦略は，①事前に計画された戦略と，②当初は意図されていなかった事象への対応が集積されることにより形成される企業行動の一貫性やパターンである創発的戦略，の二つから構成されると主張し，後者の類型として市場浸透，市場開拓，製品開発の三つがあるとした。

2 R. P. ルメルトが提唱した取引コスト理論によると，ある部品を自社で製造（内製）するのか外部から購入（外注）するのかを決定する際の取引コストは，専ら取引費用という当該部品の購入代金として支払う金額により定まり，情報収集や契約条件などの市場取引に固有のコストは考慮されない。

3 市場の成長の鈍化や縮小が起こる製品ライフサイクルの成熟期では，競合他社は複数存在するため，それまでに獲得した市場シェアを防衛することや，商品力の強化及び差別化を推進して自社製品に対するブランドの評価をより高めることが重点課題となる。

4 1990年代にハーバード大学が中心となり実施されたPIMS研究の成果によれば，相対的市場シェアが高いほど投資利益率（ROI）が低くなるという関係が示されており，その理由として，市場シェアが高まるほど相対的品質（顧客が知覚する商品品質）が低下してしまうため高水準の価格を維持できなくなることを挙げている。

5 ポジショニング・アプローチの観点からJ. B. バーニーが提唱したVRIOフレームワークは，企業に競争優位をもたらす資源の特徴として，①購入価格が高いこと，②稀少であること，③他社による模倣が困難であること，④事業機会に恵まれていること，という四つの条件を挙げた。

1. ある時点で実現された戦略を，①事前に計画された戦略と，②当初は意図されていなかった事象に対応した結果，形成された企業行動のパターンである創発的戦略に区別したのは，H. ミンツバーグである。また，「市場浸透，市場開拓，製品開発」はアンゾフが示した成長ベクトルの内容であり，②の類型ではない。アンゾフは企業の成長方向を成長ベクトルと名づけ，製品の新旧と市場の新旧によって，その内容を市場浸透（既存製品・既存市場），市場開発または市場開拓（既存製品・新市場），製品開発（新製品・既存市場），多角化（新製品・新市場）に分類した。

2. 取引コスト理論は，O. E. ウィリアムソンの研究によって発展した。取引コストは「当該部品の購入代金」ではなく，取引きを成立させ，契約を履行する際に要する費用であり，情報収集や契約条件，交渉，監視など市場取引に必要な固有のコストを含む。なお，ルメルトは，企業の多角化の形態と業績の関係を調査・分析した。

3. 妥当である。製品ライフサイクルの成熟期は市場が飽和することから，買換え需要の喚起や新たな市場開拓が求められる。そのための手段としては，製品差別化戦略や市場細分化戦略などが導入される。

4. PIMS（Profit Impact of Market Strategies）研究は市場戦略が利益に及ぼす影響についての調査・研究であり，1960年代にゼネラル・エレクトリック社の内部プロジェクトとして発足し，後にハーバード大学に研究母体が移された。分析の結果，投資利益率に最も大きな影響を与える要因は相対的市場シェアであり，市場シェアが高まるほど投資利益率も高くなるという正の相関関係が示された。

5. 「ポジショニング・アプローチ」「購入価格が高いこと」「事業機会に恵まれていること」が誤り。バーニーが唱えたVRIOフレームワークは，資源ベース理論（リソース・ベースト・ビュー）の代表的な学説である。VRIOフレームワークでは，ある経営資源が競争優位をもたらすか否かは，①経済的価値（Value），②希少性（Rareness, Rarity），③模倣可能性（Imitability，模倣困難性とも訳される），④組織（Organization）で決まるとされる。①は企業の戦略を実行可能にする「価値」があること，②は供給量が限られているため，多くの企業が入手できないこと，③は他社が容易に模倣できないこと，④は保有している資源を組織的に活用できる能力を兼ね備えていること，を意味する。なお，ポジショニング・アプローチは，他社よりも優位な立場（ポジション）を得るために，競争市場を分析し，適切な戦略を選択することを重視する考え方であり，M. E. ポーターの競争戦略論が代表的な学説である。

正答 3

国家一般職［大卒］ No. 48 専門試験

経営学 技術経営 令和元年度

技術経営に関する次の記述のうち，妥当なのはどれか。

1 モジュラー型アーキテクチャの製品においては，部品間のインターフェースが事前に標準化されておらず開発活動の過程で各部品の最適設計を行えるが，部品間の相互依存性が高いため，1990年代にT. J. アレンが存在を明らかにしたゲート・キーパーによる社内調整活動が不可欠となる。

2 W. J. アバナシーとJ. M. アッターバックは，イノベーションを製品イノベーションと工程イノベーションの二つに分類し，両者の発生頻度の組合せに応じて産業の発展段階を流動期，移行期，固定期の三つに分けた。彼らは，ドミナント・デザインの登場によって産業の発展段階が移行期から固定期へと推移し，また，固定期では工程イノベーションの発生頻度が増大していくとした。

3 ある製品がその利用者に与える満足の程度を表す「総合品質」を規定する二種類の品質のうち，「設計品質」は設計図面に定められている機能や外観，性能のとおりに製品が作られているかどうかの程度を表し，「適合品質」は製品の設計図面が法令や規制に準拠しているかどうかの程度を表している。

4 米国フォード社は，1920年代までに確立されたフォード・システムと呼ばれる自動車の大量生産方式において，セル生産方式と汎用性のある工作機械の導入によって生産性を向上させた。このため需要量や品種の変動に柔軟に対応できなくなるという生産性のジレンマに陥ることなく，米国ゼネラル・モーターズ社のフルライン戦略に直面した後も市場シェアを長期間維持できた。

5 H. W. チェスブロウは，自社内と社外のアイデアや技術・知識を有機的に結合させ，新たな価値を創造する活動をオープン・イノベーションと呼んだ。オープン・イノベーションにより，社外のアイデアや技術を見つけて活用することや，自社で有効に活用できない研究成果については他社に譲渡して利益を得ることなども可能となる。

1．「部品間のインターフェースが事前に標準化されておらず開発活動の過程で各部品の最適設計を行える」のは，インテグラル型アーキテクチャの製品であり，日本企業が生産する自動車やオートバイが該当する。モジュラー型アーキテクチャは，部品間のインターフェース（接合規格）が事前に標準化されており，「モジュール」と呼ばれる独立性の高い部品を組み合わせることで完成する製品であり，パソコンや家電製品などが挙げられる。また，インテグラル型アーキテクチャの製品は，部品間の相互依存性が高いため，社内での調整活動が不可欠だが，その役割をゲート・キーパーが担うわけではない。アレンが示したゲート・キーパーとは，高度な技術者であると同時に第一線の管理者であり，外部の情報を取捨選択して社内の技術者に咀嚼して伝える「スター」的な存在とされる。

2．「産業の発展段階が移行期から固定期へ～」以降の記述が誤り。アバナシーとアッターバックによれば，流動期は製品コンセプトが固まっていないため，技術開発の努力は製品イノベーション（製品技術の革新）に向けられる。その後，ある時点でドミナント・デザイン（その後の技術的基準となる標準化された製品）が登場することで製品コンセプトが固まり，移行期が始まる。移行期は，確立されたドミナント・デザインの下で特定の機能を向上することに開発努力が向けられるため，製品イノベーションの発生頻度が低下し，効率的な生産を実現するための工程イノベーション（生産工程の技術革新）の頻度が高くなる。固定期になると，製品の品質向上やコスト削減に努力が向けられるため，生産性は上昇するが，さらなる技術進歩の余地は少なくなり，製品イノベーションと工程イノベーションの頻度は低下する。

3．「『設計品質』は～」以降の記述が誤り。「設計品質」は，製品の設計段階で意図された品質であり，設計図面に記載された材質，機能，性能，特性などの要件をさす。「適合品質」は，設計図面で定められている要件のとおりに製品が作られているかを示す品質であり，具体的には製品の仕上がりや信頼性，耐久性などが挙げられる。

4．フォード社は，フォード・システムと呼ばれる大量生産方式において，生産の標準化（部品や工具を標準化し，互換性を持たせる）とベルトコンベアによる移動組立ライン，特定の部品を作るための専用工作機械の導入によって生産性を向上させた。しかし，その後にフォード・システムは消費者の嗜好の変化に対応できなくなって生産性のジレンマに陥り，1920年代後半には，汎用性のある工作機械を導入し，複数の車種を供給するゼネラル・モーターズ社のフルライン戦略に直面してフォード社の市場シェアは低下した。なお，セル生産方式とは，ベルトコンベアを使わずにコンパクトな作業台で，少人数の多能工からなる作業チームが製品の組立てから加工，検査まで担当する手法である。

5．妥当である。チェスブロウによれば，オープン・イノベーションでは，①社外の知識をいち早く発見し，理解して選別すること，②社外の知識では欠けている部分を社内で開発すること，③社内と社外の知識を統合して新たなシステムを創り出すこと，④研究成果を他社に販売することで，追加的な利益を獲得すること，が重視される。

正答　5

国際経営に関する次の記述のうち，妥当なのはどれか。

1 海外市場への対応方法として，各国市場の需要状況に合わせた製品を供給する「標準化」と，できる限り共通化された製品を各国に供給する「現地化」の二つがある。C. K. プラハラードらは，前者に関連するグローバル統合の程度と，後者に関連するローカル適応の程度という二軸を用いた枠組みとしてI–Rグリッドを提唱し，両者ともに高い水準で達成可能な組織を「グローバル型組織」と呼んだ。

2 J. H. ダニングは，多国籍企業が特定の国に対して直接投資を行うための条件として，所有優位性，国際化優位性，立地優位性の三つを挙げ，それぞれの頭文字をとってOLIパラダイムと呼んだ。彼によれば，この三つの条件のいずれか一つが満たされた場合に，多国籍企業は直接投資を行う。

3 国際的な人的資源管理に関しては，海外子会社で採用した現地従業員と本国から派遣される駐在員にどのような権限や役割を与えるのかを決める必要がある。G. ホフステッドはEPRGプロファイルを提唱し，海外子会社の重要なポストの多くが本国からの駐在員によって占められ，本国が海外子会社の主要な意思決定を行うような経営志向を「世界志向型」と定義した。

4 M. E. ポーターは，国の競争優位の決定要因として，「要素条件」，「需要条件」，「関連・支援産業」，「企業戦略と競合関係」，「文化と宗教」の五つを挙げ，これらが相互に影響しあう関係にあると指摘した。これらのうち，「需要条件」とは，労働力やインフラ等の，ある特定の産業で競争するのに必要な資源における国の地位のことである。

5 C. A. バートレットとS. ゴシャールは，多国籍企業の海外子会社の役割を，海外子会社が有する能力やリソースの高低と，現地環境の戦略的重要性の高低の二軸によって，「ブラックホール」，「戦略的リーダー」，「実行者」，「貢献者」の四つに類型化した。そして，企業にとって戦略的に重要なロケーションに位置し，かつ能力やリソースが高い子会社を「戦略的リーダー」とした。

解説

1.「標準化」と「現地化」の説明が逆である。海外市場への対応方法には，できる限り共通化された製品・サービスを各国に供給する「標準化」と，各国市場の需要状況に合わせた製品・サービスを供給する「現地化」の2つがある。また，問題文後半のI–Rグリッドの説明は妥当だが，「グローバル型組織」が誤り。プラハラードらは，グローバル統合とローカル適応を同時に志向する企業のアプローチを「マルチフォーカル戦略」と呼び，それに対応する組織を「マルチフォーカル組織」と呼んだ。

2.「国際化優位性」が誤り。ダニングは，多国籍企業が海外直接投資を行うための条件として，①所有優位性（Ownership advantages），②立地優位性（Location advantages），③内部化優位性（Internalization advantages）の3条件を挙げ，頭文字をとってOLIパラダイムと呼んだ。①は他社に対して優位を生み出す有形・無形資産を所有すること，②は進出先で希少な天然資源や低コストの労働力などの優位な経営資源が得られること，③は市場取引に比べて自社での内製のほうがコスト面で優位であること，である。また，「三つの条件のいずれか一つが満たされた場合」も誤り。ダニングは，前述の3条件がすべてそろったときに海外直接投資が可能となるとした。

3．EPRG プロファイルを示したのはH. V. パールミュッターである。パールミュッターは，経営志向に応じて企業の海外展開を，①本国志向型（Ethnocentric），②現地志向型（Polycentric），③地域志向型（Regiocentric），④世界志向型（Geocentric），の4種類に分類しそれぞれの頭文字から EPRG プロファイルと名づけた。①は本社が集権的に意思決定を行う。②は研究開発や財務上の重要な意思決定は本社が行うが，現地事業に関する意思決定は海外子会社に移譲される。③は生産，販売，人事，広告などの意思決定を，EU や北米などの地域ベースで行う。④は本社と海外子会社が協調し，世界規模で事業活動を展開する。したがって，「本国が海外子会社の主要な意思決定を行うような経営志向」は「本国志向型」に該当する。なお，ホフステッドは，多国籍企業における各国の組織文化に関する比較調査を行った。

4．ポーターが示した国の競争優位の決定要因に「文化と宗教」は含まれない。また，「労働力やインフラ等の，ある特定の産業で競争するのに必要な資源」は要素条件である。ポーターによれば，国の競争優位を決定するのは，①要素条件（特定の産業で競争を行うために必要な生産上の要因），②需要条件（特定の産業の製品・サービスに対してどのような需要があり，どの程度差別化されているか），③関連・支援産業（国際的な競争力を持つ下請産業や関連産業が存在するか），④企業戦略と競合関係（企業がいかに創設，組織化，管理されているか，どのような競合関係があるか），という4要因である。

5．妥当である。バートレットとゴシャールは，多国籍企業における海外子会社の役割を，現地環境の戦略的重要性の高低と，保有する能力やリソース（経営資源）の高低の2軸によって，①ブラックホール（戦略的に重要な場所に位置しているが，能力やリソースが低い子会社），②戦略的リーダー（戦略的に重要な場所に位置し，能力やリソースも高い子会社），③実行者（戦略的にさほど重要でない場所に位置し，能力やリソースも低い子会社），④貢献者（戦略的にさほど重要でない場所に位置しているが，能力やリソースが高い子会社）の4種類に類型化した。

バートレットとゴシャールによる海外子会社の類型

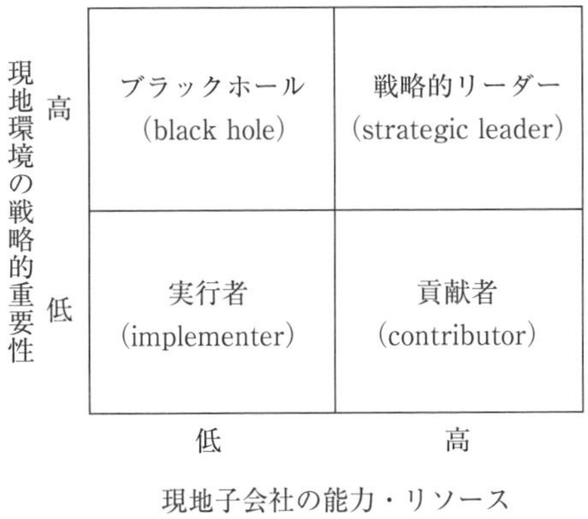

現地環境の戦略的重要性 ＼ 現地子会社の能力・リソース	低	高
高	ブラックホール（black hole）	戦略的リーダー（strategic leader）
低	実行者（implementer）	貢献者（contributor）

正答　5

経営学　動機づけ　令和元年度

動機づけ理論に関する次の記述のうち，妥当なのはどれか。

1　G. E. メイヨーらは，ホーソン工場での実験を通じて，作業環境や条件と生産性との関係を考察し科学的管理法を提唱した。また，その実験においては，照明の明るさなどの作業条件と従業員の作業能率との間には直接的な関係が認められるとともに，人間関係などの職場の状況を改善することによって作業能率がさらに高まることが実証された。

2　A. H. マズローは，人間の欲求は，最低次欲求である安全欲求から最高次欲求である自己実現の欲求まで階層的に配列されていると仮定した上で，自己実現の欲求とは，他人からの尊敬や尊重を意味する名声や栄光に対する欲求のことであるとした。また，低次の欲求が満たされると一段階上の欲求の強度が増加するとした。

3　F. ハーズバーグは，職務満足に関連する要因には，会社の方針と管理，給与，対人関係などがあり，自分の職務を遂行する際の環境や条件と関係するものであるとした。一方，職務不満足に関連する要因としては，達成に対する承認，責任，昇進などがあり，自分の行っている職務そのものと関係するものであるとした。

4　D. マグレガーは，人間は自分で定めた目標のためには進んで努力するという考え方をX理論と定義し，組織メンバーを目標に向かって努力させるためには，命令，統制が必要であるとする考え方をY理論と定義した上で，企業の置かれた状況に応じてX理論とY理論を臨機応変に使い分けて，経営を行う必要があるとした。

5　E. L. デシは，内発的動機づけの理論を体系化し，内発的に動機づけられた行動とは，人がそれに従事することにより自己を有能で自己決定的であると感知できるような行動であるとした。また，有能さや自己決定の感覚を経験したいという欲求は，人間が生来的に持っているものであるとした。

1．科学的管理法を提唱したのはF. W. テイラーである。また，「照明の明るさなどの作業条件と従業員の作業能率との間には直接的な関係が認められる」も誤り。ホーソン実験の当初の目的は，照明度などの作業条件と作業能率の関係を分析することにあったが，両者の相関関係は認められなかった。その後，メイヨーらが主導した一連の実験結果から，非公式組織の存在が公式組織の作業能率に影響を与えることが明らかにされた。

2．「最低次欲求である安全欲求」が誤り。マズローは，人間の欲求を低次から高次に向けて，生理的欲求，安全欲求，愛情（社会的，帰属）欲求，尊敬（承認）欲求，自己実現欲求の5段階に分類した。また，「他人からの尊敬や尊重を意味する名声や栄光に対する欲求」は尊敬欲求である。マズローによれば，自己実現欲求は，自らの潜在的な可能性や創造性の探求に向けて自己を高めようとする欲求である。

3．職務満足と職務不満足を規定する要因の内容が逆である。ハーズバーグによれば，職務満足を規定する動機づけ要因には，仕事の達成とその承認，責任の付与，仕事それ自体，昇進があり，職務不満足を規定する衛生要因には，会社の方針および管理，作業条件，給与，対人関係，監督技術があるとした。

4．X理論とY理論の内容が逆である。マグレガーによれば，X理論は，人間は仕事が嫌いで，強制や命令によってしか仕事に取り組まず，責任を回避したがる存在とする人間観であり，Y理論は，人間は状況次第で自己の欲求実現に向けて自主的に仕事に取り組み，結果の責任を負う存在とする人間観である。マグレガーは，上司の管理能力の向上と従業員の自己実現欲求の充足を結びつけることを重視し，X理論に基づく管理からY理論に基づく管理への移行を唱えた。

5．妥当である。デシによれば，内発的に動機づけられた行動とは，報酬や昇進などの外的な報酬の有無に関係なく，活動そのものに喜びやおもしろさ，やりがいを見いだして従事している状態を意味する。

正答　5

国家一般職［大卒］

専門試験

No. 51 国際関係　国際関係理論　令和元年度

国際関係理論に関する次の記述のうち，妥当なのはどれか。

1　第二次世界大戦後の国際政治学で興隆した政治的リベラリズムの見方によれば，19世紀に盛んとなった法律主義的なアプローチは理想主義的すぎるものであり，戦争を防ぐためにはむしろ力と国益を重視して勢力均衡を図っていかなければならない。

2　相互依存論によれば，諸国家が文化交流やスポーツを通じて相互依存関係を深化させれば，現状を維持するメリットが拡大し，戦争は割に合わなくなるため，対立が武力紛争化する可能性は著しく減る。このような状況では，経済力の効用は低下し，国力の他の構成要素が重要になる。

3　B. ラセットらは，過去の戦争事例の統計分析に基づき，民主主義国家どうしが戦争をする可能性は低いと論じた。しかし，この民主的平和論は，民主主義国家と非民主主義国家の間の戦争には当てはまらない。

4　1970年代に R. ギルピンが打ち出した世界システム論によれば，歴史上，世界システムは，単一の政治システムをもつ世界帝国か，中央集権的な政治システムを欠く世界経済の形をとってきた。この分類では，近代世界システムは，16世紀から長く続く主権国家世界経済とされる。

5　主権とは，絶対王政の時代にアジアで発展した概念であり，諸国家が相互に相手の主権を認める国際社会の基盤になっている。世界人権宣言が加盟国の主権平等の原則を定めたことが契機となって，脱植民地化の時代を経て国家の数も飛躍的に増え，主権の理解も変容した。

1. 第二次世界大戦後に興隆した国際政治学説は，政治的リベラリズムではなく政治的リアリズムの考え方である。リアリズムは，それまで主流であった国際法や国際機関，軍縮などを重視するリベラリズムの考えは，パワーや国家間の闘争など国際政治の権力的な側面を軽視しているとして批判した。

2. 相互依存論は，文化交流やスポーツだけでなく，経済的な相互依存関係の構築を重視する。経済的な相互依存関係が強まれば，切断のコストが高まることで国家間の対立や紛争を抑制する点を強調する。そのような状況下ではリアリズムが重視する軍事力の効用は低下し，経済や文化，社会システムなど国力の他の要素が重要になると主張する。

3. 妥当である。民主的平和論は民主主義国家の間では戦争を回避する傾向があるが，民主主義国と非民主主義国との間ではそのような傾向が読み取れないとしている。

4. 世界システム論を提唱したのはR. ギルピンではなく，アメリカの社会学者・歴史学者，I. ウォーラスティンである。

5. 主権の概念が発達したのはアジアではなくヨーロッパである。近世に入り絶対王政が台頭する中で，最初に主権の概念を唱えたのはJ. ボーダンである。ボーダンは『国家論』において主権を「国家の絶対的かつ恒久的権力」と定義し，教会や帝国から独立した国家の本質的特徴を明確化させた。加盟国の主権平等の原則を定めるのは国連憲章であり，世界人権宣言ではない。国連憲章は，国際連合は加盟国の主権平等を基礎として組織される旨を2条1項で規定している。

正答 3

国家一般職［大卒］ No.52 専門試験

国際関係　外交史　令和元年度

外交史に関する次の記述のうち，妥当なのはどれか。

1　30年戦争を終結させることとなった1648年のユトレヒト条約は，150名以上の外交使節が集まって締結したもので，領土，帝国の国制，宗教に関わる規定から成る。さらに19世紀初頭のウェストファリア講和条約によって，諸国の相互承認によって成り立つ国際秩序が進展した。

2　クリミア戦争が終結した後，戦争に関わった諸国はウィーンに集まり，戦後秩序を話し合った。そこで定められたオーストリア，英国，スペイン，ロシア等の大国間の協調を基本方針にした国際秩序は，ウィーン体制と呼ばれた。

3　民族自決や集団安全保障を唱えた14か条の戦後構想を提唱した米国大統領 W. ウィルソンの影響によって成立した国際秩序は，ヴェルサイユ体制とも呼ばれる。それは秘密外交を否定する新しい外交の時代の幕開けでもあった。

4　1945年に米国，英国，ソ連，中国，フランスの五か国の首脳は，ヤルタ，続いてポツダムで会談し，戦争終盤での作戦協力と戦後処理の構想について話し合った。ヤルタ会談ではソ連の対日参戦が決定されるとともに，日本に降伏を勧告する共同宣言が発せられた。

5　1981年に米国の大統領に就任した R. レーガンは，大きな政府と強い米国，そして反共主義を標榜して，大規模な軍備拡張を主導した。宇宙・軍事技術で米国に遅れていたソ連は，1985年に M. ゴルバチョフが共産党書記長に就任すると，米国との軍備拡張競争を激化させた。

1．1648年にドイツ30年戦争を終結させたのは，ウェストファリア条約である。19世紀初頭に，諸国の相互承認によって成り立つ国際秩序を進展させたのは，ウィーン条約（ウィーン議定書）である。

2．クリミア戦争ではなくナポレオン戦争後，戦争にかかわった国がウィーンに集まり，戦後秩序を話し合ったことによってウィーン体制が構築された。

3．妥当である。ウィルソン大統領は，国王や貴族，官僚が情報を独占し秘密裏に外交を遂行する秘密外交を旧外交として否定し，新しい時代の外交（新外交）は主権者である国民が公開された情報をもとに外交政策に関与すべきであると説いた。

4．1945年２月に開かれたヤルタ会談および同年７月に開かれたポツダム会談に参加したのは，アメリカ，イギリス，ソ連３か国の首脳である。対日降伏勧告が出されたのは，ポツダム会談である。

5．レーガン政権は，強いアメリカの復活をめざすとともに，ネオリベラリズムの思想を重視し，小さな政府を標榜した。ソ連のゴルバチョフ書記長は，ソ連経済の回復には軍事費の削減が必要であるとの考えから，中国や西側諸国との関係改善や軍備の縮小に動き（新思考外交），1987年にはレーガン大統領と中距離核戦力（INF）全廃条約を調印した。その後，アメリカのトランプ政権は，ロシアがINF全廃条約に反してミサイルの開発を進めているとして，2019年２月に同条約の破棄をロシアに通告し，同年８月に同条約は失効した。

正答　3

国家一般職［大卒］ No. 53 専門試験

国際関係 国際機構と国際的枠組み 令和元年度

国際機構と国際的枠組みに関する次の記述のうち，妥当なのはどれか。

1 国際連合安全保障理事会は，5か国の常任理事国と10か国の非常任理事国から構成され，「国際の平和及び安全の維持に関する主要な責任」を負う。同理事会は，国連憲章第7章に基づく軍事的な強制措置を発動することができる。

2 第一次世界大戦後の1920年代には，地理的に近接している複数の国家が協力・統合し，多くの地域機構が生まれた。現在も欧州連合（EU），アフリカ連合（AU），米州機構（OAS），アジア開発銀行（ADB）等が，地域機構として地域内の様々な活動を行っている。

3 国連平和維持活動（PKO）は，機能不全に陥った国際連盟を補完して，紛争解決を図るために始まり，その数と活動範囲は，第二次世界大戦後に飛躍的に拡大した。それに伴う課題に取り組んだ，いわゆる「ブラヒミ・レポート」は，国連PKOの改革を唱えた。

4 2000年に開催された国連ミレニアム・サミットは，気候変動の危機への対応を主目的として国際開発目標を統合し，国連ミレニアム開発目標（MDGs）を採択した。これにより，国連加盟国は，MDGsの遵守を義務付けられた。

5 1968年に核兵器不拡散条約（NPT）が署名のために開放された。NPTは，核兵器保有国に対して，原子力発電などの平和利用を行う場合の国際原子力機関（IAEA）の査察受入れ等の民間転用防止を義務付けた。

1．妥当である。国連安保理は，国連憲章第7章の規定に基づき，「武力による威嚇，または武力の行使」を行った加盟国に対して，集団安全保障措置として武力制裁措置を発動することができる。しかし，これまでこの本来の国連軍が編成されたことはない。

2．多くの地域協力機構が誕生したのは，第二次世界大戦後のことである。欧州連合（EU）の前身である欧州経済共同体（EEC）の発足は1957年，アフリカ連合（AU）の前身であるOAU（アフリカ統一機構）の発足は1963年，米州機構（OAS）の発足は1951年，アジア開発銀行（ADB）の発足は1966年である。

3．国連平和維持活動（PKO）は，拒否権の応酬などで安保理が機能不全に陥った国際連合の集団安全保障メカニズムを補完するため，総会の「平和のための結集決議」を根拠に生み出された制度である。その数と機能は冷戦後に飛躍的に拡大した。ブラヒミ報告は，国連に設置された国連平和活動検討パネルが，2000年8月，平和維持活動（PKO）のあり方について提案を行った報告で，国連の平和活動を，①紛争予防と平和創造，②平和維持，③平和構築に分けたうえで，それぞれの分野での改革の必要性を訴えている。

4．国連ミレニアム開発目標（MDGs）は，2000年9月にニューヨークで開催された国連ミレニアム・サミットで採択された国連ミレニアム宣言と，1990年代に開催された主な国際会議やサミットで採択された国際開発目標を統合し，一つの共通の枠組みとしてまとめられたもので，2015年までに達成すべき8つの目標として，貧困と飢餓の撲滅や初等教育の完全な普及の達成，乳幼児死亡率の削減，妊産婦の健康改善などを掲げているが，気候変動危機への対応は入っていない。また，国連加盟国に対する遵守義務を定めているわけではない。

5．核兵器不拡散条約（NPT）は，非核兵器保有国に対して，原子力発電などの平和利用を行う場合，軍事転用を防止するため，国際原子力機関（IAEA）の査察受け入れなどの保障措置を受諾する義務を規定している。

正答　1

国家一般職［大卒］ No. 54 専門試験

国際関係 人道的介入 令和元年度

人道的介入に関する次の記述のうち，妥当なのはどれか。

1 冷戦期と冷戦後の人道的介入の共通点としては，いずれも人道的な危機への対応ではなく戦略的な利害が重要な動機となっていることや，一国の単独介入が中心であることが挙げられる。冷戦期に，国際連合安全保障理事会において人道的介入として決議されたケースとしては，インドによるパキスタンへの介入やベトナムによるカンボジアへの介入がある。

2 内戦状態にあったソマリアにおける飢餓の悪化に対応するため，国連は第一次国連ソマリア活動を派遣して停戦監視に当たった。その後，食糧物資の略奪や人道支援団体への武力攻撃が頻発したため，米軍主導の多国籍軍と武装解除を行う第二次国連ソマリア活動が展開したが，武装勢力との戦闘により多数の死傷者が出る事態に至り撤退した。

3 1992年，ボスニア・ヘルツェゴビナでは，多数派のセルビア系住民と少数派のムスリム系住民との間で，ボスニア紛争が起こった。国連安保理は国連保護軍の派遣を決定し，重装備の国連保護軍に強制的な武装解除を行わせた。これにより，北大西洋条約機構（NATO）軍による本格的な軍事介入に至らず事態が収束した。

4 ルワンダでは，80万人以上が犠牲になったといわれるルワンダ大虐殺が起こり，これを受け，国連ルワンダ支援団が武装解除のため派遣された。しかし，国連ルワンダ支援団は戦闘の激化により撤退を余儀なくされ，その後，国連安保理決議を受けて派遣されたNATO軍の地上部隊が戦闘を制圧したものの，100万人規模の難民が隣国に流出することとなった。

5 コソボ紛争では，1999年に，アルバニア系住民の虐殺を防ぐという目的で，NATO軍がセルビアに対して地上軍を投入したが，この軍事介入は国連安保理決議を経ずに行われた。このため，NATO軍の軍事介入は違法なものであり，事後的に国連安保理決議によって正当性が否定されることとなった。

1．冷戦後の人道的介入は，戦略的な利害よりも人権や民主主義など普遍的な価値の擁護・確保が主たる目的とされ，介入の主体も一国単独ではなく，地域協力機構や複数の国家が連携しての行動が中心となっている。冷戦期におけるインドのパキスタン介入やベトナムのカンボジア介入は国家間の国際武力紛争であり，人道的介入ではない。

2．妥当である。ソマリア内戦の激化に対し，1992年1月に国連安保理決議に基づき，国連平和維持活動として，停戦監視と人道支援目的のために第一次国連ソマリア活動（UNOSOMⅠ）が編成された。しかし治安状況が改善しないため，1992年12月には国連安保理決議を根拠として米軍を主体とする多国籍軍（UNITAF）が派遣された。また1993年3月には強制力を持ったPKOとして第二次国連ソマリア活動（UNOSOMⅡ）も派遣されたが，武装勢力との戦闘が激化したため，いずれも撤退に追い込まれた。

3．ボスニア・ヘルツェゴビナ紛争に際して国連は，安保理決議に基づき，武装解除を目的とする重装備のPKOとして国連保護軍（UNPROFOR）を派遣した。しかしセルビア人勢力の攻撃によって国連保護軍の兵士が人質になるなど本来の目的を達成することができなかった。そのためセルビア人勢力の攻撃を抑えるためNATO軍が軍事介入に踏み切ったことで，1995年にデイトン合意が成立し，戦闘が収束した。なお，ボスニア・ヘルツェゴビナでは，セルビア系住民ではなく，ムスリム系住民が多数派である。

4．ルワンダの和平支援を目的に，1993年の国連安保理決議に基づき国連ルワンダ支援団が派遣された。しかし，和平合意が守られず戦闘が激化したため，1994年に安保理決議によりフランスを中心とする多国籍軍が派遣され，事態は沈静に向かった。ルワンダ支援団の規模は拡大され，住民の保護や難民の帰還支援に当たった。ルワンダ紛争にNATO軍が介入した事実はない。

5．コソボ紛争に際し，NATO軍はアルバニア系住民の保護を理由にセルビアに対して空爆を行ったが地上軍の投入は行っていない。この空爆は国連安保理の決議を経ておらず，国際世論の批判を受けたが，事後に安保理によって正当性が否定された事実はない。

正答　2

No. 55 専門試験 国際関係 国際人権法発展の礎となった条約 令和元年度

次の英文は，それぞれ異なる条約の一部である。これらのうち，1966年に採択され，その後の国際人権法の発展の礎となったものとして妥当なのはどれか。

1 To maintain international peace and security, and to that end: to take effective collective measures for the prevention and removal of threats to the peace, and for the suppression of acts of aggression or other breaches of the peace, and to bring about by peaceful means, and in conformity with the principles of justice and international law, adjustment or settlement of international disputes or situations which might lead to a breach of the peace;

2 The Contracting Parties confirm that genocide, whether committed in time of peace or in time of war, is a crime under international law which they undertake to prevent and to punish.

3 In addition to the provisions which shall be implemented in peacetime, the present Convention shall apply to all cases of declared war or of any other armed conflict which may arise between two or more of the High Contracting Parties, even if the state of war is not recognized by one of them.

4 All peoples have the right of self-determination. By virtue of that right they freely determine their political status and freely pursue their economic, social and cultural development.

5 The sovereignty of a coastal State extends, beyond its land territory and internal waters and, in the case of an archipelagic State, its archipelagic waters, to an adjacent belt of sea, described as the territorial sea.

英文の全訳は次のとおり。

1　国際の平和及び安全を維持すること。そのために，平和に対する脅威の防止及び除去と侵略行為その他の平和の破壊の鎮圧とのため有効な集団的措置をとること並びに平和を破壊するに至る虞のある国際的の紛争又は事態の調整または解決を平和的手段によって且つ正義及び国際法の原則に従って実現すること。

2　締約国は，集団殺害が平時に行われるか戦時に行われるかを問わず，国際法上の犯罪であることを確認し，これを防止し，処罰することを約束する。

3　平時に実施すべき規定の外，この条約は，二以上の締約国の間に生ずるすべての宣言された戦争又はその他の武力紛争の場合について，当該締約国の一が戦争状態を承認するとしないとを問わず，適用する。

4　すべての人民は，自決の権利を有する。この権利に基づき，すべての人民は，その政治的地位を自由に決定し並びにその経済的，社会的及び文化的発展を自由に追求する。

5　沿岸国の主権は，その領土若しくは内水又は群島国の場合にはその群島水域に接続する水域で領海といわれるものに及ぶ。

＊　＊　＊

1．国連憲章（1945年6月署名）の第1条1項である。

2．集団殺害罪の防止及び処罰に関する条約（ジェノサイド条約：1948年12月採択）の第1条である。

3．戦地にある軍隊の傷者及び病者の状態の改善に関する1949年8月12日のジュネーヴ条約（第一条約）（1949年8月署名）の第2条である（第二～四条約第2条も同文）。

4．妥当である。経済的，社会的及び文化的権利に関する国際規約（国際人権規約A規約）（1966年12月採択）の第1条1項である。その後の国際人権法の発展の礎となった。

5．海洋法に関する国連条約（国連海洋法条約）（1982年4月採択）の第2条である。

正答　4

国家一般職［大卒］ No. 56 専門試験

社会学 都市と地域社会 令和元年度

都市と地域社会に関する次の記述のうち，妥当なのはどれか。

1 M. ヴェーバーは，第二次世界大戦後の日本では，インドから伝来した仏教の禁欲思想や対等な人間関係に基づいて形成された古代中国の都市文明の遺産の影響で，西洋社会とは異なる独自の資本主義的発展が可能になったと主張した。

2 E. W. バージェスは，都市の空間的発展を定式化した同心円地帯理論に基づき，中心業務地区と労働者居住地帯の間には移民を中心とした貧困層の生活する遷移地帯が形成され，さらに，それらの外部には中流階級居住地帯，通勤者地帯が広がるとした。

3 M. カステルは，グローバル化の観点から都市の比較研究を行い，世界規模で展開する企業の中枢管理部門やそれらを対象とする法律・会計，情報，清掃・管理などの各種サービス業が集積する都市を世界都市と名付け，東京をその一つとした。

4 C. S. フィッシャーは，大きな人口規模，高い人口密度と異質性を都市の特徴とし，そこで形成される生活様式をアーバニズムと名付け，人間関係においては，親密な第一次的接触に対して，表面的で非人格的な第二次的接触が優位を占めるとした。

5 S. サッセンによれば，急激な都市化が進むことにより，個人的消費に対して，政府や自治体が提供する公共財（公園，上下水道，公営住宅，病院，学校などの生活基盤）の集合的消費が都市生活の中心となり，公共財の拡充を求める都市社会運動も多発するとした。

1．ヴェーバー（ウェーバー，1920年没）は，第二次世界大戦後の日本の資本主義的発展を論じていない。彼は，プロテスタンティズムの倫理の中に，西洋における近代資本主義の精神の萌芽を見たことで有名である。

2．妥当である。

3．「世界都市」を記述のように規定し，東京を世界都市の一つに数えたのはサッセンである。

4．L. ワースのアーバニズムに関する記述である。フィッシャーは，都市が規模を拡大させるのに伴って構造的分化が進み，多様な下位文化を生み出していくようになるという，「アーバニズムの下位文化論」を主張したことで有名である。

5．集合的消費および都市社会運動の議論を行ったのはカステルである。

正答　2

国家一般職［大卒］ 専門試験

No. 57 社会学 国家 令和元年度

国家に関する次の記述のうち，妥当なのはどれか。

1 K. マルクスは，物質的な生産諸関係の総体を上部構造とし，国家は，その条件下で形成される法的，政治的な下部構造と考え，資本主義社会においては上部構造を支える労働者の階級的な利益を擁護する機関となるとした。

2 F. テンニースは，成員が「あらゆる分離にもかかわらず結合している」集団をゲゼルシャフト，「結合しているにもかかわらず分離している」集団をゲマインシャフトと呼び，近代の合理的国家は成員を法で結び付けるのでゲマインシャフトとした。

3 I. ウォーラーステインによると，出版資本主義や印刷メディアの発達によって，人々の心や意識の内部に「地球村（グローバル・ヴィレッジ）」が形成され，近代国家におけるナショナリズムと鋭く対立するようになった。

4 J. ハーバーマスは，国家による支配や統制に対抗し，市民の自由な言論による世論形成の場として機能する領域を市民的公共圏と呼び，その起源の一つを17世紀後半のイギリスに現れたコーヒー・ハウスに求めた。

5 N. ルーマンは，19世紀以降に成立した単一の世界システムは中核，半周辺，周辺という三つの層から形成されるとし，中核に位置する国家の中でも産業，金融，軍事などの領域において優位を獲得した国家をヘゲモニー国家と呼んだ。

解説

1．上部構造，下部構造の説明が逆である。「物質的な生産諸関係の総体」が下部構造（もしくは土台）であり，その上に法的，政治的な上部構造が形成される。

2．ゲマインシャフト，ゲゼルシャフトの説明が逆である。「あらゆる分離にもかかわらず結合している」のがゲマインシャフト，「結合しているにもかかわらず分離している」のがゲゼルシャフトである。また，近代の合理的国家のような，法による人の結びつきはゲゼルシャフトである。

3．グローバル・ヴィレッジは，M. マクルーハンの語であり，テレビなどの電子的なマスメディアの発達により，人々が地球規模で緊密な関係を取り結べるようになったことを示す概念である。記述は，B. アンダーソンの，「国民（ネーション）」の説明だが，アンダーソンは，想像の共同体としてのネーションが，近代国家におけるナショナリズムを生み出したと論じたので，末尾の「近代国家におけるナショナリズムと鋭く対立する」という記述はネーションの記述としても誤っている。

4．妥当である。

5．ウォーラーステインの世界システム論に関する記述である。またヘゲモニー国家とは，工業，商業，金融業において優位を獲得した国家のことをいう。ルーマンは社会システム論を展開した。

正答 4

国家一般職［大卒］ No. 58 専門試験

社会学　マートンの理論　令和元年度

R. K. マートンの理論に関する次の記述のうち，妥当なのはどれか。

1　予期的社会化（期待的社会化）とは，将来所属したいと思っている集団の価値や態度を所属する以前に学習することであり，それによって実際に集団に属する可能性が高まったり，所属後の集団への適応がスムーズになったりするとした。

2　中範囲の理論とは，社会現象を分析するために自分自身の価値観と社会一般の価値観との共通点と相違点を反省的に自覚し，両者の適切なバランスを維持しながら価値中立的な立場を目指す理論のことである。

3　社会システムへの適応や調整を促進する作用を顕在的機能と呼び，ホピ族の雨乞いの儀式が干ばつという危機的な事態の中で集団の連帯を強化するというプラスの効果を持つことからその機能を顕在的機能とした。

4　逸脱者は社会が「逸脱者」というラベルを貼ることによって逸脱者となる，というラベリング理論を提唱し，それに対する個人の適応様式を犯罪，葛藤（かっとう），自殺，無気力，反抗の五つに分類した。

5　AGIL 図式を提唱し，システムが維持されるためにはA（適応），G（目標達成），I（統合），L（潜在的パターンの維持及び緊張の処理）という四つの機能要件を満たす必要があり，それぞれを全体システムの下位に位置するサブ・システムが担うとした。

解説

1. 妥当である。

2. 中範囲の理論とは，社会調査などにおける作業仮説と，包括的な一般理論との中間にあって，この両者を媒介する理論のことをいう。

3.「社会システムへの適応や調整を促進する作用」は順機能と呼ぶ。顕在的機能とは，行為者の主観的意図と客観的結果が一致する場合のことをいい，逆に，行為者が意図も認知もしていない結果がもたらされる場合，それを「潜在的機能」と呼ぶ。マートンは，ホピ族の雨ごいの儀式は，それが「集団の連帯を強化する」という意図しない結果をもたらすとして，潜在的機能の例として用いている。

4. ラベリング理論はH. ベッカーらが提唱した。マートンは逸脱研究において，文化的目標と制度的手段のずれに起因するアノミー状況への適応の様式を，同調・革新・儀礼主義・逃避主義・反抗の５つに類型化したことで有名である。

5. AGIL 図式はT. パーソンズが発案した。

正答　1

国家一般職［大卒］ 専門試験

No. 59 社会学 情報伝達 令和元年度

情報伝達に関する次の記述のうち，妥当なのはどれか。

1 W. リップマンは，現実環境はあまりに複雑であるため，人々はテレビが提供する情報を通じてしか現実環境を把握できなくなっていると指摘し，自然発生的な現実の出来事ではなく，マスメディアによって人為的につくられた偽物の出来事を「疑似イベント」と名付けた。

2 E. モランは，フランス中部の都市オルレアンで実際に起きた銀行倒産事件を調査し，経営不振のうわさは誤っていたにもかかわらず，人々が銀行から預金を一斉に引き出したことによって，結果として現実に銀行が倒産してしまったように，人々が予言を信じて行動した結果，予言が実現されることを「予言の自己成就」と呼んだ。

3 M. E. マコームズとD. L. ショーは，選挙時の調査から，マスメディアは，現実に生起する出来事の中から何を報じ，何を報じないか，また，何をどの程度大きく扱うかという判断を通じて，受け手である人々の注意を特定の争点へと焦点化するとし，これを「議題設定機能」と名付けた。

4 E. カッツとP. F. ラザースフェルドは，マスメディアが発信する情報は，人々の意見が多数派であるか少数派であるかを判断する基準となっているとし，自分の意見が多数派であると認識すると積極的に意見を表明し，少数派であると認識すると孤立を恐れて段階的に沈黙するようになっていくとする「沈黙の螺(ら)旋」仮説を提唱した。

5 J. クラッパーは，マスメディアの限定効果説を否定し，情報の送り手であるマスメディアが意図したとおりのメッセージが，情報の受け手に直接的に伝わるとする「皮下注射モデル」を提示し，マスメディアが発信する情報は，個人に対して，強力な影響力を持つとした。

解説

1. リップマンが現実環境と対比的に用いたのは「疑似環境」である。疑似環境とは，メディアによってもたらされる情報から構成される疑似的な環境のことをいう。「メディアによって人為的に作られた偽物の出来事」としての「疑似イベント」を論じたのはD. ブーアスティンである。

2. 予言の自己成就はR. K. マートンが提起した。彼はその際，1932年にアメリカで起きた旧ナショナル銀行の取り付け騒ぎを事例として使っている。モランが調査を行い『オルレアンのうわさ』にまとめられたのは，女性誘拐に関するうわさである。

3. 妥当である。

4. 沈黙の螺旋はN. ノイマンが指摘した。ラザースフェルドとカッツは「コミュニケーションの二段の流れ」説を提唱したことで有名である。「コミュニケーションの二段の流れ」とは，マスメディアからの情報は，オピニオン・リーダーと呼ばれる人々の解釈を経て，パーソナル・コミュニケーションによって一般の人々に伝達されていく，ということを示す概念である。

5. クラッパーは，それまで支配的であった「皮下注射モデル」を批判し，マスメディアが受け手に与える影響は限定的だとする「限定効果説」を主張した。

正答 3

国家一般職［大卒］

No. 60 専門試験

社会学　社会変動　令和元年度

社会変動に関する次の記述のうち，妥当なのはどれか。

1　A. コントは，人間の精神は，順に，形而上学的，神学的，実証的という段階を経て発展するとし，その発展段階に対応して，社会は，順に，軍事的，産業的，法律的という段階を経て進歩するとした。

2　H. スペンサーは，社会を生物有機体と同質なものとして捉え，複合的な社会から，統合が進み単純化された社会へと変化していくとし，その社会モデルを「機械的連帯から有機的連帯へ」という図式で定式化した。

3　W. F. オグバーンは，習慣・法律・宗教といった非物質文化が時代とともに変化することに伴い，人間の生活様式をより快適にするための科学や技術といった物質文化が遅れて発展していくとする文化遅滞論を提唱した。

4　V. パレートは，資本主義がいずれは社会主義に行き着くとするマルクス主義的な発展段階説を批判し，全ての近代社会は，資本主義，社会主義といった社会体制の違いに関係なく，伝統的社会から高度大衆消費社会へと至るとする成長段階説を提唱した。

5　D. ベルは，1960年代以降の社会変動の中で，財貨生産経済からサービス経済への移行，専門職・技術職階層の優位などにより，先進社会は工業社会から脱工業社会へと移行していくとする脱工業社会論を展開した。

解説

1. コントは，人間の精神が神学的，形而上学的，実証的という段階を経て発展するとし，これに応じて社会は軍事的，法律的，産業的という段階を経るとした。

2. 「機械的連帯から有機的連帯へ」は，E. デュルケムが提起した図式である。またそこでは，単純な社会から複合的な社会への変化が論じられている。スペンサーは「軍事型社会から産業型社会へ」という発展モデルを提示した。

3. 非物質文化と物質文化の関係が逆である。物質文化より非物質文化が遅れて発展していくというのが文化遅滞論の論旨である。

4. W. ロストウのテイクオフ理論に関する記述である。パレートは「エリートの周流」論などで有名である。

5. 妥当である。

正答　5

国家一般職［大卒］ No. 61 専門試験

心理学 人間の記憶 令和元年度

人間の記憶に関するA～Dの記述のうち，妥当なもののみを全て挙げているのはどれか。

A．米国のケネディ大統領暗殺事件や，ニューヨークの世界貿易センタービルにおけるテロ事件など，衝撃的な出来事に接した人が，その出来事を含む当時の状況を鮮明かつ詳細に記憶し，長期間にわたって覚えていることがある。いわば，カメラのフラッシュが光ったときの状況を鮮明に写したような記憶であることから，このような記憶はフラッシュバックと呼ばれ，何度も繰り返して想起されるために，時間が経過しても記憶内容が正確であるという特徴がある。

B．記憶の障害は健忘症と呼ばれ，心的ストレスなどの心理的な原因で起こる内因性健忘と，脳の損傷によって起こる外因性健忘とに分けられる。H. M. のイニシャルで知られる患者は，外因性健忘の典型例であり，てんかんの発作を抑える治療のため，海馬を含む左右両側の側頭葉の切除手術を受けた結果，手術以前の出来事や様々な知識に関する記憶の多くが失われる症状を示した。このように，健忘症の発症より前の記憶が失われる症状を，前向性健忘又は順向性健忘という。

C．記憶は，その人の内的状態やその人を取り巻く環境的文脈が，覚える時と思い出す時で一致しているかどうかによって影響を受ける。環境的文脈が記憶に影響を及ぼすことを示した研究として，スキューバ・ダイビングのクラブの学生を対象とした実験がある。この実験では，水中又は陸上で，単語のリストの記銘学習と再生テストを行ったところ，それぞれを同じ環境で行った条件の方が，異なる環境で行った条件よりも再生成績が良いという結果が得られている。

D．人が何らかの出来事を目撃した後，その出来事に関する事実ではない情報に接した場合に，目撃した出来事の記憶の正確さが損なわれることがあり，この現象を事後情報効果という。例えば，ロフタス（Loftus, E. F.）らの実験では，交通事故に関する一連のスライドを見た直後に，スライドの内容とは矛盾する架空の内容に関する質問を受けた参加者群は，そのような質問を受けなかった参加者群に比べ，再認テストで架空の内容を写したスライドを事前に見たと誤って答える傾向が強かった。

1　A，B
2　A，C
3　A，D
4　B，C
5　C，D

A：妥当でない。フラッシュバックではなく，長期記憶である。短期記憶が反復されたり，その意味が分析されたりするなどの処理を受けることで，安定した長期記憶になる。フラッシュバックは，過去の出来事が（当人の意に反して）鮮明に想起されることで，心的外傷後ストレス障害（PTSD）の症状として注目されている。

B：妥当でない。前向性健忘・順向性健忘ではなく，逆行性健忘である。前向性健忘・順向性健忘は，健忘症の発症以降の出来事を記憶できなくなることをいう。

C：妥当である。記憶の文脈依存性という。文中の実験は，G. ゴドンとA. バッデリーによって行われた。

D：妥当である。「小屋を過ぎたとき，自動車はどれほどの速度で走っていたか」（スライドでは小屋は写されていない）という質問を受けたグループは，そうでないグループよりも「スライドの中で小屋を見た」と答えた割合が高かった。事後に情報を与えることで，出来事のオリジナルな記憶が操作されうることを示している。

以上から，妥当なものはC，Dであり，**5**が正答となる。

正答　5

国家一般職 [大卒] No. 62 専門試験

心理学 情動や感情 令和元年度

情動や感情に関する次の記述のうち，妥当なのはどれか。

1 ジェームズ（James, W.）とランゲ（Lange, C. G.）は，刺激によって惹起(じゃっき)された身体反応が脳に伝達されることによって情動体験が生じるとするキャノン（Cannon, W. B.）とバード（Bard, P.）の中枢起源説を批判し，知覚された情報が脳に伝達され，身体反応と情動体験が同時に生じるとする末梢起源説を主張した。

2 シャクター（Schachter, S.）らは，薬剤によって引き起こされた生理的喚起の状態を実験参加者がどのように解釈・評価するかによって，情動体験の質は異なることを示した。彼らは，このような結果から，情動体験の質は生理的喚起と認知的評価の双方に基づいて決まるという情動の二要因説を主張した。

3 トムキンス（Tomkins, S. S.）は，情動を喚起する刺激を知覚すると，その情動に固有の各種表情筋が反応し，それらが脳に伝達されることによって情動体験が生まれるとする仮説を提唱した。この仮説は，顔面フィードバック仮説又は表情フィードバック仮説と呼ばれており，中枢起源説を発展させたものであるといえる。

4 どのような刺激であっても，繰り返し接することでその刺激に対する好感情が増していく現象を単純接触効果という。単純接触効果は，提示時間が極めて短く，再認が困難な刺激の場合にも生起することから，ラザラス（Lazarus, R. S.）は，感情は認知の関与がなくとも生起し得ると主張した。

5 認知と感情の関わりを示す一つの例として，気分一致効果と呼ばれる現象がある。これは，過去の楽しかったことを思い出したり考えたりしていると楽しい気分になり，逆に，過去の悲しかったことを思い出したり考えたりしていると悲しい気分になるというように，その時に認知していることの感情価と一致するように気分が変動する現象である。

解説

1．刺激によって惹起された身体反応が脳に伝達されることによって情動体験が生じるとするのは末梢起源説であり，ジェームズとランゲが提唱した。これに反論する形でキャノンとバードは，知覚された情報が脳に伝達され，身体反応と情動体験が同時に生じるとする中枢起源説を主張した。前者は「笑うから楽しい」と考え，後者は「楽しいから笑う」と考える。

2．妥当である。たとえば，高所のつり橋を異性と渡るとき，高い所を渡ることで生じる身体反応（心拍数の増加等）を異性への恋愛感情と解釈すると，まったく違った情動が生じる。同じ身体反応でも，それをどう解釈・評価するかによって情動の質は違ってくる。

3．トムキンスの顔面フィードバック仮説は，末梢起源説を発展させたものである。末梢（顔面筋）の反応が中枢にフィードバックされることで情動が生まれるという点で，ジェームズとランゲの末梢起源説と類似している。

4．感情は認知の関与がなくとも生起しうると主張したのは，R. B. ザイアンスである。これに対しラザラスは，情動の発現には認知的評価がなければならないと考えた。

5．気分一致効果とは，そのときの気分に一致した感情価の情報や事物が認知されやすいことである。文中の例でいうと，楽しい気分のときには過去の楽しかったこと，悲しい気分のときには過去の悲しかったことが想起されやすくなる。認知していることの感情価が気分を規定するのではない。

正答　2

No. 63 心理学　学習理論　令和元年度

学習理論に関する次の記述のうち，妥当なのはどれか。

1　レスポンデント条件付けにおいて，自発的な反応が生じるたびに強化される場合を連続強化と呼ぶのに対して，反応がときどきしか強化されない場合を部分強化又は間欠強化と呼ぶ。一般に，連続強化で訓練された行動では，部分強化で訓練された行動よりも消去が生じにくい。

2　系統的脱感作法では，不安や恐怖を引き起こす刺激の提示頻度を段階的に増加していくことで，特定の刺激に対する患者の不安や恐怖を徐々に克服させていく。これは，オペラント条件付けの原理を応用した行動療法の一つである。

3　逃げることができる状況であっても，不快な状況に繰り返し置かれると，自ら状況を変えようとするための反応や行動をする動機付けが弱まる現象があり，学習性無力感と呼ばれている。学習性無力感は，自らが無力であるということが学習された結果であり，ヒトに特有の現象である。

4　ある学習をしたことが，その後の別の学習に影響を及ぼすことを学習の転移と呼ぶ。特に，身体の一方の側の器官（例えば右手）を用いて行った学習が，その後でもう一方の側の器官（例えば左手）を用いて行う学習に影響する場合を，両側性転移と呼ぶ。

5　自らが行動し，その行動に対する強化を受けることがなくても，他者の行動やその結果を観察するだけで学習が成立し，その後の行動に変化が生じることがある。学習が成立する過程が行動としては顕在化しないことから，このような学習は潜在学習と呼ばれる。

解説

1. 一般に，連続強化で訓練された行動は，部分強化で訓練された行動よりも消去が生じやすい。訓練時と消去時の条件変化が明瞭であるほど，行動は早く変わるためである。部分強化で訓練された行動は消去が生じにくいことを，部分強化効果という。

2. 系統的脱感作法は，レスポンデント条件づけの原理を応用した行動療法である。J. ウォルピが開発した心理療法で，不安や恐怖を引き起こす刺激を提示した後，リラックスの状態を作らせることを繰り返す。不安・恐怖とリラックス状態を結びつける（条件づける）ことで，不安・恐怖の解消を図るものである。

3. 学習性無力感はヒトに特有ではなく，多くの動物に当てはまる現象である。学習性無力感は，M. E. P. セリグマンが犬に電気ショックを与え続ける実験をもとに提起した概念である。

4. 妥当である。前の学習が後の学習を促進する場合は「正の転移」，妨害する場合は「負の転移」という。

5. 潜在学習ではなく，観察学習である。モデルの観察で反応を習得することから，モデリング学習ともいう。潜在学習とは，効果が目に見えない形でなされる学習をいう。E. C. トールマンらが行ったネズミの迷路学習では，途中からえさを与え始めたところ，成績が急速に向上した。報酬（強化）なしの間も，潜在的な学習の過程があったと解釈される。

正答　4

国家一般職［大卒］ 専門試験

No. 64 心理学 子どもの定型的な発達 令和元年度

子供の定型的な発達に関する次の記述のうち，妥当なのはどれか。

1 乳児が，生後3か月頃から親しい人と見知らぬ人とを区別し，見知らぬ人を避けようとすることを人見知りという。生後6か月頃に人見知りが消失した後に，社会的な関わりの対象が拡大し，家族等の見慣れた者に限らず，相手がほほ笑めば自分もほほ笑み返す社会的微笑が見られるようになる。

2 目の前にある物体がハンカチで覆われても，その物体は依然として存在し続けており，このとき，我々は自分の視野から消えた物体を消えてなくなったとは考えない。ピアジェ（Piaget, J.）は，このような対象の永続性の概念は，生まれながらに備わっているものではなく，感覚—運動期に獲得されると考えた。

3 他者にも心的状態があると想定し，それに基づいて他者の行動を予測したり，他者の行動の背後にある心的過程を説明したりするために必要な能力を「心の理論」という。バロン－コーエン（Baron-Cohen, S.）らは，「心の理論」の検査法の一つとされる誤信念課題を用い，定型発達児や自閉症児に比べて，ダウン症児は誤信念課題の通過率が低いことを示した。

4 人が特定の対象に対して抱く親密で情緒的な絆をアタッチメントという。アタッチメントの個人差を測定する方法の一つであるストレンジ・シチュエーション法において，養育者との分離時に泣いたり混乱を示したりせず，養育者との再会時に養育者から目をそらしたり，明らかに養育者を避けたりするような行動を一貫して示す乳児は，安定型に分類される。

5 毛布やぬいぐるみなど，乳幼児が愛着を示す特定の対象を移行対象という。ウィニコット（Winnicott, D. W.）は，移行対象が，主観的体験様式から客観的体験様式への，また，母子未分化な状態から分化した状態への「移行」を阻害するものであるとし，移行対象を持たない方が望ましいと考えた。

1. 社会的微笑とは，乳児が生後３か月頃から誰に対してもほほえむようになることをいう。時期にちなみ，３か月微笑ともいう。生後６か月頃になると，親しい人と見知らぬ人を区別し，後者を避けようとする人見知りが出てくる。

2. 妥当である。感覚ー運動期は，ピアジェが説く認知の発達段階の第一段階で，次第に対象の永続性について理解するようになり，目の前の対象が見えなくなっても存在し続けることがわかるようになる。

3. バロンーコーエンらの誤信念課題では，定型発達児やダウン症児に比べて，自閉症児の通過率が低いことが示された。誤信念課題とは，自分が思うことと他人が思うことを分けて考えられるかを判断するテストである。

4. 安定型ではなく回避型である。安定型は養育者との分離時は不安を示すが，再会すると落ち着き安心する。分離時に不安を示し，再会時に身体的接触を求める一方で攻撃性を示す葛藤型というタイプもある。ストレンジ・シチュエーション法は，M. D. S. エインズワースが考案した。

5. 移行対象は，母子未分化な状態から分化した状態への移行を促すとされる。母親との分離に伴う不安を軽減する機能を持つ。

正答　2

国家一般職［大卒］ No.65 専門試験

心理学 承諾を得るための要請法 令和元年度

次は，承諾を得るための要請法についての実験に関する記述であるが，実験内容と実験で検討した要請法の組合せとして妥当なのはどれか。

A．大学生に電話をかけて，「心理学の実験に参加してほしい。」と要請して承諾を得てから，その実験が朝の７時から始まることを告げる条件と，最初から「朝の７時に始まる心理学の実験に参加してほしい。」と要請する条件とを比較した。その結果，前者の条件では約60％が承諾し，そのほぼ全員が実際に実験室に現れたのに対し，後者の条件では約30％しか承諾せず，実際に実験室に現れたのは，その約80％に過ぎなかった。

この実験は，まず魅力的で有利な条件で承諾させておいて，後になって不利な条件を提示する要請法の有効性を検討している。

B．大学生に「非行少年の施設で，週２時間ずつ２年間，ボランティアのカウンセラーをやってくれないか。」と要請し，ほとんど全ての学生に断られた後，次に「非行少年たちが動物園へ行くので，２時間ほど付き添ってほしい。」と要請すると，約50％の大学生が承諾した。一方，最初から「非行少年たちが動物園へ行くので，２時間ほど付き添ってほしい。」と要請した場合に承諾した大学生は約20％に過ぎなかった。

この実験は，まず拒否されるのが当然のような大きな要請をして相手が拒絶した後で，比較的小さな本来の目的である要請を行う要請法の有効性を検討している。

C．郊外の住宅街の家庭を訪問し，安全運転の立法化を求める嘆願書への署名又はスローガンを書いた小さなステッカーの掲示を要請した。その２週間後，最初とは異なる実験者が訪問し，交通安全を呼びかける，大きく体裁の悪い看板を庭に設置するように要請したところ，以前に嘆願書への署名を要請された条件では約50％，小さなステッカーを貼ることを要請された条件では約80％が，看板を設置することを承諾した。一方，事前に要請を受けなかった条件では，看板を設置することを承諾したのは約20％に過ぎなかった。

この実験は，まず受け入れやすい小さな要請を行って承諾させた後で，本来の目的である要請を行う要請法の有効性を検討している。

	A	B	C
1	フット・イン・ザ・ドア法	ドア・イン・ザ・フェイス法	ロー・ボール法
2	フット・イン・ザ・ドア法	ロー・ボール法	ドア・イン・ザ・フェイス法
3	ロー・ボール法	ドア・イン・ザ・フェイス法	フット・イン・ザ・ドア法
4	ロー・ボール法	フット・イン・ザ・ドア法	ドア・イン・ザ・フェイス法
5	ドア・イン・ザ・フェイス法	ロー・ボール法	フット・イン・ザ・ドア法

A：「ロー・ボール法」が当てはまる。まずは，取りやすい低いボールを投げることからこのように呼ばれる。

B：「ドア・イン・ザ・フェイス法」が当てはまる。要請を拒んだ後ろめたさから，次の（難度の低い）要請には応じやすくなる。英語で「門前払い」を意味する“shut the door in the face（～を拒絶するようにドアを閉める)”に由来する。

C：「フット・イン・ザ・ドア法」が当てはまる。名称は，「ひとまずドアを開けさせ，足を入れたら勝ち」という，セールス業界の格言に由来する。

よって，正答は**3**である。

正答　3

教育学　子どもの権利条約　令和元年度

次は，『世界子供白書 特別版 2010』（日本語版）の「子どもの権利条約」（「児童の権利に関する条約）」に関する記述を抜粋したものであるが，A，B，Cに当てはまるものの組合せとして妥当なのはどれか。

「子どもの権利条約」は，1989年11月20日に国連総会において採択され，翌1990年の９月２日に発効した。この条約は，最も包括的な人権条約であり，子どもたちの権利の促進及び保護のための法律文書である。ほかの国際人権文書の中にも子どもの権利を守る条項はあるが，「子どもの権利条約」は，子どもたちに関連する権利全体（経済的，社会的，文化的，市民的，政治的権利）について明言した最初の法律文書である。またこの条約は，子どもたちを，［　A　］として明確に認めた，最初の国際文書でもある。

（中　略）

「子どもの権利条約」には，特に［　B　］など，それまであまり幅広く明言されていなかった子どもの権利が盛り込まれており，子どもたちに向けたいかなる行動においても，子どもたちの最善の利益を最優先に考慮すべきであることが明記されている。

（中　略）

その前文と条項全体を通して，「子どもの権利条約」は，子どもたちの成長と幸福な暮らしにおいて［　C　］が重要な役割を果たすことを強調し，（中　略）また，締約国に対しては，［　C　］がその責任を果たすために必要なあらゆる手段を提供するよう義務付けている。

	A	B	C
1	緊急時には最初に救済を受けるべき者	参加する権利	家族
2	緊急時には最初に救済を受けるべき者	参加する権利	学校
3	緊急時には最初に救済を受けるべき者	差別のない処遇	学校
4	自身の権利を能動的に保有する社会的行為者	参加する権利	家族
5	自身の権利を能動的に保有する社会的行為者	差別のない処遇	学校

A：「自身の権利を能動的に保有する社会的行為者」が当てはまる。子どもの権利条約では，子どもは保護されるべき存在であると同時に，自身の権利を主体的に行使する存在とみなされている。

B：「参加する権利」が当てはまる。自身にかかわる事項の審議や決定に参加する権利である。子どもの権利条約12条1項では，「締約国は，自己の意見を形成する能力のある児童がその児童に影響を及ぼすすべての事項について自由に自己の意見を表明する権利を確保する」といわれている（意見表明権）。同15条1項では，「締約国は，結社の自由及び平和的な集会の自由についての児童の権利を認める」と定めている（結社，集会の自由の権利）。

C：「家族」が当てはまる。家族は子どもが最初に属する基礎集団であり，人間形成に大きく影響する。子どもの権利条約18条1項では，「父母又は場合により法定保護者は，児童の養育及び発達についての第一義的な責任を有する」と定めている。

よって，正答は**4**である。

正答　4

国家一般職[大卒]

専門試験

No. 67 教育学 教育改革における男女平等 令和元年度

第二次世界大戦後の我が国の教育改革における男女平等に関するア～エの記述のうち，妥当なもののみを全て挙げているのはどれか。

ア．戦前の学校体系は単線型であったが，男子が尋常小学校（国民学校），旧制中学校，旧制高等学校と進学できたのに対し，女子は旧制中学校までしか進学できなかった。戦後の教育改革では，単線型は維持されつつ，男女共通の六・三・三制の学校体系が編成された。

イ．昭和22（1947）年に制定された当時の教育基本法において，「教育上男女の共学は，認められなければならない。」とされた。その後，公立の小学校・中学校・高等学校では，一部の地域の高等学校を除き，男女共学制が取り入れられた。

ウ．戦前の尋常小学校（国民学校）では，女子向けの教科として裁縫と修身が置かれていた。戦後の教育改革により小学校で創設された家庭科は，当初は女子のみ必修科目であったが，後に男女共修科目となった。

エ．戦後，女子の大学入学を妨げている規定が改められるとともに，大学における共学制を実施するとの方針が定められた。また，女子教育振興のために，国立女子大学が東京・奈良の２か所に設置された。

1　ア，イ
2　ア，エ
3　イ，ウ
4　イ，エ
5　ウ，エ

ア：妥当でない。戦前は，中等教育段階以降，複数の学校に分かれる複線型であった。旧制中学校は男子の学校で，女子は尋常小学校（国民学校）卒業後は高等女学校に進んだ。戦後の教育改革で，差別的な分岐のない単線型となり，六・三・三（大学も合わせると六・三・三・四）の学校体系になった。

イ：妥当である。旧教育基本法５条の規定である。現行の教育基本法（2006年改正）では，当該の条文はなくなっている。

ウ：妥当でない。尋常小学校では，裁縫は女子向けの教科だったが，修身は男女共修の教科であった。1941年に国民学校となってからは，芸能科に含まれる女子向けの科目として裁縫と家事が置かれた。戦後の小学校で創設された家庭科は，当初から高学年の男女に履修させる教科であった。1993年から中学校，1994年から高等学校の家庭科が男女共修となった。

エ：妥当である。「旧制中学→旧制高校→旧制大学」は，男子のみがたどれるコースであった。戦後，国立女子大学として東京にお茶の水女子大学，奈良に奈良女子大学が設置された。

以上から，妥当なものはイ，エであり，**4**が正答となる。

正答　**4**

No. 68は，法改正や制度変更により現在では成立しなくなった問題のため，掲載していません。

国家一般職［大卒］ No. 69 専門試験

教育学　懲戒・体罰　令和元年度

我が国における児童等に加える懲戒及び体罰に関する次の記述のうち，妥当なのはどれか。

1　校長及び教員は，教育上必要があると認めるときは，文部科学大臣の定めるところにより，児童，生徒及び学生に懲戒を加えることができる。ただし，体罰を加えることはできない。

2　懲戒のうち，退学は，国立及び公立の小・中学校に在籍する児童生徒に対しては行うことができないが，停学は，国公私立を問わず，小・中学校に在籍する児童生徒に対して行うことができる。

3　問題行動を起こす児童生徒に対し，授業中，教室内に起立させたり，学校当番を多く割り当てたりすることは，当該児童生徒に肉体的苦痛を与えるものでなくても，体罰に当たる。

4　他の児童生徒に被害を及ぼすような暴力行為に対する有形力の行使は，たとえ暴力行為を制止したり，目前の危険を回避したりするためにやむを得ずしたものであっても，体罰に当たる。

5　クラブ活動や部活動において，指示に従わなかったことを理由に，教員が当該児童生徒の頬を殴打することは，当該児童生徒の保護者から厳しい指導に対する理解を得ていれば，体罰には当たらない。

解説

1．妥当である。学校教育法11条の規定である。

2．退学は，国私立の小・中学校に在籍する児童生徒に対しては行うことができる（学校教育法施行規則26条３項）。「停学は，学齢児童又は学齢生徒に対しては，行うことができない」（同条４項）とあるので，国公私立を問わず，停学は小・中学校に在籍する児童生徒に対しては行うことができない。

3．肉体的苦痛を伴うものに限り，体罰に当たる。体罰とは，「身体に対する侵害を内容とするもの（殴る，蹴る等），児童生徒に肉体的苦痛を与えるようなもの（正座・直立等特定の姿勢を長時間にわたって保持させる等）」をいう（文科省「体罰の禁止及び児童生徒理解に基づく指導の徹底について」2013年）。

4．体罰には当たらない。正当な行為（通常，正当防衛，正当行為と判断されると考えられる行為）と判断される。

5．体罰に当たる。いかなる理由があろうが，身体に対する侵害は，学校教育法11条が禁じる体罰に当たる。

正答　1

国家一般職［大卒］

No. 70

専門試験

教育学　学力観・教育課程の変遷　令和元年度

我が国における学力観及び教育課程の変遷に関するア～エの記述のうち，妥当なもののみを全て挙げているのはどれか。

ア．昭和52（1977）年の小・中学校学習指導要領改訂に当たっては，産業化の進展に対応したカリキュラムへの反省から，児童生徒の側に立って教育内容の見直しを行うこととなり，「生きる力」の育成を掲げて授業時数及び指導内容量の増加が行われた。

イ．生涯学習の基盤を培うという観点から，平成元年に学習指導要領が改訂された。それを受けて平成３年に改訂された小・中学校の指導要録では，各教科において「知識・理解」の項目を評価の最上位に位置付ける到達度評価が導入された。

ウ．平成10～11年の学習指導要領改訂に当たっては，自ら学び自ら考える力を育むことが目指され，教育内容の厳選，授業時数の縮減，教科等の枠を超えた横断的・総合的な学習の時間である「総合的な学習の時間」の創設などが行われた。

エ．平成20年の小学校学習指導要領の改訂に当たっては，社会や経済のグローバル化が進展し，異なる文化の共存や持続可能な発展に向けて国際協力が求められるとともに，人材育成面での国際競争も加速していることから，高学年において外国語活動が新設された。

1　ア，イ
2　ア，ウ
3　イ，ウ
4　イ，エ
5　ウ，エ

解説

ア：妥当でない。昭和52（1977）年の改訂では，高度経済成長期の能力主義教育が反省され，「ゆとり・精選」という考え方の下，教育内容および授業時数が削減された。「生きる力」の育成を初めて掲げたのは，平成10～11年改訂の学習指導要領である。

イ：妥当でない。平成３年改訂の指導要録において，評価の最上位に位置づけられた項目は「関心・意欲・態度」である。

ウ：妥当である。学校週５日制の完全実施や，小・中学校における教育内容の３割削減など，いわゆる「ゆとり教育」を導入した改訂として知られる。「生きる力」をはぐくむことが初めて強調されたのも，この改訂においてである。

エ：妥当である。平成29年改訂の小学校学習指導要領では，高学年の教科に外国語科が設けられたことを受け，外国語活動は中学年で実施されることになった。

以上から，妥当なものはウ，エであり，**5**が正答となる。

正答　**5**

国家一般職［大卒］ No. 71 専門試験 英語(基礎) 内容把握 令和元年度

Select the statement which best corresponds to the content of the following passage.

It is difficult to imagine life before our personal and professional worlds were so dominated and "switched on" via smartphones and the other devices that make us accessible and, crucially, so easily distractible and interruptible every second of the day. This constant fragmentation of our time and concentration has become the new normal, to which we have adapted with ease, but there is a downside: more and more experts are telling us that these interruptions and distractions have eroded our ability to concentrate.

We have known for a long time that repeated interruptions affect concentration. In 2005, research carried out by Dr Glenn Wilson at London's Institute of Psychiatry found that persistent interruptions and distractions at work had a profound effect. Those distracted by emails and phone calls saw a 10-point fall in their IQ, twice that found in studies on the impact of smoking marijuana. More than half of the 1,100 participants said they always responded to an email immediately or as soon as possible, while 21% admitted they would interrupt a meeting to do so. Constant interruptions can have the same effect as the loss of a night's sleep.

Nicholas Carr picked up on this again in an article in the Atlantic in 2008, before going on to publish his book The Shallows two years later. "Immersing myself in a book or a lengthy article used to be easy," he wrote. "My mind would get caught up in the narrative or the turns of the argument, and I'd spend hours strolling through long stretches of prose. That's rarely the case any more. Now my concentration often starts to drift after two or three pages. I get fidgety, lose the thread, begin looking for something else to do. I feel as if I'm always dragging my wayward brain back to the text. The deep reading that used to come naturally has become a struggle."

The impact of interruptions on individual productivity can also be catastrophic. In 2002, it was reported that, on average, we experience an interruption every eight minutes or about seven or eight per hour. In an eight-hour day, that is about 60 interruptions. The average interruption takes about five minutes, so that is about five hours out of eight. And if it takes around 15 minutes to resume the interrupted activity at a good level of concentration, this means that we are never concentrating very well.

In August 2018, research from the UK's telecoms regulator, Ofcom, reported that people check their smartphones on average every 12 minutes during their waking hours, with 71% saying they never turn their phone off and 40% saying they check them within five minutes of waking. Both Facebook and Instagram announced they were developing new tools designed to limit usage in response to claims that excessive social media use can have a negative impact on mental health.

Continuous partial attention — or CPA — was a phrase coined by the ex-Apple and Microsoft consultant Linda Stone. By adopting an always-on, anywhere, anytime, any place behaviour, we exist in a constant state of alertness that scans the world but never really gives our full attention to anything. In the short term, we adapt well to these demands, but in the long term the stress hormones adrenaline and cortisol create a physiological hyper-alert state that is always scanning for stimuli, provoking a sense of addiction temporarily assuaged by checking in.

1 Interruptions by emails and phone calls have little effect on individual productivity, provided workers respond immediately or as soon as possible.

2 So far, the developers of social media are not planning on taking any action to address the issue of possible damage that could be caused to mental health by using social media too much.

3 So-called continuous partial attention (CPA) is a state in which an individual is continuously caught up in one particular thing and cannot give attention to anything else.

4 A study showed that the negative effect of distractions by emails and phone calls on people's IQ scores was greater than that of smoking marijuana.

5 Nicholas Carr says even when it was easy for him to read lengthy articles, he could not enjoy thinking about the narrative or arguments.

解説

〈全訳〉 次の文の内容に最も合致する記述を選びなさい。

私たちの私的世界および職業上の世界がこれほどまでに使い勝手のよいスマートフォンその他の機器に支配されて「スイッチオン」状態になり，とりわけ重大なことだが，1日のどの瞬間もこれほどたやすく気をそらされ中断されるようになった時代に，それより以前の生活を想像することは難しい。この，私たちの時間と集中力が常に細分化された状態は新たな標準となり，それに私たちは容易に適応してきたのだが，そこにはマイナス面もある。こうした中断やじゃまによって，私たちの集中する能力が損なわれていることを指摘する専門家がますます増えているのだ。

繰り返し中断されると集中力に影響することは，私たちはずっと前から知っている。2005年に，ロンドン精神医学研究所のグレン＝ウィルソン博士が行った研究によって，仕事時に幾度となく中断されたり気をそらされたりすると重大な影響があることが示された。Eメールや電話で気をそらされている人たちには，10ポイントの知能指数（IQ）の低下が見られた。これは，諸研究に示されているマリファナの吸引の影響の2倍に当たる。1,100名の参加者の半数を超える人たちが，Eメールにはいつも直ちにあるいはなるべく速やかに返信をすると答え，また21％の人たちはそうするために会議を中断すると認めた。絶え間ない中断は，一晩睡眠をとらないのと同じ影響を与える可能性がある。

ニコラス＝カー氏は2008年，2年後の著書『ザ・シャロウズ（邦題『ネット・バカ』）』の出版に先立って，「アトランティック」誌に掲載された記事で再びこの話題を取り上げた。「本や長文記事に没頭するのは，かつては簡単なことだった」と彼は書いている。「私はよく物語や議論の展開に引き込まれて夢中になり，また長編の散文が広がる世界を何時間もさまよったものだった。それが今やそんなことはめったにない。現在では私の集中力は，2，3ページも読み進むと漂流を始めるということがよくある。そわそわし，話の筋が追えなくなって，何かほかにすることを探し始めるのだ。絶えず自分の気まぐれな脳を文章へと引き戻し続けているような感覚だ。以前は自然にそうなった熟読という状態が，今では苦闘になったのだ」

中断が個人の生産性に与える影響もまた，悲惨なほどだ。2002年の報告によると，私たちは平均して８分ごとに，つまり１時間に７，８回ほど作業の中断を経験する。８時間の（労働）時間内では，約60回中断されていることになる。標準的な中断時間は約５分なので，８時間のうち約５時間に相当する。そして，中断された仕事を十分な集中力をもって再開するにはおよそ15分かかるとすれば，私たちが十分に集中していることはまったくないことになる。

2018年８月の，イギリスの通信等の規制機関であるオフコムによる研究報告では，人々は起きている間平均して12分ごとに自分のスマートフォンをチェックしている。また71％の人がスマートフォンの電源を切ることはまったくしないと答え，40％の人が起きている間は５分以内ごとにスマートフォンをチェックすると答えている。フェイスブックとインスタグラムの両社は，過度のソーシャルメディアの使用が心の健康に悪影響を与える可能性があるとの主張に応えて，使用を制限する機能のついた新しいツールを開発中であると発表した。

「継続的な注意力の断片化」（CPA）とは，かつてアップル社とマイクロソフト社で顧問を務めたリンダ＝ストーン氏によって命名された言葉だ。どこでも，いつでも，どんな場所でも常にスイッチオンであるという習慣を身につけることで，私たちは常に世界の動きをチェックする警戒態勢にあるのだが，実際には何事に対しても全集中力を傾けることはないのだ。短期的には，私たちはこうした要求にうまく順応しているが，長期的には，ストレスホルモンであるアドレナリンとコルチゾールによって，常に刺激を求めて（スマートフォンを）チェックし続けるという生理的な過度の警戒状態がつくり出され，状況をチェックすることで一時的に和らぐ中毒の感覚が引き起こされているのだ。

1　Ｅメールや電話による中断は，就業者が直ちにあるいはなるべく速やかに返信をする限り，個人の生産性にはほぼ影響を与えない。

2　これまでのところ，ソーシャルメディアの開発者は，ソーシャルメディアの使いすぎによって心の健康に悪影響があるかもしれないという問題に対処するための，なんらの措置をとることも計画していない。

3　いわゆる継続的な注意力の断片化（CPA）とは，個人がある特定のことに継続的に夢中になり，他の何にも注意を払えない状態のことである。

4　ある研究が示したところによると，Ｅメールや電話によって気をそらされることが人々のIQテストの成績に与える悪影響は，マリファナの吸引によるそれよりも大きい。

5　ニコラス＝カー氏の語るところによると，長文記事を読むのが容易だった頃でさえも，彼は物語や議論について考えるのを楽しむことはできなかった。

＊　＊　＊

1．誤り。第２段落および第４段落の記述から，直ちにあるいはなるべく速やかに返信するかどうかにかかわらず，絶え間ない中断は生産性に悪影響を与えていることがわかる。

2．誤り。フェイスブックとインスタグラムの両社が，使用を制限する機能のついた新しいツールを開発中であると発表したことが述べられている。

3．誤り。注意力の「断片化」とは，絶え間なく周囲や世界の動きをチェックする必要に迫られて，「何事に対しても全集中力を傾けること」のない状態だと述べられている。

4．妥当である。

5．誤り。長文記事を読むのが容易だった頃のこととして，「物語や議論の展開に引き込まれて夢中に」なったと述べられている。

正答　4

Select the statement which best corresponds to the content of the following passage.

The number of women having a home birth has fallen to a 15-year low as concern rises that some expectant mothers are being denied one because there are too few midwives. Only one in 50 babies in England and Wales were born at home last year, according to National Office of Statistics data — the lowest number since 2001. Just 2.1% of the 676,271 babies born were delivered at home.

Childbirth experts claimed the fall is due to midwives being called in to help out in overstretched hospital labour wards, who were meant to be assisting home births while working in community-based services. "Staffing and resource issues mean that expectant mothers aren't always offered the opportunity to have a home birth. Women are being failed as they are being denied choices," said Elizabeth Duff, senior policy adviser at the National Childbirth Trust. Under National Institute for Health and Clinical Excellence (Nice) guidelines women in England and Wales should be able to choose whether to have their baby in a hospital unit with doctors in charge, a unit staffed only by midwives or at home with a midwife present. "We're concerned that some women aren't being given the full range of choices," said Duff.

Louise Silverton, the director for midwifery at the Royal College of Midwives, said: "We do hear anecdotally that women aren't choosing a home birth because they are worried that the service may not be available because of staff shortages. "Given that maternity services are very much under pressure and have no spare capacity it's not at all surprising that there are fewer home births. "When a woman who has planned to have a home birth rings up to say that she's in labour, she can be told that they don't have a midfwife for her. That's no good for anyone as it means that the woman and her partner are anxious and that all the rapport she's built up with the midwife during the months of antenatal care are lost. That's a shame. For women that can be very disruptive."

Childbirth units are under such strain that four in ten in England had to close temporarily last year and divert women elsewhere. In all, 42 out of 96 hospital trusts which responded to a Labour freedom of information request shut their maternity unit a total of 382 times — 70% more than occurred during 2014. In the 1960s, when childbirth records began, almost a third of babies were born at home. But that figure has fallen dramatically since, to the extent that only one in 100 arrived that way in the 1980s. That figure rose slowly again, reaching 2.9% in 2008. But that fell again to 2.3% in 2015 and then to 2.1% last year. Women aged 35 to 39 are the most likely to give birth at home; about 2.9% of mothers that age do so. Those aged under 20 are the least likely; only 1 % opt for home births. More women in Wales than in England have a home birth. Rates are much lower in Scotland and Northern Ireland.

The NHS needs to do more to enable women to have a home birth, said Duff. "Women who want a home birth do so for a number of reasons including because they have already given birth and now feel confident about a birth at home, they want continuity of care with a midwife they know attending the birth, they dislike being in hospital, or want to avoid medical interventions. Ultimately the decision is theirs and services should be in place to give them what they want."

In 2016 the lowest rate of stillbirths in England and Wales for 34 years was recorded — 4.4 out of every 1,000 births — after determined action by the NHS to reduce them. There was also a small drop in the number of women having a multiple birth, from 16.1 to 15.9 births per 1,000. Women over 45 were by far the most likely to deliver twins, triplets or quadruplets or a large number of babies. This decrease was greatest in women aged 30 and over, particularly those aged 45 and over where the proportion of women having multiple births decreased by 15%, said ONS statistician Nicola Haines. "Since 1993, women aged 45 and over have consistently had the highest proportion of multiple births, partly due to higher levels of assisted fertility treatments at these ages," Haines said.

1 There were only 50 babies born at home in England and Wales last year, which is the lowest figure since 2001.

2 One of the main reasons for the lack of midwives to help home births is that they are being called to help at hospitals.

3 Last year, a little more than half of the childbirth units had to close temporarily and divert women to other units.

4 The rate of women who chose to give birth at home last year dropped dramatically, reaching the same levels as in the 1980s.

5 Women over 45 were far more likely to have multiple births in 2016 than before, partly because of higher levels of assisted fertility treatments.

解説

〈全訳〉 次の文の内容に最も合致する記述を選びなさい。

助産師の大幅な不足のせいで一部の妊娠中の女性が自宅出産を断られている，という懸念が生じている中，自宅出産をする女性の数がここ15年で最低にまで落ち込んだ。(イギリス) 国家統計局のデータによると，昨年，イングランドとウェールズでは自宅で生まれた赤ちゃんはわずか50人に１人の割合で，2001年以降で最低を記録したのだ。自宅分娩により誕生した赤ちゃんは，67万6,271人のうちたった2.1％にとどまった。

お産の専門家たちはこの減少について，本来は地域を基盤とするサービス業で働きながら自宅出産の補助をしているべき助産師たちが，対応限度を超えた病院の分娩棟に呼び出され手伝わされていることによるものだと主張した。「人員確保と人材の問題から言えるのは，妊娠中の女性が自宅出産をする機会が常には提供されていないということです。女性の選択が拒否されていることで，女性は見捨てられているのです」と，(慈善団体の)「全国出産トラスト」で上級政策顧問を務めるエリザベス＝ダフ氏は語った。国立医療技術評価機構 (NICE) の指針では，イングランドとウェールズの女性はお産を担当医のいる病院の産科でするか，助産師のみの助産院でするか，あるいは助産師が立ち会いのもとで自宅でするかを選択できることになっている。「私たちは，一部の女性が十分な選択の幅を与えられていないことを懸念しています」とダフ氏は語った。

王立助産師大学で助産学部長を務めるルイーズ＝シルバートン氏は次のように語った。「スタッフ不足のためにサービスが利用できないかもしれないことが心配なので女性たちが自宅出産を選んでいない，ということは，確かに体験的に耳にします。産科施設が非常に厳しい状況にあって余力がまったくないという事情を考えれば，自宅出産が減っているのはまったく驚きではありません。自宅出産を計画してきた女性が陣痛が始まり電話をしても，派遣できる助産師がいないと言われる可能性があります。それは誰にとってもよいことではありません。女性とそのパートナーが不安な気持ちになりますし，女性が妊産婦ケアの期間に助産師と築いてきた信頼関係が失われてしまうということでもあるからです。残念なことです。とても混乱に陥りやすい女性にとっては」

産科施設がそのように過剰な負担を抱えているため，昨年イングランドでは10か所に４か所の割合で一時的に閉鎖し，女性を他の場所へ回さなければならなくなった。全体では，労働党の情報公開請求に回答を寄せた96の病院トラスト（公立病院の運営組織）のうち42の組織が，合計で382回産科を閉鎖しているが，これは2014年に起こった件数よりも70％多い。出産（方法）に関する記録が行われ始めた1960年代には，赤ちゃんのほぼ３分の１は自宅で生まれていた。だが，それ以来その数字は劇的に減少し，1980年代には自宅で生まれる赤ちゃんはわずか100人に１人という割合にまで下がった。その後数字はゆっくりと回復し，2008年には2.9％に達した。だが，それから再び下降に転じ，2015年には2.3％，昨年は2.1％にまで下がった。35歳から39歳までの女性は，自宅出産をする傾向が最も高く，母親の2.9％がそうしている。20歳未満は最も低く，自宅出産を選択する割合は１％にすぎない。イングランドよりもウェールズの女性のほうが自宅出産の割合が高く，スコットランドや北アイルランドでは割合はずっと低い。

NHS（国民保健サービス制度）はもっと女性の自宅出産を可能にする措置を講じる必要がある，とダフ氏は語る。「自宅出産を望む女性がそうするのには，いくつかの理由があります。すでに出産経験があり，今は自宅で出産することに自信を持っているという人もいますし，知っている助産師が出産に立ち会ってくれることでケアを継続して受けられることを望む人もいます。あるいは病院に入院するのが嫌であるとか，医療行為の介入を避けたいなどの理由もあります。最終的には，決断するのは彼女たちであって，彼女たちが望むものを得られるようにサービスが整えられるべきです」

2016年，イングランドとウェールズでは死産の割合が出産1,000件に対して4.4件と，34年間で最低を記録した。死産を減らそうという，NHSの確固たる行動の成果だった。多胎出産をする女性の数もまた，1,000人の出産に対して16.1人から15.9人へと，わずかに減少した。45歳を超える女性は双子，三つ子，四つ子など多数の赤ちゃんを産む可能性が飛び抜けて高かったのだが，この減少は30歳以上の女性において割合が最も高く，特に45歳以上では多胎出産をする女性の割合が15％減少したと，国家統計局の統計学者であるニコラ＝ヘインズ氏は語った。「1993年以降，45歳以上の女性が常に多胎出産の最も高い割合を占めています。理由の一部には，この年齢層では排卵誘発剤による補助的医療を受ける割合が高いことが挙げられます」とヘインズ氏は語った。

1　昨年，イングランドとウェールズでは自宅で生まれた赤ちゃんがわずか50人しかおらず，2001年以降最低の数字となった。

2　自宅出産を手伝う助産師の不足の主な原因の一つは，彼女たちが病院で手伝うよう呼び出されていることにある。

3　昨年，半数をやや超える数の産科が，一時的に閉鎖して女性を他の産科へ回さざるをえなかった。

4　昨年，自宅出産を選んだ女性の割合は劇的に減少し，1980年代と同レベルに落ち込んだ。

5　45歳を超える女性が多胎出産をする傾向が2016年には以前よりもはるかに高かった理由の一部は，排卵誘発剤による補助的医療を受ける割合が高かったことである。

＊　＊　＊

1．誤り。50人しか自宅出産で生まれなかったのではなく，自宅出産が50人に１人の割合だったと述べられている。実数については，「67万6,271人のうち2.1％」とある。

2．妥当である。

3．誤り。一時的に閉鎖して女性を他の場所に回さざるをえなかった産科は「10か所に４か所の割合」と述べられているので，半数よりは少ないことになる。

4．誤り。昨年の割合については，「2001年以降最低」とはあるが，「劇的に減少した」とは述べられていない。また，1980年代については第４段落に「自宅で生まれる赤ちゃんはわずか100人に１人という割合にまで下がった」と述べられており，昨年の2.1％は当時に比べれば高いことがわかるので，「1980年代と同レベルに落ち込んだ」とはいえない。

5．誤り。45歳を超える女性の多胎出産の割合について，2016年が以前よりもはるかに高かったとは述べられておらず，逆に「(34年間で) 15％減少した」と述べられている。「排卵誘発剤による補助的医療を受ける割合の高さ」は，多胎出産のうち45歳を超える女性による割合が他の年齢層に比べてはるかに大きいことの理由として述べられている。

正答　2

Select the statement which best corresponds to the content of the following passage.

The schism between the atmospheric and life sciences that Abigail Swann, professor at the University of Washington, encountered was a holdover from the late 1800s, when the U. S. government proclaimed that planting crops and trees would turn the arid Great Plains wet. The government had embraced a dubious theory pushed by land speculators and rejected the counsel of one of the nation's top scientists, John Wesley Powell. Spurred on by such optimistic but dubious claims, thousands of would-be farmers headed west, only to find that greening the land did not, in fact, make it rain. Many struggled to scrape a living from the dry ground, and the ill-conceived agricultural experiment eventually contributed to the devastating Dust Bowl.

Scientists reacted strongly. Early meteorologists, hoping to save their young field's credibility, rejected the notion that forests influence weather. "Much of the discussion of it, unfortunately, has not been of a purely scientific character," one wrote in 1888 in Science. Meteorology, and later climate science, became the study of air and water. Plants were relegated to passive-participant status.

Atmospheric scientists — and everyone else — could be excused for thinking of a stoically standing tree or a gently undulating wheat field as doing little more than passively accepting sunlight, wind, and rain. But plants are actually powerful change agents on the planet's surface. They pump water from the ground through their tissues to the air, and they move carbon in the opposite direction, from air to tissue to ground. All the while, leaves split water, harvest and manipulate solar energy, and stitch together hydrogen, oxygen, and carbon to produce sugars and starches — the sources of virtually all food for Earth's life.

The key features of this molecular wizardry are pores, called stomata, in plant leaves. A single leaf can contain more than 1 million of these specialized structures. Stomata are essentially microscopic mouths that simultaneously take in carbon dioxide from the air and let out water. As Swann notes, the gas exchange from each stoma — and indeed from each leaf — is, on its own, tiny. But with billions of stomata acting in concert, a single tree can evaporate hundreds of liters of water a day — enough to fill several bathtubs. The world's major forests, which contain hundreds of billions of trees, can move water on almost inconceivably large scales. Antonio Nobre, a climate scientist at Brazil's National Institute for Space Research, has estimated, for example, that the Amazon rainforest discharges around 20 trillion liters of water a day — roughly 17 percent more than even the mighty Amazon River.

1 Plants have little effect on the movements of air and water on Earth's surface.

2 Rainforests may contribute to moving water, but on a very small scale.

3 Great numbers of people moved west to become farmers, but many of them had a hard time making a living.

4 The pores in plant leaves called stomata cannot take in carbon dioxide from the air and let out water at the same time.

5 When the U. S. government proclaimed in the late 1800s that planting crops and trees would turn the arid Great Plains wet, all of the nation's top scientists supported the government's position.

解説

〈全訳〉 次の文の内容に最も合致する記述を選びなさい。

ワシントン大学教授のアビゲイル＝スワン氏が直面した大気科学と生命科学の分裂は，作物と木を植えることで乾燥したグレートプレーンズ（アメリカ中西部の平原地帯）は潤うだろうとアメリカ政府が宣言した1800年代後半からの遺物であった。当時，政府は地上げ屋たちが後押しする怪しげな理論を鵜呑みにし，国内最高の科学者の１人であるジョン＝ウェズリー＝パウエル氏の忠告をはねつけた。そんな楽観的ではあるが疑わしい主張に駆り立てられて，何千人もの農業志願者が西へと向かったが，実際のところ，土地の緑化は雨をもたらさないことがわかっただけだった（訳注：農地化のために草を刈り取ったことで地面が露出し，かえって乾燥化に拍車がかかった）。多くが乾いた土地でなんとか生計を立てようともがき苦しみ，この筋の悪い農業実験は，最終的には破壊的なダストボウル（特に1930年代に大発生した砂嵐。また砂嵐の吹き荒れる中西部の乾燥地帯）の発生に貢献することとなった。

科学者は強く反発した。草創期の気象学者たちは，自分たちのまだ未熟な学問分野の信用性を守りたいという気持ちから，森が天候に影響を与えるという考えを受けつけなかった。「その議論の多くは，残念なことに純粋に科学的な性格のものとは言えない」と，ある人物は1888年に「サイエンス」誌で書いている。気象学，およびその後の気候科学は，空気と水を研究する学問になった。植物は脇役に格下げされたのだ。

大気科学の学者たちが――そして他の誰もが――，何も言わずに立っている木やそよ風に波打って揺れる小麦畑について，単に日光や風や雨をなすがままに受け入れている存在以上のものではないと考えたのも無理のないことかもしれない。しかし，実際には植物はこの惑星の地表に変化をもたらす強力な主体である。植物は，その組織を通して地面から水を吸い上げ空中に放出し，炭素を逆の方向，つまり空中から組織を通して地面へと移動させる。そうしている間，葉は水を分解し，太陽エネルギーを取り入れて操作し，水素と酸素と炭素を組み合わせて糖やデンプンを生み出す。地球上の生命にとっての，事実上すべての食事のもとだ。

この分子のなせる魔法において鍵となる特徴が，植物の葉にある気孔と呼ばれる穴である。１枚の葉には，この特化した役割を持つ組織が100万個以上含まれていることもある。気孔は空中から二酸化炭素を取り入れ同時に水を放出する，つまるところ極微サイズの口である。スワン氏が言及しているように，それぞれの気孔を通して行われる気体の交換は――そして，実のところそれぞれの葉を通して行われる交換の量でさえも――，それ自体では微々たるものである。だが，何十億もの気孔が一斉に活動することで，１本の木は１日に何百リットルもの水を蒸発させることができる。これはバスタブ数個分を満たす量だ。世界の大規模な森林は何千億本もの木を有しており，ほとんど想像もつかないほどの大きな規模で水を移動させることができる。ブラジル国立宇宙研究所に所属する気候学者アントニオ＝ノーブレ氏の試算によると，たとえばアマゾンの熱帯雨林は１日におよそ20兆リットルの水を放出する。これは広大なアマゾン川と比べてさえも，おおよそ17％多い。

1　植物は地球の表面の空気と水の動きにはほとんど影響を与えない。

2　熱帯雨林は水の移動に寄与しているかもしれないが，それは非常に小規模にすぎない。

3　おおぜいの人が農家になるために西へ向かったが，彼らの多くは生計を立てるのに苦労した。

4　気孔と呼ばれる植物の葉の穴は，同時に空中から二酸化炭素を取り入れて水を放出することはできない。

5　作物と木を植えることで乾燥したグレートプレーンズは潤うだろう，と1800年代後半にアメリカ政府が宣言したとき，国内最高の科学者たちは皆，政府の立場を支持した。

*　*　*

1．誤り。かつてはそう考えられていたが，「実際には植物はこの惑星の地表に変化をもたらす強力な主体である」と述べられており，その具体的な説明が第３段落以降で展開されている。

2．誤り。「世界の大規模な森林は…ほとんど想像もつかないほどの大きな規模で水を移動させることができる」と述べられており，その例としてアマゾンの熱帯雨林について「１日におよそ20兆リットルの水を放出する」との試算が挙げられている。

3．妥当である。

4．誤り。「気孔は空中から二酸化炭素を取り入れ同時に水を放出する」と述べられている。

5．誤り。「政府は…国内最高の科学者の１人であるジョン＝ウェズリー＝パウエル氏の忠告をはねつけた」とあるので，全員が政府の立場を支持したとはいえない。

正答　3

国家一般職［大卒］ No. 74 専門試験 英語(基礎) 空欄補充 令和元年度

Select the appropriate combinations of words to fill in the blanks of the following passage.

Solar energy has the potential to (A) many of the environmental problems that have been associated with the (B) of electricity. Unlike fossil fuels, there is no pollution produced (C) solar power, and it is much safer than other methods such as nuclear energy. However, there are problems (D) solar energy as well. At night, it is necessary to store the energy that is created during the day, and solar panels require a lot of land to make enough electricity. Despite this, many people have hope that solar energy will become the way (E) in the future.

	A	B	C	D	E
1	answer	creation	in	by	of thinking
2	fix	developing	through	from	to go
3	improve	production	by	for	to save
4	recover	making	with	to	onward
5	solve	generation	from	with	forward

解説

〈全訳〉 次の文の空欄に入る適切な語句の組合せを選びなさい。

太陽光エネルギーは，電気の$_{B}$発生と関連づけられてきた環境問題の多くを$_{A}$解決する可能性を秘めている。化石燃料とは異なり，太陽光発電$_{C}$から汚染が生じることはなく，また原子力などの他の方法よりもはるかに安全である。しかしながら，太陽光エネルギー$_{D}$に関しても やはり問題がある。夜には日中に作り出されたエネルギーを蓄えておく必要があり，またソーラーパネルが十分な電気を作るためにはたくさんの土地が必要である。このことにもかかわらず，多くの人が，太陽光エネルギーが将来の$_{E}$発展への道になるだろうという望みを抱いている。

＊　＊　＊

A：空欄Aには，the potential「可能性」を修飾する不定詞となる動詞が入る。動詞の目的語はmany of the environmental problems「環境問題の多く」なので，選択肢の中ではsolve「～を解決する」が最も適切で，空欄の後のthatまでは「太陽光エネルギーは環境問題の多くを解決する可能性を持っている」という意味になる。また，fixは「～を修理する，整える，用意する」などさまざまな意味を持つ動詞だが，「(問題など) を解決する，修正する」という意味でも使われるので，これも空欄に入りうる選択肢である。answerは「～に答える」という意味で，「問題に答える」というときの「問題」には通常questionを用いるが，「問題を解決する」という意味でanswer a problemと言うこともあるので，これも誤りではない。improveは「～を改善する，改良する」という意味で，ここでは「環境問題の多くを改善する可能性を持っている」となって意味が通ることから，これも空欄に入りうる選択肢である。一方，recoverは「～を取り戻す，回復する」という意味で，ここでは意味が通らず不適。

B：空欄Bを含む第1文のthat以下は，many of the environmental problemsを先行詞とする関係代名詞節で，「電気の〔を〕（　）と関連づけられてきた（環境問題の多く）」という意味になる。選択肢の意味はそれぞれ，creation「創造」，developing「発達させること，生じさせること」，production「生産，製造」，making「作ること」，generation「（電気などの）発生」。generationは「世代」という意味でよく使われる語だが，「～を生み出す，発生させる」という意味の動詞generateの名詞形でもあり（同じく名詞のgeneratorは「発電機」という意味），ここでは発電方法が話題になっていることから空欄にはgenerationが最も適切。動名詞makingは，make electricityで「電気を起こす，発電する」の意味になることから誤りとは言い切れないが，the making of electricityという言い方は一般的でなく，making electricityとするほうが自然である。他の名詞creation，productionおよび動名詞のdevelopingは，通常「発電」の意味で使われることはなく不適切である（production of electricityは「発電量」の意味になる）。

C：空欄Cを含む節は，直訳すれば「太陽光発電（　）生み出される汚染はない」という意味で，produced以下の過去分詞句が前のpollutionを修飾する形。（汚染が）太陽光発電「を通じて」生み出される，となるthrough，あるいは太陽光発電「によって」生み出される，となるby，または太陽光発電「から〔が原因で〕」生み出される，となるfromが，空欄に入りうる選択肢である。in，withでは意味が通らない。

D：空欄Dには空欄Cと同様に前置詞が入るが，直前のproblemsと結びついて意味が通るのはwithのみである。there is a problem［have a problem］with ～で「～に関して〔のことで〕問題がある」という意味を表す。他の選択肢by，from，for，toのいずれを入れても文意が通らない。

E：空欄Eは，直前のthe wayと結びついて名詞句を構成する語（句）が入る。選択肢の中でonwardは「前方へ，～以降」の意味を表す副詞，あるいは名詞の前に置かれて「前方への，その次の」の意味を表す形容詞なので，空欄には適さない。また，the way to saveは「節約する方法」といった意味になるが，saveの目的語がないため不自然な文になる。その他の選択肢を入れた名詞句の意味は，the way of thinkingでは「考え方」，the way to goでは「行くべき道，取るべき方法」，the way forwardでは「前方に続く道，前進〔発展〕への道」となり，いずれを入れても文意が通る。

以上より，すべての空欄に入りうる語句を含む選択肢は**5**のみで，空欄D（およびB）が決め手となる。したがって，**5**が正答となる。

正答　5

No. 75 英語（基礎） 文法 令和元年度

Select the sentence which is grammatically correct.

1 No sooner did John arrive at work than the heavy rains started.

2 Sarah's new computer is far more quickly than her old one.

3 The dinosaurs are thought to have disappeared due to frozen weather.

4 Whenever I'm boring, I like to read the feeds on social media.

5 Why are so many people concerning with the lives of others?

文法的に正しい文を選ぶ問題である。

1．妥当である。「ジョンが職場に着いた途端に，激しい雨が降り始めた」という意味の文。no sooner ～ than ... で as soon as ～「～するとすぐに，～するやいなや」とほぼ同じ意味を表す。John no sooner arrived at work than ... が元の形で，副詞句 no sooner が強調されて文頭に出たために，「主語＋（助）動詞」の語順が倒置されて did John arrive という形になっている。

2．誤り。quickly は「素早く」という意味の副詞なので，be 動詞の補語にはならない。is の代わりに動詞 moves を用いるか，more quickly の代わりに形容詞 quicker を用いれば，「サラの新しいコンピュータは，彼女の古いものよりずっと素早く動く〔素早い〕」という，正しい英文になる。

3．誤りとはいえない。「恐竜は凍りついた天候が原因で消滅したと考えられている」という意味の文。人事院は本選択肢を誤答としており，おそらくその根拠は frozen weather の部分であろうと考えられる（その他の部分に用法の誤りは見当たらない）。cold weather「寒い天候」の意味を，動詞 freeze「凍らせる，凍えさせる」の変化形を使って強調したい場合，現在分詞を用いて freezing weather とすれば，「凍え（させ）るような天候」という意味の一般的な表現になる（＝The weather was freezing.）。これに対して，過去分詞 frozen「凍った，凍えた」では The weather was frozen. という「不自然な」文が想定されるために，その意味では frozen weather はふさわしくないといえる（たとえば，動詞 excite を分詞として使う場合，人が主語なら excited が適切だが，物が主語の場合は an exciting game のように現在分詞が正しく，an excited game は誤用である）。ただし，実際には frozen weather という表現はニュース記事などで使われることが少なくない。‘frozen’ weather という表記も見られることから，本来は誤用であるところを，寒さを強調するためにあえて用いた表現が一般化しつつあるものと考えられる。本問の場合は恐竜の絶滅に関する文であることから，「氷河期」を表すために freezing weather ではなく frozen weather という表現を用いることは，現状に照らせば単に誤用として排除しきれない。

4．誤り。boring は物について「（人を）退屈させるような」という意味になる形容詞（現在分詞）なので，I' m boring では意味が通らない。boring の代わりに過去分詞 bored を用いれば，「私は退屈したときはいつも，ソーシャルメディア上のフィード（文書やコンテンツ）を読むことを好む」という，正しい英文になる。

5．誤り。be concerned with［about］～で「～に関心がある，～を重視する」の意味を表す表現になり，concerning では意味が通らない。concerning を concerned に代えれば，「なぜそんなにたくさんの人が他人の生活〔人生〕に関心があるのか」という，正しい英文になる。

以上より，**3**は誤りとは言いきれないものの，**1**には文法的に問題になる箇所はまったくないことから，正答は**1**となる。

正答　1

＊人事院は本問の正答を**1**としている。

国家一般職［大卒］ No. 76 専門試験 英語(一般) 内容把握 令和元年度

Select the statement which best corresponds to the content of the following passage.

This newspaper believes that the Western alliance is worth saving. In a dangerous and increasingly authoritarian world, it can act as a vital source of security and a bastion of democracy. But the alliance does not have a God-given right to survive. It must continually earn its place. The question is: how?

The first step is not to make the job harder. Europe should do everything it can to resist Mr Trump's instinct to lump trade with security. Wrapping them up together will only make the West less secure as well as poorer.

Next, supporters of the alliance need to be practical. That means paying up. Mr Trump is right to complain about countries like Germany and Italy, which spent just 1.22% and 1.13% of GDP on defence in 2017. Indeed, he could go further. Too little of defence spending is useful — over a third of Belgium's is eaten up by pensions. More should go on R&D* and equipment.

For America's allies, being practical also means keeping up. Collaboration in areas like cyber-security will make the alliance more valuable to America. More urgently NATO must continue to sharpen its response to the tactics of misinformation and infiltration that Russia used in Crimea and eastern Ukraine. Politics waxes and wanes. Lost military understanding is hard to rebuild. Exercises that cement NATO's remarkably close working military relations are more vital than ever.

And being practical means sticking together. Negotiating over Brexit, the EU is minded to shut Britain out of the union's security structures because it will no longer be a member. Given Britain's military experience, its arms industry and its intelligence agencies, that is self-defeating. Instead, the EU's members should seek to bind Britain in by, for example, promoting the European Intervention Initiative, proposed by France, which aims to create a force that can act in crises. Once America would have seen such a plan as a threat to NATO. Today it would stand both as insurance and as a sign that Europe is willing to take on more responsibility.

Last is the battle of ideas. If NATO and the EU did not already exist, they would not be created. Since the Soviet collapse, the sense of threat has receded and the barriers to working together have risen. Yet that does not make the transatlantic alliance "obsolete", as Mr Trump once claimed. America's alliances are an asset that are the envy of Russia and China. NATO is an inheritance that is all the more precious for being irreplaceable.

(注)* R&D：research and development

1 Because Britain will no longer be a member of the EU after Brexit, the Western alliance can be strengthened by completely detaching Britain from the security structure of the EU.

2 In order to save the Western alliance, it is important to always treat trade and security as closely connected areas.

3 The Western alliance will remain intact irrespective of whether or not the European states make the effort to maintain the alliance, because it is a vital source of security and a bastion of democracy.

4 After the Soviet collapse, it has become easier for European states to work together, because the sense of threat has receded.

5 Some European states should not only spend more on defence in general, but also increase spending on useful purposes within defence spending.

解説

〈全訳〉 次の文の内容に最も合致する記述を選びなさい。

この新聞は，西側の同盟は守る価値があるという信念を持っている。危機的でますます権威主義的になっている世界にあって，それは安全保障の極めて重要な根源として働くものでもあり，民主主義の牙城でもある。しかし，この同盟は神から生存権を授かっているわけではない。絶えず重要なものとして認められなければならないのだ。問題は「どうやって？」ということだ。

その第一歩は，その作業をより困難なものにしないことである。ヨーロッパは，安全保障を貿易と一緒くたにするトランプ氏の直感的思考にあらがうためにどんなこともすべきだ。ひとまとめに扱えば，西側を貧しくするだけでなく安全をも損なってしまう。

次に，同盟の支持者は現実的である必要がある。つまり，借りはきちんと返すということだ。トランプ氏がドイツやイタリアのような国について不満を述べるのはもっともなことだ。両国は2017年，GDPのそれぞれ1.22％，1.13％しか防衛に費やしていない。それどころか，氏はさらに踏み込んで言うことだってできるだろう。防衛関係の支出のうち有益なものはあまりに少なく，たとえばベルギーの防衛費の３分の１を超える額が（退役軍人の）年金によって食いつぶされているのである。研究開発や装備品にもっと回すべきだ。

アメリカの同盟国にとって，現実的であるということは継続することも意味する。サイバーセキュリティのような領域での協調は，同盟をアメリカにとってより価値あるものにするだろう。より喫緊の課題として，NATO（北大西洋条約機構）は，ロシアがクリミアやウクライナ東部で用いたような虚偽情報や潜入などの戦術に対して毅然とした対応をし続けなくてはならない。政治は浮き沈みするものだ。失われた軍事的協定を再構築するのは困難である。NATOの顕著に緊密で実効性のある軍事関係を強固にするための軍事演習が，これまで以上に不可欠である。

さらに，現実的であるということは団結することを意味する。ブレグジット（イギリスのEU離脱）を巡る交渉においてEUは，イギリスがもはや構成国でなくなることから，EUの安全保障体制からイギリスを締め出す方向に傾いている。イギリスの軍事面での経験，またイギリスの軍事産業や諜報機関の存在を考慮するなら，それは自滅的な行動である。そうするのではなく，EUの構成国はたとえば，危機的状況で（アメリカに頼らずに）行動できる部隊の創設をめざしてフランスが提唱した「欧州介入イニシアティブ」（マクロン大統領の主導により2018年，英独など９か国で発足した軍事組織）の促進などにより，イギリスを巻き込むよう努めるべきである。かつては，アメリカはそのような計画をNATOに対する脅威とみなしたであろう。しかし，今日では，それは保険であると同時に，ヨーロッパがより責任を担うつもりがあるという意志の表示となるだろう。

経済事情
経営学
国際関係
社会学
心理学
教育学
英語(基礎)
英語(一般)

最後に，これは理念の闘いであるということだ。もし現在NATOとEUがすでに存在していなければ，それらが創設されることはないであろう。ソビエト連邦の崩壊以降，脅威の感覚が後退したことで協調することへの障害が生じた。だがそのことで，大西洋を越えた同盟がかつてトランプ氏が主張したように「時代遅れ」なものになるわけではない。アメリカが主導する諸同盟は，ロシアや中国がうらやむ貴重な財産だ。NATOは，それが代えのきかないものであるだけに一層価値の高い遺産なのだ。

1 ブレグジットの後，イギリスはもはやEUの構成国ではなくなるため，西側の同盟はEUの安全保障体制からイギリスを完全に切り離すことで強化できる。

2 西側の同盟を守るためには，貿易と安全保障を常に密接につながった領域として扱うことが大切である。

3 西側の同盟は，それが安全保障の極めて重要な根源であり民主主義の牙城であるがゆえに，ヨーロッパ諸国が同盟を維持する努力をするか否かにかかわらず無傷のまま残るだろう。

4 ソビエト連邦の崩壊以降，脅威の感覚が後退したためにヨーロッパ諸国が協調することは容易になった。

5 いくつかのヨーロッパの国々は，防衛費一般を増額するだけでなく，防衛費の支出の枠内での有益な目的への支出を増額すべきだ。

＊　＊　＊

1．誤り。逆に，ブレグジットの後も，安全保障体制においてはEUはイギリスを巻き込むべきであるとの主張が述べられている。

2．誤り。逆に，貿易と安全保障を一緒くたにするようなトランプ（アメリカ）大統領の思考にはあらがうべきだと述べられている。

3．誤り。逆に，本文では西欧諸国が同盟を維持する努力を続けることの必要性を力説している。

4．誤り。ソビエト連邦の崩壊以降，脅威の感覚が後退したことは述べられているが，本文ではそのために「協調することへの障害が生じた」と述べられている。これは，西欧諸国にとって共通の軍事的脅威が和らいだことにより，国家の違いを越えて団結しようという機運が弱まり，代わって各国が自国の事情を前面に出すようになったということだと考えられる。

5．妥当である。

正答　5

Select the statement which best corresponds to the content of the following passage.

Australia's national recycling body has urged governments to address stagnating recycling rates and lagging energy capture from waste, warning the nation is "now at a crossroads". The Australian Council of Recycling is calling for an increase in landfill levies, a $1.5 billion investment into recycling in Australia and lower taxes for products with recycled materials, in a 10-point plan aimed at "rebooting" domestic recycling.

The federal government is poised to announce six national targets — including the diversion of 80 per cent of waste from landfill by 2030 — to tackle the crisis precipitated by China's import restrictions on recyclables. However, the Australian Council of Recycling has warned a "practical and positive" plan is needed to reach these targets. "We are now at a crossroads. Australia is currently ranked about 17th in the world for recycling, and recycling rates are stagnant," the council says. "And China has now stopped taking substantial amounts of material. That's why we are taking charge of making change."

In the 10-point plan, the council calls for appropriate landfill levies in each state, which would increase over time, to provide an incentive to recycle. Landfill levies are inconsistent across each state. As of 2017 the metro levy ranged from $138.20 per ton in NSW to no levy in Queensland, which led to thousands of tons of rubbish from NSW being dumped in Queensland landfills.

The council says $1.5 billion from these waste levies should be invested into recycling, including meeting the unfunded costs of street-side recycling and enhanced sorting and reprocessing of recyclable material. "Independent reports show that domestically remanufacturing 50 per cent of the material formerly sent to China leads to some 500 jobs here and reduces greenhouse gases equivalent of 50,000 less cars," the council says.

The council also calls for fast-tracking an accountable method of "product stewardship", where companies are responsible for the ultimate fate of their products. It wants an immediate ban on batteries and electronic waste, such as televisions and computers, going to landfill. It also believes local government rangers should be able to fine households and businesses for contaminating recycling streams in the same way they can for littering and illegal dumping. The council also calls for a different tax level for products that contain recycled materials and for more energy — such as electricity or fuel — to be recovered from residual waste.

"Now is the time — in light of China — for recycling to have more domestic capability," said Australian Council of Recycling CEO Pete Shmigel. "It's increasingly rare to have local manufacturing and its benefits — and rebooted recycling is such an opportunity."

The 10-point plan comes as a survey reveals two-thirds of Australians believe many recyclables put into council bins go to landfill. The survey was released by the University of NSW almost a year after China announced it would ban the import of recyclable plastic and paper with contamination levels above 0.5 per cent, sending shockwaves around the world.

経済事情
経営学
国際関係
社会学
心理学
教育学
英語(基礎)
英語(一般)

The ban has affected about 99 per cent of the recyclables Australia previously sent to China, most of which was cardboard. But David Cocks from waste experts MRA Consulting Group said there was no evidence of large-scale dumping of recyclables to landfill. "It still makes economic sense to recycle even in the current economic conditions," he told Waste Expo Australia last week. He said Australia was continuing to export some recyclables to south-east Asia, but these markets had been flooded as a result of the China ban, resulting in a dramatic drop in commodity prices. The price of mixed plastic had dropped from an average of $250 a ton to $50 a ton.

Since China introduced its import restrictions, known as the National Sword policy, the cost to Australian councils of collecting street-side recycling had risen by an average $31 per household a year. This cost had been subsidised by some states, but the approach had not been consistent across jurisdictions.

"We are seeing materials stockpiled to ride out those lower commodity prices," Mr Cocks said. Stockpiled recycled material poses a fire risk, with two fires breaking out at a recycling plant in Melbourne's Coolaroo, most recently in July. Mr Cocks said that in the midterm Australia needed to develop its glass and plastic reprocessing capacity, governments needed to introduce purchasing policies to increase demand for recycled materials, and container deposit schemes should be introduced in all states.

1 The recycling rates in Australia have started to increase after facing a difficult period.

2 The difficulties in recycling electronic goods means that the only option is to dispose of them in domestic landfill.

3 The belief of the majority of Australians that recyclables go into landfill seems to be true.

4 The costs of collecting recyclables from streets in Australia has increased because of policy decided overseas.

5 Purchasing policies greatly reduced the fire dangers caused by stockpiling recycled materials.

解説

〈全訳〉 次の文の内容に最も合致する記述を選びなさい。

オーストラリアの全国規模のリサイクル団体が，わが国は「今，岐路に立っている」と警告を発し，リサイクル率の停滞と廃棄物からのエネルギー獲得の遅れに対処するよう政府に促している。この「オーストラリアリサイクル協会」は，国内のリサイクル事業の「再稼動」を目的とした10項目のプランの中で，埋め立て税の増税，国内のリサイクル事業への15億ドルの投資，そして再生利用素材を使った製品に対する減税などを要求している。

オーストラリア連邦政府は，中国の再生利用可能素材（廃プラスチック）の輸入制限によって引き起こされた危機に対処するため，2030年までに埋め立て廃棄物の80％をエネルギーに転換することを含む，6つの国家目標を発表する構えだ。しかしオーストラリアリサイクル協会は，これらの目標に到達するには「実用的で前向きな」計画が必要であると警鐘を鳴らした。「今私たちは岐路に立っている。オーストラリアは現在，リサイクルに関しては世界17位で，リサイクル率は停滞している」と協会は語る。「そして今，中国が相当な量の素材の引取りを停止した。だから私たちは今，変革の実行役を引き受けているのだ」

10項目のプランで，協会は各州で妥当な額の埋め立て税を課すことを要求しているが，リサイクルしようという気を起こさせるべく，その額は時を経て増額することとしている。埋め立て税の額は各州で一定していない。2017年時点で，都市部の税額はニューサウスウェールズ州の１トン当たり138.20ドルからクイーンズランド州の非課税まで幅があり，このことはニューサウスウェールズから何千トンものごみがクイーンズランドの埋め立て地へと投棄される事態につながっている。

協会は，これらの廃棄物からの15億ドルの税収は，財源のない沿道の廃棄物リサイクル活動や，再生利用可能素材の分別と再処理の強化といったリサイクル事業に投資されるべきであると語る。「第三者機関のさまざまな報告から，これまで中国に輸出されていた素材の50％を国内で再生製造すれば，この地で500程度の働き口が生まれ，自動車５万台の減少に相当する温室効果ガスの削減につながることが示されている」と協会は語る。

協会はまた，企業がその製品の最終的な運命に責任を持つ，説明責任を伴った形の「プロダクト・ステュワードシップ（製造物責任）」を速やかに普及させることも要求している。協会は，電池などのバッテリーや，テレビやコンピュータのような電子機器の廃棄物の埋め立てを直ちに禁止することを求めており，また，地方政府の監視員がごみのポイ捨てや違法投棄に対してと同様に，リサイクルの流れを汚染する行為に対して世帯や企業に罰金を課すことができるようにすべきであるとの考えを持っている。協会はまた，再生利用素材を含む製品に対して異なる税率を適用することを，そして電気や燃料のようなエネルギーのより多くを残留廃棄物から取り出すことを求めている。

「中国のことを考えれば，今こそリサイクル事業はもっと国内で対処できる能力を増やすべきです」と，オーストラリアリサイクル協会のCEO（最高経営責任者）であるピート＝シュミーゲル氏は語った。「地元に製造業がありその恩恵を受けられるということがますますなくなっていますが，リサイクル事業の再稼動はそのような機会となります」

この10項目のプランが出る頃，ある調査において，自治体のごみ入れ容器に入った多くの再生利用可能素材が埋め立てられているとオーストラリア人の３分の２が信じているということが明らかになった。この調査は，中国が汚染レベル0.5％を超える再生利用可能プラスチックおよび紙の輸入を停止すると発表して世界中に衝撃を与えたほぼ１年後に，ニューサウスウェールズ大学によって公表されたものだ。

この停止措置によって，オーストラリアがこれまで中国に送った再生利用可能素材の約99％が影響を受け，そのほとんどが段ボールだった。だが，廃棄物の専門家であるMRAコンサルティンググループに所属するデイビッド＝コックス氏は，再生利用可能素材が埋め立て地に大量投棄されているという証拠はないと語った。「目下の経済状況でもなお，リサイクルすることは経済的に理にかなっています」と，彼は先週，「ウェイスト・エキスポ・オーストラリア」（訳注：オーストラリアで毎年開催されている，廃棄物・廃水処理業界の会議および展示会）の席で語った。コックス氏によると，オーストラリアは一部の再生利用可能素材の東南アジアへの輸出を続けているが，これらの市場は中国の輸入停止の結果として飽和状態にあり，商品価格の劇的な下落につながっているとのことだ。混合プラスチックの価格は１トン当たり平均250ドルから50ドルにまで低下している。

中国が「国門利剣」政策として知られる輸入制限を導入して以降，オーストラリアの自治体が沿道のリサイクル品を収集するコストは年に１世帯当たり平均で31ドル上昇していた。このコストはいくつかの州では補助金で賄われたが，区域によって取組みはまちまちだった。

「そうした商品価格の低下を乗り切るため，素材が山積みになっているのを私たちは目にしています」とコックス氏は語った。山積みの再生利用素材は火事を引き起こすおそれがあり，メルボルンのクーラルーにあるリサイクル工場では２件の火災が，直近では７月に起こった。コックス氏は，オーストラリアは中期的にガラスとプラスチックの再処理能力を向上させる必要があり，政府が再生利用素材への需要を増やすため買い取り政策を導入する必要があると，またすべての州で容器のデポジット制度（販売時に容器代を上乗せし，空き容器を持ち込んだときに返金する制度）を導入すべきであると語った。

1　オーストラリアでのリサイクル率は，困難な時期に直面した後，上昇を始めている。

2　電子機器のリサイクルが困難であるのは，それを国内の埋め立て地に処分するのが唯一の選択肢だからだ。

3　オーストラリア人の大多数が信じている，再生利用可能素材は埋め立てられているとの話は本当のようだ。

4　オーストラリアの街路から再生利用可能素材を収集するコストは，海外で決定された政策のために増加している。

5　買い取り政策によって，山積みになった再生利用素材によって引き起こされる火災の危険は大幅に減少した。

＊　＊　＊

1．誤り。中国が輸入制限を導入した後もリサイクル率は停滞していると述べられており，本文ではリサイクル率を上げるための具体的な提言が紹介されている。

2．誤り。電子機器については，オーストラリアリサイクル協会が「テレビやコンピュータのような電子機器の廃棄物の埋め立てを直ちに禁止することを求めて」いることが述べられているが，埋め立てが唯一の選択肢なのでリサイクルは困難であるといった内容は述べられていない。

3．誤り。「自治体のごみ入れ容器に入った多くの再生利用可能素材が埋め立てられているとオーストラリア人の３分の２が信じている」という調査結果は述べられているが，その認識を裏づける事実は述べられておらず，文脈から，それは誤った認識であることが読み取れる。

4．妥当である。

5．誤り。「政府が再生利用素材への需要を増やすため買い取り政策を導入する必要がある」との提言は述べられているが，その実施および，火災との関連については述べられていない。

正答　4

Select the statement which best corresponds to the content of the following passage.

Robin Sloan has a collaborator on his new novel: a computer. The idea that a novelist is someone struggling alone in a room, equipped with nothing more than determination and inspiration, could soon be obsolete. Mr. Sloan is writing his book with the help of home-brewed software that finishes his sentences with the push of a tab key.

It's probably too early to add "novelist" to the long list of jobs that artificial intelligence will eliminate. But if you watch Mr. Sloan at work, it is quickly clear that programming is on the verge of redefining creativity. Mr. Sloan, who won acclaim for his debut, "Mr. Penumbra's 24-Hour Bookstore," composes by writing snippets of text, which he sends to himself as messages and then works over into longer passages. His new novel, which is still untitled, is set in a near-future California where nature is resurgent. The other day, the writer made this note: "The bison are back. Herds 50 miles long."

In his cluttered man-cave of an office in an industrial park here, he is now expanding this slender notion. He writes: The bison are gathered around the canyon. What comes next? He hits tab. The computer makes a noise like "pock," analyzes the last few sentences, and adds the phrase "by the bare sky." Mr. Sloan likes it. "That's kind of fantastic," he said. "Would I have written 'bare sky' by myself? Maybe, maybe not."

His software is not labeled anything as grand as artificial intelligence. It's machine learning, facilitating and extending his own words, his own imagination. At one level, it merely helps him do what fledgling writers have always done — immerse themselves in the works of those they want to emulate. Hunter Thompson, for instance, strived to write in the style of F. Scott Fitzgerald, so he retyped "The Great Gatsby" several times as a shortcut to that objective.

Writers are readers, after all. "I have read some uncounted number of books and words over the years that all went into my brain and stewed together in unknown and unpredictable ways, and then certain things come out," Mr. Sloan said. "The output can't be anything but a function of the input."

But the input can be pushed in certain directions. A quarter-century ago, an electronic surveillance consultant named Scott French used a supercharged Mac to imitate Jacqueline Susann's sex-drenched tales. His approach was different from Mr. Sloan's. Mr. French wrote thousands of computer-coded rules suggesting how certain character types derived from Ms. Susann's works might plausibly interact.

It took Mr. French and his Mac eight years to finish the tale — he reckoned he could have done it by himself in one. "Just This Once" was commercially published, a significant achievement in itself, although it did not join Ms. Susann's "Valley of the Dolls" on the best-seller list. A tinkerer and experimenter, Mr. Sloan started down the road of computer-assisted creation driven by little more than "basic, nerdy curiosity."

Unlike Mr. French a quarter-century ago, Mr. Sloan probably will not use his computer collaborator as a selling point for the finished book. He's restricting the A. I. writing in the novel to an A. I. computer that is a significant character, which means the majority of the story will be his own inspiration. But while he has no urge to commercialize the software, he is intrigued by the possibilities. Megasellers like John Grisham and Stephen King could relatively easily market programs that used their many published works to assist fans in producing authorized imitations.

As for the more distant prospects, another San Francisco Bay Area science fiction writer long ago anticipated a time when novelists would turn over the composing to computerized "wordmills." In Fritz Leiber's "The Silver Eggheads," published in 1961, the human "novelists" spend their time polishing the machines and their reputations. When they try to rebel and crush the wordmills, they find they have forgotten how to write.

Mr. Sloan has finished his paragraph:

"The bison were lined up fifty miles long, not in the cool sunlight, gathered around the canyon by the bare sky. They had been traveling for two years, back and forth between the main range of the city. They ring the outermost suburbs, grunting and muttering, and are briefly an annoyance, before returning to the beginning again, a loop that had been destroyed and was now reconstituted."

"I like it, but it's still primitive," the writer said. "What's coming next is going to make this look like crystal radio kits from a century ago."

1 It is predicted that artificial intelligence will be able to take over jobs from novelists in the near future.

2 Mr. Sloan's new novel is being written mostly by a computer using machine learning.

3 Artificial intelligence helps authors to come up with new storylines that have never been written before.

4 Mr. French became famous because his modified Mac helped him to write his novel so quickly.

5 The concept of using machines to write novels was covered in a book written in the early 1960s.

解説

〈全訳〉 次の文の内容に最も合致する記述を選びなさい。

ロビン＝スローン氏には，新作の小説を書くに当たって共同執筆者がいる。それはコンピュータだ。小説家とは，決断力と発想力以外は何も備えを持たず，部屋の中でひとり格闘する人をさすといった考えは，近いうちに時代遅れになるかもしれない。スローン氏は，タブキーを押すことで文を書き終える自作ソフトウェアの助けを借りて本を執筆している。

人工知能によって姿を消す職業の長いリストに「小説家」を加えるのはおそらくまだ時期尚早だろう。だが，スローン氏が仕事をしているところを見れば，プログラミングによって創造性が再定義されるところまですでに来ていることが，すぐに明らかになる。スローン氏はデビュー作『ペナンブラ氏の24時間書店』で賞賛を浴びた作家だが，文章の断片を書いてテキストメッセージとして自分自身に送信し，それらを練り上げて長い文章にしていくという形で創作を行う。彼の新作は，タイトルは未定だが，自然がよみがえった近未来のカリフォルニアが舞台になっている。先日，スローン氏はこんなメモを書いた。「バイソンが戻ってきた。50マイルも続く群れだ」

ここ，とある工業団地の中にある男の隠れ家のような散らかった仕事部屋で，彼は今，このわずかなイメージを膨らませている。「バイソンは峡谷に集まっている」と彼が書く。次にどうするか？　彼はタブをたたく。するとコンピュータが「ポッ」というような音を立て，最後の何文かを分析し，「むき出しの空の傍らの」というフレーズを付け加える。スローン氏はそれを気に入っている。「お見事，といった感じですね」と彼は言った。「私なら，自分で『むき出しの空』などと書いたでしょうか。書いたかもしれないし，書かなかったかもしれません」

彼のソフトフェアは，人工知能と呼べるほど立派なものではまったくない。それは機械学習をし，彼自身の言葉や想像力を引き出しやすくしたり幅を広げたりする。あるレベルで見るならば，それは駆け出しの作家が常にしてきたこと，つまり自分がまねたいと思う作家の作品に没頭するという作業を彼がするのを助けるだけの存在だともいえる。たとえばハンター＝トンプソン（訳注：アメリカのジャーナリスト・作家。1937－2005）は，F・スコット＝フィッツジェラルドのスタイルで書こうと努力した人で，そのため彼は，その目標に至る近道として『華麗なるギャツビー』を数回繰り返してタイプ打ちした。

つまるところ，物を書く人は物を読む人だ。「私はこれまで年月をかけて，数えたことはないが多くの本や言葉を読み，それが全部私の頭の中に入って，何か知られざる予想もつかないようなやり方で混ぜ合わされ，そうして何がしかが出てくるのだということです」とスローン氏は語った。「出力とは入力のひとつの作用であって，それ以外の何物でもありえません」

だが，入力がある特定の方向へ押しやられることもある。四半世紀前，スコット＝フレンチという名の電子情報監視コンサルタントが強力にパワーアップしたマック（のコンピュータ）を使って，ジャクリーン＝スーザン（訳注：アメリカの作家。1918－74）の性愛描写満載の物語をまねした。彼のやり方はスローン氏とは異なっていた。フレンチ氏はスーザン女史の作品に由来する特定のタイプの人物がいかにもしそうなやり取りをにおわせる，何千ものコード化したルールを書いたのだ。

フレンチ氏と彼のマックが物語を完成させるまでには8年を要した。もっとも彼は，一人きりでもできたと考えているのだが，こうしてできた『ジャスト・ディス・ワンス（今回だけ，これっきり）』は商業出版され，それ自体が意義深い業績ではあったが，スーザン女史の『人形の谷間』と並んでベストセラーリストの仲間入りをすることはなかった。一方のスローン氏は言葉をつぎはぎする実験者といった風情で，ただの「初歩的でオタクっぽい好奇心」に突き動かされて，コンピュータが補助する創作活動という手法を編み出した。

フレンチ氏が創作した四半世紀前とは異なり，スローン氏はおそらく，コンピュータの共同執筆者を完成した本のセールスポイントとして使うことはしないだろう。彼はその小説の執筆におけるAIの利用を，重要登場（人）物であるAIコンピュータの箇所に限定している。つまり，物語の大半は彼自身の想像力によるものということになる。だが，彼はそのソフトウェアを商品化したいという欲には駆られていない一方で，その可能性には好奇心をそそられている。ジョン＝グリシャムやスティーブン＝キングのような大ベストセラー作家ならば，既刊の多くの作品を利用したプログラムを市販して，ファンが公認の模造作品を生み出す助けとすることも比較的容易にできるだろう。

より長期的な展望について言えば，サンフランシスコ・ベイエリアを拠点とした別のSF作

経済事情
経営学
国際関係
社会学
心理学
教育学
英語(基礎)
英語(一般)

家が，小説家が創作をコンピュータ化された「文章製造機」にゆだねるような時代をずっと前に予想している。この，1961年に出版されたフリッツ＝ライバー（訳注：シカゴ出身のアメリカの作家。1910−92）の『銀の知識人たち』では，人間の「小説家」たちが機械や自分の評判を磨いて過ごしている。彼らが文章製造機に反抗し機械を粉々にしようとする頃には，すでに書き方を忘れてしまっていることに気づくというものだ。

スローン氏は，次のような小説の一節を書き終えた。

「バイソンの連なりは50マイルに及ぶ列となって，涼やかな日光のもとではなく，むき出しの空の傍らの峡谷に集まっていた。彼らは２年の間，その市の主要地域の間を行ったり来たりして移動を続けていたのだ。彼らは郊外の周縁部をうめき声やうなり声をあげながら周回し，少しの間は迷惑の種なのだが，やがて再び最初の形に戻っていく。壊れた輪の形は今また再編成されていた」

「気に入っていますが，まだ初期段階です」と作家は語った。「次に出るものは，この作品が１世紀前の鉱石ラジオキットに見えるようなものになりますよ」

1　近い将来，人工知能は小説家から仕事を引き継ぐことができるようになると予測されている。

2　スローン氏の新作小説は，主に機械学習を利用したコンピュータによって書かれている最中だ。

3　人工知能は，作家がこれまでに書かれたことがない新しい物語の筋を思いつく助けになる。

4　フレンチ氏が有名になったのは，改造を加えた彼のマックによって彼が小説を非常に早く書く助けとなったからだ。

5　小説を書くのに機械を利用するという考えは，1960年代前半に書かれた本の中で扱われていた。

＊　＊　＊

1．誤り。そのような世界を描いたSF作品への言及はあるが，実際にそのような予測があることは述べられていない。

2．誤り。機械学習をするソフトウェアを利用して書かれていることは述べられているが，「彼はその小説の執筆におけるAIの利用を…箇所に限定している。つまり，物語の大半は彼自身の想像力によるものということになる」という記述から，主にコンピュータによって書かれているとはいえない。

3．誤り。人工知能が言葉の選択など表現において作家の助けとなることは述べられているが，「これまでに書かれたことがない新しい物語の筋を思いつく」といった内容は話題になっていない。

4．誤り。フレンチ氏がマックを使って書いた小説は完成までに８年かかったと述べられており，非常に早いとはいえない。また，この作品は商業出版されたがそれほど話題にはならなかったことが述べられており，彼が有名になったという記述もない。

5．妥当である。

正答　5

Select the statement which best corresponds to the content of the following passage.

Termites are often dismissed as nothing but home-destroying pests, less charismatic than bees, ants or even spiders.

In fact, termites have been doing incredible things since the time of dinosaurs, maintaining complex societies with divisions of labor, farming fungus and building cathedrals that circulate air the way human lungs do.

Now, add "overthrowing the patriarchy" to that list.

In a study published this week in BMC Biology, scientists reported the first discovery of all-female termite societies. Among more than 4,200 termites collected from coastal sites in southern Japan, the researchers did not find a single male.

Toshihisa Yashiro, a postdoctoral fellow at the University of Sydney and lead author of the paper, said in an email that he was utterly surprised by the discovery: "I got a headache, because we believed that having both males and females is the rule in termite societies."

The complete loss of males is rare across the animal kingdom, especially in animals with advanced societies. All-female lineages have previously been documented in a few ant and honey bee species, but their colonies are already dominated by queens and female workers.

Termites, in contrast, are known for having colonies in which males and females both participate in social activities. Dr. Yashiro's research is the first, in other words, to demonstrate that males can be discarded from advanced societies in which they once played an active role.

His team collected 74 mature colonies of Glyptotermes nakajimai, a termite that nests in drywood, from 15 sites in Japan. Thirty-seven of the colonies were asexual and exclusively female, while the rest were mixed-sex. Egg-laying queens in asexual colonies stored no sperm in their reproductive organs and laid unfertilized eggs.

Genetic analyses suggested that the asexual termites evolved from ancestors that split from other G. nakajimai around 14 million years ago. The asexual termites have an extra chromosome compared with the sexual ones, suggesting the two groups may now be diverging into different species, said Nathan Lo, an evolutionary biology professor also at the University of Sydney.

Tanya Dapkey, an entomologist at the University of Pennsylvania, said that there was much to learn from successful "societies in nature run without any input from males."

Edward Vargo, an entomology professor at Texas A&M University who was not involved in the study, added that determining how and why certain colonies evolved asexuality might yield insight on the big question of "what is the purpose of sex and sexual reproduction."

1 In the 74 mature colonies of termites collected by Dr. Yashiro's team, not a single male termite was found.

2 It was once thought impossible for any species, including ants and honey bees, to maintain all-female lineages.

3 Termites are nothing but home-destroying pests, incapable of maintaining complex societies with divisions of labor.

4 No one had reported the existence of an all-female termite society before Dr. Yashiro and others did so in the paper published in BMC Biology.

5 Genetically, no difference can be observed between termites in all-female colonies and those in mixed-sex colonies.

解説

〈全訳〉 次の文の内容に最も合致する記述を選びなさい。

シロアリは家を破壊する害虫にすぎないと片付けられることが多く，ハチやアリ，あるいはクモと比べてすらも人を引きつける魅力に乏しい。

実際のところ，シロアリは恐竜の時代から驚くべきことをやり続けている。分業によって複雑な社会を維持し，菌類を栽培し，人間の肺がするように空気を循環させる聖堂（アリ塚）を築いているのだ。

今，そのリストに「家父長制社会の転覆」を加えることにしよう。

今週「BMCバイオロジー」誌（訳注：イギリスのバイオメッド＝セントラル社が2003年に創刊したオンライン科学ジャーナル）に掲載された研究で，科学者たちがすべてメスからなるシロアリ社会を初めて発見したことを報告したのだ。南日本の沿岸部で採集された4,200匹以上のシロアリの中に，研究者たちは1匹のオスも見つけられなかった。

シドニー大学の博士研究員で論文の主執筆者である矢代敏久氏は，この発見にはまったく驚いているとEメールで語った。「頭が痛くなりました。シロアリの社会ではオスとメスの両方がいるのがルールだと，私たちは信じていましたから」

動物界を通じて，とりわけ高度に発達した社会を形成する動物においては，オスがまったくいないのは珍しいことだ。すべてメスからなる系統というのは，これまでいくつかのアリやミツバチの種では記録されているが，そのコロニー（集団）はすでに女王アリ・女王バチとメスの働きアリ・働きバチによって支配されているものだ。

シロアリはこれとは対照的に，オスとメスの両方が社会活動に参加するコロニーを形成することで知られている。矢代博士の研究は言うならば，オスがかつては積極的な役割を果たした高度な社会から追放されることがあるということを実証した最初の例である。

彼のチームは日本の15地点から，乾いた木に巣食うシロアリ（カンザイシロアリ）の一種であるナカジマシロアリの，74の十分に成長したコロニーを収集した。コロニーのうち37は性別がなくもっぱらメスであり，その他はオスとメスが混在していた。無性コロニーで産卵する女王アリの生殖器には精子が存在せず，無精卵を産んでいた。

遺伝子解析により，この無性シロアリはおよそ1,400万年前に他のナカジマシロアリから枝分かれした祖先が進化したものであることが示された。無性シロアリは有性シロアリと比べて染色体が1つ多く，このことは現在2つのグループが別々の種に分岐しつつあることを示しているのかもしれないと，やはりシドニー大学で進化生物学教授を務めるネイサン＝ロー氏は語った。

ペンシルバニア大学の昆虫学者であるタニヤ＝ダプキー氏は，「オスからの貢献がまったくないまま運営されている自然の社会」の成功例から学ぶことはたくさんあると語った。

テキサスA&M（農工）大学の昆虫学教授で，今回の研究にかかわっていないエドワード＝ヴァルゴ氏は，ある特定のコロニーがなぜ，どのようにして無性（生殖）を発達させたのかを明らかにすることは，「性別および有性生殖の目的は何か」という大きな問いへの洞察をもたらすかもしれない，と重ねて語った。

1　矢代博士のチームが収集した74の十分に成長したシロアリのコロニーの中で，オスのシロアリは1匹も見つからなかった。

2　かつては，アリやミツバチを含むどんな種も，すべてメスからなる系統を維持することは不可能であると考えられていた。

3　シロアリは家を破壊する害虫にすぎず，分業によって複雑な社会を維持することはできない。

4　矢代博士と他の人たちが「BMCバイオロジー」誌に掲載された論文で報告するまで，すべてメスからなるシロアリの社会の存在を報告した人は誰もいなかった。

5　遺伝子的には，すべてメスからなるコロニーのシロアリと，オスとメスが混在するコロニーのシロアリの間に違いは認められない。

＊　＊　＊

1．誤り。「(74の）コロニーのうち37は性別がなくもっぱらメスであり，その他はオスとメスが混在していた」と述べられている。第4段落に「…4,200匹以上のシロアリの中に，研究者たちは1匹のオスも見つけられなかった」とあるのは，この37のコロニーについて述べたものだということが読み取れる。

2．誤り。「すべてメスからなる系統というのは，これまでいくつかのアリやミツバチの種では記録されている」と述べられている。

3．誤り。シロアリは恐竜の時代から「分業によって複雑な社会を維持し」続けていると述べられている。

4．妥当である。

5．誤り。「(メスのみで生殖する）無性シロアリは有性シロアリと比べて染色体が1つ多」いと述べられている。

正答　4

Select the statement which best corresponds to the content of the following passage.

The old city of Dubrovnik, clinging to the Croatian coast of the Adriatic Sea, is one major storm away from a flood that could cover 10 percent of a medieval city long known as the "Pearl of the Adriatic" and more recently as a main setting for HBO's "Game of Thrones." It's one of about 40 treasured historical sites across the Mediterranean, including the winding canals of Venice and the ancient city of Carthage, at risk from rising seas, according to a study published Tuesday in the journal Nature Communications.

The reason for their sweeping vulnerability is the same one that fostered so many civilizations in the Mediterranean to begin with. It's the lure of the sea, dating back at least to the time of the ancient Phoenicians, who set sail from the now-threatened sites of Byblos and Tyre along the current coast of Lebanon. "That's just classic Mediterranean history," said Joseph Manning, a professor of ancient Greek history at Yale University, who praised the new research. "Everything is within two miles of the coast."

But now, numerous Roman ruins, the original site of Carthage, historic regions of Istanbul and many other landmarks left by cultures ranging from the Phoenicians to the Venetians could be flooded in extreme storm events, or face growing erosion risks, said the research. "What surprised me the most is that actually even under current conditions, there are so many World Heritage sites that are at risk," said Lena Reimann, a researcher at Kiel University in Germany and a lead author of Tuesday's study. In a world of rising sea levels, those risks will grow only more severe, threatening the destruction of irreplaceable cultural landmarks.

"We cannot put a value on what we will lose" if action isn't taken to protect such sites, Reimann said. "It's our heritage — things that are signs of our civilization. It cannot really be put in numbers. It's more an ethical question, a moral question. We will not be able to replace them once they are lost." The study used the database of UNESCO World Heritage sites and projections of future sea level to arrive at its conclusions. It found that out of 49 total such sites along the coasts of the Mediterranean, 37 are already vulnerable to a 100-year storm surge event.

Many of the most at-risk sites were along the Adriatic Sea and included not only Venice but also the early Christian monuments of Ravenna, and the archaeological area and patriachal basilica of Aquileia. A closer look at the archaeological area at Aquileia gives a hint of just how much is at stake. Here, according to UNESCO, an ancient city "still lies unexcavated beneath the fields, and as such it constitutes the greatest archaeological reserve of its kind." In other words, a historical site that hasn't even been uncovered yet could be damaged or lost.

The largest number of vulnerable sites, the study found, were located in present-day Italy. Croatia, Greece and Tunisia also have a large number of sites within their present borders. The risk only increases as sea level rises for these sites, and the study calculated an additional, related erosion risk at 42 of them. This, too, will worsen. The problem is that while sea level rise has been slow for the past 3,000 years, it has accelerated over the past century as human-driven climate change has commenced. The 21st century is projected to outdistance the last 100 years by a large margin.

Reimann said a handful of places — including Venice, which is putting in place a mobile barrier system to help guard against floodwaters — have poured time and money into finding ways to adapt. But such sites are in the minority. "We couldn't really find any other examples across the whole Mediterranean region where adaptation measures were pursued as much as in Venice," Reimann said.

National governments are charged with caring for World Heritage sites. But Reimann said that although there are regionwide sustainability efforts, those policies don't deal specifically with vulnerable cultural sites. "When you go over the management plans, there are just a few that mention sea-level rise as a threat," she said, adding, "There are many sites where adaptation is urgently needed." The United Nations itself has recognized the precarious nature of many heritage sites amid the changing climate, saying that "their continued preservation requires understanding these impacts," as well as "responding to them effectively."

Over the past dozen years, UNESCO has studied the potential effects of climate change on historic sites and put together guidance for people managing specific sites on how to make them more resilient. In 2014, it published a guide. Using both theoretical examples and real-life case studies, the guide offers site managers a road map for how to plan for climate change. "Climate change is not a passing trend — it is here to stay, and it will impact all landscapes, including all natural World Heritage sites, fundamentally changing the way we understand and manage them," the guide reads. It adds, "What is clear is that change is on the way."

1 Nearly 10 percent of the 40 treasured historical sites across the Mediterranean could be underwater if there is a major storm.

2 Historically, people in the Mediterranean built major cities more than two miles from the coast.

3 Venice has been one of the very few cities active in preventing potential damage from floodwaters.

4 The rise in sea level accelerated sharply in the last century but has gradually started to reduce.

5 The guide compiled by UNESCO has had a wide-ranging impact on reducing global damage from climate change.

解説

〈全訳〉 次の文の内容に最も合致する記述を選びなさい。

アドリア海のクロアチア側の沿岸にはりつくように位置している古都ドブロブニクは，今ひとたび大型の暴風雨が襲えば，長く「アドリア海の真珠」として知られ，より最近ではHBO（アメリカのケーブルテレビ局）のドラマ「ゲーム・オブ・スローンズ」の主な舞台として知られているこの中世風の都市の10％をも飲み込む洪水が発生する可能性がある。（オンラインジャーナルの）「ネイチャー・コミュニケーションズ」誌に火曜日に掲載されたある研究によると，ドブロブニクはベネチアの曲がりくねった運河や古代都市カルタゴ（現在のチュニジアの首都チュニス付近）と並んで，海面の上昇による危険にさらされている地中海沿岸地域の約40ある貴重な歴史的遺産の一つに挙げられている。

被害を受ける可能性がそのように広範囲に及ぶ理由のまず第一に挙げられるのは，地中海沿岸地域にかくも多くの文明をはぐくんできたものと同じだ。それは海の持つ魅力であり，現代のレバノン沿岸にあって今は危険にさらされた地である（古代都市の）ビブロスやティルスから航海に乗り出した古代フェニキア人の時代まで少なくともさかのぼる。「それはまさに古代地中海沿岸地域の歴史なのです」と，イェール大学の古代ギリシャ史の教授であり，この新たな研究を賞賛したジョゼフ＝マニング氏は語った。「すべてが海岸線から２マイルの範囲内にあります」

だが今，数多くの古代ローマの遺跡や，カルタゴの発祥地や，イスタンブールの歴史ある地域やその他のフェニキア人からベネチア人に至るまでさまざまな人々の文化が残した多数の歴史的遺産が，激しい嵐が起これば洪水に襲われる可能性があり，他方で（海面上昇による）土地の浸食のおそれの高まりに直面していることが，研究では述べられていた。「私が最も驚いたのは，実のところ現在の状況下でも，危機にさらされている世界遺産の地が非常にたくさんあるということです」と，ドイツのキール大学の研究員で，火曜日の研究の主執筆者であるレナ＝ライマン氏は語った。海面が上昇した世界ではその危険はより深刻になるばかりで，かけがえのない文化遺産が崩壊の危険にさらされている。

そのような遺跡を保護するための行動が取られなければ「私たちが失うことになるものは金銭的価値では計れません」とライマン氏は語った。「それは私たちの遺産であり，私たちの文明の証となるものです。とても数字に置き換えられるものではありません。むしろ，これは倫理的問題であり，道徳的問題なのです。いったん失われれば，取り戻すことはできないでしょう」。研究では，結論を導くに当たってユネスコ（国連教育科学文化機関）の世界遺産登録地のデータベースと，将来の海面水位の予測を用いた。それによると，地中海沿岸にある全部で49か所のそうした遺産のうち37か所が，すでに100年に１度の高潮の発生で被害を受けやすい状態にあることがわかった。

最も危険にさらされている世界遺産の多くはアドリア海沿いにあり，ベネチアにとどまらず，ラベンナの初期キリスト教建築物群や，アクイレイアの遺跡と総主教聖堂バシリカも含まれていた。アクイレイアの遺跡をより至近距離で見れば，具体的にどれほどのものが危険にさらされているかの手がかりが得られる。ここに，ユネスコによれば，古代都市が「野原の下に今も発掘されないまま眠っており，それ自体で，その種のものとしては最高の考古学的保護区の一部となっている」。つまり，まだ発見すらされていない歴史的遺産が，損傷を受けるか失われてしまう可能性があるのだ。

研究では，被害を受けやすい遺産のうち最多の数が現在のイタリアにあることがわかった。クロアチア，ギリシャ，チュニジアもまた，現在の領土内に多数の遺跡が存在している。これらの遺跡へもたらされる危険は海面が上昇するにつれて増す一方で，研究ではこのうちさらに42か所について，関連する浸食の危険があると計算した。この予測自体も，さらに悪化していくだろう。問題は，海面の上昇が過去3,000年間では緩やかな状態が続いているのに，人間が引き起こした気候変動が始まった過去100年の間では加速していることだ。21世紀（の海面上昇の程度）は，過去100年間を大差で引き離すものになるだろうと予測されている。

ライマン氏は，洪水を防御する助けとなるよう移動式防護壁を用いる体制を整えつつあるベネチアのように，時間とお金を費やして適応する道を探っている地域はいくつかあると語った。だが，そのような場所は少数派だ。「ベネチアほどに適応策を推進している例は，地中海沿岸地域全体を通じてほぼ１つも見つかりませんでした」とライマン氏は語った。

各国政府は世界遺産の地を大切に保護する責任を負っている。しかしライマン氏によれば，地域規模での持続可能性への取組みはあるものの，そうした政策は特に危機にさらされた文化遺産に関するものではない。「運用計画を調べてみると，海面上昇に脅威として触れているものはほんのわずかしかありません」と彼女は語り，「適応策が今すぐ必要な遺跡はたくさんあるのです」と付け加えた。国連自体も，変動する気候の中で多くの遺産が不安定な状態にあることを認識しており，「それらを継続的に保存していくためには，これらの影響への理解が必要とされ」，同時に「有効な対応策が必要とされる」と語っている。

ここ十数年，ユネスコは気候変動が歴史的遺産に与える影響の可能性について研究しており，特定の遺跡を管理する人々に対して，それらの災害許容力をどうやって高めるかについてのガイダンスをまとめている。2014年，ユネスコは指針を公表した。理論上の例示と現実に即した事例研究の双方を用いて，指針は気候変動にどのように備えるべきかのロードマップ（工程表）を遺産の管理者に提示している。「気候変動は一時的な傾向ではなく，ずっと定着するものであり，それは自然にかかわるすべての世界遺産を含むあらゆる自然の風景に影響を与え，私たちがそれらを理解し管理する方法を根本的に変えてしまうだろう」と指針にはある。そしてこうも書いている。「明らかなのは，変化が進行中であるということだ」

1　地中海沿岸地域にある40の貴重な歴史的遺産の10％近くが，もし大型の暴風雨が襲えば水面下に没する可能性がある。

2　歴史上，地中海沿岸地域の人々は海岸線から２マイル以上離れたところに大きな都市を築いた。

3　ベネチアは，洪水による被害の可能性を防ぐことに積極的な，ごく少数の都市のうちの一つである。

4　海面の上昇は，前の世紀には急加速したが，次第に減少し始めている。

5　ユネスコによって編集された指針は，気候変動による世界的な被害を減らすことに関して広範囲にわたる影響を与えている。

＊　＊　＊

1．誤り。本文で述べられているのは，地中海沿岸地域の約40ある貴重な歴史的遺産の一つであるクロアチアのドブロブニクについて，もし大型の暴風雨が襲えば市の10％をも飲み込む洪水が発生する可能性がある，という内容であり，選択肢のような内容は述べられていない。

2．誤り。逆に，歴史的遺産となっている古代都市はすべて海岸線から２マイルの範囲内にある，と述べられている。

3．妥当である。

4．誤り。海面の上昇が過去100年の間に加速していることは述べられているが，その後減少し始めているという記述はなく，21世紀はさらに加速するだろうと述べられている。

5．誤り。ユネスコの指針が，気候変動の広範囲にわたる影響について理解し，対策を講じることを遺跡の管理者に促していることは述べられているが，指針が「気候変動による世界的な被害を減らすことに関して広範囲にわたる影響を与えている」ことをうかがわせる記述はなく，むしろ本文全体では対策が進んでいないことへの危機感が述べられている。

正答　3

令和元年度　一般論文試験

行政区分の一次試験で行われる。
出題数１題。
答案用紙はB4サイズで1,600字見当。
解答時間は１時間。

我が国は，「日本再興戦略2016」において，キャッシュレス*決済の普及による決済の利便性・効率性の向上を掲げ，2020年東京オリンピック・パラリンピック競技大会の開催等を視野に入れたキャッシュレス化の推進を示している。さらに，2017年６月に閣議決定された「未来投資戦略2017」においては，KPI（Key Performance Indicator：重要な評価指標）として，2027年６月までにキャッシュレス決済比率を４割程度とすることが新たな指標として掲げられた。

＊　キャッシュレス：物理的な現金（紙幣・硬貨）を使用しなくても活動できる状態

このような状況に関して，以下の図①，②を参考にしながら，次の⑴，⑵の問いに答えなさい。

⑴　キャッシュレス化のメリット・デメリットを述べた上で，我が国がキャッシュレス化を推進する必要性や意義について，あなたの考えを述べなさい。
⑵　⑴に照らして，キャッシュレス化を推進するためにはどのような取組が必要となるか。あなたの考えを具体的に述べなさい。

図①　各国のキャッシュレス決済比率の状況（2015年）

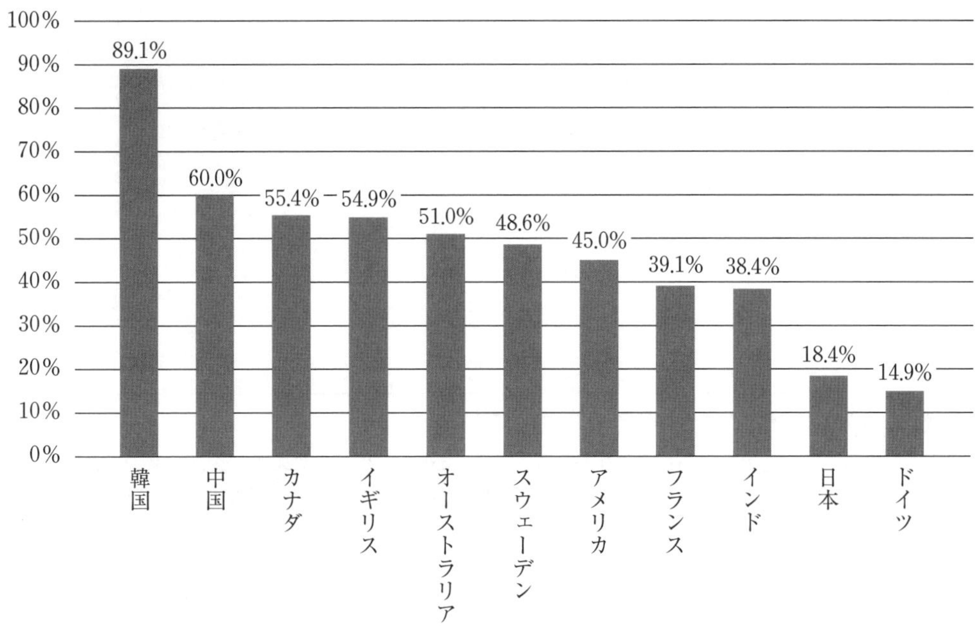

（経済産業省「キャッシュレス・ビジョン」より作成）

図②　現金支払の社会コスト

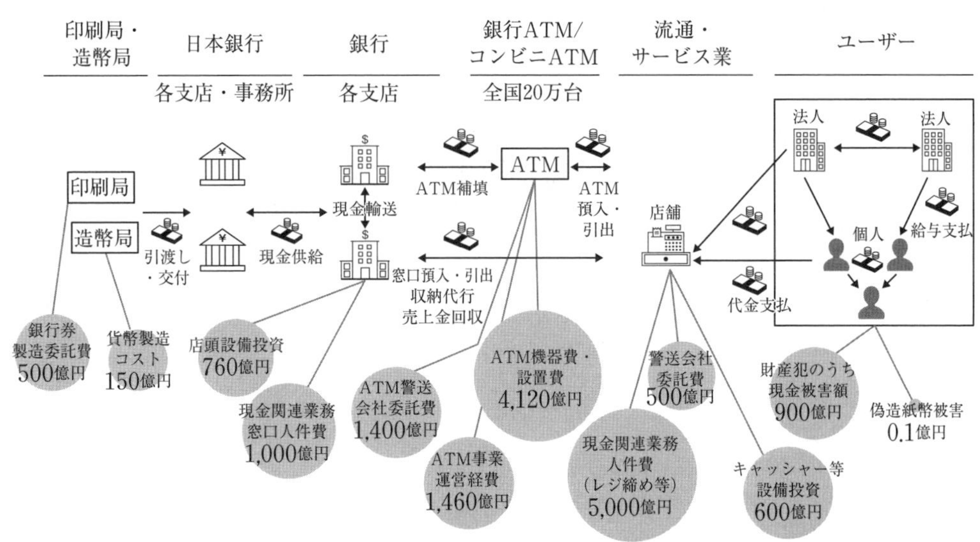

（経済産業省「キャッシュレス・ビジョン」より作成）

●本書の内容に関するお問合せについて

本書の内容に誤りと思われるところがありましたら、まずは小社ブックスサイト（books.jitsumu.co.jp）中の本書ページ内にある正誤表・訂正表をご確認ください。正誤表・訂正表がない場合や訂正表に該当箇所が掲載されていない場合は、書名、発行年月日、お客様の名前・連絡先、該当箇所のページ番号と具体的な誤りの内容・理由等をご記入のうえ、郵便、FAX、メールにてお問合せください。

〒163-8671　東京都新宿区新宿 1-1-12　実務教育出版　受験ジャーナル編集部
FAX：03-5369-2237　　E-mail：juken-j@jitsumu.co.jp

【ご注意】
※**電話でのお問合せは、一切受け付けておりません。**
※**内容の正誤以外のお問合せ（詳しい解説・受験指導のご要望等）には対応できません。**

公務員試験　合格の500シリーズ
国家一般職［大卒］〈専門試験〉過去問500［2026年度版］

2024年12月15日　初版第1刷発行　〈検印省略〉

編　者　資格試験研究会
発行者　淺井亨

発行所　株式会社 実務教育出版
〒163-8671　東京都新宿区新宿 1 - 1 -12
☎編集　03-3355-1813　販売　03-3355-1951
振替　00160-0-78270

印　刷　精興社
製　本　ブックアート

ISBN 978-4-7889-3091-9 C0030　Printed in Japan

「公務員合格講座」の特徴

68年の伝統と実績

実務教育出版は、68年間におよび公務員試験の問題集・参考書・情報誌の発行や模擬試験の実施、全国の大学・専門学校などと連携した教室運営などの指導を行っています。その積み重ねをもとに作られた、確かな教材と個人学習を支える指導システムが「公務員合格講座」です。公務員として活躍する数多くの先輩たちも活用した伝統ある「公務員合格講座」です。

時間を有効活用

「公務員合格講座」なら、時間と場所に制約がある通学制のスクールとは違い、生活スタイルに合わせて、限られた時間を有効に活用できます。通勤時間や通学時間、授業の空き時間、会社の休憩時間など、今まで利用していなかったスキマ時間を有効に活用できる学習ツールです。

取り組みやすい教材

「公務員合格講座」の教材は、まずテキストで、テーマ別に整理された頻出事項を理解し、次にワークで、テキストと連動した問題を解くことで、解法のテクニックを確実に身につけていきます。初めて学ぶ科目も、基礎知識から詳しく丁寧に解説しているので、スムーズに理解することができます。

実戦力がつく学習システム

「公務員合格講座」では、習得した知識が実戦で役立つ「合格力」になるよう、数多くの演習問題で重要事項を何度も繰り返し学習できるシステムになっています。特に、eラーニング[Jトレプラス]は、実戦力養成のカギになる豊富な演習問題の中から学習進度に合わせ、テーマや難易度をチョイスしながら学習できるので、効率的に「解ける力」が身につきます。

eラーニング

豊富な試験情報

公務員試験を攻略するには、まず公務員試験のことをよく知ることが必要不可欠です。受講生専用の[Jトレプラス]では、各試験の概要一覧や出題内訳など、試験の全体像を把握でき、ベストな学習プランが立てられます。

また、実務教育出版の情報収集力を結集し、最新試験情報や学習対策コンテンツなどを随時アップ! さらに直前期には、最新の時事を詳しく解説した「直前対策ブック」もお届けします。

※KCMのみ

親切丁寧なサポート体制

受験に関する疑問や、学習の進め方や学科内容についての質問には、専門の指導スタッフが一人ひとりに親身になって丁寧にお答えします。模擬試験や添削課題では、客観的な視点からアドバイスをします。そして、受講生専用サイトやメルマガでの受講生限定の情報提供など、あらゆるサポートシステムであなたの学習を強力にバックアップしていきます。

受講生専用サイト

受講生専用サイトでは、公務員試験ガイドや最新の試験情報など公務員合格に必要な情報を利用しやすくまとめていますので、ぜひご活用ください。また、お問い合わせフォームからは、質問や書籍の割引購入などの手続きができるので、各種サービスを安心してご利用いただけます。

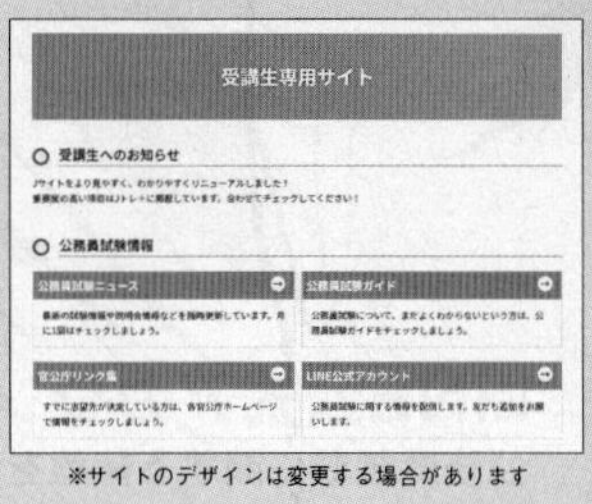

※サイトのデザインは変更する場合があります

志望職種別　講座対応表

各コースの教材構成をご確認ください。下の表で志望する試験区分に対応したコースを確認しましょう。

	教材構成			
	教養試験対策	専門試験対策	論文対策	面接対策
K 大卒程度 公務員総合コース［教養+専門行政系］	●	●行政系	●	●
C 大卒程度 公務員総合コース［教養のみ］	●		●	●
L 大卒程度 公務員択一攻略セット［教養＋専門行政系］	●	●行政系		
D 大卒程度 公務員択一攻略セット［教養のみ］	●			
M 経験者採用試験コース	●		●	●
N 経験者採用試験［論文・面接試験対策］コース			●	●
R 市役所教養トレーニングセット［大卒程度］	●		●	●

	試験名［試験区分］		対応コース
国家公務員試験	国家一般職［大卒程度］	行政	教養＊3＋専門対策 → K L
国家公務員試験	国家一般職［大卒程度］	技術系区分	教養＊3 対策 → C D
国家公務員試験	国家専門職［大卒程度］	国税専門A（法文系）／財務専門官	教養＊3＋専門対策 → K L ＊4
国家公務員試験	国家専門職［大卒程度］	皇宮護衛官［大卒］／法務省専門職員（人間科学）／国税専門B（理工・デジタル系）／食品衛生監視員／労働基準監督官／航空管制官／海上保安官／外務省専門職員	教養＊3 対策 → C D
国家公務員試験	国家特別職［大卒程度］	防衛省 専門職員／裁判所 総合職・一般職［大卒］／国会図書館 総合職・一般職［大卒］／衆議院 総合職［大卒］・一般職［大卒］／参議院 総合職	教養＊3 対策 → C D
国立大学法人等職員			教養対策 → C D
地方公務員試験	都道府県 特別区（東京23区） 政令指定都市＊2 市役所 ［大卒程度］	事務（教養＋専門）	教養＋専門対策 → K L
地方公務員試験	都道府県 特別区（東京23区） 政令指定都市＊2 市役所 ［大卒程度］	事務（教養のみ）	教養対策 → C D R
地方公務員試験	都道府県 特別区（東京23区） 政令指定都市＊2 市役所 ［大卒程度］	技術系区分、獣医師 薬剤師 保健師など資格免許職	教養対策 → C D R
地方公務員試験	都道府県 特別区（東京23区） 政令指定都市＊2 市役所 ［大卒程度］	経験者	教養＋論文＋面接対策 → M　論文＋面接対策 → N
地方公務員試験	都道府県 政令指定都市＊2 市役所 ［短大卒程度］	事務（教養＋専門）	教養＋専門対策 → K L
地方公務員試験	都道府県 政令指定都市＊2 市役所 ［短大卒程度］	事務（教養のみ）	教養対策 → C D
地方公務員試験	警察官	大卒程度	教養＋論文対策 → ＊5
地方公務員試験	消防官（士）	大卒程度	教養＋論文対策 → ＊5

＊1 地方公務員試験の場合、自治体によっては試験の内容が対応表と異なる場合があります。
＊2 政令指定都市…札幌市、仙台市、さいたま市、千葉市、横浜市、川崎市、相模原市、新潟市、静岡市、浜松市、名古屋市、京都市、大阪市、堺市、神戸市、岡山市、広島市、北九州市、福岡市、熊本市。
＊3 国家公務員試験では、教養試験のことを基礎能力試験としている場合があります。
＊4 国税専門A（法文系）、財務専門官は K「大卒程度 公務員総合コース［教養＋専門行政系］」、L「大卒程度 公務員択一攻略セット［教養＋専門行政系］」に『新スーパー過去問ゼミ 会計学』（有料）をプラスすると試験対策ができます（ただし、商法は対応しません）。
＊5 警察官・消防官の教養＋論文対策は、「警察官 スーパー過去問セット［大卒程度］」「消防官 スーパー過去問セット［大卒程度］」をご利用ください（巻末広告参照）。

大卒程度 公務員総合コース

[教養＋専門行政系]

膨大な出題範囲の合格ポイントを的確にマスター！

※表紙デザインは変更する場合があります

教材一覧

- 受講ガイド（PDF）
- 学習プラン作成シート
- **テキスト＆ワーク［教養試験編］知能分野（4冊）**
  判断推理、数的推理、資料解釈、文章理解
- **テキストブック［教養試験編］知識分野（3冊）**
  社会科学［政治、法律、経済、社会］
  人文科学［日本史、世界史、地理、文学・芸術、思想］
  自然科学［数学、物理、化学、生物、地学］
- **ワークブック［教養試験編］知識分野**
- **数学の基礎確認ドリル**
- **［知識分野］要点チェック**
- **テキストブック［専門試験編］（12冊）**
  政治学、行政学、社会学、国際関係、法学・憲法、行政法、民法、刑法、労働法、経済原論（経済学）・国際経済学、財政学、経済政策・経済学史・経営学
- **ワークブック［専門試験編］（3冊）**
  行政分野、法律分野、経済・商学分野
- **テキストブック［論文・専門記述式試験編］**
- **6年度　面接完全攻略ブック**
- **実力判定テスト★（試験別 各1回）**
  地方上級［教養試験、専門試験、論文・専門記述式試験（添削2回）］
  国家一般職大卒［基礎能力試験、専門試験、論文試験（添削2回）］
  市役所上級［教養試験、専門試験、論・作文試験（添削2回）］
  ＊教養、専門は自己採点　＊論文・専門記述式・作文は計6回添削
- **［添削課題］面接カード（2回）**
- **自己分析ワークシート**
- **［時事・事情対策］学習ポイント&重要テーマのまとめ（PDF）**
- **公開模擬試験★（試験別 各1回）**＊マークシート提出
  地方上級［教養試験、専門試験］
  国家一般職大卒［基礎能力試験、専門試験］
  市役所上級［教養試験、専門試験］
- **本試験問題例集（試験別過去問1年分 全4冊）**
  令和6年度 地方上級［教養試験編］★
  令和6年度 地方上級［専門試験編］★
  令和6年度 国家一般職大卒［基礎能力試験編］★
  令和6年度 国家一般職大卒［専門試験編］★
  ※平成27年度～令和6年度分は、［J トレプラス］に収録
- **7年度　直前対策ブック★**
- **eラーニング［J トレプラス］**

★印の教材は、発行時期に合わせて送付（詳細は受講後にお知らせします）。

教養・専門・論文・面接まで対応

行政系の大卒程度公務員試験に出題されるすべての教養科目と専門科目、さらに、論文・面接対策教材までを揃え、最終合格するために必要な知識とノウハウをモレなく身につけることができます。また、汎用性の高い教材構成ですから、複数試験の併願対策もスムーズに行うことができます。

出題傾向に沿った効率学習が可能

出題範囲をすべて学ぼうとすると、どれだけ時間があっても足りません。本コースでは過去数十年にわたる過去問研究の成果から、公務員試験で狙われるポイントだけをピックアップ。要点解説と問題演習をバランスよく構成した学習プログラムにより初学者でも着実に合格力を身につけることができます。

受講対象	大卒程度 一般行政系・事務系の教養試験（基礎能力試験）および専門試験対策 ［都道府県、特別区（東京23区）、政令指定都市、市役所、国家一般職大卒など］	申込受付期間	2024年3月15日～2025年3月31日
		学習期間のめやす	6か月　学習期間のめやすです。個人のスケジュールに合わせて、長くも短くも調整することが可能です。試験本番までの期間を考慮し、ご自分に合った学習計画を立ててください。
受講料	93,500円 （本体85,000円＋税　教材費・指導費等を含む総額） ※受講料は2024年4月1日現在のものです。	受講生有効期間	2026年10月31日まで

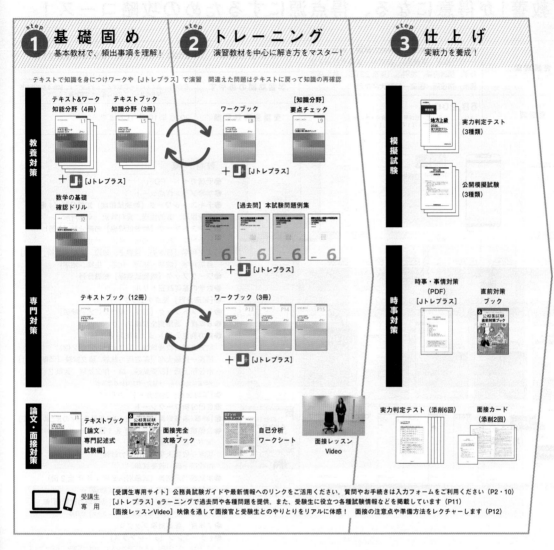

step 1 基礎固め
基本教材で、頻出事項を理解！

step 2 トレーニング
演習教材を中心に解き方をマスター！

step 3 仕上げ
実戦力を養成！

テキストで知識を身につけワークや［Jトレプラス］で演習　間違えた問題はテキストに戻って知識の再確認

教養対策

テキスト&ワーク 知能分野（4冊）　テキストブック 知能分野（3冊）
＋［Jトレプラス］
数学の基礎確認ドリル

ワークブック　［知識分野］要点チェック
＋［Jトレプラス］

【過去問】本試験問題例集
＋［Jトレプラス］

専門対策

テキストブック（12冊）

ワークブック（3冊）
＋［Jトレプラス］

論文・面接対策

テキストブック［論文・専門記述式試験編］　面接完全攻略ブック

自己分析ワークシート　面接レッスンVideo

模擬試験

実力判定テスト（3種類）

公開模擬試験（3種類）

時事対策

時事・事情対策（PDF）［Jトレプラス］　直前対策ブック

実力判定テスト（添削6回）　面接カード（添削2回）

公務員合格！

受講生専用

［受講生専用サイト］公務員試験ガイドや最新情報へのリンクをご活用ください。質問やお手続きは入力フォームをご利用ください（P2・10）
［Jトレプラス］eラーニングで過去問や各種問題を提供。また、受験生に役立つ各種試験情報などを掲載しています（P11）
［面接レッスンVideo］映像を通して面接官と受験生とのやりとりをリアルに体感！　面接の注意点や準備方法をレクチャーします（P12）

success voice!!

通信講座を使い時間を有効的に活用すれば念願の合格も夢ではありません

奥村 雄司 さん
龍谷大学卒業

京都市 上級Ⅰ 一般事務職 合格

私は医療関係の仕事をしており平日にまとまった時間を確保することが難しかったため、いつでも自分のペースで勉強を進められる通信講座を勉強法としました。その中でも「Ｊトレプラス」など場所を選ばず勉強ができる点に惹かれ、実務教育出版の通信講座を選びました。

勉強は試験前年の12月から始め、判断推理・数的推理・憲法などの出題数の多い科目から取り組みました。特に数的推理は私自身が文系であり数字に苦手意識があるため、問題演習に苦戦しましたが、「Ｊトレプラス」を活用し外出先でも問題と正解を見比べ、問題を見たあとに正解を結びつけられるイメージを繰り返し、解ける問題を増やしていきました。

ある程度基礎知識が身についたあとは、過去問集や本試験問題例集を活用し、実際に試験で解答する問題を常にイメージしながら問題演習を繰り返しました。回答でミスした問題も放置せず基本問題であればあるほど復習を忘れずに日々解けない問題を減らしていくことを積み重ねていきました。

私のように一度就職活動中の公務員試験に失敗したとしても、通信講座を使い時間を有効的に活用すれば念願の合格も夢ではありません。試験直前も最後まであきらめず、落ちてしまったことがある方も、その経験を糧にぜひ頑張ってください。社会人から公務員へチャレンジされる全ての方を応援しています。

大卒程度 公務員総合コース

［教養のみ］

「教養」が得意になる、得点源にするための攻略コース！

受講対象	大卒程度 教養試験（基礎能力試験）対策 ［一般行政系（事務系）、技術系、資格免許職を問わず、都道府県、特別区（東京23区）、政令指定都市、市役所、国家一般職大卒など］	申込受付期間	2024年3月15日～2025年3月31日
		学習期間のめやす	6か月　学習期間のめやすです。個人のスケジュールに合わせて、長くも短くも調整することが可能です。試験本番までの期間を考慮し、ご自分に合った学習計画を立ててください。
受講料	68,200円 （本体62,000円＋税　教材費・指導費等を含む総額） ※受講料は、2024年4月1日現在のものです。	受講生有効期間	2026年10月31日まで

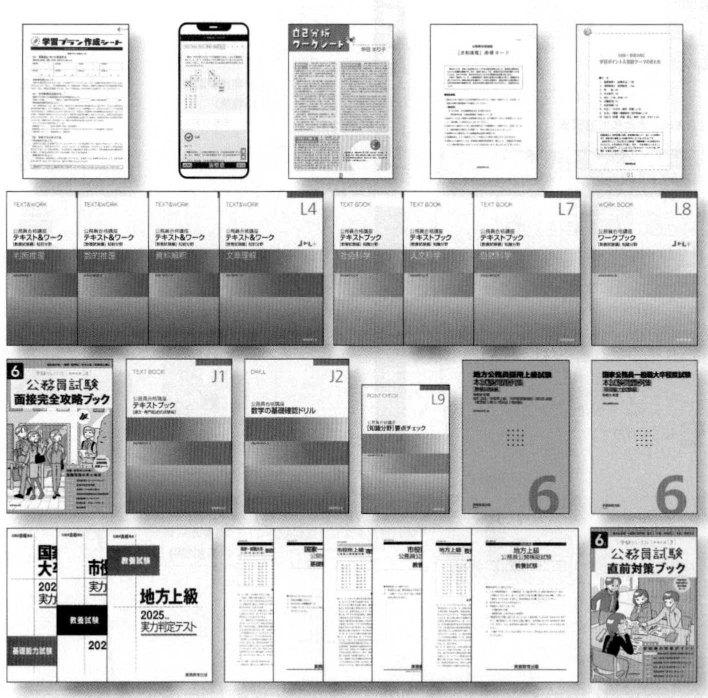

※表紙デザインは変更する場合があります

教材一覧

- ●受講ガイド（PDF）
- ●学習プラン作成シート
- ●テキスト＆ワーク［教養試験編］知能分野（4冊）
  判断推理、数的推理、資料解釈、文章理解
- ●テキストブック［教養試験編］知識分野（3冊）
  社会科学［政治、法律、経済、社会］
  人文科学［日本史、世界史、地理、文学・芸術、思想］
  自然科学［数学、物理、化学、生物、地学］
- ●ワークブック［教養試験編］知識分野
- ●数学の基礎確認ドリル
- ●［知識分野］要点チェック
- ●テキストブック［論文・専門記述式試験編］
- ●6年度　面接完全攻略ブック
- ●実力判定テスト ★（試験別 各1回）
  地方上級［教養試験、論文試験（添削2回）］
  国家一般職大卒［基礎能力試験、論文試験（添削2回）］
  市役所上級［教養試験、論・作文試験（添削2回）］
  ＊教養は自己採点　＊論文・作文は計6回添削
- ●［添削課題］面接カード（2回）
- ●自己分析ワークシート
- ●［時事・事情対策］学習ポイント＆重要テーマのまとめ（PDF）
- ●公開模擬試験 ★（試験別 各1回）＊マークシート提出
  地方上級［教養試験］
  国家一般職大卒［基礎能力試験］
  市役所上級［教養試験］
- ●本試験問題例集（試験別過去問1年分 全2冊）
  令和6年度 地方上級［教養試験編］★
  令和6年度 国家一般職大卒［基礎能力試験編］★
  ※平成27年度～令和6年度分は、［Jトレプラス］に収録
- ●7年度　直前対策ブック★
- ●eラーニング［Jトレプラス］

★印の教材は、発行時期に合わせて送付します（詳細は受講後にお知らせします）

success voice!!

「Jトレプラス」では「面接レッスンVideo」と、直前期に「動画で学ぶ時事対策」を利用しました

伊藤 拓生さん
信州大学卒業

長野県 技術系 合格

私が試験勉強を始めたのは大学院の修士1年の5月からでした。研究で忙しい中でも自分のペースで勉強ができることと、受講料が安価のため通信講座を選びました。

まずは判断推理と数的推理から始め、テキスト&ワークで解法を確認しました。知識分野は得点になりそうな分野を選んでワークを繰り返し解き、頻出項目を覚えるようにしました。秋頃から市販の過去問を解き始め、実際の問題に慣れるようにしました。また直前期には「動画で学ぶ時事対策」を追加して利用しました。食事の時間などに、繰り返し視聴していました。

2次試験対策は、「Jトレプラス」の「面接レッスンVideo」と、大学のキャリアセンターの模擬面接を利用し受け答えを改良していきました。

また、受講生専用サイトから質問ができることも大変助けになりました。私の周りには公務員試験を受けている人がほとんどいなかったため、試験の形式など気になったことを聞くことができてとてもよかったです。

公務員試験は対策に時間がかかるため、継続的に進めることが大切です。何にどれくらいの時間をかけるのか計画を立てながら、必要なことをコツコツと行っていくのが必要だと感じました。そして1次試験だけでなく、2次試験対策も早い段階から少しずつ始めていくのがよいと思います。またずっと勉強をしていると気が滅入ってくるので、定期的に気分転換することがおすすめです。

大卒程度 公務員択一攻略セット

[教養＋専門行政系]

教養＋専門が効率よく攻略できる

受講対象	大卒程度 一般行政系・事務系の教養試験（基礎能力試験）および専門試験対策 [都道府県、特別区（東京23区）、政令指定都市、市役所、国家一般職大卒など]
受講料	62,700円（本体57,000円＋税　教材費・指導費等を含む総額）※受講料は2024年4月1日現在のものです。
申込受付期間	2024年3月15日～2025年3月31日
学習期間のめやす	6か月　学習期間のめやすです。個人のスケジュールに合わせて、長くも短くも調整することが可能です。試験本番までの期間を考慮し、ご自分に合った学習計画を立ててください。
受講生有効期間	2026年10月31日まで

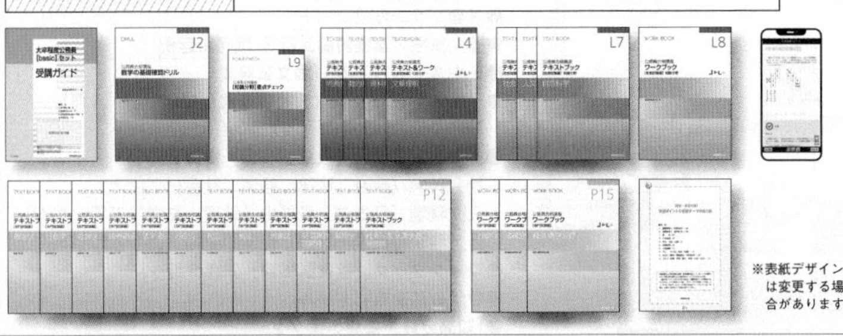

※表紙デザインは変更する場合があります

教材一覧

- ●受講ガイド（PDF）
- ●テキスト＆ワーク［教養試験編］知能分野（4冊）
  判断推理、数的推理、資料解釈、文章理解
- ●テキストブック［教養試験編］知識分野（3冊）
  社会科学［政治、法律、経済、社会］
  人文科学［日本史、世界史、地理、文学・芸術、思想］
  自然科学［数学、物理、化学、生物、地学］
- ●ワークブック［教養試験編］知識分野
- ●数学の基礎確認ドリル
- ●［知識分野］要点チェック
- ●テキストブック［専門試験編］（12冊）
  政治学、行政学、社会学、国際関係、法学・憲法、行政法、民法、刑法、労働法、経済原論（経済学）・国際経済学、財政学、経済政策・経済学史・経営学
- ●ワークブック［専門試験編］（3冊）
  行政分野、法律分野、経済・商学分野
- ●［時事・事情対策］学習ポイント&重要テーマのまとめ（PDF）
- ●過去問　※平成27年度～令和6年度　［Jトレプラス］に収録
- ●eラーニング［Jトレプラス］

教材は K コースと同じもので、面接・論文対策、模試がついていません。

大卒程度 公務員択一攻略セット

[教養のみ]

教養のみ効率よく攻略できる

受講対象	大卒程度 教養試験（基礎能力試験）対策 [一般行政系（事務系）、技術系、資格免許職を問わず、都道府県、政令指定都市、特別区（東京23区）、市役所など]
受講料	46,200円（本体42,000円＋税　教材費・指導費等を含む総額）※受講料は2024年4月1日現在のものです。
申込受付期間	2024年3月15日～2025年3月31日
学習期間のめやす	6か月　学習期間のめやすです。個人のスケジュールに合わせて、長くも短くも調整することが可能です。試験本番までの期間を考慮し、ご自分に合った学習計画を立ててください。
受講生有効期間	2026年10月31日まで

教材一覧

- ●受講ガイド（PDF）
- ●テキスト＆ワーク［教養試験編］知能分野（4冊）
  判断推理、数的推理、資料解釈、文章理解
- ●テキストブック［教養試験編］知識分野（3冊）
  社会科学［政治、法律、経済、社会］
  人文科学［日本史、世界史、地理、文学・芸術、思想］
  自然科学［数学、物理、化学、生物、地学］
- ●ワークブック［教養試験編］知識分野
- ●数学の基礎確認ドリル
- ●［知識分野］要点チェック
- ●［時事・事情対策］学習ポイント&重要テーマのまとめ（PDF）
- ●過去問　※平成27年度～令和6年度　［Jトレプラス］に収録
- ●eラーニング［Jトレプラス］

教材は C コースと同じもので、面接・論文対策、模試がついていません。

※表紙デザインは変更する場合があります

経験者採用試験コース

職務経験を活かして公務員転職を狙う教養・論文・面接対策コース！

POINT

広範囲の教養試験を頻出事項に絞って効率的な対策が可能！

8回の添削で論文力をレベルアップ
面接は、本番を想定した準備が可能！
面接レッスン Video も活用しよう！

受講対象	民間企業等職務経験者・社会人採用試験対策	
受講料	79,200円（本体72,000円＋税　教材費・指導費等を含む総額）※受講料は、2024年4月1日現在のものです。	
申込受付期間	2024年3月15日～2025年3月31日	
学習期間のめやす	6か月	学習期間のめやすです。個人のスケジュールに合わせて、長くも短くも調整することが可能です。試験本番までの期間を考慮し、ご自分に合った学習計画を立ててください。
受講生有効期間	2026年10月31日まで	

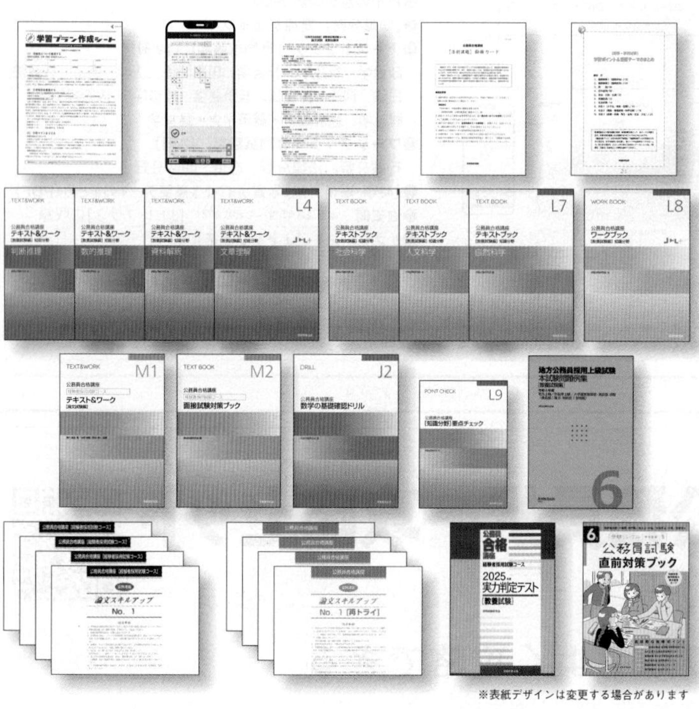

※表紙デザインは変更する場合があります

教材一覧

- ●受講ガイド（PDF）
- ●学習プラン作成シート
- ●論文試験・集団討論試験等 実際出題例
- ●テキスト＆ワーク［論文試験編］
- ●テキスト＆ワーク［教養試験編］知能分野（4冊）
  判断推理、数的推理、資料解釈、文章理解
- ●テキストブック［教養試験編］知識分野（3冊）
  社会科学［政治、法律、経済、社会］
  人文科学［日本史、世界史、地理、文学・芸術、思想］
  自然科学［数学、物理、化学、生物、地学］
- ●ワークブック［教養試験編］知識分野
- ●数学の基礎確認ドリル
- ●［知識分野］要点チェック
- ●面接試験対策ブック
- ●提出課題1（全4回）
  ［添削課題］論文スキルアップ No.1（職務経験論文）
  ［添削課題］論文スキルアップ No.2、No.3、No.4（一般課題論文）
- ●提出課題2（以下は初回答案提出後発送　全4回）
  再トライ用［添削課題］論文スキルアップ No.1（職務経験論文）
  再トライ用［添削課題］論文スキルアップ No.2、No.3、No.4（一般課題論文）
- ●実力判定テスト［教養試験］★（1回）＊自己採点
- ●［添削課題］面接カード（2回）
- ●［時事・事情対策］学習ポイント&重要テーマのまとめ（PDF）
- ●本試験問題例集（試験別過去問1年分 全1冊）
  令和6年度 地方上級［教養試験編］★
  ※平成27年度～令和6年度分は、［J トレプラス］に収録
- ●7年度　直前対策ブック★
- ●eラーニング［J トレプラス］

★印の教材は、発行時期に合わせて送付します（詳細は受講後にお知らせします）。

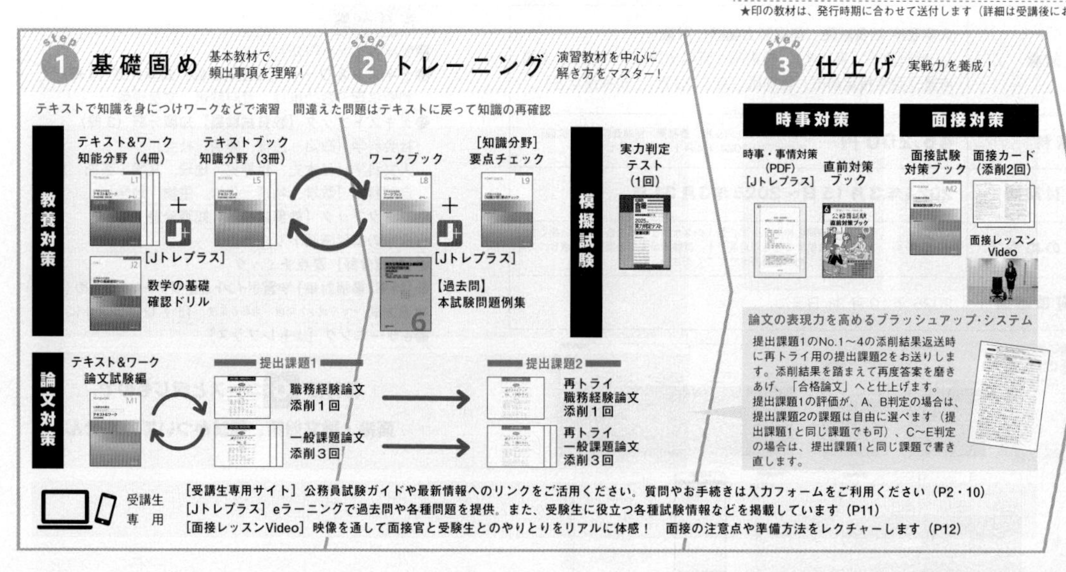

N

経験者採用試験 ［論文・面接試験対策］コース

経験者採用試験の論文・面接対策に絞って攻略！

POINT

8回の添削指導で
論文力をレベルアップ！

面接試験は、回答例を参考に
本番を想定した準備が可能！
面接レッスンVideoも活用しよう！

受講対象	民間企業等職務経験者・社会人採用試験対策
受講料	39,600円（本体36,000円＋税　教材費・指導費等を含む総額）※受講料は、2024年4月1日現在のものです。
申込受付期間	2024年3月15日～2025年3月31日
学習期間のめやす	4か月　学習期間のめやすです。個人のスケジュールに合わせて、長くも短くも調整することが可能です。試験本番までの期間を考慮し、ご自分に合った学習計画を立ててください。
受講生有効期間	2026年10月31日まで

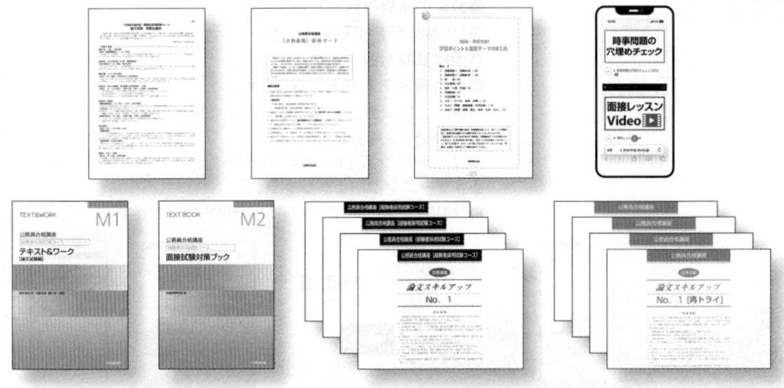

教材一覧

- ●受講のてびき
- ●論文試験・集団討論試験等 実際出題例
- ●テキスト＆ワーク［論文試験編］
- ●面接試験対策ブック
- ●提出課題1（全4回）
  - ［添削課題］論文スキルアップ No.1（職務経験論文）
  - ［添削課題］論文スキルアップ No.2、No.3、No.4（一般課題論文）
- ●提出課題2（以下は初回答案提出後発送　全4回）
  - 再トライ用［添削課題］論文スキルアップ No.1（職務経験論文）
  - 再トライ用［添削課題］論文スキルアップ No.2、No.3、No.4（一般課題論文）
- ●［添削課題］面接カード（2回）
- ●［時事・事情対策］学習ポイント&重要テーマのまとめ（PDF）
- ●eラーニング［Jトレプラス］

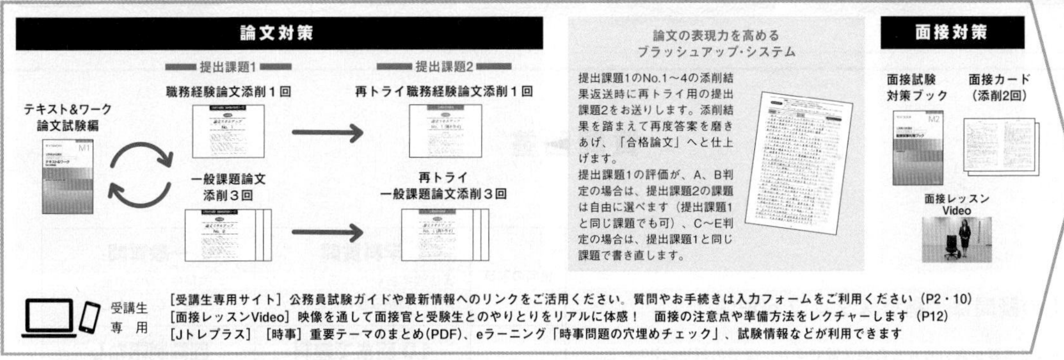

※『経験者採用試験コース』と『経験者採用試験［論文・面接試験対策］コース』の論文・面接対策教材は同じものです。両方のコースを申し込む必要はありません。どちらか一方をご受講ください。

success voice!!

通信講座のテキスト、添削のおかげで効率よく公務員試験に必要な情報を身につけることができました

小川 慎司さん
南山大学卒業

国家公務員中途採用者選考試験（就職氷河期世代）合格

私が大学生の頃はいわゆる就職氷河期で、初めから公務員試験の合格は困難と思い、公務員試験に挑戦しませんでした。そのことが大学卒業後20年気にかかっていましたが、現在の年齢でも公務員試験を受験できる機会を知り、挑戦しようと思いました。

通信講座を勉強方法として選んだ理由は、論文試験が苦手だったため、どこが悪いのかどのように書けばよいのかを、客観的にみてもらいたいと思ったからです。

添削は、案の定厳しい指摘をいただき、論文の基本的なことがわかっていないことを痛感しましたが、返却答案のコメントやテキストをみていくうちに、順を追って筋道立てて述べること、明確に根拠を示すことなど論文を書くポイントがわかってきました。すると筆記試験に合格するようになりました。

面接は、面接試験対策ブックが役に立ちました。よくある質問の趣旨、意図が書いてあり、面接官の問いたいことはなにかという視点で考えて、対応することができるようになりました。

正職員として仕事をしながらの受験だったので、勉強時間をあまりとることができませんでしたが、通信講座のテキスト、添削のおかげで効率よく公務員試験に必要な情報を身につけることができました。

ちょうどクリスマスイブに合格通知書が届きました。そのときとても幸せな気持ちになりました。40歳代後半での受験で合格は無理ではないかと何度もくじけそうになりましたが、あきらめず挑戦してよかったです。

2025 年度試験対応

市役所教養トレーニングセット

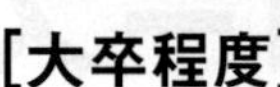

[大卒程度]

大卒程度の市役所試験を徹底攻略！

受講対象	大卒程度 市役所 教養試験対策 一般行政系（事務系）、技術系、資格免許職を問わず、大卒程度市役所
受講料	31,900 円（本体 29,000 円＋税　教材費・指導費等を含む総額） ※受講料は 2024 年 8 月 1 日現在のものです。
申込受付期間	2024 年 8 月 1 日～ 2025 年 7 月 31 日
学習期間のめやす	3 か月　学習期間のめやすです。個人のスケジュールに合わせて、長くも短くも調整することが可能です。試験本番までの期間を考慮し、ご自分に合った学習計画を立ててください。
受講生有効期間	2026 年 10 月 31 日まで

教材一覧

- ●受講ガイド（PDF）
- ●学習のモデルプラン
- ●テキスト＆ワーク［教養試験編］知能分野（4 冊）
  判断推理、数的推理、資料解釈、文章理解
- ●テキストブック［教養試験編］知識分野（3 冊）
  社会科学［政治、法律、経済、社会］
  人文科学［日本史、世界史、地理、文学・芸術、思想］
  自然科学［数学、物理、化学、生物、地学］
- ●ワークブック［教養試験編］知識分野
- ●数学の基礎確認ドリル
- ●［知識分野］要点チェック
- ●面接試験対策ブック
- ●実力判定テスト★　＊教養は自己採点
  市役所上級［教養試験、論・作文試験（添削２回）］
- ●過去問（5 年分）
  ［J トレプラス］に収録　※令和２年度～６年度
- ●eラーニング［J トレプラス］

★印の教材は、発行時期に合わせて送付（詳細は受講後にお知らせします）。

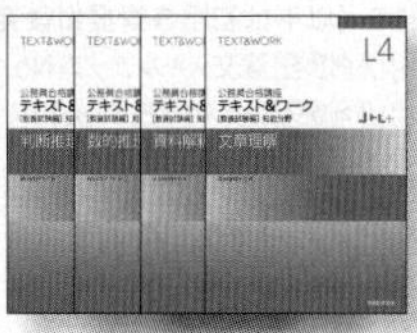
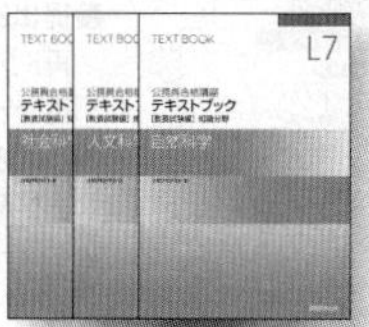

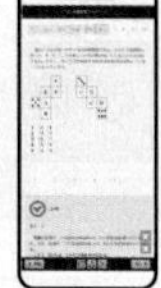

※表紙デザインは変更する場合があります

質問回答

学習上の疑問は、指導スタッフが解決！

マイペースで学習が進められる自宅学習ですが、疑問の解決に不安を感じる方も多いはず。でも「公務員合格講座」なら、学習途上で生じた疑問に、指導スタッフがわかりやすく丁寧に回答します。
手軽で便利な質問回答システムが、通信学習を強力にバックアップします！

質問の種類	学科質問 通信講座教材の内容についてわからないこと	一般質問 志望先や学習計画に関することなど
回数制限	10 回まで無料 11 回目以降は有料となります。詳細は下記参照	回数制限なし 何度でも質問できます。
質問方法	受講生専用サイト　郵便　FAX 受講生専用サイト、郵便、FAX で受け付けます。	受講生専用サイト　電話　郵便　FAX 受講生専用サイト、電話、郵便、FAX で受け付けます。

受講生特典

受講後、実務教育出版の書籍を当社に直接ご注文いただくとすべて 10%割引になります！！

公務員合格講座受講生の方は、当社へ直接ご注文いただく場合に限り、実務教育出版発行の本すべてを 10% OFF でご購入いただけます。
書籍の注文方法は、受講生専用サイトでお知らせします。

いつでもどこでも学べる学習環境を提供！

eラーニング

Jトレ+
［Jトレプラス］

K C L D M R

時間や場所を選ばず学べます！

スマホで「いつでも・どこでも」学習できるツールを提供しています。本番形式の「五肢択一式」のほか、手軽な短答式で重要ポイントの確認・習得が効率的にできる「穴埋めチェック」や短時間でトライできる「ミニテスト」など、さまざまなシチュエーションで活用できるコンテンツをご用意しています。外出先などでも気軽に問題に触れることができ、習熟度がUPします。

ホーム

五肢択一式　穴埋めチェック

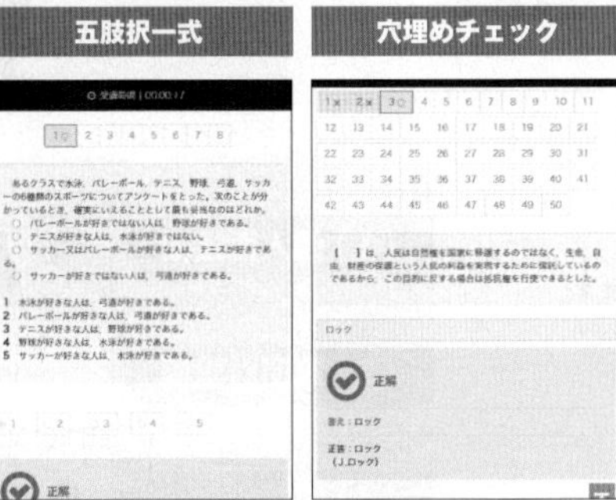

ミニテスト

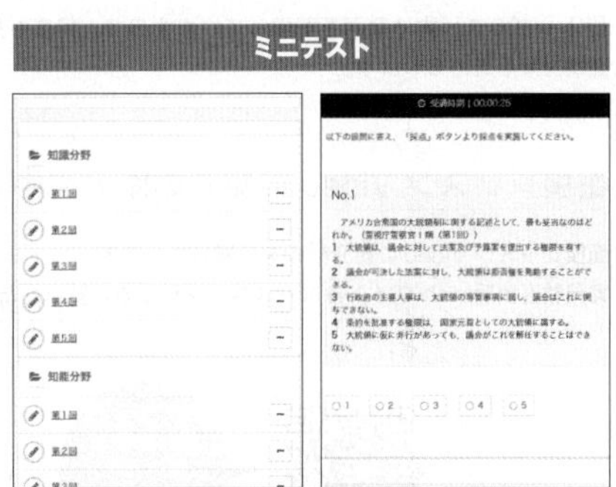

スキマ時間で、問題を解く！　テキストで確認！

＼利用者の声／

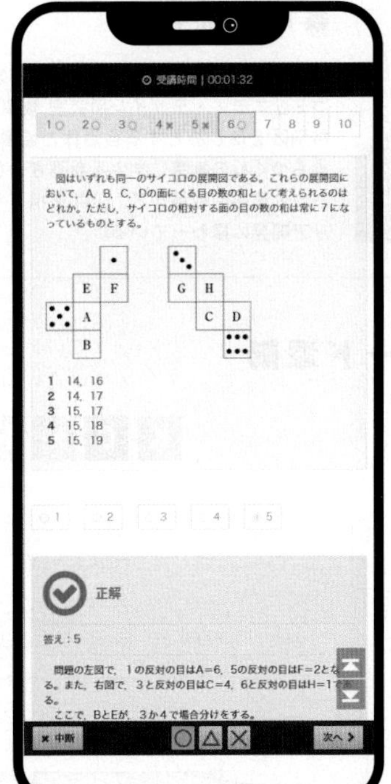

［Jトレプラス］をスマートフォンで利用し、ゲーム感覚で問題を解くことができたので、飽きることなく進められて良かったと思います。

ちょっとした合間に手軽に取り組める［J トレプラス］でより多くの問題に触れるようにしていました。

通学時間に利用した［J トレプラス］は時間が取りにくい理系学生にも強い味方となりました。

テキスト自体が初心者でもわかりやすい内容になっていたのでモチベーションを落とさず勉強が続けられました。

テキスト全冊をひととおり読み終えるのに苦労しましたが、一度読んでしまえば、再読するのにも時間はかからず、読み返すほどに理解が深まり、やりがいを感じました。勉強は苦痛ではなかったです。

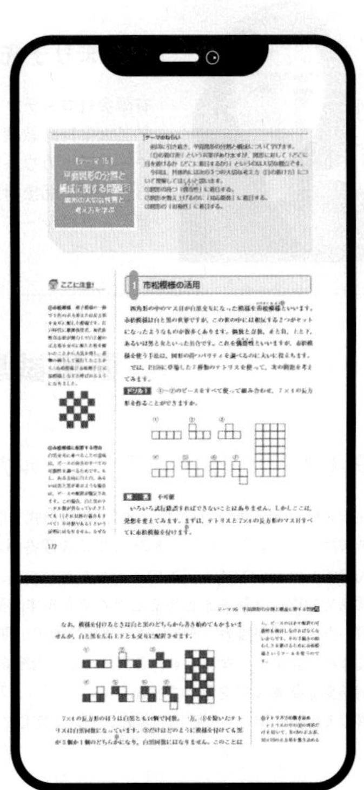

対応コースを記号で明記しています。

K …大卒程度公務員総合コース［教養+専門行政系］
C …大卒程度公務員総合コース［教養のみ］
L …大卒程度公務員択一攻略セット［教養+専門行政系］
D …大卒程度公務員択一攻略セット［教養のみ］
M …経験者採用試験コース
N …経験者採用試験［論文・面接試験対策］コース
R …市役所教養トレーニングセット

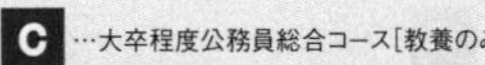

面接のポイントが動画や添削でわかる！

面接レッスン Video

K C M N R

面接試験をリアルに体感！

実際の面接試験がどのように行われるのか、自分のアピール点や志望動機をどう伝えたらよいのか？
面接レッスン Video では、映像を通して面接試験の緊張感や面接官とのやりとりを実感することができます。面接試験で大きなポイントとなる「第一印象」対策も、ベテラン指導者が実地で指南。対策が立てにくい集団討論やグループワークなども含め、準備方法や注意点をレクチャーしていきます。
また、動画内の面接官からの質問に対し声に出して回答し、その内容をさらにブラッシュアップする「実践編」では、「質問の意図」「回答の適切な長さ」などを理解し、本番をイメージしながらじっくり練習することができます。
［J トレプラス］内で動画を配信していますので、何度も見て、自分なりの面接対策を進めましょう。

面接レッスン Video の紹介動画公開中！

面接レッスン Video の紹介動画を公開しています。
実務教育出版 web サイト各コースページからもご覧いただけます。

（1）個人面接編
（2）集団討論編
（3）実践編
の3つを
見ることができます！
※コースによって異なる場合があります。
実務教育出版

指導者 Profile

坪田まり子先生

有限会社コーディアル代表取締役、東京学芸大学特命教授、プロフェッショナル・キャリア・カウンセラー®。
自己分析、面接対策などの著書を多数執筆し、就職シーズンの講演実績多数。

森下一成先生

東京未来大学モチベーション行動科学部コミュニティ・デザイン研究室 教授。
特別区をはじめとする自治体と協働し、まちづくりの実践に学生を参画させながら、公務員や教員など、公共を担うキャリア開発に携わっている。

面接試験対策テキスト / 面接カード添削

K C M N

テキストと添削で自己アピール力を磨く！

面接試験対策テキストでは、面接試験の形式や評価のポイントを解説しています。テキストの「質問例＆回答のポイント」では、代表的な質問に対する回答のポイントをおさえ、事前に自分の言葉で的確な回答をまとめることができます。面接の基本を学習した後は「面接カード」による添削指導で、問題点を確認し、具体的な対策につなげます。2回分の提出用紙を、「1回目の添削結果を踏まえて2回目を提出」もしくは「2回目は1回目と異なる受験先用として提出」などニーズに応じて利用できます。

▲面接試験対策テキスト

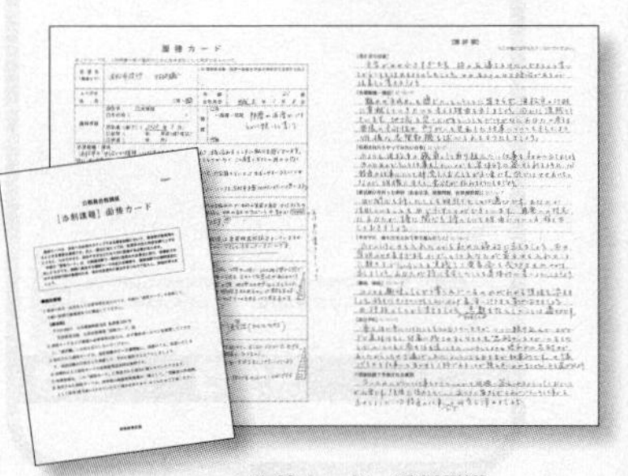

▲面接カード・添削指導

対応コースを記号で明記しています。

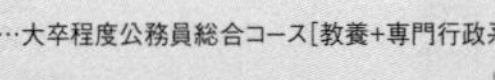
K …大卒程度公務員総合コース［教養+専門行政系］

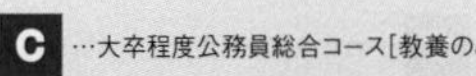
C …大卒程度公務員総合コース［教養のみ］

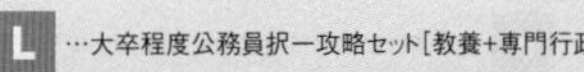
L …大卒程度公務員択一攻略セット［教養+専門行政系］

D …大卒程度公務員択一攻略セット［教養のみ］　M …経験者採用試験コース　N …経験者採用試験［論文・面接試験対策］コース　R …市役所教養トレーニングセット

お申し込み方法・受講料一覧

インターネット

実務教育出版ウェブサイトの「公務員合格講座 受講申込」ページへ進んでください。

●受講申込についての説明をよくお読みになり【申込フォーム】に必要事項を入力の上［送信］してください。
●【申込フォーム】送信後、当社から［確認メール］を自動送信しますので、必ずメールアドレスを入力してください。

■お支払方法

コンビニ・郵便局で支払う
教材と同送の「払込取扱票」でお支払いください。お支払い回数は「1回払い」のみです。

クレジットカードで支払う
インターネット上で決済できます。ご利用いただけるクレジットカードは、VISA、Master、JCB、AMEXです。お支払い回数は「1回払い」のみです。

※クレジット決済の詳細は、各カード会社にお問い合わせください。

■複数コース受講特典

コンビニ・郵便局で支払いの場合
以前、公務員合格講座の受講生だった方（現在受講中含む）、または今回複数コースを同時に申し込まれる場合は、受講料から3,000円を差し引いた金額を印字した「払込取扱票」をお送りします。
以前、受講生だった方は、以前の受講生番号を【申込フォーム】の該当欄に入力してください（ご本人様限定）。

クレジットカードで支払いの場合
以前、公務員合格講座の受講生だった方（現在受講中含む）、または今回複数コースを同時に申し込まれる場合は、後日当社より直接ご本人様宛にQUOカード3,000円分を進呈いたします。
以前、受講生だった方は、以前の受講生番号を【申込フォーム】の該当欄に入力してください（ご本人様限定）。

詳しくは、実務教育出版ウェブサイトをご覧ください。
「公務員合格講座 受講申込」
https://form.jitsumu.co.jp/contact/kouza_app/default.aspx?fcd=1203999

教材のお届け
あなたからのお申し込みデータにもとづき受講生登録が完了したら、教材の発送手配をいたします。
＊教材一式、受講生証などを発送します。　＊通常は当社受付日の翌日に発送します。
＊お申し込み内容に虚偽があった際は、教材の送付を中止させていただく場合があります。

受講料一覧［インターネットの場合］

コース記号	コース名	受講料	申込受付期間
K	大卒程度 公務員総合コース［教養＋専門行政系］	**93,500円**（本体85,000円＋税）	2024年3月15日～2025年3月31日
C	大卒程度 公務員総合コース［教養のみ］	**68,200円**（本体62,000円＋税）	
L	大卒程度 公務員択一攻略セット［教養＋専門行政系］	**62,700円**（本体57,000円＋税）	
D	大卒程度 公務員択一攻略セット［教養のみ］	**46,200円**（本体42,000円＋税）	
M	経験者採用試験コース	**79,200円**（本体72,000円＋税）	
N	経験者採用試験［論文・面接試験対策］コース	**39,600円**（本体36,000円＋税）	
R	市役所教養トレーニングセット［大卒程度］	**31,900円**（本体29,000円＋税）	2024年8月1日～2025年7月31日

＊受講料には、教材費・指導費などが含まれております。　＊お支払い方法は、一括払いのみです。　＊受講料は、2024年8月1日現在の税込価格です。

【返品・解約について】

◇教材到着後、未使用の場合のみ2週間以内であれば、返品・解約ができます。
◇返品・解約される場合は、必ず事前に当社へ電話でご連絡ください（電話以外は不可）。
TEL：03-3355-1822（土日祝日を除く9：00～17：00）
◇返品・解約の際、お受け取りになった教材一式は、必ず実務教育出版あてにご返送ください。教材の返送料は、お客様のご負担となります。
◇2週間を過ぎてからの返品・解約はできません。また、2週間以内でも、お客様による折り目や書き込み、破損、汚れ、紛失等がある場合は、返品・解約ができませんのでご了承ください。
◇全国の取扱い店（大学生協・書店）にてお申し込みになった場合の返品・解約のご相談は、直接、生協窓口・書店へお願いいたします。

個人情報取扱原則　実務教育出版では、個人情報保護法など関連法規に基づいて個人情報を取り扱います。

1　利用目的　実務教育出版の商品（通信講座など）をご契約、ならびにお問い合わせいただいたお客様に対して、教材発送、案内資料の送付、お問い合わせやご相談の返答、その他関連サービスの提供やご案内、また、社内での調査・研究（アンケート等）などに利用させていただきます。
2　個人情報の管理　(1) 関係する法令等を順守いたします。(2) 利用目的の範囲を超えて個人情報を利用することはありません。(3) 業務上、外部の協力会社等にデータ処理を委託する場合は、適切な指導・監督を行うとともに、委託業務に関して契約を取り交わし、機密保持に努めます。
3　個人情報の第三者への供与制限　お客様の個人情報は、以下のいずれかに該当する場合を除き、第三者に提供することはありません。(1) お客様への契約の履行、商品提供や各種サービスを実施するため、社外の協力会社へデータ処理を委託する場合。(2) お客様の同意がある場合。(3) 法令に基づき司法機関、行政機関から法的義務を伴う要請を受けた場合。
4　個人情報の訂正・利用停止の手続き　お客様ご本人より、個人情報の誤りについての訂正や利用停止のご連絡をいただいた場合は、お手続きの間に合う時点から速やかに処理を行います。
5　お問い合わせ窓口　個人情報についての苦情・お問い合わせは、下記にて受け付けいたします。
公務員指導部　TEL.03-3355-1822（土日祝日を除く9：00～17：00）

公務員受験生を応援するwebサイト

※サイトのデザインは変更する場合があります

実務教育出版は、68年の伝統を誇る公務員受験指導のパイオニアとして、常に新しい合格メソッドと学習スタイルを提供しています。最新の公務員試験情報や詳しい公務員試験ガイド、国の機関から地方自治体までを網羅した官公庁リンク集、さらに、受験生のバイブル・実務教育出版の公務員受験ブックスや通信講座など役立つ学習ツールを紹介したオリジナルコンテンツも見逃せません。お気軽にご利用ください。

公務員試験ガイド

【公務員試験ガイド】は、試験別に解説しています。試験区分・受験資格・試験日程・試験内容・各種データ、対応コースや関連書籍など、盛りだくさん！

あなたに合ったお仕事は？ 公務員クイック検索！

【公務員クイック検索！】は、選択条件を設定するとあなたに合った公務員試験を検索することができます。

公務員合格講座に関するお問い合わせ　実務教育出版 公務員指導部

「どのコースを選べばよいか」、「公務員合格講座のシステムのここがわからない」など、公務員合格講座についてご不明な点は、電話かwebのお問い合わせフォームよりお気軽にご質問ください。公務員指導部スタッフがわかりやすくご説明いたします。

電話 **03-3355-1822** （土日祝日を除く 9：00～17：00）

web **https://www.jitsumu.co.jp/contact/inquiry/**
（お問い合わせフォーム）

実務教育出版
www.jitsumu.co.jp
〒163-8671　東京都新宿区新宿1-1-12 / TEL：03-3355-1822（土日祝日を除く 9：00～17：00）

警察官・消防官［大卒程度］
一次試験対策セット！

大卒程度の警察官・消防官の一次試験合格に必要な書籍、教材、模試をセット販売します。問題集をフル活用することで合格力を身につけることができます。模試は自己採点でいつでも実施することができ、論文試験は対策に欠かせない添削指導を受けることができます。

警察官 スーパー過去問セット［大卒程度］

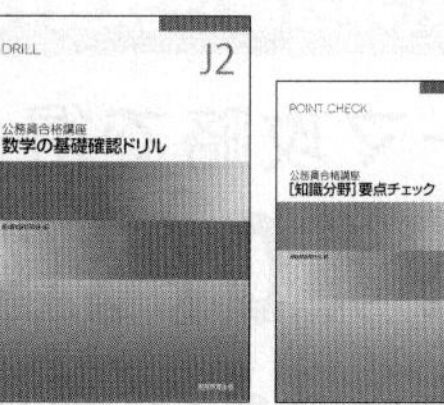

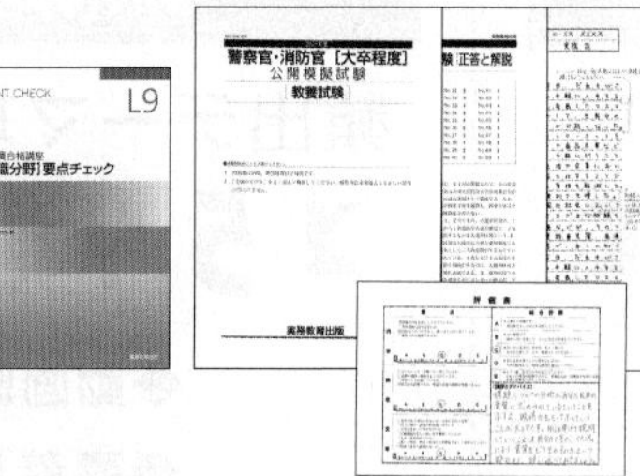

教材一覧

- 大卒程度 警察官・消防官 スーパー過去問ゼミ［改訂第3版］
社会科学、人文科学、自然科学、判断推理、数的推理、文章理解・資料解釈
- 数学の基礎確認ドリル
- ［知識分野］要点チェック
- 2026年度版 大卒警察官 教養試験 過去問350
- 警察官・消防官［大卒程度］ 公開模擬試験
＊問題、正答と解説（自己採点）、論文（添削付き）

セット価格 18,150円（税込）

申込受付期間 2024年10月25日～

消防官 スーパー過去問セット［大卒程度］

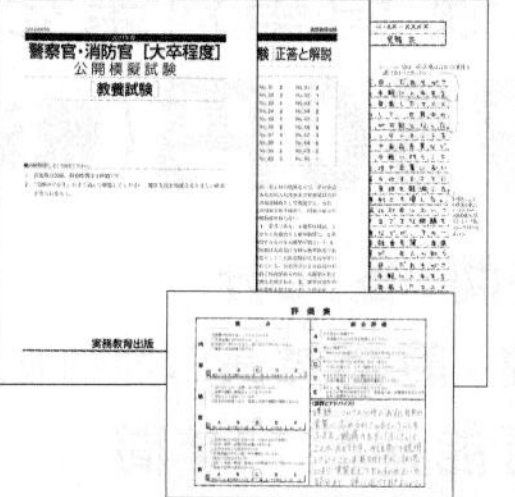

教材一覧

- 大卒程度 警察官・消防官 スーパー過去問ゼミ［改訂第3版］
社会科学、人文科学、自然科学、判断推理、数的推理、文章理解・資料解釈
- 数学の基礎確認ドリル
- ［知識分野］要点チェック
- 2025年度版 大卒・高卒消防官 教養試験 過去問350
- 警察官・消防官［大卒程度］ 公開模擬試験
＊問題、正答と解説（自己採点）、論文（添削付き）

セット価格 18,150円（税込）

申込受付期間 2024年1月12日～

公務員 公開模擬試験

2025年度試験対応

主催：実務教育出版

自宅で受けられる模擬試験！直前期の最終チェックにぜひご活用ください！

試験名	申込締切日 ※	問題発送日 当社発送日	答案締切日 当日消印有効	結果発送日 当社発送日	受験料（税込）	受験料［教養のみ］（税込）
地方上級 公務員	2/25	3/13	3/27	4/16	5,390円 教養+専門	3,960円 教養のみ
国家一般職大卒	2/25	3/13	3/27	4/16	5,390円 基礎能力+専門	3,960円 基礎能力のみ
［大卒程度］警察官・消防官	2/25	3/13	3/27	4/16	4,840円 教養+論文添削	
市役所上級 公務員	4/3	4/18	5/7	5/26	4,840円 教養+専門	3,960円 教養のみ
高卒・短大卒程度 公務員	6/5	6/23	7/11	8/1	3,850円 教養+適性+作文添削	
［高卒・短大卒程度］警察官・消防官	6/5	6/23	7/11	8/1	3,850円 教養+作文添削	

※申込締切日後は【自己採点セット】を販売予定。詳細は4月上旬以降に実務教育出版webサイトをご覧ください。　＊自宅受験のみになります。

▼試験構成・対象

試験名	試験時間・問題数	対象
地方上級 公務員 ＊問題は２種類から選択	教養［択一式/2時間30分/全問：50題 or 選択：55題中45題］ 専門(行政系)［択一式/2時間/全問：40題 or 選択：50題中40題］	都道府県・政令指定都市・特別区（東京23区）の大卒程度一般行政系
国家一般職大卒	基礎能力試験［択一式/1時間50分/30題］ 専門(行政系)［択一式/3時間/16科目（80題）中 8科目（40題）］	行政
［大卒程度］警察官・消防官	教養［択一式/2時間/50題］ 論文［記述式/60分/警察官 or 消防官 いずれか1題］＊添削付き	大卒程度 警察官・消防官（男性・女性）
市役所上級 公務員	教養［択一式/2時間/40題］ 専門(行政系)［択一式/2時間/40題］	政令指定都市以外の市役所の大卒程度一般行政系（事務系）
高卒・短大卒程度 公務員	教養［択一式/1時間40分/45題］　適性［択一式/15分/120題］ 作文［記述式/50分/1題］＊添削付き	都道府県・市区町村、国家一般職（高卒者、社会人）事務、国家専門職（高卒程度、社会人）、国家特別職（高卒程度）など高卒・短大卒程度試験
［高卒・短大卒程度］警察官・消防官	教養［択一式/2時間/50題］ 作文［記述式/60分/警察官 or 消防官 いずれか1題］＊添削付き	高卒・短大卒程度 警察官・消防官（男性・女性）

実務教育出版webサイトからお申し込みください

https://www.jitsumu.co.jp/

■模擬試験の特徴

●2025年度（令和7年度）試験対応の予想問題を用いた、実戦形式の試験です！

試験構成、出題数、試験時間など実際の試験と同形式です。マークシートの解答方法はもちろん時間配分に慣れることができ、本試験直前期に的確な最終チェックが可能です。

●自宅で本番さながらの実戦練習ができます！

全国規模の実施ですので、実力を客観的に把握できます。「正答と解説」には、詳しい説明が記述されていますので、周辺知識までが身につき、一層の実力アップがはかれます。

●全国レベルの実力がわかる、客観的な判定資料をお届けします！

マークシートご提出後に、個人成績表をお送りいたします。精度の高い合格可能度判定をはじめ、得点、偏差値、正答率などの成績データにより、学習の成果を確認できます。

■申込方法

公開模擬試験は、実務教育出版webサイトの公開模擬試験申込フォームからお申し込みください。

1.受験料のお支払いは、クレジット決済、コンビニ決済の2つの方法から選べます。

2.コンビニ決済の場合、ご利用のコンビニを選択すると、お申込情報（金額や払込票番号など）とお支払い方法が表示されます。その指示に従い指定期日（ネット上でのお申込み手続き完了日から6日目の23時59分59秒）までにコンビニのカウンターにて受験料をお支払いください。この期限を過ぎますと、お申込み自体が無効となりますので、十分ご注意ください。

スマホから
簡単アクセス

【ご注意】決済後の受験内容の変更・キャンセル等、受験料の返金を伴うご要望には一切応じることができませんのでご了承ください。氏名は、必ず受験者ご本人様のお名前で、入力をお願いいたします。

◆公開模擬試験についてのお問い合わせ先

問題発送日より1週間経っても問題が届かない場合、下記「公開模擬試験」係までお問い合わせください。

実務教育出版　「公開模擬試験」係　TEL：03-3355-1822（土日祝日を除く9：00～17：00）

当社 2025 年度 通信講座受講生 は下記の該当試験を無料で受験できます。

申込手続きは不要です。問題発送日になりましたら、自動的に問題、正答と解説をご自宅に発送します。

＊無料受験対象以外の試験をご希望の方は、当サイトの公開模擬試験申込フォームからお申し込みください。

▼各コースの無料受験できる公開模擬試験は下記のとおりです。

あなたが受講している通信講座のコース名	無料受験できる公開模擬試験
大卒程度公務員総合コース［教養＋専門行政系］	地方上級（教養＋専門）　国家一般職大卒（基礎能力＋専門） 市役所上級（教養＋専門）
大卒程度公務員総合コース［教養のみ］	地方上級（教養のみ）　国家一般職大卒（基礎能力のみ） 市役所上級（教養のみ）

【実力判定テスト】もあります！

詳細は、実務教育出版webサイトをご覧ください。